KB154882

분석 고대한국사

분석 고대한국사

2019년 12월 5일 초판 1쇄 발행

글쓴이 이도학

펴낸이 권혁재

편 집 권이지

제 작 성광인쇄(주)
펴낸곳 학연문화사
등 록 1988년 2월 26일 제2-501호
주 소 서울시 금천구 가산디지털1로 168 우림라이온스밸리 B동 712호

전 화 02-2026-0541
팩 스 02-2026-0547
E-mail hak7891@chol.com

책값은 뒷표지에 있습니다.
잘못된 책은 바꾸어 드립니다.

ISBN 978-89-5508-404-7 93910

이 도서의 국립중앙도서관 출판예정도서목록(CIP)은 서지정보유통지원시스템 홈페이지(http://seoji.nl.go.kr)와 국가자료종합목록 구축시스템(http://kolis-net.nl.go.kr)에서 이용하실 수 있습니다. (CIP제어번호 : CIP2019047035)

분석 고대한국사

이도학 著

학연문화사

머리말

1

역사 연구에서 기본적인 작업은 시대를 나누는 일이다. 한국사도 체계적으로 살피기 위해 고대-중세-근대라는 3시기 구분법을 적용해 왔다. 문제는 한국사의 전개 과정은 유럽사의 경험과 동질하지 않았다는 것이다. 굳이 3시기 구분법을 적용한다고 하자. 그러면 고대 사회의 해체와 중세 사회의 기점을 잡는 일이 중요한 관건이었다. 한 사회가 해체될 때는 기존 체제에 대한 광범위한 저항이 펼쳐지게 마련이다. 그리고 새로운 시대로 넘어간다면 파라다임이 달라진다. 체제를 움직였던 사회적 규약과 틀이 바뀌어야만 한다. 왕조 체제에서 이러한 조건에 부합하는 시점은 고려 광종대의 과거제 시행(958년)부터로 간주된다. 비록 시작은 미미했지만, 사회를 이끌어가는 지배 세력의 배출 방식에 있어서 획기였기 때문이다. 골품제로 상징되는 혈연에 근거한 폐쇄적 신분제에서, 사회적 유동성을 가져온 게 과거제였다.

이는 단순한 신분질서의 변화나 참여 폭의 확대에만 국한되지 않았다. 통치 거점에서도 변화가 수반되었다. 고대 사회의 통치 거점은 산성이었다. 고려에서는 통치 거점이 전반적으로 구릉이나 평지의 읍성으로 내려왔다. 조선의 경우는 대부분 평지에 읍성이 조성되었다. 그리고 삼국~통일신라 산성의 경우는 유사시에 주민들이 入保하는 형식이었다. 그런데 반해 고려~조선의 읍성은 민간인들까지 함께 거주하였다. 성 안의 상시 거주 대상이 소수의 지배층과 그에 복무하는 계층만 아니었다. 일반 주민에까지 확대된 것이다.

과거제 실시 이후 사회 전반적인 기풍이 文治로 흘러갔다. 그랬기에 고려에서는 병마권도 문신이 장악하였다. 武科는 고려 멸망 직전인 공양왕대에나 시행되었다. 그리고 통일신라 때까지 관등을 지녔던 지배층 신분이 기술직이었다. 그러한 기술직의 사회적 신분의 급격한 하락도 두드러졌다.

이러한 여러 요소를 놓고서 본서에서는 과거제가 시행되는 10세기 중엽을 중세의 기점 즉 시대구분의 축으로 설정했다.

국가의 발전 단계를 설정하는 작업은 결코 용이하지 않았다. 고구려·백제·신라의 경우만 하더라도 각국이 처한 여러 요인으로 인해 정형화는 쉽지 않았다. 분명한 것은 율령제 국가 즉 집권국가에 이르는 단계가 서로 달랐다는 것이다. 물론 공통분모도 존재하였지만, 인정하지 않을 수 없는 엄존한 각국의 차이에 맞는 단계를 규정해 보았다. 차후에도 더 많은 고심이 요망되는 과제로 남겨 놓았다.

본서에서는 기존 통념과 상이한 내용이 아주 많다. 고조선은 인정 여부를 떠나 현재 통상적으로 단군조선-기자조선-위만조선으로 일컫고 있다. 시조 이름을 국가 이름으로 사용하였다. 이런 경우는 '이성계 조선'으로 일컫는 것과 동일하다. 그렇기에 본서에서는 3조선 최고 통치자에 대한 호칭을 국가 이름으로 부여했다. 『삼국유사』에서 '왕검조선'으로 표기한 사례에 준하였다. 『삼국유사』에 따르면 단군은 인명이고, 왕검은 王號였다. 전국7웅의 하나였던 燕과 대립했던 고조선의 최고 지배자는 侯에서 王을 칭하였다. 단순한 호칭의 變改가 아니라 국가 규모와 위상의 확대를 뜻하는 징표가 분명했다. 따라서 기자조선은 '侯 · 王朝鮮'으로 이름을 붙였다. 마지막 위만조선의 최고 지배자는 '裨王'이라는 小王을 거느렸던 대왕이었다. 그랬기에 '대왕조선'으로 표기하였다.

그리고 '侯 · 王朝鮮'의 최고 지배자가 箕子의 후예를 칭한 배경을 추정하였다. 그 결과 전국7웅의 하나인 燕과의 충돌을 夷狄이 아닌 중화질서 속에서의 경쟁이라는, 명분 확보 차원에서 기인했음을 밝혔다. 조선으로 망명할 때 위만의 두발인 '魋結'를 剃頭한 변발로 구명했다. 비록 중화세계의 일원을 표방했지만, 고조선의 종족적 계통은 물론이고 문화적 기반 역시 漢族과는 판이하게 구분됨을 가리키는 징표였다. 이로써 고조선과 숙신과의 연관성이 엿보였다. 남창 손진태와 사회경제주의 사학자인 이청원이 여진사를 한국사에 편제시킨 접점이기도 했다.

고조선사 뿐 아니라 한국고대사에 지대한 영향을 미쳤던 세력이 낙랑군이었다. 대동강유역에 소재했던 낙랑군의 종언을 313년으로 지목하는 견해가 정설이다. 그러나 이곳의 낙랑은 1세기 후반 경에는 요동으로 이동했음을 포착했다. 평양에 2~3세기대 고구려 적석총이 조성되고, 3세기 중엽 동천왕대의 移都가 가능한 배경을 밝혔다. 이와 관련해 문헌과 물적 자료를 상당히 많이 제시했다. 그리고 한반도 중부 지역에서 돌연히 등장한 낙랑계 토기 문화의 震源地가 嶺西樂浪임을 밝혔다. 물론 낙랑토성에서 출토된 '大晋元康' (291~299) 銘 와당을 근거로 한반도내 낙랑군의 존속 기간을 313년까지로 잡고 있다. 그러나 중국 연호가 적힌 명문 瓦塼은 5세기대까지도 고구려 영역에서 보인다. 가령 황해도 신천군 西湖里에서는 東晋의 '元興三年'(404) 명문 전돌과 황해도 신천군 복우리 제5호분에서는 後燕의 '建始元年'(407) 명문 전돌이다. 당시 이곳은 고구려 영역이었고, 광개토왕 대였기에 永樂 연호를 사용했어야 마땅하다. 그러나 연호만 본다면 신천군 지역을 東晋과 後燕이 양분한 것처럼 비춰진다. 그렇다고 신천군 일대가 중국 영역은 아니었다. 고구려 국내성 안에서 東晋의 연호인 '太寧四年'(326년) 銘 와당이 출토되었다. 따라서 낙랑토성에서 출토된 서진 연호 와당은 중국 영역의 근거가 될 수 없었다.

한국고대사에서 비중이 큰 국가는 부여였다. 고구려와 백제 나아가 발해까지 공식 외교문서에서 부여와 연관 지었기 때문이다. 그럼에도 부여사 연구는 진척이 크지 않았다. 본서에서는 3세기 후반에 서술된『삼국지』와『삼국사기』에 적힌 부여가 서로 다른 국가임을 증명했다.『삼국지』의 부여는 285년 이전까지 "일찍이 파괴당한 적이 없었다"며 殷富를 자랑하였다. 반면『삼국사기』의 부여는 일찍이 고구려에 격파당해 統屬되었다.『삼국사기』에서 고구려 태조왕이 부여를 방문하고 돌아온 직후,『삼국지』에 적힌 부여는 漢兵과 힘을 합쳐 고구려에 대적했다. 두 사료에서 행보가 어긋나는 부여는 서로 별개의 국가임을 밝혔다.

고구려인들의 생활 양식은 훗날 고구려와 동일한 풍토에서 성장한 만주족의 사례를 적극 원용했다. 유사점이 상당히 많아서 놀랄 정도였다. 3세기대 고구려의 풍토를『삼국지』에서 "큰 산과 깊은 골짜기가 많고 넓은 들은 없어, 산골짜기에 의지하여 살면서 산골의 물을 식수로 한다. 좋은 밭뙈기가 없으므로 부지런히 농사를 지어도 배를 채우지 못한다"고 하였다. 쉽게 말해 풍토가 몹시 열악하였음을 뜻한다. 17세기 초 이민환의 견문에도 건주 여진 지역을 살핀 후 "산은 높고 물은 험하다. 평평하고 넓은 들판이 드물다. 풍토가 強勁하고, 춥고 매운바람이 더욱 심하다"고 했다. 그리고 "水田은 하나도 없고, 오직 山稻만 심는다"고 하였다. 그리고 17세기 초 만주족 사회에서도 3세기대 고구려에서와 마찬 가지로 전투에만 종사하는 좌식자 계층이 존재하였다.

고구려의 천하관을 광개토왕 관련 금석문과 결부지어 운위하고는 했다. 그런데 천하관은 4~5세기에 등장하는 게 아니라 고구려 초기부터 확인되었다. 정작 중요한 것은「광개토왕릉비문」에서 '官'이나 '官軍'의 이름으로 등장하는 官的秩序의 확립이다. 이 무렵 고구려가 설정한 관적질서에는 동북아시아의 諸國들이 포함되었다. 倭의 경우도 모반이나 반역을 뜻하는 '不軌'라는 용어 속에 등장했다. 고구려가 설정한 관적질서에 왜도 포함되었음을 뜻한다. 반면 고구려와 치열하게 대립했던 後燕은「광개토왕릉비문」에 등장하지 않았다. 후연은 관적질서에 포함되지 않았기 때문이다.

고구려가 설정한 관적질서에서 정부 즉 官은 고구려가 주체였다. 백제나 신라·동부여·임나가라·왜 등은 국가가 아닌 집단 정도에 불과했다. 그랬기에 고구려 최고 통수권자만 王 즉 太王으로 일컬었다. 백제나 신라는 主나 寐錦으로 각각 불리었다. 고구려는 자국이 설정한 질서 유지의 주체였기에 '官'과 '官軍'을 운영했다. '官'과 '官軍'은 합법성이 공인된 기구와 무력의 표상이었다. 고구려는 자국만의 정당성을 강조한 것이다.

비상하게 쟁점이 집중된 분야가「광개토왕릉비문」이었다. 능비문 영락 10년 조의 "至任那加羅從拔城 城卽歸服 安羅人戍兵"의 '羅人戍兵'을 재해석했다. '羅人戍兵'을 '新羅人戍兵'으로 해석한 王建軍의 견해가 신설로 주목을 받아 왔었다. 그러나 羅人의 '羅'가 '新羅人'의 略記라는 근거는 어디에도 없다. 오히려 그 앞에 적혀 있는 '任那加羅'를 생략하여 끝 자로 표기한 사실을 밝혔다. 즉 "任那加羅人 戍兵을 배치했다"는 뜻이다. 그렇지 않다면 제삼자가 분별할 수도 없는 약칭을 사용할 이유가 없지 않은가?

삼국의 왕위계승을 형제상속에서 부자상속으로 이행했다는 견해가 정설처럼 좌정했다. 태조왕-차대왕-신대왕 간의 계승을 형제로 서술한『삼국사기』에 근거한 것이다. 그러나 이들 소위 삼형제는 부자 간으로 밝혔다. 게다가「광개토왕릉비문」에도 적혀 있듯이 국초 3대 왕인 추모왕-유류왕-대주류왕부터 부자 간이었다. 설령 6대 태조왕을 비롯한 3대를 형제 간으로 설정하더라도, 이처럼 중간에 형제상속이 나타났다고 하여 형제상속에서 부자상속으로 이행된 것은 아니었다. 상속원칙이 바뀐 것은 아니었기 때문이다. 형제 간인 9대 고국천왕에서 10대 산상왕으로의 계승은 고국천왕에게 자손이 없어서였다. 고구려 뿐 아니라 백제를 비롯한 삼국은 초기부터 부자상속이었다.

고구려가 427년에 移都한 평양성을 대성산성과 안학궁 일대로 비정해 왔다. 산성과 평지 궁성의 조합을 공식처럼 운위하면서 발해 초기 도성제에까지 적용하기도 했다. 이러한 주장의 근거였던 대성산성은 고구려 때 魯城이라고 불리었다. 대성산성은 평양성은 아니었던 것이다. 그리고 안학궁성은 5세기대 이후 고구려 귀족들의 분묘 위에 조성되었다. 그러니 어느 쪽으로 보더라도 대성산성은 평양성이 될 수 없었다.

고구려가 6세기 중엽에 한강유역을 상실한 배경을 내분으로 돌렸지만 타당하지 않았다. 고구려 역사상 최대의 役事인 장안성 축조 때문이었다. 그리고 이 무렵에 발생했다는 고구려 왕위계승 관련 분쟁 사료는 『周書』에 근거했다. 그러나 현존하는 『周書』 고구려 조는 散逸되어 『구당서』와 같은 후대 사서로 補綴한 것이다. 6세기 중엽 고구려의 실정을 나타내주는 자료가 되지 못했다. 따라서 『周書』에 근거한 고구려 내분설은 타당성을 잃었다.

백제 건국 세력의 계통을 '고구려' 혹은 '부여-고구려' 집단이라는 애매한 표현들이 남발되고 있다. 필자는 대학 재학시절 학교 신문에 게재한 글에서 백제 건국 세력은 부여계임을 분명히 했다. 『삼국사기』에도 백제 시조의 계통을 고구려계의 온조 만 있는 게 아니었다. 부여계의 비류도 함께 서술하였다. 그러나 정작 중요한 것은 백제 당시의 백제인들의 인식과 관념이었다. 이들은 일관되게 부여 출원을 내세웠다. 그랬기에 한 때 국호를 부여로 고쳤을 뿐 아니라 왕실의 氏는 부여씨였다. 순암 안정복이 말했듯이 개로왕이 북위에 보낸 국서에서 자국은 고구려와 함께 부여에서 나왔음을 밝혔고, 왕실의 씨가 부여씨이므로, 우태-비류왕이 백제 시조임은 명백하다고 논단했다. 실학자들 이래로 백제 건국 세력은 부여계로 밝혀졌지만, 어떤 한 사람의 견해에 매몰되어 오랜 동안 온조가 시조 행세를 해 왔었다. 그는 풍납동토성을 백제 왕성이 아닌 鎭城으로 잘못 비정하였다. 그러나 세월이 흘러 풍납동토성이 왕성으로 드러나자, 맹신하던 부류들을 당혹스럽게 했다. 한 사람의 연구자를 신격화시켜 맹종한 이들에게는 자성할 부분이 실로 많았다. 필자는 이러한 분위기에 휘둘리지 않고 풍납동토성을 왕성으로 비정하였다.

백제는 3세기 중엽 경에 생필품인 소금에 대한 독점 생산과 분배형 교역을 통해 한강유역에 즙석봉토분 분묘공동체를 조성했다. 백제가 한반도 중부권의 마한 맹주로 부각하는 계기였다. 그리고 소위 '백제의 요서경략설'은 학설이 아니다. 기록이므로 '백제의 요서경략 기사(기록)'로 호칭하는 게 타당하다. 이 논의는 여러 문헌을 교차 확인하더라도 그 실체가 드러난다. 중국 사서에서는 일관되게 백제에 땅을 빼앗긴 기록을 남겼다. 문제는 한국 문헌에 보이지 않으므로 인정할 수 없다거나, 북조계 사서에 보이지 않으므로 따를 수 없다는 주장이다. 더욱이 唐代에 편찬된 『通典』에서는 백제가 진출한 요서 지역을 구체적으로 적시까지 했다. 그럼에도 부인하다하다 못해 乘船 인원까지 제시해야 신뢰하겠다고 한다. 생트집이 아니겠는가?

무녕왕의 계보는 필자가 「무녕왕릉 매지권」을 토대로 대학시절에 구명한 사안이었다. 『삼국사기』에는 무녕왕이 동성왕의 둘째 아들로 적혀 있었다. 그러나 『일본서기』에 인용된 「백제신찬」에서는 무녕왕을 동성왕의 異母兄으로 기록했다. 이에 대해 당시 가장 영향력이 컸던 대가는 "유력한 異說

로 재고의 여지가 있는 것"으로 간주했지만, 무녕왕을 동성왕의 異母弟로 간주하는 오류를 범하고 말았다. 大家는 그 선에서 멈추고 말았던 것이다. 필자는 대학시절에 무녕왕과 그 이전 왕계까지도 구명하여 학교 교지에 게재하기까지 했다. 이 논문은 석사학위 취득 후인 1984년에 『한국사연구』 45집에 게재되었다. 그리고 중진들에게 인용이 되었던 것이다.

필자가 2003년에 처음으로 피력했던 무왕대 부여와 익산, 2곳의 수도 경영이라는 複都說을 수록했다. 그리고 백제 멸망 이후 기록에서 "이로부터 그 땅은 신라 및 발해말갈이 나누어 차지하게 되었으며, 백제의 종족이 마침내 끊기고 말았다(『구당서』)"는 구절은 대학 때부터 고심했던 부분이었다. 세월이 흘렀지만 건안고성으로 이동한 內番百濟의 존재를 발견하는 성과를 올렸다.

加羅史에 있어서 현재의 공식 표기는 加耶이다. 그런데 加耶는 그들 스스로의 호칭이 아니었다. '加羅王' 名義로 南齊에 국서를 올리기까지 했다. 당대의 금석문인 「광개토왕릉비문」에도 '任那加羅'의 加羅였다. 加耶는 명백히 他稱이었다. 加耶는 그들 스스로 일컬었던 국호가 아니었다. 이견 없이 자칭은 加羅였다. 왜곡된 국호 표기는 가라사 연구가 첫 단추부터 틀어졌음을 암시하는 징표로 생각된다. 게다가 加羅로 지목할 수 있는 국가는 김해와 고령 두 세력에 국한되었다. 소위 6가야설은 후대에 생성된 것이다. 가라연맹은 김해의 남가라와 고령의 가라 두 세력 간의 결속에 불과하였다. 加羅는 결단코 낙동강 西岸과 남강유역에 소재한 諸國을 포괄하는 호칭이 될 수 없다. 이는 "포상8국이 모의하여 가라를 침략했다. 가라 왕자가 와서 구원을 청했다(浦上八國謀侵加羅 加羅王子来請救: 『삼국사기』 나해 니사금 14년 조)"는 기사를 통해서도 확인된다. 가라와 포상8국은 서로 별개의 세력임을 알 수 있다. 실제 포상8국은 『삼국사기』와 『삼국유사』에 따르면 古史浦國·骨浦國·柒浦國·保羅國·史勿國 등이었다. 이들은 경상남도 고성과 사천을 포함하여 낙동강 하류 일대에 소재한 교역 연합체였다. 포상8국은 加羅에 포함되지 않은 독립 세력이었다. 이를 통해서도 가라는 연맹 이름이 될 수 없음을 알 수 있다. 당시 어떤 자료에도 '고녕가야' 등 가야를 접미어로 하는 국가는 존재하지 않았다.

오히려 이들 제국은 任那로 호칭하는 게 타당하다. 『삼국사기』의 任那加良을 비롯하여 「광개토왕릉비문」의 任那加羅는 물론이고, 중국 문헌에서도 임나가라가 등장할 뿐 아니라, 任那 단독으로도 사용되었다. 그리고 포괄적인 범칭으로도 임나가 사용되었기 때문이다. 이와 더불어 6세기 전반에 잠깐 등장했다가 사라진 伴跛國을 대가라의 폄칭으로 간주하는 견해가 통설이었다. 그러나 양국은 별개의 국가임을 치밀한 고증을 제기하여 관철시켰다. 본서에서는 후삼국과 관련한 시점에서 '가야 고지'의 '가야' 표기를 사용했다.

신라 김씨 왕실의 기원을 비롯하여 쟁점과 논쟁이 많은 역사가 신라사였다. 「문무왕릉비문」에서 신라 김씨 왕실은 스스로의 정체성을 흉노 김일제의 후손에서 찾았다. 문제는 그럴 리가 없다는 학인들의 소견이다. 신라 왕실에서 밝힌 정체성을 부정하였다. 흉노가 자랑스런 선조일 리도 없는데, 신라가 거짓으로 계승을 천명했다면 합당한 해석을 제시해야 마땅할 것 같다. 3개의 왕실로 구성된 신라 역사는 복합성을 지니고 있다. 적석목곽분의 등장이나 계림로 14호분에서 출토된 寶劍과 로만 글라스 등에서 알 수 있듯이 신라 초기사는 미궁에 싸인 부분이 많다. 앞으로 차분히 구명해야할 사안이다. 그럼에도 무 베듯이 함부로 단정한 것은 아닌 지 자성이 필요하다. 그리고 화랑의 기원을 청소년 조직에서 찾는 견해가 정설이었다. 그러나 본서에서는 祭儀 집단에서 찾았다. 필자가 학계에 처음으로 보고한 금석문이 제천 점말 동굴의 刻字였다. 본 금석문을 화랑의 修行과 결부지어 살필 수 있었다.

흔히 '철의 왕국 가야'로 운위하고 있다. 근거한 문헌은 3세기 후반에 집필된 『삼국지』 위서 동이전 한 조였다. 이 구절은 『삼국지』를 全寫하다시피한 『후한서』에서는 辰韓 項에 배정했다. 실학자들 이래로 진한과 그 후신인 신라와 관련한 내용으로 받아들였다. 20세기 전반기에도 마찬 가지였다. 그런데 실증의 아이콘인 이가 弁辰 즉 변한으로 誤讀하고, 후학들이 맹종하는 통에 그 후신인 加羅가 철의 왕국 소리를 듣게 되었다. 이는 '차분히 기다려야 하는' 발굴 성과의 문제가 아니라 실증에 관한 사안이었다. 문제는 여기서 그치지 않았다. 일본의 교과서에 보면 고대 일본이 한반도 남부 지역에 진출한 근거를 가야의 철 확보에서 찾았다. 소위 임나일본부설을 그럴싸하게 재포장하여 제기한 것이다. 그러나 '가야의 철'이 아니라 진한과 신라의 철로 드러났다. 이렇게 되니 그간 일본인들이 구축해 왔던 고대 한일관계사상은 전면 재편이 불가피해졌다.

본서에서는 고조선부터 발해와 후삼국에 이르기까지 한국고대사 전 분야를 서술했다. 통념을 껑충 뛰어넘는 새로운 지견을 많이 피력하였다. 가령 백제의 시조는 온조가 아니라 비류였다는 것이다. 7가지 이상의 근거를 제시하여 『삼국사기』 온조왕본기는 기실 비류왕본기임을 구명했다. 게다가 비류 집단이 남하하여 터전을 만든 곳은 미추홀 인천이었다. 이곳에서 위례인 서울로 진입하여 서울의 역사로서 백제를 만들었음을 밝혔다. 비류는 일본에서 815년에 편찬된 『신찬성씨록』에도 등장하지만, 온조는 『삼국사기』를 제외하고는 그 어디에서도 교차 확인이 되지 않는다. 게다가 인천에서는 비류 관련 설화와 지명 등이 남아 있지만, 서울 지역 그 어디에도 온조 전설이나 지명은 남아 있지 않았다. 4세기 이전 서울 지역의 유적과 유물에서도 고구려와 직접 관련된 것은 없었다. 오히려 인천과 서울 지역에서는 공히 부여 관련 매장 풍속이나 유적과 유물이 전하고 있다.

한국 역사상 6~7세기대는 '대항해의 시대'였다. 백제는 물산이 유사하거나 이제는 식상한 중국-한반도-일본열도를 벗어나고자 했다. 대신 백제는 희소성과 경제적 가치를 지닌 인도를 비롯한 동남아시아 제국과의 교류를 통해 독점적인 교역체계를 구축하였다. 백제 왕실은 수요자인 귀족들에게 공급할 목적으로 印度産 氍毹이나 인도-퍼시픽 유리, 象牙와 같은 사치품을 비롯하여 완상 동물인 鸚鵡 등을 수입하였다. 그리고 백제 왕은 이들 물품을 귀족들에게 分與함으로써 왕권을 강화하거나 확대할 수 있었다. 백제는 교역 체계의 다변화를 추구한 결과 왜를 정치적으로 묶어두는 게 가능하였다. 신라의 고분에서 출토된 土偶 중에는 타조와 개미핥기 그리고 무소 등 열대나 남방산이 보인다. 이러한 동물 토우들은 실물을 곁에서 보지 않고서는 재현할 수 없다는 평가를 받았다. 신라는 598년에 인도와 세일론 등지에 서식하는 공작 한 쌍을 왜에 선물했다. 이를 승계한 후백제 진훤도 고려 왕건에게 공작의 긴 꼬리로 만든 부채, 즉 孔雀扇을 선물한 바 있다. 따라서 백제와 비등하거나 그 이상의 항해 능력과 교역권을 지닌 신라의 해양 능력을 충분히 헤아릴 수 있다. 신라는 일찍부터 해양 업무를 소관하는 부서를 만들었다. 게다가 문무왕대에 설치한 船府는 국방부에 해당하는 병부와 동급으로 자리하였다. 현재 대한민국의 해양수산부와 같은 관부를 만든 것이다. 이러한 경우는 중국과 일본에도 없는 신라만의 독특한 제도였다. 신라가 적극적인 해양정책을 취했음을 뜻하는 동시에, 놀라운 선견지명으로 평가받아 마땅했다. 백제나 신라는 해양 실크로드의 동쪽 기점이었던 게 분명하다. 고구려의 경우도 큰 선박을 구비했을 뿐 아니라 탐라를 경영했을 정도로 해양 활동에 박차를 가하였다. 한국 역사상 바다를 적극적으로 활용했을 때 역동성과 활력이 돌았던 것이다. 해상권력이 쇠퇴한 이후로 한국역사는 被侵의 역사로 점철되었다.

2

본서는 지난 세기에 필자가 한양대학교 사학과에서 한국고대사를 강의할 때부터 준비되었다. 오후 2시부터 밤 10시까지 쉬지 않고 연속하여 강의한 적도 적지 않았다. 이 때 판서로 인한 학생들의 부담이 크다는 사실을 읽었기에 타이핑하여 강의노트를 만들어 나갔다. 이러한 작업은 한국전통문화대학교에서 한국고대사를 강의할 때도 꾸준히 이어졌다. 마침 금년에 연구년을 맞아 한국고대사 개설서를 집필할 수 있는 好機로 여겼지만, 시간 투자하는 일 뿐 아니라 여타 집필하는 일까지 많이 발생하여 집중하기 어려운 상황에 놓였다. 그럼에도 쉼없이 동네 카페에 출근하여 종일 집필했지만 아득하기만 하였다. 오히려 분량만 엄청 늘어만 갔기에 집필한 원고를 읽는 일조차도 벅찼다. 군더더기기 많은 원고를 간결하게 정리하는 게 독자들에 대한 도리일 것이다. 그러나 통설을 부순 새로운 견해가 너무 많은 관계로 인용만으로는 독자가 공감할 수 없다고 판단했다. 논지의 전개 과정과 논거를 명시하다 보니까 분량이 눈덩이처럼 불어나 필자 본인은 물론이고 출판사 관계자들에게도 막중한 부담을 주고 말았다. 그리고 중첩된 부분도 있는데 논지상 불가피한 점이 있어서 살리기로 했다. 본서에서는 학계의 방대한 연구 성과를 고루 소개하지는 못했다. 필자가 설정한 주제만 하더라도 벅찬데다가 읽을 시간도 없었기 때문이다. 천상 동학이나 후학의 몫으로 돌릴 수밖에 없다.

고조선부터 후삼국, 그리고 고려 초까지를 서술했지만 분량이 제대로 배분되지는 않았다. 중요도에 따라 집중한 관계로 배분이 맞춰지지 않았기 때문이다. 정치사부터 문화사까지 모두 서술했지만 미술사를 비롯하여 취약한 부분도 존재한다. 이 경우는 통설을 뛰어넘을 수 있는 새로운 지견을 피력하지 못했기 때문이다. 관련된 기왕의 개설서를 참조하는 게 좋을 것 같다. 그리고 본서의 분량이 너무 많은 관계로 참고문헌은 사료와 연구서로만 한정하였다. 일반화된 사실은 별도로 각주를 달지 않았다. 사진과 도면 등도 극소화했다. 자료를 많이 구비한 필자로서는 이 점 아쉽게 생각한다. 물론 본서의 서술에는 선조에게 물려받은 『官上下記冊』 같은 집안 고문서까지 활용했다. 사료 이용의 극대화를 위한 고육책이었다.

참고로 출전을 명시한 北票 喇嘛洞II 고분 출토 동복 동복 2컷을 제외한 나머지 사진은 모두 필자가 직접 촬영하였다. 그런데 지린시박물관에 소장되었던 부여 유물들은 1994년 11월에 모두 소실되었지만, 필자는 그 몇 달 전에 촬영했기에 사진을 보유하고 있다. 그리고 금관가야 구형왕과 왕비 영정은 본서에서만 볼 수 있다. 그 밖에 몽촌토성 성문터에 세워져 있던 무문비 등 현재는 없어진 현상들이 본서에 전한다.1892년에 하야시 다이스케가 저술한 『朝鮮史』에 수록된 임성 태자 冠帽 그림은 『조선사』 원본을 촬영한 것이다. 심지어 백제금동대향로에 붙어 있는 악어의 생동감을 확인시킬 목적으로, 아쿠아리움에서 여러 마리의 악어를 쉴새없이 촬영했었다. 본서에 수록된 악어 사진 한

장은 이렇게 얻었다. 그럼에도 아쉬운 구석이 많은 본서지만, 한국 고대사학계에 약간의 자극이라도 된다면 역할을 했다고 자임하고 싶다. 본서는 본교 학술연구지원 사업의 지원을 받아 수행된 연구였다.

3

본서의 간행과 관련해 사학과에 들어온 이래 40여 년의 星霜이 바람같이 흘렀다는 사실이 체득된다. 그 숱한 기간 동안 필자는 열심히 정진하고자 했지만 이루어야 할 과제들이 아직도 산적하였다. 호불호를 떠나 대학 시절 필자의 모습은 한결같이 "공부만 하는 사람이었다"고 증언한다. 공부만 했지만 지나온 세월은 '苦鬪40年'이었다. 신설을 제기하여 부대낀 일도 숱하였다. 그렇지만 분명한 사실은 적당히 안주하지 않았고, 꺾이지 않았다는 것이다.

이러한 필자에게 든든한 버팀목이 되었던 분들은 은사님들이었다. 모두 20대 청년기에 인연을 맺어 힘들 때나 유쾌할 때 고락을 공유했던 스승님들이었던 것이다. 조영록 선생님과 이희덕 선생님 및 김병모 총장님은 평생의 은사이셨다. 특히 본서는 내년에 구순을 맞이하는 이희덕 선생님께 이 제자가 올리는 기념논총으로 생각하고 싶다. 그리고 필자를 사랑하고 아껴주신 이융조 교수님과 이종철 총장님은 말할 나위 없고, 대학 때부터 장구한 세월 필자와 선후배 사이지만 동지적 인연을 맺은 정재남 대사를 기억하고자 한다. 인복이 많은 필자에게는 모두 은인들이었다. 이분들에 대한 소회는 별도의 장에서 구체적으로 언급할 기회가 있을 것이다. 그 밖에 20대에 인연을 맺은 학연문화사의 권혁재 사장님과 방대한 분량을 편집하느라 수고를 아끼지 않은 권이지 선생께도 심심한 감사의 말씀을 올린다. 끝으로 30년 이상 시어머니를와 함께 하였을뿐 아니라, 삼남매를 사회에 배출하게 한, 사랑하고 존경하는 아내에게도 감사를 드린다.

2019년 10월 27일

동네 투썸플레이스 카페에서

이도학

목 차

제3장 국가의 탄생과 발전 과정

제4장 부여계 국가의 등장

제5장 弁韓과 辰韓에서 성립한 국가

제6장 대외관계, 전쟁과 영토 문제

제7장 동아시아의 정세와 삼국의 통일

제9장 통일신라와 발해

제10장 후삼국시대

제1장

한국 고대사 이해를 위한 기본 전제

제1절 한국사에 대한 기본 이해

1. 어디까지가 한국사인가?—한국사의 확대 과정

현재 한국사의 범주에 들어 온 국가들은 상당히 많다. 왕검조선(단군조선)의 경우만 하더라도 당연히 한국 역사로 인식하고 있지만 그렇게 간단하지만은 않았다. 왕검조선의 시조인 단군은 어디까지나 고조선의 국가 시조일 뿐 삼국 시조들의 선조는 아니었다. 고구려 · 백제 · 신라 삼국의 경우만 하더라도 엄연히 자국 시조들이 존재했다. 그런 실정이니 고조선의 시조가 삼국의 시조로서 얽힐 이유가 없었다. 12세기 중엽에 편찬된『삼국사기』보다 그 이전인, 고려 초기에 편찬된『구삼국사』단계에 와서 고구려 · 백제 · 신라가 우리 역사 체계에 확실히 들어 왔다. 물론『구삼국사』는 一統三韓 의식 속에서 삼국을 하나의 공동체 속에 편제시킨 신라 역사가들의 역사 서술을 계승했음은 분명하다.

삼국 역사의 이전 단계로서는 삼한의 존재가 인식되었다. 마한에서 고구려가, 변한에서 백제가, 진한에서 신라가 생겨났다는 등의 인식이었다. 일본에서도 648년의 시점에서 삼한을 가리켜 "삼한은 고구려 · 백제 · 신라를 말한다"[1]고 했다. 적어도 중국에서 삼국을 일러 '해동삼국'이라고 했던 7세기대에는 삼한=삼국 의식이 생성되었음을 알 수 있다. 그랬기에 신라의 삼국 병합을 "삼한을 합하여 一家를 이루었다"는 삼한 인식이 통일신라 이래로 보편적으로 확산되었다. 삼국의 전신으로 삼한을 인식했던 것이다. 여기까지가 통일신라인들의 역사 인식의 상한선이었다. 이들은 고조선이나 부여의 존재를 인식하기는 했지만 자국 역사와의 관계는 설정하지 못했다.

한국 역사의 인식 폭이 확대된 계기를 때늦은 삼국재건운동에서 찾았다. 12세기말부터 13세기 전반에 걸쳐 삼국의 故地에서 고구려 · 백제 · 신라 재건운동이 펴져나갔다. 이 사실은 논자에 따라 최

1_ 『日本書紀』권25, 大化 4년 2월 조.

초의 통일국가로 말해지는 고려의 국가적 통합력이 취약했음을 웅변하는 현상으로 말할 수 있다. 삼국재건운동은 규모를 떠나 9세기말에 시작된 후삼국시대로의 복귀를 연상시키는 현상이었다.

고려 조정은 민란의 형태로 대두한 삼국재건운동을 가까스러히 제압한 후에 이 문제에 대한 근원적인 대안을 모색했을 수 있다. 그 결과 고려가 계승한 고구려와 그 전신으로 인식한 삼한만으로는 분열주의를 극복할 수 없다고 판단하였다. 삼국과 삼한 위에 멀찌감치 솟구쳐 단군의 존재를 설정했고, 이로부터 부여나 고구려·백제·신라가 생겨난 것으로 설정했다고 한다. 그럼에 따라 地域神에 불과했던 단군은 삼국의 뿌리로서 그 頂點에 자리잡게 되었다는 해석이었다. 그러나 최근의 연구 결과 『구삼국사』 단계에서 이미 단군을 축으로 하여 부여뿐 아니라 삼국을 비롯한 고대 정치 세력이 묶여 있는 사실이 포착되었다. 이들 정치 세력은 한결같이 단군의 후손으로 설정되었다. 고려가 후백제를 제압하고 힘겹게 한반도의 재통일에 성공한 후에 의제적 가족관계로써 '역사 만들기'를 한 결과였다. 부여 출신이었던 백제 시조 비류왕 대신 고구려 시조 추모왕의 아들로 백제 시조 온조를 설정하였다. 그럼으로써 고려는 고구려의 적통이므로 방계가 세운 백제 후신 후백제에 대한 명분상의 우위를 점할 수 있었다. 단군을 뿌리로 하는 국조 의식이 생성된 배경이었다.[2] 물론 고려 중엽에 창궐한 민란에서 삼국재건운동이 일어났다. 그렇지만 민란의 기폭제 역할을 한 것도 아닌데다가 신라 말처럼 호응이 크지도 않았다. 복수감을 기제로 한 회귀풍 정치구호의 한계가 드러났다.

시효가 다한 지역 할거적인 삼국재건운동은 한국 역사에서 자취를 감추었다. 역사가 이데올로기임을 입증하는 현상인 것이다. 모든 역사는 현재사라는 말이 실감 나는 사안이기도 했다. 다른 한편으로 말하면 한국사의 확대 과정인 것이다. 그리고 통일신라인들에게는 대치하고 있던 발해는 자국과는 연원이 무관하였다. 통일신라인들에게 발해는 통합을 전제로 한 대상이 되지 못했다. 발해사는 고려 후기에야 한국사 체계 속에 스며들었고, 조선 후기 실학자들에 의해 비로소 역사가 집필되었다.

2_ 李道學,「檀君 國祖 意識과 境域 認識의 變遷 —『舊三國史』와 관련하여—」『한국사상사학보』 40, 2012, 377~410쪽.

2. 밖에서 온 건국자들—外來 王

얼마 전까지만해도 한국 사회에서 자랑스럽게 운위되었던 게 '단일민족'이었다. 단일민족은 남다른 긍지의 원천처럼 간주되기도 했다. 그랬기에 옛 유행가 노랫말에 "달도 하나, 해도 하나, 사랑도 하나, … 모두야 우리들은 단군의 자손"이라고 했을까. 그리고 "보라 동해에 떠오르는 태양… 이 땅에 순결하게 얽힌 겨레여(내나라 내겨레)"라고 노래했듯이 '순결'과 '겨레'가 서로 엮어져 있다. 이렇듯 한국인이라면 '단일민족' 인식에 대해서는 묵시적인 공감대가 형성되었다. 그러나 '민족'은 기실 '상상된 공동체'에 불과하다는[3] 주장이 힘 있게 제기되는 현실이다. 게다가 외국인 며느리 집합체가 되어버린 한국 농촌의 현실은 더 이상 '단일민족'을 말하기 어렵게 만들었다. 사실 2005년도 통계에 따르면 한국은 8명 중에 한 명이 국제결혼하는 시대에 살고 있다. 2007년도에는 이 보다는 줄었지만 9명 중 한 명이 국제결혼했다. 이제 한국은 다인종 사회로 급변하는 것처럼 보인다. 그러나 그 이전에 이미 화산 이씨·덕수 장씨를 위시해서 귀화한 성씨들이 너무도 많다. 베트남이나 위구르를 비롯하여 깜짝 놀랄 정도로 우리 주변에는 귀화인의 후손들이 많은 것이다. 그런 줄을 아는지 모르는지 서로를 '단일민족'으로 여기며 너무나도 잘 어울려 살아 왔다. 그런데 곰곰이 생각해 보면 누가 토종이고, 누가 흘러 들어 왔는지의 구분 자체가 무의미해진다.

이와 관련해 우리 역사를 한번 살펴 보자. 국가를 세운 시조들에서 찾아지는 공통점은 한결같이 외부 세계에서 왔다는 것이다. 자신들의 지역 공동체 속에서 건국자가 나온 게 아니었다. 단군신화를 보면 고조선의 시조인 단군은 천신인 환인의 아들인 환웅이 강림하여 곰에서 여자로 轉化된 熊女와의 혼인을 통해 태어났다. 물론 이것은 사실일 리 없다. 그러나 그 요체는 고조선 건국 세력의 계통이 외래였음을 암시해 준다. 웅녀를 토착 세력의 상징으로 간주한다 치자. 그렇더라도 고조선의 건국은 환웅으로 상징되는 외부 세력의 유입으로 인해 발생한 사건임은 부인할 수 없다. 기자조선(王·侯朝鮮)은 그야 말로 "기자가 동쪽으로 왔다"는 기자동래설을 깔고서 태동하였다. 여기서 실존성에 문제가 제기된다는 기자조선은 차치하더라도 위만조선(대왕조선)의 건국자 역시 외래인임은

3_ Benedict Anderson, Imagined Communities Reflections on the Origin and Spread of Nationalism, Verso, 2016, pp.6~7.

부인할 수 없다.

쑹화강유역에서 국가를 형성한 부여의 시조인 동명은 북방의 탁리국에서 나왔다고 한다. 3세기 후반에 편찬된『삼국지』에 따르면 부여의 耆老들이 "스스로 옛적의 유망민이다"고 했다. 너무나 잘 알려져 있듯이 고구려 시조인 추모는 부여에서 내려 왔다. 부여씨를 칭한 백제 건국 세력 역시 외부에서 유입되었다. 백제 개로왕이 북위에 보낸 국서에서 "저희는 근원이 고구려와 함께 부여에서 나왔습니다"고 했다. 신라의 시조인 혁거세나 석씨 왕실의 개창자인 탈해, 김씨 왕가의 시조인 알지 모두 유입된 이들이다. 금관가야 시조인 수로나 아유타국 공주 출신이라는 허황옥은 더 말할 나위 없다.

고려의 창건자인 왕건의 경우도 그 선대 모계를 백두산에서 내려 온 성골장군 호경에서 찾았다. 반면 그 선대 부계는 唐 숙종과 결부 짓고 있다. 물론 후자는 특히 믿기 어려운 이야기에 속한다. 그러나 왕건의 선대 세계 설화에서 전하고자 하는 메시지는 가계의 기원을 외부 세계에서 찾는 데 있다. 게다가 왕건의 출신지인 개성 지역은 통일신라 영역에서는 서북 변경에 속한다. 조선왕조를 개창한 이성계의 출신지인 함경도 영흥 역시 고려의 변경이었다. 더욱이 이성계가 출생했을 때 이곳은 쌍성총관부가 설치된 원의 영역에 속했다. 이성계의 아버지인 이자춘이 이곳을 고려에 귀속시킴에 따라 고려 영토로 환원되었다. 원의 영역에서 일어났고, 퉁두란 같은 여진족을 기반으로 한 이성계가 고려를 전복하고 새 왕조를 열었다. 이 같은 왕건과 이성계의 건국 기반은 변경 변혁설을 연상시킨다. 그리고 현재의 대한민국이나 조선민주주의인민공화국을 건국한 이들 모두 해외에서 왔다.

한국의 역사를 조감해 볼 때 왕검조선 이래 대한민국 건국에 이르기까지 숱한 역대 건국자들은 예외 없이 모두 외부 세계에서 들어왔다. 이는 실로 특이한 현상이 아닐 수 없다. 자기 영역을 기반으로 하여 등장하는 건국주들의 보편성과는 커다란 차이가 나기 때문이다. 중국사의 경우는 건국주가 외래인이라는 속성 보다는 이민족에게 삽시간에 점령당하는 일이 많았다. 또 섬나라인 관계로 외래인 수혈이 상대적으로 부진했던 일본에서 왕조 교체가 없었던 경우와도 비교된다. 물론 외부에서 유입한 이들은 아무래도 세력 기반이 취약할 수밖에 없다. 그럼에도 불구하고 한국 역사의 건국자들은 무력 일변도만 아니라 물이 스며들듯이 침투해서 토착 세력의 협조를 얻어 급기야 개국에 성공했다. 또 외래인들이 권력을 영속화시키는 왕조 건설에 성공했다는 것 자체가 경이롭지 않을 수 없다.

그러면 이러한 현상이 생겨나고 또 가능한 배경은 무엇일까? 이와 관련해 후백제를 세운 진훤이

原新羅 지역인 상주 가은현(경북 문경시 가은읍) 출신이라는 점을 환기시켜 본다. 고구려를 부활시킨 궁예는 더욱이 고구려를 멸망시킨 신라의 왕자 출신이었다. 모두 아이러니컬한 현상이 아닐 수 없다. 백제나 고구려를 부활시킨 건국주들 역시 그들 국민의 입장에서 볼 때는 외부에서 온 이들에 불과하다. 한 나라의 건국자가 자기 영역 안의, 토착 세력에서 유래한 게 아니었다. 외부에서 갑자기 유입해 온 자들이거나 '변경'에서 합류한 이들이었다. 대한민국을 건국한 이승만의 경우도 마찬 가지였다. 그는 오랜 망명 생활로 인해 국내에서의 기반이 취약하다는 약점을 지녔다. 그럼에도 그는 장기간에 걸쳐 기반을 굳혀 왔던 국내 여러 政派의 우두머리들을 삽시간에 제압하고 정국의 주도권을 쥐었다. 물론 여기에는 미군정 당국을 비롯한 단선적으로 평가할 수 없는 여러 복합적인 요인이 도사리고 있다. 그러나 어쨌든 '외래 왕'의 등장은 한국에서 외래 종교가 성행한 현상과 본질상 상관성이 있는 것일까? 이 문제와 관련해 차후 심도 있는 원인 분석과 성격 진단이 필요할 것 같다.

바깥 세계에서 왔다는 자체가 토착인들에게 '외래 왕'에 대한 경외감과 신비감을 조성했을까? 토착인들은 묘한 기대감과 설렘으로써 그들을 수용했다는 말인가. 결과적으로 한국사는 '외래 왕'을 통한 외부 세계와의 간단없는 접촉과 인적 수혈로써 새로워질 수 있었다. 어쩌면 이 점이 중국과는 달리 1천년이나 5백년을 웃도는 長壽 王朝의 존속 배경일 수도 있다. 비록 한시적 기간에 불과하더라도 '외래 왕'은 중국 문화 일변도로의 편중과 쏠림 현상을 막는 최소한의 사회적 균형추 역할을 하지 않았을까? '외래 왕'의 등장이 유발하는 사회적 역동성은 한국사만의 독특한 특징으로 감연히 말하고 싶다.

물론 유럽에서도 외래 왕들이 자주 등장한다. 가령 영국에서 국민은 켈트 · 앵글로색슨 · 덴마크인의 혼혈이 다수를 점하고 있지만, 프랑스에서 노르만인이 세운 노르망디 공국의 지배자가 정복하여 왕가의 선조들이 되었고, 귀족계급의 다수가 프랑스에서 건너온 사람들이었다.[4] 그러나 바깥에서 유입한 소수의 건국자들이 지배하는 사례가 한국사에서처럼 지속적이지는 않았다.

4_ 八幡和郎, 『韓國と日本がわかる最强の韓國史』, 育鵬社, 2018, 32쪽.

3. 冊封體制 문제

1) 조공과 책봉

소위 中華秩序는 주변 諸國들을 중국이 설정한 틀에 가두는 것이다. 중화질서는 3가지 요소를 바탕에 깔고 구성되었다. 즉 중국 문자인 漢字, 중국 통치철학인 儒教, 중국 황제의 신하가 되는 冊封이었다. 중국은 중화질서의 안정적 유지를 위해 앞의 3가지 요소를 지속적으로 확산시켜나갔다. 한국사의 경우 중화질서의 3대 요소를 모두 포함하고 있다. 더욱이 한국은 아주 오랜 기간 중국의 책봉체제에 속해 있었다.

책봉은 중국 황제를 중심한 세계 질서 속에 주변의 여러 국가들이 독립 왕국으로 공인받는 형식이었다. 중국 황제가 冊書를 주고 왕이나 장군으로 책봉하는 형식을 취하고 있다. 여기서 冊은 관직을 수여하는 문서를 가리킨다. 封은 영토를 주고 국왕에 임명하는 것이다. 「무녕왕릉 매지권」에서 맨 앞에 적혀 있는 '寧東大將軍 百濟 斯麻王'의 '영동대장군'은 중국 梁으로부터 받은 官號였다. 중국의 관작 체계 속에 백제 왕이 편제된 것이다. 한국의 역대 국왕들은 소위 위만조선(대왕조선)과 삼국시대 이래로 대한제국 이전까지 책봉 체제에 들어 있었다. 한국은 중국이 설정한 정치질서 속에 포함되었음을 뜻한다.

동아시아 세계에서 중국의 발달한 문명의 존재는 세계 문명의 상징이었다. 그랬기에 삼국은 군소 세력을 통합해 가면서 내적으로는 여러 호족 세력들을 제압하고, 외적으로는 경쟁 국가에 대한 제압 차원에서 권위의 상징인 중국 황제를 배경 세력으로 앞다투어 끌어 당기려고 했다. 책봉은 중국과의 충돌을 방지하는 대신 보호받을 수 있다는 것과, 어디까지나 국내 정쟁에서 유리한 상황을 확보하기 위한 정치적 계산에서 비롯하였다.

내적으로 국왕의 권위를 높이고 여타 군소 세력에 대한 차별화된 우월감을 확보하기 위해서 國祖를 星座의 으뜸인 太陽과 결부 지을 뿐 아니라, 황제체제를 가동시켰다. 연호의 사용과 '朕'이라는 황제적 호칭의 사용은 물론이고, 주변 국들과의 上下 조공관계를 설정하였다. 그리고 王 중의 王인 대왕권 체제를 확립하면서 그 예하에 小王과 侯를 거느렸다. 삼국은 이 때 주변 소국들의 왕에게 자국의 관등을 賜與함으로써 外臣 관계를 설정하였다. 중국적인 천하관의 복사판을 자국 중심으로 가동했던 것이다. 이러한 황제체제는 삼국시대부터 몽골 압제 이전의 고려시대까지 행하여졌다. 고려시대에는 공공연히 자국 王을 '皇帝'나 '陛下', 심지어는 '天子'로도 호칭하였다. 그런데 이러한 삼국의 천하관은 "遼東에 하나의 別天地가 있으니 지역은 중국과 구별되어 나뉘었네… 가운데 사방천지가 朝鮮인데… 華人이 이름지어 小中華라 했도다(『帝王韻紀』下)"라는 구절에 잘 凝結되어 있다. 즉 중국과 대등하기 보다는 중국과 구분되는 또 다른 세계의 구축이었다. 중국의 존재를 인정하는 또 하나의 세계가 한국 고대인들이 구축한 천하관이었다. 그랬기에 단군의 건국 연대도 중국 보다 앞서지 않고 동일하거나 그 보다 조금 늦은 시점으로 잡았던 것이다. 이와 관련해 우리나라를 '靑方(「현화사비문」)'이나 '東國'으로 일컫거나 東人 의식 등은 邊方 의식의 산물이었다. 중원 의식에서 변방 의식으로 밀려나는 현상을 읽을 수 있다.

한국의 고대국가들은 외적으로는 세계 문명의 상징으로부터 직접 국토의 보유를 공인받고자 했다. 또 그 국토의 지배자로서의 왕호를 수여받는 것은 국내에서 국왕의 권위를 높이는데 매우 효과적이었다고 한다. 그랬기에 삼국시대나 후삼국시대에도 여러 국가들은 인류 문명의 상징으로부터 공인을 받기 위해 다투어 조공을 했다. 중국과의 책봉관계를 세력 확장의 발판으로 이용하였다. 이와 유사한 사례가 209년간 존속한 仇池國(296~505)이 된다. 구지국왕 楊難當은 436년에 年號를 사용하고 太子를 두는 등 황제체제인 중국[天朝]을 모방했지만 중국에 대한 貢獻 역시 지속되었다.[5] 南越王 趙佗의 경우도 "(漢의) 孝景帝 때에 이르러 稱臣하면서 사신을 보내어 춘추로 조공을 바쳤다. 그러나 자국에 있을 때는 몰래 故號名(제왕의 칭호: 필자. 趙佗는 帝號는 물론이고 황제를 상징하는 制·黃屋·左纛을 사용하였었다)을 쓰고, 천자에게 사신을 보낼 때만 王이라 일컬었다. 조정에서는 제후처럼 命하였다"[6]고 했다. 이와 관련해 인접한 국가들과 경쟁하는 상황에서 중국 왕조를 든든한 후원국으로 만들어 적대 세력을 고립시키는 전략에서 삼국은 책봉 외교에 열을 올렸다.

책봉은 삼국이 항쟁하는 과정에서 서로 자국의 국제적 입지를 강화하려는 차원에서 비롯되었다. 책봉이 지닌 성격은 申忠一이 1596년(선조 29)에 작성한 「建州紀程圖記」에서도 잘 나타난다. 건주 여진인이 조선으로부터 황금이나 비단같은 진귀한 물자 보상보다는 조선의 벼슬을 제수해 달라고 했다. 그 의도에 대해 신충일은 "오랑캐에게 과시하여 (주변의) 모든 부락들을 위세로 복종시키려는 것이다"[7]고 판단했다. 삼국의 경우도 중국으로부터의 책봉을 통해 자국 왕의 국내 입지를 공고히 하

5_ 『宋書』 권98, 氐胡傳.
6_ 『史記』 권113, 南越尉佗傳.
7_ 『硏經齋全集 外集』 권50, 建州紀程.

려고 하였다.

한국사의 무대인 만주와 한반도 일원은 국제 관계에 있어서 긴장감이 넘쳐 있었다. 북방유목민족의 침략, 해양세력인 왜구의 창궐, 중국대륙 세력의 틈바구니에서 항쟁하는 상황이었다. 이러한 불안정한 국제환경 가운데 서로 항쟁하던 상황에서 삼국은 중국의 책봉체제 아래 들어가는 길을 선택하였다. 후백제와 고려, 심지어는 의령 지역의 호족 왕봉규까지도 對中 외교에 박차를 가했다. 그 이유는 정권의 정당성과 안전판을 확보하기 위한 목적이었다. 동일한 시기 한국사의 정치 세력들은 다투어 중국 왕조에 조공하고 책봉을 받았다. 꽃놀이패를 쥔 중국 왕조는 늘상 관용적인 套語를 구사하며 중재자 역할을 하는 척했다.

문제는 한국사에서 책봉과 조공이 고착화되었다. 그 결과 삼국 간의 항쟁이 끝난 통일신라 이후에는 중국의 속국처럼 되어 버렸다. 이러한 경향은 사대의식으로 뿌리를 내려 최치원이 지은 쌍계사 「진감선사비문」에서 '有唐新羅國', 고려시대 묘지명에는 '大宋高麗國', 조선시대 비문에는 '有明朝鮮'이라는 표기가 일반화되었다. 그런데 이러한 책봉관계는 한국사가 작금의 동북공정의 그물에 걸리게 만든 遠因이었다. 金의 무력 앞에 위축된 상황에서 남송의 정통론이 강화된 것처럼, 淸의 힘에 눌린 보수적인 학자들은 명분론에 집착하며 소중화의 믿음에 깊이 빠졌던 것이다.[8] 일반인들의 정서 역시 사대 의식에 깊이 매몰되었다. 가령 성호 李瀷이 "진덕왕 때에 김춘추가 唐에 들어가 중국의 제도를 따라 행할 수 있도록 청하여 衣帶를 받아 가지고 돌아와 오랑캐의 습속을 중국의 제도로 바꾸도록 하였다.… 절절하게 중국을 사모하여 이때에 이르러 남녀의 복색을 모두 변화시켰으니 훌륭하다고 할 만하다"[9]고 한 발언은 극찬을 받았다.

책봉 관계는 통일국가를 이룬 이후에도 국제적 위협에 줄곧 처해 있던 통일신라나 고려와 조선왕조에 상대적인 안정을 가져 왔다. 15세기 후반기 이후부터는 국제 환경이 평화로와지자 조선왕조의 집권적 기강이 급속히 풀려 갔다. 16세기에도 이 같은 대외적인 '안정'이라는 조건 하에서 국방은 거의 해체되고 국내에서는 권력투쟁에 몰두하게 되었다. 사상적으로는 중국과의 책봉체제를 인정하는 국제질서 속에서 조선을 소중화로 여기면서, 大中華인 중국의 다음 자리에 자국을 설정

8_ 김기협,『밖에서 본 한국사』, 돌베개, 2008, 233쪽.
가와카쓰 요시오 著 · 안대희 譯,『중국의 역사―위진남북조』, 서경문화사, 2004, 64~65쪽.
9_ 『林下筆記』 권4, 「문헌지장편」 '혼례의 白馬'

해 놓았다.[10)]

책봉과 조공체제가 고착된 이후 한국의 역대 왕조는 중국의 침공을 받지 않았다. 조선왕조가 500년 이상이나 지속하게 된 배경은 책봉과 조공 관계에 대한 반대급부로 중국 왕조가 조선 국왕의 지위를 보장해 주었기 때문이다. 그로 인해 조선 왕조 내부에서 권력 투쟁의 대상이 된 것은 왕권이 아니었다. 그에 버금가는 권력에 대한 투쟁, 즉 당파 간의 투쟁으로 전개될 가능성이었다.[11)]

중국을 담보로 끌어들인 책봉을 통해 왕조의 수명이 장구해진 것은 분명했다. 그런데 일종의 종주국인 중국이 흔들릴 때 이와 연동하여 한국의 경우도 영향을 받았다. 당 말의 혼란기에 이어 宋이 등장할 때, 한국도 고려가 등장하여 후삼국의 혼란을 수습하고 통일했다. 元에서 明으로의 교체기에 조선이 개국했다. 이렇듯 중국과 한국이 비슷한 시기에 왕조 교체가 이루어졌다. 양자 간의 연동성과 관련해 시사하는 바가 크다.

2) 중국과 관련한 한국사 전개

중국이라는 동아시아 거대제국과 역대 한국 왕조가 관련을 맺게 되는 매체는 朝貢 형식이었다. 이에 따른 중국과 한국의 관계는 稱外臣 관계(外王內帝 체제)→內臣的 外臣 관계→親屬 관계→認准 관계→독립 관계로 설정할 수 있다.

稱外臣 관계는 순전히 형식적이고 명분적인 관계였다. 중국을 중심에 두고 외형상 王을 칭했지만 국내에서 帝를 일컬었다. 독자 연호도 등장했다. 기원이전 대왕조선(위만조선) 시기부터 7세기 중엽 삼국시대까지에 해당한다. 이어 등장하는 내신적 외신 관계는 위기에 직면한 신라가 당을 끌어들이며 唐服을 수용하면서부터이다. 신라가 당 조정의 일원임을 보여주었다. 외형상 唐朝의 分局이 신라에 설치된 양상이었다. 고려의 경우도 통일신라처럼 宋朝의 冠服을 수용했다. 그렇지만 兩朝 모두 外王內帝 체제는 외형상 여전히 유지하였다. 墓室 벽화를 통해 볼 때 당복차림이 등장하는 발해의 경우도 이와 유사했을 것이다. 그러나 국왕 뿐 아니라 조정의 관료들이 당·송의 관복을 착용했다는 것은 중국 皇廷의 신하임을 가리킨다.

10_ 변영호(都留大學),「중화주의와 잠재조선주의의 상극」, 한국사상사학회, 제112차 월례발표회, 2007. 3.10.
11_ 全海宗,「中國과 韓國의 王朝交替에 대하여」『白山學報』8, 1970, 50~51쪽.

이어 元朝로 인해 등장한 고려의 駙馬政權은 親屬 관계였다. 이 경우는 직접 지배에 준하는 구속력이 행사되었다. 認准 관계는 外臣에 대한 중국의 영향력이 극대화한 경우이다. 조선조 전 기간이 여기에 속한다. 독립 관계는 지금까지 중국과의 모든 관계가 청산된 대한제국의 등장을 가리킨다. 도식적이라고 말할 수 있겠지만 형식상 그렇다는 것이다. 누구도 云을 떼지 않았지만 불편한 진실이 아닐 수 없다.

그러면 한국사가 오랜 기간 중국에 정치적으로 종속된 요인은 무엇이었을까? 여러 요인을 생각할 수 있겠지만 기본적으로 늦은 國文字의 개발을 지목할 수 있다. 게다가 창제된 한글이 漢字를 대체하지 못하고 그 보조 문자에 불과했기 때문이다. 이와 관련해 五代에 속한 後晉이 거란이 세운 遼에게 '臣'을 칭하면서 中華와 夷狄의 관계가 역전해버린 점을 주목해야 한다. 이 때 요에서는 거란문자가 창제되었다. 요에 이어 등장한 金에서는 여진문자가 만들어졌다. 중국의 서북 회랑지대에서 일어난 西夏에서도 서하문자가 제정되었다. 일찌감치 중화세계에서 이탈한 일본의 경우도 가나문자가 고안되어 국풍문화의 시대를 맞이한다. 夷族의 이탈로 인해 오대의 혼란을 수습하고 등장한 통일왕조였음에도 宋은 책봉체제를 주도하는 종주국의 지위를 상실했다. 중국에서 夷狄視했던 이민족 왕조들도 황제를 칭하였다. 이들은 송과 형제관계나 부자관계를 설정하거나, 오히려 歲貢까지 받았다.[12] 이들 이민족 국가의 공통점은 고유 문자의 제정을 통해 중화체제에서 완전히 이탈했다는 것이다. 한국이 대한제국(1897~1910) 이전까지 중화체제에서 이탈하지 못한 요인으로 한글이 한자를 대체하지 못한 데서 찾고자 한다. 1894년 갑오개혁으로 한글은 비로소 국문의 지위에 오르게 되었다. 비록 한글이 국문이 되었지만 한자 어휘가 70%를 점유하였다. 중화세계적인 사고에서 완전 탈피가 어려운 한계를 알려준다. 이러한 점에서 "문자보다 더 큰 사상은 없다"는 말은 명언이 아닐 수 없다.

12) 西嶋定生, 『古代東アジア世界と日本』, 岩波書店, 2000, 23~24쪽.

4. 한국사에서의 통일국가 형성 문제

신라의 통일국가 형성 과정은 한반도에 소재한 국가 간의 항쟁이 국제화되고, 주변국의 이해가 개입되어 교착 상태가 풀리는 것이었다. 상대적으로 전력이 약했던 신라는 외세=당과의 연합을 성립시켜 한반도내에서 처음으로 통일국가를 형성하는데 성공했다.

신라의 삼국통일 과정은 한반도 내에는 삼국이 정립할 수 있는 국토와 인구가 있었다는 전제에서 출발한다. 각국이 한반도 내에서 상대적으로 불리한 상황에 처해 있을 때 주변의 외국 세력과 동맹을 맺음으로써 그 열세를 보충하거나 아니면 세력 관계를 역전시켰다. 그렇기 때문에 통일국가의 형성은 용이하게 진행되지 않았다. 한반도에 이해관계를 가진 외국세력에 둘러싸여 있다는 지정학적 조건이 한반도 내에서의 항쟁이 국제적인 항쟁과 연동하여 통일국가 형성을 늦추었던 것이다.

加羅를 비롯한 한반도 내의 정권들이 외국세력과 결탁하였을 때도 통일국가형성은 용이하지 않았다. 그리고 일단 통일국가를 형성한 후에도 중앙권력에 불만을 가진 지방세력이 다시 외국세력과 결탁하여 중앙권력에 대항해 올 수도 있었다. 가령 후백제를 세운 진훤이나 천주절도사를 자칭했던 왕봉규 등을 꼽을 수 있다. 이들은 중국 왕조로부터의 책봉을 통해 확보한 정당성을 기반으로 중앙권력에 준하는 위상을 갖추고자 했다.

통일신라 말기에는 다시금 삼국정립상황이 재현되었다. 고려왕조에서도 중앙으로부터 지방관을 파견할 수 없는 郡과 縣이 반수 이상 되는 완성도가 낮은 왕권이었다. 조선왕조에 이르러 중앙집권화가 빨라지지만 15세기 후반부터 중앙권력은 形骸化 조짐을 보였다. 결국 조선왕조의 서북부에는 관료가 배출되지 않는 차별을 받는 지역으로 떨어졌다. 남부에서는 대략 동인과 서인으로 분열되어 권력투쟁에 빠져 들어 갔다. 그러니 조선왕조판 삼국정립이라는 시각도 제기되었다.

그럼에도 국가가 건재한 것은, 중국의 경우에 비해 작은 행정과제는 왕권의 정치책임을 작게 하여 실정에 대한 책임추급을 약하게 했기 때문이다. 통일신라는 물론이고, 고려와 조선이 긴 수명을 누리게 된 것은 이러한 상황의 산물이었다. 통일국가의 완성도가 떨어진 요인은, 지정학적 조건과 국제환경이 통일국가 형성에 저애로 작용하였다. 통일국가 형성에 성공하더라도 완성도는 낮았기에 분열의 씨앗을 내재하였다.

이와 더불어 통일국가 완성을 위해, 단군이 수도로 정했다는 평양은 고구려의 수도였다는 점이다. 그런데 고려 왕조가 『구삼국사』와 『삼국사기』를 편찬하였으므로, 고구려나 그 후예인 고려가 한반도의 정통적인 지배정권임을 주장할 필요가 있었다. 그러한 고려 왕조의 정통성 부각과 연관지어 단군신화만한 게 없었다. 그런데 단군신화는 단편적인 신화만 남아 있어 있기에, 문화 내용은 알 수 없었다. 이에 유교를 상징하는 '敎化와 儀禮의 主'인 기자전승을 활용하였던 것이다.

단군을 강하게 나타냄으로써 중국의 종속국이 아닌 별개의 국가라는 주장이 가능해졌다. 그러나 머리는 단군이고, 몸은 유교나 다른 보편적인 사상과 신앙이 접합되어 한국적 민족주의가 태동한 것이다.[13)]

13_ 변영호(都留大學),「중화주의와 잠재조선주의의 상극」, 한국사상사학회, 제112차 월례발표회, 2007. 3.10.

5. 漢字의 수용과 유교 이념에 의한 세뇌

언어와 문자 모두 의사 소통 수단이지만, 후자는 보존성을 띠고 있는 관계로 지속성을 띠면서 널리 소통시키는 데는 가장 유효한 수단이었다. 만주와 한반도 지역에 거점을 두었던 세력들은 동아시아 문명의 상징인 중국과의 소통을 위해 중국 문자인 한자를 익히고 급기야는 공용 문자로 수용하였다. 한자는 가르침의 매개가 된 단 하나의 신성한 언어인 라틴어가 지닌 권위에 필적했다. 유럽에서는 1500년 이전에 인쇄된 책의 77%가 라틴어로 쓰여져 있었다고 한다.[14]

한국사에서 한자의 사용은 지배층의 문자 독점과 관련한 정치적 측면에서 접근할 수 있다. 즉 중국과의 통교에 대한 독점권 확보를 통한 책봉까지 맞물린 사안이었다. 한자의 사용을 통해 주민 다수와 차별화된 위상은 물론이고, 그들을 교화의 대상으로 삼아 우월적 위치를 확보할 수 있었다고 본다. 이 역시 유럽에서 이중언어를 구사하는 지식인이 모국어와 라틴어를 매개함으로써 땅과 하늘을 이어준다는 관념의 생성과 연결된다.[15] 한국사에서는 중국의 통치자가 天子 곧 하늘인 경우가 많았기 때문이다.

한자의 수용은 문자 자체만으로 의미를 한정할 수 없다. 중국적인 사유 관념이 매개 수단인 한자라는 빨대를 통해 급속히 유입해 왔기 때문이다. 당시 중국 문명은 주변 국가들에게는 선망과 동경의 대상이었다. 그런데 한자의 공용화로 인해 중국적인 의식은 빠르게 뿌리를 내렸다. 또 한자를 공용 문자로 채택함에 따라 중국 문화에 대한 이해 속도도 한층 빨라졌다. 漢字라는 매개체를 통해 중국의 이데올로기인 유교가 수입되었다. 유교는 기존 질서를 중시하는 속성을 지니고 있었다. 그런 관계로 통치자의 입장에서 유교는 선호할만한 사상이었다. 삼국은 중국으로부터 율령의 수용을 통해 국가 전반의 법제적 질서 체계는 중국화의 길을 걷게 되었다. 또 중국을 통한 불교의 수용을 통해 불상과 사원 건축을 비롯한 조형 미술 전반도 영향을 받았다. 다음은 백제 멸망에 대한 김부식의 평가이다.

14_ Benedict Anderson, Imagined Communities Reflections on the Origin and Spread of Nationalism, Verso, 2016, p.18.

15_ Benedict Anderson, Imagined Communities Reflections on the Origin and Spread of Nationalism, Verso, 2016, pp.15~16.

> 論하여 말한다.… 백제의 말기에 이르러, 행하는 바가 道에 어긋남이 많았다. 또 대대로 신라와 원수가 되고, 고구려와 더불어 連和하여, 그를 침략하고, 이로우면 꾀하여 즉각 빼앗음으로써, 신라의 重城과 巨鎭을 취했을 뿐이니, 이른바 "어진 이를 가까이 하고 이웃나라와 잘 지내는 것은 나라의 보배이다"와는 어긋난다. 이에 唐 天子가 두 번이나 詔를 내려서 그 원한을 가라앉히려 하였으나, 겉으로는 따랐으나 속으로는 이것을 어겼다. 대국에 죄를 얻었으니, 그 망함은 또한 마땅하다.[16]

김부식은 백제 멸망 요인으로 "대국에 죄를 얻었으니, 그 망함은 또한 마땅하다"고 질타했다. 그는 중국 중심의 유교 이념에 근거해 백제 멸망 원인을 찾았다.

유교 이념의 주입은 서구 유럽제국들이 아메리카를 비롯한 신대륙이나 다른 세계를 지배하면서 이교도와 원주민을 개종시킨 사례를 연상시킨다. 그 만큼 이데올로기의 중요성을 반증해준다. 고려시대 이래 한국인들이 자랑스럽게 운위했던 소중화 의식은 중국화의 정도를 말하였다. 곧 중국화되었음을 뜻한다. 더욱이 고려 말에 수입된 성리학적 세계관의 도입에 따라 사고 관념 자체가 경직되어갔다. 조선은 주자학에 사로잡힌 사회라는 말은 이래서 나온 것이었다. 즉 "유교는 停滯 철학이기 때문에, 유교에서는 (현재의 질서를 존중하기 때문에) 호기심을 가져서는 안 된다고 했는데, 그러나 호기심을 갖지 않으면 진보할 수가 없다"는 말이 제기되었다.[17] 그리고 "유교는 질서를 너무 중시한 나머지 운신하기 힘들 정도로 체제를 고정시키는 경향이 있다"[18], "유교를 채용하여 옛날을 가치 있는 것으로 인정한다면, 아무래도 그런 사회는 유동을 멈춘 채 고체처럼 되는 게 아닐까?"[19]라는 평가도 제기된다. 어떤 논객은 '성리학이 질식시킨 과학'이라는 소제목에서 "1713년 숙종이 이렇게 한탄한다. '텅 빈 궁궐 안 옛 기기들이 … 그 용법을 아무도 모르니 심히 애석하다(空闕內亦有古圓器 … 今則有器而不知所用甚可惜也)(『승정원일기』 숙종 39년 윤5월 15일).' 조선이 성리학 절벽에 막혀 한 걸음도 나가지 못했다"[20]고 개탄했다. 불편한 진실이 아닐 수 없다.

16_ 『三國史記』 권28, 의자왕 20년 조. "至於百濟之季 所行多非道 又世仇新羅 與高句麗連和 以侵軼之 因利乘便割 取新羅重城·巨鎭不已 非所謂親仁善鄰國之寶也 於是 唐天子再下詔平其怨 陽從而陰違之 以獲罪於大國 其亡也 亦宜矣"
17_ 김달수, 『역사의 교차로에서』, 책과 함께, 2004, 65쪽.
18_ 진순신, 『역사의 교차로에서』, 책과 함께, 2004, 156쪽.
19_ 시바 료타로, 『역사의 교차로에서』, 책과 함께, 2004, 158쪽.
20_ 박종인, 『대한민국 징비록』, 와이즈맵, 2019, 88쪽.

조선은 한양도성의 정문인 남대문의 이름을 崇禮門이라고 한데서 알 수 있듯이 禮를 숭상하였다. 禮라는 도덕적 규범은 사회적으로는 체면이라는 모습으로 드러난다. 체면은 형식을 중시하는 풍조를 조장했다. 즉 체면은 실질을 멀리하는 속성을 지녔다. 또 유교의 孝 관념은 현실 안주적인 정서를 배양하게 한다. 따라서 그 사회의 역동성을 희석시키는 경우도 있다. 조선 사회의 遲滯性은 孝 문화에 기인한 바 크다. 이러한 보수 사상은 사회 변혁을 가로막았다는 평가를 받게 한다. 이와 관련해 吳知泳의 『동학사』에 수록된 다음 글귀가 시사적이다.

> … 우리는 소중화라고 자칭하였었다. 이와 같은 사상으로써 인민을 교화하여 자손만대에 不遷不易의 大經大法을 만들어 놓았었다. 정치·법률·제도·의식·종교·풍속·언어·문자 등이 모두 저들과 동화로 되었음은 물론이요, 人姓·人名·地名·物名까지라도 그것을 모방하지 아니한 것이 한가지도 없었다. 그것이 인도상 정의라고만 할 것 같으면 어느 것이나 동화되는 것이 하등의 관계가 있으랴마는 그것이 비인본주의며 불평등주장임에야 어느 때든지 그 人族이 꿈을 깨는 날에는 한번 다시 뒤집어지고 마는 것이 원칙일 것이다. 소위 조선 국가 안에서 인재선발이라는 것부터 그 글자만으로써 試題를 내어걸고 순전한 그 式으로 순전한 그 사람들의 도덕이나 정치나 풍속이나 개인의 이야기꺼리까지라도 그 글속에서만 취해 쓰게 하고 제것이라고는 무엇이든지 一字半句라도 취해 쓰지 못하게 하였다. 자국의 글이라고는 '諺文'이오, '假글'이라 하여 세상에 내놓고 써보지도 못하였다.… 교나 서원 등도 모두가 그 모범으로 하여 上國 귀신들을 主壁으로 내세워 앉혀놓고 조선 사람의 신위는 그 하위에 陪坐시켜 놓았으며 그리하여 자손만대의 양반질을 잘해 보겠다는 생각으로 그러한 것이었다.
>
> 이 밖에도 또 이상한 일이 많았었다. 충청도 남단 한 구석에 산 하나가 있어 그 산 이름을 尼丘山이라고 지었으며, 그 산 밑에 고을 이름을 魯城이라 부르고 그 고을 북편쪽에 闕里祀라는 집을 지어 공자의 畵像을 그려 붙여 놓고 봄 가을로 제사를 지내는 일이며[魯城 闕里祠(충청남도 기념물 제20호) 논산시 노성면 교촌리 294. 궐리사는 공자가 자란 마을인 궐리촌이라는 명칭에서 유래된 것으로 공자의 영정을 봉안한 영당을 말한다: 필자], 청주 화양동에 萬東廟라는 집을 지어놓고 華陽水石, 大明乾坤이라고 대서특필로 刻字를 한 일이며, 남양군 臥龍江에 제갈공명 사당이며, 해주 首陽山에 백이숙제 사당이며, 서울에 慕華館과 延詔門[서울 서대문 밖에 있던 중국 사신을 맞아들였던 문. 延詔는 (중국 황제의) '詔書를 맞는다'는 뜻이다.: 필자]이며, 小地名으로 程子川과 朱子川과 赤壁江

彩石江 등 같은 것도 모두 大國化한 것임이 틀림이 없는 것이다. 이것으로 미루어 보아 평양에 箕子墓 같은 것도 또한 의심이 없을 수 없는 것이다.[21]

집현전 부제학 최만리 등이 한글 제정의 부당함을 말하면서 "옛적부터 九州의 안에서 風土는 비록 달라도 지방의 말에 따라 별도로 문자를 만들지는 않았습니다. 오직 蒙古·西夏·女眞·日本·西蕃의 類는 각기 그 글자가 있습니다. 이는 모두 夷狄의 일일 뿐이니 족히 말할 것이 없습니다. 傳에서 이르기를, 華夏를 써서 夷를 변화시킨다 하였지, 華夏가 夷로 바뀐다는 것은 듣지 못했습니다"[22]고 했다. 최만리 등은 조선이 九州 즉 중국의 천하에 속했음을 자랑스럽게 여겼다. 이 같은 정서가 조선 오백년을 관류했던 큰 흐름이었다.

21_ 오지영 著·이장희 校註, 『동학사』, 博英社, 1990(중판), 27~28쪽.

22_ 『世宗實錄』 26년 2월 庚子 條. "自古九州之內 風土雖異 未有因方言而別爲文字者 唯蒙古·西夏·女眞·日本·西蕃之類 各有其字 是皆夷狄事耳 無足道者 傳曰 用夏變夷 未聞變於夷者也"

6. 전통문화에 대한 관념과 의식

한국의 전통문화하면 으레 조선시대의 의상과 풍속을 연상한다. 그런데 조선 사회는 임란과 호란을 겪은 후 일변하였다. 일례로 전통시대에는 여자를 하대했던 것으로 알고 있다. 그러나 조선 전기까지만 하더라도 재산상속에서 남녀 간의 차별이 없었을 뿐 아니라 제사를 돌아가면서 지내기도 했다. 남녀 차별이나 적장자 우선주의는 17세기 이후인 조선 후기의 유습에 불과했다. 이와 관련해 요즘 흔히 부르짖는 정체성 회복과 결부지어 한국 문화의 뿌리와 원형에 대한 성찰이 필요해진다. 동일한 한국인이 남긴 문화지만 삼국시대와 조선 후기의 그것 간에는 시간 낙차 폭 이상의 두터운 괴리가 있기 때문이다.

우선 영토를 보면 삼국시대는 가변적이었지만 조선 후기는 확정되었다. 삼국시대는 한반도에만 갇혀 있던 조선 후기와는 비교 되지 않을 정도로 다양한 문화 체험과 국제적 성격을 지닌 개방된 사회였다. 가령 무덤의 보수적 성격에도 불구하고 남중국의 묘제를 과감하게 채용한 무녕왕릉과 외국인들이 요직에서 활약하던 다종족 국가로 상징할 수 있다. 게다가 악어 · 낙타 · 양 · 앵무새 · 공작까지 수입하거나 서식했을 정도로 물산의 풍부함을 자랑하였다. 그러한 삼국시대는 국지전을 비롯한 수백년 간에 걸친 동란기였다. 조선 후기는 외형상 전쟁이 없는 평화시대였지만, 사회가 균열되고 민란이 들끓었던 內訌의 시대였다. 여성 차별이 없었기에 신라에서는 3명의 여왕이 등장할 수 있었지만, 조선 후기는 남녀칠세부동석을 고수하였다. 삼국시대는 기술자들에게 瓦博士를 비롯한 박사 칭호는 물론이고 관등까지 부여했을 정도로 기술직을 우대했다. 그러나 조선 후기는 기술직을 천시하였다. 일례로 임진왜란 때 붙잡혀간 조선 陶工들이 귀환을 거부하거나 심지어는 가족들을 데리고 다시 일본으로 돌아간 경우까지 있었다. 조선 도공들은 일본에서 인간적인 대우와 합당한 사회적 보상을 받았기 때문이다.

삼국은 실질을 숭상했고, 실리를 추구하였기에 신라는 당과 연계하였고, 결국 삼국통일로 이어졌다. 그런데 반해 조선은 명분을 중시한 관계로 피할 수도 있는 胡亂을 자초하였다. 조선 후기는 공리공론과 명분에 휘둘려서 결국은 文弱을 야기했다. 삼국은 독자적인 연호를 사용하는 등 자주성과 긍지를 지닌 황제국가였지만, 조선 후기는 慕華國家였다. 가령 망한 明의 崇禎 연호를 淸이 거의 망할 때까지 붙들고 있었다. 인구는 2천만에 가까웠지만 경복궁 신축도 아닌 중건에 휘청거릴 정도로 허약했던 나라가 후기의 조선왕조였다. 동일한 경우라면 대규모 토목공사가 잦았던 백제는 망해도 몇 번은 망했어야 했다. 요컨대 이러한 정치 · 사회 · 경제적 기반의 차이는 문화의 질과 양 및 성격을 결정 짓는다는 점에서 결코 간과할 수 없는 요인이라고 본다.

결혼 후 신랑이 처가에 일정 기간 머무는 혼속과 三年喪 및 여성들의 두발 등 조선 후기까지 남아 있던 숱한 전통은 삼국시대에 연원을 두었다. 그러나 기술직을 천시하고, 여성을 하대하고, 역동성이 사라진 문화가 한국 문화의 본 모습은 아닐 것이다. 한국 문화의 원형은 상호 경쟁하며 끊임없는 긴장 속에서 주민들의 에너지가 결집되던 삼국시대에서 찾을 수 있다. 그렇다고 조선 후기의 문화를 죄다 극복 대상으로 간주해서는 않될 것이다. 그러나 현재의 가치 기준으로 볼 때 삼국시대와 조선 후기 문화 가운데 어느 쪽이 계승 가치가 큰 것일까?

흔히 조선시대의 문화를 복원하는 게 곧 한국 전통 문화를 계승하는 것처럼 인식되었다. 비록 현재에서 가장 근접한 시기이지만 조선 후기의 문화가 한국 문화 전체를 대표하지 않는다는 사실이 속속 드러났다. 우리가 문화의 정체성을 확립한다면 그 원형이랄 수 있는 삼국시대의 문화를 계승하는 것도 한 방법이 된다. 가령 국군의 날 행사에 조선시대 군복을 입은 군인 행렬이 따라 가고 있지만 그래야할 당위성은 없다. 삼국시대 군복을 입은 군인들의 행렬이라고 해서 안 될 이유는 없지 않은가. 이 말은 문화를 바라 보는 데 있어서 좀더 근원적인 모습을 찾아 보고, 또 유연한 접근이 바람직하다는 것이다. 조선 후기의 문화 현상만이 한국의 전통을 대표하는 게 아니라는 발상의 전환이 어느 때보다 긴요하다. 문화도 이제는 경쟁력을 가져야 하기 때문이다.

고려 이후의 과학 발달은 정체되었다. 과학 발전의 動因은 호기심이다. 그러나 한층 더 저변으로 침투해 간 유교 이념은 호기심을 억제시켰다. 사회는 유교적 가치관에 입각한 기존 체제 유지에 부심했고, 또 그것에 안주하는 경향을 띠었다. 중국의 세계 4대 발명품이라는 것도 종이만 제외하고는 서역과의 교류나 몽골과 같은 이민족에게 지배당한 산물이었다.

다만 天命思想인 유교 이념과 직결된 천문학은 꾸준히 발전하였다. 거북선과 같은 철갑선이나 비행기[飛車]가 개발되었지만 그러한 기술 전통은 계승되지 못했다. 전적으로 국가적 관심과 지원이 없었기 때문이었다. 그래서 성리학 원리주의에는 한국 사회의 자생적 발전을 저해하는 纏足인 요소도 분명히 존재하였다.

지금까지의 논의를 다시금 정리해 본다. 다양한 사상이 넘쳐날 때 그 사회 구성원들 간에는 창의력이 배가되고 사회는 역동성을 띄게 된다. 제자백가가 활개치던 중국 춘추시대가 대표적이다. 그러나 중국 역사상 최초의 통일국가인 秦帝國 등장 이후 사상의 일원화를 통한 통제가 가해졌다. 다양한 사상이 관류하였던 한국의 경우도 임진왜란과 병자호란을 거친 17세기 이후부터 성리학체제가 더욱 공고해졌다. 斯文亂賊의 운위는 엄혹하고 경직된 시대 분위기를 웅변한다. 이러한 사회 분위기는 호기심에서 발동된 창의력을 저해하고 사회 전체의 유연성을 사라지게 하였다. 부인할 수 없는 사실이었다.

제2장

한국 고대사의 시대 구분과 특징

제1절 한국 고대사의 시대 구분

1. 한국사 최초의 시대 구분—신라사에 적용된 시대구분

일반적으로 역사의 흐름을 나눌 때는 3가지 시대로 구분하고 있다. 고대 · 중세 · 근대가 되겠다. 고대의 사회적 특징은 노예제 사회이고, 중세는 봉건제 사회인 반면, 근대는 자본주의 사회가 된다. 이러한 3시기 구분법은 유럽사의 발전 과정에서 얻어진 특징적인 현상에 속한다.

그러면 왜 시대구분은 필요한가? 시대구분은 역사의 발전을 체계적으로 인식하려고 할 때 필요하다. 독일의 역사학자인 트뢸취(E. Troeltsch, 1865~1923)는 "역사 연구의 모든 노력은 시대구분에 귀착한다"고 했다. 이 말은 분명히 과장이지만 그러나 시대구분의 중요성을 잘 함축해 주고 있다. 또 이탈리아의 철학자 · 역사가 · 휴머니스트인 크로체(B. Croce, 1866~1952)는 "역사를 사유하는 것은 시대구분을 하는 것이다"고 하였다. 이렇듯, 시대구분은 역사를 연구하는 역사가들의 가장 중요한 과제였다. 동시에, 시대구분을 외면하고서는 역사의 체계적인 인식이 불가능함을 의미한다.

시대구분론은 크로체의 지적처럼 역사가 개인의 생각이기도 하지만, 이와는 달리 역사적 경험을 달리한 민족이나 국가의 특수한 역사경험을 반영하는 수단일 수도 있다. 그런 만큼 보편성이라는 전제하에 공식을 대입하는 식의 시대구분론에서 벗어날 필요가 있다는 대전제를 설정하고자 한다.

한국사의 발전 과정에 과연 노예가[1] 기본적인 생산 담당 계층인 적이 있었던가? 또 봉건제 사회는 존재하였는가? 한 마디로 말해 한국사는 이러한 사회 성격에 맞는 역사 발전을 하지는 않았다는 것이다. 이제는 유럽사에서 얻어진 경험에 기반을 둔 역사 해석에서는 독립할 필요가 있다. 한국 역

1_ '奴' 字는 女+又의 조합인데, '又'는 손[手]의 모습에서 비롯되었다고 한다. '奴' 字는 손으로 여자를 잡는 형태이므로, 당초에는 포획한 女子를 뜻했다. 참고로 奴는 남자 종을, 婢는 여자 종을 가리킨다.

사 그 자체에 대한 시대 구분론이 일찍부터 존재하였기 때문이다.

한국사에서의 시대구분은 천년왕국인 신라사에 적용된 바 있다. 또 그러한 시대구분은 신라 당시에 생겨난 것이었다. 가령 진성여왕대에 편찬된 향가집의 이름인『三代目』에서 유추된다. 삼대목의 삼대는 상대·중대·하대 그러니까 신라 전시대에 걸친 노래집이라는 뜻이다. 신라사에 대한 3시기 구분의 틀이 신라 당시에 짜여 있었음을 알 수 있다. 또『삼국사기』김흠운전에 의하면 신라 전시기의 화랑이라는 의미로서 '三代花郞'이라고 한 문구가 보인다. 그리고 唐 때 편찬된『續高僧傳』에 수록된 신라 승려 慈藏의 전기에서 '中古之時'라고하는 신라사의 시대구분이 나타나고 있다.『삼국사기』와『삼국유사』를 보면 신라 천년의 역사를 上代(기원전 57~654)·中代(654~780)·下代(780~935) 혹은 上古(기원전 57~514)·中古(514~654)·下古(654~935)의 3시기로 각각 나누었다. 자장전에 보이는 '中古之時'는『삼국유사』의 中古(514~654) 시기와 시점이 부합하고 있다.『삼국사기』와『삼국유사』는 시대구분의 기준은 서로 달랐지만, 이러한 3시기 구분법은 모두 신라 당시의 시대구분 인식을 반영하고 있음은 분명하다.『삼국사기』는 국왕의 혈통의 변화 과정을 기준으로 한데 반해,『삼국유사』는 국가의 발전을 근거로 했다.

2. 어디까지가 고대의 하한인가?--中世의 기점 문제

1) 시대구분에 대한 시도

한국사에 대한 본격적인 시대구분론으로서 먼저 남한 사학계의 경우를 살펴 본다. 우선 한국경제사학회에서 1970년에 간행한 『한국사시대구분론』이라는 책에 시대구분이 정리되어 있다. 이 책은 왕조사적 시대구분에 머물고 말았지만, 그 동안의 연구 성과를 시대구분으로 수렴하려는 노력이 경제사학회를 중심으로 정리된 것이다. 이 연구는 정치사 위주의 연구 성과를 바탕으로 경제와 접목시키려는 시도였지만, 당시 연구 성과의 축적이 부족하여 나름대로의 결론이나 깊이 있는 토론이 진전되지 못하고 시대구분에 대한 논의가 시작과 함께 끝난 느낌을 주고 있다. 부연 설명하자면, 1967년과 1968년에 걸쳐 한국경제사학회 주최로 한국 역사의 시대구분 문제에 대한 포괄적인 논의가 있었다. 한국사에서 고대와 중세의 전환점을 신라말 · 고려초로 잡는 김철준의 견해와, 무신집권 이후로 보는 강진철(강대량)의 견해가 대두되었다.[2] 여기서 일단 한국사의 내재적인 역사발전에 주목한 '羅末麗初' 설이 통설로 한동안 자리잡았다. 그러나 이러한 논의들은 사적유물론의 한계와 그 시대적 특질에 대한 실증적 파악과 보완이 요청되는 한계에 부딪치게 되었다. 그 후 1983년에 김용섭은 토지 소유자와 직접 생산자 사이의 생산관계에 대한 성격을 기준으로 하여, 삼국시대를 고대 노예제 사회로, 통일신라 이후를 중세 봉건제 사회로 보는 이른바 '8세기 說'을 제시하여 이후 신진 소장 학자들에게 큰 영향을 미쳤다고 한다. 이러한 맥락에서 시대구분 논의는 한국고대사연구회 주관으로 1993년에 개최된 바 있다.[3]

반면 북한 사학계에서는 『삼국시기의 사회경제 구성에 관한 토론집』(1957)에서 시대구분에 관한 활발한 토론을 개진한 바 있다. 이 때의 시대구분에 관한 논의는 매우 열기를 띠고 활기 있게 전개되었다. 북한 학계는 처음에는 삼국시대를 노예소유자 사회로 간주하였다. 이보다 앞서 林光澈은 『삼국사기』에 수록된 삼국의 역사를 전쟁 기록으로 충만하였고, 삼국이 병립한 수세기 간은 노예 획득 전쟁의 역사였다고 주장했다.[4] 림건상은 『신당서』 신라전의 "宰相家의 祿이 끊어지지 않고, 奴僮이

2_ 강진철, 「한국사의 시대구분에 대한 一試論」 『震檀學報』 29 · 30합집, 1966, 175~198쪽.
3_ 한국고대사연구회, 『한국사의 고대와 중세의 분기점』, 한국고대사연구회 제6회 합동토론회, 1993. 2. 17~18.
4_ 林光澈, 『朝鮮歷史讀本』, 白楊社, 1949.

3천 인이었다"라는 기사를, 노예 사회가 발전한 신라 사회에 있어서의 대토지 소유 생활 모습을 반영하고 있다고 간주했다. 그럼에도 "지금까지 토론된 것으로 보아 앞으로도 당분간은 명백한 자료를 가지고 삼국시기가 노예제 사회였다 혹은 봉건제 사회였다고 확증할 근거는 매우 희박하다는 것은 인정하게 된다"[5]고 실토했다. 몇 차례 논의가 진행된 후 현재 북한 학계의 공식견해는 고조선 · 부여 · 진국을 고대 노예제사회로 간주하는 반면, 삼국시대 이후는 중세 봉건제사회로 분류하였다. 『삼국사기』 신대왕 5년 조에 의하면 169년에 "명림답부에게 坐原 및 質山이라는 지방을 주어 食邑으로 삼게 했다"라는 기록이든가, 246년에 밀우라는 군사령관에게 넓은 땅을 주어 "식읍으로 삼게 하였다"라는 등등의 기사는 모두 조건부적인 상호 주종관계를 설정하는 봉건적 관계의 형성과정을 표시하는 문자로 인식했다. 백제의 담로도 마찬가지 맥락에서 볼 수 있다.[6]

2) 한국 고대 사회의 특징

인류사회의 발전을 생산을 토대로 원시사회→노예제사회→봉건제사회(농노사회)→자본주의사회→사회주의사회로 구분하고 있다. 노예제사회는 원시사회에서 봉건사회로 발전하는 중간단계에 속하는 것으로, 원시사회의 생산력 발전에 따라 발생한 사유재산에 바탕을 둔 인류 최초의 계급사회이며, 노예제 생산양식 위에 성립한 사회이다. 고대의 그리스 · 로마에 있어서 노예제의 최성기는 노예제사회의 전형으로 노예소유자 · 노예라는 2개의 집단이 사회 계층을 이루고 있었다. 이때 노예는 사회구성의 하층토대를 형성하였다. 노예소유자는 노예로 하여금 광업 · 공업 · 농업에 사역하여 사회생산의 주요부분을 담당하게 함으로써 노예노동에 의한 전잉여생산물을 수탈했다. 노예는 거주의 자유가 없고, 결혼과 출산의 자유가 없고, 재산 축적의 자유가 없다. 이는 농노와의 분명한 차이점이 된다. 일반적으로 노예는 物로서 취급되는 소유의 대상, 즉 소유된 인간을 의미한다. 로마 법전에는 '자연에 반하여 한 사람의 인간이 타인의 소유권하에 예속되는' 상태를 노예상태로 규정하고 있다. 아리스토텔레스에 의하면 도구는 생명이 없는 본래의 도구와 살아있는 도구, 즉 노예로 구분된다. 또한 로마에서는 도구가 '말하지 않는 도구' · '반쯤 말하는 도구' · '말하는 도구'의 셋으로 구분

5_ 림건상, 「삼국시기 사회경제 구성에 관하여」『력사과학』 2, 1959, 51~60쪽.
6_ 시대구분에 관한 이러한 남북한 학계의 인식은 旗田巍 편저, 『古代朝鮮の基本問題』, 學生社, 1974, 2~141쪽에도 잘 정리되어 있다.

된다. 지금까지 기존의 정리된 견해를 소개한 노예는 그 출처에 따라 채무노예·범죄노예·전쟁노예·약탈노예·구매노예 등으로 분류될 수도 있고,[7] 사용주체나 용도에 따라 분류되기도 한다. 도구로서의 노예는 생산수단에 대해 아무런 권리가 없으며, 자신의 노동결과물에 대해서도 권리가 없다. 또한 노예는 자신이 속한 공동체가 없고, 주인의 예속물에 불과했다.

그런데 노예가 존재한다고 하여 '노예제사회'로 일컬을 수는 없다. 노예가 기본적인 생산 담당 계층이 되었을 때 노예제사회로 정의할 수 있다. 고대 그리스 사회를 살펴보면, 아테네의 경우 全住民의 절반이 노예였으며, 고대인의 육체 노동에 대한 멸시로 생산 노동만이 아니라 집안 일이나 잡스러운 육체 노동에도 노예를 이용했다. 반면 '노예소유자사회'는 노예 소유자가 국가 권력과 생산 수단을 소유하고 지배계급으로 되어 있는 사회를 가리킨다. 달리 말한다면 사회노예를 소유하지만, 양민이 기본 생산담당 계층인 고대사회를 일컫고 있다. 부연 설명한다면, 원시사회가 붕괴되는 과정에 노예와 노예 소유자가 생겨나고 노예 소유자들이 노예노동을 착취하는 노예 소유자적 경제제도가 확립되었다. 노예소유자사회에서는 노예주들의 이해관계를 반영하여 노예들에 대한 계급적 노예 지배를 실현하기 위한 도구를 노예소유자국가라고 한다.[8] 고대사회의 노예는 '生口'로도 표기되듯이 인신적 지배의 강도가 조선의 노비보다 혹심하였다.

한국 고대사회가 지닌 특징에 관해서는 여러 가지 논의가 제기될 수 있지만, 크게 세 가지 특징을 생각해 볼 수 있다. 첫째, 씨족을 위시한 혈연·지연적 조직이 사회의 주요 구성요소를 이루고 있다. 가령 골품제, 6部 王京 우월의식 등이 대표적인 예에 속한다. 둘째, 지배·피지배 관계를 정당화할 논리의 제시를 필요로 하였다. 이것은 지배이데올로기의 문제인데, 지배층은 신앙체계의 조직화와 제사권의 장악 또는 천신 등과 같은 최고신과 왕의 혈통간의 연결을 조작해 낸다. 이데올로기의 일방성이 특징적인 현상으로 자리잡고 있다. 셋째, 인간 사이의 관계는 일방적인 것이 특징이다. 이는 서양 중세의 경우 계약관계인 것과는 커다란 차이가 진다. 즉 왕과 신하 그리고 백성, 혹은 주인과 노예 사이의 관계는 쌍무적인 계약관계가 아니고 일방적으로 강요된 관계인 것이 특징이라고 한다.[9]

7_ 이러한 노예 분류와 관련해 孫晋泰, 『國史大要』, 乙酉文化社, 1949, 27쪽이 참고된다.
8_ 장국종, 『조선정치제도사』, 과학백과사전종합출판사, 1989, 25~30쪽. 손영종 외, 『조선통사(상) 개정판』, 사회과학출판사, 2009, 46~47쪽. 90쪽.
9_ 한국고대사연구회, 『한국사의 시대구분』, 신서원, 1995, 151~152쪽.

문제의 핵심으로 돌아오면, 고대와 중세의 분기점에 관해서는 종래 많은 논의가 전개되어 왔고 앞으로도 진행되어야 할 학계의 중요한 과제이다. 남한 학계에서는 8세기 전반을 고대에서 중세로 넘어가는 시기로 보는 견해가 활발하게 제기되었다. 사회 · 경제적인 변화와 지배이데올로기의 변화현상을 주목한 결과 제기된 견해였다. 그러면 8세기 전반이 고대와 중세의 분기점이 되는지 여부를 검증해 본다. 익히 지적되고 있는 문제점을 거론해 본다. 먼저 앞서의 견해는 세세한 지적없이 크게 2가지만 언급한다면, 첫째는 사회발전 단계만 논급하고 있을 뿐 '고대국가의 몰락' 즉 '고대사회의 해체'에 대해서는 전혀 언급이 없다. 이 같은 당위론적인 시대구분 설정은 가장 근본적인데 맹점을 안고 있다. 오히려 '한 시대의 종언'에는 기성 사회질서를 반대하는 광범한 저항이 나타나야 하는데, 과연 8세기대에 그러하였는지는 지극히 회의적이다. 게다가 8세기에는 신라의 大本 즉, 사회를 지탱하는 큰 틀이자 원칙인 골품제도 자체에 변화가 없었다. 골품제도는 9세기 후반 경에야 무너져가기 시작했었다. 둘째는 발해사를 신라사와 적어도 동등한 입장에서 취급한다면 두 나라의 사회발전 과정을 비교하면서 공통점을 찾아 내야만 한다. 또 그것을 시대구분의 공통분모로 할 때만이 설득력을 얻게 된다. 요컨대 '남북국시대론'을 수용한다면, 발해사를 제외한 시대구분론은 하등 의미를 찾기 어렵다. 지금까지 살펴보았듯이 시대구분론은 여전히 학계의 과제로 남아 있음을 발견하게 된다.

3) 고대의 붕괴는 언제부터인가?

9세기 후반인 889년(진성여왕 3)에 貢賦 독촉을 계기로 농민 봉기가 전국적으로 확산되었다. 신라는 조세 저항에서 비롯된 농민 봉기를 수습하지 못하였다. 그 과정에서 우후죽순격의 호족 할거 국면 속에서 후삼국시대가 열렸다. 889년부터 전국적으로 광범위하게 발생한 농민 봉기는 기존 체제에 대한 전면적인 저항의 성격을 띠었다. 그 결과 결국 신라 사회를 지탱해 왔던 강고한 신분 질서인 골품제도는 녹아내렸다. 골품제도의 붕괴는 한 시대의 終焉을 뜻하는 현상이었다. 한 사회를 지탱해 왔던 신분 질서의 붕괴에 결정타를 입힌 제도적 조치가 고려 광종대의 과거제 실시였다. 고려 광종 9년인 958년의 과거제 시행은 족벌에 기반을 둔 전통적인 호족적 기반의 완전 붕괴를 초래하였다. 이는 平山 申氏나 沔川卜氏 등과 같은 개국공신 가문이 官界로 진출하지 못한데서 알 수 있다. 이제는 관직으로 나아가는 수단은 신분이나 족벌과 같은 혈통이 아니라 실력에 의한 것으로 바뀌었다. 관직으로 진출하여, 高官으로 진출할 수 있는 기회와 범위는 이전 시대와는 비교되지 않을 정도로 획기적이었다. 사회를 이끌어 가는 지배층의 배출 수단에서 가히 혁명적인 전환이었다. 그럼에 따라 지배구조와 지배 세력의 법제적 교체가 10세기 중반에 이루어졌다. 이것을 기점으로 중세로의 移行을 말할 수 있다.

고대(~ 과거제 시행 이전)

중세(~1636년 이전)

근세(1636년~갑오개혁(1894년) 이전)

근대(1894년~1945년 8.15 이전)

현대(1945년 8.15~현재)

기존 시대구분론에 대한 대안으로서 한 사회를 지탱해 왔던 신분 질서의 붕괴에 종지부를 찍은 고려 광종대의 科學制를 제시해 보았다.[10] 이때는 고려가 발해 유민들까지도 포용한 시점이었다. 아울러 고려 태조는 후삼국의 통일에 성공했지만, 호족연합정권이 지닌 혈연에 기반한 신분질서를 극복하지는 못하였다. 그렇지만 광종의 호족 숙청과 958년의 과거제 실시로써 그 이전까지 이어졌던 전통적인 지배세력의 권력 상속은 차단되었다. 게다가 국가의 속성은 군사형국가에서 문치주의 국가로 전환되었다. 이는 통치 공간의 변화나 통치자의 성격 변화를 통해서도 읽을 수 있다. 청동기시대의 방어형 집락이나 초기철기시대의 高地性集落을 이은 통치 거점이 산성이었다. 그런데 고려에 접어들어 통치 거점이 평지 邑城으로 전면적으로 전환되었다. 국가 속성의 전환을 알리는 가시적 표징이다. 그리고 신라 말의 호족들이 將軍이나 城主를 칭했다는 자체가 여전히 군사형국가의 속성을 지녔음을 뜻한다. 그러나 고려에 접어들어서는 兵馬權까지도 文臣들이 장악했다.[11]

과거를 통한 문치주의국가의 태동은 文人 우월주의를 가져왔다. 이와 연동하여 匠人 신분의 급격한 하락을 가져왔다. 통일신라대까지 博士 혹은 伯士 호칭에 관등을 지녔던 匠人層들이 고려조에서는 단순 기술직으로 급락하는 현상을 보였다. 과거제 시행 직후인 성종 연간에 마련되었을 工匠案

10_ 李道學, 「新羅史의 時代區分과 '中代'-中世로의 轉換 時點에 대한 接近」『新羅文化』 25, 2005, 19~42쪽.
11_ 李道學, 「說林 : 韓國史에서 中世의 起点으로서 科學制 施行」『東國史學』 56, 2014, 389~406쪽.

은 장인 신분의 재편을 뜻하는 징표였다.[12] 이는 독점적인 기술의 보편화에 따라 희소 가치가 사라진데 따른 사회적 현상만은 아니었다. 물론 이에 대한 반박으로 과거제 시행 불과 5년 후인 963년에 주조된 古彌縣西院鐘 명문을 제시할 수 있다. 그 명문에서 기술직으로는 마지막 사례인 관등이 남아 있었다. 이는 고대사회 장인층의 마지막 잔영일 뿐이었다. 鑄造 현장은 고려의 수도 개경에서 지리적으로 격절된 전라남도 영암이었다. 그런데다가 나말려초 지방세력들이 흔히 붙이고 다녔던 沙干은 명예직에 불과했다. 변화된 세상을 채 읽지 못하고 있었던 것이다. 관성대로 움직인 지방인의 면모를 보여줄 뿐이었다.

과거제 시행으로 인해 고려는 문민사회로 전환하였다. 문민사회 氣風과 연동하여 기술직의 위상은 급락해 갔다. 시대구분의 劃期로서 과거제의 시행을 포착하면서, 이 점을 간과할 수 없다. 그 밖에 고대사회의 특징은 영토의 가변성을 전제하였다. 그렇기에 국왕의 영토 확인 행위인 巡狩가 등장하였다. 반면 고려 왕조 이후의 시대에서는 영토의 확정성과 더불어 국왕의 巡狩는 더 이상 찾아보기 어렵다. 이 점도 유의할만한 현상으로 포착된다.

12_ 강호선, 「고려전기 '寺匠'의 존재 양태」『韓國思想史學』54, 2016, 125~126쪽.

제2절 고대의 시작과 한국 고대사회의 특징

1. 농경과 함께 한 고대의 시작

1) 농경의 시작과 권력의 태동

농업의 시작은 농경이라고 하기에는 너무나 소박한 단순히 씨를 뿌렸다가 소출을 거두는 정도에 불과했다. 땅을 일구고 잡초를 뽑고, 비료를 준다는 사실을 찾아내는 데만도 몇 천년은 걸렸다. 씨를 뿌려서 수확할 수 있는 조건을 갖춘 토지에서만 농업을 할 수 있었다. 농지로 가능한 곳은 강가 정도에 불과했다. 더욱이 씨를 뿌리고 수확하기만 했다면 수확량은 매우 적었을 것이다. 13세기 무렵의 영국과 프랑스 문헌에도 밀은 뿌린 씨앗의 3배 내지 5배 밖에 수확하지 못했다고 쓰여 있다. 그리고 수확량은 기후에 좌우되었고, 야생 동물들의 피해를 막아야 했다. 이러한 조건이 구비되지 않으면 수확은 어려웠다.

그런 만큼 인간의 노동 보다는 조건을 만들어주는 神의 의지 즉 神意가 더 중요해졌다. 따라서 이 시대 사람들은 신에게 기도하는 것을 소중하게 여겼다. 그 결과 그들의 관심은 눈 앞에 있는 재물에서 눈에 보이지 않는 신의 의지로, 바꿔 말해 공상적인 존재로 옮겨 갔다. 이 때문에 이 시대에 만든 형상이나 祭器는 모두 상징적이거나 추상적인 조형들이었다.

농경이 시작된 이래 오랜 시일이 소요된 후에 경작할 수 없는 땅에 물을 끌어오게 되었다. 홍수를 막는 제방을 축조하게 되고, 경사지를 평평하게 고르는 토지 개량이 이루어졌다. 흙을 파헤쳐서 공기를 집어넣고, 잡초를 뽑으면 수확이 늘어난다는 사실도 널리 알려지게 되었다. 즉 '농업 혁명'이 일어남으로써 쓸모 없던 토지를 인간의 힘으로 좋은 경작지로 바꿀 수 있다는 사실을 알았다. 자연 즉 신의 의지를 인간이 바꾸기 시작한 것이다. 여기서 물을 끌어오기 위해서는 많은 노동력이 일사불란하게 움직여야 가능하다. 홍수를 막기 위한 제방이나 저수지를 축조하기 위해서는 막대한 노동력이 필요했다. 노동력의 동원은 조직의 탄생과 동시에 지도자의 출현을 가져왔다.

수확이 늘면 수확을 남기는 사람이 생기고 '사유재산'이 발생한다. 덧붙여서 '계급'이 등장한다. 계급이 생기고 잉여생산이 발생하면 이것을 교환하기 위해 '교역'이 시작된다. 최초의 교역은 공동체를 구성하는 개인과 개인 사이에 이루어진 게 아니라 공동체와 다른 공동체 사이에서 먼저 시작되었다. 개인 간에 일어난 최초의 '교환'은 통상적인 상업이 아니라 육체적 서비스와 재물을 교환하는 매춘이었다. 매춘부가 인류의 가장 오래된 직업이라고 말하는 것은 바로 이 때문이다.[13)]

계급의 탄생과 교역의 시작을 기반으로 한 사회 속에 예리한 금속제 무기가 등장하였다. 청동기의 사용은 잉여 재산을 기반으로 한 지역과 지역 간의 분쟁을 촉발시켰다. 주민들은 분쟁에 효과적으로 대처하기 위해 거주하는 마을 전체를 해자로 에워싸기도 했다. 게다가 그 주변에 목책을 설치해서 외부의 침략에 효과적으로 대응하였다. 혹은 읍락 전체가 방어하기에 유리한 산지대나 구릉으로 옮겨가는 양상도 보인다. 고지성 집락의 출현이었다. 요컨대 예리한 금속제 무기로 무장한 집단 간의 분쟁은 지역 간의 통합 촉진과 국가의 출현을 가져왔다.

이와 관련해 권력이란? '모든 일을 가능케 하는 역량'으로 정의하고 있다. 가장 기초적인 정의가 된다. 그리고 "권력이란 사회 관계 내에서 피지배자의 저항에도 불구하고 자신의 의지를 실행하는 위치에 있게 될 가능성이다"라는 막스 베버(Max Weber, 1864~1920)의 주장을 상기할 수 있다. 베버는 사람들의 저항에도 불구하고 자신의 의지를 수행할 수 있을 때 그가 권력을 가지고 있는 것이라고 구체화시켰다. 즉 권력의 개념이 어떻게 사회 상황에 적용되는 가를 명백히하는 방향으로 길게 설명하였다.

이러한 맥락에서 국가에 대한 기본 정의는 "중앙 집권화되고 전문화된 정부제도가 있는 사회"라고 할 수 있다. 지배 실체가 기본적 자원의 생산과 획득에 통제를 가함으로써, 나머지 주민들에게 필연적으로 강압적인 힘을 행사하는 계층화된 사회였다.

2) 국가의 기원

국가의 기원에 대해서는 숱한 견해가 일찍부터 제기되었다. 이것을 식별할 수 있는 간단한 지표

13_ 사카이야 다이치 著 · 최현숙 譯, 『문명의 변화를 말한다! 동경대 강의록』, 동양문고, 2004, 46~49쪽에 의하였다.

는 사서에 보이는 '王'의 有無이다. 3세기 후반에 집필된『삼국지』에 따르면 君王의 有無를 명시했다. 목지국 진왕을 제외한 삼한 제국의 지배자 호칭들도 사회 발전 단계를 암시하는 지표가 된다. 삼한 제국들은 외형상 '國'으로 적혀 있지만 국가로 규정할 수는 없다. 타자의 시선에서 목지국 최고 지배자를 '王'으로 일컬었다는 것은, 왕으로 공인되었음을 뜻한다. 이러한 왕의 출현은 국가의 등장을 알리는 지표였다.

세계사적으로 볼 때 '王'에게는 공통으로 짊어져야할 역할이 있다. 즉 주민들에게 稅를 징수하고, 대규모 治水事業을 시행하고, 법률을 정하고, 兵馬를 통솔하고, 전쟁을 지휘하며, 神의 말을 주민들에게 전달하고, 神에게 五穀豐穰을 기원하는 일, 曆法을 정하는 일, 궁정에서 예술과 문화를 육성하는 일을[14] 지목했다. 삼한 제국의 경우는 법률 제정이나 국가 운영의 토대인 징세 관련 기록이 보이지 않는다.

그러면 국가는 어떤 요인에서 태동한 것일까? 이와 관련해 전쟁 기원설을 배제하기 어렵다. 한정된 지역과 인구압이 전쟁을 유발하고, 약자에 대한 강자 집단의 정복이 잇따르고 있다. 정치적 진화 과정에서 점차적으로 보다 큰 규모의 사회단위로의 결합이 이루어진다. 확정된 지역에서 모든 공동체들이 하나의 정치체계에 예속될 때 국가가 발생한다. 그러면 국가 권력이 필요한 것은 무엇 때문일까? 한정된 토지와 수확을 지켜야하는 방위에 관한 문제가 따른다. 방위를 하기 위해서는 공평한 부담이 필요하다. 방위와 안전은 전형적인 公共財(public goods)가 된다. 공공재는 누군가가 부담해서 만들면 모두가 혜택을 받을 수 있는 속성을 지녔다. 경제학에서 공공재의 예로 흔히 드는 것이 등대이다. 바다를 향해 빛을 비추는 등대를 누군가가 세우면 항해하는 선박은 모두 안전해 진다. 따라서 배 주인은 다른 사람에게 등대를 만들게 하고 자신은 공짜로 쓰자는 생각을 할 것인데, 이것을 공공재라고 한다.[15]

조직을 운영하고 방위를 위해 소요되는 비용 충당을 위해서는 '徵稅'가 필요했다. 국가 권력이 징세를 하려고 하면 당연히 저항하게 된다. 이러한 저항을 제압하기 위해서는 무력 수단을 갖추어야 한다. 바로 경찰력과 공정을 지키기 위한 재판 곧 사법이 필요하였다.[16]

14_ 本鄕和人,『日本史のツボ』, 文藝春秋, 2018, 14쪽.
15_ 사카이야 다이치 著 · 최현숙 譯,『문명의 변화를 말한다! 동경대 강의록』, 동양문고, 2004, 45~46쪽.
16_ 사카이야 다이치 著 · 최현숙 譯,『문명의 변화를 말한다! 동경대 강의록』, 동양문고, 2004, 46쪽.
징세와 관련한 우리나라와 세계의 조세제에 관해서는 문점식,『(3판) 역사 속 세금 이야기』, 세경사, 2018이 참고된다.

국가의 기능 가운데 하나가 종자의 보존이었다. 수확의 30%에 해당하는 곡물을 종자로 보존하는 일은 비상한 노력이 필요하다. 특히 식량 부족일 때는 더욱 어려운 것이다. 1732년에 일본에서 교호[享保]의 대기근을 맞았을 때 보리 한 섬을 먹지 않고 베개로 만들어 가지고 있다가 결국은 죽은 사쿠베[作兵衛]는 '義農'으로 유명하다. "종자가 없으면 내년에도 우리는 굶어야 한다"며 보리 한 섬을 남겼다. 그 보리씨 덕분에 이듬해에 모두 목숨을 부지할 수 있었다. 18세기에도 그러했으니 초기국가 시대에는 씨앗을 보존하는 게 더욱 힘들어 강력한 강제권이 있어야만 했을 것이다. 이러한 권한을 강화하기 위해 '제사'와 '혈연'의 두 가지가 강조되었다. 즉 축제를 벌이는 동시에 주민들의 회의 장소인 광장과 종자를 보존하는 창고가 촌락의 중심에 반드시 갖춰져 있었다.[17)]

『春秋公羊傳』에 보면 "京師라는 곳은 천자가 있는 곳이고, 京이란 무엇이냐면 큰 곳이다"라고 적혀 있다. 王者는 租(稻穀)를 集積하여 稟 즉 倉庫가 세워졌다. 이러한 王者의 居所가 京이 된다.[18)] 稻葉岩吉은 창고의 뜻을 지닌 京이 마침내 王京의 '京'이 된 것은, 농경사회의 필연이라고 하였다. 창고의 의미와 관련해 시사적인 지적으로 생각된다.

초기국가의 역할은 방위와 안전・징병과 징세・치안과 사법・종자의 확보 및 이러한 것을 보강하는 제사, 이 다섯 가지로 국한되었다. 그러나 이후 경제적인 착취와 피착취의 관계가 가세해서 재물의 축적을 바라며 교역이 시작되면서 국가의 역할은 급속도로 복잡해졌다. 전쟁과 범죄 등으로 신분이 하락된 사람을 그대로 먹여 살려주는 대신 노동을 시키고, 거기서 잉여생산을 거둬 이익을 얻

17_ 사카이야 다이치 著・최현숙 譯,『문명의 변화를 말한다! 동경대 강의록』, 동양문고, 2004, 47쪽.
7000~8000만 명의 인류가 사망한 제2차세계대전에서 소련인은 2700만 명, 중국인은 1500만~2000만 명이 이 전쟁에서 죽었다. 흔히 노르망디 상륙작전으로 인해 연합군이 승리했다고 생각한다. 하지만 수천만 명의 소련인과 중국인의 희생을 통해서 독일과 일본의 야망을 꺾었다고 보는 것이 더욱 사실에 가까울 것이다. 특히 스탈린과 히틀러라고 하는 두 개의 거대한 惡이 충돌했던 스탈린그라드(현 볼고그라드) 공방전은, 제2차세계대전의 수많은 전투 가운데에서도 가장 참혹한 것이었다. 거의 50만 명의 희생을 통해서 소련은 스탈린그라드를 지켜냈다. 이때부터 연합군은 승기를 잡게 된다. 당시 스탈린그라드에는 '바빌로프 식물산업연구소'라는 기관이 있었다. 식물학자인 니콜라이 바빌로프가 평생을 바쳐 한반도를 포함한 전 세계에서 수집한 40만 개의 식물 씨앗을 보존하고 연구하는 곳이었다. 하지만 독일군에게 도시가 포위된 1942년 겨울 당시 바빌로프는 '서방의 스파이'라는 죄목으로 체포된 상태였다. 스탈린의 허황된 농업 정책을 비판했기 때문이었다. 연구원들은 씨앗을 지키기 위해 연구소를 폐쇄한 뒤 교대로 불침번을 섰다. 아홉 명이 병과 굶주림으로 건물 안에서 죽어갔지만, 이들은 귀중한 씨앗을 먹지 않았다. 당시 씨감자를 지켰던 바딤 레흐노비치에게 전쟁이 끝난 뒤 누군가 물었다. "몇 달을 굶주리면서도 씨감자를 먹지 않고 견디는 게 힘들지 않았냐"고. 레흐노비치는 이렇게 답했다. "일하는 게 힘들었죠. 매일 아침 일어나기도 힘들었고 손발을 움직이기도 몹시 힘들었답니다. 하지만 씨앗을 먹지 않고 견디는 일은 하나도 힘들지 않았어요. 그걸 먹는다니 상상도 할 수 없었죠. 씨앗에는 나와 내 동지들이 살아가는 이유가 들어 있었으니까요"(김시덕,「종횡무진 인문학」『조선일보』 2016. 4. 2).

18_ 稻葉岩吉,「百濟の椋及び椋部」『釋椋』, 大阪屋號書店, 1936, 48쪽.

으려고 했다. 그리고 계급제도가 널리 퍼지고 교역의 범위도 넓어져 영역국가로 발전하면서 공공사업이 필요해졌다.[19)]

잉여자산 즉 富의 관리와 보존을 위해서는 소수 몇몇만 가지고서는 어렵다는 것을 체득하게 되었다. 그 결과 항구적으로 이득을 공유할 계층을 확보할 필요가 있었다. 이로 인해 신분이 성립되었다. 이러한 부와 신분 질서에 대한 도전을 막기 위해 규율의 제정이 필수불가결했다. 그리고 규율화된 집단의 양성이 긴요해졌다. 그 결과 군대와 관료 집단의 양성이 이루어졌다. 이러한 과정을 밟아 최고 지배층의 권위를 높여줄 수 있는 여러 이념적 장치들이 서서히 갖추어져 갔다.

19_ 사카이야 다이치 著 · 최현숙 譯, 『문명의 변화를 말한다! 동경대 강의록』, 동양문고, 2004, 45~49쪽.

2. 우리나라 고대 사회의 특징과 시기 구분

1) 발전의 단계

청동기 문명의 도입과 더불어 한국의 집락들도 변모 양상을 띠었을 것으로 보인다. 일단 신석기 시대 후기 이래 농업 생산력의 증진에 힘입어 잉여 작물의 비축이 가능해졌다. 이에 따라 모두가 농경에 종사하지 않아도 되었다. 아울러 예리한 금속제 무기로의 무장과 잉여작물의 축적에 따라 경제적으로 효용성이 높은 지역을 탐내게 되었다. 그럼에 따라 집락과 집락 간의 갈등이 심화되었고, 방어하기에 유리한 구릉이나 산지대로 옮겨가서 거주하는 양상을 보였다. 집락 간의 분쟁 속에서 '보호'하거나 '보호'받는 개념이 등장할 수밖에 없었다.

한국에서 국가의 기원을 암시해주는 근거가 청동기시대 집락 유적이다. 단순 집락이 아니라 環濠나 木柵 시설을 갖춘 방어용 집락의 출현을 가리킨다. 세계적으로 환호를 포함한 방어 시설은 식량 생산 단계에 출현하고 있다.[20] 한국에서는 울산 검단리·방기리와 창원 덕천리·남산, 산청 사월리[21] 그리고 부여 송국리 등이 대표적인 환호로 둘러진 방어형 집락이다. 이러한 청동기시대 집락 인근에는 농경지와 공동묘지도 확인되었다. 청동기시대 집락의 존재 형태를 가늠할 수 있는 좋은 사례인 것이다. 양산 시청 동쪽 동산 해발 120m 구릉 정상부에 조성된 다방동 패총 유적에서는 방어濠가 확인되었다.[22] 다방동 패총 유적은 고지성 집락으로 분류되고 있다.

청동기시대 집락 유적 가운데 진주 대평리 유적(대평리 옥방 1지구 환호 집락)이 중요한 단서를 제공해 준다. 대평리 유적 발굴 결과 2중 환호가 둘려진 거대 집락의 존재가 확인되었다. 이 집락은 울산 검단리 집락보다 7배 규모를 자랑하였다. 그리고 인근에는 동일한 시기에 조성된 이 보다 규모가 작은 환호 집락(옥방 4지구)이 또 하나 존재했다.[23] 대평리 유적 가운데 환호는 모두 6곳에서 확인된다. 대평리 옥방1지구 유적에서만 환호 4곳이 확인되었다.[24] 게다가 濠를 두 겹으로 파고 그 안쪽으로 흙벽을 축조한 뒤 지름이 30cm가 넘는 목책을 세웠다. 상당한 노동력이 징발되었기에 가능한 결

20_ 崔鍾圭, 「한국 원시의 방어 집락의 출현과 전망」『韓國古代史論叢』8, 한국고대사회연구소, 1996, 29쪽.
21_ 경남문화재연구원, 『晋州玉房7地區先史遺蹟-本文』, 경상남도, 2001, 287~294쪽.
22_ 양산시립박물관, 『100년 전 양산으로의 여행』 2018, 13쪽.
23_ 서영남, 『청동기시대의 대평 마을 속으로, 진주 청동기 박물관』, 김영사, 2008, 18쪽.
24_ 국립진주박물관, 『晋州大坪里玉房1地區遺蹟 I』 2001, 249쪽.

과물이었다.[25] 문제는 대평리에 소재한 2개의 환호 집락 사이에는 작은 집락과 거대한 밭이 펼쳐져 있었다는 것이다. 게다가 환호 바깥에서 고상식 창고까지 확인되었다. 그러면 환호로 둘러진 방어형 집락과 환호 바깥 자연 집락의 차이는 무엇일까?

양자 간의 차이는 전자는 청동기 사회에서 자신과 재산을 지켜주는 환호나 목책과 같은 공공재 조성에 몫을 한 자들인 반면, 후자는 이것을 거부했거나 포함되지 않은 집락으로 보인다. 분명한 것은 사유재산의 태동과 인구의 다과에 따라 집락 간에도 격차가 벌어졌음을 뜻한다. 이러한 양상을 통해 '보호'라는 차원에서 주민을 통제하는 사회 조직의 출현을 읽을 수 있다. 환호 집락은 주민 통제와 그러한 조직의 존재를 알리는 징표로 보인다. 즉 방어형 집락의 등장은 주민 동원과 징세에 대한 권한을 장악한 세력의 태동을 뜻한다. 나아가 분쟁을 암시해주는 한편, 분쟁을 통한 통합 과정을 거쳐 국가의 출현으로 이어졌을 것이다.

적어도 국가라고 인정할 때에는 중국식의 왕호를 사용하지 않았더라도, 공인된 영역과 주민들을 거느렸을 뿐 아니라, 독자적 제사권을 지녔고, 연맹에서 인정된 지배자의 출현을 뜻한다. 인명과 재산의 보호라는 차원에서 출현한 방어형 집락은 일차적으로 주변의 자연 집락을 압박하거나 강제하여 흡수했을 것이다. 이 보다 시차를 두고 출현한 고지성 집락의 경우도 성격은 동일하다고 본다.[26] 나아가 여타 방어형 집락이나 고지성 집락 간에도 통합이 이루어져, 국가로의 발전을 예비했다고 본다. 일본의 경우도 환호 집락의 등장 배경을 '倭國大亂'에 보이는 집단 간의 긴장 상태와 무력항쟁 등과 결부지어 파악하고 있다.[27]

그런데 중요한 사안은 방어형 집락은 더 이상 발전하지 못하였다. 그 상태에서 멈춘 단속성을 지녔다. 즉 송국리와 검단리 유적은 특정 시기에 한정된 경향을 보였다.[28] 그 이유는 방어형 집락을 통합한 國의 등장과 연계되었다고 본다. 지금의 郡 단위 정도에 출현한 國의 통치 거점인 國邑은 구릉지 토성인 경우가 많았다. 방어력이 상대적으로 우월한 구릉지 토성을 중심으로 그 예하에 다수의 집락이 포진한 상황으로 보인다. 이 때 國의 수장으로서는 자신을 잠재적으로 위협할 수 있는 방어형 집락을 해체했을 것이다. 당초 방어형 집락을 거점으로 한 國의 수장도 보다 우월하고 위용을 갖

25_ 서영남, 『청동기시대의 대평 마을 속으로, 진주 청동기 박물관』, 김영사, 2008, 42쪽.

26_ 한반도 남부와 비슷한 과정이 엿 보이는 일본열도에서의 고지성 집락이 참고된다. 이에 대해서는 小野忠熙, 『高地性集落論』, 學生社, 1984가 대표적이다.

27_ 武光誠·山岸良二, 『改訂版 邪馬台國事典』, 同成社, 1998, 79쪽.

28_ 崔鍾圭, 「한국 원시의 방어 집락의 출현과 전망」 『韓國古代史論叢』 8, 한국고대사회연구소, 1996, 30쪽.

춘 토성을 축조하여 거점을 옮기거나, 기존의 방어형 집락을 토성으로 개조했다고 본다. 후자의 경우는 방어형 濠가 둘러진 집락에서 토축 성으로 이어진 풍납동토성을 꼽을 수 있다.

일반 집락 보다 우월성을 지닌 방어형 집락은 토성의 축조로 종언을 고하였다. 실제 押督國이 소재했던 경산의 조영동에도 환호 집락이 나타난다. 이곳에서 불과 200m 남쪽에는 그 이후에 조성된 임당동토성이 소재했다. 아울러 토성 인근에는 임당동과 조영동에 고총 고분군이 분포하였다.[29] 방어형 집락의 폐기와 토성 중심 단위 사회로의 재편을 읽을 수 있다. 그러한 산물이 기원전 4~3세기 무렵에 등장하는 황해도 은율의 운성리토성이나 평안남도 온성의 성현리토성 등으로 보인다. 운성리토성이나 성현리토성은 주변에 거대한 읍락이 포진하였다. 토성을 축조한 독자적인 지역 집단의 등장을 뜻하고 있다.[30]

연맹을 통합한 집권국가의 출현에 따라 기존의 國 중심의 체제 역시 종언을 고했다. 신라의 경우 5세기 중반 이후에는 강인한 토착세력의 존재를 반영하는 金銅冠과 같은 호화로운 부장품을 갖춘 대형봉토고분이 소멸된다. 이와 맞물려 일련의 산성 축조가 신라의 서북 변경 지역까지 확대되었다. 일사불란한 대규모 노동력이 동원되는 토목공사가 신라 중앙정부 주도 하의 산성 축조였다. 이로써 土城 중심의 단위 사회를 형성하고 있던 舊國 중심의 지배 질서는 전면적으로 해체되었다.[31]

집권국가의 지방 통치 거점으로서 산성 축조는 방어력을 극대화시킨 산물이었다. 더러는 기존의 고지성 집락 터에 산성을 축조한 경우도 나타나고 있다. 이 경우는 방어와 통치, 用水 등 여러 면을 고려한 결과였을 것이다. 신라 집권국가의 힘이 미친 시점에서 양산 지역은 정치적 거점이 이동한다. 즉 고지성 집락인 다방동 패총 유적에서 산성봉(해발 332m) 정상에 축조된 신기리산성(사적 제97호)으로 옮겨갔다. 463년에 왜인이 歃良城을 공격하는 기사가 보인다. 삽량성이 신기리산성일 가능성이 높다고 판단되므로, 463년 이전에 축조된 것이다. 신기리산성의 북서쪽으로 뻗은 산 중턱에 부부총을 비롯한 6세기대 신라 고분군이 산재하였다.[32]

자연 집락→방어형(고지성) 집락→구릉지 土城[國]→山城[집권국가]으로의 발전 과정은 백제와 신라에서 상정할 수 있다. 임나연맹의 경우는 사례가 다양하여 일반화할 수 없는 부분도 보인다. 고

29_ 국립대구박물관, 『압독 사람들의 삶과 죽음』 2000, 12쪽.
30_ 송호정, 「고고학으로 본 고조선」 『한국사시민강좌』 49, 一潮閣, 2011, 15쪽.
31_ 李道學, 「新羅의 北進經略에 관한 新考察」 『慶州史學』 6, 1987, 25~26쪽.
32_ 양산시립박물관, 『100년 전 양산으로의 여행』 2018, 30~31쪽.

구려는 집락에 대한 조사 연구가 미비하기 때문에 단언하기 어렵다. 그러나 구릉지 토성의 존재는 상정할 수 있다. 문제는 半農半牧의 부여가 되겠다. 부여의 독보적 방어 시설인 圓柵은 목축생활에서 기원을 찾을 수 있다. 목축생활에서는 가축을 중앙에 두고 그 주위에 群團이 還居하였고, 그 環狀部落의 주위에 다시 環柵을 둘렀던 것이다.[33] 부여는 비록 정주생활을 했지만 목축생활적인 요소를 함께 지녔다. 부여의 諸加들은 원책을 거점으로 삼았던 것 같다. 다만 왕을 비롯한 大加의 경우 원책에서 토성 단계로 발전했을 것이다. 지린시 둥퇀산(東團山) 난청쯔(南城子) 유적을 보자. 난청쯔는 당초 원책이었겠지만 둥퇀산은 토성이었다. 왕이나 대가의 거점은 원책에서 토성 단계로 진입했음을 알려준다.

한국 역사 무대에서 가장 북쪽에 소재한 부여는 반농반목의 경제생활을 영위했다. 가장 남쪽인 삼한의 경우는 농경과 교역의 비중이 지대한 경제였다. 그럼에도 부여에서 삼한까지의 집락에서 環狀 木柵의 등장은 본질적으로 동질한 것이다. 사실 인적 자산과 재산의 보호를 목적으로 출현한 방어형 집락이었다. 이와 관련해 부여의 경우는 재산인 가축을 중앙에 두고 주거가 조성되었고, 그 외곽에 목책이 둘려졌다. 우리 말의 '우리'는 '家畜舍'와 동일한 말로서 원래는 공동체 소유의 목장을 의미한다고 했다.[34] 삼한의 경우는 공동체 소유의 倉庫가 집락의 중앙에 조성되는 경향을 보이고 있다. 재산의 보호라는 측면에서 양자는 동질한 면이 표출된다.

2) 전쟁과 신분제 사회로의 길

관개와 농기구의 발달을 계기로 생산력이 높아지면서 인구의 증가로 인해, 모든 주민이 농경에 매이지 않아도 되었다. 예리한 금속제 무기로 무장한 전사 계층의 태동을 가져왔다. 이러한 전사 계층을 이용한 주변 지역에 대한 침공을 통해 영역의 확장과 포로의 확보, 나아가 지배와 피지배 관계의 구축과 더불어, 계급적 신분제의 구축이 이루어졌다. 이는 문헌으로는 살필 수 없다. 그러나 규모와 입지에서 우월한 분묘들이 등장하지는 않지만, 부장품에서 차별성이 나타나고 있다. 부장품의

33_ 孫晉泰, 『朝鮮民族史概論(上)』, 乙酉文化社, 1948, 60쪽.
34_ 全榮來, 「古代山城の發生と變遷」『東アヅアと日本(考古・美術編)』, 田村圓澄先生古稀記念會, 吉川弘文館, 1987, 502쪽.

차이는 사회분화의 진척을 알려주는 지표가 된다.[35] 일단 五銖錢이나 漆器와 銅鏡 등 중국제 호사품의 소유는 대외 교섭 능력 이상의 의미를 지녔다. 중국이라는 거대 제국의 본토이든 출장소격인 邊郡이든, 이들과의 교류를 통해 그 존재가 인증되었다는 것이다. 이로써 내적으로는 정치적 위상을 확보하는 계기가 되었지만, 외적으로는 이해를 공유하는 동맹자를 만든 게 된다. 외곽에 머물던 중국이 한국사의 진행 과정에서 개입하는 단초가 되었다. 중국제 호사품을 소유한 諸國들은 관리이든 상인이든을 불문하고 중국인들의 접근성이 용이한 해안을 비롯한 입지적으로 유리한 곳에 소재하였다. 또는 대중국 창구를 장악한 세력에 의한 분배 과정도 상정할 수 있다.

이와 더불어 우리나라 고대 사회의 일반적인 특징으로는 전쟁의 일상화를 꼽을 수 있다. 전쟁의 단속성이 아니라 지속성이 특징이다. 『삼국사기』의 시작과 삼국시대의 종결은 전쟁으로 시작해서 전쟁으로 종결되고 있다. 위만조선(대왕조선)의 정복전쟁도 대표적인 사례에 속한다. 그리고 영토의 고정이 아니라 가변성이 한 특징이다. 그리고 방어 건축물의 집중적인 조영을 꼽을 수 있는데, 산성의 존재가 웅변하고 있다. 그리고 계속되는 전쟁에 직면하여 내부적인 사회질서나 단결이라는 군사적인 이점을 얻기 위해 절대권에 복종하게 되었다. 또 강력한 통치체제의 구축이었다. 요컨대 사회 전반의 군사화를 꼽지 않을 수 없다.

이 때 전쟁의 목적은 경작지와 노비의 획득, 철광과 같은 국가 기간 산업에 필요한 광물의 확보, 교역 거점의 장악과 같은 경제적인 요인까지 가세하였다. 전쟁이 일상화 되다 보니까 전쟁에 효과적으로 대처할 수 있는 체제가 구축되었다. 가령 지방 행정 조직의 軍管區化가 이루어졌다. 고대국가는 외적으로는 병영체제였다. 그 밖에 내부적으로는 집단의 정신적인 결속과 관련해 초월적인 選民 이데올로기에 의한 지배가 이루어졌다. 삼국의 시조나 왕들을 '日月之子'로 여기는 의식이 생겨났다. 불교 수용 이후에는 佛法과 王法의 일치를 통한 강력한 왕권을 구축해 나갔다.

신분적 질서는 士·農·工·商과 같은 전체 주민을 구획하는 큰 범위 속의 신분제가 아니라 지배층 신분 계급의 세분화가 한 특징이었다. 소수가 정복한 지역의 다수를 지배하기 위해서는 엄격한 신분제도의 확립이 필요하다고 한다. 정복민의 권위 부여 목적도 지니고 있었던 것이다. 일반 주민들에 대한 강압적이고 물리적인 제재가 가해졌는데, 대표적인 사례가 殉葬制였다. 한편 엄격한 신분제적 질서에서 일종의 숨통 역할을 한 게 전쟁이었다. 戰功은 신분 상승의 계기가 되었기 때문이

35_ 국립대구박물관, 『압독 사람들의 삶과 죽음』 2000(재판), 19쪽.

다. 평민 출신인 온달이 전공을 통해 관직에 나가고 왕의 사위가 되었다고 한다. 이러한 이야기는 전쟁이 고대사회의 구성원들에게는 신분 전환의 발판이자 출구임을 상징하는 것이다.

표 1 | 고대사회의 전개 과정

戎祀共同體國家	軍事型國家	文武均衡國家	豪族國家
기원전13C~4C중반	4C 중반~7C 후반	7C 후반~9C 중반	9C 중반~10C 중반
조성기	전형기	변형기	쇠퇴·소멸기

3. 군사형 국가의 태동과 전개 과정

당초 연맹 내의 일개 國에서 출발한 고구려·백제·신라는 결국 연맹 내의 諸 勢力을 통합하고 영역국가로 성장하였다. 결국 영역을 맞대면서 치열한 전쟁을 치르게 되었다. 이른바 삼국시대는 이러한 과정을 밟아서 등장하였다. 바로 그 전 단계의 모습이 연맹의 해체 과정이었다. 주지하듯이 삼한의 경우만 하더라도 마한은 54개 국으로, 진한과 변한은 각각 12개 國으로 구성되어 있는 연맹체였다.

여러 개의 國이 집단을 이루어 하나의 연맹을 형성하는 단계가 삼한이었다. 연맹 내의 제국은 삼한 뿐 아니라 고구려 5부 연맹의 경우도 마찬 가지로 제의와 군사적 의무를 공유하는 戎祀 공동체였다. 연맹 내의 제국은 산지대가 많은 한반도와 남만주의 자연 환경의 영향에 기인하여 폐쇄적이고도 배타적인 정치 공간으로서 오랜 기간에 걸쳐 통합을 이루지 못한채 느슨하게 병열적으로 포진하였다.

그런데 철광의 개발에 따른 철제 농기구의 대량 생산에 따라 농업의 비약적인 증진을 가져왔다. 급기야 인구 증가와 인구 집중을 유발시켰고, 제철 산업의 발달에 따라 예리한 공격 무기의 대량 생산을 가져왔던 것이다. 게다가 소금과 같은 생필품의 독점 생산과 공급까지 하게 된 國 세력 중심으로 정치적 통합이 서서히 전개되었다. 결국 물산과 인구의 結集處인 특정 國으로의 도로망이 개척되고, 또 그 國을 중심으로 사방으로 뻗어나가는 도로망의 개척과 확장에 따라 연맹의 해체와 연맹의 통합이 촉진되었다.[36)]

연맹의 붕괴 요인은 연맹 내의 특정 國 세력으로 집중된 대규모 군대의 동원과 원정을 가능하게 할 수 있는 도로망의 개척(道使·四出道)과 기병 전술의 도입이 한 요인이었다. 도로망의 개척은 통합의 요체이기도 했다. 그리고 제철 산업의 확대는 무기·갑옷 등과 같은 방어 무기 외에 공격 무기의 대량 생산과 질적 차별화를 심화시켰다. 이와 관련해 무기 생산과 공급의 국가 독점성은 연맹내 제국 간 세력 균등과 평형 상태의 붕괴를 초래했다. 연맹의 해체로 신라는 고구려나 백제와 더불어 영역국가로 발전하게 되었다. 이들은 공납적 지배→거점 지배→전면 지배의 순서를 밟아 영역국가

36_ 李道學, 「신라사의 시대구분과 '中代'—중세로의 전환 시점에 대한 접근」『신라문화』 25, 2005. 25~26쪽.

를 형성시켰다. 거대 영역국가의 등장은 교역권의 전면적인 재편을 야기시켰다. 게다가 영역의 접경으로 인해 상호 충돌 요인을 당초부터 안고 있었다.

결국 전쟁은 빈발하였지만 대외적인 세력 균형과 자연적 장애물로 인해 승부가 쉽게 나지 않은 장기전 양상을 띠었다. 『수서』 신라 조에서 "신라는 땅이 山險한 게 많아 비록 백제와 더불어 틈이 있었지만, 백제 역시 신라를 도모할 수 없었다"라고 한 구절에서 읽을 수 있다. 이 같은 지속적인 전쟁 양상은 국지전적인 성격을 띠게 되었다. 이러한 상황에 적응하고 생존을 위해 국가 체제는 전시체제로의 전환이 불가피해졌다. 지방 통치를 위해 통치 거점으로서 산성 축조를 단행, 지방 통치 조직을 군관구화했다. 방어적 기능을 지닌 군사적 성격의 산성이 통치 거점이 되었다. 이에 짝하여 백제의 方佐에서 보듯이 지방장관은 군사령관적인 성격을 띠었다. 이 무렵 고분의 부장품으로 주종을 이룬 갑주류와 마구류는 지배층의 전사단화와 군사적 성격 지배세력의 등장을 뜻하는 징표였다.

이렇게 태동한 병영국가의 특징은 전쟁의 승리를 최대의 목표로 했다. 이에 맞추어 국가조직의 효율화를 추진하였다. 인적 자원의 군사 동원 투입을 위해, 종전의 선민적 군사 요원 징발에서 벗어나 국민 개병제로의 확대 실시했다. 그러기 위해 군사 자원의 항구적 공급 양성 체제의 구축이 필요하였다. 지배층은 화랑도를 통해, 피지배층은 피정복민을 통해서도 군사 요원의 발탁을 추진했다. 가령 전쟁 포로의 경우 노비로 삼았지만, 정복한 지역의 대다수 주민들을 군사적 인적 자원으로 수혈했다.

통치와 방어를 위한 전국적인 축성은 토목과 역학의 원리를 바탕으로 했다. 도로 개척은 官道의 개척을 뜻하며, 정복 사업에 필수적인 전제이기도 하였다. 이 같은 대규모 토목공사를 통해 주민의 조직적 지배가 가능해졌다. 무기의 개발은 사회발전을 촉진시켰다. 군수용 牛馬를 대량 사육하였다. 전쟁이 없는 시기에는 우마를 경작에 투입하여 농업 생산력의 획기적인 증진을 유인했다. 그리고 사회 기풍은 군사적 긴장의 고조로 인해 순국 예찬과 더불어 체제 유지를 위해 엄혹한 법속의 시행이었다. 아울러 전쟁 영웅상을 탄생시켜 시대정신을 이끌게 하였다. 가령 온달이나 김흠운 같은 무장의 활약상이 귀감으로 소개되었다. 『삼국사기』 열전의 대부분이 전쟁영웅으로 채워진 것도 당시 사회 기풍의 반영이었다.

한국의 고대사회는 융사공동체국가→군사형국가→문무균형국가→호족국가로 발전했음을 밝혔다. 고대사회의 마지막 단계인 호족국가 단계에서는 성주와 장군을 칭한 호족들이 할거했다. 이들은 성을 근거지로 하였고, 사적 무력을 갖추었기에 성주와 장군으로 일컬었다. 방어 거점으로서 요새인 성을 통치 거점으로 한 단위사회였다. 호족들이 할거하는 사회는 후삼국의 등장과 더불어 동란의 시기였다. 이와 맞물려 산성의 비중이 다시금 커졌다. 가림성처럼 성벽에 잇대어 새로 축성하는 경우도 생겼다. 혹은 산성이나 부근에 集水池를 새로 조성하였다. 入堡者의 증대에 따른 식수원 해결책이었다.

그러면 중세의 지표이자 기점이 되는 과거제 실시 이후는 어떤 변화가 따랐을까? 이전 시대의 산성과는 달리 평지 읍성이 통치 거점으로 등장했다. 물론 이러한 治所城이 기존의 산성을 활용한 경우도 있었다. 고려의 북방 경계인 兩界 지역이나 신개척 치소성은 平山城이었으나 산성에 가까웠다. 왜구의 침략이나 분탕 대상이었던 경상북도 울진이나 경상남도 울산 등의 치소성도 산성이었다. 그러나 대부분의 고려 치소성은 공통적으로 평지에 연접한 山이나 구릉에 위치하였다. 낮은 데 축조한 산성과 평지성의 중간 형태를 지녔다. 그러한 평지에는 조선조의 치소가 자리잡았다.[37] 여기서 중요한 사실은 비록 민간인들이 거주할 수 있는 공간이 중국 縣城에 비해 협소했다고 하더라도 고려 치소성은 민가까지 포함했다.[38] 조선조 읍성 역시 민가를 포괄하는 공간이었다. 이 점은 고대사회의 치소성인 산성이 治者와 행정기구 중심이었기에, 유사시에만 주민들이 入堡하는 공간이었던 점과는 확연히 구분되었다. 고려 이후에는 주민들도 상시적인 보호 대상이 되었음을 뜻한다. 치소성의 변화는 과거제 시행으로 인한 사회 유동성의 촉진과 더불어, 주민들에 대한 사회적 위상의 일보 증진을 가리키는 지표였다.

37_ 최종석, 『한국 중세의 읍치와 성』, 신구문화사, 2014, 113쪽.
38_ 최종석, 『한국 중세의 읍치와 성』, 신구문화사, 2014, 121쪽.

제3절 민족과 종족 개념 및 그 생성 과정

1. 역사의 주인인 인간과 민족, 그리고 문화 개념

역사의 주인은 누구인가? 말할 나위없이 人間이 아니겠는가! 역사학은 시간의 진행과정 속에서 살았던 인간에 대한 탐구와 인간에 대한 이해를 기본으로 하면서 그 시대적 현상과 특징을 살피는 학문이다.

그러면 민족이란 무엇인가? 이와 관련해 한국 민족은 단일민족이라고 흔히 말한다. 단일 민족 주장의 정점에는 어김없이 단군이 자리잡고 있다. 그러나 과연 단군이 우리 겨레의 시조였고, 누구나 단군의 후손이라는 의식을 처음부터 지니고 있었을가? 班常의 차이가 엄존했던 조선조까지만 하더라도 양반과 상놈이 어떻게 조상이 같을 수 있는가라고 생각하였다. 조상이 동일하다는 의식은 어림 반푼어치도 없는 발상이었다. 그러나 현재 한국인들은 단군의 후손이라는 단일 민족의식을 대부분 품고 있다. 또 그러한 교육을 부지불식간에 배워 온 것은 사실이다.

민족 개념 자체도 근대시민국가가 태동한 이후에 생겨난 개념이었다. 근대 사회 이전만 하더라도 민족 개념 자체가 존재하지도 않았다. 1888년에 일본은 'Nation'을 '民族'으로 번역하여 『日本人』 잡지에서 처음으로 사용했다. 1907년 8월 27일자 『대한매일신보』에서 '월남국의 민족'이라고 하여 '민족'이라는 용어를 사용했다고 한다.[39] 반면 '국민'은 인종 · 언어 · 문화와 상관없이 국가의 존재를 전제로 하였다. 공식적 지표는 어디까지나 국적이었다. 그러니 국가 없는 국민은 없는 것이다. 반면 '민족'은 객관적 요소에 근거한다면, 혈연 · 지연 · 언어 · 역사 · 문화 · 경제생활 · 종교적 전통을 같이 하는 인간 집단을 가리킨다. 주관적 요소에 근거한다면 이는, 민족 의식이나 일체감 등 운명 공동체

39_ 배진영, 「민족은 어떻게 만들어져 어떻게 쓰이고(오용되고) 있는가」 『월간조선』 2004-9월호, 548~549쪽.

에 속한다는 공통된 믿음을 함께 나누는 인간 집단을 가리킨다.

프랑스인 르낭(Joseph Ernest Renan, 1823~1892)은 근대적 민족 개념은 종족・언어・지리라는 객관적 지표가 아니라 '함께 살려는 의지'라는 주관적 지표를 제시하였다. 과거의 공통 유산과 추억, 세습된 유산을 간직하며 함께 살려는 의지 등 주관적 지표를 긍정적으로 부각시켰다. 그는 "순수한 종족이란 존재하지 않으며, 종족적인 분석에 정치의 근거를 두는 것은 공상에 기초를 두는 것과 마찬 가지이다"[40]고 했다. 르낭의 민족 개념은 생물학적 인종주의에 근거한 민족 개념을 넘어선다. 최근의 조사에 의하면 한국인 집단도 북방 기원의 단일 민족이기 보다는 동남 아시아인과의 연관성도 높게 나타났다. 전반적으로 한국인 집단은 북방 계통과 남방 계통의 유전자풀이 복합적으로 혼합되어 형성되었다고 한다.[41] 그리고 앤더슨(Benedict Anderson, 1936~2015)은 "첫 민족적 상상을 가능하게 한 것은 바로 공통의 언어(그리고 공통의 종교와 공통의 문화)를 중심부와 공유하고 있다는 것이었다"[42]고 했다. 그런데 고구려어와 신라어가 동일하다고 분명하게 밝혀진 바 없다. 국어학계에서도 한국사에 등장하는 북방계와 남방계 간의 언어에 관해서는 견해가 합일되지 않았다.[43] 이태까지는 삼국의 언어가 동질했다는 전제 하에서 '同族' 논리가 제기되었을 뿐이다.

르낭은 민족 개념의 등장과 관련해 공유된 고통의 과거를 강조한다. 즉 "민족은 이미 치러진 희생과 여전히 치를 준비가 되어 있는 희생의 욕구에 의해 구성된 거대한 결속입니다"[44]고 했다. 유대민족의 경우에서처럼 영광보다는 수난과 회한의 과거에서 민족의 바이탈리티(vitality)는 터져 나온다는 것이다. 그러므로 국운이 쇠해진 한말에 생겨난 민족 개념은 3.1운동을 거치면서 한국 민족이 공유하는 개념으로 정착되었다는 시각이 많다.

민족주의는 "사회적 삶의 기본단위로서 다른 어떤 단위보다 앞서 민족을 으뜸으로 생각하는 정치

40_ 에르네스트 르낭 著・신행선 譯, 『민족이란 무엇인가』, 책세상, 2002, 69쪽.

41_ 金珹, 「미토콘드리아 DNA변이와 한국인의 기원」 『미토콘드리아 DNA변이와 한국인 집단의 기원에 관한 연구』, 고구려연구재단, 2005, 46~47쪽.

42_ 베네딕트 앤더슨 著・윤형숙 譯, 『상상의 공동체—민족주의의 기원과 전파에 대한 성찰』, 나눔출판, 2002, 250쪽. Benedict Anderson, Imagined Communities Reflections on the Origin and Spread of Nationalism, Verso, 2016, pp.67~68.

43_ 이기문은 고대 한국어를 부여계와 韓系로 구분하였다. 그는 『삼국지』 동이전 진한 항에서 "그 언어는 마한과는 같지 않았다"와 "변진과 진한은 雜居하며…언어와 법속은 서로 닮았다"고 한 기사를 제시했다. 마한어와 변진=진한어와는 동일하지 않았고, 북방계어와 남방계어의 차이도 거론했다(이기문, 『新訂版 국어사개설』, 태학사, 2005, 40~57쪽). 그러나 이와는 달리 김방한은 한반도 전역은 계통적으로 동일한 언어로 규정하였다(김방한, 『한국어의 계통』, 민음사, 1986, 117~123쪽. 244~245쪽.).

44_ 에르네스트 르낭 著・신행선 譯, 『민족이란 무엇인가』, 책세상, 2002, 81쪽.

이념이며, 또 그렇게 되기를 바라는 사상이다"고 정의된다. 한국에서는 국가가 사라진 자리를 민족이 대신하였다. 그러나 조선조까지만 하더라도 국가와 일체를 이루는 개념은 국민이나 민족이 아니라 宗廟와 社稷 개념이었다. 종묘와 사직을 보존해야한다는 개념이 국가의 보존 개념과 동일한 개념으로 인식되었다.

유럽에서도 지배자와 국민을 동일 민족으로 말할 수 없는 경우가 많았다. 가령 영국에서 국민은 켈트 · 앵글로색슨 · 데인(Dane)인 등의 혼혈이 다수파였지만, 프랑스에서 노르만인이 세운 노르만디 공국의 지배자가 정복하여 왕가의 선조들이 되었고, 귀족계급의 대부분이 프랑스에서 건너온 사람들이었다. 따라서 영어는 앵글로색슨어에 기초를 두고 있지만, 단어는 반수 이상이 프랑스어에서 기원했다.[45] 한국사에서도 위만과 대조영처럼 건국자들이 계통이 다른 국민 다수를 이끈 사례가 있다. 지배자와 국민 간 종족이 다른 경우였다.

그런데 19세기 이후에 태동한 민족 개념을 역으로 투사시켜 민족 개념이 없었던 시대를 판단하고 평가하는 경우가 나타났다. 가령 당과 연합해서 이룬 신라의 삼국통일을 외세를 빌어서 동일한 민족국가인 고구려와 백제를 말살시켰다는 논리가 대표적이다. 고구려와 백제 · 신라 삼국인은 비록 문화적 동질성을 가진 문화 공동체였다. 그러나 어디까지나 외국이었지 동일한 민족이라는 민족의식은 지니고 있지도 않았다. 그럼에도 단군 국조 의식은 19세기 이후의 근대적 민족 개념과 접합해서 단일 민족 신화를 탄생시켰다.

45_ 八幡和郎,『韓國と日本がわかる最强の韓國史』, 扶桑社, 2018, 32쪽.

2. 한국인의 형성

1) 한국인의 형성론

원시사회에는 민족이 존재하지 않았고 인류와 그리고 그 하위 단위로서 인종(Race)이 있었을 뿐이다. 인종은 형질적 정형집단(Type)을 가리키는데 지리적 분포에 따라 확인되는 형질적 유사집단을 일컫는다. 그런데 씨족 · 부족 · 종족은 시간적으로 선후하여 등장하는데 이들은 共時的으로 존재하였거나 존재할 수 있는 집단이다. 이들 집단에 이어서 형성되는 인간 공동체의 역사에서 획기적인 것이었다.

최초의 민족의 태동은 계급분화와 뒤이은 국가형성의 산물이었다. 민족태동의 근본적인 동인은 식량채집 단계에서 식량생산 단계로의 전환에 말미암았다. 왜냐하면 부단한 이동성 생활은 당초 주민구분부터 가능하지 않기 때문이다. 구체적으로 말한다면 농경과 가축사육이란 인간의 새로운 경제활동의 소산인데, 민족출현 이후 다시 큰 분기점이 되는 것은 근대 민족과 전근대 민족으로의 구분이었다. 근대민족의 확립은 크게 보아 또 다른 새로운 생산활동인 공장제 공업의 진전과 깊이 연관되어 있다. 즉 농업혁명에 따른 계급사회의 출현과, 산업혁명과 자본주의적 생산양식에 따른 생산력의 폭발적 증대에 의해 민족이 형성되고 민족 내에서도 큰 변화가 이루어졌다.[46]

고대 한국의 민족단위들의 주민은 기본적으로 濊族 · 貊族 · 韓族을 바탕으로 형성되었다. 이들 종족 간에는 민족단위들을 포괄하는 동족의식은 형성되지 않았지만 그들 상호 간에는 일정한 공통성을 지니고 있었다. 바로 '東夷族'으로 불리었던 존재가 아니었을까? 한국 민족을 가리키는 가장 오래된 용어는 東夷였다. 그러면 동이를 어떻게 해석해야 되는가 하는 문제가 따르게 된다. 중국에서의 동이는 『說文解字』에서 "夷, 從大從弓 東方之人也", 『禮記』王制篇에서는 "東方日夷 南方日蠻…"이라고 하였다. 중국인들은 자신들의 동부에 거주하는 非華夏 집단 즉 非漢族 세력을 夷로 표현했다. 그러므로 '동이'에는 실제 필요가 없는 '東' 字가 첨가된 셈이다.[47]

동이는 협의와 광의의 개념으로 나누어서 살펴볼 수 있다. 협의의 개념으로 본다면 동이는 구체

46_ 盧泰敦, 「한국민족 형성과정에 대한 이론적 고찰」『한국고대사논총』1, 한국고대사회연구소, 1991, 39쪽.
47_ 李成珪, 「先秦 文獻에 보이는 '東夷'의 성격」『한국고대사논총』1, 한국고대사회연구소, 1991, 97~144쪽.

적으로 산둥반도 남쪽으로부터 淮水 주변에 거주하는 종족을 가리킨다. 주로 山東省과 江蘇省 북부 일대에 거주하고 있었다. 이들 종족은 嵎夷・淮夷・萊夷・徐戎으로 불리어졌다.

그러나 넓은 의미에서 본다면 동이는 뽀하이만과 황해를 둘러싼 황하・요하・대동강 등의 충적지에 말굽형으로 분포되어 살던 종족을 가리킨다. 즉 劉宋의 范曄이 지은 『후한서』 동이전 서문에 의하면 戰國에서 秦~漢初에 이르는 동이의 역사를 다음과 같이 서술했다.

> 진이 6국을 병합하고 회수와 사수 지방의 夷를 모두 분산시켜 民戶로 삼았다. 진섭[陳勝]이 기병하여 (진의) 천하가 붕괴되자 燕人 위만이 조선 땅으로 피란하여 와서 그 나라의 왕이 되었다. 백여 년이 지나 한 무제가 이곳을 멸망시키자 이에 동이가 비로소 上京에 통하였다(秦幷六國 其淮泗夷皆散爲民戶 陳涉起兵 天下崩壞 燕人衛滿避地朝鮮 因王其國 百有餘歲 武帝滅之 於是東夷始通上京).

위의 기사에 따르면 秦 때 회수와 사수유역의 여러 夷가 일반 郡縣의 編戶(秦의 민호로 편입)로 흡수・편성됨에 따라 夏・殷・周(三代) 이래의 전통적인 동이의 실체는 사실상 소멸되었다. 그 뒤 漢代 이후 중국인이 동이로 인식한 것은 조선을 비롯한 그 주변의 諸民族이었다는 것을 객관적으로 전하고 있다. 이로부터 동이라고 하면 점차 만주와 한반도 그리고 일본열도 등지의 주민을 방향으로 가리키는 범칭이 되었다.

그렇다면 秦代 이전의 東夷와 漢代 이후의 東夷의 관련 여부가 문제되는데, 관련짓는 경우가 과거에는 많았다. 그것은 『후한서』 동이전 서문에서 동이의 역사를 서술하면서 어떠한 구분 없이 秦代 이전의 東夷와 漢代 이후의 東夷를 모두 '東夷'라는 동일한 호칭으로 일컬었다는 것이다. 그리고 지리적인 격절성에도 불구하고 양자 간에는 문화적인 연결이 보이고 있다는 데 있다.

즉 고구려 건국시조인 鄒牟(朱蒙)의 설화와 지금의 허난성 동부와 그리고 안후이성・장쑤성 북부 지역에 자리 잡았던 徐戎의 偃王의 난생설화가 서로 부합된다는 점을 주목하고 있다. 여기서 서융의 偃王은 卵生이라는 신이한 탄생설화와 弓矢로 인한 왕위획득 설화를 가지고 있다. 이는 신라 시조인 혁거세뿐 아니라 6가라 시조의 난생설화와 마찬가지로 동이 계통의 출생설화에 해당이 된다. 그리고 서융 언왕의 弓矢說話는 추모왕의 그것과 연결될 뿐 아니라 弓矢는 동이족의 대표적인 무기에 해당되므로, 동이와 서융을 비롯한 淮夷 등을 동일 문화권으로 설정하는 것이 가능하다는 것이다. 그리고 단군신화와 산둥성 嘉祥縣에 소재한 武氏祠堂의 畵像石 그림이 서로 유사하다는 지적이 근거가 되기도 하였다. 게다가 한반도 전역에 밀집되어 있는 고인돌이 산둥성에서도 확인되는 점도 주목을 요했다.

이를 토대로 동이족이 만주와 한반도로 이동해 왔다는 민족이동설이 제기되어 왔다. 이 문제에 관한 논의는 중국 학계와 한국 학계의 견해로써 나누어 생각해 볼 수 있다. 먼저 중국 학계에서는 두 개의 東夷를 동일한 계통으로 강조함으로써 중국 민족사의 범위를 확대시키는 동시에, 변경 지역 즉 만주 지방에 대한 영유권의 전통을 강조하려는 데서 제기되었다. 이는 일제 식민사학이 만주침략시 중국의 만주 지역에 대한 영유권을 차단하기 위하여 만들어낸 滿鮮史觀과는 반대의 입장에 서 있는 것이다. 학문적인 배경보다는 정치적인 목적이 다분한 이론이었다.

반면 한국 학계의 견해로는 金庠基의 「韓·濊·貊 移動考」와 「東夷와 淮夷·徐戎에 대하여」라는 논문에서 제기되었다. 이 논문에서 김상기는 상고시대 중국의 북변에 거주하던 동이 계통의 종족이 동쪽으로 이동하여 한 줄기는 중국 산둥 방면으로 내려갔고, 또 한 줄기는 다시 동쪽으로 나와 만주와 한반도 일대로 이동했다는 것이다. 후자의 이동 경로는 陝西省 岐山 방면인 岐周의 서쪽에서 산시성의 韓城縣을 지나 河北省의 固城縣 방면을 지나 만주와 한반도로 이동한 것으로 보았다. 그리고 동이족의 마지막 단계의 이동 시기를 春秋時代 초기로 추정하였다.

물론 동이족의 이동설은 이동 시기를 극히 부분적으로만 제시하였다. 그리고 적어도 殷 초기를 전후한 시기의 산둥성 일대와 춘추시대를 전후한 만주와 한반도의 주민 구성이라든지 그 문화의 현격한 변화를 고고학적으로 입증하지 못했다. 예를 들어 앞서 언급한 산둥반도의 고인돌은 最東端에 집중되어 있을 뿐 내륙에는 보이지 않았다. 그 비중이 미약함을 시사해 준다. 고인돌은 저장성에서도 상당한 숫자가 확인된다. 따라서 동이의 부분적인 집단 이주라든지 문화전파는 어느 정도 인정할 수는 있지만, 전국시대 이전의 '東夷族'을 漢代 이후 '동방민에 대한 범칭'인 동이의 원류로 상정하기는 어렵다.[48]

48_ 이상의 서술은 전적으로 李成珪, 「先秦 文獻에 보이는 '東夷'의 성격」『한국고대사논총』 1, 한국고대사회연구소, 1991, 97~144쪽에 의하였다.

2) 한국인의 형질적 특징

한국 상고사의 주인공인 동이는 크게 두 종족으로 나뉘어서 볼 수 있다. 일찍이 千寬宇는 한국 상고사의 주인공을 韓-朝鮮系(고조선 삼한)와 濊貊-夫餘系(부여 고구려 동예 옥저)로 분류한 적이 있다. 이와 관련해 잠깐 예맥족의 선주족으로서 鳥夷의 존재를 생각하지 않을 수 없다. 조이는 중국 고전에 전설상의 인물인 舜임금의 원정 대상으로서 처음 나타난다. 조이는 황해 연안과 발해만 그리고 한반도에 거주했던 고대 종족으로 추정되고 있다. 조이의 선조들이 중국의 신석기문화인 룽산문화(龍山文化)를 이룩한 것으로 간주하였다. 그리고 고조선이 형성되기 이전 만주와 한반도 지역의 원주민이 다름 아닌 鳥夷였다는 것이다. 그런데 기원전 2천년 경에 예맥족이 남하하여 조이와 혼합하였으며, 기원전 1천년 경의 고조선의 종족은 동일 언어와 풍습을 가진 예족과 맥족 그리고 한족이라는 3개의 종족으로 나뉘어진다. 예족은 진국과 고조선을, 맥족은 부여와 고구려의 전신이 되는 槀離를 형성하였다는 것이다.[49] 즉 한국 민족의 기원을 동이족과 관련짓는 것을 외면하고, 동이를 협의의 개념으로만 취급하였다. 이는 산둥반도와 회수유역에 거주하던 동이족이 요동 방면으로 그 세력을 뻗쳐나갔다고 하는, 중국 역사학계의 입장에 반대하려는 의도가 숨겨져 있다고 한다.[50]

오늘날의 한국 민족에 직결되는 조상은 예족과 맥족 그리고 한족으로 나뉘어 보고 있다. 이들 종족의 구분은 매우 애매하기 그지없지만, 三上次男은 예족을 고시베리아 계통의 狩獵民으로 간주하였고, 貊族은 북몽골 계통의 농경민으로 간주하였다. 나머지 韓族은 千寬宇에 의하면 한반도 지역의 선주민으로 간주되지만, 예족과 맥족이 한반도에 와서 지역화한 것으로 보기도 한다. 이처럼 문헌에 나타나는 이들 종족은 기층에 있어서 고아시아족 내지는 고시베리아족과 혹은 퉁구스족 내지는 알타이족의 융합으로 이루어진 것으로 보기도 한다. 여기서 고아시아족은 시베리아 일대에 퍼져 있던 백인과 황인의 혼합족으로 알려져 있다. 오늘날 동북 시베리아에 거주하는 축치·코략크 등과 같은 여러 족속의 인종 이름이다. 동시에, 이들이 사용하는 언어를 고아시아諸語 혹은 고시베리아諸語라고 일컫기도 한다. 그리고 퉁구스족은 지금 동시베리아와 만주 등지에 약간 남아 있는 협의의 인종이 아니다. 그것 보다는 훨씬 넓은 뜻으로 지금 동시베리아에서 만주와 몽골 그리고 투르키

49_ 황철산은 고조선을 貊族으로 지목했다(황철산, 「고조선의 위치와 종족에 대하여」『고조선에 관한 토론론문집』, 과학원출판사, 1963, 133쪽).

50_ 이기동, 「고조선 문제에 대한 연구의 성과」『한국사시민강좌』 2, 一潮閣, 1988, 105~106쪽.

스탄에 걸쳐 광범위하게 분포하고 있는 이른바 북몽골 인종 혹은 퉁구스 인종을 가리킨다.

참고로 퉁구스족에 관하여 설명한다면, 그 어원은 突厥人이 그 예속 주민을 퉁구스라고 일컫는 데서 유래했다고 한다. 즉 퉁구스는 터키어에서 '돼지'를 가리키는 비칭이었다. 퉁구스는 남북 두 계통으로 나뉘어진다. 南퉁구스는 요하유역에, 北퉁구스는 시베리아의 중앙부를 관류하는 에니세이江과 시베리아의 북동쪽으로 흘러가는 레나江, 그리고 북만주의 헤이룽강유역에 거주하였다. 언어는 알타이어족에 속한다. 체질은 황색 인종에 속한 검은 눈·검은 머리털·短頭(머리 길이와 폭이 거의 같은 둥근 머리로서 전후 지름이 짧아서 된 것임)·直毛·중코 등이 특징이다. 나머지 알타이족은 알타이산맥 남쪽 지방이 원거주지로 생각된다. 그런데 알타이족은 인종 보다는 언어상의 구별인 듯한 느낌이 짙다. 적합성 여부를 떠나 퉁구스어군·몽골어군·투르크어군 등을 알타이諸語 혹은 알타이語族이라고 한다.

한국 고대인들의 출원지가 북방, 특히 몽골과의 관련성은 형질인류학적으로도 운위된 바 있다. 이 중 身長을 통해서도 양자 간의 형질적 관련성을 유추할 수 있다. 지금까지 발굴된 흉노 인골을 분석한 결과 신장은 여성 150-167cm, 남성 167-174cm에 속한다. 사망 연령은 여성은 30대, 남성은 30~40대가 많고 10대가 다수 있다. 남성의 골절상은 전투나 기마와 관련지어 볼 수 있으며, 60대 이상 高齡 인골은 드물다.[51] 7-8세 어린이 유골과 10대 유골 수치를 뺀다면 흉노 성인 남녀의 신장은 장신에 속한다. 고대 한국인들 역시 체격이 왜소하지 않았다. 3세기 후반에 저술된『삼국지』동이전 부여 조에 보면 부여인들이 '麤大' 즉 체격이 컸다고 했다. 변한인들에 대해서도 '大(『삼국지』)' 혹은 '長大(『후한서』)'라고 하였다. 그 밖의 기록에서도 한국인들은 적어도 중국인들이 볼 때 자신들의 기준으로는 컸다고 증언하였다. 백제 무녕왕의 경우 8척으로 적혀 있다. 부여씨 왕족 출신인 흑치상지의 경우 7척이 넘었다고 했다. 唐尺으로 7척은 196cm이었다. 흑치상지는 2m가 훨씬 넘는 장신이었다. 실제 1929년에 그의 무덤이 도굴될 때 현장을 지켜본 이는 시신을 9척으로 증언했다. 흑치상지의 미라가 상당히 장대했음을 알려준다. 진평왕의 경우 '長大(『삼국사기』)'나 '11척(『삼국유사』)'이라고 하였다. 실제 진평왕이 내제석궁에 행차했을 때 그가 밟은 섬돌 3개가 하중을 이기지 못하고 부러졌다. 그리고 그가 착용한 聖帶(天賜玉帶)의 경우 너무 커서 다른 사람들이 착용할 수 없을 정도였다. 진평왕의 조카인 진덕여왕은 신장이 7척이었다. 부여씨 백제 왕족이나 신라 김씨 왕족의 경우

51_ 윤형원,「흉노인의 식의주」『흉노고고학개론』, 진인진, 2018, 273쪽.

장신이었다.[52] 이 같은 長身 王家의 유전적 요인은 북방 민족의 남하와 연관 지을 수 있게 한다.

이와 더불어 고대 한국과 몽골은 물리적 압박을 통해 두상을 인위적으로 납작하게 만든 編頭 풍속을 공유하였다. 한국에서의 편두는 진한의 풍속으로 『삼국지』에 적혀 있다. 실제 김해 예안리를 비롯하여 경주와 대구에서도 편두 인골이 각각 출토된 바 있다. 그리고 금령총 출토 騎馬人物形土器의 주인공 두상도 편두였다.[53] 이러한 편두 풍속은 흉노에서도 확인되었다.[54]

52_ 李道學, 「쌍릉 대왕묘=무왕릉 주장의 맹점(盲點)」『季刊 한국의 고고학』 43, 주류성, 2019, 66-69쪽.
53_ 李道學, 『가야는 철의 왕국인가』, 학연문화사, 2019, 31-33쪽.
54_ 禹實河, 『요하 문명과 한반도』, 살림, 2019, 106쪽.

3. 한국 고대사에서의 동이관

漢代 이후 생겨난 중국의 동이관은 한국 고대국가들에서도 그대로 원용되어 적용되었다. 즉 천하관 그러니까 세계관의 태동과 더불어 자국 주변의 국가군에 대한 멸칭으로 사용되었다. 이와 관련해 414년에 세워진 고구려 광개토왕비의 건립 목적을 "天帝에 연원을 둔 고구려 왕가의 聖德은 광개토왕에게 계승되었고, 왕에 의한 聖戰의 결과 주변 여러 나라와 여러 민족이 왕의 덕에 귀순하였음을 선포하는데 있다"고 한 해석이 있다. 고구려 중심의 천하관을 반영하는 해석으로서 유의된다. 실제 「광개토왕릉비문」에는 "威武를 사해에 떨쳤노라(威武振被四海)"라고 하였다. 그리고 5세기 전반에 쓰여진 「牟頭婁墓誌」에서 "천하 사방이 이 나라 이 고을이 가장 성스러움을 알지니(天下四方知此國都最聖)"라고 했다. 이러한 四海·四方的 천하관은 중심국을 설정하고 있다. 말할나위 없이 자국인 고구려를 가리킨다. 고구려 중심의 천하관은 그 주변의 나라들에 대한 호칭에서도 입증되고 있다. 가령 449년에 건립된 충주고구려비에 적힌 '東夷寐錦'의 '동이'는 신라를 가리킨다. 백제의 경우도 마한 잔여 세력을 '南蠻'으로 일컬었다. 백제 중심의 천하관이 태동했음을 뜻한다.

『삼국사기』에서도 고구려는 주변의 종족을 예맥 따위로 기록하여, 자기 나라는 중국인이 부여한 예맥과 같은 멸칭적인 종족 이름(濊는 더러울 '예')에서 벗어나고자 했다.[55] 『삼국사기』 고구려본기에서 고구려가 '예맥'을 거느리고 전투에 참전한 기사에서도 엿볼 수 있다. 고구려는 예맥과 같은 멸칭을 자국 주변의 세력에게 부여하여 그들을 統御하는 우월적인 존재인양 내세웠던 것이다. 이와 유사한 사례가 1635년 11월에 차하르가 복종하고 원대의 국새를 바치기 이틀 전에 홍타이지는 上諭에서 "본래 우리나라(gurun)의 이름은 만주·하다·울라·여허·호이파였다. 무지한 사람들이 이를 여진(jus~en)"이라고 부른다. 그러나 여진은 시버의 초 머르건을 가리키는 말이고, 우리와 관계없다. 이후로 우리나라를 본래 명칭인 만주라고 부르라. 만약 여진이라고 부르면 벌을 줄 것이다"[56]라고 한 글귀이다.

이러한 자존적 천하관은 신라에도 나타나고 있다. 『삼국유사』 황룡사 9층탑 조에 의하면 문수보

55_ 濊는 "盪滌濁濊(『漢書』)"에서 알 수 있듯이 '더러움'의 뜻을 지녔다. '穢'도 동일한 의미를 지녔기에 어느 글자를 사용하든 의미가 달라지는 것은 아니다.
56_ 마크C. 엘리엇 著·이훈·김선민 譯, 『만주족의 청제국』, 푸른역사, 2009, 129~130쪽.

살이 중국에 유학온 신라의 慈藏律師에게 "동이 공공의 족속과는 같지 않다(不同東夷共工之族)"라는 말을 했다고 한다. 여기서 '共工'은 본래 요순시대의 四凶의 하나로서 흉폭했다는 족속을 가리키는데, 일반적으로 야만의 뜻으로 사용되고 있다. 이 문구는 비록 문수보살의 말을 빌어 이야기하고 있지만 신라인들은 "동이 야만족하고는 같지 않다"는 의미로서 신라 독자의 세계관을 엿볼 수 있다. 신라 중심의 천하관은 진흥왕 순수비에서 독자 연호의 사용과 '朕'이나 '巡狩' 혹은 '帝王' 같은 황제 용어의 사용에서도 뒷받침된다.

중국에서 생겨난 천하관은 일본열도의 倭에서도 나타나고 있다. 『일본서기』에 의하면 "東夷之中有日高見國"(景行 27년 2월 조)과 "東夷多叛 邊境騷動"(경행 40년 6월 조) "西戎"(계체 21년 조) 등에서 야마토 정권에 대적하는 야만세력으로서 '동이'와 '서융'이 보이고 있다. 말할 나위 없이 일본 중심 중원의식의 표출이었다. 5세기대 후반 경에 조성된 船山古墳에서 출토된 銘文鐵劍에서도 "천하를 다스리는 와카다케루 대왕의 세상(治天下獲△△△鹵大王世)"라고 하여 천하관이 표출되었다. 중국이 동이로 간주했던 동이 세계였지만, 이들은 자의식의 성장에 따라 오히려 자국 주변 세력을 동이로 이름붙였다. 外王內帝 체제의 태동과 물려 있었다.

제3장

국가의 탄생과 발전 과정

제1절 국가의 발전 단계론

국가의 탄생에 이어 국가의 질적인 발전을 살펴본다. 한국사에서 국가 간의 발전 속도와 질적인 차이는 일관되지 않기 때문이다. 국가는 개별 國 단계에서 제의와 軍事를 공유하는 연맹국가로 발전하게 된다. 國은 중국사에서 춘추시대에 등장하는 최소의 독립된 정치 세력을 연상할 수 있다. 3세기 후반에 쓰여진『삼국지』동이전 한 조에 등장하는 삼한 諸國을 상기하면 된다. 그러한 國을 병렬적으로 연결한 연맹국가의 맹주는 회의체를 주도하는 議長的 성격을 지녔다. 여러 干의 우두머리인 麻立干이라는 신라 왕의 호칭이 회의체국가의 성격을 대변해준다.

그러면 國에서 출발한 국가의 완성을 뜻하는 集權國家의 지표는 무엇일까? 집권국가는 문자 그대로 '통합'이 지표이므로, 통합 요인을 찾아 보아야 한다. 우선 권력의 집중과 독점을 말할 수 있다. 수장의 호칭이 고유 호칭에서 벗어나 중국식 王號를 일컫게 된다. 그러면 중국과의 조공이나 책봉에서 유일 통치권자로서의 유리한 입지를 구축할 수 있다. 아울러 왕호에 걸맞게 국왕은 이전보다 강력한 권력을 구축하게 된다. 그리고 여러 방식으로 지배의 정당성을 뒷받침할 수 있는 이념적 근거를 제시한다.

집권국가는 통합을 거쳐 영역국가로 발전해 있다. 즉 영토의 확장이 준거가 된다. 적어도 연맹내의 國들을 통합하여 외형적으로 영토가 비약적으로 확장되어 있어야 한다. 즉 삼한에서 마한과 진한을 각각 통합한 백제와 신라는 그 시점이 준거가 된다. 반면 변한연맹에서 통합으로 나가지 못한 임나연맹의 경우는 해당되지 않는다. 고구려의 경우는 통합한 5부연맹을 기반으로 주변 國들을 끊임없이 병합해 갔다. 이와 엮어져 도로의 개통과 확장이 이루어진다. '道使'와 같은 직함이 관등 관직 체계 안에 흡수되었을 정도로 幹線 도로망의 확장이 지닌 비중은 증대하였다. 옥저와 동예는 읍락 사회 長老 중심의 회의체 사회에 머물러 있었다. 부여는 연맹국가에서 세습제 왕조국가 단계로 이행했다. 성격이 동질하지 않을 뿐 아니라, 시간상 3개의 조선으로 이어진 고조선의 사회 발전 단계를 한 마디로 규정하기는 어렵다. 그러나 고조선 역시 세습제 왕조국가 단계에서 멸망했다.

국가 발전은 회의체 읍락사회→國→연맹국가→왕조국가→집권국가로의 이행을 설정할 수 있다. 집권국가의 지표는 권력의 정당성과 합리화를 위한 지배 이데올로기의 구비를 필요로 한다. 유학과 불교가 사회와 국가의 통치 이념으로 활용된다. 국왕의 세습제와 더불어 1인지배의 확정이다. 이에 짝하여 국왕의 호칭은 '王'에서 '大王'이나 '太王'으로 승격된다. 주민의 통합과 지배를 위한 수단으로 간선 도로망의 구축을 확정한다. 울진봉평신라비에서 도로 관련 구절이 언급되어 있다. 지방에 대한 통치 거점의 구축 일환으로 산성에 대한 축조가 대대적으로 이루어졌다.

그러면 집권국가의 완성을 뜻하는 지표는 무엇일까? 국가 통치의 기본 성문법인 율령의 반포와 집행, 그리고 관등 조직의 완결을 꼽을 수 있다. 이와 맞물려 독자성을 지닌 지방 세력의 반독립성을 허용하지 않았다. 우선 개인과 특정 집단의 권위를 나타내는 위신재의 소멸이다. 가령 백제 지역에서의 금동관모와 신라에서의 出字 型 금동관모의 소멸과 비례하여 色服과 관모의 통일을 가져왔다. 불교나 유교적 세계관의 도입에 따라 장례는 厚葬에서 薄葬으로 전환되었다. 아울러 墓葬 제도의 통일이 이루어졌다.[1] 그럼에 따라 지방 독자세력의 존재를 나타내는 대형 분묘는 사라지게 되었다. 바로 그 자리에는 행정단위로서 산성이 축조되었다. 신속하게 직접 지배의 대상으로 편제시켰다. 이러한 가시적 지표로써 집권국가 단계를 논할 수 있다.

그런데 보다 중요한 사실은 간접 지배하거나 영향권에 두었던 곳에는 수취와 관련한 倉庫가 건설되었다. 3세기 대만 하더라도 고구려는 간접 지배 대상인 동예나 옥저 지역 주민들로부터 직접 공납을 받았다. 그러나 집권국가 시점에서는 중앙과 지방 뿐 아니라 영역 너머 간접 지배 지역까지 倉庫網이 구축되었다. 이와 짝하여 지방 통치 거점으로서 산성이 축조되자 창고 역시 보호가 용이한 성안으로 들어갔다. 창고는 단순한 兵倉이 아니라 수취 공간으로서의 역할을 했다. 한강변인 하남시 미사동에 소재한 백제의 창고도 중앙과 연계된 網의 일원이었을 것이다. 집권국가 단계에는 지방 통치의 거점인 산성의 축조와 병행하여 收取處로서 전국적인 창고망이 구축되었다고 본다. 수취와 짝을 이루는 게 力役이었다. 전자가 재물에 대한 장악이라면, 후자는 人身 장악을 가리킨다. 집권국가라면 후자와 관련해 전국적인 동원 체계가 구축되었어야 한다. 가령 중국 지린성 지안의 梨樹園子南 遺址에서 출토된 '十谷民造' 銘瓦의 '十谷'은 『삼국사기』에서 十谷城縣으로 등장하는 황해도 谷山을 가리킨다. 여기서 4세기대 '十谷民造' 銘瓦를 곡산에서 제작했다면 지명만 기재하면 된다. 그러

1_ 山本孝文, 『古代朝鮮の國家體制と考古學』, 吉川弘文館, 2017, 13쪽~17쪽. 23쪽.

나 '十谷의 民이 만들었다'고 했다. 그러므로 곡산 주민들이 그 멀리 압록강을 건너 국도인 지안에 와서 만든 기와인 것이다. 당시 고구려가 주민에 대한 전국적인 지배망을 갖추었음을 뜻한다.

수취의 최고 단계가 인접 국가로부터의 朝貢이었다. 조공은 천하관 속에서 屬民으로 설정한 주변국들로부터 方物을 거둬들이는 공납을, 우아하게 치장한 명분에 불과했다.

제2절 古朝鮮

1. 국호의 기원과 3 조선의 국호

한국 역사에 등장하는 최초의 국가는 현재 고조선으로 불리는 '朝鮮'이었다. 조선 국호의 기원에 대해서는 여러 견해가 있다. 3세기대 인물인 장안은 "조선에는 습수 · 열수 · 선수가 있는데, 3 물이 합하여 열수가 된다. 낙랑과 조선은 이것에서 이름을 취한 게 아닌가 헤아려진다.[朝의 음은 潮로서 眞과 驕의 반절이다. 鮮의 음은 仙으로 汕水가 있기 때문에 汕이라고 한 것이다. 訕으로도 부른다](集解張晏曰 朝鮮有濕水洌水汕水 三水合爲洌水 疑樂浪朝鮮 取名於此也 [索隱]按 朝音潮 眞驕反 鮮音仙 以有汕水 故名也 汕一音訕)"고 했다. 강 이름에서 조선 국호가 유래했다고 한다.[2] 단재 신채호는『만주원류고』에서 所屬을 珠申이라고 한 점에 착목하여 朝鮮-肅愼-珠申-珠理眞을 모두 결부지어 '管境'의 뜻으로 해석하였다. 현재로서는 조선 국호의 기원을 살피기는 어렵다.

고조선은 3개의 조선을 가리키는 일종의 合稱이다. 즉 통상적인 호칭으로 檀君朝鮮과 箕子朝鮮, 그리고 衛滿朝鮮을 일컫는다.『제왕운기』와『고려사』및『용비어천가』에서는 단군조선을 前朝鮮, 기자조선을 後朝鮮이라고 했다. 반면 簒奪로 시작된 위만조선은 배제시켰다.[3] 이들 史書가 집필되던 무렵에 제기된 정통론의 산물이었다. 그런데 단군조선이 3 조선 가운데 가장 오래되었기에『삼국유사』에서 '고조선'으로 표기했다는 주장이 있다. 그러나『제왕운기』등에서는 '前後' 朝鮮으로 인식했

2_ 이 견해는『國朝寶鑑』의 저자와 리지린이 지지하고 있다(리지린,『고조선연구』, 과학원출판사, 1963, 35쪽).

3_『세종실록』지리지 평양부 조에 따르면 "본래 三朝鮮의 舊都이다. 唐堯 무진년에 神人이 박달나무 아래에 내려오니, 나라 사람들이 〈그를〉 세워 임금을 삼아 평양에 도읍하고, 이름을 檀君이라 하였으니, 이것이 前朝鮮이요, 周武王이 商을 이기고 箕子를 이 땅에 봉하였으니, 이것이 後朝鮮이며, 그의 41대 孫 準 때에 이르러, 燕人 滿이 亡命하여 무리 천여 명을 모아 가지고 와서 準의 땅을 빼앗아 王儉城[곧 平壤府이다]에 도읍하니, 이것이 滿朝鮮이었다"고 했다.

다. 게다가 『삼국유사』에서는 단군조선을 '王儉朝鮮'이라고 하였다. 따라서 '고조선'은 어디까지나 조선왕조와의 구분에서 비롯된 조선조 板本의 표기였다.[4)]

그런데 '前·後朝鮮'은 시간적 선후 관계를 나타낼 뿐이었다. 국가의 속성을 내재하지는 않았다. 그렇다고 건국자 이름을 붙인 3조선의 국호를 취할 수는 없다. 이는 합당한 표기도 아닐뿐더러 사리에도 맞지 않기 때문이다. 반면 『삼국유사』에서의 '王儉朝鮮' 표기는 최고 지배자의 호칭에서 기인했다. 그런데 용어는 일관성이 중요하다. 여기서 첫번째 조선 표기인 '왕검조선'에 準據하여 적용하면, 두 번째 조선은 응당 '侯·王朝鮮'이 적합하다. '朝鮮侯'로 일컬었던 고조선의 최고 지배자는 周의 쇠퇴가 결정적인 상황에 이르자 戰國7雄들과 함께 '王'을 칭했다. 『삼국지』 한 조에 인용된 「魏略」을 통해 확인할 수 있는 사안이다. 그리고 세 번째 조선의 마지막 왕인 '右渠王'의 '右渠'를 지금까지는 이름으로 간주하였다. 그런데 辰韓 右渠帥 廉斯鑡의 예에서 보듯이 '右渠'가 다시금 보인다.

중국인들의 주변 異民族 토착수장에 대한 卑稱인 '渠帥'는 '右渠王'의 '渠王'과 의미가 동일하다. 물론 '渠王'은 '渠帥' 보다 월등한 지위를 지닌 首長 호칭에 걸맞다. 그렇다면 右渠王은 보통명사의 고유명사화 정도로 간주할 수 있다. 문제는 渠帥나 渠王 모두 他稱에서 연유한 卑稱이었다. 여기서 '渠王'의 '渠'는 '크다'는 뜻이 담겨 있다. 따라서 '渠王'은 '大王'의 뜻으로 해석이 가능하다. 그리고 '右渠王'이나 '右渠帥'의 '右'에는 '높다'와 '强하다'의 뜻이 있다. 渠王이나 渠帥 가운데 최고의 권력자에게 '右'를 붙인 것 같다.

설령 이 같은 견해가 타당하지 않더라도 大王體制는 분명하다. 즉 우거왕과 불목한 朝鮮相 歷谿卿이 2천여 호를 이끌고 동쪽의 辰國으로 이동한 후 "역시 조선을 좇아 조공을 하거나 蕃으로서의 서로 왕래는 없었다(亦與朝鮮貢蕃不相往來)"[5)]고 했다. 여기서 '貢蕃' 개념이 등장하고 있다. 우거왕의 조선이 주변 세력을 '貢蕃'으로 대했음을 알려준다. 이 사실은 고조선이 대왕체제를 구축했음을 뜻한다. 그리고 위만이 망명해 왔을 때 "朝鮮의 藩屛이 되겠다"고 하였다. 藩屛 개념의 등장 역시 동일한 맥락에서 수용된다. 이와 더불어 "圭를 내리고, 百里의 땅을 封했다"고 한다. 고조선의 준왕이 위만을 제후로 삼은 것이다. 고조선인들은 자국의 최고 통수권자를 '大王'으로 일컬었음을 반증한다. 이러한 선상에서 세 번째 조선은 '大王朝鮮'으로 이름할 수 있다. 요컨대 王儉朝鮮→侯·王朝鮮→大

4_ 孫晉泰, 『朝鮮民族史槪論(上)』, 乙酉文化社, 1948, 84쪽. "近世 李氏朝鮮과의 混同을 避하기 위하여 우리는 이를 衛氏朝鮮과 아울러 古朝鮮이라 하는 것이다".

5_ 『三國志』 권30, 동이전, 韓 조.

王朝鮮으로의 전개 과정이었다. 고조선 최고 지배자의 호칭 변화를 통한 발전상이 확인된다.

3개의 조선 가운데 왕검조선은 건국신화인 단군신화만 전하고 있다. 왕검조선의 기원과 발전과정을 알려준다고 딱 부러지게 판단되는 사료는 어디에도 없다. 그리고 侯·王朝鮮은 학계에서 가장 쟁점이 되는 부분이다. 侯·王朝鮮의 존재 여부는 물론이고, 그 위치 등 견해가 모아지는 사안은 거의 없다고 해도 과언이 아니다. 반면 대왕조선은 앞의 2개의 조선과는 달리 興亡史가 가장 확실하다. 『사기』 조선전이 대왕조선의 '시작과 끝'을 담고 있는데, 3대에 걸쳐 70~80년 간 존속했던 왕조였다.

고조선은 청동기 문명을 기반으로 성립하여 철기 문명 단계를 경험하였다. 이와 관련해 이청원은 "철기의 사용 단계는 우리 조선민족이 그 영웅시대를 경과하는 시대이다"[6]고 갈파했다. 영웅시대는 그리스 작가 헤시오도스(Hesiodos)가 그의 이색적인 시대구분인 금시대→은시대→청동시대→철시대에서, 청동시대와 철시대 사이를 영웅시대로 정의하였다(「노동과 일력(Works and Days)」). 영웅시대를 역사적인 시대 개념으로 확대·정립한 것은 엥겔스(Engels, 『가족, 사유재산 및 국가의 기원』)로서, 국가 형성의 전제가 되는 단계로 규정하였다. 세습적 귀족 및 왕권에 대한 최초의 맹아로 지목했고, 야만→미개→문명의 단계에서 미개의 후기를 영웅시대로 설정했다. 아놀드 토인비(Arnold J. Toynbee, 『역사의 연구(A study of History)』는 영웅시대는 하나의 문명이 종언을 고하고 새로운 문명이 탄생하기까지의 공백기간을 말한다고 했다. 경성제국대학 법문학부 교수였던 다카기 이치노스케(高木市之助, 1888~1974)가 1930년에 일본사에서의 영웅시대론을 처음으로 제기한 바 있다.

6_ 李淸源, 『朝鮮歷史讀本』, 白揚社, 1937, 32쪽.

2. 단군신화는 어떠한 내용인가?

1) 단군신화의 골격

왕검조선의 신화인 단군신화에 관하여 살펴 보도록 하자. 이 문제는 단군이 어느 때 한국인의 시조가 되었는지 여부와 밀접히 관련되었다. 10월 3일 개천절은 단군왕검이 한국 역사에서 최초의 국가인 '조선'이라는 나라를 세운 날로 여겨 국경일로 정하여 기념한다. 단군이 고조선을 건국한 날은 대종교의 2대 교주였던 金敎獻이 1914년에 저술한 『神檀實記』에 적혀 있지만, 근거한 문헌은 상고할 길이 없다. 그러나 한국인은 음력 10월을 상달이라 불러, 한 해의 추수를 마친 후 감사하는 마음으로 하늘에 제사를 지냈던 경건한 달이었다. 3이라는 숫자 또한 성스러운 숫자였다. 따라서 이러한 달과 날짜를 특별히 취하여 개천절로 정한 것으로 보겠다. 대한민국 임시정부에서 간행한 1920년 「大韓民曆」에서도 '開天節 11월 13일(陰 10월 3일)'로 명기하였다.

개천절에 기리는 檀君의 존재는 적어도 한국인이라면 모두 그의 자손이라는 관념을 지니게 하였다. 단군은 한국인 사이의 동류의식이나 구심체 형성에 있어 그 한복판에 자리잡았다. 이 점은 부인할 수 없다. 단군을 정점으로 하여 단일 민족의식이 생겨났던 것이다.

그러면 이와 관련 있는 왕검조선의 건국신화의 내용을 다시금 유의해 본다. 단군신화는 『삼국유사』와 『帝王韻記』 그리고 『應製詩註』 등에 전하고 있다. 가장 오래 된 『삼국유사』에서는 『魏書』와 『古記』를 인용하여 그 신화를 수록하고 있다. 즉 『위서』에서는 단군이 중국의 堯 임금과 동시기에 阿斯達에 도읍을 정하고 나라를 세웠다고 하였다. 바로 '與高同時'인 것이다. 고려 定宗의 諱인 堯(높을: 요)에 대한 避諱인 '高'는 요 임금을 가리킨다. 단군왕검이 중국의 堯와 동일한 시기에 開國했다는 이야기이다.

그림 1 | 부여 관내 단군전에 봉안되었던 단군 영정

이러한 인식은 서산대사가 지은 '檀君臺에 올라(登檀君臺)'라는 詩의 註記에서 "史與堯並立云" 즉 "史書에서 堯와 더불어 함께 즉위했다고 한다"[7]고 한 기록과도 부합한다.

「고기」를 인용한『삼국유사』에 수록된 단군신화는 대략 다섯 가지 이야기로 짜여져 있다. 첫째 天帝인 桓因의 서자 桓雄이 천상으로부터 태백산 신단수 밑에 하강하여 지상세계를 교화하였다. 둘째 곰이 환웅의 가르침과 일련의 금기 사항을 준수하여 여자로 변했다. 셋째 환웅과 웅녀의 혼인으로 단군이 탄생하였다. 넷째 단군은 堯가 나라를 세운지 50년이 되는 庚寅年에 조선을 건국하여 천오백년간 통치했다. 그러던 중 중국으로부터 箕子가 東來함에 따라 구월산 莊唐京으로 천도하였다. 다섯째 단군은 아사달로 돌아와 산신이 되었는데 그 때 나이가 1908세였다. 이와 같은 내용으로 구성된 단군신화에는 천손민족으로서의 우월성, 시조의 위대함, 역사의 유구함, 산악 숭배신앙 등이 담겨 있다.[8]

「고기」를 인용한『삼국유사』의 저자 一然은 경인년에 대한 주석을 달았다. 唐高의 즉위년은 戊辰年이므로, 堯가 즉위한지 50년이 되는 해는 丁巳年이므로 경인년은 잘못이라고 하였다.[9] 堯가 즉위한 해의 干支는 문헌에 차이가 많으나, 司馬光의『稽古錄』과 劉恕의『資治通鑑外紀』에는 무진년으로 적혀 있다.[10]「고기」에서 일연이 주석을 달아 놓은 단군왕검 무진년 건국설에 근거하면 고조선은 기원전 2333년에 건국된 것이다. 이 건국 연대에 서기를 합산하면 단군기원이 나온다. 우리나라의 역사를 반만년 역사라고 함은 여기에 근거를 두고 있는 것이다. 그런데 혹자는 이러한 고조선의 건국 연대를 사실로서 믿어야 된다고 주장하기도 한다. 그러나 이는 어디까지나 역사적 사실이기 보다는 고조선인들의 이상과 자부심이 투영된 신화에 불과하다는 사실을 자각할 필요가 있다. 기원전 2333년은 우리나라의 신석기시대였다. 그러므로 이 무렵에 국가라는 거대한 조직체가 탄생하기는 어렵다. 건국 연대를 올려잡는 것은 나라의 권위를 내세우기 위해 고조선 뿐만 아니라 다른 나라에서도 흔히 확인되는 현상이다. 중국이나 일본은 물론이거니와 이집트인들도 자신들이 세계 모든 민족 가운데 가장 오래된 역사를 가진 민족이라고 생각하였다.

7_ 『淸虛堂集』 권1, 詩, 登檀君臺.

8_ 孫晉泰,『朝鮮民族史概論(上)』, 乙酉文化社, 1948, 27쪽.

9_ 唐高에서 唐은, 堯가 천하를 차지했을 때 부른 이름이다. 요는 처음에는 唐侯였고, 뒤에 天子가 되어 陶에 도읍하였기에 요를 陶唐이라고 한다.

10_ 『제왕운기』의 '本紀'가 근거한 책은 古本 '竹書紀年'으로서 개국 연대는 기원전 2085년이라는 견해도 있다(原田一郎,「'本紀'檀君卽位年の復元」『朝鮮學報』184, 2002, 34~35쪽).

2) 건국 연대

『삼국유사』에 인용된 「魏書」와 「古記」에 따르면 단군은 堯와 동일한 시기인 戊辰年이거나 그로부터 50년 후인 庚寅年에 즉위한 것으로 적혀 있다. 一然은 堯의 즉위를 戊辰年으로 간주하였다. 堯元年=戊辰年說은 劉恕(1032~1078)의 『資治通鑑外紀』에서 비롯되었다. 이에 근거하면 단군의 개국 연대는 기원전 2333년이거나 기원전 2393년이 된다. 그러나 堯의 즉위 원년을 甲辰으로 산출한 宋代 邵康節(1011~1077)의 『皇極經世曆』에 의하면 기원전 2357년이어야 한다.[11]

그런데 堯의 치세를 기원전 2357년으로 설정하여 단군 治世의 출발점도 이와 동일한 연대로 설정한 기록이 있다. 1735년에 프랑스 프로방스 출신의 예수회 선교사인 쟝 밥티스트 레지(Jean-Baptiste Régis, 1663~1738)가 출간한 저술이다. 레지는 淸에서 입수한 서적을 통해 단군의 甲辰年 개국설을 취하였다. 그가 인용한 고조선 관련 서술은 신화는 없는 대신 사건을 기록했다. 즉 고조선은 堯부터 夏의 제3대 太康에 이르기까지 중국의 屬民이었다는 것이다. 그렇지만 고조선은 夏의 末王 桀의 폭정에 저항하여 반란을 일으켰고, 중국 일부 영토에 침입했다고 한다.[12] 이러한 기록은 일연의 『삼국유사』에 인용된 「위서」나 「고기」와는 다른 단군 관련 제3의 사서가 존재했음을 알려준다. 단군조선은 신화만 존재한 게 아니라 구체적인 통치 기록이 뒤따랐음을 뜻한다.

단군의 건국 연대에 대해서는 「魏書」의 堯와 동일한 시점, 혹은 「古記」의 요 즉위로부터 50년이라는 2가지 설로 나뉜다. 중국 사서로 짐작되는 「魏書」에서는 단군신화가 수록되지 않았다. 반면 「古記」는 우리나라 사서가 분명하다. 2 종류의 사서 가운데 「魏書」가 선행 문헌임은 분명하다. 선행 문헌에서는 단군의 건국 연대가 중국과 대등하였다. 이후 문헌에서는 건국 연대가 堯 이후였다. 후자의 경우 요를 의식한 즉위 년이었다. 요 즉위 50년은 舜의 등용 시점이다.[13] 이 사실은 堯로 상징되는 중국 중심의 세계관에 단군이 편제되었음을 뜻한다.

11_ 堯의 즉위 원년을 甲辰으로 산출한 宋代 邵康節의 『皇極經世曆』에 의하면 기원전 2357년이고, 堯의 戊辰 開國에 따르면 기원전 2333년이 된다(李基東, 「古朝鮮 問題의 一考察」 『大丘史學』 12·13합집, 1977, 26쪽). 堯 元年=戊辰年說은 劉恕의 『資治通鑑外紀』에서 비롯되었다. 그리고 기원전 2333년 개국설은 『東國通鑑』의 연대 算定法에 기초한 것이다(徐永大, 「전통시대의 단군인식」 『단군과 고조선사』, 사계절, 2000, 164쪽. 173쪽)고 하지만, 그 보다 앞선 『제왕운기』에 근거하고 있다(李弘稙, 『韓國古代史의 硏究』, 신구문화사, 1971, 34쪽). 오히려 『동국통감』은 '唐堯戊辰年'을 기원전 2393년이라고 한다(原田一郞, 「'本紀'檀君卽位年の復元」 『朝鮮學報』 184, 2002, 34~35쪽). 아무튼 단군의 개국 연대를 기원전 2300년대로 인식하였음은 분명하다.

12_ 쟝 밥티스트 레지, 『18세기 프랑스 지식인이 쓴 고조선, 고구려의 역사』, 아이네아스, 2018, 174쪽.

13_ 方善柱, 「韓·中 古代紀年의 諸問題」 『아시아문화』 2, 한림대학 아시아문화연구소, 1987, 10쪽.

3) 桓囯의 실체 접근

『삼국유사』 기이편 고조선 조에는 단군 신화가 수록되었다. 여기서 「古記」라는 문헌을 인용한 대목에 "昔有桓囯"라는 문구가 보인다. 현존하는 『삼국유사』의 가장 오래된 판본인 중종 연간인 임신년(壬申年: 1512)에 간행된 정덕본에 따르면 "昔有桓囯"으로 분명히 적혀 있다. 이와 관련해 '桓囯'의 '囯'이 '國' 字의 俗子이므로 '나라'의 뜻을 지닌 '国'으로 간주해야 한다고 주장한다. 그렇다면 "옛적에 桓國이 있었다"는 뜻이 된다. '桓国'이라는 국가의 존재가 상정되는 것이다. 그런데 '환국'은 재야 사서를 제외한 어느 문헌에서도 확인되지 않는다. 그렇지만 약간의 역사적 소양과 주의력만 있다면 '桓囯'의 '囯' 字는 '国' 자로 간주하기 어렵다.

첫째, 『삼국유사』 정덕본에서는 '国' 字가 모두 正字로 적혀 있다. 고조선 조만 하더라도 '開國'·'御國'·'孤竹國'을 비롯하여 가락국기 조의 '有邦國之號'·'國尾'·'琓夏國' 등등 예외없이 모두 번잡한 정자이다. 오직 고조선 조의 '桓囯'만 유일하게 속자처럼 적혀 있다. 이것은 오히려 '囯' 字가 '國' 字로 쓰이지 않았음을 반증한다.

둘째, 『삼국유사』에서는 "昔有桓"의 桓囯에 대한 주석을 "제석을 말한다(謂帝釋也)"라고 했다. 제석은 天神을 가리킨다. 그러므로 '囯'을 '國' 자로 간주하기는 어렵다.

셋째, 정덕본 보다 꼭 60년 전인 1452년에 올린 李先齊(1390~1453)의 상서에 보면 자신이 직접 보고 읽은 『삼국유사』의 단군신화를 기록하였다. 이선제가 읽은 『삼국유사』는 정덕본 이전의 古本 『삼국유사』가 된다. 여기에서 분명히 "昔有桓因"으로 적혀 있다. 따라서 당초 '因' 자가 들어가야 될 곳에 '囯' 자가 채워져 있음을 알게 된다.

넷째, '囯' 字는 因의 異體字를 상정할 수 있다. 565년에 제작된 北齊의 「姜纂造像記」와 東魏의 승려인 惠의 「조상기」에 의하면 '囯'자는 '因' 자의 이체자로 밝혀졌다. 요컨대 '囯' 자는 帝釋을 가리키는 '桓因'의 '因' 자와 동일한 글자이며, '囯' 자와 가장 가까운 글자 형태가 된다. 이선제가 읽었던 고본 『삼국유사』에는 당초 '桓囯'으로 적혀 있었다. 이 내용을 수록한 『단종실록』에서는 正字를 사용해서 '桓因'으로 기재한 것이다.[14)]

14_ 李道學, 「단군은 어느 때 겨레의 시조가 되었는가」 『꿈이 담긴 한국 고대사 노트(하)』, 一志社, 1996, 149~150쪽.
李道學, 「단군신화, 실제인가 조작인가」 『한국 고대사, 그 의문과 진실』, 김영사, 2001, 17쪽.
李道學, 「誤字가 낳은 환상의 국가 '桓國'-그 신기루에 대한 추적」 『대한문화재신문』 16호, 2004. 7. 15.

지금까지의 검토를 통해 "昔有桓囯"은 "昔有桓因"과 동일하다는 사실을 밝혔다. 위서가 분명한 재야 사서『환단고기』「태백일사」의 "朝代記日 昔有桓國"라는 구절은『삼국유사』정덕본에 따라 '桓國'이라는 신기루와 같은 架空의 나라를 만든 證左이다.[15)]

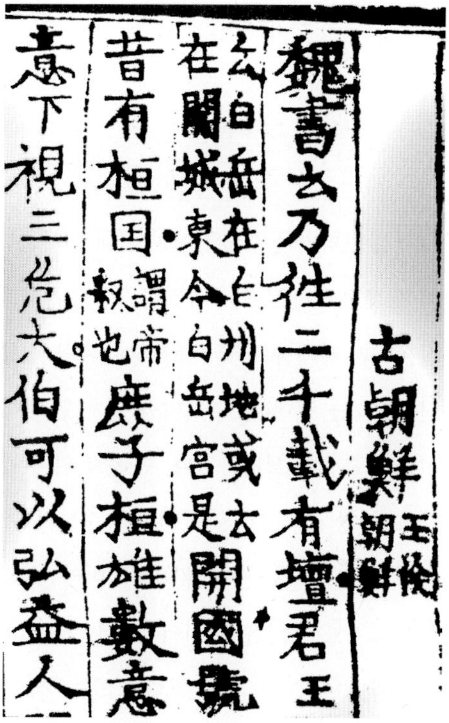

어떤 이는 환웅이 환인의 서자로 적혀 있는 점이 정서적으로 못 마땅하였는지 색다른 해석을 제기하기도 한다. 즉 서자의 '庶'라는 글자에는 첩의 아들이라는 뜻 외에 '衆'의 뜻이 들어 있는 점을 주목하고 있다. 庶民이 대표적인 용례라고 하겠다. 해서 단군신화의 서자는 첩의 아들이라는 뜻이 아니라 천제인 환인의 여럿 아들 가운데 한 사람을 지칭하는 것으로 해석하기도 한다. 그러한 논거의 하나로서 "하느님도 첩을 거느립니까!"라고 덧붙인다. 발상은 기발하지만, 이도 신화의 본질을 잘못 이해한데서 기인한 것이다. 하느님의 서자가 내려왔든 아예 하느님이 직접 내려와서 다스렸던 간에, 이는 전혀 역사적 사실은 아니기 때문이다. 더욱이 지금에 와서는 더 이상 민족의 우월성을 내세울 수 있는 지표가 되지도 않는다.

그림 2 |『삼국유사』정덕본의 '昔有桓囯' 구절

그리고 한국인이 곰의 자손인가에 대해서 불만을 갖는 사람들이 더러 있다. 미련한 짐승이라는 관념 때문이다. 그러나 당시의 곰은 靈物로 인식되어 시베리아를 위시한 동아시아 지역에서는 신석기시대 이래 숭배의 대상이었다. 그랬기에 우리나라 지명 가운데는 곰과 관련한 지명이 많이 등장하고 있다. 백제의 王都였던 熊津 등이 대표적이다. 정작 미련한 짐승은 猪突이라는 단어를 낳게 한 돼지였다.

15_ 李道學,「단군은 어느 때 겨레의 시조가 되었는가」『꿈이 담긴 한국 고대사 노트(하)』, 一志社, 1996, 149~150쪽.
李道學,「단군신화, 실제인가 조작인가」『한국 고대사, 그 의문과 진실』, 김영사, 2001, 17쪽.
李道學,「誤字가 낳은 환상의 국가 '桓國'-그 신기루에 대한 추적」『대한문화재신문』16호, 2004. 7. 15.

3. 단군신화 검증

1) 단군신화 허구론

일제 관학자들은 단군신화의 내용 가운데는 후대적인 윤색이 많이 가미되어 있으므로, 고려에 와서 조작된 것으로 간주하였다. 즉 몽골항쟁기에 민족신앙으로 만들어낸 허구로 보았다. 당시 유교 질서하의 지배층은 箕子東來敎化說을 신봉한 데 반하여, 피지배층은 단군이 國祖라는 단군신화를 신봉했다는 것이다. 그러니까 일제 관학자들은 지배와 피지배의 관계라는 2원적인 입장에서 단군신화의 출현을 설명하였다. 민족적 위기에서 생성된 구심체로서의 기능적인 측면의 인식에 주력했다. 그러한 근거로서 단군신화를 수록하고 있다는 「魏書」와 「古記」의 존재가 미상이라는 점과, 요 임금의 실존 여부도 지극히 회의적이라는 데 두고 있다. 여기서 「위서」는 曹魏의 역사서 혹은 北魏의 역사서(육당), 王沈(?~266)의 『위서』(리상호), 위만조선의 역사서(정중환) 등으로 추정되고 있지만, 현재로서는 알 길이 없다. 현재 전하는 『삼국지』 魏書나 북위의 역사를 담고 있는 『위서』에는 단군 관련 언급이 없다.

게다가 단군신화에는 후대적인 요소가 나타나고 있다는 점이다. 가령 '환인'은 불교적 요소가 가미된 증거이며, 단군이 뒤에 아사달의 산신이 되었다는 것은, 후세 산신숭배 신앙에 의해 윤색되고 가필된 증거라고 했다. 또 환인 · 환웅 · 단군, 天符印 3개, 풍백 · 우사 · 운사, '3천 명의 무리' 등에서 보듯이 단군신화는 3의 원리로 짜여져 있다. 이는 음양오행설이 가미된 증거로 보았다. 3은 陽의 기본수이고 하늘을 의미하는 聖數이기 때문이라고 한다. 단군신화의 구조에는 도교적인 요소가 많다고 보았다. 환웅이 하강하여 敎化하였다는 신화는 도교사상 그대로 인 것이다. 그리고 "下視三危太白"은 도교적 語辭가 분명하며 天符印의 '符'는 道敎에서 신성시하는 것이다. 風伯과 雨師 등은 도교에 보이는 司直神이다. 그런 만큼 환웅은 천상에서 하강하여 도교의 천상과 같은 조직의 王廷을 下界에 지은 것이다고 했다.[16]

이러한 이유로 인하여 단군신화가 후대에 조작되어 생성되었다는 주장이 제기되었다. 가령 이마니시류(今西龍)같은 일제 관학자는 한국 민족이 민족적 위기에 봉착할 적마다 단군을 구심으로 하여

16_ 今西龍, 「檀君考」『朝鮮古史の硏究』, 近澤書店, 1937, 30~31쪽.

결속된다는 사실에 유의하였다. 단군신화는 고려인들이 몽골과의 항쟁기에 민족신앙으로 만들어 낸 허구라고 주장하며, 그 역사성을 배제했다. 즉 이민족의 압박을 받아 동일 민족이라는 자각이 점차 더해지자 국조신을 희구하게 되었다는 것이다.

결국 고려의 유교지배질서 하의 지배층은 기자동래교화설을 신봉한 반면에, 피지배층은 단군을 國祖로 숭배했다는, 지배와 피지배의 관계라는 二元的인 입장에서 단군신화의 출현을 설명하였다. 단군신화를 민족적 위기에서 생성된 구심체로서의 기능적인 측면의 인식에 주력했던 것이다.

그런데 단군신화의 후대 생성설과 관련해 주목할 만한 점은 서산대사의 『淸虛堂集』에 인용된 「新羅古記」이다. 즉 "신라고기에 이르기를 唐 貞觀 初에 한 神僧이 백두산으로부터 내려와 묘향산 大毗盧王(峯?) 북쪽에 들어 갔는데 … 法王 동쪽에 한 臺가 있어, 그 이름을 散花臺라고 한다. 釋(迦)提桓因이 항상 꽃을 흩날렸다"[17]고 했다. 『삼국유사』에서 「古記」를 인용한 단군신화의 기본 모티브인 桓因이라는 최고신격과 神僧의 강림 현장인 백두산과 그가 이동해 간 묘향산이 모두 등장하고 있다. 이러한 소재에 단군과 환인 전설이 부회된 것이라는 견해가 제기되었다.

2) 단군신화의 수용론

(1) 檀君 어원

일본 학자들이 제기한 단군신화 위작설의 타당성 여부는 검토가 필요하다. 먼저 檀君 이름의 유래에 관한 문제이다. 이익은 단군의 '단'을 국호로 지목하였다. 즉 "기자가 동쪽에 봉해짐에 미쳐 단군의 후손은 唐莊京으로 도읍을 옮겼다. 唐莊은 文化縣에 있다. 그리고 마찬 가지로 단군을 일컬었으니 檀은 국호였다[文獻通考를 살펴 보니 '檀弓은 樂浪에서 나온다'고 했는데, 檀은 활을 만드는 나무가 아닌 즉, 국호로 그 이름을 붙인 것이다]"[18]라고 했다. 이와 동일한 견해는 안정복의 "檀은 국호인 까닭에 그 자손들이 모두 단군이라 일컫는다. 상고할 수는 없다"[19]는 기록이다.

일찍이 육당 최남선은 단군왕검 호칭은 제사장을 뜻하는 '단군'과 정치적 군장을 뜻하는 '왕검'이 결합되어 나왔다는 탁견을 제시했다. 단군은 북방어인 몽골어에서 무당이나 하늘을 가리키는

17_ 『淸虛堂集』 권3, 書, 妙香山法王臺金仙臺二庵記.
18_ 『星湖先生僿說』 권15, 人事門, 和寧.
19_ 『東史綱目』 附卷上 下, 雜說, 朝鮮名號.

Tengri에서 기원하였다고 했다.[20] 흉노에서의 텡리고도, 전라도에서 무당을 '당굴'이라고 일컫는 사실과 연결되고 있다. 이러한 추론은 제정일치 사회였던 고조선 최고지배자의 호칭에 잘 어울린다. 단군신화는 제정일치 사회를 배경으로 하여 성립되었기에 조작의 산물이 될 수 없다는 차원 높은 주장이었다.

그러나 이와는 다른 해석도 가능하다. 檀君王儉에 보이는 檀君의 '檀'은 환웅이 지상에 내려올 때 이용한 태백산의 神檀樹를 가리킨다. 檀君은 천상과 지상을 잇는 軸의 역할을 하는 '神檀樹 임금'이라는 뜻이다. 곧 단군은 고조선 시조의 출자를 가리킨다고 본다. 동시에 천상과 지상의 매개자라는 고조선 왕의 성격을 반영해준다. 실제『應製詩註』에 인용된「古記」에 따르면 '桓或云檀'라고 했다. 이와 더불어 "檀因 · 檀雄 · 檀君의 사당이 있다"[21]는 기사를 추가할 수 있다. 그러므로 桓雄을 檀雄으로도 표기하는 게 가능하다. 그리고 '환하다'의 '환'과 '밝다'의 '밝'은 서로 연결된다고 보았다. 해서 하늘에서 내려온 임금의 의미를 지닌 '밝은 임금(단군)'으로 일컬었다는 것이다.[22] 신라 시조인 赫居世王을 弗矩內王이라고 했다. 여기서 '赫'은 '붉그네' 즉 '밝은'의 意譯이다. 신라 시조도 '밝은 왕'으로 인식되었음을 알게 된다. 부여 시조 東明王도 '밝음'과 무관하지 않다. 따라서 '단군' 이름은 광명과 관련 있음을 알 수 있다. 이에 덧붙인다면 몽골 등에서 군주를 뜻하는 '칸'의 어원이다. 돌궐어에서 샤먼을 가리키는 '감'과 '간'을 결부 지을 수 있다.[23] 그렇다면 단군왕검의 '王儉'은 king+shaman인 것이다. 이 역시 제정일치 사회 군장의 면모를 보여준다. 신라 왕호인 居西干과 麻立干의 '干' 또한 그 유제인 지 살펴볼 여지를 남긴다.

(2) 단군신화의 여러 요소

1145년(고려 인종 23)에 편찬된『삼국사기』에 따르면 "평양은 본래 仙人王儉의 宅이다(平壤者 本仙人王儉之宅也)"[24]는 구절이 있다. 여기서 仙人은 무녕왕릉에서 출토된 方格規矩神獸文鏡에서 "尙方에서 거울을 만드니 참으로 좋구나. 위에 仙人이 있는데 나이를 모르고, 목마르면 玉泉을 마시고"라고 하여 보인다. 곧 仙人은 죽음을 초월한 신선을 가리킨다. 단군의 경우도 구월산에 들어가 山神이

20_ 崔南善,「不咸文化論」『朝鮮及朝鮮民族』, 朝鮮通信社, 1928;『六堂崔南善全集』2, 현암사, 1973, 40쪽.
21_ 『世宗實錄』지리지, 황해도 풍천군 문화현 조.
22_ 박득준,『고조선력사개관』, 사회과학출판사, 1999, 14~15쪽.
23_ 護雅夫,『遊牧騎馬民族國家』, 講談社, 1967, 116쪽.
24_ 『三國史記』권17, 東川王 22년 조

되었을 때 1908세라고 했다. 그러니 적어도 단군신화의 원형은 12세기 중엽 이전에 태동했음을 뜻한다. 게다가 『구삼국사』에 근거한 「동명왕편」에도 "나는 仙人의 후손인데(予是仙人之後)"라고 하여 보인다. 단군 선인에 대한 인식이 담긴 『구삼국사』는 늦어도 11세기경에는 편찬되었다. 이로 볼 때 단군신화는 『삼국유사』 훨씬 이전에 이미 존재했음을 알 수 있다.

이와 더불어 단군신화에 나오는 이른바 삼위인 환인·환웅·단군을 제사 지내는 三聖祠라는 사당은 1006년(고려 목종 9) 이전에 이미 구월산에 건립되었음이 확인되었다.[25] 게다가 고구려 고분인 角抵塚에서는 씨름하는 두 명의 力士 옆의 큰 나무 밑둥 좌우에 단군신화에 함께 등장하는 곰과 범을 그려놓은 사실이 지적되고 있다. 곰과 범이 서로 짝을 이루면서 등장하고 있음이 고구려 때의 관념에서도 포착되었다.

그리고 단군신화에 보이는 '환인'은 천제나 日神을 가리키는 불교식 칭호인 釋迦提桓因陀羅의 약자로서 오늘날의 하느님과 같은 단어이다. 즉 석가제환인타라는 梵語 곧 산스크리트어에서 기원하였다. '釋迦'는 '능하다'·'잘한다'의 뜻이고, '提桓'은 '하늘'의 뜻이고, '因陀羅'는 '임금'의 뜻에서 비롯되었다. 그러므로 환인은 '하늘을 주재하는 임금'의 뜻을 담고 있는 석가제환인타라의 준말이었다. 결국 『삼국유사』에서 天帝를 환인이라고 한 것은 우리나라에 불교가 들어와 성행하던 시기에 덧붙여졌음을 알려준다.

그렇지만 환인은 불교식 칭호에서 기원했다기 보다는 본디 '하느님'이나 '광명'을 뜻하는 '환'이라는 글자에다 존칭 어미인 '님'이 결합되어 나온 '환님'이라는 우리 말의 한자 표기로 간주되고 있다. 『삼국유사』의 저자인 승려 일연은 하느님이나 환님의 격이 불교에서의 환인과 같을 뿐 아니라 音까지 비슷한 관계로 불교 호칭으로 표기한 것으로 보인다.

한국사 개설서의 내용대로 한다면, 하느님은 광명의 신이었기에 '환인'은 태양숭배신앙에서 나온 것이다. 고조선의 지배자는 태양족의 후예로 자처하는 주술자적 성격이 강한 군장이었음이 확인된다. 이처럼 왕자를 태양의 아들로 표방한 것은 부여족 계통의 나라에 공통적으로 보인다. 즉 부여·고구려·백제에는 태양을 의미하는 '해'를 이름 앞에 붙여 호칭한 결과 이른바 解氏가 출현한 것으로 운위되고 있다. 해모수와 해부루라는 이름 앞에 붙여진 해씨가 여기에 해당된다. 고구려에서는 시조인 추모왕을 '해와 달의 아들'로 칭송하였다. 이는 선민사상의 반영임은 말할 나위 없다. 게다가

25_ 『成宗實錄』 3년 2월 계유 조.

천손강림신화는 고조선 뿐 아니라 동북아시아 신화의 공통된 현상이었다.

그리고 단군이 아사달의 산신이 되었다는 이야기는 후대의 산신 숭배신앙 보다는 신석기시대 이래 산악 숭배신앙의 반영이었다. 그 밖에 3이라는 숫자가 음양오행설 상에서 중시되는 숫자인 것은 사실이다. 그렇지만 한국 역사에서는 오래 전부터 이 숫자에 의미를 부여해 왔다는 것이다. 일례로 화랑의 수업 연한과 두 청년이 임신서기석에서 맹세한 기간이 3년이었다. 축성 기간이 3년이었기에 三年山城이라 불렀거나, 축성한지 3년 안에 성벽이 무너지면 죄를 묻는다고 서약하였다. 신라 설씨녀 이야기에 의하면 군 복무 기간이 3년인 점도 확인되고 있다. 이렇듯 한국에서 3이라는 숫자는 적어도 서약과 정의를 나타내는 성스러운 숫자였다. 그러므로 음양오행설과는 무관하게 단군신화가 3의 원리로 짜인 이유를 설명할 수 있다.

단군신화에는 '神檀樹(『제왕운기』)·神壇樹(『삼국유사』)'에 관한 이야기가 보인다. 이는 수목숭배신앙의 흔적이었다. 산꼭대기의 나무는 천상의 세계와 지상의 세계를 잇는 軸이나 기둥같은 것으로 생각하여 왔다. 이는 고조선 부족의 조상이 하늘로부터 신성한 나무에 내려 왔다고 생각한 데서 생겨난 발상이라고 한다. 그리고 곰과 범이 같은 동굴 속에 살면서 사람이 되고자 했다는 이야기를 통하여 동물숭배의 흔적을 찾을 수 있다. 종래는 이 곰과 범을 각기 다른 두 씨족의 토템으로 보는 견해가 널리 통용되어 왔었다. 그러나 곰 숭배신앙은 신석기시대 이래로 동북아시아 일대에 걸쳐서 여러 종족 사이에 퍼져 있었다고 한다. 그러므로 곰은 다른 씨족과 구별해 주는 상징적 구실을 하지 못하므로 토테미즘과 결부시킬 수 없다. 인류학자들의 말에 의하면 토템은 부족집단의 구별을 위해서 나온 것이라고 한다. 따라서 단군신화의 곰은 토템의 곰이 아닌 보편적인 곰 숭배의 한 사례로 지목하고 있다.

한편 단군신화에 보이는 곰 숭배가 시베리아에 살던 이른바 고아시아족과 관련된다는 생각에서 이 신화가 곧 신석기시대 주민이 남긴 것이라는 견해가 있다. 그러나 이는 건국신화를 잘못 이해한 데서 나온 발상이라고 한다. 건국신화가 신석기시대의 원시신앙의 요소를 흡수하기는 하지만, 건국신화가 신석기시대에 출현했다는 근거는 세계사적으로 보아도 그 예를 찾아 볼 수 없기 때문이라고 한다. 그 밖에 곰과 범에게 햇빛을 보지 말라고 한 것은, 금기의 사례가 된다.

국조를 곰과 같은 獸祖에서 찾는 신앙은 연원이 오래되었다. 그러므로 후대의 조작 산물이 될 수는 없다. 가령 돌궐은 국조가 이리의 후손이었다. 캄보디아 건국신화에 따르면 국왕은 사람과 뱀의 여인(蛇女: nagi) 사이에 태어난 후손이며, 뱀왕(nagaraja)은 토지의 주인이자 왕과 국가의 수호신이다.[26] 몽골족의 구전을 수록한『蒙古秘史』에 따르면 몽골인의 혈통도 푸른 이리와 흰 암사슴에서 비롯되었다. 각저총 벽화에 보이는 곰과 호랑이는 생활 환경의 묘사가 아니라 단군신화의 내용이 고구려인 사이에 고정되었음을 뜻한다고 한다.[27] 하여튼 獸祖說話는 돌궐족의 狼種說이나 漢族 설화에 등장하는 小昊의 蛇種說 등 상당히 많이 열거할 수 있다. 따라서 獸祖神話를 가지고 있는 단군신화가 중세의 창작물이 되기는 어렵다.[28] 不死의 神仙으로 남은 단군은 神的인 요소와 人的인 요소를 함께 지녔다.

설령 백보를 양보해서 단군신화에 후대적인 요소가 들어 있다는 사실을 인정하더라도, 단군신화가 고조선과는 무관한 허구일 수는 없다. 왜냐하면 이러한 발상은 기본적으로 신화의 본질을 오해한데서 비롯되었다. 신화란 갑자기 이루어 지는 것이 아니라 오랜 전승을 통하여 완성되고는 한다. 전승과정에서 신화 내용은 첨가와 수식과 소멸이 따르게 된다. 그 과정에서 시대가 바라는 염원은 강렬하게 보태지거나 확대되었겠지만 그렇지 못한 경우는 점차 소멸되기 마련이다. 따라서 신화는 그 시대가 바라는 모습으로 모양새를 갖추었다가 또 바뀌어지는 속성을 지녔다. 그런 만큼 신화에 보이는 후대적 요소를 기준으로 출현 시기를 잡을 수는 없을 것 같다. 요컨대 신화는 살아서 성장하는 일종의 생명체로 보면 좋겠다. 따라서 단군신화에는 청동기시대를 배경으로 한 그 시대의 사상이 깃든 것이요 후대인들의 관념도 어느 정도 투영된 것이다.

3) 해방 후의 단군신화 연구

단군신화와 관련해 남·북한에서는 많은 연구 성과가 제기되었다. 이 가운데 해방 직후 고고학적 방법론을 통한 김재원의 성과는 주목을 요했다. 즉 중국 山東省 嘉祥縣 동남 30里 武翟山下 武氏祠堂 畵像石의 내용이 단군신화와 80~90%가 부합된다는 것이다.[29]

화상석은 보통 평평한 돌에 얇게 새긴 그림이 있는 돌을 말한다. 중국 각지에서 나타나고 있는 화상석은 후한대(25~220)가 대부분을 차지하고 있다. 화상석은 벽화와는 달리 채색이 되어 있지 않다.

26_ 周達觀 著·전자불전·문화재콘텐츠연구소 篇,『진랍풍토기』, 백산자료원, 2007, 39쪽.

27_ 齋藤忠,「集安角抵塚壁畵の熊と虎の圖」『東アヅア葬·墓制の硏究』, 第一書房, 1987.; 김진광 譯,「집안시 씨름무덤 벽화의 곰과 범 그림」『일본인들의 단군연구』, 민속원, 2009, 217쪽.

28_ 孫晉泰,『朝鮮民族史槪論(上)』, 乙酉文化社, 1948, 25~26쪽.

29_ 金載元,『檀君神話의 新硏究』, 正音社, 1947, 29쪽.

그러나 사당이나 무덤 입구에 있는 문기둥 등에 마차행렬 · 수렵 · 농경 · 신화적 광경이나 교훈적인 장면을 새겨 놓았다. 무씨사당 화상석은 후한 대인 2세기 경에 만들어졌다. 화상석의 원본은 이미 기원전 2세기에 세워진 靈光殿에 있었다고 한다. 이에 따른다면 산둥반도 지역에는 기원전 2세기 경에 이미 단군신화와 거의 동일한 줄거리의 신화가 있었던 셈이다. 이 견해에 의한다면 一然에 의한 단군신화 조작 내지는 고려 중기에 출현했다는 설은 힘을 잃게 된다.

그러나 무씨사당 화상석에 대한 새로운 학설이 제기되었다. 즉 水田淸一(1954)과 劉銘恕 · 鄭德坤(1958) 등은 화상석의 그림은 단군신화가 아니고 蚩尤의 전투도라는 것이다. 五種兵器를 사용하는 아주 포악하고 난폭한 軍神인 蚩尤는 漢族의 전설적 시조인 黃帝와 승부를 벌였다. 치우는 風伯과 雨師의 도움을 받아 황제를 곤경에 빠뜨렸지만, 황제는 天女의 도움을 빌어 치우를 물리친다. 황제는 涿鹿의 들판에서 싸워 치우를 잡아 죽임으로써 비로소 제후들의 추대를 받아 천자가 되었다고 한다.[30] 김원룡도 화상석의 핵심되는 인간창조의 장면은 실은 치우가 악신을 몰아내는 大儺儀式 장면이라는 것이다. 따라서 단군신화의 내용과는 관계가 없다고 주장했다. 아무리 서로 닮은 부분이 보인다고쳐도 神檀樹 밑에 환웅과 웅녀가 있는 핵심 장면이 없는 한 단군신화와 관련된 그림으로 단정할 수 없다고 했다.[31]

무씨사당의 화상석 그림은, 후한 때 민간에서 蚩尤伎가 매우 유행하였기 때문에 화상석에 치우 전투도를 많이 그렸을 것으로 간주했다. 무씨사당 화상석 내용이 치우 전투도라면 단군신화의 분포를 통한 문화권 설정은 허구가 된다.

단군 신화에 대한 김두진의 연구 성과에 따르면 일제 치하부터 해방 후와 20세기 말까지의 연구 성과가 체계적으로 집성되어 있다.[32] 그리고 무씨사당 화상석을 단군신화와 관련지어 적극적으로 해석할 여지를 남겨놓았다.

4) 단군이 한국사의 시조가 된 시기

(1) 의제적 대가족 관계의 설정

단군을 정점으로 하는 국조관의 태동 시점을 삼국재건 운동을 진압한 13세기 경으로 지목했다.

30_ 金載元, 『檀君神話의 新研究』, 탐구당, 1976, 119~134쪽.
31_ 金元龍, 「梁武祠畫像石과 檀君神話에 대한 再考」『考古美術』146 · 147합집, 1980, 10~15쪽.
32_ 김두진, 「단군에 대한 연구의 역사」『한국사시민강좌』27, 一潮閣, 2000, 80~99쪽.

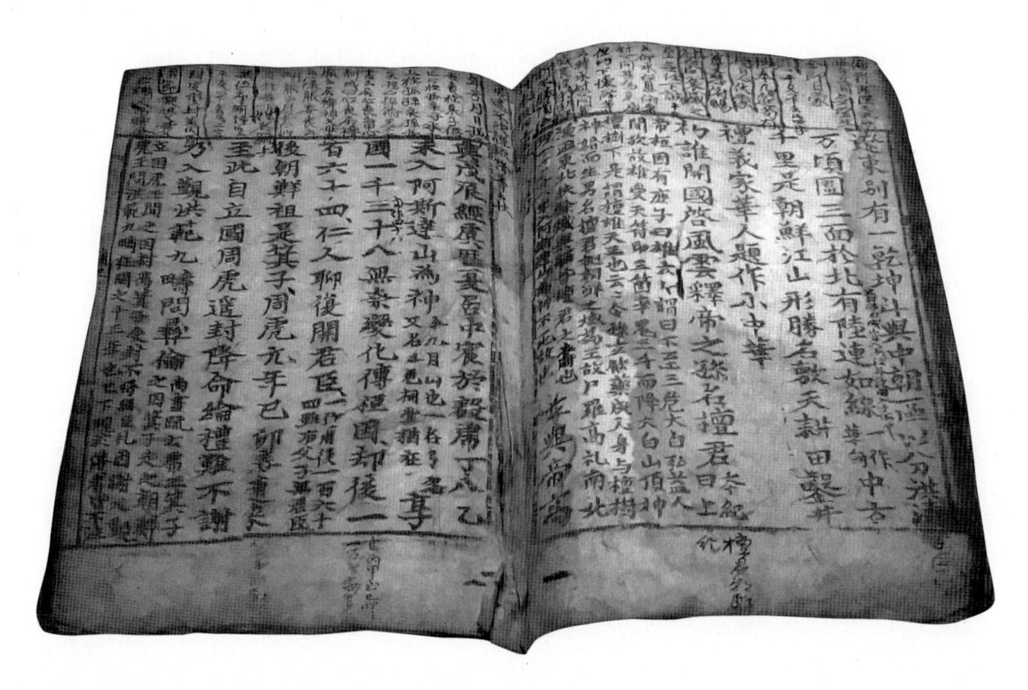

그림 3 | 『제왕운기』

그러나 『삼국사기』에 수록된 '仙人王儉'의 존재는 『삼국사기』가 편찬된 1145년 이전에 단군과 평양을 관련 짓는 인식이 존재했음을 뜻한다. 『삼국유사』와 『제왕운기』의 저본에서 확인된 '檀君本紀'의 존재도 13세기 이전에 단군을 주제로 한 역사 인식의 엄존을 알려준다. 그러한 '단군본기'에는 단군의 子로서 동부여 왕 夫婁가 설정되었다. 『구삼국사』에서는 비류국 송양도 '仙人之後' 즉 단군의 후예임을 자처하였다. 그런데 『제왕운기』의 底本인 '本紀'는 그 실체가 '檀君本紀'로 밝혀졌다. 따라서 『제왕운기』의 '本紀'에 적힌 "尸羅·高禮·南北沃沮·東北扶餘·穢와 貊은 모두 단군의 후예인 것이다"라는 기록은 그 출전이 '檀君本紀'임을 알려준다. 『제왕운기』에서는 "먼저 扶餘와 沸流를 들었고, 다음으로는 尸羅와 高禮·南北沃沮·穢·貊·膺이 있었다. 이들 여러 임금이 누구의 후손인가를 묻는다면 世系는 역시 단군에서부터 이어져 왔으니…"라고 했다. 즉 '仙人之後'를 자처한 송양의 비류국 역시 단군의 후예로 적혀 있다. 『삼국유사』 왕력에서도 추모를 단군의 子로 기재하였다. 따라서 1287년에 편찬된 『제왕운기』 이전에 이미 단군을 시원으로 하는 국조관의 성립을 알 수 있다. 송양이 자처한 '仙人之後' 곧 단군의 후예라는 언급은 『구삼국사』에서 보인다.

이렇듯 단군을 주제로 한 '檀君本紀'는 『구삼국사』의 편목으로 지목되어진다. 삼국의 역사가 주제인 『구삼국사』에 '단군본기'가 마련된 이유는 고구려 시조의 계보 때문이었다. 추모의 原住地인 동부여의 연원과 관련해 부루왕의 父로 인식된 단군까지 소급시켜 언급한 결과였다. 이와 엮어져 단군을 정점으로한 국조관이 『구삼국사』 편찬 때 마련되었음을 알 수 있었다. 게다가 최근의 연구 성과에 따르면 백제 시조는 온조가 아니라 비류로 밝혀졌다. 추모의 子로 설정된 온조의 경우는 '만들어진 역사'의 산물이었다.[33] 이렇듯 온조를 고구려 시조의 子로 접목시킨 것은 『구삼국사』 편찬 때로 지목되어졌다. 요컨대 『구삼국사』에서는 단군을 정점으로 하는 의제적 대가족관계가 설정되었다. 이는 고려 조정이 후삼국 통일 직후에 분열을 상쇄하고 동질성 확보로써 대통합을 이루려는 정치적 목적의 유산임을 입증하고자 했다.[34] 단군을 軸으로 하는 역사 통합을 한 것이다.

고구려를 계승한 고려는 백제를 연원으로 한 후백제를 제압한 상황이었다. 이때의 역사서에는 同源인 고구려와 백제의 사이에서 고구려의 수직적 우위를 확보할 필요가 있었다. (남)부여 국호와 부여씨를 칭하며 부여적인 전통을 내세웠던 백제에 대한 명분적인 우월이 선결되어야 했다. 그러할 목적으로 부여 시조인 동명을 고구려 시조 추모와 일치시켰던 것으로 보인다. 그러면 동명과 추모 즉 주몽이 동일 인물로 합치된 시점을 고찰해야 한다. 양자는 출생과 건국 과정의 유사성을 보이고 있음은 일찍이 지적된 바 있다.

문제는 양자가 『삼국사기』 고구려본기에서처럼 생전의 이름은 주몽(추모)이고 시호를 동명성왕으로 설정한 시기이다. 이와 관련해 분명한 사실은 고구려 이후의 기록에도 양자는 별개의 인물로 인식되었다. 이는 "옛날에 東明이 氣를 느끼고 淲川을 넘어 開國하였고, 朱蒙은 日을 품고 浿水에 임해 開都하였다(昔者東明感氣 踰淲川而開國 朱蒙孕日 臨浿水而開都)"라는 「천남산묘지명」을 통해 東明≠朱蒙은 서로 다른 인물임을 알 수 있다. 그러므로 고구려 당대에 양자를 일치시켰다고 볼 수는 없게 하지만, 백제와의 부여 종주권 경쟁에서 부여 시조와 고구려 시조를 일치시켰을 가능성도 있다. 부여 시조인 동명을 고구려 시조 추모와 일치시키기 위해서는 출생과 건국 과정상의 부합만으로는 어렵다. 그랬기에 설정된 공간이 '卒本扶餘'라고 할 수 있다. 동명이 건국한 부여를 고구려 영역 내의 '졸본부여'로 설정하였다. 그렇게 함으로써 부여 시조인 동명은 기실 고구려 시조임을 선포한 것이다. 동시에 부여계 諸國에 대한 종주권 확립을 기하였다. 여기서 고구려를 계승한 고려가 의식한 부여계 제국은 후백제의 뿌리인 백제였다.

33_ 李道學, 「百濟 始祖 溫祚說話에 대한 檢證」『韓國思想史學』 36, 2010, 111~142쪽.
34_ 李道學, 「檀君 國祖 意識과 境域 認識의 變遷 -『舊三國史』와 관련하여-」『韓國思想史學』 40, 2012, 377~410쪽.

(2) 단군이 한국사 전체의 시조가 된 시기

단군이 한국사 전체를 대표하는 조상으로 숭앙된 시기는 언제쯤일까? 단군은 우리 역사상 최초의 국가인 고조선의 시조이므로 아마 그때부터일 것으로 생각하기 쉽다. 그러나 이는 그리 간단한 문제는 아니라고 보겠다. 왜냐하면 고조선이 소멸된 후에 그 법통을 계승했다고 자부한 왕조가 없었거니와 삼국의 경우는 각각 독자적인 시조와 그 존재를 신비화시키는 설화체계를 갖추고 있었기 때문이다. 그러므로 단군신화와 단군을 국조로 생각하는 의식은 어디에도 끼일 수 없는 형편이었다. 쉽게 말해 고조선의 영역에서 일어난 고구려의 경우 그 시조는 추모왕이었고 또 그와 관련된 설화체계까지 갖추고 있었던 바, 단군의 존재는 어디에도 얹힐 곳이 없었다. 해서 고조선 멸망 이후 단군은 그 옛 수도였던 평양이나 구월산 등지의 지역신으로 남게 되었던 것이다.

단군의 존재를 느끼게 된다는 사실은 민족의식의 태동과도 밀접한 관련을 맺고 있다. 물론 신라가 삼국을 통일한 다음에 이른바 "삼한을 통합하여 한 집안을 만들었다(合三韓爲一家)"라고 감회 어리게 이야기하고 있거니와 금석문으로도 남아 전한다. 그러니까 신라는 통일 이후에 과거 적대국이었던 고구려와 백제를 공동체의 성원으로 간주하는 민족관념을 표출하고 있었음은 사실이다. 그러나 이러한 관념은 삼국 각자의 이질성을 용해하거나 해소한 토대 위에서 나왔다기 보다는 신라의 지배자 공동체의 득의에 찬 목소리에 다름 아니었다.

지금까지는 단군을 정점으로 하는 국조관의 태동 시점을 삼국재건 운동을 진압한 13세기 경으로 지목했다. 국가적 통일성 확립을 위한 산물로 해석해 왔던 것이다. 이러한 논리는 그 나름대로의 근거와 간결한 메시지로서 설득력이 있었다. 그러나『삼국사기』에 수록된 '仙人 王儉'의 존재는 1145년 이전에 단군과 평양을 관련 짓는 인식이 존재했음을 뜻한다.『삼국유사』와『제왕운기』의 저본에서 확인된 '단군본기'의 존재도 13세기 이전에 단군을 주제로 한 역사 인식의 엄존을 알려준다.

『구삼국사』에서는 단군을 정점으로 하는 의제적 대가족관계가 설정되었다. 고려 조정이 후삼국 통일 직후에 분열을 상쇄하고 동질성 확보로써 대통합을 이루려는 정치적 목적의 유산이었다. 김부식은 서경파인 묘청의 반란을 진압한 직후에『삼국사기』편찬에 착수하였다. 그런데 동일한 대상의 역사를 새로 편찬한다는 자체가 기존 사서에 대한 불만이 동기였음은 자명하다. 그러한 불만은 여러 가지 정치적 요인에서 찾을 수 있겠지만, 일단 작위적인 역사 인식과 서술을 지목할 수 있다. 이와 관련해 추모와 비류국 송양과의 대화가 중요한 단서가 된다. 송양이 자처한 '仙人之後' 곧 단군의 후예라는 언급은『구삼국사』에 적혀 있는 내용이었다. 그런데『삼국사기』에서는 이 구절만 삭제하였다. 이 점에서『삼국사기』를 편찬한 김부식의 의도가 아주 잘 드러난다. 김부식은 곧 단군을 정점으로 한 대가족주의적 역사 서술의 진실성을 의심하였다. 또 그것을 타개하려는 생각이『삼국사기』편찬으로 이어졌던 것 같다.

『제왕운기』에서 "부여 · 沸流 · 尸羅(신라) · 高禮(고구려), 남 · 북옥저 · 예맥 · 백제[膺]는 모두 단군의 후예이다"라고 노래했다. 단군은 이제 한국 역사 전체의 시조로 그 격이 올라갔던 것이다. 이와 관련해 중국 민족의 시조로 관념되고 있는 黃帝가 漢族 전체를 대표하는 시조로 인식된 것은, 戰國時代 중기인 기원전 3세기 이후부터라고 한다. 그런데『제왕운기』에 인용된 '本紀' 수록 단군신화는「古記」를 인용한『삼국유사』의 내용보다 후대적 요소이다. 여기서 '本紀'는『구삼국사』에 수록된 '단군본기'라고 할 때 대통합과 관련한 國祖 의식의 생성 시점은 11세기 이전『구삼국사』편찬 때까지 소급될 수 있다.

「단군본기」가 수록된『구삼국사』보다 먼저 간행된「古記」의 성격과 편찬 연대에 관한 다음 서술은 주목을 요한다.

> 이(단군신화: 필자) 전설이 고대의 우리 영역이었던 만주와 半島를 통하여 거주하던 全 우리 種族의 시조전설로 된 것은 아마도 신라 말 후삼국의 鼎立時代나 고려 통일 이후 소위「古記」의 編成時代로부터이었을 것이니, 古記에는 명백하게 부여 · 고구려 · 옥저 · 예맥 · 신라 등이 모두 단군의 지배하에 속하였었다 하고 또 당시 정치의 중심지는 평양이라 하여 一大統一國家가 형성되었던 것처럼 말하였다.[35]

손진태는『삼국유사』에서 인용한「古記」는 늦어도 고려의 후삼국 통일 직후에는 편찬되었다고 보았다. 실제『삼국유사』고조선 조에 인용된「古記」에 보이는 단군기년의 기준 시점은 고려 태조 즉위년인 天授 원년 戊寅(918)이라고 한다.[36] 만주와 한반도에 걸친 一大統一國家論은 국제적으로는 고려가 遼에 대응하여 상실한 고구려와 부여의 舊疆 회복과, 내부적으로는 고토회복과 사상의 통일 진작에 있었던 것이다.[37]

35_ 孫晉泰,『朝鮮民族史概論(上)』, 乙酉文化社, 1948, 26쪽.
36_ 朴大在,「檀君紀元과 古記」『韓國史學報』61, 2015, 38쪽.
37_ 孫晉泰,『朝鮮民族史概論(上)』, 乙酉文化社, 1948, 26쪽.

1361년(공민왕 10)에는 백문보가 공민왕에게 개혁의 필요성을 역설하면서 지금이 단군에서부터 3600년이 되어 '周元之會'를 맞이 했으므로 개혁의 호기라고 말하였다. 한국사의 출발점으로서 '단군'의 위치가 부동의 존재로 확립되었음을 뜻한다.

참고로 단군릉은『신증동국여지승람』강동현 고적 조에 '단군묘'라고 기록되어 있고,『세종실록』에는 '大塚'으로 기재되어 있다. 단군묘의 존재는, 단군이 山神으로 좌정한 신비적 인물이 아니라 죽음을 초월할 수 없는 인간임을 전제로 한 것이다. 이른바 단군릉을 발굴한 후 B.P.5011년(기원전 3061)으로 축조 연대가 밝혀졌다고 했다. 이것은 ESR(전자스핀 공명법)으로 측정했다고 한다. 전자스핀 공명법은 수십, 수백만년 이전에 대한 유물을 측정하는 것은 가능하지만, 연대가 떨어질수록 불확실한 측정법이라고 한다. 단군묘의 연대 측정에는 방사선탄소 연대 측정법이나 유물과 유구에 대한 상대연대 측정법을 사용하는 것이 바람직하다고 한다.[38] 또 조선조 이전의 문헌에서 단군은 산신으로 적혀 있다. 그렇기 때문에 당초부터 단군묘에 관한 관념이 존재할 리도 없다. 洪敬謨(1774~1851)의 글에도 "이미 山에 들어가서 신선이 되었다고 말했으니, 이는 죽지 않은 것이다. 죽지 않았는데, 어찌 무덤이 있겠는가"[39]라고 갈파했다. 그럼에도 불구하고『동국여지승람』이 편찬되는 15세기에 들어와 단군묘의 존재가 등장하게 된 것은 고려 숙종 때 기자묘가 쓰여졌던 거와 마찬가지 상황으로 보인다. 즉 단군 국조의식의 등장에 따라 국가적 제사와 맞물려 단군묘가 조성된 것이다.

5)「魏書」의 편찬 시기 검토

현전하는 단군신화를 최초로 수록한 문헌인『삼국유사』에는「古記」와「魏書」라는 2 종류의 사서를 인용하고 있다.「古記」에는 단군의 내력을,「魏書」에는 고조선의 건국 시기에 관한 기록을 남기고 있다.「위서」에서 언급하고 있는 기사는 다음과 같다.

> 「魏書」에 이르기를 지금으로부터 2000년 전에 壇君王儉이 있었다. 阿斯達에 도읍을 정하고 새로 나라를 세워 이름을 朝鮮이라 하였는데 이는 堯와 같은 시대이다.[40]

38_ 이선복,「최근의 '단군릉' 문제」『한국사시민강좌』21, 一潮閣, 1997, 51~53쪽.
39_ 『冠巖存稿』「檀君墓記」"檀君入山爲神 墓於何有"
40_ 『三國遺事』권1, 紀異 古朝鮮 條.

위의 기록대로 한다면 한국 역사상 최초의 국가인 고조선은 기원전 2357년이나 기원전 2333년, 즉 기원전 2300년대에 성립한 게 된다. 그런데 국가의 탄생은 통상 금속문명을 배경으로 하게 마련인데, 단군의 건국 연대는 신석기 문명 단계에 불과하다. 그러므로 국가의 성립을 운위하기는 어렵다는 시각이 지배적이다.[41] 이는 고조선의 성립지가 어느 곳이냐에 따라 다소 탄력적인 해석은 가능하다. 그렇더라도 신화의 속성이라는 차원에서 볼 때 수긍하기 어려운 연대이다.

『삼국유사』에 인용된「위서」와 관련해 볼 때 현전하는 魏와 관련된 사서에서 이러한 내용이 확인되지 않고 있다. 게다가「고기」의 존재도 미상인데다 堯의 실존 여부도 회의적이었다. 단군신화에는 불교나 음양오행설과 같은 후대적 요소들이 산견된다고 한다.[42] 그러므로 단군신화를 후대의 조작일 것으로 지목하는 견해가 일찍부터 제기되어 왔다.[43] 물론 현전하는『삼국지』魏書나 北魏의 역사를 담고 있는「위서」에는 단군에 관한 언급이 없다. 그렇다고「魏書」의 존재를 허구로 돌리는 것은 생각처럼 간단한 일은 아니다.「魏書」에는 다양한 異本이 존재했을 뿐 아니라 書名만 전해지는 것도 여러 종류이다. 이러한 점을 고려한다면 단지 현존하지 않는다는 이유만으로 허구로 돌리기 어렵다는 견해도 경청을 요한다.[44]

이러한 맥락에서「魏書」의 실존성을 인정하는 견해들이 속속 제기되었다. 가령 曹魏의 역사서 혹은 北魏의 역사서,『삼국지』이전에 존재했던『위서』, 王沈(?~266)의『위서』, 위만조선의 역사서 등으로 추정되고 있다. 그러나 이러한 견해들이 간과하고 있는 근본적인 문제점이 있다. 분명히「魏書」에서는 단군왕검의 존재 시기를 '지금부터 2000년 전'이라고 했다는 점이다. 물론 이 문구에 대해 "

41_ 李基白,「古朝鮮의 國家 형성」『한국사 시민강좌』2, 一潮閣, 1988, 9~11쪽.

42_ 일례로『삼국유사』에 보이는 환웅천왕의 '天王'도 불교 용어로 간주하였다. 그러나 편찬 연대가『삼국유사』보다 10여 년 정도밖에 없는『제왕운기』에도 檀雄天王이라고 해서 '天王'의 존재가 나타나고 있다. 이러한 표기는 물론이고 단군의 출생에 관한 서술에서도 약간의 차이가 보인다. 그 이유는 두 史書가 각각 典據를 달리하였기 때문으로 간주된다(金貞培, 앞논문, 52~53쪽). 단군 신화에 관한 異傳은『삼국유사』이전에 단군신화가 존재했다는 것을 뜻하는 것으로서 조작의 산물이 되기는 어렵다. 게다가 天王은 고구려 天王地神塚 壁畵에 보일 뿐 아니라「동명왕편」에서도 해모수를 '天王郎'이라고 했으므로 불교와 연관지을 수는 없다. 그리고 3의 구조는 단군신화 뿐 아니라 많은 경우에서 확인된다. 축성 기간이 3년이어서 삼년산성으로 불렸거나, 축성한지 3년 안에 성벽이 무너지면 죄를 묻는다고 서약하였고, 신라 화랑의 수업 연한과 두 청년이 임신서기석에서 맹세한 기간이 모두 3년이었다.「신라촌락문서」에서 그 파악 연한이 3년이었고, 백제에서 官署 수장의 교체 시기가 3년이었다. 이러한 예는 흔하게 확인되듯이 우리 민족에게 3이라는 숫자는 서약과 정의를 나타내는 성스러운 숫자였다. 그러므로 음양오행설과 무관하게 단군신화가 3의 원리로 짜여진 게 어쩌면 당연한지도 모른다.

43_ 今西龍,『朝鮮古史の研究』, 近澤書店, 1937, 8~9쪽.

44_ 崔南善,『新訂 三國遺事』, 民衆書館, 1941, 42~48쪽.; 李丙燾,『韓國古代史研究』, 博英社, 1976, 28~29쪽.

乃往二千載云云'으로써 보면, 여기의 魏는 물론 秦漢 以後의 魏를 가리킴이 분명하나, 거기에는 三國의 一인 曹魏와 南北朝時代인 拓跋氏의 後魏가 있다"[45]라고 하는 견해도 있다. 즉 기원전 221년 이후의 魏를 가리키므로 그러한 上限을 두고 있는 『魏書』로 간주했다. 그러면서 "三國時代의 魏에 관하여는 魚豢의 魏略(五十卷), 王沈의 魏書(四十七卷)와 陳壽의 三國志 魏志(三十卷)가 있으나, 魏書(王沈)는 물론, 魏略도 그 전문이 전하지 않고 오직 그 중의 몇 부분이 逸文으로 전하는 바, 그 일문이라든지 魏志에는 단군에 관한 기재가 도무지 보이지 않는다. 다음 後魏의 사서로는 魏收(北齊人)의 後魏書(一百三十卷) 外에 魏澹(隋代人)의 同名書(一百七卷)와 張大素(唐代人)의 同名書(一百卷), 裴安時(同上)의 元魏書(三十卷)가 있었으나 後 三書는 역시 오늘 날 전하여 오지 않고, 오직 전해오는 것은 魏收의 것인데, 이것도 그 중 二十九篇이 亡佚不完한 까닭에 宋代의 劉恕·范祖禹 등이 이를 補定하였다고 한다. 그런데 여기서도 단군에 관한 기재는 찾아볼 수 없다"[46]라고 하였다. 혹은 "『삼국유사』에서 인용하고 있는 「위서」라는 책은 중국의 삼국시대에 존재한 魏에 관한 역사책으로서 위나라 때부터 2000년 전이라는 연대를 감안할 때, 적어도 기원전 1700~1800년 전으로 단군의 존재 시기를 설정할 수 있다"[47]고 했다.

이와 더불어 「魏書」를 위만조선의 사서로 간주하는 견해가 있다.[48] 대왕조선의 성립 연대가 孝惠·高后 시기라고[49] 했으므로 기원전 194~180년 저간의 일이다. 이것을 고조선의 개국에 대한 인식 연도인 기원전 2300년대와 관련지어 보면 대략 2100여년 전이 되므로 크게 어긋난다고 보기는 어렵다. 아울러 衛滿을 『삼국유사』에서 '魏滿'으로 표기한 게 의미가 있다고 하자. 그러나 국호가 조선인 만큼 관련 史書名의 경우도 불가불 국호와 관련 있게 마련이다. 魏나라 역사를 기록한 책이라는 뜻을 지닌 「魏書」의[50] 경우도 예외가 되기는 어렵다. 그러니 「위서」를 위만조선의 사서로서 연결 짓기 어렵다. 더욱이 선행 사서인 『삼국사기』에서 거론되거나 인용된 적도 없는 위만조선의 사서가 『삼국유사』 편찬 시까지 전해져 왔을 가능성은 상상하기 어렵다.

「魏書」에는 단군이 堯와 같은 시기에 건국했다고 한다. 즉 기원전 2300년 대에 단군이 고조선을

45_ 李丙燾, 『韓國古代史研究』, 博英社, 1976, 28쪽.
46_ 李丙燾, 『韓國古代史研究』, 博英社, 1976, 28쪽.
47_ 金貞培, 「고조선의 국가 형성」『신편 한국사 4』, 국사편찬위원회, 1997, 50쪽.
48_ 丁仲煥, 「三國遺事 紀異篇 古朝鮮 條에 引用된 魏書에 對하여」『大丘史學』 12·13合輯, 1977, 13~2쪽.
49_ 『史記』 권115, 朝鮮傳.
50_ 김병룡, 「단군의 건국 사실을 전한 '위서'」『단군과 고조선에 관한 연구론문집』, 사회과학출판사, 1994, 65쪽.

건국했다는 인식을 가졌다. 그렇다고 하면 「위서」에서 "지금부터 2천년 전"이라고 했을 때는 대략 기원전 300년대의 시점에서 그같이 언급을 했다고 보아야만 한다. 이러한 시점에서 魏의 역사를 수록하고 있는 「魏書」는 전국칠웅의 하나인 魏(기원전 403~기원전 225)에 관한 역사서로 지목할 수 있다. 따라서 「위서」는 지금까지 논의 되었던 사서들과는 달리 전국시대 魏의 사서로 지목하는 게 가능하다. 그렇게 볼 때만이 위가 존재했던 기원전 300년에서 2000년 전인 2300년대의 단군 개국이 문헌상 부합이 된다.[51]

6) 단군 기원의 사용 시점에 관한 검토

단군은 그 실존성과 더불어 한국사의 시작이자 뿌리로 인식되었다.[52] 1287년에 저술된 『帝王韻紀』에서는 단군이 북부여나 고구려만의 조상이 아니라 한국 역사 전체의 始元으로 그 격이 껑충 격상되고 있다. 이와 관련해 흔히 『제왕운기』의 "尸羅 · 高禮 · 南北沃沮 · 東北扶餘 · 穢와 貊은 모두 단군의 자손인 것이다"[53]라는 기록을 거론한다. 그러나 이와 더불어 같은 책의 "먼저 扶餘와 沸流를 들었고, 다음으로는 尸羅와 高禮 · 南北沃沮 · 穢 · 貊 · 膺이 있었다. 이들 여러 임금이 누구의 후손인가를 묻는다면 世系는 역시 단군에서부터 이어져 왔으니…"[54]라는 구절을 주목해야 한다. 이 구절에서는 '沸流'와 '膺'이라는 국가가 더 수록되어 있다. 그런데 이 '膺'의 존재에 대해서는 논문이나 번역서 등에서는 무시되어 왔다. 그러나 '膺'은, 한자는 다소 틀리지만 『제왕운기』 百濟紀에서 백제 국호를 '鷹準'이라고 한[55] 사실과 연결된다. 따라서 膺은 백제를 가리킨다고 보아야 한다.[56] 『삼국유사』 황룡사 구층탑 조에 보이는 국호 '鷹遊'도 마찬가지라고 하겠다.[57] 그렇지 않다면 신라 · 고구려

51_ 李道學, 「古朝鮮史의 몇 가지 問題에 관한 再檢討」 『東國史學』 37, 2002, 22~26쪽.
52_ 徐永大, 「韓國古代 神觀念의 社會的 意味」, 서울대학교대학원 문학박사학위논문, 1991, 119~120쪽.; 盧泰敦, 「단군과 고조선사의 이해」 『단군과 고조선사』, 사계절, 2000, 23~24쪽.
53_ 『帝王韻紀』 卷下, 前朝鮮紀 "故尸羅 · 高禮 · 南北沃沮 · 東北扶餘 · 穢與貊皆檀君之壽也".
54_ 『帝王韻紀』 卷下, 後朝鮮紀. "先以扶餘 · 沸流稱 次有尸羅與高禮 · 南北沃沮 · 穢貊 · 膺 此諸君長問誰後世系 亦自檀君承"
55_ 『帝王韻紀』 卷下, 百濟紀 "…後王 或號南扶餘 或稱鷹準…".
56_ 이러한 지적은 趙法宗, 「百濟 別稱 鷹準考」 『韓國史研究』 66, 1989, 11~15쪽에서 이미 언급되었다.
57_ 『三國遺事』 권3, 塔像, 皇龍寺九層塔 條 "新羅第二十七代 女王爲主 雖有道武威 九韓侵勞 若龍宮南皇龍寺建九層塔 則隣國之災可鎭 第一層日本 第二層中華 第三層吳越 第四層托羅 第五層鷹遊 第六層靺鞨 第七層丹國 第八層女狄 第九層穢貊".

와 나란히 정립하고 있던 백제만 단군 후손에서 누락되었다는 게 된다. 이는 누가 보더라도 자연스럽지 못하다. 중요한 사실은 한국사의 출발점으로서 단군이 자리잡았다는 것이다. 즉 檀紀의 사용과 관련해 종전에는 1361년에 白文寶가 공민왕에게 개혁의 필요성을 역설하면서 지금이 단군에서부터 3600년이 되어 '周元之會'를 맞이했으므로 개혁의 호기라고 말한[58] 구절을 거론하고는 했다.[59] 그러나 이 보다 74년 전에 간행된『제왕운기』에 보면 경순왕이 고려에 歸附한 사실을 노래하면서[60] "우리 태조 18년이다. 단군 원년 무진으로부터 이때까지가 무릇 3288년이다"[61]라고 하였다.[62]『제왕운기』에서부터 종족의 시원이자 한국사의 출발점으로서 단군과 그 건국이 지닌 역사적 의미를 새롭게 설정하였던 것이다.

7) 왕검조선, 신화에서 역사로의 진입 과정

왕검조선은『삼국유사』에 인용된 중국 사서「魏書」에서 그 실재가 확인된다. 그러나 왕검조선의 실재를 뒷받침해주는 한국에서의 후속 기록은 보이지 않았다. 그러다 보니까 왕검조선은 당초 신화만 존재한 게 된다. 그것도『삼국유사』에 인용된「고기」가 가장 이른 시기의 문헌이다.「古記」에서는 환웅과 웅녀가 혼인하여 단군을 낳은 것으로 적혀 있다. 獸祖 신앙이 나타나고 있는 것이다. 이로써도『삼국유사』에 인용된「古記」가 현전하는 단군신화 가운데 가장 古形임을 알 수 있다. 이어『제왕운기』에 인용된「단군본기」에서는 "孫女에게 약을 먹여 사람의 몸이 되게 하고 단수신과 혼인하게 하여 남자 아이를 낳게 하니, 이름하여 단군이라 하였다"고 했다. 수조 신앙적인 요소가 사라진 것이다. 그러므로「古記」가 고려 전기에 편찬된『구삼국사』의「단군본기」보다 古形임을 알 수 있다. 그리고 조선 초기의「應製詩」에 따르면 단군이 천상에서 신단수로 내려와 개국하는 형식이었다. 여기서 알 수 있는 것은 단군신화는 시대가 내려오면서「古記」에 보이는 불교나 산악 신앙이나 도교적 요소를 벗어던졌다. 단군신화가 유교 이념에 맞춰 사회 정서에 맞게끔 진화되었음을 읽을 수 있다.

단군 이야기는 신화에서 역사로 진입할 준비를 마쳤다. 그 과정을 살피기 위해서는 단군신화를

58_ 『高麗史』권112, 白文寶傳.
59_ 徐永大,「檀君關係 文獻資料 硏究」『檀君』, 서울大學校出版部, 1994, 71쪽.
60_ 『帝王韻紀』의 편찬 연대는 그 自序에서 至元 24년(1287)으로 적혀 있다.
61_ 『帝王韻紀』卷下, 新羅紀 "我大祖十八年也 自檀君元年戊辰 至此凡三千二百八十八年".
62_ 이에 대한 언급은 유경아,「帝王韻紀」『韓國史學史』, 삼영사, 1999, 76쪽에 보인다.

다시금 상기할 필요가 있다. 소위 3조선 가운데 前朝鮮으로 일컬어진 국가가 단군이 통치하는 왕검조선이었다. 「魏書」에서 실재가 확인된 왕검조선이었지만, 「魏書」의 存否가 불분명하였다. 그런 관계로 단군신화만 존재한 게 되었다. 신화는 상징성을 지니고 있지만 그 자체가 역사적 사실은 아니었다. 신화가 지닌 상징성을 풀어보기 위해서는 국가라는 실체가 뒷받침되어야만 한다. 그런데 왕검조선은 국가의 존재를 나타내는 그 어떤 기록물도 존재하지 않았다. 현전하는 단군신화에는 한결같이 단군이 1천여 년 이상 통치한 것으로만 적혀 있다. 이러한 기록이 사실일리는 없었다.

단군신화의 단군의 통치는 어디까지나 人政이 아닌 神政이었다. 환웅이 데리고 내려온 '徒三千'이나 '鬼三千'은 천상에서 지상으로 강림한 무리들이었다. 지상의 무리들을 끌어모은 기록은 그 어디에도 없다. 어디까지나 단군신화가 상징성을 지녔다는 전제하에 추측을 통해 재해석했을 뿐이었다. 이 문제를 극복하려는 차원에서 단군의 3 아들이 만들어졌다. 그리고 동부여와 북부여를 비롯한 한국사상의 諸國들을 모두 단군과 혈연적으로 연결시켰다. 물론 이는 역사적 사실이거나 실체가 있을 리는 없었다. 결국 주민 대통합을 위한 '역사 만들기' 차원에서 단군은 한국사상 祖宗의 위치에 좌정하게 되었다. 그리고 단군신화가 역사적 실체를 지녔음을 알리기 위해 堯 임금의 塗山 회맹에 아들인 부루가 참석한 것으로 설정했다. 중화질서에 단군이 포함되었음을 알리고자 하였다. 이쯤 되면 단군신화는 역사로서의 시민권을 얻게 된 것이다.

조선 세종대에 국가 사당이 건립된 단군은 한국사 전체의 시조로서 위상을 공식적으로 확보했다. 그러기 위한 전제로서 단군은 신화상 인물이 아니라 실체가 있는 역사적 인물로 보다 분명하게 만들어야만 하였다. 이러한 맥락에서 檀君墓가 만들어졌다. 이와 더불어 단군의 1천여 년 이상의 통치도 繼位 왕들의 재위 總合으로 해석하였다. 그리고 단군은 고유명사가 아니라 고조선 최고 지배자를 가리키는 보통명사로 재해석했다. 아울러 47世의 단군 이름 등을 창출하였다. 그 몫은 오로지 재야사서에게 돌아갔다.

신화는 끊임없이 재탄생하게 마련이다. 단군신화의 경우도 원초적 모습 외에 후대적 요소가 끊임없이 추가되었다. 그 기간은 적어도 1천 년은 상회할 것으로 본다. 이는 단군신화가 한국인과 호흡을 함께 한 유기체라는 사실을 반증한다.[63] 이 점에 방점을 찍고 싶다.

63_ 李道學, 「檀君朝鮮, 神話에서 歷史로의 進入 過程」『단군학연구』 38, 2018, 91~121쪽.

8) 단군 관련 재야문헌과 남 · 북한의 인식

역사 연구의 기본은 사료 비판과 분석임은 자명하다. 그러한 의미에서 소위 재야문헌에 대한 사료 검증은 중요한 의미가 있다. 이들 문헌을 어떻게 받아들이냐에 따라 한국고대사 특히 왕검조선의 실상은 현저히 달라지기 때문이다. 왕검조선과 관련해 등장하는 소위 재야사서로는 흔히『규원사화』를 필두로『단기고사』와『환단고기』를 거론한다. 이들 재야문헌을 신빙하는 이들도 있다. 그러나 남한 학계에서는 20세기에 쓰여진 僞書로 규정하는 견해가 정설이다. 이들 재야문헌에 대해 위서론을 주장하는 대표적인 글은 다음과 같다.

宋贊植,「僞書辨」『月刊中央』, 중앙일보사, 1977, 9월호.

이순근,「고조선은 과연 만주에 있었는가」『역사비평』, 역사비평사, 1988, 겨울호.

趙仁成,「現傳《揆園史話》의 史料的 性格에 대한 一檢討」『斗溪李丙燾博士九旬紀念韓國史學論叢』1987.

조인성,「《揆園史話》論添補」『慶大史論』3, 경남대학교, 1987.

조인성,「《揆園史話》와《桓檀古記》」『韓國史市民講座』一潮閣, 2輯, 1988.

이도학,「在野史書 解題-桓檀古記」『민족지성』, 민족지성사, 1986, 11월호.

이도학,「책세계 논단-역사를 오도하는 상고사의 위서들」『세계와 나』, 세계일보사, 1990, 11월호.

남한에서는 앞에서 언급한 3권의 재야문헌을 깡그리 위서로 간주하고 있다.[64] 이 점에 있어서 남 · 북한 학계의 경우 일정한 차이를 보이고 있다. 특히『규원사화』에 대한 입장은 전혀 다른 상황이었다.

『규원사화』 위서론의 핵심적 근거인 '文化'는 근대적 용어인 Culture의 번역은 아니다. 전통적으로 사용해 온 '文治敎化'의 略語로 지목하는 게 온당할 듯하다. 북한 손영종의 지적이 타당성 있어 보

64_ 조인성,「『규원사화』와『환단고기』」『한국사시민강좌』2, 一潮閣, 1988, 72쪽 註1에서『환단고기』를 僞書나 僞書일 가능성이 높다고 지목한 논자 가운데 이도학을 포함시켰다. 게다가 동일한 글에서 이도학이 제기한『환단고기』위서론의 근거를 인용까지 했었다(조인성, 앞의 글, 82쪽, 주16).
이도학,「책세계 논단-역사를 誤導하는 上古史의 僞書들」『世界와 나』, 세계일보사, 1990, 11월호, 416~421쪽에서『환단고기』와『단기고사』만을 대상으로 거론한 후 위서로 단정했다. 본 글의 소제목인 '의구심 많은 출간경위', '탁상안출의 위서', '상고서에서 발견되는 근대적 용어'를 통해서도 넉넉히 짐작할 수 있다. 그리고 "지금까지 검토해 본 바에 의하면 '환단고기'와 '단기고사'는 해방 이후에 조작된 위서로 밝혀졌다(421쪽)"고 확언하였다.

였다. 그리고 단군의 중국 요임금에 대한 治水 지원 기록은 1901년에 英文 월간지 『Korea Review』에 기고한 헐버트(Homer Bezaleel Hulbert, 1863~1949)의 글에서 보였다. 그 내용은 재야문헌의 기술과 동일하지는 않지만 줄거리는 대략 부합하고 있다. 따라서 『규원사화』와 같은 재야문헌은 卓上案出이기 보다는 저본이 존재했을 가능성을 심어준다. 이러한 사실은 『규원사화』가 1910년대에 나온 僞書라는 주장과 배치된다. 물론 헐버트의 『한국사』가 출간된 1905년 이후에 그 내용이 재야문헌에 영향을 미쳤을 가능성은 고려해야 한다. 그러나 헐버트가 1907년에 한국에서 추방된 이래 그의 英文 저서가 유포되기는 어려웠을 것이다. 더욱이 재야문헌을 집필할 수 있는 이들이 영문 해득 능력을 소지했을 가능성은 생각하기 어렵다. 따라서 양자 간의 영향 관계는 상정하기 어려운 현실성 없는 추론으로 보겠다. 그렇다고 『규원사화』 위서론이 허구라는 결론은 아니었다. 바로 왕검조선과 관련한 직접적인 사료가 전무한 상황에서 북한 학계의 『규원사화』에 대한 선별적 수용은 사료 이용의 폭을 확대시키려는 고육책의 산물로 해석되었다.

재야문헌 가운데는 현재 전승되지 않은 전거를 토대로 작성했을 가능성을 열어두어야 할 것 같다. 프랑스 출신의 예수회 선교사인 쟝 밥티스트 레지가 1735년에 저술한 문헌에 따르면 현전하는 국내 어느 문헌에서도 확인되지 않는 왕검조선 서술이 보인다. 淸에 체류하면서 주로 중국 문헌을 저본으로 한 그의 서술은 확실히 주목을 요한다. 왕검조선이 중국을 침공한 기록은 그 이전의 어떤 문헌에서도 확인되지 않았다. 이러한 사실의 신빙성 여부를 떠나 현재의 시각에서 국수적으로 비치면 무조건 재야사서로 매도하는 일은 신중을 요한다는 경종으로 보였다. 적어도 왕검조선의 인식이라는 차원에서 또 다른 인식 체계가 존재했음을 알려주는 것이다. 그러므로 『규원사화』 등의 경우는 대종교 계통의 인사가 20세기에 갑자기 만든 위서로 속단하기 어려운 요인이 엿보인다. 이러한 평가는 허심하게 판단한 결과였다.[65]

65_ 李道學, 「단군 관련 在野文獻에 대한 접근과 북한의 연구」『단군학회 제70회 춘계학술발표회』 2018.6.2. 83~96쪽.; 「단군조선 관련 在野文獻에 대한 남·북한 연구 성과의 현 단계」『온지논총』 58, 온지학회, 2019, 169~204쪽.

3. 侯 · 王朝鮮

왕검조선에 이어 등장한 고조선의 최고 지배자는 '侯'을 칭하다가 周末에 '王'을 칭했다. 戰國7雄의 하나인 燕과 겨루었던 고조선은 중국사의 일원으로 포착된 것이다. 기자조선설도 이와 무관하지 않다고 본다. 기자조선을 '侯 · 王朝鮮'으로 표기하였지만, 논지상 그대로 표기하기도 한다.

1) 箕子東來說에 대한 인식과 해석

箕子의 '箕'는 중국 山西省 太谷 일대에 소재하였던 殷의 諸侯國인 箕國을 가리키는 나라 이름이다. 그리고 '子'는 爵位名을 가리킨다. 그러므로 箕子는, 箕國에 封해진 子爵이라는 뜻이다. 殷의 왕족인 기자의 본래 이름은 胥餘였다.

기자조선이 지닌 의의는 조선왕조를 설계한 삼봉 정도전이 "기자는 무왕에게 洪範(나라를 다스리는 정치철학)을 설명하고 홍범의 뜻을 부연하여 8條의 教를 지어서 국중에 실시하니, 정치와 교화가 성하게 행하여지고 풍속이 지극히 아름다웠다. 그러므로 조선이란 이름이 천하 후세에 이처럼 알려지게 된 것이다. 이제 조선이란 아름다운 국호를 그대로 사용하게 되었으니, 기자의 선정 또한 당연히 강구해야 될 것이다"[66]라고하여 보인다. 즉 조선왕조는, 기자의 교화를 계승한다는 뜻에서 '朝鮮'으로 국호를 정하였다. 기자조선에서 도덕문화의 뿌리를 찾아, 이를 새 국가의 역사적 정통성으로 내세운 것이다. 말하자면 주체 의식과 도덕 정신이 새 왕조의 국시였다.[67] 이와 관련해 禮曹典書 趙璞 등이 상서하기를 "… 朝鮮 檀君은 東方에서 처음으로 天命을 받은 임금이요, 기자는 처음으로 교화를 홍성시킨 임금입니다"[68]라고 했다. 즉 기자는 교화의 상징이었던데 반해 단군은 중국의 천자로부터 분봉받지 않고 한국 최초로 천명을 받은 임금으로 규정되었다. 卞季良의 상서에도 "'우리 동방 단군은 하늘로부터 내려왔습니다. 천자가 분봉한 땅이 아닙니다'고 말하고 있는 것에서도 이를

66_ 『三峯集』 권13, 朝鮮經國典 上, 國號 條.
67_ 한영우, 『다시 찾은 우리 역사』, 경세원. 2018, 262쪽.
68_ 『太祖實錄』 원년 8월 庚申 조.

증명할 수 있다.… 단군의 천명에 의해 지배하는 곳을 (조선왕조가) 승계하여 통치하고 있다"[69]는 취지로 해석을 하였다.

『구당서』 고려 조에 의하면, 고구려의 제사 대상으로 '箕子神'이 보이고 있다. 고조선~낙랑군시대 이래의 기자신앙이 고구려에 전승된 것으로 해석하기도 한다. 고려 숙종 7년(1102)에 평양에 기자묘와 기자사당이 건립된 반면, 단군사당은 다음 왕조인 조선 세종 때 건립되었다.

기자조선은 중국 문헌에 뚜렷이 등장한다. 『史記』 宋微子 世家와 前漢代(기원전 3세기 말~기원전 2세기 초)의 伏生이 지은 『尙書大傳』에서 확인된다. 즉 周 武王이 殷을 정벌하자, 그에 앞서 殷 紂王에게 囚禁되었던 기자를 석방하니, 기자는 조선으로 망명하였다. 무왕이 이를 알고서는 기자를 조선에 封했다는 것이다. 전자에서는 무왕이 殷을 멸망시킨 후 기자를 방문하고 安民의 道를 물으니, 기자는 홍범구주를 演述하였다. 이에 무왕이 그를 조선에 봉했더니 그는 (무왕에게) 臣事하지 아니하였다. 그 후 기자가 周에 入朝할 때 殷의 遺墟를 지나다가 그 荒蕪함을 보고 悲愴하여 "보리 자라 무성타 벼와 기장 기름져 교활한 그 아이는 나를 좋아 않더니…" 라는 문구의 麥秀歌를 지었다고 한다. 후자에서는 기자는 周에 의한 석방을 탐탁하게 여기지 않아 조선으로 달아나니 무왕이 듣고 그곳을 封하여 주었다. 周의 책봉을 받은 기자는 부득이 臣禮를 닦아야 하겠으므로 주 무왕 13년에 周에 來朝하였더니, 무왕이 그에게 洪範이라는 정치철학의 9개 규범을 물었다고 한다.

그 밖에 『漢書』 지리지 燕 條에 의하면, 殷道가 衰함에 기자가 조선에 와서 禮儀와 농사와 養蠶·織造를 가르쳐주었더니 (그 敎化의 영향으로) 낙랑 조선인 사회에는 犯禁八條란 8개 조항의 法禁이 행하게 되었다고 한다. 즉 기자가 조선에 와서 그 백성들을 禮로써 교화시키고, 농사와 양잠·길쌈 등을 가르쳐주었다는 것이다. 요컨대 殷을 멸망시킨 周 무왕이 殷의 왕족으로 賢人의 評을 듣던 기자를 조선 왕에 封했다고 한다.

지금까지 서술한 이러한 내용이 기자조선설의 근거였다. 기자조선설에 의하면 왕검조선의 존재는 자연히 부정된다. 기자조선은 현재 한국에서 기원전 15세기 경으로 설정한 청동기시대의 개막연대와 연관지어 생각할 수 있기 때문이다. 이 무렵부터 국가가 출현했다면 그 훨씬 이전에 개국했어야 할 왕검조선은 부정된다. 이렇듯 왕검조선과 기자조선은 상호 부딪히는 관계에 놓였다.

물론 평양에는 箕子墓와 箕子祠堂 및 箕子井田으로 알려진 유구가 소재하였다. 그랬기에 고려와

69_ 小田省吾,「謂ゆる檀君傳說に就て」『文敎の朝鮮』2月號, 朝鮮敎育會, 1921, 40쪽.

조선시대인들은 기자의 동래를 확신하였고, 소중화 의식의 근거가 되었다. 가령 韓百謙(1552~1615)은 "阡陌(밭 사이의 길)이 다 남아 있어서 반듯 반듯하고 어지럽지 않으니 옛 성인이 경리주획하여 오랑캐를 華化로 변화시킨 뜻을 오히려 상상할 수 있다(『久菴遺稿』)"고 말하며 감격했다. 그러나 기자조선설은 손진태가 체계적으로 부인했다. 그 논거는 다음과 같다. 첫째 漢代의 중국 사가들은 전 세계의 모든 민족은 원래 중국에 종속되었다는 독존사상과 낙랑 지배라는 정치적 의도에서 기자동래설과 연결하여 否·準을 기자의 자손이라고 했다. 이는 흉노족을 중국 夏后의 후손이라고 하면서 남쪽 會稽 지방에 夏后 小康의 子를 封했다는 관념과 동일하다. 둘째 殷末에 겨우 청동기시대 초기에 속하였고, 영역도 周初라고 해도 黃河 중류지방에 국한되었을 뿐이다. 그럼에도 기자라는 일 개인이 河南省 安陽에서 산하 수만리를 격한 평양까지 보행한다는 것은 가당치 않다고 했다.[70)]

그 밖에 기자조선설은 다음 몇 가지 점에서 사실성이 의심된다는 것이다. 손진태의 견해와 중첩되는 부분도 있다. 첫째, 당시 중국은 황하 중류가 무대로서, 평양과 같은 먼 지방에 왕을 봉할 수 있었을까? 李圭景(1788~?)에 따르면 기자묘는, 중국에만 모두 4곳에 소재하고 있기 때문이다.[71)] 그러니 평양의 기자묘는 의심되지 않을 수 없다. 실제 1428년(세종 10)에도 기자묘에 대해서는 상고할만한 文籍도 없으므로 사당에 碑를 세우는 것으로 낙착되었다.[72)] 그리고『고려사』에 의하면 1102년(숙종 7) 이전에는 기자묘에 관한 기록도 없을 뿐 아니라, 북한에서 발굴한 결과 벽돌 조각과 사기 조각 밖에는 출토되지 않아 허구로 밝혀졌다. 주지하듯이 기자 정전 터라는 것도 고구려 도성인 장안성의 도시 구획 유구로 드러났다. 둘째, 고고학적인 관점에서 볼 때, 대왕조선 이전 시기에 대동강유역에 漢族이 세운 국가의 존재를 인정할 만한 근거가 없다. 기자가 왔다면 고조선 문화의 주류는 중국적이어야만 한다. 그러나 고조선과 연관 지을 수 있는 요동과 한반도 서북 지역의 청동단검 문화는 중국 문화와 본질적으로 차이가 난다.

이 같은 기자조선 부정론은 그 소재지를 시종 대동강유역으로 간주했기 때문에 제기될 수밖에 없었다. 기자조선의 위치를 중국 대륙에서 찾는다면 부정만이 능사가 될 수 없다. 이와 관련한 기자동래설의 의미에 대해 다음과 같은 해석이 제기되었다.

첫째, 주민구성의 교체를 뜻한다. 金貞培는 단군조선은 빗살무늬토기를 사용한 古Asia족, 기자조

70_ 孫晉泰,『朝鮮民族史概論(上)』, 乙酉文化社, 1948, 85~86쪽.
71_ 『五洲衍文長箋散藁』권7, 箕子事實墳墓辨證說.
72_ 『世宗實錄』10년 戊申, 10월 己酉 조.

선은 무문토기를 사용한 Altai족으로 간주했다. 이 견해에 따르면 왕검조선과 기자조선은 지배층만 달라진 것이 아니라 주민구성 자체가 달라진 것이다. 그런데 단군조선은 신석기 단계가 되므로 당초부터 성립될 수 없다는 지적도 있다.

둘째, 고조선사회의 발전과정에서 왕실교체를 의미한다. 기자조선은 고조선 사회 내부에서 등장한 새로운 지배세력 가령 韓氏朝鮮을 가리키는 것이 아닐까? 이러한 한씨조선설은 이규경에 의해서 기자조선은 기실 새로운 지배 세력으로 등장한 韓氏朝鮮으로 간파되었다.[73] 이와 동일한 주장을 한 이병도의 논거는 다음과 같다.

後漢 王符의 「潛夫論」에 보면 "옛날 周 宣王代에 또한 韓侯가 있었으니 그 나라는 燕에 가까웠다.…韓氏姓을 稱했다.… 準王은 衛滿에게 攻伐되어 海中에 遷居하였다"는 기사에서, 準王의 氏姓이 箕氏가 아니라 韓氏였다고 했다. 그리고 『毛詩』 韓奕篇에 보이는 '韓城'과 '韓侯'의 존재는, 韓의 소재지가 燕에 인근하였음을 가리킨다. 이러한 韓侯가 箕氏가 아니겠는가? 準王이 韓氏였다는 「潛夫論」의 설명은, 『삼국지』 한 조의 "走入海居韓地自號韓王"이라는 기사와 부합되고 있다. 「魏略」에서 準王의 아들과 친족으로 고국에 억류된 자가 "仍冒姓韓氏"(冒姓: 남의 姓을 襲稱)했다고 한다. 그러나 이는 誤記로서 본래의 自姓으로 보아야 한다. 그 밖에 『淸州韓氏世譜』에 의하면, 그 遠祖를 기자로 명시하고 있다. 이는 고조선 왕실에서 그 가계를 빛내기 위해 殷末의 賢人인 기자로서 시조를 삼아 그 몇 세손을 표방한 것에 불과하다.[74]

셋째, 민족이동설의 관점에서 이해하였다. 이종휘는 기자의 처음 거점을 遼河左岸으로 지목하면서 그 강역은 서쪽으로는 遼河를 넘어섰다고 했다.[75] 千寬宇는 殷 자체가 동이족이라고 하므로, 기자는 동이족의 일파로 간주하였다. 殷이 멸망한 후 기자 집단이 이동하는 도중에 기자는 죽고 기자로 상징되는 어떤 집단, 가령 기자를 祖神으로 삼는 집단의 이동으로 생각했다. 千寬宇는 기자조선을 다음의 2 시기로 나뉘어 설명하였다.

早期 箕子朝鮮(기원전 12세기~)은 청동기 문화를 기반으로 灤河와 大淩河 사이의 孤竹國(롼하 하류 지금의 허베이성 盧龍 지역)이라는 곳에 한동안 정착하였다. 晩期 箕子朝鮮(기원전 4세기~기원전 2세기)은 철기 문화를 기반으로 요서와 요동 지나 마침내 평양 지역에 도착했다. 이는 한국사에서 철기

73_ 『五洲衍文長箋散藁』 권7, 箕子事實墳墓辨證說. 권34, 檀箕爲國號辨證說. 권35, 三韓始末 辨證說.
74_ 李丙燾, 『韓國古代史硏究』, 博英社, 1976, 47~56쪽.
75_ 김정배, 『고조선에 대한 새로운 해석』, 고려대학교 민족문화연구원, 2010, 448쪽.

문화의 개시와 같이 한다고 하였다. 戰國末에 철기문화의 성숙단계에 들어간 燕이 동방으로 침략해 왔다. 그럼에 따라 요서-요동 일대에 있던 기자조선이 동쪽으로 이동하여 대동강유역에 정착한 것으로 간주하였다. 기자조선의 소재지와 관련해 랴오닝성 카줘현(喀左縣)에서 1973~1974년에 대량의 청동기 유물이 발견되었다. 이 가운데 方鼎에서 '箕侯' 銘과 '孤竹' 國 銘文이 확인된 바 있다. '箕侯' 銘 方鼎이 출토된 이 곳을 기자조선 지역으로 지목했다.[76]

그 밖에 기자조선을 한국사와 별개의 역사로 지목하는 견해를 비롯하여 여러 설이 제기되었다. 문제는 기원전 4세기 말~기원전 3세기 초에 존재했던 조선의 존재는 실체가 분명하다. 그러한 조선의 마지막 왕인 準王이 위만에게 축출되어 韓地로 옮겨 갔다. 준왕의 南來 마한의 역사와 엮어져 의미를 부여받고 있다. 기자의 후예로 운위된 조선의 영역에 위만이 조선의 국호를 이어서 사용했다. 이러한 계승 관계로 인해 한국사 체계 속에 기자의 후예로 운위된 조선의 역사가 편제된 것이다. 즉 고려 말 조선 초기 인식이나 관념의 산물이 아니었다. 1281년 경에 저술된『삼국유사』나 1287년에 왕에게 올려진『제왕운기』에 기자조선은 이미 한국사 체계에 편제되었기 때문이다. 더욱이 933년에 후당이 태조를 책봉할 때 기자를 언급하였다.[77] 1055년(문종 9)에 고려는 遼에 대하여 "바로 이 나라는 箕子의 나라를 이었습니다. 그래서 압록강으로 경계를 삼았습니다"[78]고 선언했다. 1102년(숙종 7)에는 기자 사당을 건립하였다.[79]

고려가 후삼국을 통일한 지 120년 후에 나타난 인식에서 '箕子之國' 계승을 선언하고 있다. 숙종대에 箕子祠堂이 건립된 것을 볼 때 외교적 수사로만 돌릴 수 없게 한다.

2) 기자조선의 실재 검토

한국사 연구에서 가장 쟁점이 되는 사안의 하나가 기자조선 문제이다.[80] 물론 기자조선의 성립 과정은 문헌에 그 존재가 확실하게 기록되어 있다. 그러므로 기자조선의 존재에 관해서는 구한말까지

76_ 千寬宇,『古朝鮮史・三韓史研究』, 一潮閣, 1989, 28~89쪽.
77_ 『高麗史』권2, 태조 16년 3월 조.
78_ 『高麗史節要』권4, 문종 9년 7월 조. "當國襲箕子之國 以鴨江爲疆"
79_ 『高麗史節要』권4, 숙종 7년 10월 조. "冬十月 禮部奏 我國敎化禮義自箕子始 而廟貌猶闕 不在祀典 乞使求其墳塋立祠以祭 從之"
80_ 이에 관한 연구사적 검토는 李鍾旭,『古朝鮮史研究』, 一潮閣, 1993, 43~93쪽 참조.

감히 의심하지 않았을 뿐 아니라 소중화의 근거로서 소중하게 여겨 왔다. 그러나 20세기에 식민사학과 더불어 근대 역사학이 도입되면서 기자조선의 존재에 대한 회의적인 시각이 고개를 곧추세웠다. 구한말의 대한제국의 성립 이후 중국적인 세계관에서 벗어나면서 기자조선 역시 실존이 의심을 받았다.[81] 더구나 고고학적 지견이 역사학 연구에 원용되면서 기자조선의 실재성은 요동을 쳤다.

일반적으로 국가의 탄생은 금속문명인 청동기 문화의 개막과 軌를 같이 하는 것으로 간주하고 있다. 이에 비추어 한반도 서북부 지역 청동기 문화의 개막 시점인 기원전 8세기 무렵에 최초의 국가가 탄생한 것으로 본다.[82] 그렇다면 이 무렵에 태동할 수 있는 국가로서는 왕검조선과 기자조선이 그 시점에 함께 걸려 있다. 왕검조선은 기원전 2300년대에 건국되었다고 한다. 그러나 이는 신뢰할 수 없는 연대이기에 청동기 문화의 개막 시점에 맞추어 그 국가 태동을 상정하고 있다. 기자조선은 기원전 12세기말에 성립한 게 된다. 결국 기원전 8세기에 맞추다 보니 왕검조선과 기자조선은 서로 부딪치고 있다. 왕검조선을 인정하게 되면 기원전 12세기 경부터 시작한 기자조선이 허공에 뜨게 된다. 반면 기자조선을 인정하게 되면 그 앞에 존재했던 왕검조선은 실체가 없어진다. 물론 현재 한국의 청동기시대 개막 연대는 기원전 15세기 경으로 지목하는 견해가 통설이 되었다. 그렇다면 기자조선 이전 시점인 기원전 15세기~기원전 12세기 경에 왕검조선을 얹어놓을 수 있다.

현재 한국 학계에서는 후·왕조선의 존재를 배제하고, 그 기간의 역사를 왕검조선의 연장으로 설정하는 경향이 있었다. 혹은 개아지조선[83]이나 韓氏朝鮮,[84] 그 밖에 濊貊朝鮮[85]과 後朝鮮[86] 등으로 일컫고 있다. 중국인 기자가 東來하여 고조선을 다스렸다는 지금까지의 기자동래설을 버린 것이다. 그러나 이 문제는 그렇게 간단히 처리할 사안은 아니다. 기자조선은 중국 문헌에 그 존재가 뚜렷하게 등장하기 때문이다. 전한대에 편찬된『사기』송미자세가와『상서대전』등에서 확인된다. 즉 주 무왕이 은을 정벌하면서, 은 주왕에게 수금되어 있던 은의 왕족이요 현인 평을 듣던 기자를 석방했다. 그러자 기자는 조선으로 망명하였다. 무왕이 이를 알고서는 기자를 조선에 봉했다는 것이다.[87] 그

81_ 기자조선 부정론으로 체계적인 지적은 孫晉泰,『朝鮮民族史概論(上)』, 乙酉文化社, 1948, 85~86쪽을 참고하기 바란다.

82_ 李基白,「古朝鮮의 國家形成」『한국사 시민강좌』2, 1988, 一潮閣, 12쪽.;『韓國古代史論』, 탐구당, 1975, 28쪽.

83_ 崔南善,「朝鮮史의 箕子는 支那의 箕子가 아니다」『六堂 崔南善全集』2, 현암사, 1973, 366~374쪽.

84_ 李丙燾,『韓國古代史研究』, 博英社, 1976, 47~56쪽,

85_ 金貞培,『韓國民族文化의 起源』, 고려대학교출판부, 1973, 180~216쪽.

86_ 손영종,「후조선은 단군조선의 계승국」『민족의 원시조 단군』, 평양출판사, 1994, 169~172쪽.; 박득준,『고조선력사개관』, 사회과학출판사, 1999, 73~105쪽.

87_『史記』권38, 宋微子世家 "於是武王乃封箕子於朝鮮 而不臣也";『尙書大傳』권2, 殷傳, 洪範 條 "武王勝殷 繼公子祿

리고「위략」에 보면 "옛날 기자의 후손 朝鮮侯"[88]라고 하여 기원전 4세기 말~3세기 초에 왕을 칭했던 고조선 최고 지배자의 계통을 기자와 연결 짓고 있다. 『삼국지』에서는 또 위만에게 축출된 준왕을 "(기자의) 四十餘世朝鮮侯"[89]라고 하였다. 『한서』 지리지 에 '기자의 나라 조선'이 비로소 등장한 것은 반고가 사마천이 접하지 못한 자료를 참고했기 때문으로 간주하기도 한다. 다음은 『漢書』 지리지의 관련 기사이다.

> 殷의 道가 쇠하자 箕子가 朝鮮으로 가서[師古는 "史記에 이르기를 武王이 紂를 치고 箕子를 朝鮮에 封했다고 하여 이와 같지 않다"라고 하였다] 그 백성을 禮義로써 가르쳐 밭 갈고 누에 치고 옷을 만들었다. 樂浪朝鮮의 백성에게 는 犯禁 8條가 있었는데[師古는 "8條는 갖추어 살필 수 없다"라고 하였다] 살인을 다스림에 즉각 죽음으로 배상하도록 하며, 상해를 다스림에 곡식으로 배상하도록 하며, 도적질한 자를 다스림에 남자는 그 집의 奴로 여자는 婢로 삼도록 하였다. 스스로 贖하기를 원하는 자는 사람마다 50만을 내었다.[90]

문헌에 분명히 기록되어 있는 국가가 기자조선이다. 그러나 그 존재를 부정하는 견해가 일제 관학자들 이래로 제기되어 현재 정설이 되었다. 先秦時代 문헌에 기자와 조선이 연결되지 않다가 漢代에 이르러 기자를 조선에 봉했다는 기록에만 근거하기 때문이라고 했다.[91] 기자동래설이 기원전 2세기 말에 저술된『상서대전』이전으로 소급되지 않으므로 신빙할 수 없다는 것이다. 그러나 이러한 논리라면 13세기 후반에 등장한『삼국유사』의 단군신화 이전에는 단군의 존재가 확인되지 않는다. 그러니 단군의 존재를 부정해야 한다는 주장과 동일하다.

선진시대 문헌인『竹書紀年』은 위서로 판명났다.[92] 유교 경전인『尙書』와『論語』는 역사서가 아니므로 사건의 시말을 기록하는데 목적을 두지 않았다. 그러므로 이들 책에서 기자가 조선에 봉해졌다는 기록이 나타나지 않을 수 있다. 반면 일종의 '『尙書』 강의노트'인『상서대전』에서는 기자의 조

父 釋箕子之囚 箕子不忍爲周之釋 走之朝鮮 武王聞之 因以朝鮮封之 箕子旣受周之封 不得無臣禮 故於十三祀來朝 武王因其朝而問鴻範".

88_ 『三國志』 권30, 東夷傳 韓 條.
89_ 『三國志』 권30, 東夷傳 濊 條.
90_ 『漢書』 권28下, 地理志 第8下 燕地.
91_ 사회과학원 력사연구소,『조선전사』2, 1979, 25~27쪽.; 사회과학원 력사연구소,『조선전사』2, 1991, 37~40쪽.
92_ 丹齋申采浩先生紀念事業會,「朝鮮上古史」『改訂版 丹齋 申采浩全集(上)』, 螢雪出版社, 1987, 43쪽.

선 망명 기록을 덧붙여 그 이해를 돕는 것은 지극히 자연스럽다. 이러한 맥락에서 볼 때 사서의 "기자의 후손"과 "(기자의) 四十餘世朝鮮侯"의 주체가 왕검조선 역사에 배당(?)될 수는 없다. 허심하게 말해 왕검조선을 운위할 수 있는 근거는 신화밖에 없다. 그 신화를 떠받쳐 줄 수 있는 사실은 전혀 남아 있지 않다. 아이러니컬하게도 단군조선의 실재를 조성해 주는 자료는, 학계에서 그 실재를 부정했던 기자조선 관련 기록이다. 이 기록을 왕검조선의 그것으로 換置시켜 해석하고 있다. 중국적 화이관에 따라 왕검조선의 왕들을 기자의 후손으로 오인한 것으로 해석했기 때문이다. 그러나 이러한 해석은 오로지 관념에 근거한 선입견과 편견의 산물이라고 본다. 너무나 당연시 하는 왕검조선이지만 그 실체를 입증해주는 객관적인 자료가 뒷받침되지 않았다.

그러한 왕검조선의 존재는 기자 동래설을 인정할 때 자연스럽게 그 실체의 일각이 드러난다. 『상서대전』에 따르면 "기자는 주에 의해 석방된 것을 참을 수 없어 조선으로 달아났는데, 무왕이 이 소식을 듣고서 그를 조선에 봉했다"[93]고 하였다. 여기서 기원전 12세기 말 기자의 망명지가 '조선'이었다. 이 사실은 조선이라는 나라가 이전부터 존재했음을 알려준다. 그리고 "봉했다"는 기록은 주 무왕의 통치력이 조선에 미쳤다는 뜻이 아니라 망명을 인정해 주었다는 의미에 불과하다.[94] 기자가 망명하였던 조선은 기자조선 보다 먼저 존재했던 왕검조선이 될 수밖에 없다. 이 점은 단군신화 기술에도 언급되어 있다. 다음 기사가 그것을 가리킨다.

> 나라를 다스린 지 1500년이 되어 周 虎王이 즉위한 己卯年에 箕子를 朝鮮에 封하자 壇君이 藏唐京으로 옮겼다가 뒤에 阿斯達로 돌아와 隱居하여 山神이 되었는데 나이가 1908세였다.[95]

이러한 기자 집단의 망명지는 왕검조선의 전체 영역을 대상으로 하기는 어렵다. 위만이 망명했을 때 고조선의 서편 1백리 땅을, 백제 시조도 마한 영역의 동북 1백여 리 땅을 할양 받은 사례가 있기 때문이다.[96] 따라서 기자 집단의 경우도 왕검조선의 변경인 서편 일각에 소재했던 것으로 간주된다.[97] 물론 이는 사실 여부를 떠나 인식이라는 측면에서 고려해 볼 수 있다. 바로 이 세력이 논리 구

93_ 『尙書大傳』 권2, 殷傳, 洪範 條.
94_ 千寬宇, 『古朝鮮史 · 三韓史硏究』, 一潮閣, 1989, 12쪽에서는 封을 "일방적 내지 형식적 조치"로 파악하였다.
95_ 『三國遺事』 권1, 古朝鮮 條.
96_ 『三國志』 권30, 東夷傳, 韓 條; 『三國史記』 권23, 始祖王 24년 조.
97_ 이와 관련해 李亨求, 「渤海沿岸 大凌河流域 箕子朝鮮의 遺蹟 · 遺物」 『한국고대사연구』 9, 1996, 55~72쪽이 크게

조상 왕검조선과 병존했던 '箕國'이었다. 箕國의 최고 지배자가 箕侯였다. 기후는 점차 세력을 성장시켜 동쪽으로 진출하면서 급기야는 넓은 지역을 통치하는 '큰 후'가 되었기에 '韓侯'로 일컬어졌던 것 같다.[98] 『詩經』에 보면 기원전 9세기 말 경 燕 근처에는 주변 족속을 거느리는 韓侯의 존재가 등장한다.[99] 그리고 기원전 4세기 말에 그 최고 지배자인 '朝鮮侯'는 王을 칭했을 정도로 강성한 면모를 자랑했다.[100] 이 무렵 箕國은 왕검조선의 상당한 영역을 장악하였다. 그랬기에 대외적으로도 조선을 대표하는 '朝鮮侯'로 알려졌던 것 같다.

3) 고조선의 위치와 성격

고조선의 강역과 관련해 순암 안정복과 박지원의 다음과 같은 기자조선 인식은 도움이 된다.

*『唐書』에는 "裴矩가 '요동은 본시 기자의 나라이다'고 하였다"했다. 『遼史』 지리지에는 "요동은 본래 朝鮮이다. 周 武王이 기자를 감옥에서 석방하자 조선으로 갔는데, 그대로 기자를 그곳에 봉하였다"고 하였다. 『遼東志』에는 "요동은 본래 기자가 봉해진 땅이다"고 하였고, 『一統志』 遼東名宦에도 기자가 실려 있다. 『盛京志』에는 瀋陽·奉天府·義州·廣寧의 地境이 모두 조선의 경계라고 하였으니, 요동 땅의 태반이 기자의 提封이 되었다[尹月汀 根壽는 "廣寧城 북쪽 3里에 箕井이 있고, 그 곁에 箕子廟가 있으며, 冔冠을 씌운 塑像이 있었는데, 嘉靖 연간의 兵火에 탔다"고 하였다]. 기자는 또 평양에 도읍하였으니, 무릇 도읍이란 대개 國中에 정하는 것이니, 吳澐이 "遼河 이동, 漢水 이북이 모두 기자의 땅이었다"고 한 것이 옳다. 후손에 이르러 燕 말기에 서쪽 지경 천여 리를 잃고 滿潘汗으로 경계를 삼았다. 곧 『漢書』 지리지에 보이는 遼東郡 東部 屬縣 潘

참고된다. 이 견해는 殷末·周初의 青銅禮器를 토대로 기자조선의 거점을 大凌河流域으로 비정하였다. 기자조선의 단군조선과 계승 관계가 아님을 밝혔고, 기자조선-위만조선-한사군을 시종 단군조선의 서쪽 변경에 위치해 있었다는 논리는 尹乃鉉, 『고조선연구』, 一志社, 1994, 77~89쪽에 언급되어 있는데 주목된다고 하겠다.

98_ 韓侯가 大侯를 가리킴은 李丙燾『韓國古代史研究』, 博英社, 1976, 53~54쪽에서 大=韓이라고 언급한 바에서도 추리할 수 있다.

99_ 尹乃鉉, 『고조선연구』, 一志社, 1994, 431쪽.; 金貞培, 「고조선의 국가 형성」『신편 한국사 4』, 국사편찬위원회, 1997, 70쪽.; 이 韓侯가 箕侯임은『五洲衍文長箋散稿』 권34, 檀箕爲國號辨證說에서 "然則韓侯者誰也 豈非箕氏歟"라고 하여 언급된 바 있다.

100_ 『三國志』 권30, 東夷傳 韓 條. "昔箕子之後朝鮮侯 見周衰 燕自尊爲王 欲東略地 朝鮮侯亦自稱爲王 欲興兵逆擊燕以尊周室 其大夫禮諫之 乃止 使禮西說燕 燕止之 不攻".

汗이다. 이때 遼地가 중국에 흡수되었다.[101]

* 이리하여 조선의 강토는 싸우지 않고도 저절로 줄어들었다. 이는 무슨 까닭일까? 평양을 한 곳에 정해 놓고 패수 위치를 항상 사실의 자취에 따라서 앞뒤로 옮겼기 때문이다.[102]

안정복은 기자조선의 강역을 요하 이동~한강 이북으로 간주했다. 이 사실의 타당성을 떠나 그는 燕將 진개의 침공을 받아 滿潘汗으로 경계를 삼은 사실을 염두에 두었다. 박지원도 지명 이동 가능성을 열어 두었다. 박지원은 연행사로 가는 도중에 지금의 랴오닝성에도 '평양'이 여러 곳에 소재한 사실을 알았기 때문이다. 한반도 안에 기자조선의 강역을 고정시켜 놓고, 또 그것을 전제한 기자조선 위치론은 한계를 지닐 수밖에 없다.

기자조선을 부정하는 견해가 정설이 되어 있다. 부정의 근거 가운데는 한이 고조선을 정복한 후에 설치한 郡縣 통치의 정당성을 얻기 위해 기자동래설을 조작했다는 것이다. 그러나 기자동래설이 적힌『상서대전』은 한사군 설치 이전의 기록이다. 따라서 기자동래설 조작 배경은 수긍하기 어렵다. 方鼎 내부의 바닥 중심에 적힌 '箕侯'라는 명문과 관련한 箕國의 소재지는 허베이성 루룽현 일대로 밝혀졌다. 그리고 '孤竹' 명문도 확인되었기에 요서의 카줘현이 고죽국에 속했다는 증거가 되었다. 따라서 이곳의 청동기 문화는 중국 殷과 연관되어 있다고 보았다. 물론 이들 유물이 저장공에서 출토되었기에 교역이나 전쟁의 노획물로 간주하기도 한다.[103] 殷族의 이동과 관련한 기자조선의 이동을 부정하려는 의도에서였다. 그러나 카줘현 허싸앙꼬우(和尙溝)의 비파형동검문화기의 무덤에서도 중국제 청동기가 출토되었다.[104] 그리고 이러한 窖藏 청동기는 殷末~西周初 국가 주권의 重型靑銅禮器를 상징한다. 더욱이 중원문화의 진입을 의미하지만 중원의 청동기에 비해 조잡한 편이다. 고죽국 장인들이 중원청동기 문화의 영향하에 직접 제작한 것으로 지목되고 있다.[105] 따라서 교역

101_ 『東史綱目』附卷下, 地理考, 箕子疆域考. "唐書裴矩曰 遼東本箕子國 遼史地志 遼東本朝鮮 周武王釋箕子囚 去之朝鮮 因以封之 遼東志 遼東本箕子所封之地 一統志遼東 名宦 亦載箕子 盛京志 瀋陽奉天府義州廣寧之界 皆云朝鮮界 則遼地太半爲箕 子提封[尹月汀根壽云 廣寧城北三里 有箕子井 傍有箕子廟 有塑像戴冔冠 嘉靖 間爲兵火所燒云] 而箕子又都平壤 凡都邑之地 多定國中 則吳氏澐所謂遼河以 東漢水以北 皆箕氏地者然矣 至後孫當燕之末失西界千餘里 以滿潘汗爲界 卽漢志 遼東郡東部屬縣潘汗也 於是而遼地入中"

102_ 『熱河日記』渡江錄. "是朝鮮舊疆 不戰自蹙矣 此其故何也 定平壤於一處 而浿水前却 常隨事跡"

103_ 권승안,『조선단대사(부여사)』, 과학백과사전출판사, 2011, 155쪽.

104_ 辽海文物学刊编辑部,『遼海文物學刊』1991-1, 74쪽.; 권승안,『조선단대사(부여사)』, 과학백과사전출판사, 2011, 155쪽.

105_ 林聲 · 彭定安,『中國地域文化通覽 (遼寧卷)』, 中華書局, 2013, 76~77쪽.

의 산물이 될 수는 없다.

다링하유역의 殷周 청동기 문화는 비파형동검 문화권 속에서 곧 소멸된다. 이를 근거로 기자조선의 장기간 존속을 운위하기 어렵다고 주장할 수 있지만, 융화의 흔적일 수도 있다. 추모 집단이 부여에서 왔다고 하지만, 부여계 물증이 보이지 않는다고 하여 그 사실을 부정하거나 장기간 존속하지 않았다고 주장할 수는 없지 않은가?

『삼국지』에 인용된 「위략」에 따르면 "위략에 이르기를, 옛적에 기자의 후손인 조선후가, 周가 쇠퇴한 것을 보고 燕이 스스로를 높여 왕이 되어 동쪽으로 땅을 경략하고자 하였다. 조선후 역시 스스로를 일컬어 왕이라고 했다. 군대를 일으켜 燕을 逆擊하여 周 왕실을 높이고자 하였다"[106]고 했다. 이 기사에 따르면 朝鮮侯는 周 중심의 질서에 동참했음을 알 수 있다. 그런데 고조선은 기원전 4세기 말~3세기 초에 燕將 진개의 침공을 받아 서방 영역을 대거 상실했다.[107] 이 때 고조선은 중심축이 요하 동쪽으로 크게 이동하였다. 이곳은 한반도 서북 지역 문화와 긴밀하게 연계된 세형동검 문화권이었다.[108]

이러한 고조선의 성격과 관련해 몇 가지 정리할 사안이 있다. 고조선은 戰國7雄의 하나인 燕과 접했다는 것이다. 燕 최성기의 영역을 상징하는 長城이 요하를 넘지 못했다. 燕 昭公 때 진개의 경략 최대치인 만반한이 요하선을 넘지 못한 것이다. 이는 장성 유구로도 확인될 뿐 아니라 문헌에서도 襄平(遼陽)까지로 명시되어 있다. 역으로 이곳에서 진개가 경략한 1천 리나 2천 리 이전으로 역산하면 고조선 영역은 다링하 서편까지 상정할 수 있다. 진개의 경략 이전 고조선은 '驕虐'하다는 평을 받았다. 즉 '교만하고 포학하다'는 것이다. 燕으로서는 제압하기 힘든 대상이 고조선이었음을 뜻한다. 그리고 고조선이 진개의 경략으로 빼앗긴 영역을 놓고 볼 때 당초 광대한 영역을 확보했음을 알 수 있다. 고조선은 齊와 손을 잡고 인접한 燕에 대응했다고 한다. 원교근공책을 구사한 것이다.

전국시대의 중원 열국들과 각축하는 상황에서 고조선은 자국이 夷가 아님을 알릴 필요가 있었다. 고조선으로서는 무엇보다 열국의 일원인 燕과 대결하는 명분이 긴요했을 법하다. 중원국가 燕과의 대립은 華와 夷의 갈등이 아님을 알려야 했다. 중화질서 속에서의 갈등으로 포장을 해야 했던 것이

106_ 『三國志』 권30, 동이전, 韓 條. "魏略曰 昔箕子之後朝鮮候 見周衰 燕自尊爲王 欲東略地 朝鮮侯亦自稱爲王 欲興兵逆擊燕以尊周室"

107_ 그 시점을 기원전 284년~279년 사이로 지목하기도 한다(권승안, 『조선단대사(부여사)』, 과학백과사전출판사, 2011, 159쪽).

108_ 송호정, 「고고학으로 본 고조선」『한국사시민강좌』 49, 一潮閣, 2011, 13~16쪽.

다. 이러한 선상에서 고조선은 기자동래설을 끌어 온 것으로 보인다. 고조선 왕실은 자국과 燕 사이에 소재했던 箕國에 가탁하여 기자 후손을 자칭했던 것 같다. 고조선 왕실은 유명무실해진 기국을 통해 夷에서 벗어나 열국의 일원이 되고자 했다. 고조선은 燕과 동등하게 稱王할 수 있고, 燕의 침공에 대응하여 逆擊할 수 있는 명분으로 周室에서 책봉한 箕子를 기제로 삼은 것이다. 열국들의 인정 여부를 떠나 고조선은 '周 왕실을 높인다'는 명분으로써 齊의 힘을 빌리고, 또 燕을 공략할 수도 있었다. 고조선이 齊와 손잡고 燕과 대립하는 과정에서 다른 열국들의 거부감 없이 燕을 경략하기 위한 명분이 기자 후예 자처였다. 고조선 왕은 연을 침공하려다가 大夫 禮의 중재로 중지한 바 있었다. 고조선은 夷가 아닌 列國의 일원으로서 당당하게 燕을 치고자 했던 것 같다. 이와 관련해 고조선 왕은 敎化의 祖인 기자의 후예를 자처했다고 본다. 그럼으로써 夷가 중원을 넘보는 게 아니라 중화질서를 지키기 위한 노력으로 비치게 하고자 했다.

(1) 遼西와 遼東半島 일대의 조선

管仲(?~기원전 645)의 저작이라는『管子』에서, 齊에 不服하는 四夷에 대한 관중의 방략이 제시되었다. 관중은 조선을 '海內' 지역으로 인정하면서 다음과 같이 운위하였다.[109]

* 北方의 發・朝鮮이 入朝하지 않으면 虎豹의 皮와 털 벗긴 皮服과 같은 그들의 특산물을 幣物(선사하는 물건)로 바치게 하고 그 대가를 주는 조건으로 入朝케 함이 어떠하오리이까.
* 발・조선에서 나오는 虎豹皮가 一策인데…

위의『관자』에 등장하는 '발・조선'은 齊(오늘날 산동반도 소재)에 아직 불복하는 지역인데, '海內'로 간주되는 동방의 한 지역으로 지목된다. 齊 桓公(기원전 685-643) 때는 齊가 燕의 請援으로 북방의 令支・孤竹 등을 정복한 시기였다. 그러므로 이 당시의 조선은 영지・고죽 등 롼하 하류를 벗어난 그 以東 지역으로 보아야 한다. 또 '海內'라고 하였으므로 조선은 齊에서 그다지 멀지 않는 발해 연안으로 간주된다. 물론 현재 전하는『관자』의 집필 시기는 기원전 7세기대 보다 훨씬 이후의 상황을 반영

109_ 고조선의 위치를 적은 중국 문헌에 대한 소개는 이순근, 「고조선은 과연 만주에 있었는가」『역사비평』 5, 1988, 149~168쪽이 참고된다.

한다고 한다.

그리고 前漢 初에 완성된『산해경』海內北經에 의하면 "朝鮮은 列陽의 東쪽에 있어, 海의 北, 山의 南쪽이다. 列陽은 燕에 속한다(朝鮮在列陽東 海北 山南 列陽屬燕)"고 했다. 즉 북변 지방인 燕에 속하는 열양이라는 곳의 동방, 그리고 발해의 북쪽인 다싱안링 산맥의 남쪽이라고 했다. 그러므로 요서 일대가『산해경』의 조선에 합당하다는 것이다. 단재 신채호는, 이 조선을 요서의 廣寧 혹은 요동의 海城에 소재한 것으로 비정했다. 비록 두찬으로 혹평을 받지만『遼史』지리지에도 "東京 遼陽府 本朝鮮之地"라고 하였다. 東京 遼陽府는 지금의 랴오닝성 랴오양시(遼陽市)를 가리킨다.

이와 더불어 전한 말에 揚雄이 저술한『方言』이다. 중국 각 지방의 방언을 정리하였으므로 語音史의 중요한 자료로 활용된다. 戰國 末期로 추론되는 방언을 채집한『方言』에서 조선은, 燕(北燕)과 洌水(大同江)의 중간 지대로 표시되었다. 조선은 요서~대동강 방면 어느 지역에 소재한 것이다. 이와 관련해 "방언에는 조선의 지명은 현재의 랴오닝성 방면에 놓여져 있다"[110]고 했다.

『전국책』에서 蘇秦이 燕 文公(기원전 362-333)에게 "燕의 동쪽에 朝鮮·遼東이 있고…"라고 한 구절이 있다. 즉 요서나 요동의 조선을 생각하게 한다. 비록 훨씬 후대 기록이지만 1072년(문종 26)의 시점에서 "기자가 封土를 연 것은 遼左에서 비롯하였고"[111]라고 했다. 1370년(공민왕 19) 12월 동녕부에 대한 公文에서 "遼瀋은 元에 속해 있으나 우리나라의 옛 영토이다"[112]고 하였다. 그리고 "주 무왕이 기자를 조선에 봉하여 땅을 주기를 서로 요하에 이르기까지 하여 대대로 강역을 지켰고"[113]라고 했다.

전한대 이전까지의 문헌에서 고조선은 요서와 요동 지역에서 포착된다. 고고학적으로 고조선의 중심지는 요서 지역 가운데 십이대영자문화의 수장묘가 확인되는 다링하 상류로 지목되기도 한다.[114]

⑵ 移東하는 고조선

고조선의 존재는 기원전 4세기 경을 시간적 무대로 하여 중국 사서에 확실하게 등장한다.『삼국지』동이전 한 조에 인용된「魏略」에 의하면 "옛날 기자의 후손인 조선후(昔箕子之後朝鮮侯)"라는 문

110_ 井上秀雄,『古代朝鮮』, 日本放送出版協會, 1972, 22쪽.
111_ 『高麗史』권9, 문종 26년 조.
112_ 『高麗史』권42, 공민왕 19년 12월 조.
113_ 『高麗史』권114, 지용수전.
114_ 이청규,「고조선과 요하문명」『한국사시민강좌』49, 一潮閣, 2011, 88쪽.

구로 등장한다. 계속 이어지는 기록에 의하면 전국시대에 들어와 周의 쇠퇴가 결정적이 되자, 그 諸侯國들이 각기 왕을 칭하였다. 고조선은 인접 국가인 燕이 王을 칭할 무렵에(기원전 323) 이와 마찬가지로 스스로 王을 칭했다고 한다. 전국칠웅인 연과 대등하게 고조선의 최고 지배자가 稱王했음은 주지하듯이 예하에 소국을 거느린 강대한 세력으로 성장했음을 뜻한다.

고조선의 흥기 동인을 전국시대(기원전 475~221) 여파에서 찾기도 한다. 중원에서 전국시대의 정치적 파도는 북으로는 大陸路 燕과 東胡를 통하여, 西로는 산둥성의 齊로부터 발해를 거쳐 온 것 같다. 이에 놀란 고조선은 한반도 서북부 지역 세력을 규합하고, 서북으로는 산하이관 부근까지 세력을 뻗어 燕의 침입을 막고자 한 것으로 보았다.[115]

「魏略」에 의하면, 燕이 왕을 칭하면서 그 동쪽 땅을 공략하려 하자 고조선의 侯도 왕을 칭하면서 군사를 일으켜 연을 칠 계획을 했다고 한다. 비록 이 계획은 고조선의 大夫인 禮가 諫하여 中止되고 말았다. 이러한 사실은, 고조선의 비약적인 성장 없이는 운위하기 어렵다. 당시 연은 고조선을 교만하고 잔인하다고 하였다(驕虐). 고조선이 연에 필적할 만한 강대한 독자적 세력을 자랑했음을 시사한다. 고조선은 다링하와 랴오하를 경계로 연과 대립할 만큼 국가의 영역이 방대하였다. 이 무렵 고조선의 영역을 한반도에서는 평안도와 황해도 지역, 압록강을 건너 西南滿洲라고 하면서 "燕이 동으로 조선의 서북경인 遼西·遼東의 地를 침략하고자 하였을 때 조선은 이것을 逆擊하고자 하다가 사신을 보내어 서로 和好한 일도 있었으니 그 세력이 상당히 강하였음을 짐작할 수 있다"[116]고 설파했다. 심지어 고조선은 "서북으로 산하이관 부근까지 세력을 뻗어 燕의 침입을 막고자 하였다"[117]는 것이다.

다링하유역에서 랴오뚱반도와 쑹화강유역 그리고 한반도에 걸친 비파형 동검문화권과 관련지어 고조선의 세력권을 설정해 왔다. 고조선은 비파형동검 문화권을 대표하는 국가로 성장했다는 것이다. 고조선이 소재한 지역은, 미송리형 토기의 진원지로 간주된다. 즉 압록강 하류인 평안북도 의주군 미송리 동굴에서 처음 출토된 미송리형토기는, 긴 목을 가진 표주박형 토기이다. 胎土는 砂質인데, 적갈색이나 흑갈색 혹은 흑회색을 띠고 있다. 미송리형 토기는, 압록강유역과 훈하유역을 중심지로 하여 랴오뚱반도와 청천강 그리고 지린성 일대의 광범위한 지역에서 출토되었다.

115_ 孫晉泰, 『朝鮮民族史概論(上)』, 乙酉文化社, 1948, 88쪽.
116_ 孫晉泰, 『朝鮮民族史概論(上)』, 乙酉文化社, 1948, 85쪽.
117_ 孫晉泰, 『朝鮮民族史概論(上)』, 乙酉文化社, 1948, 88쪽.

그런데 고조선은 기원전 4세기 말~기원전 3세기 초에 걸쳐서 요동으로 침입하는 연의 세력에 밀리기 시작하였다. 연의 동방 침략은 昭王代(기원전 312~279)에 秦開에 의해 크게 진전되었다. 진개는 東胡에 인질로 가 있다가 돌아와 동호를 정벌하여 1천여 리를 개척하였다(『사기』 흉노전). 이때 진개의 개척은 동호에만 그치지 않고 고조선에까지 미치어 그 서부의 땅을 많이 빼앗았다. 「위략」의 "그 서방을 공격하여 2천여 리를 취했다(攻其西方取地二千餘里)"의 기록은, 진개가 동호로 진격하여 개척한 1천여 리에다가 고조선의 서쪽 영내로 계속 쳐들어와 빼앗은 里數를 합한 것으로 보아야 한다. 그렇다고 할 때 고조선이 이때 상실한 실질적인 영역은 서방 1천여 리로 간주되어 진다. 즉 다링하 유역에서 동쪽으로 어느 강에 이르는 지역을 상실한 것으로 보인다.

진개는 기원전 300년을 전후한 시기에 요하 상류에 근거를 두고 있던 동호족 지역으로 원정하는 한편, 고조선 경내로 쳐들어 왔다. 이 때 연은 요동 지방에 遼東郡을 설치하고 障塞를 쌓기까지 했다. 그 결과 고조선은 서방 2천여 리의 땅을 상실하였다. 고조선과 燕은 '滿潘汗'을 경계로 서로 대치하게 되었다. 그렇지만 燕 변방과 고조선 洌水 간에는 장기간에 걸쳐 거주했던 고조선인들이 남긴 방언이 남아 있었다고 보았다. 이를 통해 「위략」의 신빙성을 입증하기도 한다.[118] 관련 지역 『방언』 연구에 대한 시발과 집중적인 연구로는 리상호와[119] 정재남을 각각 꼽을 수 있다.[120]

중국 및 세계 언어학상 최초의 방언 어휘 조사기록인 前漢 말 揚雄(기원전 53~18년)의 저서 『方言』에는 고조선 멸망(기원전 108년) 이후 약 1백년이 경과한 시기의 '朝鮮' 지역 어휘와 함께, 과거 고조선의 영역이었으나 燕에 의해 중국에 일찍 편입된(기원전 3세기 초) '北燕' 지역의 어휘가 다수 기록되어 있다. 『방언』에 수록된 북연 지역 어휘 분석 결과, 지리적으로 바로 인접한 燕 지역과는 거의 공통 어휘가 없는 절연 상황이었고, 중국내 여타 방언권과의 연계성도 매우 적어 언어적 고립도가 매우

118_ 리지린, 『고조선연구』, 과학원출판사, 1963, 81~82쪽.
119_ 리상호, 「기원 전 4세기 이전 고조선의 서단과 중심지에 대하여(하)」 『력사과학』 1964-3, 26~40쪽.
120_ 정재남, 「揚雄의 『方言』에 수록된 北燕지역 어휘 고찰 : 漢代 北燕지역과 여타 '방언권' 어휘의 친연관계 및 그 언어적 정체성 탐구」 『동아시아고대학』 47, 2017, 9~64쪽.
정재남, 「조선어 고유어휘 가운데 "漢語에서 유래된 어휘(漢源詞)" 試探」 『동아시아고대학』 48, 2018, 287~325쪽.
정재남, 「만주어 언어교체(소멸)의 역사적 과정 및 원인 분석 試論」 『동아시아고대학』 49, 2018, 137~178쪽.
정재남, 「漢代 〈方言〉 내 東北지역 어휘의 언어적 연원 및 정체성 탐구 試論 : 〈方言〉에 수록된 東北지역 어휘와 〈爾雅〉 同一漢字 어휘의 비교분석」 『동아시아고대학』 51, 2018, 155~202쪽.
정재남, 「漢代 〈方言〉내 東北지역 어휘의 언어적 연원 및 시대적 傳承 분석 試論 : 廣雅에 수록된 漢代 〈方言〉의 東北지역 同一漢字 어휘 비교분석」 『동아시아고대학』 52, 2018, 163~218쪽.
정재남(제1) · 이도학(교신) · 변지원(교신), 「중국 漢代 방언사전 『方言』에 수록된 北燕지역 어휘와 고대 몽골어의 친연관계고」 『몽골학』 57, 2019, 25~54쪽.

높았다. 반면, 北燕 전체 어휘(55례)의 약 절반(26례)이 조선 지역 전체 어휘(32례) 가운데 약 80%가 넘는 어휘와 공통되는 높은 친연성을 보여주었다. 이는 언어지리학적으로 북연과 조선 지역이 같은 언어를 사용하는 等語線 개념이 적용되는 동일 언어권으로 분류될 수 있다. 당시 漢의 판도내 여타 지역과는 달리 별도의 정체성을 가진 독자적 언어권인 '古朝鮮語' 사용 지역이었을 개연성이 매우 크다는 사실을 알려주었다.[121]

滿潘汗은『한서』지리지에 보이는 요동군의 속현인 文縣과, 番汗縣 2縣의 합칭으로 파악되고 있다. 여기서 文縣은 잉커우(營口)의 남쪽인 가이핑(蓋平)으로, 番汗縣은 평안북도 博川으로 비정되고 있다. 그러므로 만반한은, 개평에서 박천강을 연결하는 긴 緣이 된다고 한다. 그러나 다음에 보듯이 만반한을 현재의 랴오뚱으로 지목하는 견해가 일찍부터 제기되었다.[122]

> 『遼東志』에는 "요동은 본디 기자가 봉해진 땅이다"하고『一統志』『遼東名宦』에도 기자가 실려 있고,『盛京志』에서는 瀋陽 · 奉天府 · 義州 · 廣寧 지경이 모두 조선과 경계했다고 하였으니, 요동의 태반이 기자의 提封이 되었었고, 月汀 尹根壽는 "廣寧城 북쪽 3리에 箕子井이 있고, 그 곁에 箕子廟가 있으며, 冔冠을 씌운 塑像이 있었는데, 嘉靖 연간의 兵火에 탔다"고 하였다. 기자는 또 평양에 도읍하였으니, 무릇 도읍이란 國中에 정하는 것이고 보면, 吳澐이 '遼河 이동, 漢水 이북이 모두 기자의 땅이었다' 고 한 것이 옳다. 후손에 이르러 燕 말기에 서쪽 지경 1천여 리를 잃고 만반한으로 경계를 삼았는데, 곧『한서』지리지에 보인 요동군 동부 屬縣 潘汗이다. 이때에 遼地가 중국에 흡수되었던 것이다.[123]

만반한은『한서』지리지 요동군의 汶 · 潘汗의 兩縣이다. 그리고 동일한 지역으로 보이는 곳을『사기』흉노전에서 진개가 "양평에 이르렀다(至襄平)"고 했다. 양평은 지금의 랴오양(遼陽)이다. 따라서 고조선과 연의 경계인 만반한은 랴오양으로 지목할 수 있다.[124] 혹은 만반한을 톈산산맥 이서 지

121_ 정재남,「揚雄의『方言』에 수록된 北燕지역 어휘 고찰 : 漢代 北燕지역과 여타 '방언권' 어휘의 친연관계 및 그 언어적 정체성 탐구」『동아시아고대학』47, 2017, 9~64쪽.

122_ 『東國通鑑提綱』권1 朝鮮紀下 箕準王. "按滿潘汗 今遼陽省 漢稱眞番郡 唐號忽汗州 徐廣曰 遼東省番汗縣[番音普寒反]"

123_ 『東史綱目』附卷下, 箕子疆域考.

124_ 申采浩,『朝鮮史研究艸』, 乙酉文化社, 1974, 66~67쪽.

역인 가이핑과 훈하 하류인 하이청과 잉커우 인근으로 지목하기도 한다.[125] 이 같은 燕세력의 진출로 말미암아 고조선은 영토를 대거 상실하고 중심축이 이동했다고 본다.[126]

고조선의 중심지를 랴오뚱반도 일대로 지목한 견해는 일찍이 洪汝河(1621~1678) 등에 의해서 제기되어, 민족주의 사학자들에게 계승되었다. 그리고 王險城의 소재지를 하이청(海城)~가이핑 사이로 비정했다. 요하 하류 동쪽 지역인 개현(개주) 일대를 지목하였다. 진개가 점령한 2천여 리 지역은 환하 중류~요하 하류에 이르는 구간으로 추정했다.[127] 홍여하는 패수를 遼河로, 만반한을 遼陽城(遼東)으로 비정하였다. 성호 이익은 왕검조선의 위치를 遼瀋(幽州) 지방으로 이해하는 한편 箕國(기자조선)의 원래 강역을 요서의 산하이관까지 포함시켰다. 수산 이종휘도 기자가 처음부터 평양에 온 것이 아니라 처음에는 遼河左岸에 거주하였으며 그 강역은 서쪽으로 랴오하를 넘어섰다고 인식했다.[128]

⑶ 대동강유역의 고조선

고조선은 기원전 282년 이후 평양 지역으로 그 중심을 이동했다고 본다.[129] 『사기』에서 "冒頓(기원전 174)에 이르러 흉노가 최강하였다.… 동으로 穢貉·朝鮮에 접하고"(흉노전)라고 기술했다. 그런데 대동강유역의 조선에 관한 기록은 "燕은 북으로 烏桓·夫餘와 인접하고, 동으로 穢貉·朝鮮·眞番의 利를 綰(貫)하였다(貨殖列傳 烏氏倮 條)"라고하여 보인다. 그리고 "秦 땅은 동쪽으로는 바다에 이르러 조선에 미친다(『사기』 진시황본기)"고 했다. 한 무제의 대왕조선 공격 기사(『사기』 조선전)도 이 범주에 속한다.

중국 고문헌 상의 고조선을 정리해 보면 『사기』의 조선은 대동강유역에, 『전국책』과 『方言』은 그 기술된 문맥으로는 위치가 불명이며, 『山海經』은 요서 지역을 가리키는 듯하다. 그 밖에 『管子』는 환하 하류를 벗어난 그 이동의 어느 지역을 나타낸다. 그리고 조선의 왕도를 의미하는 '險瀆'이라는 곳이 요서·요동에 있었다. 『사기』 索隱에는 後漢 應劭의 註를 거론하며 "요동에 險瀆縣(리지린은 '터'로 해석하였는데, '王儉城 터'라는 의미라고 한다)이 있으니 조선 왕의 舊都이다(應劭曰 地里志 遼東險瀆縣 朝

125_ 박준형, 『고조선사의 전개』, 서경문화사, 2014, 181쪽.
126_ 리지린, 『고조선연구』, 과학원출판사, 1963, 21~29쪽.
노태돈, 「고조선 중심지의 변천에 관한 연구」 『韓國史論』 23, 1990, 49~54쪽.
127_ 권승안, 『고조선단대사(부여사)』, 과학백과사전출판사, 2011, 68쪽. 108쪽. 83쪽.
128_ 김정배, 『고조선에 대한 새로운 해석』, 고려대학교 민족문화연구원, 2010, 448쪽.
129_ 박준형, 『고조선사의 전개』, 서경문화사, 2014, 189쪽.

鮮王舊都也)"라고 하였다. 여기서 險瀆縣의 '險'은 『사기』 조선전에 "위만이 王險에 도읍하였다"의 '王險' 즉 '王儉'과 연결 짓고 있다. 그런데 '險瀆'은 다링하 중류에 소재한 昌黎를 비롯하여 廣寧과 集州 그리고 樂浪 등 모두 4곳에서 확인되었다. 이러한 기록을 통하여 고조선은 롼하·다링하유역과 요서~대동강유역으로 이동해 왔음을 알 수 있다.

4) 侯·王朝鮮의 國境 검토

후·왕조선은 인접한 燕로부터 "교만하고 잔인하다"[130]는 평을 들었을 정도로 크게 성장하여 연을 위협하였다. 후·왕조선은 연의 동부 지역을 빼앗기까지했다고 한다.[131] 그런데 후·왕조선은 기원전 4세기 말~3세기 초에 연의 장수 진개의 침공을 받아 서방 2천여 리 땅을 일거에 상실했다는 것이다. 연의 군대는 만반한까지 진출하여 영토를 확장시켰기에 "조선이 드디어 약해졌다"[132]고 한다. 그런데 2천여 리 상실 기록은 문제가 있으며 만반한의 위치는 요동의 가이핑(蓋平)과 하이청(海城) 서남쪽을 잇는 선으로 추정하므로[133] 연은 국경인 요하에서 가이핑 구간을 점령한 데 불과한 것으로 간주하는 견해가 있다. 그러나 이러한 견해는 "조선이 드디어 약해졌다"는 근거가 되지 못한다. 물론 하이청 부근에 후·왕조선의 수도가 있었다면 큰 타격이 될 수는 있다. 그렇지만 후·왕조선이 요하를 경계로 연과 대립하였다면 국경에 근접한 하이청이 국도가 되기는 어렵다. 하이청을 국도로 설정하려면 당초 후·왕조선과 燕 사이의 국경이 되는 하천은 요하 보다 서쪽인 다링하 이남 방면으로 설정해야만 한다. 燕將 진개의 침입 이전 고조선의 서쪽 영역은 적어도 다링하유역까지로 보아야 할 것 같다.[134]

진개의 침공으로 후·왕조선의 서쪽 강역이 크게 축소되어 그 중심축이 한반도로 이동하게 되었음은 자명하다. 그 여파로 왕검조선의 지배층은 구월산 藏唐京쪽으로 밀려난 것으로 보인다. 단군신화는 신화의 속성상 상징성과 더불어 여러 世紀에 걸친 사실이 압축되어 있다. 그러한 만큼 단군

130_ 『三國志』 권30, 東夷傳, 韓 條.
131_ 『鹽鐵論』 권7, 備胡.
132_ 『三國志』 권30, 東夷傳, 韓 條.
133_ 盧泰敦, 「古朝鮮 중심지의 변천에 대한 연구」 『韓國史論』 23, 1990, 49~54쪽.; 盧泰敦, 「고조선 중심지의 변천에 대한 연구」 『단군과 고조선사』, 사계절, 2000, 96쪽.
134_ 徐榮洙, 「고조선의 위치와 강역」 『한국사 시민강좌』 2, 1988, 41~42쪽.; 秦開가 점령한 2000여 리 지역을 롼하 중류부터 요하유역에 이르는 구간으로 비정하기도 한다(사회과학원 력사연구소, 『조선전사』 2, 1991, 48쪽).

이 장당경으로 옮긴[135] 것은 이러한 저간의 사정에서 비롯되었다고 보겠다. 기자가 당초에 대동강 유역으로 東來하지 않았다. 그러므로 왕검조선이 장당경으로 이동한 것은 그 보다 훨씬 후대의 일로 판단되어진다. 더욱이 藏唐京의 '京'은 엄연히 수도를 뜻하므로 실체가 있는 국가의 이동으로 간주된다.

그러면 기원전 4세기 말~기원전 2세기대까지 후·왕조선과 중국 역대 왕조와의 국경은 어떻게 변천되어 갔을까? 이에 대한 논의는 백화제방식이지만 그 요체는『사기』조선전 다음 기사의 해석이 관건이다.[136]

(a) 燕 전성기에 진번과 조선을 경략하여 복속시키고 鄣塞를 쌓았다.

(b) 秦이 연을 멸망시킨 후에는 遼東外徼에 속하게 했다.

(c) 漢이 건국되고는 그곳이 멀어서 지키기 어려우므로 다시 요동 故塞를 수리하고 浿水에 이르러 경계를 삼아 (한의 제후국인) 연에 복속시켰다.

여기서 a는 연의 전성기(全燕時)라고 하였다. 그러므로 진개의 침공으로 고조선이 서방의 많은 땅을 상실하고 만반한을 경계로 접경한 사실을 말한다. 즉 "연이 곧 진개를 보내 그 서방을 공격해 2천여 리 땅을 취하였다. 만반한에 이르러 경계를 삼았다. 조선이 드디어 약해졌다"[137]고 했다. 따라서 '장새'를 축조한 곳은 만반한인 것이다. b의 '徼'에는 '塞'의 뜻이 담겨 있다.[138] 秦은 세력 확장에 따라 요동 바깥에 그 전초기지인 요새[徼]를 설치하여 고조선을 관장했다. c는 한의 동쪽 영역이 '故塞'인 燕 때의 '장새'로 후퇴한 사실을 가리킨다. 위의 인용 기사에 따라 西에서 東으로 배열하면, 鄣塞→浿水→遼東外徼의 배치가 된다. 여기서 만반한은 패수 서쪽에 소재한 것이다. 패수를 압록강으로 비정한다면 만반한은 그 이남으로 내려올 수가 없다.

이와 관련해 위만이 후·왕조선으로 망명할 때 동쪽으로 달아나 (燕 때의 장새인) 塞를 나와 패수를 건넌 후 秦의 故空地인 上下鄣에 거주했다는 다음의 기사가 주목된다.

135_ 『三國遺事』권1, 紀異, 古朝鮮 條.

136_ 『史記』권115, 朝鮮傳. "自始全燕時 嘗略屬眞番·朝鮮爲置吏 築鄣塞 秦滅燕 屬遼東外徼 漢興 爲其遠難守 復修遼東故塞 至浿水爲界 屬燕".

137_ 『三國志』권30, 東夷傳, 韓 條. "燕乃遣將秦開 攻其西方 取地二千餘里 至滿番汗爲界 朝鮮遂弱"

138_ 中文大辭典編纂委員會,『中文大辭典』3, 1973, 1692쪽.

燕王 노관이 배반하고 흉노로 들어가자 滿도 망명을 했다. 천여 명을 모아 무리를 만든 후 魋結에 蠻夷服을 입고 동쪽으로 달아나 塞를 나와 浿水를 건넜다. 秦의 옛 空地인 上下鄣에 거주하였다.[139]

위의 기록을 앞의 기록과 서로 조합해 보면 새(장새 · 만반한)→패수→상하장(요동 바깥 요새)의 순서로 배치 관계를 설정할 수 있다. 여기서 패수의 위치는 장새가 축조된 가이핑 동쪽인데, 국경의 지표가 될 수 있는 큰 강으로는 지금의 압록강을 지목할 수밖에 없다.[140] 그러므로 '遼東外徼'는 요동 바깥인 압록강(패수) 이남 청천강 이북에 소재한 것으로 보인다.[141] 이곳이 漢 때에 '공지'가 된다.

그러면 후 · 왕조선의 중심지는 어디였을까? 遼東에도 평양이 소재했음을 구체적으로 3곳이나 지적되고 있다.[142] 고조선의 왕도(王險城=王儉城)를 뜻하는 '險瀆'이라는 지명도 롼하 하류의 昌藜를 비롯해 무려 4곳에서 확인되었다.[143] 중국 문헌에서의 고조선 관련 위치 기록을 놓고 볼 때 시간의 흐름에 따라 서쪽에서 동쪽으로 이동하는 현상이 포착된다.[144] 이 사실은 단군과 후 · 왕조선을 포괄하는 고조선의 중심축이 적어도 롼하→다링하→랴오하→대동강유역으로 줄곧 이동해 왔음을 뜻한다.[145] 후 · 왕조선이 꾸준히 동진함에 따라 왕검조선은 한반도로 그 중심축이 옮겨 왔다. 이로 인해 중국과 인접했던 기자세력이 '조선'의 대표성을 확보하면서 역사서에 그 존재가 크게 남게 되었다. 왕검조선과 후 · 왕조선의 관계를 이렇게 보고자 한다.

139_ 『史記』 권115, 朝鮮傳.

140_ 丁若鏞, 『與猶堂全書』 6, 疆域考, 浿水辨; 盧泰敦, 「古朝鮮 중심지의 변천에 대한 연구」29쪽.; 浿水를 압록강으로 지목할 수 있는 근거로서 李道學, 「龍飛御天歌의 世界」『문헌과 해석』 3, 1998; 『고대문화산책』, 서문문화사, 1999, 149쪽을 참고하기 바란다.

141_ 燕 · 秦과 기자조선의 경계는 청천강이었다고 한다(盧泰敦, 「고조선 중심지의 변천에 관한 연구」『韓國史論』 23, 1990, 28쪽).

142_ 『熱河日記』「渡江錄」 六月 二十八日.

143_ 千寬宇, 『古朝鮮史 · 三韓史硏究』, 一潮閣, 1989, 80쪽.; 尹乃鉉, 『고조선연구』, 一志社, 1994, 338쪽.

144_ 千寬宇, 『古朝鮮史 · 三韓史硏究』, 一潮閣, 1989, 73~86쪽 참조.

145_ 金貞培, 「고조선의 국가 형성」『신편 한국사 4』,국사편찬위원회, 1997, 78~80쪽에 고조선의 이동에 관한 諸說이 정리되어 있다.

5) 空地의 발생, 유이민의 안치

燕이 秦에게 멸망되자(기원전 222) 요동군은, 다시 秦의 지배하에 들어갔다. 그 이듬해 중국을 통일한 秦이 다시 萬里長城 修築에 착수하여 요동군에 대한 지배권을 강화할 움직임을 보였다(기원전 215). 이 때 고조선의 否王은 秦의 來襲을 두려워하여, 복속을 청하였지만 朝會하는 것만은 거부하였다. 이어 準王이 즉위했다. 그런데 秦은 중국통일 불과 10여년 만에 내란으로 멸망하였다(기원전 207). 몇 해 뒤 漢이 중국을 통일(기원전 202)한 후 고조선과의 경계선은 종래의 만반한에서 浿水로 변경된다.

패수의 위치에 관해서는 다양한 견해가 제기되었다. 홍여하는 패수를 요하에 비정했다. 그러나 茶山의 비정 이래 압록강설이 지지를 얻고 있다. 그런데 고조선과 중국의 漢 바로 두 세력이 직접 미치지 못하는 완충지대에 자리잡은 空地는 압록강과 청천강 사이로 축소되었다. 이 공지에는 북중국으로부터 흘러 들어오는 많은 유이민이 몰려 들었다. 유이민이 몰려 들게 된 배경은, 만리장성 축조 동원 기피와 秦 멸망 후 중국 전체가 내전에 휩싸였기에 그것을 피하기 위한 목적에서였다. 전란을 피해서 온 주민들의 이주를, 『후한서』에서는 "이 때 (고)조선으로 도망쳐온 사람이 몇 만명을 헤아린다"고 하였을 정도였다.

「위략」에 의하면, 후・왕조선 준왕은 이들 유이민들을 이른바 '西方'인 '空地'에 안치했다. 그런데 이 무렵 연왕에 책봉되었던 노관이, 한 조정의 오해를 사게 되어 흉노로 망명(기원전 195)하자, 노관의 부장이었던 위만은 1천여 명의 무리를 이끌고 고조선으로 망명하여 국경지대인 西界에 거주하였고, 백리 땅을 봉함 받아 고조선 서변 수비의 임무를 맡았다. 이 때 위만은 준왕으로부터 博士에 임명되었다. 위만이 받은 박사의 성격에 대해서는 지금까지 타당한 해석을 못하였다. 그런데 漢代에 황제의 정치적 諮問을 받았다고 하는 오경박사가 있다.[146] 자문은 어떤 일을 효율적이고 바르게 처리하기 위해 그 분야에 전문적인 지식을 가진 사람이나 기관에 의견을 묻는 것이다. 그러면 위만이 박사에 임명된 사실은 무엇을 뜻할까? 그가 준왕의 자문 역이었음을 가리킨다. 이는 준왕이 위만을 신뢰하고 총애했다(準信寵之)는 기록과도 부합한다. 위만은 중국에서 망명해 오는 유이민 대책과 중국 대륙의 정세에 관한 준왕의 자문 역을 수행한 것이다.

146_ 倉本一宏, 『戰爭の日本古代史』, 講談社, 2017, 66쪽.

중국의 이주민 집단을 통솔하도록 위임받은 위만은 어디까지나 속임수를 써서 최일선 병력을 왕험성으로 이동시켜 정권을 탈취하였다. 이 때가 漢의 '孝惠高后時'였다. 이 시기는 惠帝와 呂太后인 高后가 통치하던 기간을 가리킨다. 『사기』에서 '孝惠高后時'라는 용법이 단지 惠帝의 재위 기간을 가리키는 기록에서만 나타나고 있다. 따라서 이 기간을 혜제의 재위 기간인 기원전 195~188년까지의 기간으로 지목하기도 한다. 여하간 여태후의 집정기(기원전 195~180)에 위만은 정권을 탈취하여 왕실 교체를 이루었다.

6) '기자조선'에 대한 후대 인식

侯·王朝鮮 즉 '기자조선'에 관한 후대 인식을 살펴 보자. 고구려에서는 箕子神에 대한 제사 기록이 있으며, "자못 기자의 遺風이 있다"[147]고 하였다. 지금 전하는 자료가 대단히 영성하지만, 이로써도 고구려와 기자와의 연관성을 배제하기는 어렵다. 그러한 연관성을 구체적으로 찾는다면 우선 "고구려 땅은 본래 고죽국이었다. (고죽국에는) 周 때 기자를 봉했다"[148]라는 기사를 꼽을 수 있다. 물론 문제가 없는 것은 아니지만, 고구려=고죽국=기자조선이라는 등식이 일단은 성립된다. 이와 더불어 고구려 유민인 泉男產과 泉毖 墓誌銘에는 "東明의 후예가 조선을 세웠다"·"조선왕 高藏"[149]이라는 구절이 각각 있다. 고장은 보장왕을 가리킨다. 당은 고구려를 멸망시킨 후 보장왕을 '조선왕'으로 삼아 요동 땅에서 그 유민들을 통치하게 했다.[150] 그랬기에 697년에 사망한 고구려 유민 高慈의 국적을 '조선인'이라고 하였다.[151] 이는 고구려 후신의 국호가 '조선'임을 뜻한다. 기자조선의 계승자임을 천명했다. 이 세력이 이른바 小高句麗國으로도 표기된 續高句麗國이었다.

147_ 『舊唐書』 권199, 東夷傳, 高麗 條.
148_ 『隋書』 권66, 裴矩傳; 『舊唐書』 권63, 裴矩傳.
149_ 한국고대사회연구소, 『譯註 韓國古代金石文 Ⅰ』, 1992, 530쪽. 537쪽.
150_ 『舊唐書』 권199, 東夷傳, 高麗 條.
151_ 한국고대사회연구소, 『譯註 韓國古代金石文 Ⅰ』, 1992, 510쪽.

4. 大王朝鮮

왕검조선(단군조선)과 侯·王朝鮮(기자조선)에 이어 위만조선으로 불린 大王朝鮮이 등장한다. 건국자인 위만 재위시절에 주변 소국을 점령하여 侯國을 거느린 大王國이 되었다. 그리고 논의가 많았던 대왕조선의 건국자인 위만의 정체성과 정권의 성격은 분명해졌다.

1) 위만의 정체성과 정권의 성격

대왕조선은 중국세력을 배경으로 한 새로운 왕조의 건설을 뜻한다. 위만 정권의 성격은 『사기』에서 위만의 국적을 '燕人'으로 못박는 기록에서 살필 수 있다. 그렇다면 중국인 이주자들에 의하여 지배되는 식민지 정권이 되는 셈이다. 그러나 이병도는 다음과 같은 4 가지 사실을 추출한 다음 위만이 조선인이었다는 결론을 도출하였다. ① 燕이라는 땅은 漢族 이외에도 濊貊 계통의 사람들이 많이 섞여 살던 곳이다. ② 위만이 조선에 올 때 상투를 틀고 조선옷을 입었다(魋結蠻夷服). ③ 준왕이 처음부터 국경 수비대의 중책을 위만에게 맡길 만큼 신임이 두터웠다. ④ 국호를 여전히 조선으로 하였고, 토착인 출신으로 높은 지위를 차지한 자가 많았다. 예를 들면 '尼谿(토착 세력의 지명, 濊의 半切로 간주하기도 함)相 參'과 朝鮮相 路人의 경우가 대표적이다.[152]

그러나 이 견해에 대해서는 반론이 제기된다. ①은 위만의 국적을 燕人임을 반박할 수 있는 직접적인 증거가 되기는 어렵다. ②의 경우는 귀소본능이기 보다는 일종의 고조선의 질서 체계에 잘 순응하겠다는 복속의례에불과하다. 의복이 주는 정치적 상징성은 적지 않게 확인된다. 가령 충주고구려비에서도 고구려 왕은 신라 매금과 신료들에게 의복을 하사한 바 있다. 북위에서 고구려 안원왕을 책봉하면서 의관을 하사하였다. 그 밖에 신라 진덕여왕이 복속 의례로서 독자 연호를 폐기하고 唐의 연호와 관복을 수용했다. 이렇듯 의복 자체의 성격은 그 국가와 종족의 정체성을 반영하고 있다. 그리고 조선 인조가 남한산성에서 나와 항복할 때도 淸國 복장인 貂裘를 착복하였다. 요컨대 의복 하사를 비롯한 정치적 행위에 보이는 의복은 자고로 복속 의례와 관련을 맺고 있음을 다시금 확

152_ 李丙燾, 「衛氏朝鮮興亡考」『韓國古代史研究』, 博英社, 1976, 79~82쪽.

인할 수 있다. ③은 신임의 발로라기 보다는 逆以夷制夷策인 것이다.[153] ④는 위만은 취약한 유이민 집단을 기반으로 한 관계로 토착세력과 연합정권을 구성한 증좌이다. 위만조선 중신의 대부분이 조선인이었다는 것은, 정권이 朝鮮化한 증거가 된다. 소수의 漢族을 기반으로 한 위만조선은 조선화 정책으로써 정권을 유지하였다.[154]

김한규는 "이병도가 제기한 위만=조선인설의 다섯 가지 근거는 하나같이 설득력이 없는 것이다"고 단언하였다. 그는 다섯 가지 근거로써 반박하였다.[155] 이와 관련해 『삼국지』 동이전 한 조에서 위만이 고조선으로 망명할 때 "魋結蠻夷服"라고 한 사실을 재해석해 보았다. 이러한 경우는 청 태조 누르하치가 撫順을 함락했을 때 明의 무순유격 李英芳이 투항하면서 스스로 먼저 머리를 깎았던 데서도 찾을 수 있다. 그렇다면 위만이 망명할 때의 "魋結蠻夷服"은 귀소본능이 아니라 고조선에 복속하겠다는 선언으로 해석해야 한다. 그러면 '魋結'는 어떤 두발 형태일까? 이병도는 망명시 衛滿의 頭髮을 가리켜 "방망이[椎]와 같이 삐죽하다 하여, 魋結 혹은 椎結이라 한 것이다"고 했다. 그런데 '魋結'를 『한서』 조선전에서는 '椎結'로 적었다. 이와 더불어 "… 斷髮에 대한 논의는 더구나 당치 않습니다. 신의 어리석은 생각으로는 우리나라는 단군 · 기자 이래로 編髮의 풍속이 高髻의 풍속으로 변하였으며 머리칼을 아끼는 것을 큰 일처럼 여겼습니다"[156]는 기사도 있다. 그러한 編髮이 辮髮임은 다음의 기사에서도 확인된다. 즉 "신하들에게 모두 元의 冠服을 착용하도록 명하였다. 이에 城中에 編髮을 하고 胡服을 입은 자가 이미 많았다"[157]고 했기 때문이다.[158] 이 점을 깊이 살펴 보도록 한다.

종족의 정체성을 반영하는 두발과 복장은 중요한 의미를 지닌다. 흉노의 경우 체두변발임은 익히 알려진 바 있다. 고조선인들의 두발과 관련해 다음의 『사기』에 등장하는 조선으로 망명할 때 위만의 두발인 '魋結'를 주목해 본다.[159]

조선왕 滿은 본래 燕人이다. … 燕王 盧綰이 (漢을) 배반하고 흉노로 들어가자 滿도 망명했다. 무

153_ 孫晉泰, 『朝鮮民族史概論(上)』, 乙酉文化社, 1948, 89쪽.
154_ 孫晉泰, 『朝鮮民族史概論(上)』, 乙酉文化社, 1948, 94쪽. 90쪽.
155_ 김한규, 『遼東史』, 문학과지성사, 2004, 註 52, 132~133쪽.
156_ 『高宗實錄』 32년 11월 壬子 條.
157_ 『東史綱目』 16下, 戊辰年 前廢王 禑 14년 조.
158_ 李道學, 「李丙燾 韓國古代史 硏究의 '實證性' 檢證」 『白山學報』 98, 2014, 103~166쪽.
159_ '魋'와 관련해 「史記索隱」에서 "魋: 直追反 結音計"라고 하였다. 즉 "魋는 直과 追의 反切이다. 結의 音은 計이다"고 했다. 그렇기에 '魋結'를 '추계'로 읽도록 한다.

리 천여 명을 모아 魋結에 蠻夷의 복장을 하고서, 동쪽으로 도망하여 (요동의) 요새를 나와 浿水를 건너 秦의 옛 空地인 上下鄣에 살았다. 점차 진번과 조선의 蠻夷 및 옛 燕·齊의 망명자를 복속시켜 거느리고 王이 되었으며 王險에 도읍을 정했다.[160]

위와 동일한 기사에 보이는 '魋結'를 『한서』 조선전에서는 '椎結'로 적었다. 『삼국지』에 인용된 「위략」에서는 두발은 기록하지 않고 '蠻夷服'을 '胡服'으로만 적어 놓았다. 여러 문헌을 詳考한 결과 『한서』의 '椎結'는, 흉노로 투항하여 胡服을 입은 漢將 李陵과 衛律의 두발인과 동일하였다.[161] 즉 변발로 밝혀졌다. 흉노의 두발인 '椎結'는 변발을 가리켰다. 이는 흉노 분묘에 부장된 댕기머리를 연상시키는 翦髮 즉 뒤로 땋은 머리를 통해서도 확인된다.[162] 따라서 고조선의 두발은 剃頭를 한 변발로 드러났다. 이 사실은 중국과 구분되는 세계의 표지였다. 『사기』에 보이는 '魋結'는 비중국계 주민 두발에 대한 범칭이었다. 『한서』의 저자 班固는 고조선의 두발이 흉노와 동일한 사실을 인지하였다. 그랬기에 '椎結'라는 구체적인 표기로 바꾸었다고 본다.

몽골과 만주에서는 정수리에만 손바닥만큼 머리를 남겨 뒤로 땋아 드리웠다. 이것을 뒤에서 보면 마치 올챙이 같다. 올챙이 모양이 방망이[椎]와 비슷하였기에 '椎髻'라고도 한 것으로 추정하였다.[163] 실제 唐 顔師古가 "關中의 풍속에 머리카락이 떨어진 대머리[禿頭]를 椎라고 한다"[164]고 했다. 이 기록을 유념한다면 '椎結'에는 剃頭의 뜻이 포함되었음을 알 수 있다. 『삼국지』 동이전 마한 항에 보면 洲胡라는 종족을 가리켜 "皆髡頭如鮮卑" 즉 "모두 머리를 깎아 鮮卑와 같았다"고 했다. 사서에서 흉노계로 지칭된 鮮卑가 禿頭임을 말하였다. 따라서 '椎結'는 머리 앞은 剃頭이고, 머리 뒤쪽은 변발한 두발 형태였다. 여기서 이릉의 두발인 '椎結'를 송곳처럼 머리를 땋아내린 흉노족의 머리형이었다. 결국 반고는 흉노와 조선의 두발을 동일시하여 '椎結'로 표시한 것이다. 이와 더불어 다음 기사를 살펴 본다.

160_ 『史記』 권115, 朝鮮傳. "朝鮮王滿者 故燕人也 燕王盧綰反 入匈奴 滿亡命 聚黨千餘人 魋結蠻夷服而東走出塞 渡浿水 居秦故空地上下鄣 稍役屬眞番·朝鮮蠻夷及故燕·齊亡命者王之 都王險"

161_ 『漢書』 권54, 李陵傳.

162_ 윤형원, 「흉노인의 식의주」 『흉노고고학개론』, 진인진, 2018, 278쪽.

163_ 『青莊館全書』 권59, 盎葉記 6, 椎髻. "今見蒙古滿洲 皆剃髮 而但留頂髮掌許 團圓辮之 而垂于後 從後見之 若科斗 科斗形似椎 此其爲椎髻歟"

164_ 『匡謬正俗』 6; 단국대학교 동양학연구소, 『漢韓大辭典』 7, 2008, 381쪽.

唐(堯)과 虞(舜)의 경계에서 吳는 荒服이었고, 越은 九夷였다. 털옷을 입은 시점에서 지금은 모두 중국 의복인 褒衣에 신발을 신고 있다. 巴・蜀・越嶲・鬱林・日南・遼東・樂浪은 周 때는 被髮과 椎髻였다. 지금은 皮弁을 쓰고 있다. 周 때는 重譯을 했는데, 지금은 詩・書를 읊조린다.[165]

위의 기사는 1세기대에 저술된『論衡』에 적혀 있다. 내용은 낙랑을 비롯한 소위 東・西・南夷 주민들은 당초 罽衣와 被髮이나 椎髻로 상징되는 야만 상태였다. 椎髻를 가리켜 "椎髻則非華制" 즉 "중국의 제도가 아니다"[166]고 했다. 조선 후기의 대문장가인 魏伯珪(1727~1798)는 이릉의 두발을 '椎髻'로 표기했다.[167] '椎結'와 '椎髻'는 동일한 두발로 간주되었다. 이는 위만의 망명 기사와 관련해 "衛滿之王朝鮮也 所携椎髻千餘人 及招誘亡黨 皆燕齊人也"[168]라고 하여 '椎髻'로 표기한데서도 뒷받침된다.『논형』에서는 '椎髻'로 지내던 조선인들이 지금은 문명의 상징인 '皮弁'으로 대변되는 상투 틀고 모자를 쓴 생활을 한다는 취지이다. 고조선 유민들이 마한인과 같은 '露紒'에서 벗어났음을 가리킨다. 낙랑인들의 '皮弁' 착용은 郡 설치 이후 유교의 禮樂 세례를 받았음을 뜻한다. 역으로 말해 '皮弁' 이전 낙랑 주민들의 두발은 椎髻였던 것이다. 椎髻는 상투를 머리 위로 틀어올린 高髻가 아닌 변발을 가리킨다. 이러한 '皮弁'과 짝하여 낙랑 주민들이 지금은 詩經과 書經을 읊조릴 정도였다고 한다. 한대 낙랑 지역의 중국화를 郡 설치 이전 周代와 그 이후로 대비해 서술하였다. 따라서 위만이 조선에 망명할 때 두발은 혼동을 야기하는 '魋結' 보다는 '椎結' 표기가 한층 온당하다. 이 '椎結'는 '椎髻'로서 변발을 가리키는 게 분명하였다. 고조선 주민들의 당초 두발 양상이 중국의 秦・漢과는 구분되었음을 다시금 환기시켜준다.[169]

'椎結' 즉 변발이었던 한반도 서북 지역 고조선 주민들은 한사군 설치 이후 상투를 틀어 머리를 정수리로 올린 두발로 바뀐 것 같다. 기자교화론이나 8條 教 운운하면서 급속히 밀려든 중국 문화로 인해 두발 역시 변모했다고 본다. 실제 1세기대의 문헌인『논형』에 따르면 낙랑은 '椎髻'에서 '皮弁'

165_ 『論衡』권19, 恢國 篇. "唐虞國界 吳為荒服 越在九夷 罽衣關頭 今皆夏服 褒衣履舃 巴・蜀・越嶲・鬱林・日南・遼東・樂浪 周時被髮椎髻 今戴皮弁 周時重譯 今吟詩書"

166_ 『星湖先生全集』권21, 書, 答尹幼章.

167_ 『存齋集』권11, 雜著, 伯夷傳說.

168_ 『韶濩堂集續』권5, 文, 本紀, 檀氏朝鮮紀.

169_ 오환・선비의 원류인 東胡의 두발과 비교하여 赤峰市 敖漢旗 周家地 45號墓에서 辮根의 흔적이 확인되었다고 한다. 청동기 시대에 호・맥 세력 가운데에서도 변발이 이루어졌음을 살필 수 있다. 이곳은 고조선의 기원과 관련하여 주목하는 십이대영자 청동기 문화 지역에서도 가깝기 때문에 주목을 요한다.

으로 바뀌었다고 했다. 변발에서 '피변'이 가능한 高髻로 바뀐 것이다. 이로 인해 고구려 고분벽화에서는 상투 두발만 주로 확인되었다. 백제나 신라의 경우도 예외가 아니었다. 그러나 백제금동대향로 오악사에 보이는 체두변발은 椎結의 잔영이었다. 백제금동대향로가 祭器였기에 종족의 정체성을 웅변해주는 두발이 남겨질 수 있었다.[170]

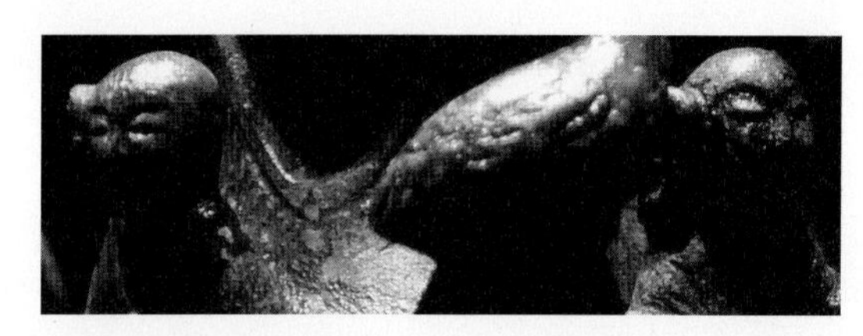
그림 4 | 체두변발한 오악사의 두발을 볼 수 있는 백제금동대향로

위만이 틀었던 '魋'는 고조선의 두발 형태로서 여진의 두발과 부합한다. 여진의 조상이 고조선 시기의 숙신이다. 종족의 정체성을 반영해 주는 게 두발이다. 이러한 점에서 볼 때 고조선은 숙신과의 연관성이 엿보인다. 남창 손진태가 제기했듯이 여진사를 한국사에 편제시켜야 하는 근원적인 요인이기도 하다.[171] 아울러 고조선의 종족적 계통은 물론이고 문화적 기반 역시 漢族과는 판이하게 구분됨을 가리킨다. 이 점에 있어서 위만의 "魋結蠻夷服" 기사가 응축한 정보는 의미심장하다.[172] 그리고『방언』의 언어 상황과 후대 중국측 1차 관련 사료들을 연계하여 검토 결과, 上古 시기에 동호계 주민과 고조선계 주민은 하나의 공통 언어를 사용하였을 개연성이 크다고 한다.[173] 언어의 동질성이나 유사성은 종족의 기반과 정체성을 가리키는 중요한 척도인 것이다.

그런데 보다 중요한 사실은 위만의 망명과 정권 탈취는 동일한『사기』의 남월전 기록과 유사하다는 것이다. 남월을 건국한 중국 趙人 趙陀가 중국인 유이민 집단을 근거로 국가를 세웠다. 게다가 그는 魋結에 南越 복장을 하였고,[174] 정권 탈취 후 원래의 국호 越을 그대로 사용했기 때문이다. 따라서 위만을 조선인이라고 고집하는 것은 편협한 민족주의 정서의 발로로 간주하기도 한다.[175] 요컨대 대왕조선은, 이미 알려진대로 중국계 유이민 세력이 토착의 고조선인 세력과 타협하고 연합한 토대 위에 성립되었다. 일종의 연합정권이었다. 평양 석암리 분묘에서 출토된 秦戈는[176] 중국계 유

170_ 李道學,「衛滿의 頭髮과 服裝을 실마리로 한 한국 고대문화의 정체성 탐색」『온지논총』56, 온지학회, 2018, 155-168쪽.
171_ 李道學,「韓國史의 擴大過程과 女眞史의 歸屬 問題」『한민족연구』13, 2012, 179~200쪽.
172_ 李道學,「李丙燾 韓國古代史 硏究의 '實證性' 檢證」『白山學報』98, 2014, 103~166쪽.
173_ 정재남(제1) · 이도학(교신) · 변지원(교신),「중국 漢代 방언사전『方言』에 수록된 北燕지역 어휘와 고대 몽골어의 친연관계고」『몽골학』57, 2019, 52쪽.
174_『史記』권97, 陸賈傳.
175_ 김한규,『遼東史』, 문학과지성사, 2004, 註52, 132~133쪽.
176_ 梅原末治 · 藤田亮策,『朝鮮古文化綜鑑 Ⅰ』, 養德社, 1947, 29쪽.

이민의 정착을 뜻한다. 대왕조선은 고조선의 지배계급 교체로 탄생한 것이다.

2) 통치 구조

위만은 토착 세력 집단의 고유한 습속에 동화됨으로써 지배권을 확립했다. 위만이 망명해 올 때 만이복을 입었다는 것과 국호를 承襲했다는 점에서 잘 드러나고 있다.[177] 그러한 위만조선의 통치 구조와 관련해 위만조선 조정 내부에 相을 비롯한 몇몇 대신들의 명칭을 주목해 본다. 우거왕대에 보이는 朝鮮相 路人과 尼谿相 參이 대표적이다.[178] 이들의 相 직함 앞에 '조선'이니 '니계'니 하는 지명이 붙어 있다. 이들은 그러한 토착 지역에 기반을 둔 수장들이었다.[179] 이들 수장의 세력 규모는 조선상 歷谿卿이 우거왕과 불목해서 辰國으로 망명할 때 무려 2천여 戶를 이끌고 간 데서[180] 짐작할 수 있다.

그런데 국호인 조선과 지역 수장의 호칭[조선상]이 동일함에도, 국왕과 불목해서 독자적인 행동을 취할 수 있었다는 점이다. 이는 '朝鮮王'이 '朝鮮相'을 통제할 수 없는 위치에 있었음을 뜻한다. 즉 위만조선은 국왕이 지역에 기반을 둔 중앙의 대신들을 장악하지 못한 일종의 지역 연합체 국가였음을 암시해준다.[181] 지역 수장들은 중앙에서 국정을 이끌어 가고 있었다. 그런데 명색이 조선 왕인데도 다른 곳도 아니고 조선상이 지배하는 지역을 장악하지 못했다는 것이다. 조선상은 외곽도 아니고 "조선국을 구성하는 중심부인 조선 지역을 관장하는 자"[182]라고 할 때 더욱 그러한 느낌이 든다. 이러한 사실은 대왕조선 국왕은 지역적 기반 없이 소수의 강력한 무력 기반만으로 연합체 국가를 이끌어 가는 매우 독특하고도 불안정한 위치였음을 뜻하는 것으로 해석된다. 위만이 망명해 올 때 무리가 '千餘人'에 불과했다. 그가 비록 秦故空地에서 燕과 齊의 망명자들을 모았다고 하더라도[183] 다

177_ 『史記』 권115, 朝鮮傳.

178_ 『史記』 권115, 朝鮮傳.

179_ 金貞培, 「고조선의 국가 형성」『신편 한국사 4』, 국사편찬위원회, 1997, 101쪽.; 박득준, 『고조선력사개관』, 사회과학출판사, 1999, 113쪽.; 李鍾旭, 『古朝鮮史硏究』, 一潮閣, 1993, 187~188쪽.

180_ 『三國志』 권30, 東夷傳, 韓 條.

181_ 李道學, 「古代國家의 成長과 交通路」『國史館論叢』 74, 1997, 147쪽.

182_ 盧泰敦, 「위만조선의 정치구조」『단군과 고조선사』, 사계절, 2000, 102쪽. 이 朝鮮相을 기왕의 舊朝鮮 세력을 대표하는 자들로 간주하는 견해가 있다. 그러나 朝鮮相은 위만조선 건국에서 70~80년이 지난 그 멸망기에 보이는 관직명일 뿐 아니라, 그것도 국호를 여전히 朝鮮으로 사용하는 상황이었던 만큼 따르기 어렵다고 보겠다.

183_ 『三國志』 권30, 東夷傳, 濊 條에서 陳勝 등이 起兵하자 燕・齊・趙 지역 주민 數萬이 조선으로 피난하였다고 했

대한 규모를 자랑하기는 어렵다. 더구나 위만이 망명해서부터 정권을 탈취할 때까지의 기간이 3~4년도 채 경과하지 않았다.[184] 이 사실은 위만이 세력을 구축할 만한 충분한 시간적 여유를 확보하지 못했음을 보여준다. 위만은 어디까지나 기습 공격으로 중앙의 준왕을 축출하고 정권을 탈취한 상황이었다. 위만정권이 지방 세력까지 장악한 것은 아니었다.

이러한 상황에서 위만정권이 권력을 유지할 수 있는 방안은 일종의 타협을 통한 공존의 모색이었다.[185] 위만정권이 토착 세력의 고유한 제도와 국호를 그대로 사용한 것이 그것을 뜻한다. 이 점 소수파가 이끌어 가는 위만정권의 한계라고 하겠다. 다만 국왕의 직계 세력으로는 '태자'와 '장군' 등이 확인된다. 이와 더불어 裨王의 존재를 주목하지 않을 수 없다. 비왕에 대해서는 여러 견해가 제기되었다. 그런데 종전의 해석과는 달리 '裨王'의 '裨'에는 '小'의 뜻이 담겨 있다.[186] 裨王은 小王이 되는 것이다.[187] 이러한 '小王'은 '大王'의 상대적 칭함이므로, 위만정권에는 '大王'이 존재했음을 알 수 있다. 그 '大王'은 다름 아닌 우거왕이었다. 우거왕의 '渠'에는 '大'의 뜻이 담겨 있으므로[188] 곧 '右大王'이 된다.[189] 우대왕 역시 '좌대왕'의 존재를 상정하게 한다. 북쪽에서 한반도 전체를 보았을 때 평양의 왕험성이 소재한 한반도의 서북부 일대가 우대왕의 통치 구간이 된다. 반면 지금의 함경남도와 강원도 북부 일원은 좌대왕의 통치 구간으로 추측할 수 있다. 우대왕을 우거왕으로 표기한 것은, 끝까지 漢에 대적한 강경 주전파였기에 渠帥의 '渠' 字를 사용하여 폄훼시킨 것으로 짐작된다. 이는 준왕의 아버지 이름을 부정적인 뜻이 담긴 '否王'으로 표기한데서도[190] 방증되지 않을까 싶다.

대왕조선은 영역의 좌우에 左·右賢王이 布置한 흉노처럼 左·右大王에 의한 통치 구조였던 것으로 생각된다. 당시 대왕조선은 흉노와 긴밀한 관계를 맺고 있었다. 실제로 비왕은 흉노에도 존재

다. 그렇다고 하지만 이들이 모두 위만의 세력으로 연결되는 것은 아니었을 것이다. 설령 이들이 죄다 위만의 세력이 되었다고 하더라도 기자조선의 조정에 비할 수 없을 정도로 취약한 규모임은 분명하다.

184_ 權五重, 『樂浪郡硏究』, 一潮閣, 1992, 24쪽.

185_ 위만정권의 성격을 연합정권으로 간주하는 견해는 일찍부터 제기되어 왔지만 본서의 論據와는 동일하지 않다.

186_ 中文大辭典編纂委員會, 『中文大辭典』 8, 1973, 678쪽.

187_ 『史記索隱』에서도 "裨王小王也"라고 하였다.; 박득준, 『고조선력사개관』, 사회과학출판사, 1999, 112쪽.; 盧泰敦, 「위만조선의 정치구조」 『단군과 고조선사』, 사계절, 2000, 109~110쪽.

188_ 中文大辭典編纂委員會, 『中文大辭典』 5, 1973, 1374쪽.

189_ 右渠王의 右渠를 고조선 공동체 혹은 생활 공동체의 우두머리를 가리키거나, 사람의 뜻을 지닌 보통명사라는 견해도 있다(조승복, 「Reflection upon The Ko Tsosen Word/UK」 『국내외에 있어서 한국학의 현재와 미래』, 한국정신문화연구원, 1987).

190_ 『三國志』 권30, 東夷傳, 韓 條.

했던 관직이었다.[191] 평양 동대원리에서 출토된 동복은 흉노와의 교류를 뜻하는 물증으로 말해진다. 게다가 평양 정백동에서 출토된 馬面은 랴오닝성 시차거우(西岔沟)에서 출토된 것과 마찬가지로 유목적이라고 한다.[192] 요컨대 대왕조선의 세력 확장 요인은 효율적인 유목적인 정치체제와 중국에서 수입한 발달된 兵器에서 찾아진다.

대왕조선에는 王--裨王--相--將軍--大夫 같은 지배 계층이 확인되고 있다. 왕은 직접 관할하는 지역을 지닌 대왕조선의 최고 수장이었다. 비왕은 국왕을 도와 나라의 중요한 정사를 처리하는 역할을 맡았다. 相은 중앙정부의 관직을 가지고 수도에 거주하면서, 자기가 맡은 지역을 담당 통치한 호족이었다. 상은 상당한 정치적 기반과 경제력을 갖추고 있었다. 장군은 軍事를 맡아 보는 최고의 무관직이었다. 대부는 相 아래의 관직으로서 나라의 중요한 정사에 관하여 국왕에게 자기의 의견을 직접 제시할 수 있는 위치였다. 大夫 禮의 경우를 통해서 읽을 수 있다. 그리고 대왕조선의 영역 내에서, 국왕이 직접 관할하는 지역을 제외하고는, 나머지 지역들은 중앙의 相들이 분담하여 통치하는 구조였다.

대왕조선은 비록 중국계 유이민들이 세운 국가였다. 그러나 이 국가를 이끌고 간 세력은 한반도 북부에 지역 기반을 가진 토착 세력들이었다. 이들이 대왕조선 역사의 주체였다. 그러나 그 주체들에 의해 야심 많은 왕국은 몰락의 길로 치닫고 있었다. 비록 대왕조선은 초기의 정복 사업에서 괄목할 만한 성과를 기록하였다. 그러나 왕권은 지역적 기반이 없었기에 토착 相權과의 타협을 통한 공존 관계로써 정권을 유지할 수밖에 없었다.[193] 그러나 왕권과 상권은 ㅋ의 개입이라는 새로운 변수를 맞았다. 결국 잠복되어 있던 이해 관계가 외적 충격을 받자 서로 부딪치면서 정면 대결하는 상황에 직면했다.[194]

191_ 『史記』 권110, 匈奴傳.
192_ 金貞培, 『韓國古代의 國家起源과 形成』, 고려대학교출판부, 1986, 124~125쪽.
193_ "위만조선은 舊朝鮮의 기간 세력과 토착세력을 대표하는 相權側과 중국 유망민세력에 기초한 王權側이 타협적으로 결합되었다는 구조적 특성을 갖고 있었다(金翰奎, 『한중관계사 I』, 아르케, 1999, 80쪽)"
194_ 토착계 相權과 중국계 王權은 대립하고 있었는데, 相權은 위만조선이 멸망해도 자신들의 고유한 이익이 보전될 수 있기에 항복을 서둘렀다고 한다(金翰奎, 「衛滿朝鮮關係 中國側 史料에 對한 再檢討」 『釜山女子大學論文集』 8, 1980, 149~153쪽).

3) 성장

위만은 요동태수를 통하여 형식적으로 漢에 조공하였다. 그러나 실제는 자주국으로서의 지위를 인정받는 '外臣' 관계를 맺었다. 외신은 漢의 직접 통치가 미치지 못하는 外蕃의 나라를 지칭한다. 중국적 천하관에서 나온 것이다. 內臣과는 대칭되는 개념으로서 형식적이요 명분적이었다. 실제로는 印綬 정도만 받았을 뿐 한의 통치권이 미치는 대상은 아니었다.

이 같은 관계를 맺는 대가로 대왕조선은, 우세한 병기와 재물을 얻어 내어 이를 토대로 주위의 소국을 정복하였다. 위만은 한과의 의제적 상하관계를 통하여 실리를 얻어 국세를 신장시켰던 것이다. 즉 眞番(자비령 이남 한강이북: 진출루트 진국에 대한 영향력 행사 가능), 임둔(함흥평야 지역) 등 여러 나라를 복속시켰던 바, 압록강과 청천강 이남에서 한강 이북의 땅과, 지금 동해안의 함경남도·강원도 일부를 지배하게 되었다.

漢 文帝(기원전 179-157) 초에 장군 陣武가 조선과 남월이 병력 갖추고 중국을 엿보고 있으니 이를 치자고 주청하였다. 이로 미루어 당시 대왕조선이 요동 방면에 대하여 진출 꾀한 것 아닐까? 대왕조선은, 위만의 손자였던 우거왕대에 이르러 세력이 한층 강대해졌다. 우거왕이 태자를 전한에 파견할 때 호위 병사가 1만여 명에 달했다. 대왕조선에서 漢으로 보내려던 말이 5천 필에 달했다. 이 사실은 대왕조선의 목축업 발달과 더불어 상당히 많은 상비군을 갖추었음을 알려준다. 물론 경제적 기반 없이는 불가능한 대왕조선의 강성 배경은 다음과 같다.

첫째, 중간 무역의 이익 독점이다. 한강 이남의 辰國과 漢과의 직접 교통을 금지 하여 중계 무역으로 강성하였다. 둘째, 몽골로부터 만주로 뻗어오는 흉노가 대왕조선과 연결될 가능성이 고조되었다. 漢은 그 위협을 두려워 하였고, 반대로 대왕조선은 흉노와의 연결을 통해서 漢을 압박하고자 하였다.[195] 셋째, 금광과 철광 개발로 부강하였는데, 고고학적 물증과 더불어 고조선의 넓은 지역에서

195_ 흉노에 대한 설명이 필요하다. 흉노는 스키타이에서 시작된 기마전법을 받아들여 騎馬戰에 능하였다. 스키타이라는 명칭은 그리스人들이 붙인 것인데, 기원전 6세기~기원전 3세기에 걸쳐 黑海 北岸의 草原地帶를 지배한 민족이었다. 戰車와 步兵에 의한 전투밖에 몰랐던 중국인들에게는 흉노가 처음부터 두려운 군대로 등장했다. 중국은 騎馬의 침입을 막기 위해 중국 북쪽 변방에 소재한 燕·趙·秦 등의 나라에서는 長城을 축조하였다. 秦始皇은 지금의 간수성 臨洮에서부터 동쪽으로는 랴오닝성 襄平 방면에 이르는 장성을 축조했다. 길이가 무려 5,000km에 달했기에 만리장성으로 일컬어졌다. 흉노의 위력은 기원전 201년에 32만의 유방의 군대가 산서성 平城에서 흉노 군대 40만에 포위된 사건에서 잘 나타났다. 한 고조 유방의 군대는 7일만에 간신히 몸을 빼어 탈출하는 참패를 당했다. 이후 흉노에게 貢女와 비단·술·식량 등을 조공하는 수모를 겪었다.

철기가 보급된 사실이 확인되었다. 冶金技術이 크게 발달된 단계였다고 한다.

대왕조선은 漢에 入朝하지 않았다. 그 요인을 흉노의 손이 대왕조선에 뻗쳤기 때문으로 풀이한다. 그러자 대왕조선이 흉노와 손 잡은 것에 불안을 느끼던 濊君 南閭는 한의 공작으로 28만인을 거느리고 요동군에 內屬했다.[196] 漢은 濊의 땅에 蒼(滄)海郡을 설치하였다(기원전 128). 한은 창해군으로써 대왕조선에 압력을 가하는 전초기지로 삼으려고 했다. 그러나 교통로 개척이 뜻 같지 않아 2년만에 중단하여 圖上 계획에 그쳤다. 결국 한은 요동군에서 창해군까지의 교통로 개척이 용이하지 않자 폐지시켰다. 이후 대왕조선은 漢에 대한 비타협적인 강경 외교를 줄곧 견지하였다.

4) 漢의 대왕조선 침공 동기

대왕조선의 팽창은 한과의 이해 관계가 맞물려 충돌을 예비하고 있었다. 한 문제(기원전 179~157) 초에 장군 진무는 조선과 남월이 병력을 갖추고 중국을 엿보고 있으니 이를 치자고 건의한 일이 있다.[197] 한의 신경을 몹시 건드리는 존재가 대왕조선이었다. 이후 한은 숙적인 흉노에 대한 대대적인 원정을 단행하면서 동방 문제에 개입하였다. 우선 한은 중국 특유의 외교 전략인 이이제이책을 구사했다. 그 결과 기원전 128년에 무려 28만 명의 인구를 거느린 예군 남여는 우거왕을 배반하고 한의 동방 전초기지인 요동군에 내속했다고 한다.[198] 한은 이 세력을 교두보 삼아 위만조선의 우거왕 정권을 견제하려고 했다.

예군 남여의 통치 영역에 대해서는 압록강 중류와 그 지류인 훈강유역 일대로 추정하는 견해가 통설이다.[199] 그러나 이에 대한 기록을 남긴 『후한서』 동이전 濊 條의 지리 기사를 존중해야 한다. 즉 "예는 북쪽으로는 고구려 · 옥저와, 남쪽으로는 진한과 접해 있고, 동쪽은 큰 바다에 닿으며, 서쪽은 낙랑에 이른다. 예 및 옥저 · 고구려는 본래 모두가 조선의 지역이다"[200]라고 하였다. 이 기사의 濊는 주지하듯이 지금의 함경남도와 강원도 일원에 소재했다. 그러므로 예군 남여가 통치한 곳은

196_ 이나바 이와키치 著 · 서병국 譯, 『만주사통론』, 한국학술정보, 2014, 70쪽.
197_ 『史記』 권25, 書 3, 律.
198_ 『漢書』 권6, 武帝, 元朔 元年 條; 『後漢書』 권85, 東夷傳, 濊 條.
199_ 李丙燾, 『韓國古代史硏究』, 博英社, 1976, 158~190쪽.
200_ 『後漢書』 권85, 東夷傳, 濊 條.

한반도 북부 지역 가운데 그 동부에 해당된다.[201] 또 그는 조선의 영역에서 28만 명이라는 거대한 인구를 장악한 首長이었다. 『후한서』의 찬자는 예 · 옥저 · 고구려의 영역이 본래는 조선 땅이라고 했다. 그러므로 예 지역 수장인 남여는 고조선 영역의 동방에 소재한 것이 된다.

고조선은 右大王(右渠王)과 左大王이 양분해서 통치하는 구조였다고 앞서 말한 바 있다. 서방을 관장하던 우대왕과 병존한 동방의 예군 남여는 대왕조선의 한 축을 짊어졌던 좌대왕이었을 것으로 판단된다. 좌 · 우대왕 산하에는 지역적 기반을 가진 相들이 통치계층의 일원으로 중앙에서 활약하고 있었다. 그런데 漢은 자국에 대해 강경한 입장을 견지하는 고조선의 우대왕 정권을 포위 · 고립시키려는 전략적 차원에서, 우대왕의 통제권에 들어오자 위기감을 지닌 좌대왕의 예 세력을 포섭 · 이탈시켰다. 그럼에 따라 漢은 濊 지역에 蒼海郡을 설치했으나 교통로의 개척이 용이하지 않은 데다가 엄청난 경비로 인해 2년만에 중단하고 말았다.[202] 당시 漢은 쑹화강유역의 부여나 멀리 무단강유역의 숙신과도 교섭이 있었다.[203] 이곳과 연결되는 교통로가 일찌감치 확보되어 있었던 것이다. 漢이 창해군을 이곳보다 지리적으로 훨씬 가까운 압록강이나 훈강유역에 설치하려고 했다면 교통로 개척의 난관을 운위하기는 어려웠을 것이다. 그런데 창해군의 설치는 압록강을 건너 만포→강계에서 낭림산맥을 넘어 강원도 동해로 연결되는 험난한 루트를 개척해야만 하는 난관에 봉착하게 된다. 그것도 우대왕의 통치 구간을 우회해서 교통로를 내어야했기에 경비가 많이 소요되었다. 결국 蒼海를 염두에 두었던 창해군의 설치는 수포로 돌아 갔다. 위만의 후손이 통치하는 우대왕 정권을 견제하려는 漢의 구상은 일단 실패하였다.

그러나 漢은 기원전 119년에 흉노 원정을 마무리 짓고, 기원전 111년에는 南越(중국 광둥성과 동인도차이나반도에 소재)에 대한 정벌에 성공했다. 그러자 조선의 우대왕 정권에 대한 무력 대결을 획책하였다. 한의 대왕조선 침공은 지금까지 연구 성과에 따르면 크게 2가지 배경이 상승 · 결합하여 단행되었던 것으로 보았다. 첫째 대왕조선은 漢과 맺은 外臣 규정과는 달리 동북 지역으로 진출하려는 한의 세력 확대와 교역을 방해하였다. 둘째 한은 대왕조선을 그 숙적인 흉노의 왼팔로 여겼다.

201_ 『漢書』 권24, 食貨志에서 彭吳가 穢貊 · 朝鮮을 통과하여 예군 남여의 근거지에 창해군을 설치했다는 기사에 주목하는 견해가 있다. 창해군을 漢에서 예맥-조선 보다 먼 곳에 위치한 게 분명하므로 지금의 한반도 북부의 동쪽 해안과 강원도 북쪽에 위치한 것으로 비정하기도 한다(유엠 부찐 著 · 이항재 · 이병두 譯, 『고조선』, 소나무, 1990, 167쪽); 潭其驤 主編, 『中國歷史地圖集』, 1988, 49쪽에서는 창해군의 위치를 강원도 경내로 비정하였다.

202_ 『史記』 권30, 平準書; 『漢書』 권34, 食貨志.

203_ 李道學, 「古代國家의 成長과 交通路」『國史館論叢』 74, 1997, 143~144쪽.

한의 서역 진출이 흉노의 오른팔을 자르는 것이라면, 대왕조선 공략은 흉노의 왼팔을 자른다는[204] 전략적 차원에서 기획되었다.[205]

이와 더불어 漢은 흉노 원정으로 인해 국가재정이 지극히 어려운 상황에 직면했다는 점이다. 한은 元狩(기원전 118)~元鼎(기원전 115~111) 기간에 이르러 국가 재정이 고갈 상태에 이르렀다. 그 요인은 흉노 정벌과 같은 戰費의 과다 지출에 있었다. 한은 이러한 재정 위기를 타개하기 위해 算緡錢 부과·鹽鐵專賣 실시·貨幣制度의 개혁·武功爵 판매 등을 시행한 바 있다. 이러한 맥락에서 漢이 대왕조선을 침공하게 된 주된 이유를 대흉노전에 대비한 軍馬와 軍糧 확보였다는 견해가 제기되었다.[206] 漢은 상황이 불리해지자 대왕조선으로부터 말 5천 필과 군량을 받기로 한 바 있었기 때문이다.[207] 이 견해는 주목할만하지만 본시 협상 카드에 불과하였다. 漢이 대왕조선 침공을 결행한 근본적인 원인이 되기는 어렵다. 그리고 漢은 대왕조선으로부터 황금을 획득하기 위한 목적에서 원정을 단행했다는 견해가 있다.[208] 여기서 한 걸음 논지를 더 진행시킨다면 금광 뿐 아니라 철광에 대한 지배를 통해 재정 고갈을 만회하려고 했을 수 있다. 당시 대왕조선의 광업은 발달했으며 제철과 제강 기술은 높은 수준에 도달해 있었기 때문이다.[209] 물론 한은 대왕조선 영역에 낙랑군을 설치한 후 鐵官을 설치하지 않았다. 邊郡인 낙랑군은 內郡에서 철을 공급받았을 것으로 추정했다. 그러나 양질의 철광산업이 뒷받침되지 않았다면, 대왕조선군은 한군과 1년 간이나 맞설 수는 없었을 것이다. 고고학적으로도 낙랑군 이전의 제철 산업 관련 유물이나 유구가 확인되었다. 그리고 염사착 설화에서 나오듯이 낙랑인들이 진한에서 採炭用 벌목 중 붙잡혔다. 이러한 사실을 놓고 볼 때 낙랑군 이전에 대왕조선은 제철산업이 존재했음을 알 수 있다. 그럼에도 한이 철관을 설치하지 않은 이유는, 鑛床의 단절과 남벌로 인한 목탄재인 산림의 황폐로 인한 경제성이 없었기 때문이었을 것이다. 그러나 이 보다는 낙랑군 설치 직후, 한은 재정 만회라는 전리품 확보 차원에서 일시에 막대한 채굴을 한 결과, 지속적인 채광을 위한 철관 설치의 필요성을 느끼지 못했기 때문일 수 있다. 그 결과 낙랑군은

204_ 漢이 위만조선을 흉노의 左臂로 인식하였음은『漢書』권73, 韋賢傳에 있다.
205_ 權五重,『樂浪郡硏究』, 一潮閣, 1992, 28쪽.
206_ 李秉斗,「漢四郡 設置의 歷史的 背景」『장충식박사 화갑기념논총』1992, 23~31쪽.
207_ 『史記』권115, 朝鮮傳.
208_ 關野雄,「金餠考」『東洋文化硏究所紀要』53, 東京大學校 東洋文化硏究所, 1971, 68쪽.
209_ 황기덕·김섭연,「우리나라 고대 야금기술」『고고민속론문집』8, 과학백과사전종합출판사, 1983, 170~173쪽.; 황기덕,『조선 원시 및 고대사회의 기술발전』, 과학원출판사, 1984, 36~61쪽.; 리태영,『조선광업사 1』, 공업종합출판사, 1991, 52~66쪽.; 허종호 외,『고조선력사개관』, 사회과학출판사, 1999, 150~153쪽.

내군으로부터 철을 공급받거나 삼한 지역으로부터 철을 공급받는 형식을 취했다고 본다. 진한에서 낙랑군과 대방군에 철을 공급했다는 기록이 그것을 가리킨다.

漢의 대왕조선 침공은 정치・군사・경제적 배경이 복합적으로 작용한 것으로 볼 수 있다. 그렇지 않다면 연호를 元封으로 바꾼 한 무제가 泰山에 세운 刻石에서 "사방 모든 지역에 군현이 설치되지 않은 곳이 없게 되었고, 四夷와 八蠻이 모두 조공을 바쳤다"고 한 구절이 납득되지 않는다. 대왕조선은 조공을 바치는 등 정치적으로는 한에 틈을 보이지 않았다. 그렇지만 대왕조선은 한의 공격을 받았다. 따라서 대왕조선이 한을 공격한 이유를 경제적인 데서 찾는 게 주효하다.

한 무제는 대왕조선이 자국의 裨王 長을 살해한 요동군 동부도위 涉何를 보복・살해한 것을 빌미로 전면적인 침공을 단행하였다. 기원전 109년 가을 漢은 육군과 수군으로 나누어 침공했다. 누선장군 양복은 산둥반도인 齊에서 발해를 건너 왔다. 좌장군 순체는 요동에서 5만 명을 이끌고 육로를 이용해 침공했다. 첫 번째 전투는 좌장군의 卒正인 多가 공격했으나 패전하여 참수되었다. 두 번째 전투는 수군을 이용해 王儉城(王險城)을 공격하였으나 누선장군은 패하여 산중으로 도망갔다. 세 번째 전투는 "좌장군이 조선의 패수 西軍을 쳤으나 깨뜨리고 전진할 수가 없었다(左將軍擊朝鮮浿水西軍 未能破自前)"[210]라고 기록되어 있다. 역시 漢軍이 패한 것이다. 여기서 '浿水西軍'을 대왕조선의 군사편제로 인식하여 왔다.[211] 그러나 문맥상 '軍' 字를 '朝鮮' 字 뒤에 배치하여 "좌장군이 조선군을 패수 서쪽에서 쳤다"로 해석해야 한다. 패수(압록강) 서쪽은 요동이 된다. 이는 요동쪽으로 해서 진격해 오는 좌장군의 공격로와 부합되어진다. 위만이 망명해 올 때도 동쪽으로 달아나 패수를 건넜다고 했다. 패수는 동과 서를 연결하는 국경의 지표였었다.[212] 조선군은 한군의 선발 부대를 첫 전투에서 격파한 후 패수 서쪽으로 진격하여 요동에서 좌장군의 군대와 싸우게 된 것임을 알 수 있다.

210_ 『史記』 권115, 朝鮮傳.

211_ 대표적인 예가 "浿水上軍"浿水西軍' 등이라 일컫는 단위 부대가 있었다는 것은 고도로 편제된 군사조직 체계가 있었음을 보여주는 것이다"라는 견해이다. 『史記』 권115, 朝鮮傳의 "左將軍破浿水上軍"라고 보이는 '浿水上軍'을 허종호 외, 『고조선력사개관』, 사회과학출판사, 1999, 127쪽에서도 '패수 상군'으로 해석하였다. 혹은 이것을 '패수 위의 군사'로 해석한다든지 '패수 상류군'으로 해석하는 경우도 보인다. 그러나 『三國史記』 권18, 광개토왕 4년 조의 "王與百濟戰於浿水之上 大敗之 虜獲八千餘級"에 보이는 '浿水之上'을 '패수 가'로 해석하고 있다. 실제 '上'에는 '邊側'의 뜻이 포함되었다(中文大辭典編纂委員會, 『中文大辭典』 1, 1973, 306쪽). 그리고 「광개토왕릉비문」 영락 5년 조에 보이는 "至鹽水上"의 경우도 "鹽水 가에 이르렀다"는 뜻이지 "鹽水 위" 등으로 해석할 수는 없다. 그러므로 '浿水上軍'의 '浿水上'은 '패수 가'를 뜻한다고 하겠다. 좌장군이 패수가에서 (조선)군을 격파했다는 것이다.

212_ 李道學, 「龍飛御天歌의 世界」 『문헌과 해석』 3, 1998 ; 『고대문화산책』, 서문문화사, 1999, 149쪽.

기원전 109년에 樓船將軍 楊僕이 齊兵(山東兵) 5만 명을 이끌고 해로를 이용하여 列水로 진격했다. 左將軍 荀彘는 육군을 이끌고 요동에서 출격하였다. 初戰에서 대왕조선의 군대는 잘 싸웠으나 내분이 발생하였다. 전쟁 직전 조선상 역계경의 망명, 주전파와 주화파의 대립, 우거왕의 암살, 大臣 成己의 피살로 인해 멸망했다.

한 무제는 漢軍이 초전에 고전을 거듭하자 화전 양면책을 구사했다. 그가 항복해 온 대왕조선의 귀족들을 功臣으로 책봉했다는 자체가 신승을 반증한다. 10만 이상의 한군에[213] 맞서 대왕조선이 끈기 있게 저항한 배경은 다음과 같다. 첫째, 적군 주장 사이의 불화를 들 수 있다. 즉 누선장군 양복이 이끈 군대가 列水의 어귀인 列口에 이르렀을 때 좌장군 순체의 도착을 기다리지 않고 제멋대로 진군함으로써 많은 군사를 잃게 되어 주살에 해당되었으나 贖罪金을 물고 서민이 되었다. 순체는 군공을 다투고 질투하며 모략한 罪를 들어 棄市刑에 처해졌다. 이 전쟁을 일러 태사공 사마천은 "兩軍은 모두 치욕을 입었으므로 누구도 侯에 封해지지 못했다"고 적었다. 둘째, 통일된 강력한 군대와 漢으로부터 얻은 정예한 신무기의 보유였다.[214]

한은 대왕조선을 숙적인 흉노의 왼팔[左臂]이라고 여겼다. 그랬을 만큼 대왕조선의 존재는 한에 위협적이었다. 그러나 유연성 없는 강경 일변도의 대외정책과 지배층 내부의 분열로 인해 멸망하였다. 한족 출신과는 달리 토착 조선 출신들은 전쟁을 반대했으며, 결국 우거왕을 살해하고 한에 투항했기 때문이다.[215]

고조선의 마지막 왕도인 왕험성의 위치에 대해서는 지금의 평양으로 지목하는 견해가 정설이다. 그런데 기존 왕험성 대동강 북안설과 요동・요서를 포함한 고조선 강역 논란 등을 검토하고, 최신 고고자료를 종합한 결과 평양성은 왕험성이 들어설 수 없는 공간이라는 견해가 제기되었다. 즉 왕험성의 위치를 문헌학계에서는 『사기』와 『水經注』 등 고대 문헌의 기록을 바탕으로 대동강 북안의 평양성지로, 고고학계에서는 발굴조사를 통해 낙랑군치임이 분명해진 대동강 남안의 토성리(낙랑) 토성을 주목해 왔다. 그러나 이들 후보지에서는 고조선 당대의 물질문화가 확인되지 않고 있다. 특히 일제 이래로 여러 차례 조사된 평양성지는 낙랑군 이전으로 소급되는 고고자료가 출토되지 않았다. 연대를 알 수 있는 자료들은 낙랑군 병행기에 속하는 일부를 제외하고는 모두 고구려 이후의 것

213_ 孫晉泰, 『朝鮮民族史概論(上)』, 乙酉文化社, 1948, 94쪽.
214_ 孫晉泰, 『朝鮮民族史概論(上)』, 乙酉文化社, 1948, 94쪽.
215_ 孫晉泰, 『朝鮮民族史概論(上)』, 乙酉文化社, 1948, 94쪽.

들이다. 아울러 토성리(낙랑)토성은 문헌사료의 대왕조선 멸망 기록과 부합되지 않는다. 이러한 문제를 인정하는 와중 주목한 지역이 랴오뚱반도이다. 랴오뚱반도에서는 대동강유역과는 달리 고조선의 청동기문화 위에 연·제 등지에서 이입된 물질문화 요소가 어우러져 새로운 문화 유형을 만들어 내는 현상이 포착된다. 그러므로 고조선의 중심지를 랴오뚱반도에서 구할 수 있을 것이라 판단했다는 것이다.[216)]

그러나 이 견해는 북한에서 조사한 대동강 북안의 청암동토성에 대한 치밀한 검증이 수반되었다면 좋았을 것 같다. 북한에서는 청암동토성을 왕험성으로 비정했기 때문이다. 물론 청암동토성을 왕험성과 결부 짓는 데는 문제가 있다고 한다.[217)] 게다가 왕험성과 낙랑군은 서로 다른 곳에 소재하여 병존했다는 견해도 있다.[218)] 앞의 논지를 보강해줄 수 있는 역할을 할 수도 있다고 본다. 요컨대 위의 견해는 왕험성이 소재한 평양 일대가 곧 낙랑군 치소였다는 학계 정설을 재검토할 수 있는 기회가 되었다.

5) 漢의 4개 郡 설치와 그 변천

기원전 108년에 위만조선 판도 내에 樂浪(평안남도·황해도), 眞番(자비령 이남 한강 이북의 옛 진번국 자리), 臨屯(함경남도 옛 임둔국 자리)의 3개 郡을 설치하였다. 그 이듬해인 기원전 107년 과거 창해군이 설치되기로 예정되었던 濊의 땅에 玄菟郡(함경남도~압록강 중류와 혼강 유역)을 설치하였다.[219)] 이와는 조금 다르게 樂浪(평안남도·황해도)·眞番(압록강 중류의 南北 一帶?)·臨屯(강원도)의 3개 郡을 설치했다. 그 이듬해인 기원전 107년 과거 창해군이 설치되기로 예정된 지역인 濊地에 玄菟郡

216_ 정인성, 「고고학으로 본 위만조선 왕검성」『한국고고학보』 106. 2018, 104~137쪽.

217_ 趙法鍾, 「고조선의 중심지 및 도읍관련 논의와 쟁점」『고조선과 위만조선의 연구쟁점과 대외교류』, 학연문화사, 2015, 209쪽.

218_ 趙法鍾, 「衛滿朝鮮의 崩壞時點과 王險城, 樂浪郡의 位置」『韓國史硏究』 110, 2000 ; 趙法鍾, 「고조선의 중심지 및 도읍관련 논의와 쟁점」『고조선과 위만조선의 연구쟁점과 대외교류』, 학연문화사, 2015, 202쪽.

219_ 『용비어천가』에서는 玄菟郡과 樂浪郡 그리고 黏蟬縣의 '菟'·'樂浪'·'黏'의 음을 '徒'·'洛浪'·'女廉의 半切' 즉 '염'으로 각각 표기했다. 『전운옥편』에 보면 '蟬' 자는 음이 '선' 밖에 없다. 종전에 '蟬'을 '제'로 읽었던 것은 '제'로 발음나는 '磾' 자로 인한 착오로 보인다. 그러므로 현토가 아닌 '현도'로, 악랑이 아닌 '낙랑'으로, 점제가 아닌 '염선'으로 발음하는 게 전통시대 한국에서의 音價였다. 玄菟郡은 『전운옥편』에서도 '菟'를 '도'로 발음해야 함을 밝히면서 "朝鮮郡名 玄菟"라고 특별히 사례를 명시하였다. 고조선의 옛 땅에 설치한 漢四郡 郡名인 玄菟郡은 '현도군'으로 읽어야 한다는 것이다. '菟'를 '토'로 읽는 경우는 '藥 이름'으로만 한정하였다. 혹자는 중국 上古音으로 표기해야 한다고 하지만, 중요한 것은 전통시대 한국인들의 이들 郡名 표기와 음가이다.

(함경남도)을 설치하였다.[220] 그러나 한사군은 압록강 하구 서쪽, 북쪽 지역 일부에 설치되었다는 견해도 있다.[221]

4군 설치 후 20여년 만에 진번과 임둔 2郡은 폐지되었다. 기원전 75년에 현도군은 압록강 방면에서 쑤쯔하(蘇子河)유역인 新賓縣 永陵鎭으로 이동(제2현도군)했다. 물론 任地에 이르지는 못했지만, 전한 곽거병의 손자 霍山은 이곳 현도태수에 임명되었다. 그 후 撫順 방면에 새로 설치된 현도군이 제3현도군이다. 204년 경에는 옛 진번군 땅에 대방군을 설치하였다.

(1) 樂浪郡

기원전 108년에 설치된 한사군 가운데 하나인 낙랑군의 소재지를 313년까지 지금의 평양 지역으로 국한시킨 견해가 정설이었다. 그러나 '정설'과는 달리 낙랑군은 정치적 부침과 기복이 심하였다. 가령 23년에 평양의 낙랑군은 王調의 반란으로 토착인의 수중에 떨어졌다. 후한은 왕조의 난을 진압하였지만 낙랑군 동부도위가 30년에 폐지되었다. 이 무렵 후한은 領東 濊에게는 侯나 邑君의 호칭을 부여하였다. 그러니 낙랑군 동부도위의 폐지와 토착 세력의 할거에 따라 '侯' 보다 윗 단계인 '王'을 칭하는 세력가가 등장했다. 최리의 낙랑국이 그러한 선상에서 해석할 수 있는 존재였다.

평양 지역의 낙랑군은 설치된 지 1세기가 지나서부터는 쇠약의 기미를 보였다. 37년에 고구려가 멸망시킨 낙랑이 바로 그 징표가 된다. 물론 그로부터 7년 후에 후한은 곧 낙랑군을 회복시켰다. 이후 낙랑군의 존치와 폐치는 거듭되었다. 결국 111년에 부여 왕이 낙랑군을 공격한 사실은 적어도 1세기 후반 경에는 평양 지역에 낙랑군이 더 이상 존재하지 않았음을 가리킨다. 부여가 적어도 청천강까지 점유한 고구려와의 충돌없이 대동강유역까지 진출할 수는 없기 때문이다. 3세기 후반에 쓰여진 『삼국지』 동이전에서도 마한을 가리켜 "漢 때는 낙랑군에 속했으며 사시에 조알했다(漢時屬樂浪郡 四時朝謁)"고 하였다. 낙랑군도 없어졌으니 '사시조알'도 없어졌다는 過去時制인 것이다. 따라서 낙랑군은 압록강을 넘어 요동으로 이동했음을 알 수 있다. 평양의 대동강 이북에 남겨진 2~3세기대 적석총은 고구려 진출의 산물이었다.

요동의 낙랑군은 대표성과 상징성을 함께 지니면서 復置되었다. 역대 중국 왕조에서 삼국 왕들에

220_ 孫晋泰, 『朝鮮民族史概論(上)』, 乙酉文化社, 1948, 93쪽.
221_ 손영종 외, 『조선통사(상) 개정판』, 사회과학출판사, 2009, 46~47쪽. 96쪽.

게 수여한 爵號에 '樂浪'이 등장하는 경우가 많았다. 그러할 정도로 낙랑이 지닌 지배권적 명분은 지대했던 것이다. 그랬기에 요동에 復置된 낙랑군은 이후 폐지와 부활을 거듭하면서 6세기대까지 존속할 수 있었다. 중국 왕조들이 한반도내 낙랑군 회복전을 끊임없이 전개한 데는 이러한 배경이 깔렸던 것이다. 그런데 평양 지역의 낙랑군 주민 일부는 嶺西 지역으로 이동하여 기존 漢의 잔존 세력과 통합되었다. 『삼국사기』에서 백제의 동쪽에 소재하여 신라까지 침공한 영서낙랑의 태동이었다. 낙랑군의 분해를 읽을 수 있다.

그러면 한반도내 낙랑군의 이동 시점을 집중 검증해 보고자 한다. 204년경에는 요동태수 공손강이 낙랑군 남부였던 屯有縣 이남에 대방군을 설치하였다. 建武 20년(44) 蘇馬諟의 조공 기사를 통해서도 낙랑군의 소재는 구체적으로 확인된다.[222] 永元 원년(89)에는 낙랑 남부의 長岑·屯有에 漢의 관리가 파견되었다. 그랬기에 茶山은 이 무렵에도 낙랑군에 漢 관리가 파견된 것으로 보았다.[223]

그렇지만 낙랑군이 줄곧 한반도 서북부 지역에 소재했다고 단정하기는 어려워진다. 가령 313년에 요동의 張統이 낙랑군과 대방군의 주민을 거느리고 모용외에게 귀부할 때 주민 숫자는 1천여 家에 불과하였다. 同年의 사실을 기록한 기사에 따르면 낙랑군 주민 2千餘 名이 고구려에 포획되었다. 이 숫치를 합하더라도 313년 당시 낙랑군과 대방군의 總數는 7천여 명 안팎에 불과하다. 그 이전인 3세기 후반의 낙랑군과 대방군의 인구를 합쳐도 8,600戶였다. 더 소급하여 기원전 45년에 작성한 戶口簿에 따르면 4구역으로 구성된 낙랑군에서 3구역까지의 인구 수만 꼽아도 37,239戶에 234,514口였다.[224] 그러니까 기원 이전에 낙랑군이 3만 7천여 戶에 23만여 명이었다면, 3세기 후반에는 낙랑군과 대방군의 인구 수를 합쳐도 8,600戶에 불과했다. 300년만에 낙랑군의 호구가 4분의 1로 줄어든 것이다. 더구나 낙랑군 最終期에는 기원 이전보다 인구수가 무려 30분의 1 이하로 줄어들었다. 당장 3세기 후반의 낙랑군과 대방군 인구 수만 하더라도 1개 郡의 人口數로는 턱 없이 적은 숫자였다. 이는 기원전 45년 당시 낙랑군 관하 朝鮮縣의 인구수인 9,678戶에 56,890명인 점과 비교해보더라도 알 수 있다. 그랬기에 3세기 후반 당시의 호구를 염두에 두고 "이 같은 형세의 낙랑과 대방이 온전한 郡縣일지는 의심스럽다"[225]는 평가까지 받았다. 더욱이 313년의 시점에서 낙랑군과 대방군

222_ 『後漢書』 권85, 東夷傳 韓 條.
223_ 정약용, 「我邦疆域考 '樂浪別考'」 『與猶堂全書』
224_ 윤용구, 「낙랑군 초기의 군현 지배와 호구 파악」 『낙랑군 호구부 연구』, 동북아역사재단, 2010, 188~189쪽.
225_ 권오중, 「낙랑군 연구의 현황과 과제」 『낙랑군 호구부 연구』, 동북아역사재단, 2010, 52쪽.

의 주민 숫자는 총 7천여 명에 불과했다. 이러한 사실은 낙랑군이 가파르게 쇠락해 갔음을 반증해 준다. 요컨대 낙랑군은 고정불변하지 않았음을 알려주고 있다. 때문에 낙랑군의 소재지가 如一하게 지금의 평양 지역이었는 지 여부에 대해서도 엄중한 검증이 필요해졌다.

그러면 먼저 고구려가 313년 이전에 지금의 평양 일대를 장악한 흔적부터 찾아 보고자 한다. 몇 가지 사료에서 '平壤'이 보이기 때문이다.

①『삼국사기』에서 동천왕 21년(247)에 평양성을 축조하고 백성과 종묘와 사직을 옮겼다고 한 다음의 기사이다.

> 봄 2월에 왕이 환도성의 난을 겪고는 다시 도읍으로 삼을 수 없어서 평양성을 쌓고 백성 및 廟社를 옮겼다[平壤은 본래 仙人 王儉의 宅이다. 혹은 王의 都인 王險이라고도 한다].[226]

위의 기사에 따르면 고구려는 평양성을 축조하고 백성과 宗廟社稷을 옮겼다고 한다. 그러면『삼국사기』의 原註에 적힌 '仙人王儉의 宅'인 평양은 지금의 어디일까? 1325년(충숙왕 12)에 쓰여진 평양 趙氏인 趙延壽의 墓誌銘에서 "平壤之先 仙人王儉"[227]라고 하였듯이 지금의 평양을 가리킨다. 더불어 "평양 동쪽의 黃城으로 移居했다[城은 지금 西京 동쪽 木覓山 중에 있다]"[228]라는 기사의 평양 역시 지금의 평양임은 분명하다. 따라서 고구려가 247년에 평양성을 축조했다면 적어도 지금의 평양이 고구려 영역이었음을 전제로 해야 한다. 그런데 이때의 평양성을 현재의 평양으로 지목한다면 낙랑군의 소재지와 충돌하는 문제점이 발생한다. 낙랑군과 대방군은 313년과 314년에야 한반도에서 축출된 것으로 간주하는 시각이 정설이기 때문이다.

이와 관련해 "王이 兵 3만을 거느리고 현도군을 침공하여 8천 인을 노획하여 이들을 평양으로 옮겼다(미천왕 3: 302년)"[229]라는『삼국사기』기사를 보자. 여기서 낙랑군 축출 불과 9년 전에 해당하는 기사 속의 '평양'이 지금의 평양이 아니라는 증거는 없다. 그리고 고국원왕대인 334년에 "평양성을 增

226_ 『三國史記』권17, 동천왕 21년 조. "春二月 王以丸都城經亂 不可復都 築平壤城 移民及廟社[平壤者本仙人王儉之宅也 或云 王之都王險]"
227_ 金龍善,『高麗墓誌銘集成』, 한림대학교 출판부, 2006, 452쪽.
228_ 『三國史記』권18, 고국원왕 13년 조. "移居平壤東黃城[城在今西京東木覓山中]"
229_ 『三國史記』권17, 미천왕 3년 조. "王率兵三萬侵玄菟郡 虜獲八千人 移之平壤"

築하였다"[230]고 했다. 이러한 '增築' 기사는 247년에 初築한 평양성을 염두에 둔 서술이라고 하겠다. 그렇다면 334년에 증축하여 고구려 왕이 거처한 평양성은 247년에 初築한 평양성과 동일한 곳을 가리킨다. 더구나 313년에 전연으로 축출 당시 낙랑군의 소재지가 현재의 평양이라는 직접적인 증거는 어디에도 없다. 요컨대 고구려가 247년에 종묘사직을 옮긴 평양과 302년에 漢人 포로를 수용한 평양이 동일 지역이라고 하자. 그러면 낙랑군은 더 이상 지금의 평양에 존속하지 않은 게 된다.

② 313년에 "겨울 10월 낙랑군을 침공해서 남녀 2천여 口를 노획했다"[231]라고 한 기사에서 낙랑군의 퇴출을 가리키는 문자는 보이지 않는다. 그 반면 313년에 미천왕과 相攻하던 張統의 소속을 '遼東'이라고 했다. 그 이전인 順桓之間(126년~167년) 사이, 구체적으로 말하면 146년(태조왕 94)에 국내성에서 출발한 고구려군은 西安平을 공격하다가 길가에서 帶方令을 살해하고 낙랑태수 妻子를 略得하였다.[232] 이 같은 대방과 낙랑의 병칭은 기원전 45년에 작성한 戶口簿에서도 보인다. 낙랑군 예하에 대방현의 존재가 호구수와 함께 확인되고 있기 때문이다. 이로 볼 때 낙랑군은 예하의 일부 縣들과 더불어 적어도 2세기 전반 이전에 遼東으로 이동했을 가능성이 제기된다. 고구려가 청천강 이남까지 지배한 상황에서는 낙랑태수 처자가 육로를 이용하여 압록강 이북으로 이동할 수는 없다. 낙랑군이 압록강 이북 요동에 소재했다고 가정하자. 그러면 대방령은 물론이고 낙랑태수 처자는 자신의 세력반경에서 자유롭게 움직였던 것이다. 고구려군의 서안평 기습을 받아 이들이 포획된 일은 자연스럽다.

③ 111년에 "安帝 永初 5년에 이르러 부여 왕이 처음으로 步騎 7천~8천인을 거느리고 낙랑을 노략질하여 吏民을 살상하였다. 후에 다시 귀부하였다"[233]라는 기사가 주목된다. 여기서 부여의 공격 대상으로 낙랑이 등장하자 현도군의 誤記 등 추측이 난무하였다. 그러나 앞서 소개한 바 있는 "고구려군은 서안평을 공격하다가 길가에서 대방령을 살해하고 낙랑태수 처자를 약득하였다"라는 기사와 맞춰보면 전혀 무리 없이 잘 연결되고 있다. 낙랑이 이미 요동으로 이동했음을 알리는 또 하나의 결정적 자료인 것이다. 이 기사의 낙랑이 평양에 소재했다면 부여 군대가 남쪽으로 깊숙이 내려와 고구려 영역을 통과하면서까지 공격하기는 어렵다. 이러한 정황은 최소한 111년 이전에 낙랑군이

230_ 『三國史記』 권18, 고국원왕 4년 조. "增築平壤城"
231_ 『三國史記』 권17, 미천왕 14년 조. "冬十月 侵樂浪郡 虜獲男女二千餘口"
232_ 『三國志』 권30, 동이전, 고구려 조.
『三國史記』 권15, 태조왕 94년 조.
233_ 『後漢書』 권85, 동이전 夫餘國 條.

평양에 더 이상 소재하지 않았다는 방증이 된다. 그렇다고 할 때 114년에 태조왕이 巡狩한 '南海'는[234] 지금의 황해도 앞바다로 지목하는 게 자연스럽다.

④ 고구려가 121년(태조왕 69)과 122년(태조왕 70)에 현도군과 요동군을 각각 공격할 때 마한의 군대를 거느렸다. 즉 "왕이 마한과 예맥의 1만여 騎를 거느리고 나아가 현도성을 포위했다"[235] · "왕이 마한 · 예맥과 더불어 요동을 침략하였다"[236]라는 기사가 주목된다. 만약 낙랑군이 지금의 평양에 소재했다면 고구려가 마한의 군대를 차출할 수는 없었을 것이다.[237] 이로써도 낙랑군은 적어도 121년 이전, 앞의 기사와 결부지어 볼 때 111년 이전에 평양 지역을 떠났다고 단정할 수 있다.

⑤ 3세기 후반에 고구려의 영향력은 한강 하류까지 미치고 있었다. 다음 기사가 그러한 사실을 함축한다.

> 고구려가 帶方을 정벌하자 대방이 우리에게 구원을 청하였다. 이에 앞서 왕이 대방 왕녀 寶菓와 결혼하여 夫人을 삼았다. 그런 까닭에 대방은 우리와 舅甥의 나라라고 말했다. 그 청을 들어주지 않을 수 없어서 드디어 군대를 내어 대방을 구원하자 고구려가 원망하였다. 왕이 고구려의 침구를 염려하여 阿旦城과 虵城을 수리하여 고구려에 대비했다.[238]

위에서 阿旦城은 지금의 서울시 광진구에 소재한 아차산성이요, 虵城은 삼성동토성으로 지목된다.[239] 위의 기사대로 한다면 책계왕 원년인 286년에 고구려의 군사적 압력이 대방군 뿐 아니라 한강 하류에 도읍한 백제까지도 미쳤음을 뜻한다. 아울러 313년 훨씬 이전에 낙랑군은 지금의 평양을 떠났고, 247년에 고구려가 평양성으로 천도하였기에 그 영향력이 황해도와 경기도 방면까지 미칠 수 있었다고 보아야 한다. 그렇지 않다면 해석할 수 없는 기사인 것이다. 부연한다면 고구려와 대방과의 격돌에서 낙랑군의 존재가 전혀 언급되지 않았다. 이 자체가 낙랑군이 고구려와 대방 사이에

234_ 『三國史記』 권15, 태조왕 62년 조.
235_ 『三國史記』 권15, 태조왕 69년 조.
236_ 『三國史記』 권15, 태조왕 69년 조.
237_ 리지린, 『고조선 연구』, 과학원출판사, 1963, 189쪽.
238_ 『三國史記』 권24, 責稽王 즉위년 조. "高句麗伐帶方 帶方請救於我 先是 王娶帶方王女寶菓 爲夫人 故曰 帶方我舅甥之國 不可不副其請 遂出師救之 高句麗怨 王慮其侵寇 修阿旦城 · 蛇 城備之"
239_ 李道學, 「百濟 虵城의 位置에 對한 再檢討」『韓國學論集』 17, 한양대학교 한국학연구소, 1990, 5~12쪽.
李道學, 「百濟 漢城時期의 都城制에 관한 檢討」『韓國上古史學報』 9, 1992, 39~40쪽.
李道學, 『백제고대국가연구』, 一志社, 1995, 260~291쪽.

소재하지 않았음을 반증한다. 낙랑군은 이미 요동으로 이동했기 때문이다.

⑥ 3세기 후반 당시 濊의 서편에는 낙랑군 대신 '朝鮮'이 접경 대상이었다. 『삼국지』 동이전 濊 條에 따르면 "濊는 남으로 진한과 북으로는 고구려 · 옥저와 접하였다. 동으로는 大海에 막혀 있는데, 지금 朝鮮의 동쪽이 모두 그 땅이다"[240]고 했다. 그리고 同書 동이전 고구려 조에는 "고구려는 요동의 동쪽 천리에 있다. 남은 조선 · 예맥과 동은 옥저와 북은 부여와 더불어 접했다"[241]고 하였다. 여기서 '朝鮮'을 낙랑군의 首縣인 朝鮮縣으로 간주할 수도 있겠지만 『삼국지』에서 首縣을 언급한 적은 없다. 요컨대 고구려의 남계였을 낙랑군에 대한 언급이 없는 것이다. 게다가 濊 條에서도 濊의 서쪽은 '今朝鮮'이라고 하였다. 곧 朝鮮이라는 실체를 가리키고 있다. 이로 볼 때 조선은 지리적으로 濊와 東西로 대칭되는 위치였다. 예의 영역이 강원도라고 할 때 그 서편의 조선이 소재한 곳은 황해도 방면에 해당한다. 이 사실은 고구려가 조선의 북계인 대동강 이남까지 진출했음을 가리킨다. 당초 대동강유역에 소재했던 낙랑군은 다른 곳으로 이동했음을 뜻한다.

조선의 故地에 설치된 낙랑군이 이동하자 당초 이름인 조선으로 환원하여 일컫고 있는 것이다. 『삼국지』 동이전 고구려 조의 경우도 고구려 남쪽에 소재한 정치 세력의 명칭을 낙랑이 아니라 '朝鮮'이라고 했다.[242] 이러한 기술은 『삼국지』 동이전 한 조에서 "韓은 대방의 남쪽에 있다. 동서는 바다로 한하며, 남은 왜와 더불어 접하고, 사방은 四千里에 달한다"라고 하였듯이 대방군의 존재를 언급한 서술과는 명백히 차이가 난다. 즉 고구려나 濊의 接境에 낙랑군이 더 이상 소재하지 않았음을 반증한다. 최소한 『삼국지』의 집필 대상 하한인 3세기 중반 전후해서는 지금의 평양 지역에 낙랑군이 소재하지 않았던 증좌이다.

⑦ 후한 말의 桑欽이 지은 『水經』에 보면 "浿水出樂浪鏤方縣 東南過臨浿縣 東入于海"라고 하였다. 즉 패수가 낙랑 누방현에서 나와 동남으로 임패현을 지나 동쪽으로는 바다로 들어간다는 것이다. 이러한 패수의 흐름은 현재 대동강의 흐름과는 전혀 맞지가 않다. 이 기록은 낙랑군의 처음 소재지를 가리키지는 않는다. 후한 말의 桑欽이 확인한 낙랑군의 소재지인 것이다. 그렇다고 할 때 1세기 후반에 이동한 낙랑군의 소재지를 반증해주는 기록일 수 있다. 참고로 이러한 흐름을 가진 패수는

240_ 『三國志』 권30, 東夷傳, 濊 條. "濊南與辰韓 北與高句麗 · 沃沮接 東窮大海 今朝鮮之東皆其地也"
241_ 『三國志』 권30, 東夷傳, 高句麗 條. "高句麗在遼東之東千里 南與朝鮮 · 濊貊 東與沃沮 北與夫餘接"
242_ '朝鮮'의 정체에 대해서는 고구려 隸下의 소국으로 간주하기도 하지만, 적어도 낙랑이나 중국 군현과는 관계된 세력이 아닌 게 분명하다.

서안평 서쪽에 소재한 잉나이하(英奈河)와 부합한다. 고려가 강화도로 천도했을 때의 山名이 지금도 송악산으로 남아 있다. 그렇듯이 낙랑군의 이동과 관련해 패수 江名도 옮겨간 사례에 해당한다.

⑧ 313년에 고구려와 낙랑군과의 다음과 같은 교전 기사는 이때 비로소 낙랑군을 한반도 바깥으로 축출한 명증이 되기는 어렵다.

> 遼東의 張統은 樂浪·帶方 2郡을 점거하고 고구려 왕 乙弗利와 서로 공격하기를 몇 년을 계속하면서 풀지 못하였다. 낙랑 王遵이 張統을 달래어 그 백성 1천여 家를 이끌고 (慕容)廆에게 귀부했다. 廆는 그를 위하여 낙랑군을 설치하고 統으로 태수를 삼고, 遵을 參軍事로 삼았다.[243]

위의 교전은 '連年不解'라고 하였듯이 여러 해에 걸쳤던 것이다. 이와 관련해 313년 이전 고구려와 중국과의 교전 사실이 『삼국사기』에서 다음과 같이 보인다.

* 가을 9월에 왕은 군사 3만을 거느리고 현도군을 침공하여 8천여 명을 사로잡아 이를 평양으로 옮겼다(미천왕 3년: 302).
* 가을 8월에 장수를 보내어 요동의 西安平을 습격하여 빼앗았다(미천왕 12년: 311).
* 겨울 10월에 낙랑군을 침공하여 남녀 2천여 명을 사로잡아 왔다(미천왕 14년: 313).

위의 기사를 통해 고구려는 302년부터 313년까지 현도군→서안평→낙랑군 順으로 교전하였음을 알 수 있다. 낙랑군을 공격하기 직전 고구려가 '連年不解'한 대상 지역을 요동이라고 하자. 그러면 이는 고구려의 교전 대상을 가리키는 '遼東의 張統'과도 부합한다. 그런데 여기서 주목해야할 사안은 313년에 고구려가 낙랑군을 공격했지만 축출했다는 증거는 없다. 고구려는 어디까지나 낙랑군과의 교전을 통해 낙랑 주민 2천여 명을 포획한 전과밖에 없는 것이다. 그러나 앞의 기사와 결부지어 볼 때 고구려가 낙랑군과 대방군을 거느린 遼東의 張統을 압박하였다. 그 결과 장통은 견디지 못하고 모용외에게 귀부하게 되었다. 결국 서안평을 점령한 지 2년 후에 고구려는 낙랑과 대방 주민을

243_ 『資治通鑑』 권98, 建興 원년 4월 조. "遼東張統據樂浪·帶方二郡 與高句麗王乙弗利相攻 連年不解 樂浪王遵說統帥其民千餘家歸廆 廆爲之置樂浪郡 以統爲太守 遵參軍事"

거느린 장통을 전연 영역으로 축출하였다. 그 결과 장통은 모용외의 지원으로 前燕에서 낙랑군을 재건하게 된 것이다. 이 때 재건된 낙랑군의 소재지가 遼西 義縣이었다. 그러면 고구려의 낙랑군 축출을 311년 압록강 河口 서안평 장악과 맞물려 생각해 보자. 이는 필시 海路를 이용한 낙랑군의 퇴로 차단으로 보인다. 만약 그렇다면 고구려에 축출되기 직전의 낙랑군은 압록강 이북의 요동에 소재했다고 볼 수 있다.

⑨ 낙랑군이 313년에도 한반도 안에 소재했다고 가정하자. 그러면 해로를 이용하지 않고서는 앞서 인용한 『자치통감』 建興 원년 4월 조 기사처럼 前燕으로 대거 이동할 수는 없다. 고구려 남부 영역은 56년(태조왕 4)에 薩水인 청천강선까지 이르렀다. 그로부터 무려 250여년이 흐른 313년의 시점에서 고구려의 南界는 청천강선 이남으로 훨씬 깊이 진출했을 것임은 자명하다. 더욱이 살수가 고구려 남계였던 56년부터 무려 58년이 지난 114년에 태조왕이 순수한 '南海'는[244] 경우에 따라서는 황해도 앞바다로 지목할 수 있다. 신라 진흥왕순수비에서 보듯이 정복군주는 자신이 확보한 영역을 확인하기 위한 차원에서 巡狩를 했던 것이다. 이와 마찬 가지로 태조왕이 순수한 南海 방면도 신개척지에 대한 확인이라면 황해도 앞바다일 가능성이 높다. 이러한 상황에서 고구려는 압록강 하구인 서안평을 점령하였다. 이때 낙랑군 주민들이 평양에 소재했다면 육로를 이용하여 전연으로 이동하는 일은 불가하다. 더구나 이들이 해로를 이용하여 전연으로 옮겨 갔다는 정황마저 없다. 결국 낙랑군은 요동으로 이미 옮겨 가 있었기에 요동 출신 장통의 휘하에 놓일 수밖에 없었던 것이다.

⑩ "가을 9월에 漢 광무제가 군대를 보내 바다를 건너 낙랑을 정벌하고, 그 땅을 빼앗아 군현 으로 삼았으므로, 薩水 이남이 漢에 속하게 되었다(『삼국사기』 대무신왕 27년 조)"이나 "景初(237~239) 中에 明帝가 몰래 帶方太守 劉昕과 樂浪太守 鮮于嗣를 보내어 바다를 건너 2郡을 평정하였다(『삼국지』 동이전)"고 하듯이 중국은 해로를 이용하여 낙랑군을 회복하고 있다. 이 사실은 고구려가 적어도 압록강~청천강유역과 그 이남까지를 장악한데서 말미암았다. 다시 말해 중국이 陸路로는 한반도로 진출할 수 없었음을 뜻한다. 중국 본토와 한반도의 낙랑은 海路로만 연결되어 있었던 것이다. 그럼에도 魏 본국에서 집행한 죄인들의 유배지로서 233년과 254년에 樂浪이 각각 보인다.[245] 유배지로서의 낙랑은 통행이 자유로운 자국 영토일 때 가능하다. 그렇다고 한다면 이때의 낙랑은 고구려가 압

244_ 『三國史記』 권15, 태조왕 62년 조.
245_ 『三國志』 권9, 夏侯玄傳.

록강 이남을 지배하고 있는 한반도 서북부 지역이 될 수는 없다. 역시 낙랑군의 요동 소재설을 뒷받침해주는 방증이 된다.

⑪ 대동강 하류 일대에는 고구려의 표지적 묘제인 적석총이 산재하여 있다. 평양 지역 적석총의 조성 시기는 2~3세기대로 편년되었다.[246] 이러한 적석총의 존재는 평양 일원에 2세기대부터 고구려의 영향력이 미쳤음과 더불어, 247년에 천도가 가능한 환경이 조성되었음과더불어 천도의 산물임을 뜻한다.

⑫ 고구려는 313년에 낙랑군을 축출한 전과에 힘 입어 그 이듬해인 314년에는 다음과 같이 대방군 공격을 단행했다.

> 가을 9월에 남쪽으로 대방군을 침공했다.[247]

위의 기사에 보면 고구려가 단행한 대방군 공격 방향을 굳이 '南'이라고 표기했다. 이 사실은 고구려 남쪽에 소재한 대방군과는 달리 낙랑군은 다른 방향에 소재했음을 뜻할 수 있다. 낙랑군이 대방군 북쪽에 소재했다면 동일한 방향임에도 불구하고 굳이 대방군만 '南'이라는 방향을 기재할 리는 없기 때문이다. 이는 낙랑군이 고구려 남쪽에 소재하지 않았기 때문에 나온 표기라고 본다. 그리고 고구려는 314년에 대방군을 공격했을 뿐 소멸시킨 것은 아니었다. 이러한 사실은 황해도 봉산군을 비롯한 대방군 전축분의 조성이 5세기대 초까지 이어진 사실에서도 뒷받침된다. 紀年銘塼이 그것을 입증해 주는 물증이 될 수 있다.[248] 「광개토왕릉비문」 영락 14년(404) 조의 '帶方界'라는 문구 역시 대방의 실재를 뜻한다.

낙랑군의 일부 주민들은 고구려가 평양성 천도를 단행하는 247년 훨씬 이전에 요동으로 이동하였고, 훗날 이들은 요동 소속 장통의 휘하에 놓이게 되었다. 대방군의 경우는 한반도내 대방군의 위상이 강화되자 낙랑군과 짝을 맞추어 遼東에 復置된 것으로 보인다.

⑬ 평양 일대에서 紀年銘塼을 갖춘 전실묘의 존재는 353년(永和 9)에 해당하는 평양역 구내 전실

246_ 張俶晶, 「대동강 하류일대 고구려 적석총의 본포현황과 그 성격」『國史館論叢』101, 2003, 21쪽.
그런데 최근까지의 낙랑군에 대한 문헌과 고고학적 연구 성과를 집성한 오영찬, 『낙랑군연구』, 사계절, 2006에서는 평양 지역 적석총의 존재에 대해서는 一言半句 언급하지 않았다. 의아한 일이 아닐 수 없다.

247_ 『三國史記』 권17, 미천왕 15년 조.

248_ 김원룡, 『한국의 고분』, 세종대왕기념사업회, 1974, 78~79쪽.

묘 외에는 없다. 더구나 이 무덤에서는 '遼東・韓・玄菟太守領'이라는 관직명이 보이지만 비현실적인 허구라고 한다.[249] 이 역시 평양 지역에 중국의 낙랑군이 존속되지 않았음을 반증해준다. 실제 250년~409년에 해당하는 紀年銘塼이 나타나는 대방군이 설치된 황해도 지역과는[250] 달리 평양 지역에는 3~4세기대에도 중국인이 위세를 형성한 물증이 보이지 않는다. 물론 낙랑토성에서 출토된 '大晋元康' (291~299) 銘 와당을 근거로 낙랑군의 존속 기간을 313년까지로 잡고 있다. 문제는 이러한 중국 연호가 적힌 명문 瓦塼은 5세기대까지도 고구려 영역에서 보인다는 점이다. 가령 황해도 신천군 西湖里에서는 東晋의 '元興三年'(404) 명문 전돌과 황해도 신천군 복우리 제5호분에서는 後燕의 '建始元年'(407) 명문 전돌을 제시할 수 있다.[251] 당시 이곳은 고구려 영역이었고, 광개토왕대였기에 永樂 연호를 사용했어야 마땅하다. 그러나 연호만 본다면 신천군 지역을 東晋과 後燕이 양분한 것처럼 비춰진다. 그렇다고 신천군 일대가 중국 영역은 아니었다. 마찬 가지로 낙랑토성에서 서진 연호가 적힌 와당이 출토되었다고 하여 중국 영역인 근거가 되지 않는다. 비슷한 사례를 든다면 고구려 국내성 안에서 東晋의 연호인 '太寧四年'(326년) 銘 와당이 출토된 바 있다.[252] 그렇다고 이 무렵 국내성이 東晋 영역이 될 리는 없지 않은가? 따라서 '大晋元康' 銘 와당은 중국인들의 거류를 나타내는 표지물로서의 의미를 넘어, 중국 군현 자체의 건재를 나타내는 증거로 삼기는 어렵다.

대방군 지역과는 달리 313년 이전이든 이후든을 떠나 평양 일원에서는 고구려계 석실분의 존재까지 확인된다.[253] 게다가 평양 일원과 대방군 지역은 묘제상으로도 커다란 차이를 보이고 있다.[254] 이처럼 평양 지역에서 중국 출신 漢人의 고분 자료가 확인되지 않는 이유를 歸葬制와 결부 지어 해석하기도 한다.[255] 그러나 이러한 해석은 420년간 동일한 장소에 낙랑군이 소재했다는 전제하에서는 납득이 되지 않는다. 더구나 後漢과 魏・晋時期의 혼란기에 낙랑군의 독립성이 높아졌기 때문이다. 오히려 평양 지역의 고분 자료를 통해 漢人들의 강고한 지배권을 확인하기 어렵다는 결론을 도출할 수 있다.

⑭ 고구려를 침공했던 魏軍의 퇴주로 기사가 『삼국사기』에 등장한다. 다음과 같은 '樂浪'의 소재지

249_ 孔錫龜, 『高句麗領域擴張史研究』, 서경문화사, 1998, 96~97쪽.
250_ 김원룡, 『한국의 고분』, 세종대왕기념사업회, 1974, 78~79쪽.
251_ 孔錫龜, 『高句麗 領域擴張史 研究』, 서경문화사, 1998, 80쪽
252_ 吉林省文物志編委會, 『集安縣文物志』 1984, 254~255쪽.
253_ 오영찬, 『낙랑군연구』, 사계절, 2006, 235~238쪽.
254_ 오영찬, 『낙랑군연구』, 사계절, 2006, 238쪽.
255_ 오영찬, 『낙랑군연구』, 사계절, 2006, 85~86쪽.

문제를 검토해 본다.

> … 魏 장수가 그 말을 듣고 그 항복을 받으려 하였다. 유유는 식기에 칼을 감추고 앞으로 나 아가, 칼을 빼서 위 장수의 가슴을 찌르고 함께 죽으니, 위군이 마침내 어지러워졌다. 왕은 군사 를 세 길로 나누어 급히 공격하니, 위군이 소란해져서 군진을 이루지 못하고 드디어 樂浪으로 부터 물러갔다(동천왕 20년 조).

위의 기사에 따르면 동천왕이 북옥저 방면으로 퇴각한 『삼국지』 기사와는 달리 남옥저 방면으로 후퇴하였다. 이때 魏軍의 퇴각로에 대해 지금까지의 해석에서는 낙랑군이 평양에 소재한다는 전제 하에서 "드디어 낙랑 방면을 거쳐서 退去하였다"[256] 거나 "마침내 낙랑을 거쳐 도망하였다"[257] 고 해석했다. 그러나 이 구절은 "드디어 낙랑으로부터 물러갔다(遂自樂浪而退)"고 해석해야 마땅하다. 『삼국사기』에 따르면 당시 동천왕은 "왕은 남옥저로 달아나서 竹嶺에 이르니"[258]라고 했다. 여기서 竹嶺은 『삼국사기』 지리지에서 "竹嶺縣: 본래 고구려의 竹峴縣이다"[259] 고 하여 보인다. 竹峴縣의 현재 위치는 알 수 없지만 삼척군에 속해 있었다. 그런 만큼 죽령의 소재지를 嶺東 일대로 상정할 수 있다. 이 같은 魏軍의 진출과 퇴각로는 과거 領東七縣 관념에다가 인접한 영서낙랑에 대한 공간적 상징성까지 가세하여 '낙랑으로부터 물러갔다'고 한 것 같다.

⑮ 『삼국지』에는 낙랑군의 존재와 관련해 명분론적 수사가 보인다. 가령 204년 경에 "建安(196~219) 중에 공손강이 屯有縣 이남의 荒地를 나눠서 대방군을 삼았다"고 하여 대방군이 설치되었다. 대방군 설치 목적에 대해서는 견해가 다양하지만 그 본질은 하나로 집약된다. 즉 중국은 낙랑군을 회복하지 못하자 그 대안으로 과거의 낙랑군 남쪽에 '荒地'라고 하였듯이 어떤 행정력도 미치지 못하는 空地에 새로운 郡을 설치한 것이다. 『晋書』 지리지에 보면 당초 낙랑군에 속하였던 含資縣 등 7개 현이 대방군에 편제되었다. 이 사실은 낙랑군이 더 이상 평양에 소재하지 않았거나 제 기능하지 못했음을 뜻한다. 韓濊의 강성으로 기실 낙랑군이 해체된 상황을 암시한다. 이와 관련해 "桓

256_ 李丙燾 譯, 『國譯 三國史記』, 乙酉文化社, 1977, 264쪽.
257_ 이재호 譯, 『三國史記』, 솔, 1997, 111쪽.
258_ 『三國史記』 권17, 동천왕 20년 조.
259_ 『三國史記』 권35, 地理 2.

·靈帝(146~189) 末에 韓濊가 강성하여 郡縣이 능히 제어하지 못하자"라는 구절에 보이는 '郡縣'은 허세에 불과한 명분론적 수사에 불과한 것이다. 따라서 대방군 설치 기사는 고구려의 압력을 받은 낙랑군의 남천 내지는 종말로 지목한[260] 견해의 타당성이 높아졌다.

한편 "그때 태수 궁준과 낙랑태수 유무가 兵을 일으켜 이들을 정벌했는데, 遵이 전사하였고, 2군은 드디어 韓을 멸했다"라고 하였다. 여기서 마한을 멸망시켰다는 기사는 명백한 과장 내지는 허위이다. 이와 더불어 "正始 6년에 낙랑태수 유무와 대방태수 궁준이 領東濊가 고구려에 屬하자 군대를 일으켜 이곳을 정벌하였다. 不耐侯 등이 읍락을 들어 항복했다. 그 8년(247)에는 대궐에 와서 조공을 하자, 다시 詔를 내려 不耐濊王을 제수했다. 거처는 백성 사이에 섞여 있고, 四時마다 郡에 이르러 조알했다. 2郡은 군대가 정벌하거나 賦調가 있으면 役使를 공급하게 했는데, 이들을 대우하는 것이 마치 (자기들) 백성과 같았다"는 『삼국지』 동이전 예 조의 기사를 살펴 본다.

여기서 正始 8년에 不耐侯 등이 중국 본토의 魏 조정까지 찾아와 조공했다는 기사는 同書 本紀에 없다. 이는 신뢰하기 어려운 기사임을 알려준다. 요컨대 이러한 일련의 기사들은 삼한이나 낙랑군 동부도위가 설치되었던 濊 지역에 대한 지배권을 놓치지 않으려는 의도에서 기인했다고 본다. 낙랑군과 대방군이 강고하게 군림한 것처럼 보이지만 신빙성이 희박한 내용인 것이다. 따라서 이 자료로써는 3세기대까지 낙랑군의 견고함과 평양 소재설을 운위하기는 어렵다. 오히려 낙랑태수 유무와 대방태수 궁준이 요동에 거처했다는 견해가 주목된다.[261]

후한은 낙랑 주민들을 수습하여 204년 경에는 황해도 봉산군을 거점으로 대방군을 설치하여 삼한과 倭를 통제하고자 했지만 이 역시 무력해졌다. 그러자 魏가 237년~239년 사이에 바다를 건너 군대를 보내서 회복한 2郡 가운데 낙랑은 영서 지역에 소재하였다. 이는 다음 기사들을 통해서 확인할 수 있다.

* 여름 5월에 왕이 신하에게 말하였다. "우리나라의 동쪽에는 낙랑이 있고 북쪽에는 말갈이 있어 영토를 침략하므로 편안한 날이 적다.… (시조왕 13년 조)"

260_ 金元龍, 「낙랑 문화의 역사적 위치」『한국 문화의 기원』, 탐구당, 1976, 166~167쪽.
261_ 全浩天, 『樂浪文化と古代日本』, 雄山閣出版, 1998, 146쪽.

위의 인용에 보이는 백제 동쪽의 낙랑은 영서낙랑을 가리킨다. 그리고 魏에 의해 2郡이 회복되었다고 하더라도, 이때의 낙랑군이 여전히 평양에 소재했는 지 여부이다. 이에 대한 단서가 "辰韓 8國을 분할하여 낙랑에게 주려고 했는데"라는 『삼국지』 구절이 된다. 기존의 공간 개념에 따른다면 대방군도 아닌 낙랑군이 진한을 직접 통제한다는 것은 납득하기 어려운 정황이었다. 오히려 낙랑군이 지금의 평양이 아니라 진한과 교류가 비교적 용이한 그 남부 지역, 가령 嶺西 방면이라고 할 때 가능한 상황이다. 그리고 『삼국사기』 백제본기에 등장하는 낙랑이 춘천 방면에 소재했음을 방증하는 자료들을 몇 가지만 제시해 본다.

① 고이왕 13년 조에서 "낙랑의 邊民들을 습격하여 빼앗았다"고 했다. 즉 246년의 시점에서 백제가 대방군을 거치지 않고 낙랑과 충돌할 수는 없다. 더구나 3세기 중엽에는 지금의 평양 지역에 낙랑군은 소재하지 않았다고 이미 구명한 바 있다. 그렇다면 이 낙랑은 춘천 방면의 낙랑이 될 수밖에 없다.

② 낙랑군이 평양에 소재한 상황에서 백제가 공격을 하였다고 하자. 백제는 대방군을 뛰어넘어 낙랑의 남쪽 縣을 습취해야 하지만 자연스럽지 않다. 그러나 이와는 달리 분서왕 7년(304) 조에서 보듯이 백제의 습취 대상은 '낙랑 서쪽 縣'이었다. '낙랑 서쪽'은 백제 동쪽에 소재한 시조왕 13년 조의 낙랑과 맥락이 이어진다.

③ 『삼국사기』에서 "가을 9월에 漢이 貊人과 더불어 와서 침략하자 왕이 나가서 막다가 敵兵에게 害를 당하여 돌아가셨다"[262]라는 기사에 貊人이 등장한다. 貊은 "朔州: 賈躭의 古今郡國志에 이르기를 '고구려의 동남쪽, 濊의 서쪽, 옛날 貊의 땅이니, 대개 지금 신라의 북쪽 朔州'라고 하였다"[263]고 하였듯이 춘천 인근의 종족을 가리킨다. 여기서 '漢'은 낙랑을 가리키므로 주변의 貊人을 동원하여 백제를 친 것이다. 이러한 주변 환경도 낙랑의 소재지를 춘천 일대로 지목하는데 불리하지 않다.

④ 기원전 2세기~1세기 무렵까지는 낙랑군의 변경이나 가장 원거리에 소재한 영남 지역이 가장 활발한 교류를 가졌다. 반면 2세기 이후까지 낙랑군과 마한과는 교류 관계를 나타내주는 자료가 거의 없다. 그러다가 2세기 후엽 이후가 되면 중부 지방에 낙랑 관련 유물이 급증하는 현상이 나타난다.[264] 이는 낙랑 주민의 이주 내지는 남하·확산을 뜻할 수 있지만, 영서낙랑의 소재지와도 긴밀히

262_ 『三國史記』 권24, 책계왕 13년 조.
263_ 『三國史記』 권35, 地理2, 朔州 條.
264_ 김무중, 「마한 지역 낙랑계 유물의 전개 양상」 『낙랑문화연구』, 동북아역사재단, 2006, 305쪽.

연계된 현상임은 부인할 수 없다.[265)]

그러면 영서낙랑의 소재지는 어디일까? "11월에 왕이 낙랑의 牛頭山城을 습격하려고 臼谷에 이르렀으나 큰 눈을 만나 곧 돌아왔다(시조왕 18년 조)"에 보이는 '낙랑 우두산성'과 '臼谷'이 단서가 된다. 여기서 우두산성과 연관 지을 수 있는 지명은 牛首州였던 春川이다.[266)] 茶山도 "지금 소양강 兩水가 합쳐져 띠를 두르는 곳에 大村이 있는데, 牛頭라고 한다. 그 가운데 所謂 貊國古墟가 있다. 이곳이 곧 古樂浪國의 遺墟이다. 또 춘천 南界에 있는 水村을 方牙兀이라고 하는데 漢譯하여 적어 본즉 臼谷이 되는 것이다"[267)]라고 분석했다. 茶山은 소양강 합수 지점에서 牛頭村의 존재를 확인하였다. 그리고 臼谷을 '방아골'로 읽어 춘천 남쪽 경계의 水村인 '방아올'로 비정했다. 이와 관련해 춘천 牛頭洞 주거지에서 낙랑 기와 제작 기술의 土管이 출토된[268)] 사실은 주목을 요한다. 이는 이동 가능한 단순한 유물의 이전을 뜻하는 게 아니다. 중국계 고급 문물을 향유한 세력의 정착과 연관이 깊은 증좌인 것이다. 차후 영서낙랑 관련 유구가 본격적으로 드러나기를 기대해 본다.

4세기대에 접어들어 요동의 낙랑군과 대방군은 고구려의 집요한 공세를 견디지 못하고 전연으로 귀부하고 말았다. 한반도의 대방군과 영서낙랑 역시 고구려의 압박으로 인해 해체의 길을 걸었다. 그런데 영서낙랑은 진번이나 임둔, 그리고 제1현도군과 마찬 가지로 뚜렷한 고고학적 물증을 남겨놓지 못하였다. 그러나 춘천에 소재한 영서낙랑은 한반도 중부 지역 낙랑토기 문화의 진앙지였다.[269)]

(2) 낙랑국

낙랑국은 고조선의 전 지역을 포괄하여 고조선을 계승하였던 낙랑왕조를 이르는 것이다.[270)] 낙랑

265_ 한탄강 상류와 북한강 상류 지역에서도 기원전 2세기~1세기까지의 낙랑 유물이 지엽적으로 출토되고 있다(김무중, 「마한 지역 낙랑계 유물의 전개 양상」『낙랑문화연구』, 동북아역사재단, 2006, 305쪽). 그러나 이는 수량이 적을 뿐 아니라 지리적 이점상 낙랑과의 접촉이 용이한데서 기인한 반입품에 불과하다.

266_ 『三國史記』 권35, 地理 2, 朔州 條.

267_ 『與猶堂全書』 권6, 疆域考, 樂浪別考.
茶山은 낙랑군 남부도위의 治所와 최리의 낙랑국도 춘천으로 비정하였다. 그리고 낙랑은 313년에 춘천에서 소멸된 것으로 간주했다. 이러한 입장이었기에 茶山은 전통적인 貊國=春川說이나 요동 지역 낙랑 소재설을 모두 부정하였다(심경호, 『茶山과 春川』, 강원대학교출판부, 1996, 35~54쪽).

268_ 김무중, 「마한 지역 낙랑계 유물의 전개 양상」『낙랑문화연구』, 동북아역사재단, 2006, 292쪽.

269_ 李道學, 「樂浪郡의 推移와 嶺西 地域 樂浪」『東아시아古代學』 34, 2014, 3~34쪽.

270_ 孫晉泰, 『朝鮮民族史槪論(上)』, 乙酉文化社, 1948, 54쪽.

군과 달리 낙랑국은 漢이 재건해준 고조선을 계승한 왕조였다. 낙랑국은 형식상 낙랑군에 종속하였으나 실제 정치에 있어서는 점차 자주 독립하게 되었다. 낙랑국은 313년에 낙랑군이 멸망할 때 함께 소멸되었다고 보았다.[271] 혹은 낙랑국은 32년에 고구려에 멸망한 것으로 되어 있지만, 그 존재가 확인되는 만큼, 낙랑군 東部都尉의 잔영이 아닌가 생각된다.[272]

북한 학계에서는 32년에 고구려가 낙랑국을 공격하여 항복을 받아냈다고 보았다. 낙랑국은 고조선 유민들이 세운 소국들 가운데 하나였다. 낙랑국의 일부 지배자들은 漢과 교역하면서 고구려에 대적했다는 것이다. 32년에 고구려 왕은 낙랑 왕실과의 혼인을 매개로 방비가 이완된 낙랑을 쳐서 항복을 받아냈다. 그로부터 5년 후인 37년에 고구려는 낙랑을 멸망시킨 후 그 북부에 고조선 유민의 새 소국 조선을 세웠다고 한다. 낙랑국 남부에는 그 잔여 세력이 여전히 존속하였다. 이와 관련해 "살수가 고구려의 남변이자 락랑국의 북변이니만큼 그것은 조선소국의 남변이기도 하였다"는 언급이다. 이러한 기술대로라면 살수 이북에 고구려와 조선소국 그리고 그 이남에 낙랑국이 소재한 것이다. 1세기 초엽에 낙랑국은 지금의 평안남도와 황해도에 걸쳐 소재했는데, 일시적으로 강원도 서북부 일대까지 미쳤다고 한다.[273]

271_ 孫晋泰, 『朝鮮民族史概論(上)』, 乙酉文化社, 1948, 98~99쪽.
272_ 李道學, 『새로 쓰는 백제사』, 푸른역사, 1997, 91쪽.
273_ 사회과학원 력사연구소, 『조선전사 3, 중세편』, 과학백과사전종합출판사, 1991, 48~50쪽.

5. 고조선 사회의 성격과 경제 및 음악

1) 殉葬 문제

고조선은 대규모 노예소유자사회인가? 근거는 일차적으로 랴오닝성 다롄시(大连市) 甘井子區 後牧城驛 樓上墓 동남쪽 450m 지점에 소재한 崗上墓의 殉葬制 가능성에 달려 있다.[274] 강상묘는 고조선 무덤으로 순장무덤이며 순장 대상이 노예라는 전제하에 제기된 견해이다. 강상묘의 연대인 기원전 8세기 경에는 발전된 노예소유자국가인데, 이 국가는 토지를 비롯한 중요 생산수단을 독차지한 노예소유자 계급이 모든 권력을 틀어진 사회를 가리킨다.

그림 5 | 강상묘 도면[276]

그러면 순장이란? 死者를 위하여 그가 생전에 사용하던 물건을 매장하는 단계를 넘어 살아 있는 사람을 죽여서 함께 매장하는 장례풍습을 말한다. 생전의 영화를 내세에서 고스란히 재현하고자 하는 관념과, 내세를 이승의 연장으로 보는 繼世思想에서 비롯되었다. 순장 대상은 개・말・사슴 등의 짐승을 순장하기도 하지만 이들은 제외가 된다. 사람만이 대상으로 언급 논의하여야 한다. 인간과 인간과의 사회적 관계는 人殉에 집약되어 있기 때문이다.

순장의 필요 조건은 ① 동시성 즉, 主被葬者와 殉葬者가 동시에 매장되어야 한다. 후대의 追加葬은 제외된다(동옥저의 가족장 등). ② 강제성 즉, 피순장자는 자신의 의사에 관계 없이 강제적으로 죽임을 당하고 순장당하여야 한다. ③ 종속성 즉, 다수의 사람이 하나의 무덤내에 묻혀 있는 경우, 중

274_ 이에 대한 조사보고서로는 朝・中合同考古學發掘隊 著・東北アジア考古學硏究會 譯,『崗上・樓上』, 六興出版, 1986, 76~118쪽.

275_ 朝・中合同考古學發掘隊・東北アヅア考古學硏究會 譯,『崗上・樓上 1963~1965 中國東北地方遺迹發掘報告』, 六興出版, 1986, 80쪽.

심적인 소수의 사람에 대한 다수의 종속적인 관계가 나타나야 한다. 예를 들어 매장 주체의 규모, 매장에 대한 정중도, 부장품의 질과 양에서 뚜렷한 격차가 인정되어야 한다. 계급적·신분적 격차가 반영되어야 한다.[276)]

2) 殉葬 관련 강상묘의 검증

강상묘는 둥근 언덕 위에 돌을 쌓아서 동서 길이 28m, 남북 너비 20m되는 무덤 구역을 만들고 그 안에 20여 개의 무덤 구덩이를 만든 다음 그 위에 막돌을 덮은 적석총이다. 무덤에는 백수십명 분의 사람뼈와 함께 비파형 단검을 비롯한 867점의 유물이 출토되었다.

葬法은 하나의 무덤구덩이[墓壙] 내에 다수의 인골 즉, 多人葬과 火葬을 기본으로 하였다. 火葬은 위에서 아래로 묘광내의 인골은 머리를 교차한 경우가 많고 어른과 아이가 함께 묻히기도 하였다. 그런데 강상묘에 대한 순장론의 의문점이 제기된다. 순장의 조건인 동시성·강제성·종속성의 세 가지 조건을 충족하지 못하였다.

① 동시성: 묘광의 상호 레벨 차이, 즉 層位의 차이가 현격한데, 石列를 파괴하면서 축조하였다. 겹겹이 쌓인 채 화장당한 것으로 보고된 인골의 개체수 판명은 용이하지 않다. 왜냐하면 墓壙의 體積에 비해 人骨數가 지나치게 많다(144軀). 이는 인골의 개체수 파악이 잘못되었거나 계속적인 추가장의 결과로 해석할 수밖에 없다.

② 강제성: 겹겹이 쌓이고 頭向이 엇갈리게 배치된 인골은 순장으로 간주하기에 유리한 측면이다. 그러나 순장이 행하여지지 않았음이 분명한 인근의 다른 2기의 무덤에도 이러한 인골배치가 나타나므로 강제성의 절대적 근거가 될 수 없다. 유아·소아의 인골을 근거로 순장의 가능성 생각하고 있으나 당시의 높은 유아 사망률을 고려할 때 재고되어야 한다.

③ 종속성: 7호 묘광이 가장 중심적인 것은 인정된다(위치·圓形石列·放射狀石列·묘광의 규모·鄭重度 등에서). 그러나 그 밖의 묘광의 피장자를 모두 순장자로 볼 경우 위치·규모·정성도·부장품의 질과 양에서 우월한 19호와 6호 묘광의 피장자는 설명이 어려워진다. 그리고 7호 묘광

276_ 강상묘와 누상묘에 대한 서술은 권오영, 「강상묘와 고조선 사회」『考古歷史學志』 9, 동아대학교 박물관, 1993, 257~277쪽에 의하였다.

은 그 부장품은 다른 묘광의 부장품 보다 우월성과 집중도가 떨어진다. 최하급 묘광에서도 청동제 단검과 같은 무기류와 장식품이 나온다.

강상묘가 순장묘가 아닐 경우 고조선의 대규모 노예소유자 사회론은 성립이 어렵다. 물론 평안남도 성천군 룡산리에서 30여 명의 노예를 순장한 무덤을 발견했다고 한다.[277)]

3) 법

고조선의 법은『한서』지리지에 전한다. 즉 고조선의 8條 犯禁은 3조목만 남아 있다. 그런데 이수광의『지봉유설』(권2, 諸國部 本國 條)에 의하면, 5倫을 합쳐 8條인 듯하다. 안정복은『東史綱目』箕子條에서 "八條는 아마 洪範의 8政을 가리킨 듯하다"고 추측했다.『漢書』지리지에 3條目만 남아 있는 고조선의 범금은 다음과 같은 내용이다.

첫째. 사람을 죽인 자는 즉시 사형에 처한다.

둘째. 남에게 상해를 입힌 자는 곡물로써 배상한다.

셋째. 남의 물건을 훔친 자는 데려다 노비로 삼는다. 단, 自贖하려는 자는 1인당 50萬 錢을 내야 한다.

이들 조목은 생명·신체·재산에 관계되는 것이다. 여기서 "사람을 죽인 자는 즉시 사형에 처한다"는 구절은 함무라비 법전에도 보이는 응보주의에 입각한 탈리오의 법칙과 동일하다. 법 집행의 형평성에 기인한 것이다. 그런데 절도죄의 경우 贖刑이 인정되었다. 후대에 대왕조선 시대나 낙랑군 시대에 새로이 만들어졌거나 혹은 개정된 조목으로 생각하고 있다. 왜냐하면 50만전으로 自贖한다는 但書는 漢代의 사형수에 대한 贖錢法과 꼭 같기 때문이다.

여기서 절도죄에 대한 처벌은 훔친 물건을 몇 갑절로 배상하는 차원이 아니었다. 생산 수단인 인력 자체를 고스란히 노비로 삼았다. 이로써 고조선에 노비의 존재가 확인된다. 더구나 노비의 수요가 많았던 사회임을 암시해준다. 이렇게 확보된 가노의 경우는 경작 등과 같은 생산 노동에 투입되

277_ 손영종 외,『조선통사(상) 개정판』, 사회과학출판사, 2009, 50쪽.

었다. 이에 상대되는 公奴의 충원 요인은 전쟁 포로나 패전과 모반에 연루된 군사들이었을 것이다. 그리고 국가의 물적 기반인 산천과 그에 부수된 자원을 무단으로 채취했을 때도 공노가 되었다. 비록 진한의 경우이기는 하지만 낙랑인 1천 5백 명이 벌목하다가 붙잡혀 노비가 된 것은 그 뚜렷한 사례이다. 이들 낙랑인들은 3년 간 머리 깍고 노동하던 중 1/3인 5백 명이 사망했다고 한다. 강도 높은 노동에 혹사당했음을 알 수 있다. 그런데 공노들은 국가의 기간 산업인 冶鐵 작업이나 그와 연관된 무기·마차 등의 제작과 같은 수공업에 투입되었을 것으로 보인다. 그와 더불어『삼국지』에는 이들이 "밭에서 참새를 쫓고 있다"고 했다. 그러므로 공노들이 경작에도 투입되었음을 알 수 있다.

범금 가운데 살인자는 즉시 사형에 처했다. 이는 즉결처분식으로 형이 집행되었음을 뜻한다. 서슬퍼런 긴장감이 감도는 사회였던 것이다. 살인죄에 대한 이러한 법 집행은 물론 생명에 대한 존중의식을 반영한다. 그리고 상해를 입힌 경우는 배상 수단이 牛馬가 아니라 곡물이었다. 이는 고조선 사회가 안정적인 농업경제 기반을 구축했음을 뜻한다. 농업의 비중이 실로 컸음을 말해준다. 그 밖에 8조목 가운데는 가부장적 질서의 확립을 위해 姦淫과 妬忌를 금하는 조목이 각각 존재했을 것으로 보인다. 또 모반죄를 범한 주범급은 참수하고 동원된 무리들은 공노가 되는 규정도 존재했을 개연성이 높다. 그리고 국가 식량원의 생산과 관련된 경작 잘못에 대한 처벌도 생각해 볼 수 있다. 이렇게 볼 때 8조 범금은 생명·신체·재산·정조를 위시하여, 가부장적 질서와 모반·생산경제 등을 포괄하는 규정으로 짐작된다.

4) 경제 생활과 무역

기원전 4세기 이래 철기의 보급과 농업 및 수공업의 발전에 따라 상업과 무역 또한 활발하게 진행되었다. 즉 쇠로 만든 도구가 도입되고 생산도구가 개량됨에 따라 기술이 발전하면서 농업과 수공업 생산이 늘어났다. 이러한 생산의 증대는 잉여생산물의 증진을 가져왔으며 상업과 무역의 발전 요인이 되었다. 게다가 고조선 사회는 정복전쟁을 비롯한 여타의 이유로 발생한 노비의 증가로 인해 생산력이 증진되었다. 고조선의 대외 팽창으로 인한 주변 지역 복속은 공납의 증대를 가져왔다. 이는 결국 잉여물의 집적으로 이어져 교역을 활성화시켰고, 또 원거리 교역을 가능하게 했다.

기원전 7세기 경 고조선은 산둥반도에 소재한 齊에 표범가죽을 수출하였다고 한다. 현재 전하는『관자』기록에 따르면 육로를 통한 燕의 영역을 넘어서거나, 발해만을 사이에 두고 해로를 통한 교역이 이루어진 것이다. 고조선은 원교근공책에 따라 연을 견제하면서 齊를 통해 중원대륙의 물산을 섭취했다. 고조선과 齊人과는 교역왕래가 현저하였다. 고조선은 철광석과 毛皮類 등을 수출하고, 제로부터는 철제 무기와 농기구와 鹽類와 衣料 등을 수입한 것으로 보인다.[278] 고조선과 산둥반도에 소재한 齊와의 교통로는, 떵조우(登州) 萊州로부터 出帆하여 랴오뚱반도 사이에 點在한 여러 도서를 거쳐 랴오뚱반도에 정박한 후 다시 연안 항해를 하여 평양에 이르렀다고 보았다. 서해를 가로지르는 횡단은 하지 않았다는 것이다.[279]

이러한 선상에서 전국시대 중국적인 세계관과 질서체계 속에 고조선의 존재가 서서히 그 一角을 점하였다. 기원전 4세기말 경 고조선과 접하고 있던 燕의 侯가 왕을 칭하자 朝鮮侯도 왕을 칭했다는 사실이 이를 반증해 준다. 고조선은 교역을 매개로 중국 문명을 수입하고 중원대륙의 정세에 개입하게 되었다. 고조선의 활발한 교역을 암시해 준다. 특히 랴오닝성 다롄시에 소재한 강상 7호 무덤에서 출토된 보배조개는, 열대나 아열대 지역에서 생산되는 것이다. 이는 고조선의 교역 범위가 남중국이나 그 이남까지 미쳤음을 뜻한다. 고조선의 조선술 발달도 유추할 수 있다.

기원전 2세기 경 고조선의 수출품으로는 樂浪檀弓 · 果下馬 · 표범가죽[文皮] · 바다표범가죽[班魚皮] · 담비가죽[貂皮]과 같은 특산물이었다. 여기서 낙랑단궁은 동예 지역에서 생산되는 힘이 센 활이 되겠다. 과하마는 강원도 북부 지역에 자리잡은 동예 등지에서 산출되는 강인한 체질의 말이다. 바다표범가죽은 동해안인 함경남도 德源에서, 담비가죽과 표범가죽은 내륙의 산간 지역에서 각각 산출되었다. 고조선이 漢과의 교역에서 수출품으로 내세웠던 이 같은 물산을 통해 그 교역권과 지배 범위가 가늠되어진다.

고조선에서 상업과 무역의 발전은 유통수단으로서 화폐의 광범위한 통용을 가져왔다. ① 범금 8조의 배상수단으로서 50만 전의 존재가 확인된다. ② 세죽리-연화보유적에서 易刀錢(明刀錢) · 一化錢 등의 청동화폐가 많이 출토되었다. 한 유적에서 수백, 수천 닢씩 무더기로 나왔다. 역도전은 한반도 서북 지역과 랴오뚱반도 일대에 집중되어 있다. 이 같은 역도전의 존재는 이 무렵에 주로 한반도 서북 지역의 고조선이 랴오뚱반도 지역과의 일종의 대외교역을 활발히 진행하였음을 의미한다. 역도전은 질그릇 단지 속에 넣어 외딴곳에 묻어 두거나 돌각담이나 돌칸 나무상자 속에 넣어 두었다.

278_ 孫晉泰,『朝鮮民族史概論(上)』乙酉文化社, 1948, 86~87쪽.
279_ 孫晋泰,『朝鮮民族史概論(上)』, 乙酉文化社, 1948, 86쪽.

이는 무덤의 부장품과는 달리 유통수단 내지 저축하기 위한 수단으로 이용되었다.

일화전의 존재는 세죽리-연화보유적에서 출토되고 있다. 중국 산하이관 남쪽 지방에서는 한 두 곳 유적에서 나왔을 뿐이다. 일화전은, 평안북도 자성군 서해리 유적에서 650개, 랴오닝성 高麗寨 유적과 牧羊城址 등에서 출토 되었다. 참고로 일화전은, 가운데에 구멍이 뚫린 네모난 한 면에 '一化' 두 글자가 적혀 있는데, 직경은 1.8cm~2cm의 매우 작은 엽전에 속한다. 명화전은 목양성지에서만 출토되었다. 고조선에서 역도전 뿐 아니라 일화전과 같은 고조선 지역에서 많이 출토된 엽전의 존재는 당시 상업이 활발하게 전개되었음을 말한다.

5) 음악

음악에는 당시 주민들의 정서가 녹녹하게 배어 있게 마련이다. 漢 惠帝(291~307) 때 인물인 崔豹의 『古今注』에 보면 어느날 霍里子高가 白首狂夫의 뒤를 따라 물에 빠져 죽은 그 아내의 애처러운 광경을 보고 돌아와 아내 麗玉에게 이야기했다. 여옥은 그 여인의 슬픔을 표현한 노래를 지어 箜篌라는 악기에 맞추어 노래 불렀다는 것이다. 바로 '公無渡河歌'라는 노래였다. 이 노래를 고조선 노래로 간주하는 근거는 조선의 작품이라 하면서, 곽리자고를 '朝鮮津卒'이라 했기 때문이다. 그러나 여기서 '조선'은 고조선이 아니라 과거 낙랑군이 소재했던 지역을 가리킨다. 3세기 후반에 집필된『삼국지』 동이전에도 낙랑군 지역을 '조선'으로 표기하였다. 곽리자고가 고조선 유민임은, 공후라는 악기가 서역에서 전래되어 한 무제 때인 기원전 111년에 제작된 점에서도 유추된다. 기원전 108년에 멸망한 고조선에, 그것도 津卒의 아내와 같은 계층에게 공후가 전래되기는 시간상 어렵다. 그러므로 공무도하가는 고조선 멸망 이후에 그 유민들의 애환을 담고 있는 노래로 간주되어진다. 唐의 鬼才詩人 李賀는 이러한 일화를 가지고 '箜篌引'이라는 시를 지었다.[280]

淸 강희제(1662~1722) 때의 문인 尤侗이 편찬한『外國竹枝詞』(향토의 경치와 인정·풍속에 대한 노래) 조선편에는 주목할만한 기록이 남겨졌다. 즉 "곽리자고의 아내 여옥이 楊花渡에서 사람이 물에 빠지는 것을 보고는 공후인을 지어서 公無渡河曲을 탔다고 한다"고 했다. 양화도는 지금의 양화대교 근처가 된다. 공무도하가의 배경이 서울시 강서구 구간의 한강이라고 했다.『京畿陽川郡邑誌』에

280_ 小倉紀藏,『朝鮮思想全史』, 筑摩書房, 2017, 54쪽.

도 동일한 내용이 수록되어 있다.

지금까지 서술한 고조선의 법 체계와 교역 그리고 음악을 통해 그 사회의 운용 원리와 공간적 범위에 대한 가늠이 가능해진다.

제3절 夫餘

1. 부여는 어떤 나라인가?

1) 한국사에서 의미

한국사에서 부여가 지닌 역사적 위상은 높다. 고구려와 백제는 모두 부여의 '別種'으로 불려졌다. 고구려와 백제 건국세력은 모두 부여에서 내려 왔다. 이 점은 472년에 개로왕이 북위에 올린 국서에 나타나고 있다(臣與高句麗 源出夫餘). 백제 왕실의 氏인 扶餘氏가 370년경 부여 王室의 氏로서 확인되었다. 그리고 백제의 한 때 국호가 (南)扶餘였으며, 백제의 수도였던 사비성은 오늘날 扶餘로 불려지고 있다. 그 밖에 고구려와 백제 모두 부여의 건국 시조를 제사지내는 東明廟라는 사당을 설치하였다. 8세기말에 편찬된『속일본기』에 따르면 "즉 대저 백제 太祖 都慕大王은 日神이 降靈하여 부여 땅을 차지하고 개국했는데, 천제의 秘記를 받아 여러 韓을 거느리고 왕을 칭하였다"고 했다. 이 같은 백제 시조관에 보이는 도모대왕은 동명왕이었다. 한치윤도 "부여는 句麗와 百濟가 스스로 일어난 곳인 까닭에"[281]라고 하였다. 부여를 고구려와 백제의 기원으로 인식했다.

한국고대사상 부여계 주민으로 맥족까지 포함하여 분류한다면, 부여·고구려·백제(지배층)·신라의 東海岸 住民·東濊·沃沮의 濊族이다. 그리고 부여를 軸으로 하여 동일한 풍속을 가진 문화 공동체가 형성되었다. 가령 兄死娶嫂制라는 혼속권이 그 대표적인 사례이다. 예족은 삼한의 주민으로 간주하는 韓族과는 구분되는 한국고대사상 주민 구성의 양대 軸의 하나를 형성했다. 고조선을 계승한 국가는 조선왕조였다. 반면 부여와의 연관성을 짓는 국가로는 고구려와 백제 나아가 발해를 꼽을 수 있다. 고구려와 백제 간 대립의 기저에는 同源 간의 주도권 쟁탈이라는 명분론이 깔려 있었다.

281_ 『海東繹史』권4, 世紀, 부여.

2) 국호의 유래

부여 국호는 본래 평야를 의미하는 '벌' 즉 伐·弗·火·夫里에서 연유했다고 보았다. 그러나 '부여'를 빨리 읽게 되면 '濊'이므로 종족 이름에서 기원했을 가능성도 있다. 즉 "餘는 그 音이 濊에 가깝고 濊는 夫餘의 약칭인 듯하다"[282]라고 했다. 혹은 '부여'는 '바위'와 音이 닮았다. '바위'는 동부여 금와왕의 출생처였다. 그러므로 부여라는 국호는 바위 곧 거석 신앙에서 비롯되었을 가능성이다. 즉 "이에 앞서 부여 왕 해부루가 늙도록 아들이 없어 山川에 제사지내어 아들을 얻으려고 했다. 왕이 탄 말이 가다가 鯤淵에 이르자, (말이) 大石을 보고는 눈물을 흘렸다. 왕이 이것을 괴이하게 여기어 사람으로 하여금 그 돌을 들게 하였더니 어린애가 있었는데, 金色의 개구리 모양이었다[蛙를 蝸로도 표기했다]. 왕이 기뻐하여 말하기를 '이는 하늘이 나에게 내려준 자식이다'고하며 그대로 그를 거두어 길렀는데, 이름을 金蛙라고 하였다"[283]고 했다.

그러나 부여는 사슴[鹿]을 가리키는 만주語인 buyu에서 기원했을 가능성이 크다. 부여와 인접한 북방 유목민족인 오환이나 선비의 경우 자신들의 근거지 山名에서 그 종족명이나 部名이 유래하였다. 즉 烏丸山=烏丸, 鮮卑山=鮮卑라는 등식이 성립된다. 이러한 등식을 부여에도 적용할 수 있다. 즉 "처음 夫餘는 鹿山에 거처하였다"[284]고 했다. 그렇다면 부여의 발상지였던 鹿山의 '鹿'에서 국호가 기원한 것이다. 실제 만주어에서 鹿[사슴]은 buyu라고 일컬어진다. 즉 부여라는 국호와 音價가 연결된다. 따라서 부여 국호 또한 오환이나 선비와 마찬가지로 그 발상지의 山名인 鹿山 즉 夫餘山에서 기원한 것이다.[285] 이렇듯 종족이나 국가의 발상지를 산악과 연계시키는 의식은 "금마산 개국"을 선포한 후백제에까지 계승되었다. 이처럼 山川에서 國名이 유래한 사례로서는 거란이 세운 遼도 해당된다. 국호 遼는 거란이 발원한 遼河에서 비롯되었기 때문이다.[286] 이와 더불어 역사상의 북부여·동부여·남부여 국호는 原夫餘를 구심으로 하는 계승 의식의 산물로 파악되어졌다. 부여 표기는 '夫餘'와 '扶餘' 2종류였다. 그렇지만 부여 당대의 문헌과 금석문 자료의 '夫餘' 표기를 따르는 게

282_ 孫晉泰,『朝鮮民族史概論(上)』, 乙酉文化社, 1948, 103쪽.
283_ 『三國史記』권13, 동명성왕 즉위년 조. "先是 扶餘王 解夫婁 老無子 祭山川求嗣 其所御馬至 鯤淵 見大石 相對流淚 王怪之 使人轉其石 有小兒 金色蛙形 蛙一作蝸. 王喜曰 此乃天賚我令胤乎 乃收而養之 名曰 金蛙"
284_ 『資治通鑑』권97, 永和 2년 정월 조. "初夫餘居于鹿山"
285_ 白鳥庫吉,「濊貊民族の由來お述へ"て夫餘高句麗及ひ百濟起源及ふ」『白鳥庫吉全集 3』, 岩波書店, 1970, 516쪽.
286_ 발레리 한센 著·신성곤 譯,『열린제국: 중국 고대-1600』, 까치, 2005, 361쪽.

온당하다.

만주 지역에서 사슴은 신앙의 대상이었다. 즉 주술적 능력을 가진 동물로 인식되었다. 예를 들면 「동명왕편」에서 추모가 저주를 내려 비를 내리게 한데 사용한 흰고라니가 대표적이다. 이러한 측면과 더불어 토템이라는 요소를 결부지어 보자. 부여라는 국호는 예족의 토템인 사슴에서 기원했을 가능성이다. 토템의 대상 동물 이름이 국호가 되는 경우는 신라에서 보인다. 신라를 김씨 토템의 이름에 따라 鷄(雞)林國이라고 한 예가 있지 않은가?

3) 부여의 존재

쑹화강을 끼고 있는 지린시 일원을 무대로 성장한 부여의 존재는 중국 문헌에서 발견된다. 기원전 12세기의 사실을 전한 『逸周書』에 보이는 '符婁'와 『논어』 子罕篇 疏에서 九夷 가운데 하나인 '鳧臾'를 부여로 지목하고 있다. 伏生이 저술한 『상서대전』에 "무왕이 商을 꺾자, 海東諸夷와 부여가 복속하였는데, 모두 도로가 통하였다"고 하여 보인다. 기원전 8~7세기 경에 부여와 周 사이의 교섭이 이루어졌음을 뜻한다. 『사기』 화식지에도 연과의 교섭 대상으로서 "북쪽으로는 오환・부여와 이웃했고, 동쪽으로는 예맥・조선・진번의 이득을 꿴다(北隣烏桓夫餘 東綰穢貊朝鮮眞番之利)"라고 하여 보인다. 이 기사를 燕 당시의 경제 상태에 대한 설명으로 본다면, 부여의 존재는 기원전 3세기 경에는 중국에 알려진 것이다. 그리고 연 지역 주민들과 경제적 교섭이 있었음을 뜻한다.

『사기』 烏氏倮 條에 의하면 진 시황 때 오씨현의 倮라는 사람이 장사하여 이득을 본 기사 가운데 고조선과 더불어 부여의 존재가 나타난다. 『한서』 왕망전에는 "대저 燕은 … 그 동쪽으로 나오면 현도・낙랑・고구려・부여에 이른다"라고 하여, 이들 지역과 왕래할 수 있는 교통로가 확보되었음을 시사해 준다. 이로 보아 부여는 주대부터 한대에 이르기까지 중원대륙과 빈번하게 교섭을 가졌음을 알 수 있다. 부여는 이후 전한을 이은 후한과도 외교 관계를 맺었으므로 정보도 쌓여만 갔을 것이다. 한편 기원전 5~3세기 경에 만들어진 중국에서 가장 오래된 지리책인 『산해경』에 따르면 "有胡不與之國(大荒北經)"라고하여 보이는 '不與'가 夫餘와 音이 근사함으로 부여 국가를 가리키는 것으로 간주하는 견해도 있다. 그 밖에 중국 甯 지역 사람인 瑕丘仲이라는 藥 장사가 "뒤에 夫餘 胡王의 사신[驛使]이 되어 다시 寗으로 왔다"[287]고 한다. 『열선전』의 저자인 劉向(기원전 77~기원전 6)의 생존 기간 중에 부여는 전한과 교류했음을 알 수 있다. 한진서는 자신의 按說을 첨가하여, 부여가 九夷 중의 鳧臾와 같으며, 그 유래가 아주 오래되었다고 했다.[288]

한국 역사상 유일하게 국왕이 직접 중국의 궁성을 찾아가는 파격적인 방문이 있었다. 136년에 금은으로 장식한 모자를 쓴 부여 왕은 화려하게 수 놓은 비단 옷 위에 아마도 흰 담비 가죽으로 만든 갖옷을 걸치고 후한의 수도 낙양을 방문하여 극진한 대접을 받고 돌아 왔다. 북국 王者의 자용이 역사무대에 환하게 드러나는 순간이었다. 이후 1세기 초부터는 부여의 존재가 중국 사서에 자주 등장하는데, 3세기에 이르기까지 간단 없이 접촉하여 왔다. 예외적으로 2차례의 무력 충돌을 제외하고는 부여와 중국은 우호 관계를 유지하여 왔다. 중국의 입장에서 볼 때, 부여의 존재는 부여가 서쪽으로는 선비, 남쪽으로는 고구려와 접하고 있었으므로, 중국으로서는 부여와 연결을 가짐으로써 중국에 적대적인 2세력을 견제할 수 있었기 때문이다. 부여는 중국의 이이제이책에 이용된 듯한 구석이 있다. 이에 대한 정곡을 찌르는 소견을 다음과 같이 인용해 보았다.

부여 왕은 그 초기에 있어 濊王이라는 印을 漢으로부터 받았고 중국의 錦繡로 된 王衣 王冠에 玉璧 珪瓚 金銀 등 중국의 高級 細工品을 裝飾하여 그 귀족적 威儀를 표현하였으며, 死王의 부장품으로서 玉匣을 漢室로부터 보내었다. 이에 대한 부여 왕의 獻物이 과연 무엇이었는지는 알기 어려우나 貂·狖 등 고급 모피류와 金·弓矢 등에 불과하였을 것이다. 이러한 조공에는 상업적 목적 이외에 정치적 목적으로 그 중요한 의의가 되었을 것은 多言할 필요도 없다. 그리하여 49년 이후로는 매년 중국에 交通하였던 기록이 전하며 136년에는 국왕 위구태 자신이 漢廷에 見謁하였으니, 선비(東몽고민족?)·고구려와의 국제관계가 복잡하였던 까닭이었다. 漢廷은 黃門鼓吹하는 帝庭의 宴樂(145인으로 조직되었다)과 角觝戲(射御競技)를 베풀고 百官과 함께 遠來의 왕과 그 부하를 위로하였다. 이 盛大한 환영은 선비·고구려 등의 공세에 대비하여 부여의 武力을 이용하고자 함에 그 의도가 있었던 모양이다. 150년에 漢의 요동태수 공손도가 그 宗女로써 위구태의 妻를 삼은 것도 그러한 정치적 의도에서이었다.[289]

287_ 『列仙傳』瑕丘仲.
288_ 『海東繹史』, 제1권, 世紀, 東夷總記.; 제4권, 世紀, 夫餘.
289_ 孫晉泰, 『朝鮮民族史概論(上)』, 乙酉文化社, 1948, 103~104쪽.

역사적으로 부여는 북부여와 동부여 그리고 남부여의 존재가 확인된다. 이러한 방위명 부여의 기준이 되는 국가로는 일찍부터 고구려를 상정해 왔다. 고구려를 기준으로 하여 방위명 부여가 생겨났다는 것이다. 그러나 「광개토왕릉비문」에 따르면 북부여에서 출원한 추모왕의 남하 노정에 '부여'의 존재가 포착되었다. 게다가 부여 계승 의식 속에서 改號한 백제의 '남부여'는 고구려인들의 타칭이 될 수 없다. 고구려인들이 백제가 부여의 후예임을 인정할 리 없었기 때문이다. 그렇다면 고구려가 아니라 原夫餘를 기준하여 방위명 부여가 유래한 게 사리에 맞다. 『삼국사기』에 의하면 초기 동부여 영역의 일부는 고구려 북쪽에 소재한 것으로 드러났다. 그럼에도 동부여라고 일컬었던 이유는 방위의 기준이 고구려가 아니라 원부여이기 때문이었다.[290]

그리고 지금까지는 동부여의 성립 시점을 前燕의 침공으로 부여가 파국을 맞은 285년 이후로 설정해 왔다. 이러한 논리대로 라면 「광개토왕릉비문」에서 "東夫餘舊是鄒牟王屬民"라고 한 구절과 추모왕의 동부여 출원 문헌 기록은 허구가 되는 것이다. 그러나 『魏書』 고구려 조 모두에서 생략된 부분은 류화가 유배된 내용으로 구명되는 한편, 동부여의 존재까지 확인시켜 주었다. 그 밖에 3세기 후반에 집필된 『삼국지』에서 옥저 북쪽에 소재한 '부여'는 쑹화강유역의 부여가 아니라 동부여로 구명되었다. 동부여가 성립했다고 주장하는 285년 이후 이전에 이미 그 존재가 확인된 것이다.

문제는 동일한 시점에서 複數의 부여가 존재하였다. 『삼국지』 부여 조에서 "그 나라는 殷富하여 先世 이래로부터 일찍이 파괴된 적이 없다"라고 했을 정도로 부강을 자랑하였다. 그러나 『魏書』에 따르면 부여는 1세기 전반에 고구려와의 전쟁에서 대패하여 고구려에 統屬되었다고 한다. 실제 『삼국사기』에 의하면 고구려 대무신왕은 동부여를 공격해서 대소왕을 전사시킨 바 있다. 그런데 121년 11월 부여에서 귀환한 태조왕은 12월에 부여군과 현도성에서 격돌했다. 『삼국지』와 『삼국사기』의 부여가 서로 다른 국가였을 때 가능한 현상이었다. 따라서 복수의 부여가 병존했음을 알 수 있다.[291] 『삼국지』의 부여가 원부여인 것이다. 원부여를 중심에 두고 방위명 부여가 태동했다. 그러니 285년 이후 동부여 성립설 역시 성립이 어렵다.

290_ 「광개토왕릉비문」에서 서로 다른 3개의 부여의 존재가 확인된다는 사실은 李道學, 「方位名 夫餘 國의 성립에 관한 檢討」 『白山學報』 38, 1991, 11쪽에서 언급한 바 있다.

291_ 李道學, 「高句麗와 夫餘 關係에 대한 再檢討」 『고구려의 역사와 대외관계』, 한국학중앙연구원 동북아고대사연구소, 2006 ; 해당 논문 공개발표, 2005년 1월 21일, 한국학중앙연구원 ; 『고구려 광개토왕릉비문 연구』, 서경문화사, 2006, 18~36쪽.

4) 부여의 중심지

부여는 고조선 다음으로 등장하는 한국사상 두번째의 국가이다. 부여의 중심지는 다음과 같이 크게 4가지 학설로 구분된다. ① 農安의 동북방인 阿勒楚喀(一名 阿什河) 일대, 즉 쑹화강 북쪽의 雙城에서부터 그 북쪽의 阿勒楚喀 일대(池內宏). ② 만주에서 가장 넓은 평야 지대인 伊通河流域의 農安·長春 지방(日野開三郎). ③ 吉林市 東團山 南城子 지역(武國勛). ④ 東明이 건넌 東流松花江에서 가깝고, 축조 상한이 기원전 4세기대인 賓縣 慶華城址(王禹浪·李彦君).

부여의 중심지를 구명할 수 있는 단서는 『삼국지』 부여 조이다. 즉 부여 중심지의 위치를 시사하는 기록을 남기고 있다. 여기서 왕성의 조건은 다음과 같다. ① 수도가 현도군(撫順)에서 千里되는 곳. 지금 里數로 한다면 700리이다. ② 농경위주의 생활을 영위하며, 山陵과 넓은 沼澤이 많으며 넓은 평야지대이어야 한다. ③ 妬忌한 여자는 "國의 南쪽 山上에 버린다"고 했다. 國은 왕성을 가리키므로, 국도 남쪽에 산이 있어야 한다(『자치통감』에 의하면 鹿山이 확인 됨). ④ 3세기 중반 이전까지 한번도 다른 나라에 공파된 적이 없는 지역이어야만 한다.

이러한 조건에 맞는 지역은 지린시 일대이다. 지린시는 ① 제3현도군이 있던 撫順에서 漢代의 里數로 千餘里(지금의 700里) 떨어졌다. ② 지린시 일원에서 발달한 시퇀산문화(西團山文化)유역에서 보듯이 일찍부터 토착농경생활을 하였다. 지린시의 서쪽으로는 광활한 평야가 펼쳐져 있으며 동으로 산릉이 있어, 두번째 요소와 부합되고 있다. 즉 '國南山上' 기록은 지린시 남쪽의 산들과 연결된다.

지린시는 분지를 이루고 있고 백두산에서 발원한 쑹화강이 협곡과 산을 지나 이곳 분지로 흘러 들어와, 서북쪽으로 구릉과 原野 지대로 나아간다. 지린시 일원의 쑹화강 양편의 낮은 구릉과 충적 평야에는 청동기 시대 이래 이른바 시퇀산 문화의 유적들이 다수 분포되어 있다. 이러한 유적들이 조성된 기간은 周初~漢初에 속한다. 그 내용은 석관묘·토광묘 조영자들의 생활을 알려주는데 비

그림 6 | 지린시 룽탄산성에서 굽어 본 쑹화강과 둥퇀산 난청쯔, 그리고 마오얼산 일대

파형동검(과거에 지린시박물관에 진열되었음)과 銅矛 등이 출토되었다. 그리고 돼지와 같은 가축 사육과 粟·기장[黍] 등과 같은 내한성 곡물과 삼[麻]의 경작이 확인되고 있다. 부여에서 농업이 주요 산업이었음을 말해준다.

시퇀산문화의 주체에 대해서는 肅愼~挹婁族으로 보는 견해가 있다. 그러나 시퇀산문화는 읍루족의 중심부로 여겨지는 장광카이령(張廣才嶺) 동쪽의 무단강(牧丹江)유역 문화와는 차이가 난다. 시퇀산문화는 예족의 문화가 분명하다. 그리고 지린시를 중심한 쑹화강유역에서는 미송리형 계통 토기가 퍼져 있다. 부여와 고조선과의 기층적 연관성을 암시해주는 표징으로 해석된다.

시퇀산문화에 이은 시기의 유적이 난청쯔이다. 부여의 城은 圓柵인데, 부여 왕성으로 추정되는 지린시 둥퇀산 난청쯔(南城子) 토성 유구에서 확인되었다. 이곳에서 궁성 유적들도 드러났다고 한다. 즉 漢代의 五銖錢·玉飾·琉璃耳飾·'長樂未央' 銘 瓦當 및 중국계 토기와 물품 등이 다량으로 출토되었다. 낙이 길어서 다함이 없다는 길상구가 적힌 '長樂未央'은 漢 長安城 안에 소재한 宮名(장락궁·미앙궁)을 가리킨다. 게다가 부여의 거점인 鹿山은 난청쯔 인근의 둥퇀산(東團山)이 될 수 있다. 난청쯔의 남쪽 2리쯤에 소재한 마오얼산[冒兒山]에는 古墳群이 형성되어 있다.[292] 지린시 일원은 고고학적 유물이 많이 출토되었고 성터도 확인되었다. 그런데 부여 국가의 발상지로 거명된 鹿山이 둥퇀산이라면 너무나 왜소하다는 인상을 준다. 때문에 그 동편의 룽탕산(龍潭山)을 녹산으로 지목하기도 한다.

부여의 왕성을 지린시 둥퇀산 난청쯔로 비정했던 우고쉰은 일찍이 "담장 위에는 여러 양식의 기하무늬 도안이 부조된 花紋磚이 첩첩이 쌓여져 있었고, 대형의 수키와와 암기와가 大屋의 꼭대기를 덮고 있으며, 자갈돌을 이용하여 지면을 깔아두고 있었다. 이러한 대형의 웅장한 궁전 위에서는 쑹화강이 흐르는 것을 내려다 볼 수 있으며 멀리 룽탕산의 모습도 볼 수 있는 대단히 아름다운 경치이다"[293]고 하였다. 사실 둥퇀산에서 출토된 長條形花文塼은 화려함의 편린을 보여주고 있다.

292_ 夫餘 즉 buyu의 促音은 '濊'이므로, 鹿山은 '濊山'이 된다. 『삼국지』와 『후한서』에 의하면 부여의 중심지를 '濊城' 혹은 '濊地'라고 하였다. 그러므로 濊山 즉 鹿山인 東團山 일대가 부여 王城 지역이 될 수밖에 없다고 한다.

293_ 이상의 서술은 武國勛, 「夫餘王城新考」『黑龍江文物叢刊』 1983, 제4기 ; 李道學 譯, 「夫餘 王城新考-前期 夫餘王城의 發見(상·하)」『우리 文化』 12·13호, 전국문화원연합회, 1989, 64~69쪽. 30~36쪽에 의하였다.

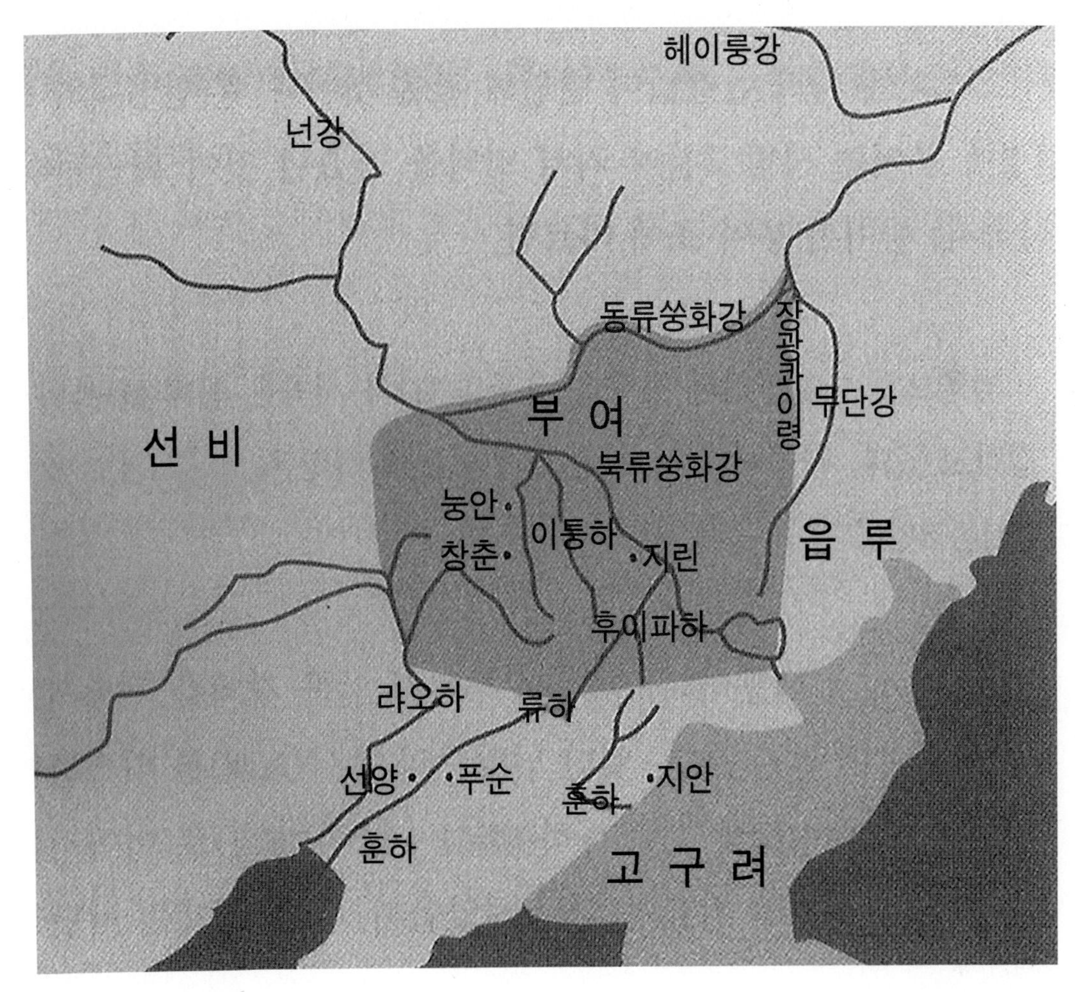

그림 7 | 부여의 범위

5) 건국 설화

건국설화는 그 자체가 사실은 아니지만 상징성을 지녔다. 그런 관계로 건국 세력의 정체성을 살필 수 있다. 다음은 부여 건국설화이다.

> 옛날 북방에 槀離(『후한서』 부여 조에서는 索離國으로, 『論衡』에서는 槀離國으로 적혀 있음)라는 나라가 있었는데 그 왕의 여종이 임신하자 왕이 여종을 죽이려고 하였다. 그러자 여종이 "계란 만한 기운이 내 몸에 들어오더니 임신하게 되었다"고 말하였다. 그 후 여종은 아이를 낳았다. 왕이 여종의 아이를 돼지우리에 버렸지만 돼지들이 아이에게 입김을 불어 주었다. 그러자 왕은 그 아이

> 를 마굿간에 옮겨 두었는데 말들 또한 그 아이에게 입김을 불어 주었으므로 여종이 낳은 아이는 죽지 않았다. 그러므로 왕은 이상히 여겨 天帝의 아들로 생각하였다. 이에 그 어미에게 돌려주어 아이를 거두어 기르게 하였다. 이 아이의 이름은 東明인데 항상 말을 치도록 명령받았다. 동명은 활을 잘 쏘았다. 왕은 동명이 자신의 나라를 빼앗을까 두려워 하여 그를 죽이고자 하였다. 그럼에 따라 동명은 남쪽으로 달아나 施掩水에 이르러 활로 水面을 치자 물고기와 자라가 떠올라 다리를 만들어 주었다. 동명이 강을 건너자 물고기와 자라가 곧 풀어 흩어져 추격하는 병사들이 건너지 못하였다. 동명이 이로부터 부여 땅에 도읍을 정하고 왕이 되었다.[294)]

위에 적힌 부여 건국설화는 후한 때 王充이 지은『논형』吉驗篇에서 처음 보인다. 그리고『삼국지』부여 조에 인용된「위략」에서도 확인된다. 그런데 건국설화에서 물고기와 자라떼가 다리를 이루어 大河를 건너게 했다는 설화상의 모티브는 하천이나 연해에 거주하는 수렵민들의 공통적인 발상이다. 이 설화에서 "다리가 없어졌다"는 것은, 북아시아 지방은 강물이 어는 겨울철이 가장 교통이 편리하여 마음대로 강을 건너다가 봄이 되면 강을 건널 수 없으므로 생겨난 착상으로 간주하기도 한다. 그런데 북아시아 지역에서는 연어와 송어 등이 산란기에 떼지어 강을 거슬러 올라가는 모습이 마치 다리를 이루는 것처럼 보이는데 있었다는 설이 있다. 은비늘을 나란히 하여 줄지어서 거슬러 올라가는 물고기떼는 江의 이쪽과 저쪽을 연결하는 길, 즉 다리를 연상시키는 것이다.[295)] 요컨대 동명의 부여 건국설화는 북방의 풍토에서 생겨날 수 있는 구상이었다. 부여를 건국한 세력은 북쪽에서부터 쑹화강유역으로 남하하였음을 알려준다.『삼국지』부여 조에서 耆老들이 "자신들은 망명해 온 사람들이다"고 한 구절이 두 차례나 적혀 있다. 부여 건국 세력의 이주 사실을 뒷받침해 준다.

부여 건국자 東明은 日光에 의해 잉태되었다고 한다. 동명은 父의 힘을 빌지 않고 태어났다는 것이다. 이러한 사례는 고대 지중해 세계에서 위대한 인물은 父의 힘을 빌지 않고 태어난다는 민간신앙과 연결되고 있다. 대표적인 예가 로마 황제 아우구스투스의 동정녀를 통한 탄생이다.[296)] 그리스 신화에 등장하는 헤라클레스나 테세우스 같은 영웅들은 아버지는 神이지만 어머니는 인간이었다. 부여 시조인 동명 역시 神性과 人性을 겸비했음을 뜻한다.

294_ 『三國志』권30, 동이전, 부여 조.
295_ 三上次男,『古代東北アジア史硏究』, 吉川弘文館, 1966, 483~489쪽.
296_ 박태식,『넘치는 매력의 사나이 예수』, 들녘, 2013, 28쪽.

6) 부여의 영역과 四出道

부여는 농경 사회였다. 그랬기에 오곡이 자랐다고 한다. 아울러 목축도 성행했다. 반면 부여인들은 이동하지 않는 定住 생활을 하였다. 柵의 존재는 그러한 사실을 입증해준다. 「建州紀程圖記」에 보면 "몽골에서는 수레 위에 집을 짓고 모피로 장막을 친다(82조)"고 했다. 몽골에서도 기장과 조와 수수 등을 재배하였다. 이동성 생활을 연상시키는 유목민 사회에서도 간단한 경작은 있었다. 농경과 목축을 아울렀던 부여의 사방 영역은 『삼국지』 동이전 부여 조에 다음과 같이 보인다.

> 남은 고구려와, 동은 읍루와, 서는 선비와 더불어 접했고, 북은 弱水가 있다. 사방은 2천리 정도이고, 戶는 8萬이다.

남쪽 고구려와의 구체적인 경계는 알 수 없다. 훈강(渾江)의 상류와 휘파하(輝發河)의 상류와의 분수령이 되는 룽강산(龍崗山)을 경계로 지목하고 있다. 동쪽 읍루는 물길-말갈-여진으로 이어지는 족속인데, 부여에 예속된 상태였다. 읍루는 공납적 지배를 받았으나 3세기 초 부여 지배에서 이탈했다. 부여가 몇 차례 공격하였지만 다시 복속시키지 못하였다. 읍루는 무단강 중·하류 중심의 문화권 형성하였다. 부여(예족)문화인 시퇀산 문화의 東界인 장광카이링이 곧 부여의 동계였다. 서쪽 선비는 유목민이므로 당시 유목경제 지역과 농업경제 지역이 부딪히는 생태학적 경계, 눙안(農安) 지역 西쪽 어느 곳으로 보아야 하는데, 이퉁하(伊通河)유역으로 추정된다. 북쪽의 弱水는 동류쑹화강으로 비정하는 견해가 많지만 헤이룽강(黑龍江)으로 간주하는 견해도 적지 않다.[297)]

이러한 4방 영역을 3세기 중반 단계에서 부여는 '方2千里'로서 8萬 戶의 인구를 거느리고 있었다. 그리고 왕성을 중심으로 한 동·서·남·북의 사방에, 諸加라는 세습적 호족들이 휘하의 읍락을 지배하였는데, 四出道制였다. 국왕은 국토 중심인 중부를 직접 통치하는 5부 연맹체 국가였다. 이는 사방의 중심에 부여 왕이 위치하고 있다는 일종의 신성적 우주관의 발로가 아니었을까? 즉 오바야시타로(大林太良)는 4명의 加(부족장)가 주관하는 사출도제도를 갖고 있던 부여의 지배체제를 가리

297_ 盧泰敦, 『고구려사연구』, 사계절, 1999, 509~510쪽 참조.

켜 "이는 사방을 다스리는 네 명의 장관이 있으며 그 중심에 왕이 있다는 것을 의미하는 것"[298]으로 해석했다. 즉 부여의 독특한 우주론적 신성 왕권의 구조를 시사한다고 한다. 이 같은 우주론의 흔적은 고구려·백제에서도 발견되는 것으로 보아야할까? 요컨대 부여족은 5라는 數와 관계가 깊다. 5部·5方과 같이 사회 편성이 5數로 되어 있다. 이는 자주 이동을 하는 유목민족 제도의 잔영으로서 5부족으로 편성해야 편리하기 때문이라는 주장도 제기되었다. 혹은 리지린은 이러한 특징을 貊族이 오랜 옛날부터 五行思想을 주요한 사상으로 소유했음을 말해준다고 보았다. 백제 지방통치 구역으로서의 5方은 『禮記』에서 천하사방을 5方으로 인식한 사실과 관련 있으며, 佐平도 당초에는 5佐平이었는데, 중국 古禮의 영향을 받은 것은 아니었을까? 이와 관련해 시베리아 에벤키족의 샤먼이 사용하는 북에 그려진 십자가는 세계의 네 방위를 상징한다고 한다.[299] 부여 사출도의 경우도 자국 중심의 천하관과 무관하지 않아 보인다.

諸加가 관할하는 사출도는 문자 그대로 수도를 중심으로 하여 뻗어나가는 4개 방향의 교통로를 가리킨다. 이는 교통로를 따라 형성된 부여의 행정구획을 말한다. 주지하듯이 중앙인 수도를 중심으로 하여 조성된 4개 통치 구역, 그러니까 전국적으로 모두 5개 통치 구간을 가리킨다. 諸加들은 교통로를 따라 형성된 수백 家 혹은 수천 家의 읍락을 지배하였다. 이러한 통치 형태는 부여의 영향을 깊숙히 받은 고구려에서도 나타나고 있다. 「牟頭婁墓誌」에 의하면 "△道城民谷民"라고 하여 '△道' 주변에 城民이나 谷民이 거주했음을 알려준다. 사출도와 동일한 성격으로 보인다.

사출도는 부여의 왕성이 소재한 지금의 지린시를 기준으로 할 때, 그 서북편의 九台→長春에서 北上하는 鮮卑路와, 그 서남편으로 뻗어 현도군이 소재한 푸순(撫順)과 선양(瀋陽)→요동군치인 지금의 랴오양(遼陽)에 이르는 玄菟·遼東郡路, 그 동남편으로 뻗어 둔화(敦化)를 지나 계속 이어지는 挹婁路, 그 밖에 그 북쪽으로 뻗어가는 弱水路를 설정해 볼 수 있다. 이 4개의 교통로 가운데 부여는 선비로를 통해 甲冑 ·兵器 문화를 섭취할 수 있었던 것 같다. 위수(榆樹) 라오허선(老河深) 유적을 선비족의 騎兵文化로 간주하는 견해는 타당하지 않다. 그러나 이 유적에서 확인된 兵器文化가 선비의 영향을 받았음은 인정할 만하다. 또 부여는 玄菟·遼東郡路를 통해 중국제 물품을 받아들였을 것이다. 가령 마오얼산 고분에서 출토된 칠기그릇이나 帛畵 비단그림과 융안현(永吉縣) 우라가(烏拉

298_ 大林太良, 『邪馬臺國』, 中央公論社, 1977, 143~145쪽.
299_ 국립민속박물관, 『하늘과 땅을 잇는 사람들, 샤먼』 2011, 256쪽.

街) 세구촌(學古村)에서 출토된 성운문경을 꼽을 수 있다.

물품과 물산들은 사출도를 이용하여 유입되어 왔던 게 분명하다. 부여 왕의 장례에 사용하기 위해 현도군에 비치해 두었던 玉匣도 마찬 가지이다. 반대로 부여의 특산물인 名馬라든지 赤玉, 담비와 원숭이 가죽 등도 이 교통로를 통하여 중국에 수출되었다. 그리고 읍루로는 玄菟 · 遼東郡路에 필적할 만큼 부여로서는 비중이 큰 교통로였다. 읍루로의 한 支線은 고구려와의 연결 통로였으며, 부여가 현도와 요동군을 통해서 호사품을 얻고자 하는 열망이 크면 클수록 그에 소요되는 경비를 충당할 수 있는 대상은 읍루로를 통한 읍루 지역이었다. 장광재령 동편 무단강유역에 거주하는 읍루 영역에서는 오곡과 삼이 재배되었고, 소 · 말 · 돼지와 같은 가축의 사육과 赤玉이나 담비가죽이 산출되었다. 부여의 특산으로 알려진 적옥과 담비가죽 가운데 많은 양은 읍루에서 징수하였을 가능성을 제기해 준다. 부여의 읍루에 대한 지배의 정도를 가늠케 한다. 마지막으로 북방의 약수로를 통해 부여가 공급받을 수 있는 물산은, 조 · 보리와 같은 내한작물 외에 꿩 · 사슴 · 담비가죽 · 멧돼지

그림 8 | 국도로 비정된 지린을 중심한 사출도 예상로

등을 포함한 어렵물이 주종을 이루었을 것이다.[300]

사출도와 관련해 부여의 정치 구조에 대한 이해가 필요할 것 같다. 부여는 현도군과 교섭을 맺으면서 성장했는데, 106년에 지금의 푸순 지방으로 이동해 온 현도군과의 상설 교통로가 개설되어 있었다. 즉 吉林→長春→四平→鐵嶺→撫順 통로가 양자를 연결지어주는 간선도로였다고 생각된다. 이와 더불어 吉林市 東郊, 松花江 右岸→輝發河谷道→吉林省 境內 柳河→渾河 上流로 이어지는 河谷道를 설정해 볼 수 있다. 그런데 "公孫度가 海東에서 세력을 확장하여 外夷들을 위력으로 복속시키자, 부여 왕 尉仇台는 (소속을) 바꾸어 요동군에 복속하였다"라고 한다. 부여는 이제는 요동군과 교섭을 가지게 됨에 따라 요동군이 설치된 지금의 랴오양 지역과의 교통로가 정비·개척되었을 것이다. 부여의 수도인 지금의 지린시에서 현재의 랴오양에 이르는 교통로는 현도군 치소인 푸순을 통과하게 되어 있다. 부여 사신들이 현도군 치소를 통과하면서까지 요동군과의 교섭만 전개하기는 현실적으로 어렵다. 그러므로 부여는 지금의 지린에서 푸순을 우회하여 랴오양에 이르는 교통로를 개척했을 가능성을 제기해 준다. 吉林→長春→四平→鐵嶺→瀋陽→遼陽에 이르는 교통로를 상정해 볼 수 있다. 어쨌든 요동태수 공손도는 고구려와 선비가 강성해지자, 두 세력 사이에 끼어 있는 부여를 통해 이들을 견제하고자, 宗女를 위구태에게 시집보내기 조차 했다. 이 후 부여는 중국 역대 왕조와의 우호관계를 지속적으로 유지하였다.

7) 왕권과 사회 구조

부여의 왕권은 미약했다. 반면 부족장 세력은 강대하여 독자적인 영토와 家臣을 거느린 부족연맹의 형태로 존속하였다. 연맹왕국 초기에는 선거에 의하여 왕을 선출했다. 이는 다음의 기사를 통해 짐작할 수 있다.

> 옛 부여의 풍속에는 가뭄이나 장마가 계속되어 5곡이 영글지 않으면 그 허물을 왕에게 돌려 갈자느니 혹은 죽이자느니 하였다고 한다.[301]

300_ 李道學, 「古代 國家의 成長과 交通路」『국사관논총』74, 1997, 149쪽.
301_ 『三國志』권30, 동이전, 부여 조.

위의 기사는 프레이저(J. G. Frazer. 1854~1941)의 『The Golden Bough(황금가지, 주술과 왕자의 진화 편)』에 소개될 정도로 유명하다. 왕의 운명이 농사의 凶豐에 좌우되었다는 것이다. 부여에서는 목축이 성했지만 농사의 비중이 지대했음을 뜻한다. 아울러 왕권이 미약했음을 읽을 수 있다. 자연재해에 의한 왕의 축출은 '옛 부여의 풍속'이라고 했다. 선거에 의해 왕을 추대하던 시절의 모습이었다. 그러한 부여에서도 왕위세습제가 나타났다. 즉 244년에 부여 왕 간위거의 서자인 麻余는 제가들의 옹립을 받아 즉위하였다. 274년에 依慮가 6세의 幼兒로서 왕위를 계승했다.[302] 그러나 여전히 족장의 세력은 강대하였다.

그림 9 | 둥탄산 출토 부여 여인 도용

犧牲을 잘 길렀다는 부여에서는 馬加 · 牛加 · 豬加 · 狗加라는 家畜名을 지닌 수장이 존재했다. 이러한 경우는 몽골에서 羊(和尼)을 전담한 이를 和尼齊, 馬(摩哩)를 맡아본 이를 摩哩齊, 駱駝(特默)를 전담한 이를 特默齊로 불렀던[303] 사례가 상기된다. 즉 家畜名에서 官員名이 유래한 것이다. 그러므로 부여에서도 馬加 등의 이름은 당초 목축 관리자에서 출발했음을 알 수 있다. 이러한 관리자 이름은 재산인 가축의 소유 숫자에 따라 사회적 지위를 결정했을 것이다. 만주족들의 경우도 가축 가운데 장수의 집에서는 말을 수천~수백 마리나 기르고, 군졸의 집에서도 수십 마리 아래로는 기르지 않는다고 했다. 『건주문견록』에 적혀 있다. 결국 가축 호칭의 加들은 관직적인 성격을 지녔고, '使者'라는 가신을 거느렸음을 알 수 있다. 加들은 여러 읍락을 지배했고, 읍락에서는 豪民이 지배하였다. 부여의 신분 관계는 다음과 같다. 조정과 읍락으로 나누어서 살펴 볼 수 있다.

朝廷--王 · 諸加 · 使者層(大使者 · 使者 · 大使)

邑落--豪民 · 下戶 · 奴婢

302_ 孫晉泰, 『朝鮮民族史概論(上)』, 乙酉文化社, 1948, 57쪽.
303_ 『欽定滿洲源流考』 권1, 部族1, 御製夫餘國傳訂訛.

부여에서는 신분 질서가 엄준했다. 그랬기에 諸加들이 읍락의 豪民과 하호를 노복처럼 지배했다고 한다. 그리고 왕이나 호족들의 장례에 많은 경우 100명에 이르는 대규모 순장이 행해졌다. 이 때의 犧牲者 대다수는 노비로 추정된다. 왕실은 相當한 궁실과 창고를 소유했다. 궁실이나 귀족 저택의 昇降에는 허리를 굽히는 揖讓의 禮가 행해졌고, 譯官이 귀족들에게 말을 전할 때는 무릎을 꿇고 손을 땅에 짚고 低聲으로 하였다. 이러한 점 등에서 부여 사회 기풍의 엄준함을 살필 수 있다.[304]

『삼국지』에 의하면 3세기대 부여의 정치사를 읽을 수 있다. 국왕 밑에 마가·우가·저가·구가가 있었다. 또 사출도를 관장하였던 諸加들은 국왕에 대한 옹립과 외침이 있게 되면 자신의 관할 구역을 몸소 지키는 계층이었다. 여기서 諸加와 六畜名 加와의 관계가 궁금하다. 諸加는 육축명 加를 포함한 여러 종류의 加를 가리키는 호칭일 수 있다. 그러나 『삼국지』에 기재된 그것은 육축명 加에 한정해서 보는 게 좋을 것 같다. 그리고 牛加의 조카로서 大使에 있던 位居가 권력을 틀어쥐어 해마다 魏 조정에 사신을 파견하였다. 그는 위군의 고구려 원정시 大加를 파견하여 군량을 제공해주기까지 했다. 이러한 점을 놓고 볼 때 加가 지방을 통치하는 장관이라면, 大使는 중앙의 장관이었음을 생각하게 한다. 즉 육축명 加 계층은 牛加의 조카인 위거가 대사가 되어 정무를 장악하였듯이 중앙과 연계되어 존재했다. 지방에 근거지를 둔 육축명 加의 권세가 중앙에도 미쳤음을 뜻한다. 대왕조선의 니계상 참처럼 지명을 관칭한 수장들이 중앙에서 활약한 상황이 연상된다. 요컨대 중앙귀족층이 지방을 관장하는 육축명 加와 연계되었음을 시사해준다. 그것도 수도를 軸으로 한 간선도로인 사출도의 장악은, 중앙권력과 지방세력은 별개의 존재가 아니라 지방 권력의 중앙 장악이라는 차원에서 육축명 加들의 존재를 알려준다.

부여 왕 간위거의 서자인 麻余는 제가들로부터 옹립되었다. 마려의 권력은 취약할 수밖에 없었다. 그런데 牛加의 兄의 아들인 位居가 大使가 되어 재물을 아끼지 않고 남에게 베풀어 주기를 좋아했을 뿐 아니라, 魏의 수도에 사신을 파견하여 공물을 바치기도 했다. 위거에게 살해된 그 계부인 牛加 부자 또한 야심을 품고 있었고, 또 상당한 경제적 기반을 지녔던 것으로 보인다. 따라서 마여 재위시 부여 중앙귀족들 간에는 중국 군현이나 그 본토와의 개별적인 교섭을 하는 경우가 많았다. 또 그에 필요한 공물은 읍루를 통해 조달받기 위해 가혹한 수탈을 자행한 것으로 보인다. 이것을 견디지 못하여 읍루는 黃初 연간(220~226)에 반란을 일으켜 부여의 지배에서 벗어났다. 부여에서는 여러 차례 출

304_ 孫晉泰, 『朝鮮民族史槪論(上)』, 乙酉文化社, 1948, 59쪽.

병을 하였지만, 읍루의 山險한 지세와 전률할 만한 위력을 지닌 그 독화살 때문에 끝내 복속시키지 못하였다. 여러 차례에 걸친 읍루 정벌의 실패와 더불어 '諸加自戰' 式의 전투로 인한 소속 읍락의 피폐, 그리고 읍루로가 제 기능을 하지 못함에 따라 이 교통로를 관장했던 加의 급속한 세력약화를 상정해 볼 수 있다. 선비로의 경우도 285년 모용선비의 기습적인 부여 공격이 아니라고 하더라도, 선비 세력의 압박에 따른 군사적 부담의 증대에 따라 상대적으로 교역의 침체를 가져왔다고 본다. 다만 현도 · 요동군로만 그 비중은 변함없이 가위 절대적이었을 것이다. 이 교통로와 인근 촌락을 관장했던 加는 牛加로 추정된다. 牛加는 이로써 정치 · 경제적으로 든든한 토대를 쌓았을 뿐 아니라, 부여 조정과 중국 군현이나 왕조를 연결시켜주는 일종의 연결고리 역할을 했던 것으로 짐작된다.

그런데 『삼국지』 부여 조에 따르면 숙부는 사출도를 관장하던 牛加였고 그 조카는 大使로서 중앙의 정무를 장악한 사실이 포착된다. 이로 보아 중앙과 지방은 서로 별개의 세력이 아니었다. 지방 육축명 加 권력의 확대선상에서 위거와 같은 이들이 중앙에서 군림했던 것이다. 加들은 국왕을 옹립하거나 外侵이 있게 되면 자신의 관할 구역을 몸소 지키던 계층이었다. 加 밑의 읍락에는 豪民이 주민을 지배하고 있었다. 『삼국지』의 "邑落有豪民 名下戶皆爲奴僕"라고 한 문구는 판본의 차이도 있고 하여 해석이 분분했다. '名'이 '民'으로 된 판본에 따라 '民下戶'를 "민인 하호"의 뜻으로 풀이하기도 한다. 그런데 당시 하호가 '민'을 뜻함은 널리 알려진 사실이므로 수긍하기 어렵다. 오히려 '名'으로 된 판본에 따라 해석하는 게 온당하다. '名'에는 '占'의 뜻이 담겨 있다. 그러므로 "읍락에는 호민이 있는데 하호를 지배하여 죄다 노복으로 삼았다"는 해석이 가능하다. 호민들의 일반 주민에 대한 엄혹한 지배를 읽을 수 있는 것일까?

그렇지만 바로 이 뒷 구절의 "諸加別主四出道"라는 문구를 유의해야 한다. 앞 구절에서 언급하고 있는 지배 외에 제가들이 '별도로' 사출도를 주관했다는 뜻이다. '별도로'라고 했으므로, 그 앞의 "邑落有豪民 …"라는 문구는 諸加의 읍락 지배를 뜻하는 문장으로 볼 수 있다. 여기서 '名'을 '民'으로 한 판본에 따른다면 "읍락에는 호민과 민 그리고 하호가 있는데 (제가는 이들을) '모두' 노복으로 삼았다"는 해석이 가능해 진다. 제가의 읍락에 대한 지배가 철저했음을 뜻한다. 이러한 제가 계층 지배하의 호민과 민 그리고 하호의 존재를 통해 계층 분화의 진척을 엿볼 수 있다. 즉 부여 사회는 국왕→중앙: 使者層 · 지방: 加層→읍락: 호민 · 민 · 하호→노비로 짜여진 重層 구조가 된다. 그러나 이는 어디까지나 '名'을 '民'으로 한 판본에 따른 해석일 뿐이다. 上戶에 대비되는 下戶는 일찍부터 중국에서는 '民'의 뜻으로 사용했다. 따라서 '民下戶'를 '民之下戶'의 뜻으로 해석하기도 하였다. 그렇다면 "邑

落有豪民 民下戶皆爲奴僕(百衲本)"라는 구절의 주어는 諸加이다. 제가 앞에서는 읍락의 호민이나 民인 下戶할 것 없이 모두 노복에 불과하다는 의미였다. 그렇기에 "지방의 호민도 상층 지배계급에 대해서는 노복적 지위에 있었다고 하니"[305]라는 해석이 나왔다.

부여의 국가적 특색으로는 대외 정복력 취약, 외침에 대한 방어능력의 약화를 비롯한 군사력 미약을 꼽을 수 있다. 그리고 집집마다 자체적으로 갑옷과 무기를 보유하는 自辨이었다. 라오허선 고분에서 무기의 부장 숫자가 많은 관계로 군사적 성격이 강한 주민들로 평가하였다. 그러나 이러한 경향은 무기자변의 산물로 보인다. 그런데 부여에서는 "적이 있으면 諸加가 스스로 싸운다(有敵諸加自戰)"는 式의 각개 격파되기 딱 알맞은 분산적인 전투였다. 곧 무력의 집중도가 떨어진 관계로 효과적인 방어를 하지 못하였다. 부여는 중국 세력을 배경으로 왕권의 신장과 국가적 유지를 도모하였기에 그 부침에 크게 좌우되었다.

305_ 孫晉泰,『朝鮮民族史概論(上)』, 乙酉文化社, 1948, 58쪽.

2. 殷富時代의 종언과 국가적 시련, 그리고 북부여와 동부여

1) 북부여

부여는 「魏略」에서 "그 나라는 번성하여 선세 이래로부터 일찍이 파괴당한 적이 없었다(其國殷富自先世以來 未嘗破壞)"라고 할 정도로 번성하였다. 그러나 3세기 후반에는 시련이 밀려 왔다. 285년 요하 상류에서 일어난 선비족 출신 모용외의 침략을 받아 국가적 위기에 봉착했다. 이 때 부여 왕 依慮는 자살하고 그 子弟들은 옥저로 망명하였다. 그 이듬해 왕족의 한 사람인 依羅가 서진의 東夷校尉 何龕의 도움으로 모용외의 군대를 격퇴하고 나라를 복구했다. 그러나 그 일부가 북옥저 지역에 계속 정주하여 동부여를 성립시켰다고 하지만 타당하지 않다.

부여는 우방인 晋이 북방민족에게 쫓겨 南遷(316~317)하자, 고립무원 상태에 놓였다. 백제의 침략을 받아(『자치통감』 永和 2년 조: 처음 부여는 녹산에 거주하다가 백제의 침략을 받게 되어 부락이 쇠산해졌는데, 서쪽으로 燕 가까이 옮기고는 방비를 하지 않았다) 견디지 못하고 중심지를 서쪽으로 옮기게 되었다. 농안(農安) 지역으로 이동하였다. 그럼에 따라 부여는 모용선비의 위협 앞에 더 노출이 되었다. 이처럼 농안 쪽으로 이동해 간 부여가 북부여라고 한다.[306] 그런데 백제가 아닌 고구려가 부여를 이통하 유역으로 밀어붙였다는 재해석이 정설이다. 그렇다면 자신들이 몰아붙여 생겨났다는 북부여의 영역에서 시조 추모왕이 내려와 건국했다는 설정은 어색하지 않은가? 더욱이 추모왕의 건국 시점에는 북부여라는 국호를 지닌 국가도 존재하지 않았다. 물론 광개토왕릉비가 건립될 당시의 북부여 영역에서 추모왕이 출원했다는 의미로 운위할 수는 있다. 그렇다면 이 곳이 원래의 부여라는 게 된다. 문제는 이동해서 생겨났다는 북부여와 겹치는 논리상 충돌이 빚어진다. 따라서 북부여의 농안과 창춘 일원 소재설은 성립이 어렵다.

285년에 파국에 빠졌던 원부여의 위치를 기준으로 한 방위명 부여였다. 이 때 왕실도 해씨에서 부여씨로 교체된 것으로 보인다. 북부여는, 346년 모용선비인 전연 군대의 기습·공격을 받았다. 국왕 玄 이하 5만여 명이 포로가 되어 끌려갔고, 전연 군대는 회군하였다. 부여는 그 후 국제 정세의

306_ 武國勛, 「夫餘王城新考」『黑龍江文物叢刊』 1983, 제4기 ; 李道學 譯, 「夫餘 王城新考-前期 夫餘王城의 發見(상)」 『우리 文化』 12·13호, 전국문화원연합회, 1989, 69쪽.

호전에 힘입어 다시 국가를 재건하였다. 370년에 前燕의 鄴에서 '부여 왕자' 餘蔚은 "부여·고구려 및 上黨의 質子 5백여 인을 거느리고" 前秦兵을 맞아들였다. 이로 볼 때 여울은 고구려와 더불어 질자를 전연에 보냈을 정도로 국가가 당시 건재했던 부여의 왕자였다. 그 부여는 지리적으로 볼 때 북부여로 지목된다. 전연이 멸망한(370) 뒤 북부여는 고구려의 보호 아래 놓였다가 결국 복속되었다. 광개토왕대에 모두루가 북부여수사로 파견된 것은 이러한 저간의 사정을 말한다.

고구려에 의해 북부여가 멸망하자 그 유민들이 那河 즉 동류쑹화강 내지는 넌강(嫩江)을 건너와 나라를 세웠다. 이들이 豆莫婁國 혹은 達末婁로 일컫는 세력인데, "스스로 말하기를 북부여의 후예이다"고 했다. 북부여의 후예라는 두막루측의 주장은 470년대의 일이라고 한다. 그렇다면 북부여는 494년 이전에 멸망한 것이다. 486년에 大莫盧國이 북위에 조공을 하면서 북부여의 후예라는 豆莫婁國의 존재를 말하였다. 494년에 멸망한 부여는 북부여가 아님을 뜻한다. 457년에 북위에 파견된 부여 사신도 동부여 사신으로 보아야 한다. 북부여는 이미 광개토왕대에는 守事가 파견되었기 때문이다. 이러한 상황에서 북부여가 북위에 사신을 보낼 수는 없지 않았을까? 따라서 410년 광개토왕의 동부여 원정은 정벌이 아니라 정치적인 복속에 불과했음을 알려준다.

두막루국은 470년대 초부터 북위에 이어 486년에 동제, 567년~569년에 북제, 723년~724년에 唐과 교섭을 가졌다.[307)]

2) 동부여

북옥저 지역인 두만강 하류에 있던 동부여는 410년 광개토왕의 친정으로 정치적으로 복속되었다. 동부여의 소재지에 대해서는 강릉설(정약용·한진서), 琿春說(신채호·池內宏), 영흥만 일대에서 강원도 북부설(李丙燾·武田幸男), 백두산 북방설(今西龍)로 나뉘어지는데, 일단 혼춘설을 따른다. 문제는 동부여의 실존과 성립 起點 문제이다.

동부여의 존재와 관련해 "북으로는 읍루·부여와, 남으로는 예맥과 접했다"고 한 『삼국지』 동이전 동옥저 조 기사를 주목해 본다. 여기서 동옥저(함흥~함경북도 소재)의 북쪽에 소재한 세력으로 읍루와 부여를 지목했다. 『삼국지』 동이전 예 조에 보면 "濊의 북쪽으로 고구려·옥저"가 접했다고 하였

307_ 권승안, 『조선단대사(부여사)』, 과학백과사전출판사, 2011, 165쪽.

다. 濊의 북쪽에 이들이 모두 소재했다고 하였지만 고구려는 동예의 서북쪽이고, 옥저는 정북쪽이 된다. 즉 예의 북쪽에 소재한 고구려와 옥저라는 양대 세력 가운데 앞에 적힌 세력이 좌편인 서북쪽에 소재했음을 알 수 있다. 이러한 『삼국지』의 방향에 대한 사례를 원용해 보자. 그러면 동옥저의 북쪽에 소재한 세력 가운데 읍루는 서북쪽, 부여는 정북쪽에 가까움을 알게 된다. 따라서 동옥저의 북쪽에 소재한 '부여'는 지린 일대가 아니라 두만강유역의 동부여를 가리킨다는 사실을 명확히 알려준다. 실제 『삼국지』에 보이는 부여의 東界는 장광카이령(張廣才嶺)까지였다. 장광카이령이라는 거대한 산맥이 중만주의 東西를 구분하고 있다. 그러므로 지린시 일대의 부여가 두만강 하류와 함경북도 지역에 소재한 東沃沮와는 인접할 수가 없다. 『삼국지』에 등장하는 부여가 동옥저의 北界가 될 수 없음을 알려준다. 그런 만큼 『삼국지』 동옥저 조의 '부여'는 동부여 외에는 달리 비정할 만한 대상이 없다. 이렇듯 동부여는 285년 이전에 『삼국지』에서 이미 그 존재가 확인되었다.

그리고 고구려 시조인 추모가 동부여에서 출원했다는 다음 기사의 존재를 주목하지 않을 수 없다.

a. 王母 류화가 동부여에서 세상을 뜨자 그 왕 금와가 태후의 禮로써 장례 지냈고, 드디어 神廟를 세웠다. 겨울 10월에 사신을 부여에 보내어 방물을 바치고 그 덕에 보답하였다(『삼국사기』 권13, 동명성왕 14년 조).

위의 기사는 설화가 아니라 구체적인 사실을 수록한 것이므로 허구로 돌리기 어렵다. 물론 이 기사는 동부여가 285년 이후에 성립되었다는 관점에서는 수용하기 어렵다. 그러나 동부여=285년 이후 성립설 자체에 문제가 제기되었다. 실제 "이러한 사실을 증명할만한 구체적인 근거는 명확하지 않다"는 지적까지 제기된 바 있다. 그러므로 기왕의 견해가 동부여의 태동 시기를 결정 짓는 傳家의 寶刀가 되기는 어렵다. 그런데 추모왕과 관련한 구체적 실체로서 동부여의 존재가 확인된 바 있다. 게다가 위의 기사를 통해 류화가 세상을 뜬 '동부여'와 고구려가 사신을 보낸 '부여'가 동일한 국가임을 알 수 있다. 아울러 『삼국사기』에서 '동부여'는 '부여'로도 표기되었던 것이다. 이러한 경우는 『삼국사기』 동명성왕 19년 조에서 "4월에 왕자 유리가 부여에서 그 어머니와 함께 도망하여 왔다"는 기사의 '부여'가 동부여인데서도 뒷받침된다. 그 밖에 『삼국사기』에서 "2월에 扶餘 王과 妻孥가 나라를 들어 來降하였다(문자명왕 3년 조)"고 한 기사의 '부여 왕'은 '동부여 왕'을 가리키고 있다. 역시 동부여를 '부여'로 표기하고 있는 것이다. 동부여의 존재는 『魏書』의 다음 기사를 통해서도 확인된다.

b. 처음 주몽이 부여에 있을 때 妻가 잉태하였는데, 주몽이 도망한 후에 한 아들을 낳았으니, 字는 처음에는 閭諧였다. 장성하게 되자 주몽이 國主가 된 것을 알고는 즉각 어머니와 더불어 도망하여 고구려로 돌아왔다. 그를 이름하여 閭達이라고 하는데 國事를 그에게 위임하였다. 주몽이 죽자 여달이 이어서 왕이 되었다. 여달이 죽자 아들인 如栗이 왕이 되었고, 여율이 죽자 아들 莫來가 이어서 즉위하였다. 그리고는 夫餘를 정벌하자 부여가 대패하여 드디어 統屬되었다. 莫來 자손이 서로 傳하여 裔孫인 宮에 이르렀다.

위의 기사의 고구려 왕계를 살펴 볼 때 朱蒙→閭達→如栗→莫來…宮으로 이어지는 왕위계승 관계를 살필 수 있다. 여기서 閭達이 고구려 제2대 왕인 유리왕을 가리킴은 이미 알려져 있다. 그리고 宮은 제6대 태조왕이다. 문제는 부여를 대패시켜 통속시킨 막래의 존재이다. 莫來를 字形이 유사한 慕本王으로 비정하기도 한다. 그러나 모본왕대에 夫餘를 정벌했다는 기록은 없다. 다만 고구려의 부여 정벌과 연관 짓는다면 22년(대무신왕 5)의 다음 동부여 정벌을 관련시킬 수 있다.

c. 2월에 부여국 남쪽으로 진군하였다. 그곳에 진흙 수렁이 많으므로 평지를 가리어 陣營을 베풀고 무장을 풀고 군사를 쉬게 하여 긴장하는 모습이 없었다. 부여 왕은 전국을 들어 나와 싸웠는데 고구려 군대의 방비하지 않음을 엄습하려 하여 말을 몰아 전진해 왔다. (그러나) 진수렁에 빠져 진퇴를 마음대로 못하자 고구려 왕은 이에 怪由를 지휘하였다. 괴유가 칼을 빼어 고함을 지르며 돌격하자 (敵의) 萬軍이 이리저리 밀려 쓰러지며 능히 버티지 못하자 괴유가 直進하여 부여 왕을 잡아 머리를 베었다. 부여인이 그 왕을 잃고 기운이 꺾이었지만 오히려 굴복하지 않고 두어 겹으로 아군을 에워쌌다. 왕 은 군량이 다하여 군사가 굶주리므로 두려워서 어찌할 바를 몰라 天神에게 陰助를 빌었다. 홀연히 큰 안개가 끼어 7일 동안이나 지척에서 사람을 분간할 수 없었다. 왕은 사람을 시켜 짚으로 만든 사람을 만들어 무기를 쥐어 陣營 안팎에 세워 거짓 군사를 벌여놓고 사잇길로 군사를 숨기어 밤에 탈출할 때 骨句川의 神馬와 沸流原의 大鼎을 잃었다. 利勿林에 이르러 군사들이 몹시 굶주려서 움직이지 못하자 野獸를 잡아 나눠 먹이었다. 왕이 환국한 후 여러 신하들을 모으고 飮至하여 말하기를 "내가 부덕한 바탕을 가지고 가볍게 부여를 치다가 비록 그 임금을 죽였지만 그 나라를 멸망시키지 못하고 또 우리의 軍資를 많이 잃었으니 이는 나의 허물이다"하고는 드디어 친히 죽은 자를 조상하고 병든 자를 방문하여

백성들을 위로하였다.

이로써 국인은 왕의 德義에 감동되어 모두 國事에 몸을 바치기로 하였다. 3월에 神馬 駏驤가 扶餘馬 100필을 거느리고 함께 학반령 밑의 차회곡이라는 곳에 왔다. 4월에 부여 왕 대소의 아우가 曷思水濱에 와서 나라를 세우고 왕이라 칭했다. 이는 부여 왕 금와의 막내동생이니 역사상에 그 이름은 전하지 않는다. 이에 앞서 대소가 피살되자 그는 나라가 장차 망할 줄 알고 종자 100여 인과 함께 압록곡에 이르러 海頭國王이 나와 사냥하는 것을 보고는 드디어 그를 죽이고는 그 백성을 취하여 이곳에 와서 도읍을 정하니 이가 曷思王이었다. 7월에 부여 왕의 從弟가 국인에게 말하기를 "우리 先王이 身亡 國滅하자 백성들은 의지할 바가 없고 왕제는 도망하여 曷思에 도읍을 정하고 나는 또한 불초한 사람이라 나라를 興復시킬 수 없다"하고는 이에 萬餘人과 더불어 來投하자 왕은 그를 봉하여 왕을 삼고 掾那部에 안치하였다(『삼국사기』 권14, 대무신왕 5년 조).

위에서 인용한 c 기사를 따른다면 b에 보이는 莫來 때 고구려가 부여를 統屬시킨 시점은 c의 대무신왕 5년인 22년이 될 수 있다. 아니면 이 정벌은 적어도 宮인 6대 태조왕(『삼국사기』 상: 53~146년 재위) 이전 어느 때임은 분명하다. 그러면 b에서 고구려가 통속시킨 부여와, 3세기 중반을 하한으로 한 『삼국지』에 보이는 부여는 서로 어떤 관계에 있는 것일까? 『삼국지』에 따르면 부여는 "그 나라는 번성하여 선세 이래로부터 일찍이 파괴당한 적이 없었다"고 했다. 적어도 3세기 중반 이전까지 부여는 외침으로 인해 국가가 위기에 놓인 적이 없었다고 하였다. 그렇다면 『삼국지』에 보이는 부여와 고구려에 대패하여 1세기 전반경에 일찌감치 고구려에 統屬된 부여는 서로 다른 나라임을 알 수 있다. 따라서 "일찍이 破壞된 적이 없다"는 부여와 고구려에 통속된 부여, 적어도 2개의 부여가 1세기 단계에서 共存했음을 알 수 있다. 이것을 뒷받침해 주는 사료가 『삼국사기』 태조왕 69년(121) 조의 다음 기사이다.

d-1. 10월에 왕이 부여에 行幸하여 太后廟에 제사하고 곤궁한 백성을 存問하여 물건을 내리되 차별이 있게 하였다.… 11월에 왕이 부여에서 돌아왔다.

d-2. 12월에 왕이 마한·예맥의 1만여 騎를 거느리고 가서 현도성을 에워싸자 부여 왕이 아들 위구태를 시켜 兵 2만을 이끌고 漢兵과 힘을 합쳐 拒戰하므로 아군이 대패하였다.

위의 d-1 기사에 따르면 부여에 행차한 태조왕이 태후묘에 제사를 올렸다. 이 태후묘는 태조왕의 어머니가 부여인이므로(『삼국사기』 권15, 태조대왕 즉위년 조) 태조왕의 母太后廟일 가능성이 있다. 그러나 모태후는 유년에 즉위한 태조왕을 대신하여 섭정했다. 그러므로 고구려를 통치했던 태조왕 모태후가 부여 땅에 묻혔을 가능성은 없다. 반면 "왕모 류화가 동부여에서 세상을 뜨자 그 왕 금와가 太后의 禮로써 장례 지냈고, 드디어 神廟를 세웠다. 겨울 10월에 사신을 부여에 보내어 방물을 바치고 그 덕에 보답하였다(『삼국사기』 권13, 동명성왕 14년 조)"는 a 기사에 따르면 부여에는 추모왕의 모태후묘가 소재한 것이다. 부여 땅을 탈출하지 못한 추모왕의 모태후인 류화부인의 廟가 그곳에 소재했기에 태조왕이 행차하여 제사를 올린 것일 게다. 더욱이 b 기사에서 보듯이 고구려는 태조왕대 이전에 이미 부여를 통속하고 있었다. 따라서 고구려왕의 부여 행차는 결코 어려운 일이 아니었다.

그런데 d-2 기사는 부여군과 漢兵의 연합 공격에 따라 고구려군이 대패한 사건을 기록했다. 여기서 d-1의 부여와 d-2의 부여가 동일한 국가라면 어리둥절하게 만드는 사건이 된다. 同年 11월에 왕이 부여에서 귀환했을 정도로 서로 긴밀한 관계에 있었던 고구려를, 그것도 바로 다음 月인 12월에 부여가 공격했기 때문이다. 누가 보더라도 이는 자연스러운 일이 될 수 없다. 따라서 d-1의 부여와 d-2의 부여는 서로 다른 별개의 국가로 지목하는 게 좋을 것 같다. 더욱이 d-2는 『삼국지』 魏本紀에 등장하는 기사를 전재한 것이다. 이 역시 "先世 이래로부터 일찍이 파괴된 적이 없다"는 지린시 일대의 부여를 가리킨다. 따라서 『삼국사기』에 수록된 고유 전승을 토대로 한 부여와 『삼국지』에 등장하는 부여는 서로 다른 별개의 세력임을 다시금 환기시켜준다. d-2의 부여는 지린시 방면의 원부여를 가리키는 게 분명하다. 그렇다면 d-1의 부여는 응당 동부여일 수밖에 없다.

「광개토왕릉비문」 영락 20년 조에서 동부여를 "鄒牟王屬民"이라고 폄훼시켜 기록하였다. 여기서 속민은 고구려가 버거운 경쟁 상대국을 가리키는 표현이기도 하지만, 고구려가 전쟁을 벌여 일찌감치 統屬시킨 동부여에 대한 지칭으로는 모순되지 않는다. 그러나 무엇보다 중요한 사실은 「광개토왕릉비문」은 추모왕대에 동부여가 존재했음을 알려준다.

지금까지 검토를 통해 『삼국지』 동이전의 부여와 『삼국사기』에 등장하는 부여는 서로 실체가 다르다는 사실이 드러났다. 『삼국지』 동이전의 부여는 지린시 일대에 소재한 부여였다. 반면에 『삼국사기』의 부여는 고구려의 동북부와 두만강유역에 걸쳐 소재한 동부여로 볼 수 있다. 고구려는 추모왕대에 북옥저를 병합했듯이 이미 두만강 하류까지 진출하였다. 이로 인해 동부여는 그 중심축이 두만강 하류의 서북쪽으로 이동할 수밖에 없었다. 그러나 대무신왕대 고구려의 공격으로 인해 그 북쪽에 소재하였던 동부여는 고구려에 통속되고 말았다. 그렇지만 4세기 중엽 이후 고구려는 전연과의 대결로 피폐해졌다. 이 틈을 타고 동부여는 두만강 하류쪽으로 중심축을 이동시킨 후 고구려로부터의 통속에서 이탈하였다. 고구려는 영락 20년인 410년 광개토왕의 동부여 친정을 통해 다시 회복했다. 동부여는 457년 북위에 사신을 보내기도 하였다. 그뒤 북부여의 변경 지대에서 靺鞨의 전신이 되는 勿吉이 발흥하여, 고구려의 西北境界를 공격하게 되자 부여는 그에 몰리지 않을 수 없었다. 드디어 494년에 동부여 왕과 일족들이 고구려에 항복하여 옴으로써 그 여맥마저 완전히 끊어져 버렸다. 동부여가 고구려에 복속됨에 따라 만주 지역에서 부여의 법통은 단절되었다.

3. 멸망

부여는 3세기 후반부터는 쇠락의 길을 걷는 간난의 연속이었다. 동부여는 결국 읍루의 후신인 勿吉에게 몰리다가 494년 경 고구려에 흡수 · 병합되었다.

285년과 346년에 모용선비에게 각각 붙잡혀 간 부여 주민들은 여러 곳에 분산 · 거주되었던 것 같다. 내몽골 자치구 츠펑시(赤峰市) 바린줘치(巴林左旗) 스팡즈촌(石房子村)에서 발견된 '晉夫餘率善百長' 銘 銅印은 285년에 강제 이주시킨 부여 주민들의 거주와 연관 있어 보인다. 그리고 『제왕운기』의 저자 이승휴가 元에 사신으로 가던 도중 료빈(遼濱: 랴오닝성 新民 부근)에 이르러 길가의 '부여 부마대왕'이라는 무덤을 접하였다. 부마대왕은 전연의 모용황이 붙잡아 간 부여 왕 玄에게 자기 딸을 시집보내 부마로 삼은데서 나온 것이다. 그의 무덤이 료빈에 소재했다는 것은 이곳에서 거주했음을 뜻한다. 그리고 『水經注』에 인용된 '위토지기'의 설화에 따르면 베이징 근방 상간하 부근에 거주하고 있었던 주민이 사망하자 부여 왕이 驛路로 사람을 보내 조상했다는 것이다. 이러한 사실은 부여인들이 모용선비에 붙잡혀 온 후 시라무렌강 상류를 비롯하여 신민과 베이징 부근에도 거주했음을 알려준다.[308]

북부여 주민들은 那河(지금의 헤이룽장성 烏裕爾河)를 건너 서북쪽으로 옮겨가 豆莫婁(達末婁)라는 국가를 세워 약 300년 간 존속하였다. 이들은 스스로 북부여의 후예라고 했다. 이와는 달리 고구려에 융화되지 못한 본토의 부여 유민들은 '浮渝靺鞨'로 불리었다. 말갈의 일종으로 인식되었던 것이다. 그 밖에 부여 유민들은 선비족 · 발해 · 漢族에 각각 흡수되면서 종족 자체가 해체되고 말았다. 그러나 두막루 등의 부여 계승의지에서 알 수 있듯이 부여의 위상은 실로 높았다. 더욱 중요한 사실은 고구려나 백제 모두 부여에서 출원했음을 과시했다. 발해의 경우는 遺俗을 부여에서 찾았다. 부여 국가가 지닌 위상은 이처럼 높았던 것이다.

308_ 권승안, 『조선단대사(부여사)』, 과학백과사전출판사, 2011, 152~153쪽.

4. 풍속

부여의 제천의례인 영고, 형사취수제와 순장, 의복을 비롯한 의미와 보편성을 지닌 풍속 분석은 뒷 부분 별도의 장에서 거론한다. 우선 『삼국지』 부여 조에 따르면 부여인들의 체격은 컸다고 한다. 부여인들과 혈통적으로 연결되는 백제 무녕왕과 흑치상지도 長身이었다. 이는 결코 우연한 일은 아닌듯 하다. 고구려 故地에 거주했던 만주족의 경우도 예외가 되지는 않았다. 청 태조 누르하치를 직접 접한 신충일의 보고에 따르면 "奴酋(누르하치 : 필자)는 몸은 건장하였다. 코는 곧고 컸다. 얼굴은 검붉었는데 몹시 길었다. … (동생인) 小酋(수르하치 : 필자)는 몸이 살이찌고, 장대하였다. 얼굴은 희고 각이졌다. 귀를 뚫어 銀環을 착용했다. 복장은 형과 같았다"[309] 고 했다. 만주족도 귀고리를 한 사실을 알 수 있다.

부여인들은 노략질하지 않는 평화를 사랑하는 온유하고 넉넉한 성품으로 묘사되었다. 또 이들이 俎豆(祭器)를 사용하는 격조 높은 생활을 누렸던 사실과, 예절을 아는 질서 있는 모습을 전하고 있다. 부여인들은 통역이 말을 전할 때면 모두 꿇어 앉아서 손으로 땅을 짚고 가만 가만히 이야기했다.

부여인들이 길을 걸을 적에는 밤낮과 노소 구분 없이 모두 노래를 불렀다. 노래 소리가 종일 그치지 않았다. 부여 시가지에는 노래 소리가 종일 울려 퍼졌다. 부여인들이 걸어 가면서 진종일 노래를 부른 이유는 무엇일까? 낙천성이나 주술성 때문이었는지는 알 수 없다. 또 부여인들은 흰옷을 숭상했다고 한다. 한국 민족을 '백의 민족'이라고 일컬었던 유래가 부여에서 기원했음을 알려준다. 그리고 金銀으로 모자를 장식했던 풍속은 백제에 직접 영향을 미쳤다. 『삼국지』에 따르면 부여에서 "大人은 (그 위에) 여우 · 삵 · 검은 원숭이 · 희거나 검은 담비의 가죽으로 만든 갖옷을 걸치며"라고 했다. 그리고 "담비 · 검은 원숭이"가 특산이었기에 의복 재료로 사용되었을 것이다. 부여인들은 "가죽신을 신는다"고 하였다. 만주족들의 복장에도 담비나 표범 가죽 등 짐승 가죽으로 만든 의복이 보인다. 만주족들도 사슴으로 된 가죽신을 신었다.[310] 라오허선 고분에서는 팔찌가 부장되었다. 만주족들의 풍속에도 팔찌를 껴는 게 남아 있었다.[311]

309_ 『研經齋全集 外集』 권50, 建州紀程.
310_ 『研經齋全集 外集』 권50, 建州紀程.
311_ 『研經齋全集 外集』 권50, 建州紀程.

그리고 음력 12월에 열리는 영고는 추수감사제와는 성격이 동일하지 않다. 이는 수렵민 사회의 전통을 반영하는 것으로서, 건국 세력의 정체성을 반영하고 있다. 가령 부여의 圓柵은 漢族의 城이 方形인 것과는 차이가 난다. 아마도 부여의 圓柵은 목축생활에서 기원한 것으로 보인다. 목축생활에서는 가축을 중앙에 두고 그 주위에 群團이 還居 하였고, 그 環狀部落의 주위에 다시 環柵을 둘렀던 것이다.[312]

라오허선 고분 부장품 가운데 철기는 낫·괭이·삽·호미 등의 농경구에서 확인되었다. 부여에서 농업경제가 상당히 발달했음을 시사한다. 곧 "동이 지역 가운데 가장 넓은 데 자리잡고 있었으며, 오곡이 잘 된다(『삼국지』 부여 조)"고 하였으므로 대량의 농기구가 출토되는 것은 자연스러운 일이다. 부여에서는 목축업도 충분히 발달했다. 이는 "동명에게 항상 말을 치도록 하였다(『삼국지』 부여 조)" 라는 기사와, 부여인은 "희생(제사 지내는데 쓰는 동물)을 잘 길렀다"고 하였고, 馬加·牛加·豬加·狗加의 존재는 소·돼지·개 등이 사육되었음을 알려준다. 분묘에서 말이빨·말뼈·馬具와 더불어 飛馬가 있는 鎏金飾牌는 부여에 名馬가 있었음을 말해주는 고고학적 증거이다. 마오얼산 고분에서 출토된 飛馬 유금식패도 이와 동일하다고 본다. 『위서』 고구려 조에서 "황금은 부여에서 나온다"고 하였다. 『삼국지』 부여 조에서 "金銀으로써 모자를 장식하였다. … 赤玉(瑪瑙珠를 가리킴 : 필자)·담비·검은 원숭이·美珠가 산출된다. 구슬의 큰 것은 야생대추만 하다"고 기록되었다. 위수 라오허선 고분에서 출토된 대량의 耳飾에는 금은이 많았고, 마노주는 赤玉 산출 기록과 부합한다. 마노주는 둥퇀산과 둥랴오현(東遼縣) 스이(石驛) 차이란(彩嵐) 고분에서도 출토되었다.

312_ 孫晉泰, 『朝鮮民族史概論(上)』, 乙酉文化社, 1948, 60쪽.

제4장

부여계 국가의 등장

제1절 高句麗

1. 국호의 기원과 건국 문제

1) 국호의 유래

高句麗의 '句麗'는 고구려말에서 城邑을 의미하는 '忽'·'溝漊' 등의 音을 漢字로 표기한 것이고, '高'는 美稱으로 덧붙여진 것이라고 한다. 만주어에서도 사람과 강역을 모두 의미하는 '구룬'도[1] 고구려어 '구루'와 연결되고 있다. 그러므로 고구려는 여러 성읍 단위 가운데 으뜸이 되는 성읍, 즉 우두머리 성읍이라는 의미를 지니고 있다. 이 견해가 학계 통설이지만 미심한 점이 없지 않다. 가령 周代 관련 기록에 등장하는 '高麗'나 '句麗'의 존재를 고려하면 설득력을 얻기 어렵다. 최근에는 高夷를 고구려의 기원으로 결부 짓기도 하기 때문이다.

외몽골의 Orkhon 河畔에 세워진 퀼테킨이라는 突厥 왕족의 碑文에는 역대 可汗의 업적을 설명하는 구절 가운데 "東쪽으로부터 해 뜨는 동쪽의 모쿠리 草原國家 … 조문객이 당도했다"라는 글귀가 있다. 여기서 Mokli는 그 비문에서 Bokli로 되어 있지만, 고대 터키어에서 B音은 M音과 換置되는 것으로서, Mokli는 다름아닌 '貊句麗'를 표기한 것이다.[2] 8세기 말에 龜玆의 승려 利言이 지은『梵語雜名』에서도 '高麗'를 '畝俱里(Mokuli)'로 訓을 붙여 놓았다. 이로 보아 고구려는 원래 '句麗'에 해당하는 토착어의 音에서 비롯한 단어에 '高' 字가 미칭으로 덧붙여지거나, 때로는 그 종족명인 '貊' 字를 덧붙이기도 한 것이다.[3] 그러나 이와는 달리『東史寶鑑』이나「高句驪圖」에서는 "(고구려 시조인) 고주몽이

1_ 마크C. 엘리엇 著·이훈·김선민 譯,『만주족의 청제국』, 푸른역사, 2009, 125쪽.
2_ 岩佐精一郞,『岩佐精一郞遺稿』, 三秀社, 1936, 62-69쪽.
3_ Talattekin 著·이용성 譯,『돌궐비문연구』, 제이앤씨, 2008, 90쪽.
노태돈,『한국고대사』, 경세원, 2014, 63쪽.

요동 句麗山 밑에서 출생했으므로 山 이름으로 국호를 삼았다"라는 설을 남겼다. 鮮卑나 烏丸의 경우 그 종족 이름이 山 이름에서 기원한 만큼, 차제에 검토해 볼 여지는 있다. 그 밖에 '구려'라는 말은 구리[銅]와 통하고, 몽골 古文에서 黃銅을 '까울리'라고 하였다. 이는 '구리'와 同語로 볼 수 있다. 따라서 黃銅이라는 말에 '高' 字를 덧붙여서 '고구려'로 일컬었다는 견해도 있다.[4)]

高句麗를 현재 '고구려'로 읽고 있다. 그러나 조선 正祖代에 간행된『전운옥편』에는 '麗' 자에는 '리'와 '려' 2가지 발음이 있음을 밝혔다. '리'로 읽는 경우로서 "東國高麗" 즉 우리나라의 高麗를 읽을 때는 '고리'라고 발음했음을 명시했다. 音價를 많이 표시한『용비어천가』에도 '高麗'라는 국호의 音을 "麗의 音은 离인데 高麗를 말한다(6장)"라고 하였다. 즉 '고리'로 읽어야 함을 밝히고 있다. 중국어 학습서인『老乞大』에서도 高麗의 音을 '갛리:', '갇리'라고 하였다. 따라서 고구려와 고려는 '고구리'와 '고리'가 원음이 된다.

고구려라는 국호의 어의에 대해서는 다양한 견해가 제기되었다. 이 중 高句麗의 어원을 "溝漊는 句麗에서 城을 이름한다"[5)]는 기사와 관련해 살피는 견해가 많았다. 이 '溝漊'와 고구려의 약칭인 句麗가 음이 닮았다는 점에 착목하였다. 즉 '句麗'는 '溝漊'와 마찬가지로 '城邑'의 의미이고, '高'는 '크다'는 뜻이다.[6)] 한국에서 지금도 남아 있는 忽이나 洞의 의미인 고호리(고오르)를 한자로 옮겨쓴 것이라고 했다.[7)] 결국 '고구려'는 '大城'·'首邑'·'上邑'의 뜻인데, 이 것이 도시명 내지 국가명으로 발전된 것이라고 한다.[8)] 그런데 외몽골의 Orkhon 河畔에 세워진 큘테킨이라는 돌궐 왕족의 비문에는 역대 可汗의 업적을 설명하는 구절 가운데 "문상객(으로서) 동쪽에서는 해 뜨는 곳으로부터 뵈클리 초원의 부족들"라는 글귀가 있다. 앞에서와는 조금 다른 해석과 음가 적용이다. 그런데 여기서 Mokli가 과연 '貊句麗'를 표기한 것인지는 단정하기 어렵다. 왜냐하면 '貊句麗'의 '貊'은 '박(狛)'으로도 표기될 뿐더러 훈독은 '고마'이기 때문이다. 비록 조상의 치적이 담긴 부분에 수록된 국호라고 해도 큘테킨 비석이 세워진 732년에는 고구려가 존재하지 않았다. 이미 언급되었듯이 오히려 큘테킨 비문의 Mokli는 발해 시기 말갈이나 그 古稱인 물길을 가리킬 수도 있다. 게다가『한서』지리지에서 정치 세력으로 보이는 '句驪'는 추모왕의 고구려 성립 이전이었다. 따라서 성읍을 가리키는 보통명사 溝漊에서 고구

4_ 리지린,『고조선연구』, 과학원출판사, 1963, 175쪽.
5_ 『三國志』 권30, 동이전, 고구려 조.
6_ 白鳥庫吉,「高句麗の名稱に就きいての考」『國學院雜誌』第二卷 第十號, 1896 ;『白鳥庫吉全集』3, 1970, 105쪽.
7_ 稻葉岩吉,「百濟の椋及び椋部」『釋椋』, 大阪屋號書店, 1936, 95쪽.
8_ 李丙燾,「高句麗國號考」『韓國古代史研究』, 博英社, 1976, 353~369쪽.

려 국호의 생성을 말하기는 어렵다.

이와는 달리 신뢰할 수 있는 문헌을 기준으로 할 때 고구려 국호에 대한 가장 이른 시기의 표기는 '高句驪'였다. '高句驪'의 '驪'는 黑馬인 加羅馬를 가리키고 있다. 고구려 대무신왕대에 얻었던 神馬 이름이 駏驤였다. 여기서 美稱으로 보이는 '高'를 제외한 句麗는 加羅馬의 '가라', 神馬 이름인 '거루'와도 음사하다. 부여의 발상지인 鹿山의 사슴과 견주어 볼 때, 말 토템 내지는 관련 지명에서의 연유 가능성도 생각하게 한다.

그림 10 | 궐테킨 비석

그 밖에 고구려의 어근인 '구려'가 창고의 뜻에서 연유했을 가능성이다. 함경남도 北青과 端川에서 창고를 '구리'나 '우구리'로 일컬었다. 만주어에서 창고를 '구라'로 일컬었다.[9] 『訓蒙字會』에서도 廩을 '구루무'로 훈독했다. 그러한 창고가 소재한 곳을 보호하기 위해 성이 축조되었다. 고구려에서 城을 '구루'로 일컫는 것은 성과 창고가 동일한 공간에 소재하였고, 보호라는 동일한 목적을 지녔기에 혼용되었을 수 있다. 결국 창고의 뜻에서 '구리'가 유래했을 가능성을 상정하게 한다. 창고는 財富의 상징이며, 고구려 수도는 이러한 재부가 가장 많이 몰려 있는 곳이었기에 '高' 자를 넣어 고구려로 일컬었을 수 있다.

2) '고구려' 국호의 사용 기간

'고구려'라는 이름은 기원전 107년에 현도군을 설치하는 기록에 縣 이름으로서 보인다. 이 이름은 기원전 37년 고구려의 건국 이후에 줄곧 국호로서 사용되었다. 그런데 5세기대 이후 고구려의 역사

9_ 稲葉岩吉,「百濟の椋及び椋部」『釋椋』, 大阪屋號書店, 1936, 14~15쪽. 20쪽.

를 담고 있는 중국의 역사책인『魏書』나『新·舊唐書』등에 의하면 고구려를 나타내는 국호로서 '高麗'가 나타나고 있다. 唐將 설인귀가 신라 문무왕에게 보낸 국서에서도 "서쪽으로는 백제의 침략을 두려워하고 북쪽으로는 고려의 노략질을 경계하였는데"라고 하여 '고려'가 보인다. 일본측 역사책에서도 8세기 전반기에 편찬된『고사기』나『일본서기』등에도 '고구려' 대신 '고려'만이 보이고 있다. 우리나라측 문헌에도 이 점이 엿보여진다. 고려 충열왕 때 편찬된『삼국유사』에서 고구려의 역사를 인용한 책 이름으로「高麗本紀」와「高麗古記」가 보인다. 이들 '고려'는 고구려를 가리키고 있다. 이 점은 당대에 작성된 금석문 자료를 통해서 보다 분명해진다. 539년에 제작된 것으로 보이는 延嘉7年銘 金銅佛像의 光背銘에 의하면 그 불상의 주조처를 "高麗國 樂良東寺"라고 하였다. 449년에 건립된 충주고구려비에 의하면 "五月中 高麗太王"으로 문장이 시작되고 있다.

이로써 알 수 있는 것은 고구려의 국호는 5세기대 이후에 '高麗' 2字로 줄여서 改號하였음을 알려준다. 그 시점은 427년 평양성으로 천도할 때로 지목하는데 타당하다고 본다. 고구려는 이후 멸망할 때까지 '高麗'라는 국호를 사용하였다. 이것이 왕건이 세운 고려와 연결되는 동일 왕조로 오인하게 하는 결과를 빚게 하였다. 즉 1123년(인종 원년)에 고려에 사신으로 왔던 徐兢이 그 이듬해에 지은『선화봉사고려도경』에 보면 고려의 기원을 '고려'라는 동일한 국호를 사용했던 고구려에서 찾았다. 류화부인상과 관련해 "神像. 대개 여인의 모습을 만들어 나무에 새겼다. 혹은 부여(왕)의 妻인 河神의 딸이라고도 한다. 그녀가 낳은 朱蒙이 高麗 始祖가 되었기에 그를 제사지낸다"[10]고 했다. 고구려 시조를 고려 시조와 동일하게 인식하고 제사지냈던 것이다. 그랬기에 보장왕대에 고려는 唐에 망하였지만 당 말기에 왕건에 의해 회복되었다고 인식했다. 중국인들에게 고려 왕조는 高氏에서 王氏로 왕실이 바뀌었다는 인식을 가지게 하였다. 이는 다음과 같은 조선 전기의 인식에서도 확인된다.

> 왕건은 前朝인 고려의 시조이다. 신라 말기에 弓裔가 後高句麗라고 칭하면서 鐵原[지금의 강원도에 있다]에 웅거하였고, 甄萱이 後百濟라고 칭하면서 全州[지금의 전라도에 있다]에 웅거하였는데, 고려 태조가 이들을 모두 평정하였다. 그리고 신라의 왕 역시 나라를 바치고 신하로 칭하여 드디어 삼국의 땅을 다 차지하였다. 그 뒤에 또 서북쪽의 오랑캐족들을 정벌하여 수천 리의 영토를 넓히니, 女眞·靺鞨의 지역이 모두 版圖 안으로 들어왔다.『대명일통지』에서 이른 바 영토를

10_ 『高麗圖經』권17, 神字 東神祠. "神像 蓋刻木作女人狀 或云乃夫餘妻河神女也 以其生朱蒙 爲高麗始祖 故祀之"

더욱 넓게 개척하였다고 한 것은 이를 말한 것이다. 다만 그때는 고구려가 망한 지 이미 2백여 년이나 되었으니, 고려 태조는 실로 신라의 뒤를 이어서 왕이 된 것이다. 그러므로 『대명일통지』에서 고씨를 이었다고 한 것은 틀린 말이다. 그리고 왕씨는 처음부터 송악에 도읍하였지, 평양에서 遷都한 것이 아니었다.[11]

고려가 조정을 강화도로 옮겨 몽골과 대치하는 상황에서 세자였던 원종이 元의 유명한 황제 쿠빌라이가 즉위하기 직전에 찾아가 만났다. 뜻밖에 원종이 찾아오자 쿠빌라이가 놀라서 기뻐하며 말하기를 "고려는 萬里의 나라이다. 당 태종이 친히 정벌하러 나섰으나 항복을 받지 못했거늘, 지금 그 세자가 스스로 와서 우리에게 귀복하니 이는 하늘의 뜻이로다!"고 하며 감격해 하였다. 고려와 고구려를 동일한 국가로 인식한 것이다. 고려 말 최영의 발언 가운데 "당 태종이 本國을 쳤을 때 본국이 僧軍 3만을 내어 쳐서 깨뜨렸으니"[12]라고 하였다. 여기서 '本國'은 고구려와 고려를 동일시한 인식에서 비롯하였다.

조선에서도 세종대에 檀君祠를 고구려 추모왕(동명왕)祠에 合祠하면서 "처음 두었다. 高麗 始祖 東明王과 合祠했다"[13]고 하였다. 추모왕을 고구려가 아닌 '고려' 시조라고 했다.

3) 건국

고구려 건국설화는 『三國史記』·『三國遺事』·「東明王篇」·『魏書』·「廣開土王陵碑文」·「牟頭婁墓誌」 등에 전한다. 요점은 건국자인 추모가 북부여에서 천제의 아들을 자칭하는 해모수와 河伯의 딸인 류화부인을 부모로 하여 출생했다. 그의 출생과 성장 과정이 부여의 시조설화에서 보듯이 여러 가지 신이함이 있었다. 더욱이 출중한 사냥 실력이 부여 왕자들의 시기를 받았기에 어머니의 권고로 남쪽으로 망명, 물고기와 자라떼의 도움을 얻어 엄리대수를 건너 압록강의 지류인 훈강(渾江)유역의 忽本, 즉 지금의 환런(桓仁)에 이르러 도읍했다고 한다.

이 설화는 부여시조 설화인 동명설화와 대동소이하다. 고구려를 세운 지배세력이 부여족 계통임

11_ 『鶴峯集』 권6, 雜著, 朝鮮國沿革考異.
12_ 『高麗史』 권113, 崔瑩傳.
13_ 『世宗實錄』 권154, 地理志, 平安道 條. "始置 與高麗始祖東明王合祠"

을 알려준다. 한편 「동명왕편」에 의하면 추모가 어머니와 이별할 때 그 어머니가 五穀의 종자를 싸서 주었는데, 추모가 보리씨를 잊고 떠났다. 추모가 큰 나무 밑에서 휴식하고 있는데, 2 마리의 비둘기가 날아와 있기에 떨어 뜨린 후 비둘기의 목구멍을 헤쳐 보니 보리씨가 나왔다. 물을 뿜어 주니 비둘기가 다시 살아나서 날아 갔다. 이러한 설화는 고구려 사회에서 농경의 비중과 더불어 神格으로 격상된 추모의 어머니인 류화부인은 地母神에 해당되는 존재로 인식되어 왔음을 반영해 준다.[14)]

고구려 시조 이름은 「광개토왕릉비문」·「모두루묘지」와 같은 당대 금석문에서는 '鄒'牟로 표기하였다. 670년의 문무왕이 안승에 대한 冊文에서는 中牟王(『삼국사기』 권6, 문무왕 10년 조), 720년에 편찬된 『일본서기』에는 仲牟王(天智 7년 조)이라고 했다. 朱蒙 표기의 최초 사례는 『魏書』이다. 朱蒙 은 鄒牟나 中牟와 음이 닮았지만 폄훼된 의미를 담고 있다. 朱에는 '난쟁이[侏]'의 뜻과 '어리석다'·'어리다'의 뜻이 담겼다. 蒙은 '어린 아이'를 가리키는 童蒙의 蒙인 것이다. 그러므로 朱蒙은 '난장이'와 '어린애'의 뜻을 지닌 고구려 시조 이름에 대한 비칭이었다. 고구려인들이 알지 못했던 '朱蒙' 이름 사용은 사리에 맞지 않다. 중국 문헌에서의 악의적인 표기는 더 많다. 한 가지만 덧 붙인다면, 고구려에서 원시적 소국을 나타내는 那나 壤을 奴로 표기하여 비하시켰다.

고구려 시조 출생과 건국 설화는 부여 시조와 동일하다. 더욱이 『삼국사기』에서는 고구려 시조 이름을 주몽, 시호를 동명성왕이라고 하였다. 고구려 시조 이름과 부여 시조 이름이 동일한 것이다. 그 이유는 무엇일가? 이에 대해서는 집중으로 요구하는 설명이 필요하다. 우선 고구려 건국설화는 1세기 경에 쓰여진 『논형』에서 보듯이 당초 부여 시조설화였다. 그러나 고구려 건국세력도 부여에서 출원했기에 동명 시조설화를 지니고 있었다. 고구려와 부여는 동명 시조설화를 공유했던 것이다.[15)] 그러다가 고구려는 왕실 시조 추모를 국가시조로 승화시키면서 동명설화와 일치시켰다. 문제는 고구려 시조로서 東明을 설정한 시점이다. 그 시점은 고구려가 동부여를 병합한 494년 이후로 보인다. 특히 538년에 사비성으로 천도한 백제는 국호를 부여로 고쳤다. 부여로부터 내려오는 역사적 법통을 백제가 계승했음을 천명한 것이다. 고구려와 백제는 부여로부터의 정통성 계승과 관련해 주도권 장악을 기도했다. 그러한 선상에서 고구려는 추모와 동명을 일체화한 것으로 보인다. 「광개토왕릉비문」에서 고구려 '創基'에 불과했던 추모를 부여 '開國'者인 동명과 일치시켰다. 이와 관련해 설정

14_ 金哲埈, 『韓國古代社會硏究』, 知識產業社, 1975, 54~62쪽.
15_ 孫晋泰, 『朝鮮民族史槪論(上)』, 乙酉文化社, 1948, 106쪽.

된 紙上 공간이 桓仁의 '卒本扶餘'였다. 동명이 건국한 부여를 고구려 영역 내의 '卒本扶餘'로 설정하였다. 그렇게 함으로써 부여 시조인 동명은 기실 고구려 시조임을 선포한 것이다. 동시에 부여계 諸國에 대한 종주권 확립을 기하였다. 고려가 遼와의 고구려 계승을 경쟁할 때 비류국 등 관련 지명을 평안북도 성천 등으로 옮긴 사례를 연상할 수 있다.

그러나 연개소문 집권 후 고구려 왕실의 권위를 약화시키려는 의도로 동명과 추모를 분리시킨 것으로 보인다. 연개소문의 아들 천남산의 묘지명을 보면 "옛날에 東明이 氣를 느끼고 淲川을 넘어 開國하였고, 朱蒙은 日을 품고 浿水에 임해 開都하였다(昔者東明感氣 踰淲川而開國 朱蒙孕日 臨浿水而開都)"고 했다. 東明≠朱蒙은 서로 다른 인물로 구분한 것이다. 그러나 고려 초기에 『구삼국사』를 편찬할 때 전승 문헌에 따라 추모와 동명은 다시금 일체되었던 게 분명하다. 이 때 추모는 본명, 동명은 시호로 정리가 된 것 같다.

4) 건국 연대

고구려의 건국연대는 『삼국사기』에 적혀 있는 기원전 37년보다 올려 잡을 수 있다. 그러한 근거는 다음과 같다.

첫째, 고구려가 흥기하는 압록강 중류지역에는 기원전 128년에 예군 남여 휘하 28만 명의 인구가 밀집되었기에 국가와 같은 거대한 정치세력이 태동할 수 있는 환경을 갖추고 있었다.

둘째, 기원전 107년에 설치된 玄菟郡의 3개 屬縣 가운데 '高句驪縣'이 보이고 있다. 고구려라는 이름의 정치세력이 漢郡縣이 설치되기 이전에 압록강 중류지역에 존재하였음을 의미해 준다.

셋째, 기원전 75년에 압록강 중류지역의 토착세력은 현도군을 수찌하유역인 지금의 新賓縣 일대로 축출시켰다. 이는 이 지역에 강력한 힘의 구축, 이를테면 연맹세력의 형성을 시사해 주고 있다. 그것 없이는 현도군을 축출할 수는 없었을 것이기 때문이다.

넷째, 고구려 말기에 나타난 『高麗秘記』를 인용한 亡國說에 따르면, 고구려의 존속 기간은 9백년 혹은 1천년에 이르게 된다. 즉 『신당서』의 9백년설, 『唐會要』의 1천년설, 『日本書紀』의 7백년설, 『삼국사기』의 문무왕이 안승에게 내린 책봉문에 의하면 8백년설, 「高慈墓誌銘」의 708년만에 망했다는 一節(기원전 40년 건국)이 보인다.

다섯째, 『삼국지』 고구려 조에 의하면 "본래 涓奴部에서 왕을 삼았으나 점점 미약해져 지금은 桂

婁部가 王이 되었다"고 하였다. 왕실 교체를 언급하고 있다. 그러나 『삼국사기』나 「광개토왕릉비문」의 기록을 토대로 할 때, 추모왕 이후 왕실교체의 흔적이 확인되지 않았다. 그러므로 왕실 교체 시기는 추모왕의 '건국' 시기가 될 수밖에 없다. 이는 고구려의 건국 연대가 기원전 37년보다 훨씬 이전임을 의미한다. 『삼국사기』에 의하면 추모가 沸流國 松讓과 싸워 이김으로해서 이 나라를 합병했다고 한다. 이 기록을 소노부에서 계루부로의 왕실교체로 받아들일 수 있다.[16)]

요컨대 고구려의 건국은 기원전 2세기나 3세기 이전으로 충분히 소급시킬 수 있다. 『삼국사기』 상 추모왕의 건국은 국가의 성립이기보다는 왕실교체에 불과한 것으로 보겠다.

16_ 李丙燾, 「高句麗國號考」 『韓國古代史硏究』, 博英社, 1976, 359~360쪽.

2. 고구려의 기원과 건국

1) 고구려의 기원과 추모 집단의 '고구려' 국호의 계승 배경

고구려의 기원에 관해 면밀한 성찰이 필요할 것 같다. 이와 관련해 기원전 107년에 漢이 대왕조선을 멸망시키고 현도군을 설치할 때 '고구려'의 존재는 이미 확인되었다. 그러므로 부여족의 일파에 의한 고구려 건국은 인정하기 어려울 수 있다. 더구나 고구려 시조인 추모 설화는 부여 시조인 동명설화의 차용에 불과할 뿐이다. 고고학적으로도 부여 묘제가 환런 일대에서 확인되지 않는다는 점을 이와 관련해 제시하고 있다. 이 문제는 상당히 중요한 사안이라고 본다. 왜냐하면 이러한 지적의 타당성 여부를 떠나 관성적으로 고구려 건국 세력은 북부여에서 남하했다는「광개토왕릉비문」(이후 '능비문'으로 略記한다)이나「모두루묘지」기록을 받아들인 게 아닌가하는 자성의 계기가 될 수도 있기 때문이다. 물론 랴오닝성박물관 자료에 따르면 환런의 왕쟝루(望江樓) 고분군에서 고구려 早期 적석총이 발굴된 바 있다. 이 적석총에서 출토된 銅柄·철검·귀고리·串珠·도자기 등이 모두 시차거우(西岔溝) 고분 출토품과 대략 동일하다. 그러므로 고구려 왕실의 출신지가 부여라는 기록을 입증해 주는 근거로 간주하기도 한다. 그러나 왕쟝루 고분은 입지 조건과 거리상으로도 고구려 건국과 관련한 오녀산성이나 下古城子 주변과 직접 결부 짓기 어려운 측면이 있다. 게다가 왕쟝루 고분군에서 출토된 부장품이 반드시 주민의 이동을 뜻하는지 아니면 문화 수용을 의미하는 지에 대한 신중한 검토가 필요하기 때문이다. 다만 이로써 고구려 건국 세력의 계통적 다양성에 의미를 둘 수는 있을 것 같다.

이와 더불어 추모 집단의 부여 출원설에 대한 반대 견해가 다른 각도에서 제기된 바 있다. 즉 추모의 건국 시점에 비추어 볼 때 부여 출원설은 너무 늦게 문자로 정착되었다. 현도군의 속현인 고구려현의 존재를 통해 추모의 건국 이전에 고구려가 존재하였다. 주몽이 부여에서 도망 나올 때 불과 몇 명밖에 대동하지 못했다. 따라서 고구려는 결코 부여에서 기원했다고 볼 수 없다. 다만 부여인 중의 일부가 고구려족에 가입한 것으로 해석했다. 그러나 이에 대한 반론이 제기된 바 있다.

그러면 먼저 추모로 대표되는 건국 세력이 국호를 여전히 '고구려'로 사용한 이유는 무엇이었을까. 漢이 대왕조선을 멸망시키고 설치한 郡 가운데 기원전 107년의 현도군 관하에는 上殷台와 西蓋馬 그리고 高句驪라는 3개 縣의 존재가 확인되었다. 이러한 3개 현의 이름은 주지하듯이 현도군이 설치되기 전에 이곳에 소재하였던 토착 세력의 소국 이름으로 파악되고 있다. 26년에 대무신왕이 정벌한 개마국이나 개마대산도 이와 관련 있을 것으로 보인다. 그런 만큼 기원전 107년 이전에 현도군 관내에는 고구려라는 이름의 정치 세력이 소재했음을 알게 된다. 추모의 고구려 건국 이전에 고구려라는 이름의 정치 세력이 이미 존재하고 있었던 것이다. 이러한 2개 고구려의 존재에 대해서는 일찍이 韓致奫이 언급한 바 있다. 즉 秦 · 漢代에 이미 존재하였다가 한 무제 때 멸망하여 현도군의 1개 縣으로 전락한 고구려와, 추모가 기원전 37년에 건국한 고구려를 각각 지목하였다.

고구려현은 현도군의 首縣으로 지목되고 있다. 이 사실은 현도군 관내의 토착 諸勢力 가운데 舊高句麗國의 위상이 지대했음을 뜻한다. 그런데 토착 세력의 저항으로 인해 기원전 75년에 현도군과 그 예하 속현인 고구려현은 지금의 랴오닝성 신빈(新賓) 일대로 이동하였다. 주지하듯이 이것이 제2현도군이다. 제1현도군이 떠난 空地에는 당연히 토착 세력들이 그 공간을 메꾸면서 할거하였을 것이다. 이는 충분히 예견된 현상이었다. 제1현도군이 축출된 지 40년 가까운 기간이 흐른 뒤 이 곳에 추모 집단에 의한 고구려 건국이 이어졌던 것도 이러한 정황과 무관하지 않아 보인다. 고구려가 건국한 환런을 비롯한 그 일대에는 통일된 단일한 정치 세력이 등장하지 않았기에 추모 집단의 건국이 비교적 용이했을 것이다.

그러면 추모가 홀본에 건국하면서 국호를 현도군의 首縣 이름인 고구려로 삼은 이유는 무엇일까? 우선 국호는 상징성이 크다는 점이다. 다시 말해 국호는 계승성에 대한 의미가 지대한 편이다. 그랬기에 궁예나 진훤이 당초 국호를 고려와 백제로 삼은 게 아닐까. 이러한 맥락에서 볼 때 고구려 국호는 현도군의 수현을 계승한다는 차원과는 무관한 것으로 생각된다. 자신들이 축출한 현도군을 토착세력이 계승해야할 이유는 없기 때문이다. 오히려 그것 보다는 현도군의 수현이었던 고구려현은 현도군 이전에 이곳에서 독립 소국 이름으로 존재했다는 점에 의미를 두어야 할 것 같다. 즉 유이민인 추모 집단은 토착인들이 축출한 현도군 관내에서 그 수현이었을 정도로 비중이 지대했던 고구려라는 독립 소국의 이름을 부활시켰다. 그럼으로써 추모 집단은 자연스럽게 그 계승자가 되는 동시에 구고구려국이 지녔던 정치적 영향력의 재현과 복구에 도움이 될 것으로 판단했던 것 같다. 위만이 기습적인 정변으로 정권을 탈취했지만 朝鮮이라는 국호를 여전히 사용한 사례도 이 점을 이해하는데 도움이 될 수 있다.

기원전 75년에는 현도군과 그 수현인 고구려현이 쫓겨가서 '고구려'가 해체된 상황이었다. 바꿔 말해 이는 현도군을 축출할 정도로 강력한 세력이 고구려현 인근에 결집되었음을 뜻한다. 그러나 그로부터 40년이 지난 후에도 혼강과 압록강유역에 강력한 단일 정치체가 성립되지 않았다. 이러한 사실은 현도군 축출 이후 토착 세력들이 세력 균형을 이루며 할거하는 상황이었음을 암시해 준다. 그런데 이곳에 정착한 유이민인 추모 집단이 세력 규합 명분으로 내세운 게 고구려의 재건이었을 것 같다. 그랬기에 추모 집단이 舊고구려국 왕실인 소노부 세력과의 연합을 기도하는 상황에서 국호를 고구려로 삼았던 것으로 보여진다. 추모의 계루부 왕실이 이례적으로 舊王室의 종묘와 사직까지 보존해 주었다. 사실 이는 유례가 드문 일로서 이해하기 어렵다. 왕실이나 왕조가 교체되면 우선적으로 혁파되어야 할 대상을 보존해 주고 있기 때문이다. 그러나 이것도 추모의 건국기에 이루어진 소노부와의 세력 연합의 산물이라고 할 때 이해가 쉬워진다.

기원전 37년 무렵 추모 집단에 의한 건국은 고구려 국호의 부활을 가져 왔다. 물론 구고구려 왕실과 추모의 고구려 왕실은 엄연히 구분이 된다. 그러나 『삼국지』에서 언급한 소노부에서 계루부로의 왕실 교체는 이것을 가리킨다고 하겠다. 이에 관해서는 그 시점을 태조왕대 高氏 왕실의 출현이나 추모왕대 송양과의 경쟁 등을 지표로 운위하고 있다. 그러나 태조왕대의 왕실 교체설을 취신하는 경향은 이제 희박해졌다. 그리고 추모가 송양과의 경쟁에서 승리한 자체가 송양을 중심한 5부연맹의 장악을 뜻하는 것도 아니다. 송양이 연맹왕은 아니었기 때문이다.

그런데 『삼국지』 기사는 기원전 107년 이전의 구고구려국과 기원전 37년에 건국된 고구려를 서로 연계시켜서 해석한 것으로 풀이된다. 동일한 국호를 사용한데다가 시간의 추이에 따라 최고 지배세력이 달라졌기 때문이다. 이것을 응당 왕실 교체 현상으로 이해할 법한 일이라고 하겠다. 물론 시간의 공백이 없는 계승 관계에다가 2개 왕실이 시간적 틈새없이 맞물려 있는 것도 아니다. 그렇지만 이와 유사한 사례가 『고려도경』에 보인다. 이에 따르면 高麗는 漢代에 주몽이 건국하여 내려오다가 일시 망했지만 後唐 무렵에 再興되었다고 한다. 그런데 이 때 고씨에서 왕씨로 왕실이 교체되었다는 인식이 생겨났다. 추모의 고구려와 왕건이 세운 고려는 엄연히 실체가 다른 국가였고, 각기 새로운 왕조의 건설이었다. 그러나 국호의 동일함과 계승 의식으로 인해 『고려도경』의 저자로 하여금 동일 국가 내에서 이루어진 왕실 교체로 오인하게 했다. 마찬가지로 『삼국지』에서의 왕실 교체 기록 역시 이러한 맥락에서 살펴진다. 고구려 국가의 年壽를 900년으로 인식한 것도 구고구려국과 고구려의 존속 기간을 합친 것이었다.

추모 집단은 건국지가 구고구려국 故地와 무관하지 않았기에 고구려 국호를 부활시켰다. 즉 구고구려국이 지닌 상징성이 지대하였기에 현도군에 편제되었다가 쫓겨간 '고구려'의 진정한 계승과 부활 차원에서 고구려 국호를 사용했다. 또 그러한 차원에서 고구려는 현도군에 대한 공격에 박차를 가했던 것 같다. 고구려가 14년(유리왕 33)에 제2현도군 관내의 고구려현을 습취하였다. 그리고 26년(대무신왕 9)에 고구려는 비록 서개마와는 연결되지 않는다하더라도 개마국을 점령하는 일 등은 현도군의 뿌리를 뽑아 명실상부한 구고구려국의 복원과 그 계승자임을 염두에 둔 현상으로 보인다. 더욱이 유리왕의 고구려현 습취는 눈에 보이는 2개의 '고구려'를 용인하기 어려웠기 때문일 것이다. 물론 후자는 주체가 구고구려국과는 엄연히 달랐을 뿐 아니라 전자에 대한 계승적인 성격이 강했다. 그런 관계로 「광개토왕릉비문」에서 추모왕의 건국을 '開國' 개념보다는 '創基'로 표현했던 것 같다.

추모 집단이 고구려라는 국호를 부활시킨 것은 후광 효과 외에 자기 역량이 열세인 관계로 토착 세력들에게 익숙하고 전통적 권위를 지닌 기존의 국호를 사용하는 게 유리하다는 판단에서 기인했던 것으로 보인다. 추모 집단이 이곳의 토착 묘제인 적석총을 수용한 것도 그 일면을 보여준다. 아울러 추모와 송양과의 대결이나 소서노와의 혼인은 경쟁과 혼인 동맹을 뜻하는 근거가 될 수 있다. 전자는 토착 세력과의 경쟁을 통해 주도권을 장악하는 추모의 세력 구축 배경이 된다. 이 경우도 송양의 딸이 유리왕의 왕비가 되어 대무신왕을 낳았으므로, 혼인을 통한 세력 연합이라는 속성을 지녔다. 후자의 경우도 혼인 동맹이라는 세력 연합을 통해 新住地에 세력을 견고하게 구축한 사실을 뜻한다고 할 수 있다. 소서노의 '서'를 사이 ㅅ으로 읽게 되면 '솟노'가 되어 인명이 아니라 那名에 근사할 수 있기 때문이다. 그렇다고 할 때 추모와 소서노와의 혼인은 곧 고구려 건국 세력과 소서노와의 혼인 동맹을 뜻한다고 볼 수 있다.

2) 추모 집단의 출원지

추모 집단의 출원지는 어디일까? 「광개토왕릉비문」이나 「모두루묘지」에 따르면 북부여로 명시하였다. 다음의 기사가 그것을 말해 주고 있다.

> e-1. 옛적에 始祖 鄒牟王이 토대를 처음으로 세우셨다. 北夫餘에서 나오셨는데, 天帝의 아드님이시고, 어머니는 河伯의 따님이시다. 알을 깨고 세상에 내려 오셨는데, 태어나시면서 聖스러운…이 있었다. 수레를 남쪽으로 내려 가는 길로 순행을 命하셨다. 夫餘의 奄利大水를 지나가면서, 王이 나루에 이르러 말씀하시기를 "나는 皇天의 아들이고, 어머니는 河伯의 따님이

신 鄒牟王이다. 나를 위하여 갈대를 잇고 거북이들은 떠오르라!"는 소리에 응하여 갈대가 이어지고 거북이들은 떠올랐다. 그런 연후에 (다리가) 만들어지자 건너가서 沸流谷 忽本 서쪽 산 위에 성을 쌓고 도읍을 세웠다.(「광개토왕릉비문」)

e-2. 一河泊의 손자이시며 日月의 아드님이신 鄒牟聖王께서는 근원이 北夫餘에서 나오셨으니…(「牟頭婁墓誌」)

위의 금석문 기록에 따라 추모의 출원지를 북부여로 간주하는 견해가 지배적이다. 비록 당대의 금석문이라는 1급 자료이기는 하지만 정치 선전문으로서의 성격이 가장 강한 「광개토왕릉비문」과 고구려 시조에 대한 가 없는 칭송과 영합하는 글귀로 짜여진 문장이 「모두루묘지」라는 점도 고려해야 한다. 게다가 금석문이나 문헌 자체에서도 북부여와 동부여라는 적어도 2개의 부여가 병존한 사실이 확인된다는 점이다. 그런데 추모의 북부여 출원설에 대해서는 몇 가지 의문점이 제기된다.

첫째, 북부여의 성립 시기를 동부여가 성립되었다는 285년 이후로 간주하는 견해가 되겠다. 고구려를 기준해서 동부여와 더불어, 원부여는 346년 이후에 북부여로 불리었다는 것이다. 이러한 논리대로 한다면 「광개토왕릉비문」의 추모 건국설화는 존재하지도 않은 북부여에서 남하한 게 된다. 즉 추모 집단이 남하·정착한지 무려 4세기가 가까워서야 북부여가 성립되었다는 말이다. 그렇다면 이는 시간상으로 선후가 倒置된 것이다. 그러므로 추모의 북부여 출원설은 내용상의 신뢰성에 의문을 심어줄 수 있다. 당초 생겨나지도 않은 북부여에서 추모가 남하했다는 것은 형식 논리상 어불성설이 되기 때문이다. 물론 「광개토왕릉비문」이 작성되는 414년의 관점에서 당시 북부여는 원부여의 후신이므로 북부여라는 표현은 얼마든지 사용할 수는 있다. 그러나 능비가 건립되는 시점에는 북부여와 더불어, 국경의 표지로서 '부여 엄리대수'라는 표현을 통해 故夫餘(原夫餘) 영역에 대한 인식이 존재하였고, 또 동부여가 竝存하고 있었다. 그런 만큼 방위명 부여는 고구려를 기준해서 생겨 났다는 앞서 제기한 견해는 따르기 어렵다. 즉 북부여나 동부여 같은 방위명 부여가 (비록 당시 병존하지는 않았지만) 원부여를 기준으로 한 국호일 수 있기 때문이다. 그 밖에 『위서』에서 지린(吉林)의 원부여를 '舊夫餘'라고 하였다. 이는 농안으로 이동한 부여를 염두에 둔 표현이다. 여기서도 원부여를 기준으로하여 파생·이동한 부여를 언급하였음을 알게 된다. 그리고 엄리대수의 '부여'를 북부여의 한 지방이라는 의미로 해석하기도 한다. 그렇다면 '엄리대수'라고 하면 될 터인데 굳이 '부여 엄리대수'

라고 할 필요가 있었을까?

둘째, 「광개토왕릉비문」을 통해 볼 때 동부여는 285년 이전에 이미 건국되었음을 알 수 있다.

셋째, 다음에서 보듯이 「동명왕편」과 『삼국사기』를 비롯한 문헌에는 추모의 출원지를 동부여로 적어 놓았다. 다음 기사가 그것이다.

f-1. 本紀에 다음과 같이 적혀 있었다. 부여 왕 해부루는 늙바탕에 아들이 없어 山川에 제사를 지내고 뒤를 이어 주기를 빌었더니 타고 있던 말이 곤연에 이르러서는 큰 돌을 보고는 눈물을 흘렸다. 왕이 이상하게 생각하고 사람을 시켜 그 돌을 굴리게 하였더니 어린 아이가 있었는데 금빛 개구리 모양이었다. 왕이 말하기를 "이는 하늘이 나에게 훌륭한 아들을 내림이로다" 하고는 거두어 길렀다. 이름을 金蛙라 하고 태자로 삼았다. 왕의 정승 아란불이 "요사이 하늘에서 저에게 이르기를 '장차 내 자손으로 하여금 여기에 나라를 세울까하니 너희들은 여기를 피하라. 東海 가에 땅이 있는데, 迦葉原이라고 이르는 곳이다. 토지가 농사 짓기에 알맞아 도읍할 만하니라' 하시더라"고 아뢰고는 왕에게 권하여 도읍을 옮겨 東夫餘라고 이름 지었다. 그 옛 도읍 터에는 해모수가 天帝의 아들이 되어 와 도읍하였다.…

f-2. 시조 東明聖王은 성이 高氏이고 이름이 朱蒙이다[혹은 鄒牟 또는 衆解라고도 한다]. 앞서 扶餘王 解夫婁가 늙도록 아들이 없어 산천에 제사를 드려 대를 이을 자식을 구하였는데 그가 탄 말이 鯤淵에 이르러 큰 돌을 보고 서로 마주하여 눈물을 흘렸다. 왕은 이상히 여겨 사람을 시켜서 그 돌을 옮기니 어린 아이가 있었는데 금색의 개구리[개구리는 다른 책에는 달팽이라고도 한다] 모양이었다. 왕은 기뻐하며 말하기를 "이것은 바로 하늘이 나에게 자식을 준 것이다" 하고는 거두어 길렀는데, 이름을 金蛙라 하였다. 그가 장성하자 태자로 삼았다. 후에 재상 아란불이 말하였다. "일전에 하느님이 내게 내려와 '장차 내 자손으로 하여금 이곳에 나라를 세우게 할 것이니 너희는 피하거라. 동쪽 바닷가에 迦葉原이라는 땅이 있는데, 토양이 비옥하여 오곡이 잘 자라니 도읍할 만하다'고 하였습니다."

아란불이 마침내 왕에게 권하여 그곳으로 도읍을 옮겨 나라 이름을 동부여라고 하였다. 옛 도읍지에는 어디로부터 왔는지는 알 수 없으나 天帝의 아들 해모수라고 자칭하는 사람이 와서 도읍하였다. 해부루가 죽자 금와는 뒤를 이어 즉위하였다. 이 때에 태백산 남쪽 優渤水에서 한 여자를 발견하고 물으니 [그 여자가] 대답하였다. "나는 河伯의 딸이며 이름이 류화입니다. 여러 동생과 나가 노는데 그 때 한 남자가 스스로 천제의 아들 해모수라 하고 나를 熊心山 아래 압록수 가의 집으로 꾀어서 사통하고 곧 바로 가서는 돌아오지 않았습니다. 부모는 내가 중매없이 남을 좇았다고 책망하여 마침내 우발수에서 귀양살이 하게 하였습니다."
금와는 이상하게 여겨서 방 안에 가두었는데, 햇빛에 비치자 [유화는] 몸을 당겨 피하였으나 햇빛이 또 좇아와 비쳤다. 그래서 임신을 하여 알 하나를 낳았는데 크기가 다섯 되쯤 되었다. 왕[금와]은 알을 버려 개와 돼지에게 주었으나 모두 먹지 않았다. 또 길 가운데에 버렸으나 소나 말이 피하였다. 후에 들판에 버렸더니 새가 날개로 덮어 주었다. 왕은 [알을] 쪼개려고 하였으나 깨뜨리지 못하고 마침내 그 어머니에게 돌려 주었다. 그 어머니가 물건으로 싸서 따뜻한 곳에 두었더니, 한 사내 아이가 껍질을 깨고 나왔는데 골격과 외모가 빼어나고 기이하였다. 나이가 겨우 일곱 살이었을 때에 남달리 뛰어나 스스로 활과 화살을 만들어 쏘면 백발백중이었다. 부여의 속어에 활 잘 쏘는 것을 朱蒙이라고 하였으므로 이것으로 이름을 삼았다. …[17]

위에 인용된 f-1과 f-2의 추모 출생 설화는 상징성을 띠고 있는 내용들이다. 그런데 추모의 출생 배경과 관련하여 동부여 성립 과정이 소개되어 있다. 동부여 성립 과정은 추모 출생담의 시간적·공간적 배경으로서 맞물려 있다. 다만 설화상으로는 추모의 아버지인 해모수의 건국과 출생지인 동부여, 이 2곳에 추모는 일정한 관련을 모두 맺고 있는 것으로 설정되었다. 추모는 설화상 해모수가 건국했다는 북부여와도 연결 고리를 갖추고 있는 것이다.

넷째, 『魏書』의 다음과 같은 기사를 동부여의 존재와 관련한 근거로서 제시해 본다.

g. 고구려는 부여에서 갈라져 나왔는데, 스스로 말하기를 선조는 주몽이라 한다. 주몽의 어머니인 河伯의 딸을 부여 왕이 방 안에 가두었는데 해가 비치는 것을 몸을 당겨 피하였으나 햇빛이 또 따라 왔다. 얼마 후 잉태하여 알 하나를 낳았는데 크기가 닷되들이 만하였다. 부여 왕이 그 알을 개에게 주었으나 개가 먹지 않았고, 돼지에게 주었으나 돼지도 먹지 않았다. 길에다 버렸

17_ 『三國史記』 권13, 동명성왕 즉위년 조.

으나 소나 말들이 피해 다녔다. 뒤에 들판에 버려두었더니 뭇새가 깃털로 그 알을 감쌌다. 부여 왕은 그 알을 쪼개려고 하였으나 깨뜨릴 수 없게 되자 결국 그 어미에게 돌려 주고 말았다. 그 어미가 다른 물건으로 이 알을 싸서 따뜻한 곳에 두었더니 사내 아이 하나가 껍질을 깨뜨리고 나왔다. 그가 성장하여 이름을 주몽이라고 하니 그 나라 俗言에 주몽이란 활을 잘 쏘는 사람을 뜻한다.

부여 사람들이 주몽은 사람의 소생이 아니기 때문에 장차 딴 뜻을 품을 것이라고하여 그를 없애 버리자고 청하였으나, 왕은 듣지 않고 그에게 말을 치도록 하였다. 주몽은 말마다 남모르게 시험하여 좋은 말과 나쁜 말이 있음을 알고는, 준마는 먹이를 줄여 마르게 하고 굼뜬 말은 잘 길러 살찌게 하였다. 부여 왕이 살찐 말은 자기가 타고, 마른 말은 주몽에게 주었다. 그 뒤 사냥할 때 주몽에게는 활을 잘 쏜다고하여 화살 하나로 한정시켰지만, 주몽은 비록 화살은 적었지만 잡은 짐승은 매우 많았다. 부여의 신하들이 또 그를 죽이려고 모의를 꾸미자, 주몽의 어미가 알아차리고는 주몽에게 말하기를 "나라에서 너를 해치려하니, 너 같은 재주와 경략을 가진 사람은 아무데고 멀리 떠나는 것이 옳을 것이다"라고 하였다. 주몽은 이에 烏引 · 烏違 등 두 사람과 함께 부여를 버리고 동남쪽으로 도망하였다. 중도에 大水를 만났는데, 건너려 하여도 다리는 없고, 부여 사람들의 추격은 매우 급박하였다. 주몽이 강에게 고하기를 "나는 태양의 아들이요, 河伯의 外孫이다. 오늘 도망길에 추격하는 군사가 바짝 좇아오니 어떻게 하면 건널 수 있겠는가?"하였다. 이 때에 물고기와 자라가 함께 떠 올라 그를 위해 다리를 만들어 주었다. 주몽이 건넌 뒤 물고기와 자라는 금방 흩어져버려 추격하던 騎兵들은 건너지 못하였다. 주몽은 마침내 普述水에 이르러 우연히 세 사람을 만났는데, 한 사람은 삼베 옷을 입었고, 한 사람은 무명 옷을 입었고, 한 사람은 부들로 짠 옷을 입고 있었다. 주몽과 함께 紇升骨城에 이르러 마침내 정착하여 살면서 나라 이름을 고구려라하고 인하여 성을 高氏라고 하였다.

처음 주몽이 부여에 있을 때 妻가 잉태하였는데, 주몽이 도망한 후에 한 아들을 낳았으니, 字는 처음에는 閭諧였다. 장성하게 되자 주몽이 國主가 된 것을 알고는 즉각 어머니와 더불어 도망하여 고구려로 돌아왔다. 그를 이름하여 閭達이라고 하는데 國事를 그에게 위임하였다.

위의 g 인용문에서 "주몽의 어머니인 하백의 딸을 부여 왕이 방 안에 가두었는데 해가 비치는 것을 몸을 당겨 피하였으나 햇빛이 또 따라 왔다"고 했다. 아무런 설명없이 대뜸 주몽의 어머니가 부여 왕에게 감금되었다고 적혀 있는 것이다. 그러나 앞에서 인용한 「동명왕편」(f-1) · 『삼국사기』(f-2) 등에 의하면 류화가 감금되기 이전에 그녀가 중매없이 임신한 관계로 하백의 분노를 사서 우발수로 귀양 왔다가 부여 왕 금와를 만나게 된 저간의 사정이 언급되었다. f-2의 "금와는 이상하게 여겨서 방 안에 가두어 두었는데"라는 구절이 류화가 금와왕을 만나게 된 사건의 마무리가 된다. 그런 만큼 『위서』 고구려전의 冒頭에 적힌 "주몽의 어머니인 河伯의 딸을 부여 왕이 방 안에 가두었는데"라는 느닷없는 구절은 이 설화의 시작이 될 수 없다. 『위서』의 모두에서 언급했어야 할 하백의 딸이 쫓겨나게 된 스토리는 후대에 추가되어 『구삼국사』나 『삼국사기』에 수록된 것 같지는 않다. 이 설화의 전후 정황과 사건의 추이에 비추어 볼 때 『위서』에서 생략한 것으로 파악하는 게 온당해 보인다. 그렇다면 『위서』의 '부여 왕'은 동부여 왕 금와를 가리키는 게 자연스럽다. 나아가 『위서』에서 추모가 아들을 잉태한 후에 탈출한 곳으로 적혀 있는 부여 또한 동부여가 되는 것이다. g에서 보듯이 『삼국사기』에서도 '부여'와 '동부여'는 병칭되고 있다.

그러한 『위서』의 고구려 건국설화는 『위서』가 편찬된 고구려 당대에 유포된 것이다. 또 그 내용을 맞추어 볼 때 『위서』 보다 훨씬 후대에 편찬된 『구삼국사』나 『삼국사기』등에 전하는 설화와 대동소이함을 알 수 있다. 그러므로 동부여 금와왕 관련 고구려 건국설화는 고구려 당대에, 그것도 『위서』의 주된 대상 시기인 5세기 전반기에는 이미 형성되었음을 알려준다. 실제 『위서』 고구려전의 내용은 435년에 고구려를 방문한 李敖의 견문기에 의한 것으로 간주하기 때문이다. 따라서 고구려 건국자의 동부여 출원설은 한층 무게가 실린다. 더구나 이는 414년에 작성된 「광개토왕릉비문」의 북부여 출원설과는 불과 20년 정도 차이밖에 없다. 요컨대 이 사실은 추모의 북부여 출원설과 동부여 출원설이 병존했음을 알려준다. 그러므로 그 설화의 채록된 先後를 놓고 사료의 우열을 논하기는 어렵다고 본다.

다섯째, 추모의 동부여 출신 기록과 관련한 설화소가 구체적이라는 것이다. 가령 금와왕과 류화가 만난 장소를 태백산 남쪽 우발수라고 하였다. 이는 원부여가 소재한 지린시 일대 보다는 태백산 즉 백두산과 상대적으로 인접한 동부여가 소재한 지리적 정황과 전혀 동떨어지지 않는다. 추모의 북부여 출원 기록을 후대에 동부여 출원설로 바꿔치기 했다면 이 같은 구체적인 지명이 내용상에까지 등장하기는 쉽지 않다. 주인공들의 소재지 즉 등장 무대의 변동은 어떤 측면에서 본다면 설화의 기본 골격을 바꿔야하는 요소이기 때문이다. 더욱이 대소왕이 고구려와의 전투에서 피살된 것을 보고, 그 從弟가 무리를 이끌고 내려온 곳이 압록곡이었다. 류화가 해모수와 사통한 곳도 압록수 가였다. 동부여 왕의 활동 반경내에 태백산이 등장하고 있다. 또 이곳과 연결되는 곳에 압록강이 소재하였다. 이러한 지리적 정황에 비춘다면『삼국사기』에 보이는 부여의 소재지는 지금의 지린시 일대라기 보다는 두만강유역의 동부여로 지목하는 게 온당해진다. 더욱이 추모의 이주 방향과 관련된 淹滮水 즉 개사수의 위치를 f-2의『삼국사기』에서는 압록강의 '동북쪽'이라고 하였다. 이는 추모가 동부여에서 이주해 왔을 때 크게 틀린 방향은 아니다. 그리고 추모의 남하 설화는 부여 동명설화를 판에 박은 듯이 원용한 것인 만큼, 사료 가치에 무게를 두기는 어렵다. 그러나 f-1과 f-2 기사는 분명히 동부여 출원설에 맞추어 쓰여진 설화라고 할 수 있다. 그런 만큼 이와 줄거리가 부합되는『魏書』단계인 5세기 전반기에는 이러한 인식이 관류하였음을 알려준다.

물론「광개토왕릉비문」과「모두루묘지」에는 추모의 북부여 출원설을 내세웠다. 이는 적어도 4세기 말이나 5세기 초에는 이미 북부여 출원설이 나왔음을 알려준다. 그렇다면 시조의 북부여 출원설이 동부여 출원설보다 먼저 생성된 것으로 생각하기 십상이다. 그러나 앞서 언급했듯이 양자는 20년 차이 밖에 없다. 그러므로 선후를 논하기 보다는 양 전승이 병존했다고 보아야 한다. 그리고「광개토왕릉비문」이나「모두루묘지」는 어디까지나 국가의 공식적인 선언이라고 할 때 역사적인 실제와는 다를 수 있다. 이 점을 고려해야 한다. 우선『위서』에 보이는 추모 건국설화에는 생략된 부분이 많다. 추모의 동부여 출원설과 관련한 내용들이나 지명이 여기에 속한다. 이것은 우연한 생략이나 누락이기 보다는 시조의 출원지를 북부여로 인식하는데 장애가 되는 요소들을 도려낸 후에 소개했던 것으로 볼 수 있다.

그러나 시조의 동부여 출원이 사실이라면 여전히 고구려에서는 시조의 동부여 출원설이 남아 있게 마련이다. 고구려의 축제 이름인 東盟의 '東'과 隧神을 맞이하는 國東大穴의 '東'쪽을 비롯하여 일상에서 동쪽을 우월하게 여겼다는 인식이 자리잡았다. 즉 "그 나라에서 일을 할 때는 동쪽을 首位로 삼았다(其國從事 以東爲首)(『翰苑』고려 조)"고 하였듯이 풍속에서도 동쪽을 중시했다. 이는 고구려 건국 세력이 동부여에서 출원한데서 유래한 게 아닐까. 단순히 태양이 솟는 동쪽을 중시하는 것이라면, 고구려에만 국한된 현상은 아닌 관계로 特記될 이유가 없을 것이다.

한편『삼국사기』에 보이는 부여 관계 기사에는 그 방향이 고구려 북쪽에 소재한 게 많다는 지적을 한다. 그럼으로써 고구려와 접촉했던 부여는 북부여이고, 곧 이는 추모의 출원지를 동부여가 아니라 북부여라는 근거로써 제시하기도 한다. 이와 관련된 유리왕 29년 조 기사는 북쪽의 부여가 파멸할 조짐으로 해석하고 있다. 그런데 추모가 동부여에서 탈출할 때 건넌 개사수를 압록강의 동북쪽이라고 했다. 북부여는 고구려의 북쪽이 아니라 원부여의 북쪽에 소재하였기에 그러한 방위명이 붙게 되었다. 동부여의 경우도 고구려의 동쪽이 아니라 원부여를 기준한 동쪽에 소재했다는 관념의 산물이었다. 엄밀하게 말한다면 동부여는 원부여의 동남쪽이 된다. 그런데 동부여 영역은 원부여에서의 分派 루트와 결부지어 볼 때 고구려의 동북이나 북쪽에도 영토가 걸쳐졌을 수 있다. 더욱이 이곳에 수도가 소재했을 가능성이다. 이 점을 고려해서 방위를 논해야 될 듯하다. 그 나머지 관련 기사도 대체로 이러한 맥락에서 살필 수 있다.

여섯째, 고구려는 추모왕대부터 북옥저를 점령하는 등 영토가 두만강유역까지 미치고 있었다. 즉 백두산 동남쪽에 소재하여 훈춘으로 가는 통로이기도 한 행인국을 점령한 후 북옥저를 복속시켰다. 이는 고구려가 북옥저 일원에 소재한 동부여에 영향력을 행사할 수 있게 된 것이다. 아울러 그 이전에 두 국가가 상호 충돌할 수 있는 지리적 조건을 갖추었음을 뜻한다. 역으로 말한다면 고구려가 초기부터 이례적으로 동쪽으로 깊숙이 진출하고 있다. 그곳이 추모 집단의 출원지였기에 익숙한 지역인 관계로 정복이 용이했을 수 있다고 본다. 「광개토왕릉비문」에서 "동부여는 옛적부터 추모왕 속민이었다"는 기록은 이 사실을 가리킨다고 하겠다. 고구려 초기 적석총이 압록강 상류까지 미치고 있는 사실도 그러한 배경이 되었을 것이다.

일곱째, 「광개토왕릉비문」 영락 20년 조에서 동부여를 "鄒牟王屬民"이라고 폄훼시켜 기록하였다. 여기서 속민은 고구려가 버거운 경쟁 상대국을 가리키는 표현이기도 하지만, 고구려가 전쟁을 벌여 일찌감치 統屬시킨 동부여에 대한 지칭으로는 모순되지 않는다. 그러나 무엇보다도 중요한 사실은 「광개토왕릉비문」은 추모왕대에 동부여가 존재했다는 엄연한 사실을 전한다는 것이다. 이와 관련해 "동부여는 鄒牟·琉璃 등으로 대표되는 계루부가 왕위계승전 결과 이탈하자 차차 쇠약해진 것으로 추정되며, 『삼국사기』 대무신왕기의 기사에 보이는 바와 같이 결국 보다 강력한 정복국가로 성장한 고구려에 의해 정복되어 1세기 경에는 이미 유력한 정치 세력은 아니었으리라 생각된다"라는 견해는 확실히 유의된다.

여덟째, 추모 도하설화는 북에서 남으로의 이동 과정을 말하고 있음은 사실이다. 그러나 이 설화는 고구려가 만든 독자적인 설화가 아니다. 즉 부여의 동명왕 건국 설화를 차용한 데 불과하다. 그러므로 추모 남하 설화는 판에 박힌 전승에 불과하므로, 고구려 건국 집단이 북에서 남으로 이동한 근거로 삼기는 어렵다.

아홉째, 비록 어설프게 짜여져 있기는 하지만 동부여의 탄생과 관련한 국가이동 설화는 북위와 대륙 이주민의 이동과 관련한 고대 일본의 탄생 과정에서도 보인다. 즉 북방적 설화소로서 유서가 깊다는 점이다.

열째, 추모왕의 북부여 출원설은 모두루를 北夫餘守事로 파견하는 등과 같은 고구려의 북부여 지배와 관련하여 생성되었을 가능성이다. 즉 고구려의 북부여 지배에 대한 연고권을 행사하기 위한 목적에서 시조 출원설을 만들었을 수 있다.

3) 시조 출원지에 대한 인식의 변천 배경

추모왕대에 동부여가 존재한 사실이 확인되었다. 아울러 추모가 동부여에서 출원했음을 알 수 있었다. 그런데 여기서 가장 중요한 의문은 고구려 왕실이 왜 동부여 출원설을 지우고 북부여 출원설을 내세웠는가 이다. 추모 집단이 동부여에서 출원한 것은 사실이지만 추모가 생명의 위협을 받는 설화에 응결되어 전하듯이 갈등을 빚고 탈출해 왔다. 고구려 건국 이후에도 동부여와의 관계는 험악한 대립으로 일관되었다. 그렇지만 궁극적인 사실은 고구려가 선조들의 本鄕인 동부여를 결국 통속시켰다는 점이다. 비록 고구려는 정치적인 영향력을 동부여까지 확대시켰지만 명분의 손실이라는 중대한 대가를 치르게 되었다. 그럼에 따라 고구려 왕실은 동부여 출원설을 내세우기는 어렵게 되었을 수 있다. 이 점을 만회하기 위해 고구려 왕실은 4세기 말경, 근원적인 出自로서 원부여가 이동한 북부여를 거론할 수밖에 없었다. 고구려는 원부여의 후신인 북부여 계승을 표방한 것이다.

물론『삼국사기』에 수록된 동부여 탄생과 관련한 국가 이동 설화에 따르면 추모는 부여 즉 북부여에서 잉태하여 동부여에서 출생한 게 된다. 이 설화에 따른다면 추모의 근원적인 출원지는 북부여가 되는 셈이다. 문제는 그 신빙성에 관한 사안이라고 하겠다. 어쩌면 이는 동부여에서 출원한 추모의 설화와 정치적 의도로써 생성된 북부여 출원설을 서로 엮는 과정에서 생성된 것으로 보인다.

역사상 부여는 건국 설화를 놓고 볼 때 부여→동부여→북부여, 그리고 남부여 순서로 성립하였다. 주지하듯이 346년 이후 원부여가 이동하여 북부여가 성립된 것이다. 그런데 5세기 말을 고비로 만주에서 부여를 칭한 국가들은 모두 소멸하였다. 494년 무렵 고구려에 투항한『삼국사기』의 부여는 그 실체가 동부여로 밝혀졌다. 동부여 왕이 妻孥를 이끌고 스스로 투항해 옴에 따라 고구려 왕실은 本鄕인 동부여 통속이라는 '原罪'에서 해방될 수 있었다. 또 그럼에 따라 고구려 왕실은 동부여 출원설을 복구하여 사서에 등장시키는 게 가능해졌다.

사실 그간 정치 선전문적인 성격이 강한 「광개토왕릉비문」과 비록 산 사람들이 볼 수 없는 무덤 속의 묵서명임에도 고구려 왕실에 영합하기 위해 안간힘을 쓴 「모두루묘지」에 적혀 있는 추모의 북부여 출원설을 맹신한 감이 없지 않았다. 추모의 북부여 출원설은 문헌 기록과는 일단 배치되기 때문이다. 이와 관련해 「광개토왕릉비문」과 배치되는 『삼국사기』의 관련 기사를 그간 일방적으로 부정하기에 급급했었지만, 지금은 오히려 존중하는 경향을 보이고 있다. 목적성이 강한 금석문의 실체에 눈을 뜨기 시작했기 때문이었다.

당시 고구려는 역시 부여에서 출원한 백제와 시종 대립하는 상황이었다. 급기야 538년에 백제 성왕은 천도를 통해 국력을 신장시키고 국가 분위기를 쇄신하고자 했다. 성왕은 이에 걸맞게 끔 국호를 (南)扶餘로 改號함으로써 부여로부터 내려오는 정통성 계승을 선포하였다. 이는 단순한 관념의 산물로만 해석해서는 안된다. 실제 백제 건국 세력은 부여에서 유래하였다. 그것은 백제 시조 설화 5건 가운데 무려 4건이 부여 계통이라는 점과, 백제 왕실의 성씨인 扶餘氏는 "그(백제)의 世系는 고구려와 함께 부여에서 나온 까닭에 '부여'로써 씨를 삼았다(『삼국사기』 백제본기 건국설화 조)"고 했다. 실제로 370년의 상황에서 북부여 왕실의 성씨로 부여씨의 존재가 확인되고 있다.[18] 그리고 "(백제는) 부여의 別種이다(『구당서』 백제 조)"라고 하였듯이 백제는 부여의 支派 즉 갈래를 가리키는 별종으로 알려졌다. 그 밖에 472년에 개로왕이 북위에 보낸 국서에서 "저희는 고구려와 함께 근원이 부여에서 나왔습니다"라고 한 기록을 통해서도 이 점은 분명하게 드러난다.

부여로의 개호와 관련하여 성왕은 그에 걸맞게 부여 시조인 동명왕을 자국 시조로 설정하였다. 백제가 범부여족의 宗家로 행세함으로써 시조 역시 동명왕으로 새롭게 설정되었다. 동시에 성왕은 부여적인 전통을 강조하였다. 이와 관련하여 727년에 발해의 武王 大武藝가 일본에 보낸 발해 최초의 對日本 국서에서 "고구려의 옛 터전을 수복하고 부여의 遺俗을 가지고 있다"고 한 구절이 상기된다. 이 문구에서 느낄 수 있듯이 부여적인 전통은 부여계 국가의 정체성을 상징하는 표상이었다. 그랬기에 부여가 멸망한 지 200여 년이 흘렀음에도 발해 왕은 자국의 정신적 자산을 부여에서 찾았다.

18_ 혹자는 백제가 '書記' 편찬 때 왕실의 성씨로 부여씨를 칭했다고 하였다. 그러나 '書記'는 史書 이름이 아니므로 입론 자체가 맞지 않다. 게다가 백제의 기원이 되는 부여 왕실에서 부여씨가 보인다. 그러므로 근초고왕대에 부여씨를 사용했다는 주장은 타당하지 않다. 중국과의 교섭에서 최초로 등장하는 백제 왕이 근초고왕이었다. 그렇기에 그의 氏가 알려진 것일 뿐, 이때 처음으로 백제가 부여씨를 칭했다는 것은 아니다. 만약 근초고왕대에 부여씨를 처음으로 칭했나면, 그 이전 백세 왕실의 氏에 대한 해명이 필요하다. 만약 근초고왕 이전에 氏가 없었다고 한다면, 백제는 고구려에 비해 왕실의 氏가 없었던 기간이 너무나 뒤쳐져 있다. 이에 대한 해명도 따라야 한다.

하물며 국호를 부여로 고치기까지 한 성왕은 무엇보다도 부여적인 전통과 풍속 등을 각별히 내세웠을 것으로 보인다. 국호 개호에서 알 수 있듯이 부여로부터 내려오는 전통과 그로 인한 정통성을 과시하는 정치적인 의도가 유별나게 강하였던 시점이었다. 그런 만큼 성왕은 백제의 제사 체계나 언어·복장과 같은 면에 이르기까지 부여 전통 계승을 크게 강조했을 것으로 보인다.

그러나 (남)부여로의 改號 이전에 고구려는 동부여와 북부여를 병합하여 전체 부여 국가들을 통합한 정통 계승의식을 견지하였음은 넉넉히 짐작할 수 있다. 이러한 맥락에서 볼 때 고구려는 604년의 『新集』 편찬 단계에서 부여 시조인 동명을 자국 시조인 추모와 일치시켜 인식했던 것 같다. 이렇게 짚은 논자들의 견해는 타당해 보인다. 실제 그러한 영향은 629년에 편찬된 『梁書』에 일정하게 투영된 것으로 보인다. 『양서』에서는 고구려의 연원을 槀離國에서 출원한 부여 東明에서 찾았다. 즉 고구려 시조를 멀리 부여 시조에서 찾으려는 경향이 감지되는 것이다. 北朝系 史書인 『魏書』 이래로 『北史』와 『隋書』 등에서 고구려의 출원지와 시조를 부여와 추모에서 각각 찾았던 것과는 확연히 구분되고 있다. 물론 연개소문 집권 후에는 고구려 왕실의 정통성에 힘을 빼기 위한 차원에서 부여 시조인 동명은 고구려 시조인 추모와 분리되어졌던 것 같다. 이 점은 「천남산묘지명」을 통해 짐작할 수 있다.

지금까지의 논지를 정리해 보면 다음과 같은 결론을 상정해 볼 수 있다. 동해 가섭원으로의 移住 건국설화에서 보듯이 동부여는 당초 북옥저 지역에서 건국되었다. 그런데 추모왕대에 고구려가 동쪽으로 진출하여 북옥저 지역을 정복함에 따라 동부여는 그 압박을 피해 점차 서북쪽으로 이동하였다. 그럼에 따라 동부여는 고구려의 북쪽으로 이동했지만, 대무신왕대에 통속되자 훗날 다시금 원주지인 두만강유역으로 이동하여 고구려 지배에서 벗어났던 것 같다. 「광개토왕릉비문」에서 "동부여는 옛적부터 추모왕 속민이었는데, 중간에 배반하고 조공하지 않았다"는 구절은 이것을 가리킨다고 하겠다.

3. 자연환경과 기질

1) 자연 환경

고구려의 발상지인 훈강유역과 압록강 중류 지역은 높은 산과 계곡이 많다. 평야는 계곡을 따라 흐르는 河川 가에 좁게 형성되어 있을 뿐이다. 지리적으로 볼 때 고구려는 요동에서 함흥 방면으로 이어지는 고대 교통로의 중간지대에 자리잡았다. 이곳에서 서남쪽으로는 압록강 하류쪽으로 해서 서해안에 이른다. 청천강 상류 방면으로 해서는 평양 방면으로 나갈 수 있다. 북으로는 압록강을 거슬러 쑹화강유역과 통한다. 이러한 고구려의 지리적 조건은 정복활동과 팽창에 주요한 자산이 되었다고 한다.[19]

3세기 후반에 쓰여진 『삼국지』에 의하면, 고구려의 풍토를 "큰 산과 깊은 골짜기가 많고 넓은 들은 없어 산골짜기에 의지하여 살면서 산골의 물을 식수로 한다. 좋은 밭뙈기가 없으므로 부지런히 농사를 지어도 배를 채우지 못한다"고 서술했다. 이러한 열악한 자연환경은 국가적 성격과 직결되게 마련이다. 사실 전투 자체가 고구려 사회에 있어서는 가장 커다란 생산 행위였다. 왜냐하면, 이들은 국내에서 만족할 수 없는 생산물의 부족을 전쟁에 의하여 보충해야만 했기 때문이다. 일찍이 김광진은 "전쟁 그 자체가 직접 富의 획득 수단이므로, 그것 자체가 생산 행위이기도 했다. … 그들에게 있어서, 전쟁에 의한 劫奪行爲가, 농업과 목축보다도 부의 획득 수단으로서는 도모하기 용이하며 한편 명예라고 생각되어졌다"[20]고 갈파했다. 손진태도 "… 산악국민인 그들이 부단히 기근에 직면하였을 것은 상상할 수 있다. 그러므로 그들은 항상 전투에 의한 약탈로써 주요한 생산수단으로 하였다. 그들이 식량에 대한 불안을 겨우 면하게 된 것은 아마 313년에 낙랑을 정복한 이후가 될 것이다"[21]고 했다. 만주족이 세운 후금의 경우도 "전쟁에 나갈 때는 기뻐서 뛰며, 妻子 역시 모두 기뻐하였다. 재물을 많이 얻기를 원하기 때문이다. 군졸의 집에도 노비가 4~5인 있는데, 모두 전쟁에 함께 나가려고 다툰다. 오로지 재물을 약탈하기 위한 이유였다"[22]고 했다.

19_ 노태돈, 「고구려의 성장과 변천」『한국고대사론』, 한길사, 1988, 32쪽.
20_ 金洸鎭, 「高句麗社會の生產様式-國家の形成過程お中心として」『普專學會論集』3, 普成專門學校, 1937, 745~746쪽.
21_ 孫晉泰, 『朝鮮民族史概論(上)』, 乙酉文化社, 1948, 64쪽.
22_ 『紫巖集』 권6, 「建州聞見錄」

고구려 최초의 왕성으로 운위되는 중국 랴오닝성 환런의 오녀산성은 해발 820m나 되는 가파른 산꼭대기에 축조되었다. 이 곳은 통치에는 지극히 불리하지만 방어하기에는 매우 유리한 지형이었다. 그러므로 왕성 여부를 떠나 약탈전을 능사로 하는 고구려의 초기 근거지로서는 충분히 인식될 수는 있었다.

전쟁이 일상화하다시피 하자 고구려인들은 결혼과 동시에 죽을 때 입을 수의를 미리 만들었다고 할 정도로 죽음 자체에 너무나 친숙해 있었다. 요컨대 생존을 위한 가혹한 시련이 고구려인들의 심지를 굳세게 만들었고, 또 그들을 정복 전쟁으로 세차게 내몬 한 요인이 되었다. 그래서 『삼국지』에는 "그 나라 사람들의 성질은 흉악하고 급하며, 노략질하기를 좋아한다. 길을 걸을 적에는 모두 달리듯한다"고 했다. 사뭇 긴장감이 감도는 사회 기풍 속에서 기력있는 풍모를 묘사하였다. 고구려인들의 비장하고도 다부진 모습은 인사법에서도 찾을 수 있다. 가령 칼을 뽑기에 용이하도록 한쪽 다리를 구부린 채 다른쪽 다리를 길게 빼는 跪拜가 그것이다. 또 도성이나 촌락에서 날이 저물도록 남녀가 모여 勇快한 唱樂으로써 생활을 향락했다. 그러한 고구려를 일러 손진태는 '청년의 국가'[23]라고 하였다.

척박한 풍토에서 국가를 형성한 고구려인들은 토지에 대한 관념이 각별했다. 그래서인지 고구려를 구성하는 일종의 소국 이름에 접미사처럼 붙는 '那'와 '奴'는 토지를 가리키는 고구려 말이었다. 고구려 연맹을 구성하는 5部의 하나인 '貫那' · '絶奴' 등이 그것이다. 게다가 고구려왕들의 시호는 그 능묘의 소재지 이름에서 따온 경우가 많았다. 가령 고국천왕은 '故國川原', 소수림왕은 '小獸林'에서 장례를 치렀기 때문에 그러한 시호가 부여된 것이다. 유독 고구려에서만 葬地에서 연유한 시호들이 등장하고 있다. 이러한 시호의 압권은 저명한 정복 군주인 광개토왕의 '國罡上廣開土境平安好太王'이라는 긴 이름이 된다. 이 시호에 보이는 "널리 영토를 개척했다"는 구절은 광개토왕의 치적을 말하는 것이며, 치적의 으뜸으로 영토 확장을 꼽았다. 고구려인들의 토지에 대한 관념의 일단을 웅변해 주고 있다. 그러므로 장지에서 연유한 고구려 왕들의 시호는 토지 수호 관념의 일단을 반영한다고 보아도 좋다.

이러한 풍토에서 고구려가 필요로 했던 국왕의 모습을 상기하는 일은 어렵지 않다. 침략을 당하는 중국인들의 입장에서는 흉악하다고 생각되었을 것이다. 때문에 고구려로서는 무엇보다도 중국

23_ 孫晉泰, 『朝鮮民族史概論(上)』, 乙酉文化社, 1948, 68쪽.

인들에게 전율할만한 공포를 안겨줄 수 있는 국왕이 필요하였다. 그러기 위해서는 탁발한 기사 능력과 체력, 그리고 카리스마를 심어 주는 장대한 체격이 선결되어야 했다. 활 잘 쏘는 사람을 가리키는 부여말에서 이름이 연유한 고구려 시조왕을 필두로 하여 그 같은 색채가 후대까지도 진하게 남아 있다. 가령 "신체가 장대하였다(身長大: 소수림왕)"·"뛰어 나게 컸다(雄偉: 광개토왕)"·"몸집이 크고 건장하였다(魁傑: 장수왕)"·"담력이 있으며, 말 타고 활쏘기를 잘하였다(有膽力 善騎射: 평원왕)"라는 기록이 웅변해 준다.

흔히 정치 지도자는 그 시대와 환경의 산물이라고 말하는데, 초기 고구려 왕들의 면면이 웅변해 주고 있다.

2) 사회의 성격과 기질

고구려 사회의 특징을 한마디로 꼽는다면 '悲壯性'이다. 비장성은 고구려가 성장하는 주변의 자연환경에서 말미암은 것이었다. 3세기대 고구려의 풍토를 "큰 산과 깊은 골짜기가 많고 넓은 들은 없어, 산골짜기에 의지하여 살면서 산골의 물을 식수로 한다. 좋은 밭뙈기가 없으므로 부지런히 농사를 지어도 배를 채우지 못한다"고 하였다. 쉽게 말해 풍토가 몹시 열악하였음을 뜻한다. 17세기 초 이민환의 견문에도 건주 여진 지역을 살핀 후 "산은 높고 물은 험하다. 평평하고 넓은 들판이 드물다. 풍토가 强勁하고, 춥고 매운바람이 더욱 심하다"고 했다. 그리고 "水田은 하나도 없고, 오직 山稻만 심는다"고 하였다.[24)]

열악한 자연환경은 국가적 성격과 직결되게 마련이다. 고구려인들은 결혼과 동시에 죽을 때 입을 수의를 미리 만들었다고 할 정도로 죽음 자체에 너무나 친숙해 있던 사람들이었다. 요컨대 생존을 위한 가혹한 시련이 고구려인들의 심지를 굳세게 만들었고 또 정복전쟁에 세차게 내몬 요인으로 보인다. 그랬기에 『삼국지』에는 "그 나라 사람들의 성질은 흉악하고 급하며, 노략질하기를 좋아한다. 길을 걸을 적에는 모두 달리듯한다"고 하였다. 아주 기력있게 묘사한 것이다. 그리고 열악한 자연환경은 인간의 의지를 굳세게 만들어준다. 만주족의 경우 "오랑캐들의 성정은 허기지거나 목마른 것을 잘 견뎌낸다. 행군하여 나가고 올 때는 쌀가루를 조금씩 물에 타서 마신다. 6~7일 간 너덧 되

24_ 『紫巖集』권6, 雜著, 建州聞見錄.

[升] 먹는 것에 불과하다. 비록 큰 風雨나 춥고 매운 바람이 있더라도 밤이 지나도록 한데에서 지낸다. 말의 성질도 5~6일간 낮밤으로 풀을 전혀 먹지 않고도 역시 빠르게 달린다. 여인도 채찍을 잡고 말을 달리는데, 남자와 다를 게 없다. 10여세 아동도 활과 화살을 차고 (말을) 달려서 쫓는다"[25]고 했다. 고구려인들의 경우도 이에 못지 않았을 것이다.

고구려에서는 "坐食者가 萬餘 口나 된다(『삼국지』 동이전, 고구려 조)"고 했다. 이러한 좌식자 계층은 무사계급으로 규정되고 있다.[26] 고구려는 3세기 단계에서 전투적인 훈련에만 전심하는 전사계층을 확보한 것이다. 만주족의 경우에도 아랫 신분인 군졸들도 노비를 거느리고 있었다. 이에 잇대어 "노비가 경작을 하여 (곡물을) 주인에게 보낸다. 군졸은 오직 도검만 연마한다. 농토에서는 일하지 않는다"[27]고 했다. 17세기 초 만주족 사회에서도 3세기대 고구려에서와 마찬가지로 전투에만 종사하는 좌식자 계층이 존재하였다. 동일한 『삼국지』 고구려 조에서는 "하호들이 먼 곳에서 米糧과 魚鹽일 짊어지고 와서 이들에게 공급한다"고 했다. 고구려는 처자식의 생계를 안정시켜 훈련에만 전심하도록 하였다. 고구려에서 군인은 선망의 대상이자 특권층이었음을 뜻한다. 특히 '坐食者萬餘口'는 鐵騎와 같은 중무장 騎兵을 가리키는 것으로 보인다. 왜냐하면 『삼국지』의 하한인 246년에 고구려 동천왕이 步騎 2만 명을 동원하였고, 또 몸소 철기 5천 명을 이끌었기 때문이다. 고구려 왕이 일시에 동원한 병력이 최소한 2만 명을 넘었다. 그러므로 '坐食者萬餘口'는 말을 소유하고 중장 무장이 가능한 신분에 그 숫자도 1만 명을 상회했음을 뜻한다. 246년의 전투에서 패사한 고구려 군인의 숫자가 1만 8천여 명이었다. 이러한 맥락에서 볼 때 3세기 중엽 경 고구려 군인의 숫자는 4만 명은 족히 되었던 것 같다. 그렇다면 전 인구의 3분의 1이 군인이었다는 게 된다. 노약자와 전문직 등을 빼면 남자의 대부분은 군인이었던 것이다. 이 가운데 1만 명 정도가 철기에 속한 중심 군사력에 속하였고, 또 국왕의 직속 부대였다고 본다.

고구려에서는 桴京이라는 창고를 집집마다 구비했다. 또 칼을 뽑기에 용이하게끔 한쪽 다리를 구부린채 뒷다리를 길게 빼는 인사법인 跪拜 또한 무사 중심 사회의 기풍이요 산물이었다. 고구려인들의 다부진 기력은 유리왕의 아들인 해명 태자가 들판에 창을 꽂고 말을 달리다가 몸을 날려 찔려 죽은 데서 잘 엿보인다. 또 국극 무대에 즐겨 올려졌던 유명한 好童 왕자 또한 칼에 엎어져서 자

25_ 『紫巖集』 권6, 雜著, 建州聞見錄.
26_ 孫晉泰, 『朝鮮民族史概論(上)』, 乙酉文化社, 1948, 67쪽.
27_ 『紫巖集』 권6, 雜著, 建州聞見錄.

결하였을 정도로 비장한 품새가 보인다. 그리고 고구려 군대가 魏軍에게 시종   기는 절박한 상황에서 紐由는 적진에 들어가 음식 그릇에 숨겨온 칼을 뽑아 적장의 가슴을 찌르고 함께 죽었기에, 그 틈을 놓치지 않고 전세를 반전시킬 수 있었다. 고구려에서의 상무적 기풍은 만주족 사회와 크게 다르지 않았을 것이다. 만주족의 경우 "얼굴에 槍傷이 있는 것을 최고의 功으로 삼았다. 무릇 大小 胡人들이 모여 있는 곳에는 얼굴이나 목에 흉터가 있는 자가 몹시 많았다. 그들이 숱하게 전쟁을 치렀음을 알 수 있다"[28] 고 했다. 칼날 등에 찔린 숱한 얼굴 흉터는 영예로운 훈장과도 같았다.

3) 法俗

고구려는 법속도 엄혹하였다. 『삼국지』에 의하면 3세기 단계의 고구려에서는 감옥이 없고, 범죄자가 있으면 諸加들이 모여서 평의하여 사형에 처하고, 처자는 몰수하여 노비로 삼았다고 한다. 고구려에서는 노동력의 死藏을 없애기 위해 즉각 평결하여 死罪 외에는 활용했던 것이다. 그런데 왕실과 국가 존망을 가름하는 모반죄에 대해서는 참혹하게 처벌하였다. 즉 먼저 불로 그슬린 다음에 목을 베고 그 가족을 노비로 만들었다. 최근 '인간이 느끼는 고통' 순위 10위 가운데 1위가 몸이 불에 탈 때 느끼는 고통인 작열증이라고 한다. 신체 절단시 고통과 출산의 고통이 그 뒤를 이었다. 이로 볼 때 고구려에서는 모반죄에 대해서는 가장 혹독한 처형을 했음을 알 수 있다. 범죄를 저지르면 커다란 불이익이 따른다는 것을 알려주기 위해 고통스럽고 불쾌함을 실감시켜주는 형벌이 가해졌다. 범죄의 방지를 징벌의 유일한 목적으로 삼았기에 잔학한 형벌이 따랐다.[29]

또 성을 지키다가 적에게 항복한 자, 전쟁에서 패배한 자, 사람을 죽이고 겁탈한 자는 斬刑에 처하고 도둑질한 자는 12배를 갚게 하며, 소나 말을 죽인 자는 노비로 만들었다. 노비가 된다는 것은 흡사 무기징역에 해당하는 노예 상태로 전락하는 것이다. 다른 나라 사람들은 고구려에서 법률이 이처럼 엄혹하였기 때문에 법을 어기는 자가 적고, 심지어는 길가에 버려진 물건이 있어도 누구도 주어가지 않았다고 한다.

28_ 『紫巖集』 권6, 雜著, 建州聞見錄."面帶槍傷者爲上功 凡大小胡人之所聚 面頸帶瘢者甚多 其屢經戰陣可知"

29_ 山內昌之,「フ-コ-監獄の誕生」『歷史學の名著30』, 筑摩書房, 2007, 249~250쪽.

4) 고구려 왕의 典範—초기 고구려 왕의 성격

한 국가의 이상적 지도자상은 건국 시조 전승에 응결되어 전하는 경우가 많다. 나라를 세운 시조의 위업에 견줄만한 후대 국왕들의 업적을 찾는 일은 용이하지 않다. 그런 만큼 시조 전승에는 국가의 지향점이랄까 방향성이 응결되어 있다. 국왕들의 典範이 되기까지 했던 것이다.

고구려 시조에 대한 전승 역시 예외가 되지는 않은 것 같다. 왜냐하면 고구려 시조의 전승에는 국가를 창건하기까지의 신이한 출생은 물론이고, 긴장과 고난에 찬 서사시적인 생애가 역동적으로 전한다. 「광개토왕릉비문」과 「모두루묘지」를 비롯하여 『위서』와 『삼국사기』, 그리고 「동명왕편」과 『삼국유사』 등에서 전하는 시조인 추모의 신이한 출생과 영웅적인 분투로써 건국에 이르기까지의 과정은 뭇 사람들의 이목을 집중시키고도 남았다. 주몽 또는 鄒牟로도 표기되는 고구려 건국자는 출생부터 예삿 사람들과 달랐으며, 앞에서 인용한 e-1과 e-2, 그리고 g에서처럼 보인다.

앞서 인용한 고구려 건국 시조의 출생 설화에 따르면, 추모는 '천제의 아들', 혹은 '해와 달의 아들'이라고 적혀 있다. 고구려를 건국한 시조의 내력이 하늘과 연결되고 있는 것이다. 그리고 시조의 모계는 물을 관장하는 하백의 딸로서 적혀 있다. 추모는 천상의 태양과 지상 세계 물의 精靈이 결합해서 출생한 것이 된다. 태양과 물이 농업생산의 성과를 좌우하는 중요한 요소로 되어 있던 당시 사회에서 최고 지배자는 이 2가지 속성을 겸비해야만 자격이 있다고 생각한 관념의 표상일 것이다. 또 그렇기 때문에 추모의 출생은 인간의 그것과는 다르게 알을 깨고 태어난 형식을 취하고 있는 것 같다. 고구려 시조의 신성함을 과시하는 대목이다.

추모는 출생 직전 1차 시련을 겪게 된다. 류화 부인이 낳은 알을 부여 왕이 짐승들에게 주어 버렸으나 오히려 보호를 받았다. 그러자 알을 깨뜨리려 했다. 출생 직전 추모의 시련은, 멀리는 자신을 잉태한 류화부인의 유배에서부터 비롯된다. 그와 더불어, 추모 자신이 세상에 모습을 드러내기 직전에 일종의 통과 의례격인 시련을 겪었다. 출생 이전부터 神異한 데가 많았던 추모는 출생 이후 현현한 면면을 드러냈다. 부여 말에서 '활을 잘 쏘는 사람'을 가리키는 보통 명사에서 이름을 취했을 정도로 추모의 활 솜씨는 비상했다. 게다가 그는 말을 치는데 있어서 날쌘 말을 고를 정도의 뛰어난 감별력을 지녔다. 그로 인해 추모는 사냥에 나가서는 타의 추종을 불허할 정도로 언제나 짐승을 제일 많이 잡았다.

卵生에다가 활을 잘 쏘는 추모의 건국 설화는 지금의 중국 허난성 동부와 안후이성·장쑤성 북부 지역에 자리 잡았던 徐戎 偃王의 출생과 弓矢로 인한 왕위 획득 설화와도 연결된다. 궁시는 동이의 대표적인 무기에 속한다. 중국의 주변 민족들이 거대한 중국 대륙을 상대하여 압박할 수 있는 가장 유효한 수단은 적은 역량을 가지고 직접 맞닥뜨리지 않고 원거리에서 다수를 대적하여 격파할 수 있는 활이라는 무기와, 기동성을 보장해 주는 기마 전술의 배합이었다. 추모는 중국의 주변 민족, 특히 동북 지역의 민족들이 長技로 여겼던 활쏘기와 기마에서 발군의 기량을 발휘하였다. 또, 그러한 주몽의 탁발한 능력은 훗날의 고구려인들에게는 이상적인 국왕의 모습으로 비치고도 남았을 법하다.

추모가 지닌 발군의 재능은 2차 시련의 서곡이기도 했다. 추모의 재주를 시기한 부여 왕자와 신하들이 그를 살해하려고 했기 때문이다. 2차 시련을 맞은 추모는 결국 어머니의 권고로 부여 땅을 탈출하게 된다. 다음의 사료가 그것을 말해준다.

> 수레를 남쪽으로 내려가는 길로 巡幸을 命하셨다. 부여의 奄利大水를 지나가면서, 왕이 나루에 이르러 말씀하시기를 "나는 皇天의 아들이고, 어머니는 하백의 따님이신 추모왕이다. 나를 위하여 갈대를 잇고 거북이들은 떠 오르라!"는 소리에 응하여 갈대가 이어지고 거북이들은 떠 올랐다. 그런 연후에 (다리가) 만들어지자 건너가서 비류곡 홀본 서쪽 산 위에 성을 쌓고 도읍을 세웠다(「광개토왕릉비문」).

위의 사료로 볼 때, 부여 땅을 탈출한 추모 앞에는 손에 땀을 쥐게 하는 절체절명의 위기가 가로놓여 있었다. 뒤에는 추격하는 병사들이요, 앞에는 큰 강이 굽이치고 있었기 때문이다. 오도가도 못하는 상황은 3차 시련이자 추모 일생일대의 고비였다. 고구려 건국 설화에서는 일종의 클라이맥스라고 할 수 있다. 그 순간 추모는 강에다 자신의 身元을 告하자, 이에 응하여 물고기와 자라가 다리를 놓아 주어서 건널 수 있었다는 것이다. 이것은 '황천의 아들'이고 '하백의 외손'이라는 추모의 신원이 맞다는 것을 입증해 주는 고구려 건국자의 신원 증명인 셈이었다.

이와 관련해 『구삼국사』에 근거한 「동명왕편」에 따르면 "채찍으로 하늘을 가리키며"·"활로 물을 치자 물고기와 자라가 떠 올라서 다리를 이루었다"고 했다. 여기서 '채찍'과 '활'은 기마전의 필수품이다. 채찍과 활은 말을 빨리 달리게 하는 동시에 마상에서 적을 쏘아 떨어뜨리는 데 사용하는 騎馬人 최대의 무기이자 필수 장비였다. 일대 위기적 상황에서 추모의 앞길을 열어주는 데 사용된 물건이 채찍과 활이었음은 결코 범상하지 않다. 고구려인들에게 삶을 열어 주는 방편인 동시에 생명과도 같았던 도구가 채찍과 활로 상징되는 騎射였음을 웅변해 준다.

추모의 고구려 창건과 관련하여 활 솜씨가 그 진가를 다시금 발휘한다. 추모는 빼어난 활 솜씨로써 자신이 천제의 자손임을 비류국 송양왕에게 보여준 후 그를 제압했다. 일례로 주몽은 백 보 밖에 달아매 놓은 옥가락지를 한 살에 산산조각내 버렸다. 그리고 추모왕의 사망을 가리켜, 하늘로 올라간 후 내려 오지 않았으므로 남긴 옥채찍으로 장사를 지냈다고 했다. 지상에서 기마인으로서의 역할이 끝났을 때 더 이상 채찍은 필요 없게 되었다. 국가 창건의 위업을 이룩한 추모왕의 생애에 일관되었던 기마인으로서 삶의 종결을 뜻하는 설화였다.

고구려 건국자 추모왕의 생애는 후대 고구려 왕들의 전범이 되었다. 추모왕처럼 활을 잘 쏘고 말을 잘 감별하여 명마를 골라 타는 능력은 초기 고구려왕으로서 필수적인 조건이었다. 부여에서 내려와 추모왕을 이어 즉위한 유리왕의 경우도 예외가 아니었다. 유리왕은 소년 시절에 참새 쏘는 것을 일로 삼았을 정도로 부왕을 닮아 사격에 능하였다. 언젠가 그는 부인네가 이고 가는 물동이를 쏘아서 뚫었다. 그러자 그 여자가 노해서 "아비도 없는 자식이 내 물동이를 쏘아 뚫었다"고 욕했다. 유리왕은 즉각 진흙으로 탄환을 만들어 쏘아 물동이의 구멍을 막아 전과 다름없이 만들었다고 한다. 유리왕의 비상한 사격 능력은 곧 활 솜씨를 뜻한다.

부여에서 내려온 유리왕에게 추모왕이 칼을 맞추어 보고 아들임을 확인했지만, "네가 실로 내 자식이라면 무슨 神聖함이 있느냐?"고 물었고, 유리왕이 즉각 기이한 신성을 보이자 태자로 책봉했다고 한다. 이러한 설화는 장래 고구려 왕이 될 태자의 책봉은 단순히 혈연 관계에 국한되었다기보다는 기사 능력에 대한 확인 검증이 뒤따랐음을 암시해 준다. 황룡국 왕이 보낸 强弓을 그 자리에서 활을 당겨 꺾었을 정도로 힘이 세고 무용이 뛰어났던 유리왕의 아들 해명이 태자가 될 수 있었던 배경도 여기에서 연유했을 것이다. 그리고 대무신왕이 왕자로 있을 적에는 기묘한 전략을 구사하여 침공해 온 부여 군대를 격파한 지 2개월 후에 태자로 책봉되었다. 역시 군사적 역량이 태자 책봉의 우선 순위였음을 암시해 준다. 동시에 당시 고구려 사회가 필요로 했던 군왕의 모습을 상상하게 한다.

실제로 태조왕을 전후한 시기부터 고구려는 국왕의 지휘하에 중국 군현에 대한 조직적인 대규모 공격을 감행하였다. 이 무렵의 전쟁은 영토의 획득을 위한 것이라기 보다는 약탈전이었기 때문에 기병 중심의 장거리 원정이 단행되었다. 고구려는 지금의 베이징 근방인 右北平을 비롯하여 漁陽·上谷·太原 등지를 침공하였다. 고구려의 원정은 고구려 군대의 출발 지점이 제3현도군이 소재한 푸순 동북쪽이었다고 가정하더라도 왕복 7천~8천여 리에 이르는 대원정이었다. 이러한 전쟁은 국왕이 선두에서 작전을 지휘하는 경우가 많았다. 그리고 친정→약탈→분배라는 등식을 지닌 유목 군주형의 전쟁 형태였다.

당시 고구려가 필요로 했던 국왕의 모습은 태어나면서부터 눈을 뜨고 사물을 보고, 장성해서는 "흉악하여 자주 (중국을) 침략했다"는 평을 들었던 태조왕과 동일했다. 동천왕은 기질이 그 조부인 태조왕을 닮았다 하여 똑같은 이름으로 일컬어졌다. 그러한 동천왕은 "힘과 용기가 있으며, 말을 잘 타고, 사냥에서 활을 잘 쏘았다"는 평을 얻었다. 이들 祖孫은 중국 군현을 강타하여 큰 타격을 안겨주었던 대표적인 정복군주였다. 수사학에서는 預型論이라고 하여 과거 역사에서 비슷한 인물을 찾아내서 새 인물에게 적용시킴으로써 대상의 자리매김을 시도했다.[30] 중국을 자주 침공했던 동천왕을 태조왕에 견주는 것도 이러한 사례에 속한다.

이 같은 막중한 소임을 수행하기 위해서는 "신장이 9척이고, 모습은 雄偉하며, 힘은 큰 가마솥을 들고, 일에 임해서는 잘 듣고 판단하며, 관용과 용맹을 함께 갖추었다"는 평을 받은 9대 고국천왕 같은 풍모가 필요했다. 장대한 체격의 고구려 왕은 강건한 체력과 걸출한 군사적 자질을 토대로 호전성을 발휘했다. 고구려 왕의 면면은 그 풍토에서 기인했음은 말할 나위도 없다.

30_ 박태식,『넘치는 매력의 사나이 예수』, 들녘, 2013, 269쪽.

4. 발전 과정

1) 왕실 교체 문제

고구려 왕실에 대해서는 『삼국지』 기록에 따라 소노부에서 계루부로 교체된 사실을 인정하고 있다. 문제는 교체 시점이다. 종전에는 태조왕대의 교체설이 유력하게 제기되었지만 현재는 위력을 잃었다. 그렇지만 解氏 왕의 존재는 여전히 제기되고 있다. 『삼국사기』에 따르면 제2대 유리왕은 "諱類利 或云孺留", 제3대 대무신왕은 "或云大解朱留王 諱無恤", 제4대 민중왕은 "諱解色朱", 제5대 모본왕은 "諱解憂 一云解愛婁"라고 적혀 있다. 여기서 민중왕과 모본왕의 諱를 解色朱와 解憂(解愛婁)로 각각 기재하였다. 이를 토대로 태조왕 무렵에 소노부에서 계루부로의 왕실교체설이 제기되었다. 그러면 이러한 주장의 근거는 무엇일까? 이들 왕들 諱의 맨 앞 글자가 '解'로 적혀 있는 관계로 解氏로 誤認하여 『삼국유사』에서는 '姓解氏'로 적은 데 말미암았다. 그러나 관련된 논거는 적절하지 않다. 일례로 『삼국사기』에 보면 "始祖東明聖王 姓高氏 諱朱蒙[一云鄒牟 一云衆解]"라고 하였다. 즉 姓과 諱를 구분하여 이름을 표기한 것이다. 금석문의 하나인 「천남생묘지」에 따르면 "公姓泉 諱男生 字元德"라고 하였다. 역시 姓과 諱를 구분해서 明記하였다. 이러한 원칙을 적용한다면 "諱解色朱" "諱解憂 一云解愛婁"는 성씨가 포함되지 않은 諱 그 자체만의 기록임을 알 수 있다. 따라서 諱의 맨 앞 글자를 성씨로 지목하는 것은 맞지 않다. 이는 소수림왕을 小解朱留王(『삼국사기』) 혹은 解味留王(『海東高僧傳』 권1, 流通)라고 한데서도 알 수 있다. 소수림왕이 돌연히 해씨를 칭한 근거로 삼을 수 없지 않은가? 왜냐하면 이는 제3대 대무신왕을 大解朱留王이라고 한 기록과 비견되기 때문이다. 여기서 대무신왕은 諱가 無恤이고 시호를 대해주류왕 혹은 대무신왕으로 일컬었다. 분명한 것은 시호에는 姓氏가 포함되지 않는다는 것이다. 따라서 고구려 왕실의 태조왕대 교체설이나 兩姓說은 논리의 기반이 상실되었다.[31)]

고구려 왕계상의 문제점은 『삼국사기』에서 형제로 기록한 태조왕→차대왕→신대왕 3王의 재위 연수가 무려 127년이나 된 데서 드러난다. 그리고 「광개토왕릉비문」에 따르면 광개토왕은 시조의

31_ 李道學, 「夫餘系 國家들의 國號 起源」 『한국사 속의 나라 이름과 겨레이름2』, 한국학중앙연구원 현대한국학연구센터, 2014, 1~14쪽.

17세손인데 반해 『삼국사기』에 따르면 13세손에 불과했다. 이러한 4세대의 차이는 부자상속을 형제상속으로 잘못 기재한 때문이었다.[32)]

2) 消奴部 高句麗國

제1현도군이 설치된 압록강과 훈강유역을 근거지로 句麗國이 소재하였다. 그 성립 시기는 기원전 8~7세기경으로 추정된다. 구려국은 주변의 소국들과 연맹관계를 맺거나 통합함으로써 고구려국을 칭했던 것으로 보인다. 그런데 고구려국은 대왕조선의 세력 확대에 따라 그와 연계된 세력 관계를 맺었던 것으로 추측된다. 이후 고구려국은 대왕조선에 통합된 것으로 보인다. 이와 더불어 위만조선이 한의 침공을 받아 멸망함에 따라 고구려국의 故地에는 기원전 107년에 현도군이 설치되었다.

그런데 고구려인들이 제1현도군을 몰아낸 기원전 75년 이후 압록강 중류 지역에 소재하고 있던 여러 성읍 단위들 사이에 연맹왕국으로서의 통합운동이 활발히 진행되었다. 고구려인들은 먼저 혼강유역의 예맥 집단을 통합한 다음, 압록강유역의 예맥 집단을 점차 통합해 나갔다. 이와 더불어 小水貊이라 불렸던 아이하(靉河)유역의 예맥 집단도 통합한 것으로 보인다. 고구려는 한군현을 축출하는 과정에서 내부적인 연합을 한층 공고하게 했을 것이다.[33)]

3) 계루부 고구려의 개막과 연맹국가

(1) 정복전의 전개

예맥 집단 간의 통합 노력 과정 속에서 계루부 高氏세력의 우위가 드러나게 되었다. 그 결과 계루부 고씨 중심으로 연맹세력의 재편성이 이루어졌다. 추모왕의 건국은 고구려의 재건이고 부활이었다. 그 결과 桂婁部・消(涓)奴部・絶奴部・順奴部・灌奴部와 같은 5部를 중심으로 연맹국가를 구성할 수 있었다. 여기서 '奴'는 '那'・'壤'・'讓' 등으로 표기되고 있는 하천을 끼고 있는 토지를 가리키는 말로서, 냇가나 계곡을 중심으로 형성된 지역집단, 그러니까 초기 국가를 가리키는 고구려어이다.

32_ 李道學, 「高句麗 初期 王系의 再檢討」『伽倻通信』18, 釜山大學校博物館 伽倻通信編纂委員會, 1988, 31~46쪽.
33_ 金洸鎭, 「高句麗社會の生産様式-國家の形成過程お中心として」『普專學會論集』3, 普成專門學校, 1937, 755쪽.

1세기 후반 태조왕 무렵 고구려족 전체를 포괄하는 강력한 연맹체가 확립되었다. 대내적으로는 왕실의 출신부인 계루부가 나머지 4部를 강력히 통제하였다. 各部는 대내적인 제사권 가령, 옛 왕족에게는 宗廟를 세울 수 있는 특권이 허용되는 등 자치권은 인정되었다. 그러나 적어도 대외적인 무역권이나 외교권 및 전쟁권은 박탈당하였다. 나아가 各部가 자체적으로 임명한 官人의 명단을 왕에게 보고하도록 했다. 各部 내의 동향까지 왕실에서 통제하는 단계로까지 진전되었다.[34]

대외적으로는 중국군현과의 교섭창구를 계루부 왕실 중심으로 일원화시켰다. 고구려가 현도군과의 경계에 세운 幘溝漊는 그러한 교역 지점이었다. 이는 중국군현의 各部에 대한 분열과 회유책을 봉쇄하기 위한 조치였다. 나아가 계루부 왕실 중심으로 집권력을 강화시키기 위한 것이었다. 중국과의 독점적인 교역에서 얻어진 교역품을 各部에 分給해 주는 것을 통해서, 국왕의 권력범위는 확대되었다. 권력의 일원적인 결집이 이루어져 갔다.

이와 병행하여 정복전쟁이 활발하게 추진되었다. 태조왕을 전후한 시기부터 국왕 지휘하에 중국군현에 대한 조직적인 대규모 공격을 감행하였다. 이때의 전쟁은 영토의 획득을 위한 것이라기 보다는 약탈전이었기에 기병 중심의 장거리 원정이 단행되었다. 고구려는 지금의 베이징 근방인 右北平을 비롯하여 漁陽·上谷·太原 등지를 침공하였는데, 고구려 군대의 출발지점이 제3현도군이 있던 푸순 동북쪽이었다고 하더라도 왕복 7,000~8,000여 리에 이르는 대원정이었다. 고구려 군대는 물자와 인적자원을 약탈했는데, 포로를 반환하는 조건으로 한 사람당 비단 40필을 받았다. 어린이는 그 절반을 받았던 것이다. 또 국왕이 전쟁의 선두에서 작전을 지휘하는 경우가 많았다. 그랬기에 고구려가 당시 필요로 했던 군주상은 태어날 때부터 눈을 뜨고 사물을 보았으며, 말을 잘 타고 활을 잘 쏘는 태조왕이나 동천왕처럼 용력이 절륜한 군인왕이었다.

이 시기에 고구려는 동쪽으로는 동옥저가 있던 함흥평야 지역에 진출하여, 중국과의 투쟁에 있어서 후방기지를 확보하는 동시에 생필품인 소금을 확보하였다. 서쪽으로는 요동 지방으로 진출하여 105년에 쑤쯔하(蘇子河)유역에 있던 제2현도군을 점령했으며, 압록강 하구의 西安平을 공격하여 요동의 낙랑군을 고립시켜나갔다. 서안평 공격은 바다를 얻기 위한 데도 목적을 두고 있었다.

이때의 정복사업은 지역공동체를 정복함으로써 새로 획득한 토지와 주민을 屬民으로 지배하여 그들로부터 貢納을 받는 간접지배 형태였다.

34_ 노태돈, 「고구려의 성장과 변천」『한국고대사론』, 한길사, 1988, 39쪽.

(2) 沃沮와 東濊

고구려가 정치적으로 복속시키고 경제적으로 수탈한 세력으로 옥저와 동예가 있다. '옥저'라는 말은 만주어에서 '森林'을 가리키는 '窩集'에서 기원했다고 한다.[35] 옥저는 지금의 함경남·북도 일대에 소재한 5천 호의 인구를 지닌 촌락 단위의 정치 세력이었다. 3세기 단계의 상황을 담은 『삼국지』에 보면 옥저는 당초 대왕조선에 복속해 있었다. 그 뒤 한사군이 설치되자 임둔군의 지배 하에 들어갔다. 옥저는 임둔군 폐지 후 낙랑군에 속했다. 낙랑군은 옥저 우두머리들을 세력 규모에 따라 侯·邑君·三老 등으로 일컬었다. 옥저는 이후 고구려의 정치적 세력권에 속하였다. 그러한 옥저는 마운령을 경계로 북옥저와 남(동)옥저로 나뉘어졌고, 고구려의 공납 지배의 대상이 되었다. 읍루의 약탈로부터 옥저를 지켜준다는 구실로 고구려에 공납을 했던 것으로 보인다.

동예는 지금의 함경남도 일부와 강원도 북부 지역에 소재했다. 동예의 내력은 기원전 128년에 彭吳라는 漢의 商人이 압록강을 배 저어 와서 그 상류 지방으로부터 지금의 강원도에 이르러 동예 왕에게 중국과의 교역을 권유했다고 한다. 그러자 濊君 南閭는 위만조선 상인의 중간 착취를 배제하고 漢과의 직접 교역을 꾀했다. 남여는 팽오를 통하여 漢에 內屬하였다. 중국측 사서에는 남여가 28만 명을 이끌고 요동에 降屬했다고 한다. 그렇지만 기실은 남여 자신이나 사신을 보내 漢과의 通商관계를 개시한 것이다. 이 때 남여는 형식상으로 漢廷에 從屬함을 요청하였다. 弱小한 濊君의 처지로서는 부득이한 조처였다. 이에 상응하여 漢은 남여를 濊王에 封하고 濊의 땅에 명목만의 滄海郡을 설치했다. 漢은 동시에 그에게 王印과 冠服·冠帶 등을 보내왔다. 당시 미개하거나 약소한 추장들은 고귀 찬란한 中華의 衣冠·印綬와 大中華帝國의 正式 册封에 대하여 혹은 이것을 영광으로 생각하였다. 그러나 漢은 창해군을 쓸모 없는 땅이라 여겨 기원전 126년에 폐지했다. 한은 창해군에 대하여 군대와 관리를 보낸 적도 없고 정치에 간여한 적도 없었다. 단지 상업적 이익을 고려했을 뿐이었다.[36]

동예는 3세기 단계에 2만여 戶의 인구를 거느린 집단이었다. 그러한 동예는 옥저와 유사한 정치적 역정을 밟아 왔다. 동예는 평양의 낙랑군을 기준으로 할 때 그 동쪽 지역에 거주하는 예족 집단을 가리키고 있다. 동예에는 전체를 대표하는 군왕은 존재하지 않았다. 漢 이래로 벼슬에는 侯·邑君·

35_ 『欽定滿洲源流考』권4, 部族4.
36_ 孫晉泰, 『朝鮮民族史概論(上)』, 乙酉文化社, 1948, 96쪽.

三老가 있었다고 한다. 이들이 각각 주민들을 지배하고 있었다. 후·읍군·삼로는 전한대 중국 제도의 흔적이었다. 漢代에는 郡의 領主를 王, 縣의 영주를 侯, 縣侯에 준하는 職으로 邑君이 있었다. 三老는 縣城을 둘러싼 자치조직의 長인데, 개척촌의 村長과 같은 위치였다. 30년에 후한의 광무제가 낙랑군의 동부도위를 폐지하고, 그 때까지 不耐縣城에 駐在하던 동부도위가 다스렸던 嶺東七縣의 땅에서 물러날 때, 그 때까지 140년 가까이 漢의 직할통치 하에서 중국식의 도시생활에 익숙해져 있었던 원주민인 예인들은 漢의 행정 조직을 그대로 보존하여 자신들의 사회질서를 지켜왔다. 漢代의 縣廳에 있었던 功曹(서무계장)와 主簿(회계 계장)의 직책이 그대로 남아 있었다. 중국인이 아닌 예인들이라는 것만 다를 뿐이었다.[37]

濊 가운데 嶺東의 함경남도 방면의 예는 옥저와 동일하게 고구려의 지배를 받았다. 그런데 245년 관구검의 고구려 침공과 동시에 낙랑태수 유무와 대방태수 궁준도 군대를 동원하여 영동의 예를 공격하여, 不耐濊侯 등의 항복을 받았다고 한다. 247년에 동예는 魏 조정이 소재한 洛陽까지 조공한 덕에 不耐濊王에 봉해졌다는 것이다.[38] 불내예왕의 "거처가 민간에 섞여 있다"고 할 정도로 동예는 낙후된 사회 발전 단계였다. 이러한 현실에 비해 왕으로의 책봉은 지나친 우대에 속한다.[39] 따라서 이 기록 자체에 대한 의심도 든다. 게다가 한반도 동해변에 소재한 동예가 어떤 경로를 거쳐 魏廷에 이를 수 있었는지? 그럼에도 이 기록을 믿는다면 고구려에 대한 견제라는 측면과 예군 남여 故事에 따른 후대로 보인다.

동예의 급속한 중국화의 근거로서 동일한 姓끼리 혼인하지 않았다는 '同姓不婚' 婚俗을 제시하기도 한다. 물론 당시에 姓 개념이 등장하지 않았다는 견해가 지배적이다. 그러므로 '同姓'은 동일한 부족을 가리키는 것으로 해석하였다. 즉 족내혼을 인정하지 않았다는 것이다. 그러나 동예에는 侯·邑君·三老가 있었을 정도로 중국 제도와 문화의 영향을 받았을 소지가 다분하였다. 따라서 '同姓不婚'을 중국 문화의 특징의 하나로 지목하여, 중국풍의 성씨 사용 가능성이 제기되었다.[40]

옥저와 동예는 고구려에 공납하는 대상이었다. 특히 동예는 고구려가 멸망할 때까지 반독립적인 상태로 존속하였다. 고구려도 禁忌가 많을 정도로 배타성이 강한 동예 사회를 해체하여 흡수시키지

37_ 岡田英弘, 『倭國』, 中央公論社, 1977, 94쪽.
38_ 『三國志』 권30, 동이전, 예 조.
39_ 孫晋泰, 『朝鮮民族史概論(上)』, 乙酉文化社, 1948, 71쪽.
40_ 岡田英弘, 『倭國』, 中央公論社, 1977, 95쪽.

는 못한 것 같다.

(3) 말갈의 성격

『삼국사기』에 등장하는 말갈의 성격에 대해서는 이미 다산 정약용이 '僞靺鞨'이라고 설파한 바 있다. 백제는 북쪽에서 줄기차게 내려오는 말갈의 침략을 막아 내었다. 즉 칠중하를 비롯하여 곤미천 등지에서 말갈 군대를 물리쳤다. 그런데『삼국사기』에 등장하는 말갈은 숙신→읍루→물길로 이어져 온 족속이 아니었다. 지금의 강원도 북부에 자리잡은 동예를 가리키는 것으로 간주되고 있다.

그러면『삼국사기』에서는 동예를 왜 말갈로 기재하게 되었을까? 이와 관련해『삼국사기』에서 "왕이 何瑟羅(강릉) 땅은 말갈에 連하여(태종 무열왕 5년 조)"라고 하여 강릉 이북을 말갈의 세력권으로 간주했다.『삼국사기』에서는 말갈을 濊로 기재한 사례가 보인다. 가령 "고구려가 예인과 더불어 백제 독산성을 공격했다(진흥왕 9년 조)"·"濊兵 6천으로써 백제 독산성을 공격했지만 신라 장군 주진이 와서 도왔기에 이기지 못하고 물러났다(양원왕 4년 조)"·"고구려 왕 평성이 濊와 더불어 모의하여 한북 독산성을 공격했다. 왕이 사신을 보내 신라에 구원을 요청하였다. 신라 왕이 장군 주진에게 명하여 甲卒 3천을 이끌고 그곳으로 보냈다. 주진이 낮밤으로 가서 독산성 밑에 이르러 고구려병과 한 번 싸워 그들을 크게 격파했다(성왕 26년 조)"는 기사이다. 이러한 기사에 당초 등장하는 예를 말갈로 일괄 기재하는 과정에서 누락된 것으로 보인다. 만약 신라 말~고려 초에 改書하는 과정에서 그러하였다면, 김부식이『삼국사기』를 편찬할 때는 바로 잡혔어야 마땅하다. 당시 전승 문헌에서는 강릉 이북 함경남도 일대의 세력을 '예'로 일컬었던 것 같다.

그런데 "靺鞨 別部인 達姑 무리가 내려와 北邊을 노략질하였다. 그 때 太祖의 장수인 堅權이 朔州에 주둔하고 있다가 기병을 거느리고 쳐서 이들을 크게 격파하여 匹馬도 돌아가지 못하였다. 王이 기뻐서 사신을 보내 서신을 전달하며 太祖에게 사례했다"[41]는 기사가 있다. 921년의 시점에 보이는 말갈은 함경도에 거주하고 있었다. 이렇듯 말갈은 신라 초기부터 말기까지 동일한 이름으로 등장하고 있다. 김부식은 신라 말기의 말갈을 소급시켜 함경도 지역의 濊를 '말갈'로 일괄 기재했던 것 같다.『삼국사기』편찬 당시 고려 조정의 현안은 여진족 문제였다. 김부식은 누구보다 여진족의 계

41_ 『三國史記』권12. 경명왕 5년 조. "二月 靺鞨別部達姑衆 來寇北邊 時 太祖將 堅權鎭 朔州 率騎擊大破之 匹馬不還 王喜 遣使移書 謝於 太祖"

통을 잘 알고 있었다. 김부식은 여진족의 분포와 더불어 그 기원을 말갈로 인식하였으므로 그와 공간적으로 겹치는 한반도 동북방에 소재했던 예를 말갈로 일괄 기재한 것 같다. 『삼국사기』에 등장하는 말갈은 국초부터 항시 백제와 신라를 괴롭히는 침략자 이미지였다. 주지하듯이 말갈이라는 이름은 6세기 중반에 생겨났었다. 또 한반도내 말갈의 공간적 범위는 예의 존재와 겹치고 있다. 그러한 예를 말갈로 기재했다는 것은 『삼국사기』 편찬 당시 김부식의 여진 인식에 기인한 것으로 추정된다.[42] 당시 김부식은 여진족을 몰아내고 9城을 쌓았던 尹瓘의 아들 尹彦頤와 갈등하고 있었다. 과거 동예와 옥저의 거주 반경에 여진족이 거주하고 있는 현실이었다. 이러한 여진족은 세력을 키워 金을 건국하고 고려를 굴종시켰다. 金에 대한 事大를 주창했던 김부식이었다. 그는 前代 사서에 등장하는 濊를 죄다 말갈로 변환시켰던 것 같다. 그 결과 말갈이 본거지인 만주에서 남하하여 삼국시대 초기에 이미 한반도에서 활약한 게 되었다. 金 즉 여진의 연원이 되는 말갈이 한반도 중부와 남부까지 진출한 게 된다. 그럼으로써 윤관이 여진족을 몰아내고 9城을 축조했지만 반환하는 게 순리라는 저의를 지닌 듯하다. 말갈에서 연유한 여진의 한반도 내에서의 공간성을 인정해주려는 의도였던 것 같다. 그럼으로써 고려와 金이 공존하는 체계를 구축하려고 한 듯하다.

4) 準集權國家 단계

(1) 집권국가를 위한 토대

태조왕 이후 정복사업 및 성공적인 중국세력과의 항쟁에 힘입어 계루부 高氏 중심의 왕권은 더욱 강화되고 국가체제는 집권화되었다. 고국천왕대(179~196)의 왕권강화는 첫째, 族制的 성격이 강한 5部名을 행정적 성격이 강한 방위명부로 개편하였다. 둘째, 특정한 部에서 배우자를 맞이하는 왕비족제를 확립했다. 셋째, 족벌에서 벗어난 신진인사를 등용하였다. 넷째, 賑貸法을 제정하여 가난한 농민들이 귀족의 隸民으로 전락하는 것을 방지해 국가의 公民으로 확보해 두고자 하였다. 한편 상속제의 변화 이를테면 형제상속에서 부자상속으로 이행된 것으로 간주하였다.[43] 이 견해의 논거는 태조왕→차대왕→신대왕으로의 계승을 형제상속으로 기재한 『삼국사기』에 주로 근거했다. 그러나

42_ 이도학, 『살아 있는 백제사』, 휴머니스트, 2003, 99쪽.
43_ 李基白, 『韓國史新論 新修版』, 一潮閣, 1992, 61쪽.

이들 3왕은 형제가 아닌 부자 관계로 밝혀졌다. 그리고 태조왕 이전이나 이후에도 絶孫을 제외하고는 형제상속이 없었다. 이 경우는 백제에서도 동일하였다. 따라서 취신할 수 없었다. 새롭게 조정된 왕실 계보는 다음과 같다.[44]

```
추모왕 ─ 유리왕 ┬ 대무신왕
               ├ 민중왕
               └ 민중왕 ─ 再思 ─ 태조왕 ─ 신대왕 ─ □ ─ 고국천왕 ─ 산상왕
```

고구려의 집권국가체제는 고대국가의 특색의 하나이며 당시 사회에 있어서 유리한 생산 방법이기도 한 대외전쟁을 통한 정복 · 약탈 · 공납의 징수 등이 가져다주는 富의 막대한 증가에 의해 더욱 촉진되었다. 그 결과 독자적 기반을 가졌던 5部의 수장세력들은 중앙귀족으로 편제된 것이다. 수장층을 轉身시킨 '兄' 類와 收取와 행정을 주관했던 '使者' 類를 중심으로 한 중앙관계조직을 성립시켰다.[45] 집권국가에 준하는 체제를 확립할 수 있었다.

(2) 국제정세의 변화와 대외전쟁

3세기 전반기는 고구려사에서 대외관계가 매우 복잡하게 전개되었다. 242년에 고구려는 압록강 하구에 소재한 西安平을 공격하였다. 이 보다 9년 전인 233년(嘉禾 2)에 고구려는 남중국의 吳와 통교했다. 고구려 수도는 압록강을 끼고 있는 지안이고, 吳 수도는 양쯔강을 끼고 있는 난징(南京)이었다. 그랬기에 이를 가리켜 고구려인은 압록강물이 양쯔강물과 교류하는 모습을 놀란 눈으로 응시했고, 압록강은 국제적인 강으로 되어 갔다고 했다.[46] 그러나 압록강 하구에 소재한 서안평(중국 랴오닝성 丹東)으로 인해 '국제적인 강'은 다시금 '국내 강'으로 갇히고 말았다. 서안평으로 인해 고구려 왕도였던 지안에서 압록강을 이용한 선박이 서해로 나갈 수 없었다. 고구려는 압록강과 서해를 이용하기 위한 목적에서 서안평을 공격하였다. 그러나 이 사건은 魏와 충돌하는 발단이 되었다. 244년

44_ 고구려 초기 왕실 계보에 대해서는 李道學, 「高句麗 初期 王系의 復元을 위한 檢討」『韓國學論集』 20, 한양대학교 한국학연구소, 1992; 『고구려 광개토왕릉비문 연구』, 서경문화사, 2006, 159~184쪽을 참고하기 바란다.

45_ 金哲埈, 『韓國古代社會研究』, 지식산업사, 1975, 126~138쪽.
金哲埈, 『韓國古代國家發達史』, 한국일보사, 1975, 92~94쪽.

46_ 이나바 이와키치 著 · 서병국 譯, 『만주사통론』, 한국학술정보, 2014, 113~114쪽.

魏將 毋丘儉 군대의 침공을 받아, 동천왕은 북옥저 방면까지 퇴각하였다.

4세기대에 접어들어 晋이 약화되었다. 이 틈을 타고 북방 유목민족들이 대거 만리장성을 넘어 중국본토로 침공해 들어갔다. 고구려 역시 꾸준히 요동 지방을 공격하였다. 고구려는 311년에 숙원의 서안평을 점령했다. 313년에 고구려는 낙랑군을, 314년에는 대방군을 遼東에서 축출하였다.

그러면 고구려가 이 무렵 정복사업에서 성과를 기록할 수 있었던 요인은 무엇일까? 그간 고구려의 집권화와 지배 기반의 확충 등에 따른 내적으로 충실해진 국력이 5胡16國時代의 대혼란기를 맞아 발산되었기 때문으로 해석한다. 이와 더불어 미천왕의 개인적인 역량도 어느 정도 작용했던 것 같다. 미천왕은 8년 동안이나 숨어 살면서 나라의 각지를 돌아다녔으며, 머슴살이라는 사회의 밑바닥 생활도 하였다. 그는 억울하게 매를 맞은 경험도 있었다. 그러한 미천왕이었기에 사회적 모순과 비리를 척결하기 위해, 과중한 업악과 착취를 늦춰주는 정책을 실시하면서 민심을 수습했을 것이라는 추측도 있다.

그런데 고구려는 요동 지방에 대한 지배권 쟁탈전에서 선비족의 慕容氏가 세운 前燕과 첨예하게 대결을 벌이다가 342년에 수도가 함락되었다. 371년에는 평양성 전투에서 고국원왕은 백제 군대에게 피살되기까지 했다. 미천왕 이후 일련의 팽창은 서쪽과 남쪽에서 계속 좌절을 면하지 못하였다. 그럼에 따라 국가적 위기를 극복할 수 있는 근본적인 체제개혁이 필요했다고 해석한다.

이 무렵 고구려의 군사 장비 혁신과 관련해 鐙子 사용을 제시하고 있다. 물론 등자는 북방 유목사회에서 기원한 것은 분명하다. 415년에 조성된 북연 풍소불묘에서 출토된 등자는 이 사실을 입증해주는 물증이다. 漢人 사회에서도 등자의 보급은 비록 "나이 60을 넘겼는데도 오히려 갑옷을 입고, 말에 걸터앉아 등자를 밟지 않고도 말을 달리면서 창을 가지고 하는 사냥에서도 화살이 표적에 맞지 않는 적이 없었다"[47]는 6세기 초반경의 사실에서 엿볼 수 있다. 이 기록은 등자의 효율성을 역으로 말해준다. 그리고 5세기 후반대에 "敬兒가 馬鐙 一隻에 의지하여 곧바로 대비했다"[48]는 기록은 雙鐙子의 보편적인 사용을 알려준다.

등자의 사용은 馬上에서 자세를 안정시켜 弓矢의 적중률을 증가시켰다. 동시에 활동의 자유를 주었다. 그런 까닭에 유목민이 정착민 보다 무력에서 능가하는 비결이 되었다. 파르티안 숏의 경우 기

47_ 『周書』 권27, 梁臺傳. "年過六十 猶能被甲 跨馬足不躡鐙 馳射戈獵 矢不虛發"
48_ 『南史』 권45, 張敬兒傳. "寄敬兒馬鐙一隻 乃爲備"

원전 9~7세기 초에 흑해 연안의 초원 지대에 살았던 킴메르인이 사용한 사실이 확인된다.[49] 기원전 9세기 중엽 아시리아 아슈르나시르팔 2세의 獅子 사냥 浮彫에도 달리는 전차 위에서 몸을 뒤로 돌려 활을 겨누는 장면이 보인다. 시기적으로는 이 보다 훨씬 뒤에 등장하는 고구려 고분 벽화에서도 볼 수 있다. 파르티안 샷은 고구려 군대의 전술인 기만전에 즐겨 사용되었을 법하다. 퇴각하다가 돌연히 몸을 뒤로 돌려 무심히 추격하느라고 방비가 없던 적을 사살하는 데 유효했을 것 같다.

문제는 새로운 무기나 武具가 도입되더라도 사용자의 숙련도에 따라 효율성은 달라진다. 고구려에서는 3세기 단계에는 군사 훈련에만 전심하는 전사층이 전체 인구의 15분의 1이었다. 게다가 神馬駏驤가 부여 말 100필을 데리고 온(대무신왕 5) 이야기에서 처럼 고구려는 부여를 통해 명마를 확보한 것으로 보인다. 말의 능력이 新裝備의 효율성을 극대화시킬 수 있는 요체였다. 고구려에서는 말들이 작아서 산에 오르는데 익숙하다고 했다.[50] 고구려에는 果下馬 외에 "또 말이 있다. 몹시 작아 산을 오르거나 험한 곳을 밟아도 지치지 않았고, 조와 쌀을 물에 섞어서 말에 먹이면, 곧바로 여러 날을 간다"[51]고 했다. 만주족들 역시 말들을 조련하여 산과 언덕을 뛰어오르게 하고, 허기지고 갈증이 나도 피곤해하지 않게 순치시켰다. 만주족들이 부렸던 건장한 말들은 깊은 물도 잘 건넜다고 한다.[52]

전쟁 수행에 있어서 근본적인 과제는 보급의 해결이었다. 이와 관련해 만주족의 경우가 시사를 한다. 즉 "무릇 전투를 할 때는 군량이나 軍器의 운반이 끊어지지 않기 위해 군졸들이 모두 갖추어서 간다"[53]고 했다. 만주족 군인 스스로가 각자 보급 문제를 해결하였다. 고구려의 경우도 일부는 이와 같았을 수 있다고 본다.

고구려는 숙련된 군인이나 말과 같은 기존 장점에 등자의 도입을 비롯한 신장비의 활용을 통해 전쟁 수행 능력을 극대화할 수 있었다. 고구려의 重裝騎兵 즉 鐵騎는 246년의 시점에서 한번에 5천 명이 등장한다. 이러한 鐵騎가 전투의 주력이 되었을 것이다. 더욱이 만주와 한반도처럼 산이 많은 지형에서는 산을 잘 타는 작은 말들이 요긴했다고 본다. 이와 관련해 비록 훈련이 덜 된 조선 군인들의 사례이기는 하지만 甲冑兵의 着裝 문제를 고려해 보아야 한다. 즉 "제가 진중에서 武人들을 보니 많은 이들이 갑옷과 투구를 이기지 못하여 좌우에서 버텨줘야 하니 거의 움직이기 어렵다. 이는

49_ 김성일 · 이송란, 「스키타이의 선주민 킴메르」『스키타이 황금문명』, 예술의 전당, 2011, 73쪽.
50_ 『三國志』 권30, 동이전, 고구려 조.
51_ 『翰苑』 高麗.
52_ 『紫巖集』 권6, 雜著, 建州聞見錄.
53_ 『紫巖集』 권6, 雜著, 建州聞見錄. "凡有戰鬪之行 絶無糧餉軍器之運轉 軍卒皆能自備而行"

비록 甲冑 입는 게 불편해서이다"[54]고 했다. 갑주병이 스스로 갑옷을 입기 어려움을 토로한 것이다. 물론 鐵騎의 경우는 이 보다 훨씬 번잡하고 일손이 많이 따라야만 했다.

686년(垂拱 2)에 唐將 흑치상지는 변방으로 쳐들어 오는 돌궐 기병 3천 명과 갑자기 맞닥뜨렸다. 그는 이들이 말에서 황급히 내려 갑옷 입는 것을 보았다. 흑치상지는 그들의 시끄러운 모습을 포착하고는 2백 騎를 거느리고 선두에 서서 찌르자 돌궐 기병들은 모두 갑옷을 버리고 달아났다. 여기서 철제 갑옷은 항시 착용하는 게 아니라는 사실이 드러났다. 즉 전투시에만 착용한다는 사실이다. 따라서 고구려 重裝騎兵도 馱馬에 갑주와 무기 및 양곡을 싣고 다니다가 陣을 칠 때 착용했던 것 같다. 1명의 鐵騎에 여러 명의 보조 인력이 수반되었을 것이다. 전쟁을 많이 치른 고구려인들은 신속한 甲冑 착용과 보급 문제를 해결하기 위한 근본적인 방안을 모색했을 것으로 보인다.

5) 집권국가 단계 제1기

(1) 律令體制로의 진입

小獸林王代(재위: 371~384)에 국가체제 정비에 성공한 이유는, 고구려의 앙숙이었던 전연의 멸망과 북중국의 覇者인 前秦과의 우호관계 그리고 백제의 약화에 따른 대외관계의 안정을 들 수 있다. 게다가 국가체제 정비에 필요한 인적자원을 충분히 확보할 수 있기 때문이다. 고구려에 대거 망명해온 중국인 관료의 힘이 크게 작용한 때문으로 추정하기도 한다. 즉 요동 지방을 鎭守하던 慕容仁이 兄인 慕容皝과의 권력 다툼에서 패하였다. 그러자 336년에 모용인의 부하였던 佟壽와 郭充 등이 고구려로 망명해 왔다. 동수는 357년(永和 13)에 조영된 안악 3호분의 피장자로 추정된다.

국가체제 정비는 불교의 수용(372년)과 국립교육기관인 太學의 설립(372), 그리고 국가통치의 근본이 되는 성문법인 律令의 반포(373)로써 구현되었다. 불교는 前秦의 順道에 의해 전해졌다. 불교는 그 이전부터 고구려에 전래되었기에 마찰없이 공인되었다. 이때 고구려 역사상 최초로 창건된 사찰을 『삼국사기』 정덕본에는 肖門寺로 적혀 있다. 그러나 『중종실록』의 표기대로 尙門寺로 읽는 게 온당할 것 같다.

보편적인 정신세계로서 불교의 수용은, 고구려 영역내의 잡다한 여러 족속들이 지닌 신화와 설화

54_ 『紫巖集』 권6, 雜著, 建州聞見錄. "臣於陣上 目覩武人 多不勝介冑 左右支柱 殆難以運動 是雖甲冑製造之不便"

들을 포용하면서, 한 단계 고양된 종교와 철학의 세계로 정신적인 규합을 가능하게 했다. 이러한 의미 부여는 적절하다고 본다. 고구려는 호국호왕사상을 이용해 왕권과 국가 질서를 강화시켜 나갔다.

중국에서 발달한 법체계인 律令은 국가 통치의 근본이 되는 成文法이었다. 法典에 의해 왕권을 합법화시키는 것을 목표로 삼았다. 여기서 律은 범죄나 형벌에 관한 규정을 내용으로 하는 禁止法이요, 令은 그 밖에 국가제도 전반에 걸치는 규정을 포함하는 일종의 命令法이다. 당시 漢字文化圈에서 律令이 차지하는 지위는, 유럽의 로마法에 필적했다. 고구려는 전진을 통해 晋 武帝 泰始 3년(267)에 집대성된 이른바 泰始律令을 母法으로하여 제정한 것으로 보인다.[55]

불교가 국가의 정신적 통일에 이바지한 것이라면, 율령의 반포는 국가조직 그 자체의 정비를 의미하였다. 그리고 율령에 근거하여 운영되는 律令制國家는 집권국가의 완성을 의미한다. 이러한 측면에서 볼 때, 太學은 새로운 관료체제 운영상 필연적으로 요청되는 율령 관료층의 확보를 위해 필요했다. 기록과 공문서 없이는 행정기구를 유지할 수 없기 때문이었다.[56] 요컨대 태학의 설립은 관리의 양성과 배출이라는 시대적 요구에 부응하기 위해서였다. 이와 관련해 인간을 규율화하여 규격화한 전문가들을 양성하기 위한 수단으로서 학교·兵舍·病院·工場을 거론하고 있다는 점이다.[57] 이 점은 참고될 듯 하다.

국가 운영과 관련해 가장 긴요한 사안은 수취 문제였다. 수취에 관한 규정이 확정되어 반포되었을 것이다. 비록 고구려 후기의 조세에 관한 규정이지만 "人[頭]稅는 베 5匹에 곡식 5石이다. 遊人은 3년에 한번인데, 열 명이 함께 細布 1필을 낸다. 租는 [上]戶는 1石이고, 다음은 7斗, 하호는 5斗이다(人稅布五匹 穀五石 遊人 則三年一稅 十人共細布一匹 租戶一石 次七斗 下五斗)"[58]고 했다. 여기서 상당히 감세해준 유인의 성격에 대해서는 명확하게 알려진 바 없다. 그런데 비슷한 용례가 보인다. "雇工은 근거가 없는 사람이니 오늘 立役시키면 내일 도망하는 경우가 자못 많다. 軍伍를 거짓으로 기록한 것은 실로 부역이 중한 데에서 생긴 것이니, 이 뒤로는 遊人을 軍額에 편입시키지 않은 것을 일체 금지한다."[59] 여기서 고공은 조선시대에 남의 집에 들어가서 끼니를 해결하는 노동층을 가리킨다. 소

55_ 李基白·李基東,『韓國史講座 古代篇』, 一潮閣, 1982, 129~130쪽.
56_ 李基白·李基東,『韓國史講座 古代篇』, 一潮閣, 1982, 130쪽.
57_ 山內昌之,「フ-ユ-監獄の誕生」『歷史學の名著30』, 筑摩書房, 2007, 248~249쪽.
58_ 『隋書』 권46, 동이전, 고려 조. "人稅布五匹 穀五石 遊人 則三年一稅 十人共細布一匹 租戶一石 次七斗 下五斗"
59_ 『정조실록』 즉위년 병신, 12월 25일 조. "雇工無根之人 今日捧疤 明日逃亡 頗多有之 虛錄軍伍 實出役重 以後切禁遊人 無預軍額"

속이 유동적인 고공 같은 극빈층을 유인으로 일컬었던 것이다. 이와 관련해 현재 몽골에서는 유목민이 35%를 점하고 있는데, 세금을 납부하지 않는다고 한다. 고구려 유인은 10명이 1개 組로 납세하는 것을 볼 때 집단에 속했음을 뜻해준다. 따라서 고구려의 유인도 이동 생활을 하는 유목민일 가능성을 상정할 수 있다. 혹은 수공업에 종사자나 傭人들의 경우도 유인에 속했을 가능성이다.

(2) 대외 전쟁과 광개토왕의 시대

前秦과의 우호 관계에 힘입어 고구려는 국내 체제정비를 기할 수 있었다. 그러나 東晋을 정벌하려다가 전진 왕 苻堅이 패사한 후, 384년에 모용수의 後燕이 등장하였다. 그럼으로써 고구려는 우방을 잃어버린 대신에 새로이 강적을 맞이했다. 현도·요동군을 놓고 40여년 만에 고구려는 모용선비와 격돌하였다.[60]

우리나라 역사상 영역이라는 면에서 당대에 그 왕조 최대의 영토 확장을 이룩한 군주로서는 백제의 근초고왕을 꼽을 수 있다. 그로부터 반세기가 지나 등장한 고구려의 광개토왕은 그러한 면에서 절정을 구가한 정복군주였다. 광개토왕의 정식 시호인 '國岡上廣開土境平安好太王'의 '널리 영토를 개척하여 백성들을 평안하게 해주었다'라는 구절이 함축해 주고 있다. 알렉산더대왕은 37세의 짧은 생애에 대제국을 건설하였다. 그리고 우리의 광개토왕도 18세의 소년으로 왕위에 올라 아깝게도 39세 젊은 나이로 세상을 떠날 때까지 자신의 나라를 '아시아의 고구려'로 만드는데 성공했다.

① 광개토왕릉비를 세운 목적

가. 광개토왕릉비를 발견하기까지

현재 중국에서 東北三省이라고 부르고, 우리에게는 만주라고 일컬어지는 곳 가운데 하나인 지린성 지안시의 퉁고우 평원에는 높다란 비석이 하나 우뚝 서 있다. 만고풍상을 맞아 가면서 풍운의 만주 대륙 역사의 부침을 묵묵히 지켜보았던 이 비석은 옛 고구려 도성인 국내성의 동쪽 國罡이라는 언덕 위에 자리잡았다.

1447년에 제작된『용비어천가』에서 "평안도 江界府 서쪽으로 강을 건너 140리 쯤에 큰 벌판이 있다. 그 가운데에 옛 성이 있는데, 세상에서는 大金皇帝城이라고 일컫는다. 성 북쪽으로 7리 쯤에는

60_ 李基白·李基東,『韓國史講座 古代篇』, 一潮閣, 1982, 164쪽.

비석이 있다. 또, 그 북쪽에는 돌무덤[石陵] 2기가 있다"라고 하면서 이 비석의 존재를 언급하였다.

여기서 '비석'의 존재는 1487년에 평안감사로서 압록강변 만포진을 시찰했던 成俔이 지은 '황성 밖을 바라 보며(望皇城郊)'라는 시에서 다시금 언급되었다. 그는 "우뚝하게 千尺碑만 남아 있네"라고 읊었지만, 압록강변에서는 이 비석을 육안으로 보기가 어렵다. 누구도 직접 확인하지 않은 미지의 비석인 것 같지만, 『동국여지승람』과 이수광의 『지봉유설』 등에서는 金 皇帝碑로 단정하였다. 1595년(선조 28)에 건주여진의 누루하치를 만나로 가는 도중에 목격한 지형을 적은 申忠一의 「建州紀程圖記」에 보이는 '皇城'과 '皇帝墓'와 함께 등장하는 '碑'가 광개토왕릉비일 것이다.[61] 만포진에 잇댄 압록강 너머에 자리잡은 성과 무덤, 그리고 비석 모두, 12세기에 불길처럼 솟아올라 북중국을 점유하면서 동북아시아를 요동치게 만들어 훗날 정복왕조라고 불린 여진족이 세운 금 왕조의 숨결이 잡초 덤불 속에서 고요히 永眠하고 있는 장소쯤으로 여겼던 것 같다.

지안 일대는 여진족이 세운 청이 들어선 17세기 이후에는 청 황실의 발상지라는 명목으로 인해 주민들이 거주하지 못하는 封禁令에 묶여 깊은 잠에 빠졌다. 그러나 봉금령이 풀려 주민들이 이 곳으로 이주해 간 19세기 후엽인 1877년에 이끼가 잔뜩 끼어 있는 이 비석의 존재가 현지 주민들에 의해 재발견되었다. 두텁게 낀 이끼를 제거하기 위해 비석 겉면에 牛馬糞을 바르고는 불을 질렀다. 타닥타닥 작열하는 사이에 불기운을 이기지 못하고 비면에 균열이 생겼다.

이 비석은 전통적인 신앙의 대상인 선돌에다가 사면에 예서체로 글자를 새겨 놓았다.[62] 곁에서 비석을 보면 비면이 다듬어지지 않아 마치 물결처럼 굴곡이 져 있다. 쑥 파인 부분에도 글씨는 둥지를 틀듯 또렷하게 자리잡았다. 돌을 다루는 데에는 가히 천부적 재능을 지녔다는 고구려인들이었다. 그러나 이 비석의 겉면을 반듯하게 다듬지 않은 이유는 여전히 수수께끼로 남아 있다. 어쨌든 이렇게 해서 글자를 드러낸 '대금황제비'는 고구려의 저명한 정복군주인 제19대 광개토왕의 능 앞에 세워진 陵碑임이 새롭게 밝혀졌다.

61_ 『용비어천가』와 「建州紀程圖記」에 따르면 皇城 북쪽에 '황제릉'과 '碑'가 있는 것으로 나타난다. 이로 인해 광개토왕릉비의 移轉說이 제기된 바 있지만(稻葉岩吉, 「申忠一書啓及び圖記」『青丘學叢』 29, 1937, 4쪽), 추후 검토가 필요할 것 같다. 그러나 皇城을 국내성으로 지목했을 때 광개토왕릉비는 그 서북쪽인 관계로 上記한 언급이 나올 수는 있었다고 본다.

62_ 李道學, 『꿈이 담긴 한국 고대사 노트 (상)』, 一志社, 1996, 205쪽.

나. 광개토왕릉비와 비문은 어떤 특징이 있을까?

광개토왕릉비는 다음과 같은 몇 가지 독특한 특징을 지니고 있다. 첫째, 높이가 6.39m로 굉대한 규모를 자랑한다. 우리나라의 석비 가운데 광개토왕릉비(이후 '능비'로 略記한다)의 규모가 제일 크다. 이에 걸맞게 비석의 무게는 대략 37t으로 추정된다. 둘째. 현재 남아 있는 우리 역사상의 비석 가운데 가장 연대가 오래 되었다. 그리고 고구려의 왕릉 앞에 세워진 비석으로는 최초의 사례에 속한다. 셋째, 화산암에 새겨진 글자의 크기가 12Cm에 이를 정도로 크다. 요컨대, 陵碑는 우리나라 역사에서 제일 거대한 비석이요, 왕릉 앞에 세운 최초의 비석이고, 글씨도 제일 크다는 특징을 지녔다.

「광개토왕릉비문」은 무덤 주인의 공식적인 시호를 '國罡上廣開土境平安好太王'으로 표기하였다. 이처럼 길게 열거된 광개토왕의 공식 시호를 통해 여러 가지 정보를 얻게 되었다.

첫째, 광개토왕릉이 '국강상'에 소재하였음과 더불어, 능비가 세워진 일대가 '국강상'이라는 사실을 알 수 있었다. '널리 영토를 개척하여 (백성들을) 평안하게 해주었다'라는 구절은 광개토왕의 치적이 영토 확장이었음을 알려준다. 그리고 '호태왕'은 광개토왕뿐만 아니라 고구려왕들에게 일반적으로 부여되는 미칭이었다. 요컨대 길게 적혀 있는 광개토왕의 시호는 능묘의 소재지와 치적, 그리고 고구려 왕들에게 붙은 미칭으로 구성되었다.

"널리 영토를 개척하여 백성들을 평안하게 해주었다"라고 한 광개토왕의 치적은『삼국사기』에 수록된 그의 성품과도 잘 연결된다. 즉 "나면서부터 체격이 뛰어 나게 크고, 활달한 뜻을 가졌다"라고 광개토왕을 묘사하고 있다. 광개토왕은 백제 진사왕이 "담덕(광개토왕)이 用兵에 능하다'는 말을 듣고는 나가서 대항하지 못하여 한강 북쪽의 부락을 많이 빼앗겼다"라고 했을 정도로 군사적 능력이 탁월했다. 비록 광개토왕에게 압기되었던 진사왕이었지만, "사람됨이 굳세고 용감했으며, 총명하며 지략이 많았다"라는 평을 받고 있던터라 더욱 그러한 느낌이 든다. 광개토왕은 용병술을 비상하게 구사하는 걸출한 군인 왕이었다.

이와 더불어 광개토왕릉이 분명한 장군총 앞에 세워진 광개토왕릉비의 성격에 대해서는 여러 견해가 제기되었다. 그러나 일단 무덤 주인인 광개토왕의 치적이나 일대기를 담고 있는 비석임은 재론의 여지가 없다. "이에 비석을 세워 勳績을 명기하노니 후세에 보여라"고 하였듯이,「광개토왕릉비문」은 광개토왕의 공적을 기록하고 있다. 그리고 능비는 고구려 왕릉 앞에 최초로 세워진 비석이었다. 이 점 또한 광개토왕의 치적이 역대 고구려 왕들의 그것보다 우뚝했다는 사실을 암시해 준다. 게다가 능비를 세워야 할 특별한 동기의 발생 요인을 상정하지 않을 수 없다.

이러한 「광개토왕릉비문」의 저류에서 감지되는 정서는 고구려인들의 천하관에서 비롯된 긍지와 우월적 사고였다. 가령 '永樂'이라는 독자적인 연호를 사용하여 중국과 대등한 입장임을 과시하면서 "(광개토대왕의) 위무는 사해에 떨쳤노라!"라고 자랑하였다. 여기서 '사해'는 온 세상을 가리키는데, 그 중심국은 고구려를 가리키고 있다. 그래서 자국 시조에 대해 '天帝의 아드님'·'皇天의 아드님'과 같은 최고 최상의 수식어를 총동원하여 시조임금의 존엄성을 기렸다. 그러한 선상에서 '왕', 그것도 '太王'으로 호칭한 것은 광개토왕뿐이었다. 반면 백제와 신라 국왕은 '主' 또는 '寐錦'으로 각각 폄훼시켜 표기하였다. 그리고 고구려는 주변 국가들과 상하 조공 관계를 구축하였던 사실을 명기했다. 이는 말할 나위없이 황제 체제의 선포였다. 또 그랬기에 광개토왕의 즉위를 천자의 즉위를 가리키는 登極이나 踐祚와 동일한 뜻을 지닌 登祚로 표현했을 것이다.

「광개토왕릉비문」에는 천하관과 짝을 이루어 자국 중심으로 세상을 재편하기 위한 구현 이데올로기가 보인다. 『맹자』의 왕도정치사상이다. 『맹자』에 따르면, "仁을 해치는 것을 賊이라 이르고, 義를 해치는 것을 殘이라 이른다"고 했다. 이는 「광개토왕릉비문」에서 고구려에 대적하는 공동 악역으로 등장하는 양대 세력을 '倭賊'과 '百殘'으로 각각 폄훼시켜 호칭한 것과 무관하지 않다. 즉 仁義의 화신인 고구려 광개토왕의 군대는 그것에 배치되는 백제와 왜를 정토해야 한다는 이른바 정의관의 발현이기도 했다. 그렇기 때문에 광개토왕은 항시 은혜와 자비를 발휘하여 용서하고 구원해 주는 따뜻한 德化君主의 모습으로 설정되었다. 광개토왕의 이름도 이와 무관하지 않은 '談德'이었다. 광개토왕의 은혜는 구체적으로 「광개토왕릉비문」에서 다음과 같이 보인다. 즉 영락 6년의 백제 원정에서 승리하였지만 광개토왕은 '恩赦'로써 백제 왕을 용서하였다. 그리고 동부여 정벌 후 용서하고 회군했고, 신라 구원을 결행했을 정도로 광개토왕의 은택은 광대하기 이를 데 없다. 「모두루묘지」에 보면 광개토왕의 은택을 운위하고 있다. 그는 자신의 무덤에 적힌 묘지에서조차 광개토왕의 奴客으로 자신을 표현하면서 광개토왕의 지극한 은혜를 회상하고 있다. 광개토왕의 거대한 은택을 입었던 대상은 국가 뿐 아니라 개인에게까지도 두루 미쳤다는 것이다. 노객이나 신민은 광개토왕에게 입은 은택을 갚아야 하는 의무가 있었다. 광개토왕의 은택을 입은 국가는 은택을 갚기 위해 조공으로 보답해야 했다. 개인의 경우는 모두루처럼 눈물을 흘리며 해와 달이 사라진 것 같다는 캄캄한 심정을 술회해야 마땅하였다.

16세기에 간행된 『투필부담』에 따르면 이러한 이야기가 적혀 있다. 즉 "전쟁의 주축은 명성과 대의다. 훌륭한 명성을 쌓되 적에게는 악명을 부여하라. 자신의 有德을 널리 알리고 적들의 不德을 폭로하라. 그리하면 당신의 군대는 힘을 얻어 하늘과 대지를 뒤흔들 것이다"라고 했다. 이 같은 아주 멋진 표현은 「광개토왕릉비문」에서 광개토왕을 일러 "威武는 四海에 떨쳤노라!"라고 한 칭송, 곧 명성과 연결된다. 명성은 광개토왕이 仁義의 구현이라는 대의를 걸고 수행한 전쟁 성격과 정확히 부합되고 있다. 비록 「광개토왕릉비문」은 광개토왕 사후에 새겨진 것이지만, 광개토왕 생전의 전쟁관이 응결되었기 때문이다.

총 44행, 1,775자에 3개 문단으로 나뉜 「광개토왕릉비문」은 건국 설화와 정복 전쟁 기사, 그리고 광개토왕의 능묘를 지키고 관리하는 묘지기인 守墓人에 관한 규정으로 짜여졌다. 특히 정복 전쟁 기사는 '전쟁의 명분과 전쟁 과정, 그리고 전쟁의 결산'으로 구성되었다. 정복 전쟁 기사 앞에 적혀 있는 건국 설화는 광개토왕이 무력을 행사하는 배경과 근거를 제공해 준다. 이러한 점에서, 건국 설화와 정복 전쟁이라는 2개의 접속된 문단은 별개의 사안이 아니라 서로 불가분의 관련을 맺은 것이다. 그리고 「광개토왕릉비문」의 마지막 문단에는 무려 330家나 되는 묘지기들의 출신 지역이 낱낱이 기재되어 있다. 국내성에 거주하는 고구려인들이 직접 목격할 수 있는 광개토왕릉의 묘지기 가운데 3분의 2는 정복 지역에서 차출하였다. 이들은 광개토왕 시기에 기세를 올린 정복 사업의 현현한 성과물이기도 했다.

그리고 고구려는 영락 6년에 점령했다는 백제의 58城, 영락 17년에 격파해서 점령한 6성, 도합 64성의 이름을 碑面이라는 공간적 제약에도 불구하고 죄다 기록하였다. 이는 영유권에 대한 권리 선언인 동시에 그것을 영원히 보장 받으려는 정치적 의도에서였다.

낱낱이 기재된 묘지기들의 출신 지역에 관한 기록 역시 예외는 아니었다. 이들로 하여금 광개토왕의 능을 영원히 관리하게 함으로써 광개토왕 때 확보한 일부 백제 지역의 영유권에 대한 근거를 거듭 반추시키려는 의도였다. 그러한 「광개토왕릉비문」의 핵심은 전쟁 기사이므로, 고구려 최대의 라이벌인 백제에 대한 전승기념비적인 성격마저 지녔다. 즉 백제 군대에 피살된 광개토왕의 祖父인 고국원왕의 宿憤을 말끔히 씻는 동시에, 양국 간 정치적 역학 관계의 反轉을 노린 정치 선전문이었다.

다. 광개토왕릉비를 세운 동기―지배의 정당성을 위해

광개토왕릉비는 광개토왕이 세상을 뜬 지 2년 후인 414년에 건립되었다. 고구려 역사상 최초로 왕릉 앞에, 그것도 큼지막하면서도 또렷이 글씨가 새겨진 巨碑의 존재는 확실히 시선을 집중시킬만 했다. 그런만큼 여기에는 필시 특별한 사유가 있었으리라 추측된다. 광개토왕릉비를 건립하게 된 목적과 관련해 "이에 비석을 세워 勳績을 명기하노니 후세에 보여라"라는 구절이 상기된다. 여기서 '훈적'은 말할 나위 없이 '큰 功業'을 뜻한다. 이는 「광개토왕릉비문」 전체를 압도할 정도로 절대적 비중을 차지한 정복 전쟁의 성과를 가리킨다.

「광개토왕릉비문」은 광개토왕을 칭송하는 일대의 업적이 韻文처럼 다음과 같이 적혀 있다. 즉 "恩澤은 皇天까지 미치시고, 위무는 사해에 떨쳤노라. 나쁜 무리들을 쓸어서 제거하시니 뭇 백성이 편안히 생업에 종사하도다. 나라는 부유해지고 백성들은 잘 살고, 오곡이 잘 영글었도다"라고 노래하였다. 이 구절은 영락이라는 호기어린 연호처럼 광개토왕의 업적을 잘 집약하였다. 광개토왕이 추진한 성전의 결과물이기도 한 넉넉하고 풍족한 國富를 노래하고 있는 것이다. 「모두루묘지」에서 官恩을 입었음을 말하고 있는데, 광개토왕의 은혜가 제도적 장치로 구축되었음을 암시해 주는 대목이기도 하다. 국왕의 은택이 제도적 장치로 확립되었다는 것은 중요한 의미가 있다.

그런데 광개토왕의 위업을 단순히 현창하기 위한 목적이라면 역사서에 게재하면 되었을 것이다. 그럼에도 굳이, 그것도 전례 없이 비석을 세운 이유는 무엇일까? 이와 관련하여, 장수왕이 선왕인 광개토왕의 죽음으로 분열과 붕괴의 위기에 처한 왕국 전체의 재통합과 질서를 호소할 필요성에서 나왔다는 견해가 있다. 알렉산더대왕 사후 제국이 삽시간에 분열되었던 것과는 달리, 광대한 영역이 유지되었던 고구려에서는 영속적 지배를 위한 이데올로기의 창출이 필요했다. 그러한 맥락에서 볼 때, 「광개토왕릉비문」에서는 고구려 王家의 출신 계통을 신성화시켰고, 광개토왕뿐만 아니라 고구려 왕에 의한 지배의 정당성과 절대성을 강조하고 있는 것이다.

가령 건국 설화의 많은 부분이 "일시적으로 고난에 빠진 적이 있지만 시조왕의 영웅적인 분투로써 군사적인 원정이 성공리에 마무리되고 나라가 세워졌다"라고 묘사하였다. 이 것은 점령한 토지를 왕가가 점유하고 통치할 수 있다는 권리를 선언하기 위해서였다. 그래서 광대한 영역을 가진 현재 왕국의 위치에 이르기까지, 시조인 추모왕의 고난스러운 이동을 일종의 설화적인 형태로 서술하여 사람들의 시선을 집중시켰다. 동시에. 영원히 기억에서 소멸되지 않도록 하기 위해 부심한 결과 거대한 비석을 세웠다는 것이다. 「광개토왕릉비문」은 건국에 이르기까지 시조왕의 고난에 찬 이동을 서술함으로써 고통스런 기억을 반추시켰다.

하늘[天]과 물[水]이 결합된 구현자로서의 추모왕은 최후에는 지상계의 통치자인 고구려 왕이 된다. 그러한 시조왕의 후손인 고구려 왕들은 천제로부터 위탁받은 영토를 통치하는 신성한 존재임을 증명하고자 했다. 사실 추모왕의 渡河說話는 손에 땀을 쥐게 하는 위기일발의 순간이었다. 그러나 추모왕은 왕으로서의 초능력을 부여받아 이러한 시련을 극복하고 불사신의 身體를 획득했음을 보여 주고 있다. 이는 일종의 건국자의 능력 증명서가 된다. 그래서 추모왕의 사망을 "하늘이 황룡을 보내어 맞아서 하늘로 올라갔다"는 모티브를 채용하여 서술했다.

「광개토왕릉비문」은 天帝에 연원을 둔 고구려 왕가의 聖德이 광개토왕에게 계승되었고, 대왕에 의한 聖戰의 결과, 주변 여러 나라와 민족이 대왕의 德에 歸順했음을 선포하고 있다.[63]

라. 광개토왕릉비를 세운 동기—평양성 천도와 관련하여

광개토왕릉비의 건립 배경을 평양성 천도와 관련지어 생각할 수 있다. 광개토왕릉비가 세워진 414년은 천도 작업이 추진되고 있던 평양성 천도 불과 13년 전이었다. 이러한 시점에서 39세를 일기로 타계한 광개토왕의 急逝는 천도 반대파에게 일종의 빌미를 제공할 수 있었다. 그렇기 때문에 장수왕은 평양성 천도의 불가피성을 밝히기 위해 천도를 추진했던 광개토왕의 권위를 高揚시킴으로써 그 왕대에 추진한 천도의 유효성을 부각시키고자 했던 것 같다.

그 때문인지 「광개토왕릉비문」에는 여타 비문에서 찾아 볼 수 없는 독특한 점들이 발견된다. 능비는 널리 알려져 있듯이 왕릉 앞에 세워져야 마땅하다. 그리고 능비의 문장은 왕의 계보와 생전의 행적을 수록하게 마련이다. 그럼에도 「광개토왕릉비문」에는 특이하게도 광개토왕의 직계 조상들에 관한 언급이 일체 없다. 이는 일반 「광개토왕릉비문」이나 묘지명과는 크게 차이 나는 현상이다. 시조왕에서 시작하여 3대 고구려 왕의 성덕까지 서술한 다음, 갑자기 17세손 광개토왕과 연결시켰다. 이러한 作法으로 고구려 사회에서 최고의 권위를 지니고 있는 왕실 시조와 광개토왕을 직접 연결시킴으로써 혈통의 신성성을 극대화시키는 효과를 유도하였다. 광개토왕을 고국양왕의 아들로서 보다는 시조 추모왕과 연결지음으로써 시조의 후광을 직접 입게 하려고 했던 것 같다. 「광개토왕릉비문」에서 추모왕을 '황천의 아들'이라고 한 점과, 광개토왕의 업적 중 "은택이 황천까지 미쳤다"라고 서술한 데서도 이러한 사실이 뒷받침된다. 광개토왕의 권위는 추모왕과 마찬가지로 황천과 연결되는 절대성을 지녔음을 선포하고 있다.

다음 단계로, '황천의 아들'인 추모왕의 후손이기에 은택이 황천에까지 미치는 광개토왕의 업적을 집약적으로 현시할 필요가 있었다. 이 문구가 "나라는 부유해지고, 백성들은 잘 살고, 오곡이 잘 영

63_ 松原孝俊, 「神話學から見た '廣開土王碑文'」『朝鮮學報』 145, 1992, 7쪽.

글었도다"라는 구절이다. 광개토왕 시기 전체의 치적을 한 마디로 집약한 이 구절을 낳게 한 수단은 전쟁이었다. 그래서 「광개토왕릉비문」은 능 앞에 세워진 국왕의 생애를 수록해 놓은 비석의 문장임에도 불구하고, 유례가 없을 정도로 전쟁 기사 일변도로만 적혀 있다. 광개토왕의 여타 치적에 관한 언급은 일체 보이지 않는다.

「광개토왕릉비문」에서 밝히고 있는 광개토왕의 치적은 말할 나위없이 전승이었다. 이 전승에 대한 기술은 그 목적이 단순히 승전을 후세에 전하는 데에만 있지 않았다. 여기에는 어떤 메시지가 담겨 있었다. 「광개토왕릉비문」에는 정복 전쟁의 총결산으로서 64성과 1,400촌을 점령했음을 밝히고 있다. 광개토왕대의 고구려는 더 많은 지역을 점유하였다. 그럼에도 「광개토왕릉비문」의 전과는 오로지 백제로부터 나온 것이었다. 백제로부터의 전과만 성 이름까지 낱낱이 기재하였다.

그런데 「광개토왕릉비문」에 당시 수도인 국내성의 존재는 단 한 차례도 언급되지 않은 반면, 평양성은 세 차례나 언급된 사실에 유의해야 한다. 즉 영락 9년 조에 "왕이 행차하여 평양으로 내려왔다"고 하였듯이, 광개토왕이 몸소 평양성까지 내려 왔다. 또, 이곳에서 신라 사신의 구원 요청을 받은 광개토왕은 보기 5만의 대병력을 출병시켰다. 이처럼 고구려가 신라・임나가라 지역으로의 대규모 원정을 단행하는 데 있어서의 기점이 평양성이었다. 그리고 고구려군은 왜군을 궤멸시켰다. 영락 14년 조에도 고구려군의 왜구 격파를 가능하게 했던 출발지로서 평양성이 다시금 등장하고 있다. 요컨대 「광개토왕릉비문」에서는 보기 5만의 대병이 출병한 기점이자 왜구를 궤멸시킨 진원지로서 평양성이 부각되었다. 이렇듯 평양성은 왜구와 그 배후 세력인 백제를 제압한 승전의 진원지였다.

이 같은 作法은 장래의 수도인 평양성에 비중을 실어 줌으로써 미래의 수도에 대한 긍정적인 연상을 하게 한다. 특히, 승전의 진원지로서 평양성이 2회나 언급되어 있다는 것은 고구려의 主敵인 백제와 왜를 제압하기 위해서는 평양성 천도가 불가결하다는 심중이 깔려 있는 것이다. 국가의 중심축인 수도를 남쪽으로 옮기는 것으로써만이 백제와 왜를 효과적으로, 또 궁극적으로 제압할 수 있다는 메시지를 전하고 있다. 광개토왕 때에 고구려는 북부여나 遼西 지역으로도 진출하였다. 그럼에도 「광개토왕릉비문」에 일체 기재되어 있지 않은 이유는 초점효과를 겨냥했기 때문으로 보인다.

그리고 「광개토왕릉비문」에는 광개토왕이 생전에 "나는 舊民들이 점점 힘이 모자라게 될 것이 염려된다"라고 말했던 原 고구려 주민인 구민의 열세를 우려하는 敎言을 빌려 왔다. 또, 그것을 극복하기 위해 광개토왕 때에 새로 복속된 新民인 백제 지역 출신의 新來韓穢를 수용할 것을 지시하면서 남진의 당위성을 밝히고 있다. 비면이라는 제한된 공간임에도 불구하고 무려 330家나 되는 묘지기 연호를 낱낱이 기재하였다. 이는 현실적으로는 수묘제 확립과 관련된 것이지만, 다른 한편으로는 남방 지역의 비중 증대와 그로 인한 평양성의 역할을 부각시키는 의도임을 부인하기 어렵다.

「광개토왕릉비문」의 이면에는 "나라는 부유해지고, 백성들은 잘 살고, 오곡이 잘 영글었도다"라는 선물을 안겨주었던 남진의 성공과, 그것의 영속성을 위한 평양성 천도에 대한 합의를 환기시키면서 광개토왕 때 추진된 천도의 이행을 호소하고 있다. 광개토왕릉 앞에 세워진 광개토왕릉비는 형식만 빌렸을 뿐 사실 능비는 아니었다. 광개토왕의 脫喪을 하면서 세상에 모습을 드러낸 광개토왕릉비는 고구려인들을 굽어보면서 '광개토왕 시대'를 반추시키고 있다.

② 「광개토왕릉비문」의 정복전쟁 기사

「광개토왕릉비문」의 정복전쟁 기사는 '정토명분과 정토과정 그리고 정토의 결과'라는 구조로 이루어져 있고, 왕의 친정인 '王躬率'과 부하 장군의 파견을 통한 전쟁인 '敎遣'으로 지휘 주체를 나누어 서술하였다. 「광개토왕릉비문」에 보이는 최초의 전쟁 기사는 서북방으로의 진출로서 시작된다. 영락 5년(395) 조에 의하면 요하 상류 부근의 시라무렌강인 鹽水 방면으로 진출하고 있다. 광개토왕은 직접 거란족이 거주하는 염수 방면에 진출하여 6·700營을 격파하고 많은 가축을 노획한 후 개선하였다. 그리고 영락 6년(396)에도 대왕의 친정으로 나타나고 있는데, 백제의 왕성을 水軍作戰으로 함락시키고 아화왕의 항복을 받아낸 후 회군했다. 이 때 고구려는 백제의 58城 700촌村을 점령하는 전과를 기록했다고 한다. 이는 396년에 고구려와 백제의 전투가 처음 시작되어서 이룩한 성과라기 보다는 영락 원년부터 영락 6년에 걸친 백제와의 전과를, 광개토왕의 친정으로 백제 왕의 항복을 받아내어 백제와의 전투에서의 결산이랄까 일종의 大尾를 장식한 기념비적인 해가 되는 영락 6년 조에 일괄 기재했다.[64] 그렇게 함으로써 영락 6년에 있었던 광개토왕의 백제 친정을 돋보이게 하려는 의도가 담겨있는 것이다.

문제는 고구려가 이 때 공취한 58성의 소재지가 된다. 영락 6년에 공취한 성곽들은 남한강 상류 지역에 주로 위치한 것으로 보여진다. 그러니까 충청북도 동부 지역과 강원도 영서 산간 지역이 이 때의 주된 점령지였다. 고구려는 이 때 확보한 내륙교통로의 안전을 점검하기 위해 그 2년 후 소단

64_ 武田幸男, 「廣開土王碑文辛卯年條の再吟味」『古代史論叢(上)』, 吉川弘文館, 1978, 50~84쪽.
武田幸男, 「高句麗廣開土王紀の對外關係記事」『三上次男博士頌壽記念東洋史考古學論集』, 朋友書店, 1979, 266~271쪽.

위 병력을 이 지역에 파견하여 무력시위를 벌인 후 회군하고 있다. 이는 같은 비문 영락 8년(398) 조의 해석에 근거한 것이다.

그로부터 2년 후인 영락 10년(400)에 고구려 步騎兵 5만 명이 신라구원을 명분삼아 낙동강유역에 출병하고 있다. 이는 고구려가 오래전부터 기도해 왔던 소백산맥 이남 지역으로의 진출을 통해 신라를 교두보로 해서 가라를 직접 제압하는 동시에, 백제 · 가라 · 왜로 이어지는 삼각동맹체제를 깨트리려고 하는 원대한 남진의지의 표출이었다. 이 때 고구려 군대는 낙동강 하류지역까지 진출하여 백제 · 가라 · 왜의 동맹군을 궤멸시키는 전과를 기록하였다. 그리고 그 전장은 낙동강 하류 西岸 지역으로까지 확대되었으나 그 해 2월 後燕의 군대가 고구려 군대의 낙동강유역 출병 직후 군사력의 공백을 틈타 기습 공격으로 서쪽 700여 리의 땅을 약취하였다. 이로 인해 고구려 본토의 후방이 교란됨에 따라 낙동강 하류 지역까지 진출하였던 그 주력 부대의 회군이 불가피해졌다. 이에 따라 고구려 군대의 임나가라원정은 그 다대한 전과에도 불구하고 결과적으로 실패로 돌아가고 말았다. 이후 406년까지 고구려는 후연에 대한 보복전을 전개하여 실지를 모두 회복하였을 뿐 아니라 다링하 유역까지 세력을 미칠 정도로 압승을 거두었다.

그리고 같은 「광개토왕릉비문」에 의하면 영락 14년(404)에 고구려는 대방의 옛 땅에서 백제와 왜의 연합군을 섬멸시키고 있다. 또, 그 3년 후가 되는 영락 17년에는 고구려군 5만 명이 동원되어 백제의 6개 城을 공취하는 동시에 만벌의 갑옷과 헤아릴 수 없이 많은 軍資機械를 노획하는 전과를 올렸다. 마지막으로 영락 20년인 410년에 광개토왕은 직접 군대를 이끌고 지금의 두만강 하류 지역에 소재한 동부여를 정벌하여 개선하는 것으로 전쟁 기사는 마무리되었다. 이 전쟁 기사의 맨 마지막에는 광개토왕 일대의 전과로서 64개 성과 1,400개의 촌을 점령한 것으로 적혀 있다. 그러나 실제 광개토왕이 점령한 지역은 이보다 훨씬 광활하거니와 중요한 후연과의 전쟁 기사가 누락되었다. 이로 볼 때 64성과 1,400촌은 백제와의 전쟁에 대한 결산으로 평가된다.

③ 문헌 기록에 의한 광개토왕대의 정복 지역

『삼국사기』의 고구려 · 백제본기에 의하면 고구려는 예성강에서 임진강선을 점령한 것으로 되어 있다. 『자치통감』에 의하면 400~406년 까지 고구려는 요동 지방을 놓고 후연과의 격돌을 벌였다.

400년 2월, 후연은 撫順 부근의 新城과 南蘇城(南山城子) 등, 700여 리를 약취하였다. 402년 고구려 군대의 보복전이 전개되어, 요하를 건너 宿軍城(廣寧과 朝陽 동북)을 공격하였다. 숙군성은 후연이 보유하고 있던 몇 개 안되는 刺史鎭의 하나였다. 平州刺史가 통치하던 곳인데, 평주자사 모용귀는 성을 버리고 달아났다. 404년과 406년에 고구려는 요동 지역에서 후연과 격돌하였다. 이후 고구려는 요동 지역을 확실하게 소유했다.

407년 후연의 龍城(朝陽)에서 慕容熙가 피살되고, 慕容寶의 養子로서 고구려 왕가의 分家 출신인 高雲이 즉위하였다(고운의 조상은 342년 모용황의 침입 때 끌려 갔었다). 이로써 고구려와 후연은 화해하게 되었고, 408년에 광개토왕은 宗家의 禮를 베풀어 주었다. 그러나 불행하게도 고운 정권은 2년만에 쓰러졌다. 대신 그를 옹립한 바 있는 馮跋의 北燕이 들어섰다. 북연도 고구려와의 우호관계를 유지하였다. 때문에 「광개토왕릉비문」에는 후연과의 전투가 기록되어 있지 않았던 것이다. 즉 후연과의 전투는 그 비중에도 불구하고 이제 화해하게 되었다. 그랬기에 후연의 후신인 북연과의 마찰을 바라지 않는 고구려 왕실의 외교적 배려였다.

고운이 409년 10월에 측근의 壯士들에게 살해되었고, 풍발이 群臣의 추대를 받아 즉위하였다. 그럼에 따라 모용연의 시대는 끝나고, 北燕이 들어섰다. 이즈음 고구려는 모용씨 일족이 廣固(山東省益都縣)를 수도로 하여 산둥 지방에 세운 南燕과도 통하였다. 408년에 고구려가 千里人 10명과 천리마 1필, 그리고 큰곰의 가죽으로 만든 障泥를 선물했다. 이에 대한 답례로 남연 왕 慕容超(재위: 405~410)는 水牛와 말하는 새를 보내왔다.

종전에는 후연과의 전투 기사가 「광개토왕릉비문」에서 보이지 않고 있어, 탈락자가 많은 영락 17년 조에 비정하는 경우가 많았다. 또 그것이 기록되지 않은 이유는 고구려가 對後燕戰에서 특별한 전과를 기록하지 못한 데 있지 않았을까 생각하지만 맞지 않다.

광개토왕대의 영역은 동쪽은 두만강 하류와 연해주 일대, 남쪽은 예성강과 임진강선에서 영일만을 잇는 지역, 서쪽은 遼河, 북쪽은 눙안(農安)과 창춘(長春)의 서남방인 카이위안(開原) 일때까지 미쳤다. 고구려는 건국 이래 수백년 간 갈망하던 요동을 완전 점유하였으며, 거란 등의 주변 종족을 복속시켜 만주대륙의 주인공이 되었다.

④ 광개토왕대의 의의와 유산

영락 10년에 고구려 군대는 낙동강유역에 출병한 결과 선진적인 고구려 문물이 파급되는 중요한 계기를 마련했다. 그래서 후진적인 신라와 가라의 문물수준을 향상시키는 동시에 바다 건너 왜 문물까지 질적으로 전환되는 계기가 되었다. 요컨대 광개토왕은 당초 기도했던 것처럼 낙동강유역을 직접 지배하지는 못하였다. 그렇지만 고구려를 중심으로 한 정치적 일체감의 조성과 문화적인 통일을 확립했다.

고구려는 그 최대의 라이벌인 백제를 배후에서 견제하려는 남진전략의 일환으로서 신라와 임나지역에 대한 경영을 구상했다. 결국 그 지역에 진출하였다. 광개토왕의 군대는 400년에 낙동강유역에 출병한 후 신라 내정에 깊은 영향력을 행사하였다. 그 결과 신라에 주둔한 고구려 군대는 왕위계승에도 간여하였다. 고구려의 영향력이 행사됨에 따라 실성 마립간이 피살되고 눌지 마립간이 즉위하게 되었다. 다음과 같은 배경에서였다. 신라는 나물왕의 아들 복호를 고구려에 보냄으로써 상하의 동맹관계에 충실할 것을 보여주었다. 417년에 신라의 실성왕은 왕권을 독점하려는 기도에서 나물왕의 맏아들 눌지를 살해하려는 음모를 꾸미면서 이 일을 신라에 와 있던 고구려 군사에게 위임하였다. 고구려 군사는 왕명을 받고 수도로 행해 오던 눌지를 도중에서 만났다. 그런데 눌지는 그가 생각한 것처럼 못나고 험상궂은 사람이 아니라 풍채가 좋고 점잖은 사람인지라 도리어 눌지에게 실성왕의 음모를 일러주고 눌지와 함께 수도로 가서 실성왕을 살해한 다음, 눌지를 왕위에 앉혔다. 이 사건은 신라의 왕위계승에까지 고구려의 힘이 미치고 있음을 보여주고 있다.[65]

경주의 壺杅塚에서 출토된 青銅盒의 밑 바닥에 '乙卯年國岡上廣開土地好太王壺杅十' 라고하여 광개토왕의 사당에 봉안되었던 것으로 보이는 祭器가 출토되었다. 乙卯年은 광개토왕이 세상을 뜬지 3년 후인 415년으로서 고구려와 신라와의 관계가 분명하게 드러났다. 瑞鳳塚에서 출토된 銀盒에서는 고구려 장수왕대의 연호로 보이는 '延壽'라는 글자가 확인되었다. 아마도 장수왕이 회갑을 맞아 신라왕이 조공을 바친 것에 대한 답례품으로 하사한 것으로 추정된다. 그리고『일본서기』雄略 8년(464) 조의 기사에 따르면 고구려 군대의 신라 주둔이 확인되었다. 이는「충주고구려비문」의 '新羅土內幢主'라는 문구를 통하여서 고구려 군대의 신라 지역 진출이 다시금 확인되었다. 그 밖에『삼국사기』지리지에 따르면 고구려의 郡縣이 영풍・봉화・예안・임하・울진・영덕・평해・영해・청하 등지에 설치된 기록이 보인다. 이로써 죽령에서 영일만을 잇는 지역을 고구려가 직접 지배했음을 알 수 있다.

65_ 손영종,『고구려사 1』, 과학백과사전종합출판사, 1990, 353쪽.

⑤ 천하관의 확립과 官的秩序의 구축

고구려의 천하관은 언제 생성되었을까? 대개 광개토왕대를 중심으로 그것을 운위하고는 한다. 그러나 이 보다는 상향될 소지가 다분하다. 『삼국사기』 태조왕기에 보면 "여름 6월에 왕이 穢貊과 더불어 漢의 현도를 습격하고 화려성을 공격했다(태조왕 66년 조)"는 기사가 눈에 띈다. 그리고 "왕이 馬韓·穢貊과 함께 요동을 침공했다(태조왕 70년 조)"는 기사도 보인다. 여기서 고구려는 穢貊과 마한을 부용시켰음을 알 수 있다. 그리고 태조왕이 太后廟에 제사 지내기 위해 부여에 행차하였다(태조왕 69년 조). 부여도 고구려에 종속된 사실을 확인할 수 있다. 게다가 同年에 肅愼의 사신이 찾아와 자주빛 여우의 갖옷과 흰 매와 흰 말을 바쳤다.

숙신은 중국 上古에 楛矢를 조공한 일로서 古典에 회자되고 있다. 그러한 숙신이 고구려에 방물을 바친 것이다. 게다가 고구려가 梁貊을 통솔한 기록도 보인다(서천왕 11년 조). 그 밖에 鮮卑가 항복하여 속국이 되었다고도 했다(유리왕 11년 조). 이러한 기록들은 사실의 진위 여부를 떠나 고구려 중심의 질서가 구축되었음을 알려준다.

「광개토왕릉비문」에는 永樂이라는 독자적인 연호를 사용하여 중국과 대등한 입장임을 과시하면서, "(광개토왕의) 위무가 사해에 떨쳤노라!"라고 하였다. 「모두루묘지」에서는 "河泊의 손자이시며 日月의 아들이신 鄒牟聖王이 북부여에서 나셨으니, 천하 사방이 이 나라 이 고을이 가장 성스러움을 알겠거니"라고 적었다. 여기서 사해와 천하 사방의 중심국은 그것을 말하고 있는 고구려를 가리키는데, 고구려를 중심으로 한 사방의 온세상을 천하라고 하였다. 고구려인들이 자기 나라가 천하의 중심인 천손국이라고 자부하였음은, 그 시조에 대해 '天帝의 아드님'·'皇天의 아드님'·'해와 달의 아드님'이라고 하는 등, 최고최상의 수식어를 동원해 그 존엄성을 기렸던데서 알 수 있다. 때문에 고구려는 주변의 국가들과 上下 조공관계를 구축했다. 449년에 세워진 것으로 보이는 충주고구려비에서 고구려가 신라를 東夷로 멸칭한 것도 천하관의 산물에 다름 아니었다. 「광개토왕릉비문」에서 '王', 그것도 太王으로 호칭한 것은 광개토왕 뿐이었다. 백제와 신라의 국왕은 '主' 혹은 '寐錦'으로 표기했다. 고구려 왕실의 배타적 우월감을 체감할 수 있다.

이러한 천하관은 추상적이고 관념적인 속성을 지녔다. 그랬기에 고구려는 천하관 속의 통치 질서를 구체적으로 제시한 官的秩序를 태동시켰다. 고구려는 천하관 속의 諸國들을 국가가 아닌 '屬民'으로 규정했다. 고구려가 설정한 천하관 속에는 거대한 한 개 국가 안에 1政府만 존재하였다. 고구려 정부는 官이었고, 군대는 官軍이었다. 관군은 국가의 법 질서 유지에 필요한 정당한 무력을 가리킨다. 「광개토왕릉비문」에 등장하는 세력들은 죄다 관적질서에 포함되었다. 「광개토왕릉비문」에 기술 자체가 없는 후연은 관적질서의 대상이 아니었다. 반면 「광개토왕릉비문」에는 倭의 도발을 '不軌'로 적었는데, 逆謀를 가리킨다. 고구려가 설정한 관적질서에 왜가 포함되었음을 알려준다. 그렇지 않다면 자국의 주권이 미치는 대상에게만 해당하는 '不軌' 용어를 구사할 이유가 없다.

⑥ 중국계 망명인의 증가

정복사업이 팽창일로였던 고구려에서는 북중국의 전란과 결부되어 중국계 망명인의 숫자도 증가하였다. 사서를 제외한 대표적인 사례가 안악3호분의 피장자인 冬壽(佟壽)이다. 동수는 336년(咸康 2)에 고구려로 망명해 와서 357년(永和 13)에 사망했다. 그의 분묘 묵서명에 따르면 관직명이 31자나 될 정도로 길다. 더욱이 그가 역임했다는 낙랑 · 창려 · 현도 · 대방태수 등 직함은 모용황을 꺾기 위한 목적에서 동진에서 부여했을 수 있다. 동진에 의한 以夷制夷策일 수도 있겠지만[66] 안악 일대가 고구려 남쪽 변경인 만큼, 이곳의 중국계 주민들에 대한 지배권 확보를 위해 고구려에서 부여했을 수도 있다. 아마도 이러한 시각이 타당할 것 같다. 그리고 고구려 국도인 지안에도 중국계 귀족들의 망명이 포착된다. 우산하 3319호분의 경우 계단식 전실 적석총인데, 丁巳(357) 명 와당이 출토되었다. 4세기 중엽에 중국의 전실분과 고구려의 적석총이 결합한 복합묘제의 출현이었다. 그랬기에 중국계 망명인의 묘로 지목하고 있다. 다음은 평안남도 大安市 德興里에 소재한 幽州刺史 鎭墓의 墨書이다.

△△郡信都[縣]都鄕[中]甘里

釋加文佛弟子△△氏鎭仕

位建威將軍[國]小大兄左將軍

龍驤將軍遼東太守使持

節東[夷]校尉幽州刺史鎭

年七十七薨[焉]永樂十八年

……………………………………

66_ 金瑢俊, 『고구려 고분벽화 연구』, 과학원출판사, 1958 ; 『高句麗古墳壁畫研究』, 열화당, 2001, 148~149쪽.

위의 묵서에는 鎭의 경력이 적혀 있고, 현실 서쪽 벽에는 13郡 太守來朝賀禮圖가 그려져 있다. 그런데 북한 학계에서는, 鎭의 고향인 '信都[縣]'을 고려시대에 한 때 '信都'라고 이름 붙인 적이 있는 평안북도 嘉山으로 지목하였다. 그렇지만 鎭은 베이징에 인접한 동북쪽 지방 幽州의 刺史였다. 그래서 고구려 영토가 베이징 가까이까지 미쳤다는 게 북한 학계의 견해이지만 타당하지 않다. 유주자사 鎭에게 그 예하 太守들이 와서 보고하는 고분벽화 장면과 幽州에서 중국 수도인 洛陽까지의 거리를 '二千三百里'로 적어놓았다. 유주가 만약 고구려의 영토였다면 고구려의 수도에서부터 몇 千里라고 적혀 있어야 온당하다. 그런데 중국의 수도인 洛陽에서의 거리가 적혀 있다. 鎭의 출신지인 信都縣은 지금의 허베이성에 소재했다.[67] 그러니 유주자사 鎭은 중국인 망명객이 분명하다.

⑦ 守墓制

광개토왕릉의 守墓制와 관련해 상당한 연구 업적이 축적되었지만 여전히 해결해야할 사안도 적지 않다. 우선 「광개토왕릉비문」에 보이는 國烟은 '國都의 烟'이라는 의미로 밝혀진다. 반면 看烟은 국연과 대응 관계에 있는 '지방의 연'을 가리키는 개념으로 간주되었다. 간연은 '현재 거주하는 그곳의 호구'를 가리키는 見戶와 동일한 뜻을 지녔다. 그런데 수묘인 연호를 '△△城 國烟△ 看烟△'라고 한데서 알 수 있듯이 동일한 지역에서 국연과 간연이 한꺼번에 차출되고 있다. 여기서 국연은 고구려가 정복한 지역민 가운데 국도로 이주시킨 호이고, 간연은 원래 지역에 그대로 거주하는 호를 가리킨다. 국연과 간연은 현상적으로는 피정복민의 거주 지역의 차이를 뜻하지만, 본질적으로는 그 신분적 관계를 암시하고 있다.[68]

국도로 이주시킨 국연은 고구려의 피정복 지역에서 지배층이었다. 이로써 고구려의 피정복 지역에 대한 지배 방식의 일단을 확인할 수 있다. 그런데 국도로 옮겨 거주하게 된 국연층은 5部民과 구분되었다. 국연층은 그 출신 지역에 거주하는 간연과 더불어 여전히 △△성 출신으로서 그와 관련된 국역 대상이었다. 요컨대 「광개토왕릉비문」에 보이는 고구려의 피정복민 지배 방식은 국도로 이주시킨 계층과 출신 지역 거주층으로 이원화되었다. 守墓制의 구체적인 運用 방식에 대해서는 더 많은 논의가 필요할 것 같다.[69]

67_ 武田幸男, 「德興里壁畫古墳被葬者の出自と經歷」『朝鮮學報』130, 1989, 1~36쪽.
68_ 李道學, 「廣開土王陵碑文의 國烟과 看烟의 性格에 대한 再檢討」『韓國古代史硏究』28, 2002, 81~106쪽.
69_ 李道學, 「廣開土大王的領土擴張與廣開土大王陵碑」『高句麗的政治與社會』, 香港社會科學出版社有限公 司, 2010,

사실 광개토왕릉 守墓制에서 비롯된 國烟과 看烟의 성격 구명은 여전히 과제로 남아 있었다. 그런데 國烟은 '國都의 烟'이 분명하다. 이와는 상대적인 의미를 포함한데다가 중국의 見戶와 동일하게 지목할 수 있는 존재가 看烟이었다. 看烟은 '지방의 烟'을 가리킨다. 따라서 國烟은 國都에 소재한 광개토왕릉을 수묘하는 家戶를 가리킨다. 문제는 看烟의 역할이다. 이에 대해서는 구구한 해석이 제기되어 왔다. 여기서 국연의 舊民 출신지를 놓고 볼 때 고구려 邊境에 위치하고 있다는 공통점을 제시할 수 있다. 간연의 경우는 광개토왕이 점령한 지역의 주민인 한예로 짜여졌다. 즉 新民이 대상인 간연 가운데는 백제로부터 점령한 이외의 지역이 보이고 있다. 가령 '百殘南居韓'과 같은 백제 영역 바깥, 그것도 백제 남쪽에 소재한 馬韓 주민까지도 차출되었다. 그러나 기실은 '지방의 烟'으로서 看烟의 역할 수행은 현실적으로 어렵다.

국연으로서 國都로 이주된 구민의 출신 지역은 고구려가 팽창할 때 점령한 변경 지역이었다. 이 점은 간연의 성격에 대한 시사를 준다. 무엇 보다 중요한 사실은 고구려 영역이 아닌 지역 출신의 수묘인이 되겠다. 이들은 간연으로서 광개토왕릉 수묘역으로 나타나고 있다. 이는 간연의 수묘역이 현실적이지 않음을 암시해주는 명증이 된다. 사실 국연과 간연의 출신지를 놓고 본다면 고구려의 광대한 영역을 펼쳐놓은 것이나 진배 없다. 당초 광개토왕 자신이 점령한 지역의 주민들만 차출하여 수묘하게 했다는 것은, 자신의 공적을 과시하려는 선전 효과를 염두에 둔 발상이었다. 즉 300家에 이르는 방대한 규모의 간연은 실제 수묘역은 아니었다. 광개토왕릉에 실제 수묘했던 대상은 국연 30家에 국한되었을 뿐이다. 그러나 법제적인 看烟 輪上을 통한 광개토왕릉에 대한 守直은 새로운 관적질서의 발로였다. 광개토왕대의 관적질서는 舊民과 새로 복속된 한예의 新民은 물론이고, 속민과 그 밖의 대상까지도 미쳤다.[70)]

6) 別都인 國原城의 설치

5세기에 접어들자 고구려는 이전의 별도였던 평양성만으로는 한반도 중심부까지 급속히 확대되는 남진경영을 극대화 할 수 없었다. 고구려는 396년에 낙동강유역에 진출하였고, 400년 이후에는

168~194쪽.
李道學,「廣開土王の領域擴大と廣開土王陵碑」『高句麗の政治と社會』, 明石書店, 2012, 152~171쪽.

70_ 李道學,「廣開土王陵 守墓制 論議」『東아시아古代學』41, 2016, 35~61쪽.

정치적 영향력과 영토는 신라와 낙동강 하류 지역까지 미쳤다. 때문에 남한강 상류 지역을 교두보로 한 소백산맥 이남의 신라경영 만을 전담할 또 다른 별도를 필요로 하였다. 그 결과 國內城 도읍기 가운데 400년~427년 사이 어느 때 당시 고구려 수도였던 國內城처럼 '都城'의 의미가 내포된 國原城이라는 행정지명을 충주에 부여했다.

『삼국사기』 지리지에 따르면 "중원경은 본래 고구려 국원성이다(中原京 本高句麗 國原城)"고 하였다. 國內城의 '國'은 國都의 의미를, '內'는 고구려 말의 那 · 奴 · 讓 등과 같이 토지의 의미를 지니고 있다. 그리고 國原城의 '國'도 동일함 맥락에서 살피는 게 가능하다. 아울러 '原'은 '內'에 對應되는 글자로서 그 번역인 것이다. 그러면 고구려의 別都가 충주에 설치된 배경은 무엇일까?

첫째, 구석기시대 이래로 남한강 상류 문화의 중심지였었다. 신라 진흥왕이 國原小京을, 통일 후에는 中原小京을 설치했을 정도로 비중이 큰 도시였다.

둘째, 지리적으로 볼 때 충주는 소백산맥 남북을 잇는 양대 교통로인 계립령과는 직접 통하고 죽령과도 연결되어 있다. 더욱이 이러한 내륙 교통로를, 다시금 남한강 및 낙동강과 연결시켜주는 역할을 하는 곳이 충주였다. 대동강을 출발한 고구려 군대는 남한강으로 들어와 충주-문경 지역만 지나면 다시금 낙동강에 이르게 되어 일사천리로 경상남도 남해안 일대까지 이를 수 있다.

셋째, 경제적으로 볼 때 충주를 중심으로 한 남한강유역의 비옥한 충적평야는 농업 생산력의 증대와 인구 집중을 가져왔다. 이를 기반으로 충주에서는 鐵과 銅도 활발하게 생산되었다. 『고려사』 충렬왕 3년 조에 의하면 元의 요구로 環刀 1천 자루를 충주에서 제작한 기사가 보인다. 그 밖에 지리서에 의하면 충주에서는 鐵이 활발하게 생산되었다. 특히 多仁鐵所가 유명하다.

충주는 철산지와 공급지로서 가장 적합한 입지 여건을 갖추었다. 이곳은 고구려의 생산력과 무력 증강에 이바지 하였다. 충주는 제철원료 산업의 발달과 그에 따른 인구의 증가에 따라 번성하는 도시의 면모를 갖추었다. 고구려는 늘어나는 군량과 무장의 수요를 충족시키기 위해서는 식량과 철뿐 아니라 광산물의 공급 원천지를 더 많이 확보하는 것이 필요했다. 이러한 맥락에서도 충주 지역에 별도가 설치된 배경을 생각할 수 있다.

고구려의 제철 산업과 관련해 『翰苑』에 인용된 「高麗記」에 의하면 "銀山은 安市의 동북쪽 100여리에 있다. 수백 家戶가 있어서 銀은 채취하여 國用으로 바친다"라고 하였다. 『南齊書』에서도 "銀山이 나라의 서북쪽에 있는데, 고구려는 그것을 채취하여 화폐로 삼는다"고 하였다. 集安을 비롯한 고구려 각지에서 글자나 무늬가 없는 無文錢이 출토되고 있다. 이는 화폐를 유통 수단으로 한 시장경제의 활성화를 반영하고 있다.

요컨대 國原城의 통치 거점은 충주고구려비와 직근 거리에 소재한 薔薇山城과 탑평리 일대가 되겠다. 別都인 국원성에는 왕도와 동일한 도시 구획이 이루어졌다. 충주시 노은면에서 출토된 建興銘 금동불상 광배명에 보이는 "佛弟子 清信女 上部 兒奄"의 '上部'는 국원성에 구획된 5部의 한 곳일 것이다. 그리고 장미산성과 연접한 山頂에 소재한 鳳凰城의 '鳳凰', 충주고구려비가 소재한 龍田里의 '龍田', 陵巖里의 '陵巖' 등과 같은 지명은 고구려의 別都다운 분위기를 조성해준다. 충주 두정리 고분군은 이 무렵에 조성된 고구려 분묘였다.

7) 任那 경영

고구려는 임나 외곽에 군대를 주둔시켜 동태를 살피거나 개입했는데, 근거는 다음과 같다.

첫째, 눌지 마립간 즉위 후의 일을 기록한 『삼국사기』 박제상전에 의하면 고구려가 신라와 함께 倭를 침공할 계획을 가지고 있다는 문구를 들 수 있다. 또 倭의 巡邏軍이 '신라 국경 밖에서 巡廻·偵察하다가' 고구려 군대에 포살되었다. 이러한 기사는 400년 이후 고구려 군대 일부가 신라의 對任那 접경지역에 잔류하면서 왜의 동태를 주시했던 흔적이다.

둘째, 『일본서기』 欽明 5년(544) 11월 조에 의하면 백제 성왕이 발표한 임나 보전 3策 중 2策에서 고구려를 聲討하고 있다. 그러면서 백제가 낙동강 하류 西岸 지역에 군대를 파견하여 막아낼 일차적 상대로서 신라가 아닌 '强敵'·'北敵'으로 표현된 고구려였다. 이는 고구려가 어떠한 형태로든 낙동강유역에 영향력을 미쳤음을 뜻한다.

셋째, 『일본서기』에서 임나와 고구려의 제휴의 일면이 확인되는 등, 고구려가 의외로 임나 문제에 깊숙히 개입하였다.

넷째, 478년에 작성된 왜왕 武의 對劉宋 상표 중에서 "고구려가 無道해서 (우리나라)를 삼키려하여 邊隷를 掠抄합니다(句驪無道 圖欲見呑 掠抄邊隷)"라고 하였다. 여기서 '변예'는 종전에는 백제로 간주하였으나 최근에는 신라와 임나 지역 가운데 고구려 세력이 침투한 곳으로 비정되고 있다. 곧 낙동강 하류 지역이 되겠다.

다섯째, 고고학적으로 볼 때 울산광역시 三南面 鵲洞里의 山峴에서 발견된 太和 13年 銘 三尊石佛像(동아대학교 박물관 소장)은 신라에 불교가 공인되기 전인 489년에 제작되었다. 북위에서 고구려를 경유하여 울산에 반입된 불상의 반입 주체는 낙동강 하류 지역에 주둔한 고구려 군대라면 자연스럽다.

여섯째, 동래 복천동 고분군이나 합천 옥전 고분군에서 출토된 甲冑類와 馬具類는 고구려에 뿌리를 두고 있는 부장품으로서 고구려적인 색채가 강하게 나타나고 있다. 고구려의 직접적인 영향을 생각하게 한다.

일곱째, 梁山 지역의 수장(歃良州干)인 박제상은 왕제(눌지 마립간의 아우)인 복호를 구출하였다. 그는 고구려와의 주요 통로에 인접한 관계로 그 사정에 밝았을 3인의 지방 수장의 하나로서 초청되었다(추풍령로와 적성로를 각각 관장하던 수장이었다). 박제상은 양산 지역이 고구려 세력과 교섭이 용이한 곳이었기에 발탁되었음을 뜻한다. 낙동강 하류 지역에 고구려 군대가 주둔했다는 점을 전제하지 않고서는 이해 될 수 없다.

여덟째, 『고려사』 지리지와 『신증동국여지승람』에 의하면 고구려가 경상남도 일부 지역을 지배한 흔적이 확인된다. 가령 사천군 昆陽面 일대와 곤양 남쪽의 昌善島가 여기에 해당된다.

아홉째, 경상남도 의령군 대의면에서 출토된 延嘉 7年(539?) 銘 고구려 金銅佛像을 통해서도 고구려 군대의 주둔이나 영향의 일단을 시사 받을 수 있다.

이상과 같은 기록과 물증을 통해 고구려 군대가 400년~550년경에 낙동강 하류 지역에 주둔하였음을 알 수 있다. 고구려 군대의 주둔은 신라와의 이해 관계가 일치됨에 따라 그 적극적인 지원하에 이루어졌다. 400년에 낙동강유역에 출병했던 고구려는 임나 지배에 실패했지만, 경계를 늦추지 않고 백제를 배후에서 견제하려는 구상을 가지고 있었다. 또 신라는 고구려 군대를 이용하여 백제와 가라 · 왜의 침공에 대한 방파제로 삼아 이로 인해 덜어지는 국력을 내정 정비로 전환시킬 수 있었다. 국제 관계의 복잡다기하고도 미묘 상황에 기인하였다. 신라는 자국 영역에 고구려 군대가 주둔하고 내정에 개입하였지만 백제와 동맹을 체결하기까지 했다.

고구려와는 지리적으로 떨어진 낙동강유역에서 유독 그 문화의 흔적이 다량으로 확인된다는 사실은, 400년의 일시적 출병의 영향이기 보다는 낙동강 하류 지역에 고구려 군대가 장기간 상주한데 따른 문화의 파급 효과로 보는 게 타당할 것 같다. 延嘉 7 年銘 金銅佛像의 제작 연대를 539년으로 추정하는 것도 이러한 배경을 염두에 둘 때 의미가 살아난다.

고구려 군대의 주둔은 신라와 임나의 문명 수준을 향상시키는 동시에, 바다 건너 倭 문명의 질적인 전환의 계기가 되었다.

8) 집권국가 단계 제2기

(1) 평양성 遷都

고구려는 427년(장수왕 15)에 평양성으로 천도하였다. 『삼국사기』에는 평양성 천도를 일러 "평양으로 도읍을 옮겼다(移都平壤)" 단 4글자로 적었을 뿐이다. 천도 동기는 북위의 강성으로 현실적으로 서방으로의 진출이 어렵다는 문제가 따랐다. 고구려는 본디부터 비옥하고 온난한 한반도 중남부 지역으로의 진출을 바라고 있었다. 즉 "427년 장수왕대에 평양으로 아주 천도하였으니, 이것은 남진운동의 적극화함을 의미함이었다. 평양 천도 전후로부터 북위는 5호16국을 통일하여 중국 북방에 강대한 帝國으로서 웅거하여 소위 남북조(440~588)가 출현함에 이르러 고구려는 그 서진책을 정지하고 주력을 남하운동에 집중하게 되어 이에 백제 · 신라와의 사이에 본격적인 통일쟁패전이 전개되었다"[71]고 간파했다.

고구려는 野營都市에서 文化都市이자 유서 깊은 정치 · 경제도시인 평양성으로의 천도를 단행한 것이다. 지안과 평양을 비교하여 "평양에는 광대한 도시가 형성되어있는데 비해, 輯安의 그것은 공동묘지나 神殿을 동반한 원시적 도시=하나의 野營을 생각나게 할 정도로 소규모이다"[72]는 평가가 따랐다.

그러면 고구려와 평양과의 관계를 살펴보자. 고구려는 4세기 중엽부터 평양을 왕도로 이용했다. 342년 11월에 전연의 모용황은 고구려를 습격하여 5만 명을 붙잡아갔다. 모용황은 그 뿐 아니라 궁실을 불태우고 환도성을 헐어버리고는 돌아갔다. 이로 인해 고국원왕은 더 이상 丸都나 國內에 거처할 수 없었다. 343년(고국원왕 13) 7월에 왕은 평양 동쪽 황성으로 거처를 옮겼다. 『삼국사기』의 관련 구절은 "移居平壤東黃城 城在今 西京東 木覓山中"[73]라고 적혀 있다. 여기서 '東黃城'을 거론하면서 평안북도 江界로 비정하기도 한다. 그러나 이 주장은 강계의 성을 특정하지도 않았을뿐더러 성 자체가 아예 존재하지도 않았다. 게다가 『삼국사기』 안장왕 11년 조에서 "봄 3월에 왕이 황성의 동쪽에서 사냥했다(春三月 王畋於黃城之東)"고 했다. '黃城'의 존재가 확인된다. 실제 「大東輿地圖」에서 평양 동쪽 木覓山 중에 黃城이 표시되어 있다. 『신증동국여지승람』에서 "木覓山: 在府東四里 有黃城古

71_ 孫晉泰, 『朝鮮民族史概論(上)』, 乙酉文化社, 1948, 109쪽.

72_ 金洸鎭, 「高句麗社會の生產樣式-國家の形成過程お中心として」 『普專學會論集』 3, 普成專門學校, 1937, 766쪽.

73_ 『三國史記』 권18, 고국원왕 13년 조.

址 一名 絅山(권51 平壤府 조)"라고 했다. 『삼국사기』 기사처럼 목멱산에 황성이 소재한 것이다.[74] 따라서 '平壤東黃城'은 '평양 동쪽 황성'으로 띄어 읽는 게 맞다.

371년에 평양성에서 고국원왕이 백제군과의 교전 중 전사하게 된 것도 평양 일대를 왕도로 이용한 결과였다. 광개토왕이 399년에 평양성에서 신라 사신을 맞이한 것도 평양성이 실질적인 왕도로 기능했음을 뜻한다. 따라서 427년 평양성 移都는 일대 사건이라기 보다는 國都로 확정 짓는 공식적인 선언이었다. 즉 갑작스런 천도가 아니라 오래 전부터 예고된 사실의 실행에 불과했다. 그러니 평양성 천도를 전후한 귀족들 간의 갈등설은 재고해야 마땅하다.

그림 11 | 청암동토성 출토 연화문 와당

흔히 이때 移都한 평양성을 대성산성으로 지목하였다. 그렇지만 관련 건물지인 소위 안학궁에서 출토된 유물의 편년이 비교적 늦다는 점을 고려할 때 移都와 결부 짓기는 어렵다. 소위 안학궁의 조성 시기는 대성산성의 축조 시기와 연결되지 않는다. 따라서 양자는 도성체제에 맞추어 조성되지 않았음을 알 수 있다. 더욱이 대성산성 일대는 행정 구역상 당시 평양성에 속했는지도 불분명하다. 평양의 대성산성은 『通典』에서 '魯城'이라고 하였기 때문이다. 그러므로 대성산성은 427년에 고구려가 천도한 평양성이 될 수 없다.[75] 장수왕대에 천도한 평양성은 둘레 3.5km인 청암동토성이 분명하다.[76]

그러면 적어도 371년까지 평양에 머물렀던 고구려 왕실은 언제 지안으로 돌아왔을까? 覺訓이 1215년에 저술한 『海東高僧傳』에서는 「古記」를 인용하여 375년에 창건한 고구려 최초의 사찰인 尙門寺와 伊弗蘭寺를 당시에 존재했던 興國寺와 興福寺로 각각 언급했다. 1280년대에 저술된 『삼국유사』의 저자 一然은 이러한 비정을 비판하였다. 그러나 『해동고승전』은 『삼국유사』 보다 선행 문헌일 뿐 아니라, 「古記」를 근거로 한 서술이었다. 그러므로 한 마디로 부정하기 보다는 유의할 점이 있다.

74_ 孫晉泰, 『朝鮮民族史槪論(上)』, 乙酉文化社, 1948, 109쪽.
75_ 李道學, 「한강유역 지배권의 변천」 『삼국 한강』, 광진문화원, 2015, 178쪽.
76_ 李道學, 「『三國史記』의 高句麗 王城 記事 檢證」 『한국고대사연구』 79, 2015, 135~172쪽.

392년에 고구려는 평양에 9寺를 창건한 바 있다. 고국원왕이 평양성에서 전사한지 불과 4년 후인 375년에 두 사찰이 창건되었다. 그런데『삼국사기』만으로는 371년~427년까지 고구려 왕의 소재지를 지목하기는 어렵다. 물론 427년의 평양성 천도를 "移都平壤"이라고 하였다. 그러니 평양이 아닌 지안에서의 移都를 뜻할 수 있다. 그러나 평양 동쪽 황성에서 서편의 평양성으로 移都했을 가능성도 열어두어야 한다. 이 경우 황성에 거처했던 고국원왕의 전사 장소는 평양성인 것이다. 414년에 장수왕이 사냥한 虵川 벌판의 사천을 대동강의 지류인 합장강으로 비정하는 견해가 있다. 실제 신라군이 668년에 고구려군과 격돌한 평양성 전투 포상과 관련해 사천이 몇 차례 등장하였다. 따라서 장수왕은 移都 이전에 평양 일원에 머물렀을 가능성이 있다. 물론「광개토왕릉비문」에서 399년에 "王巡下平穰"라고 하였다. 광개토왕이 지안에서 평양으로 내려왔음을 가리킨다. 그러나 404년에 "王躬率△△從平穰△△△逢相遇 王幢要截盪刺 倭寇潰敗 斬煞無數"라고 했듯이 광개토왕은 평양성에서 발진했다. 이로 볼 때 移都 이전부터 평양성은 고구려 왕들의 거점이었다.

(2) 천도 결과, 帝國의 건설

고구려의 평양성 천도는 외적으로 백제와 신라에 커다란 압력 즉, 위협을 주었다. 내적으로는 종래 지안 일대를 중심으로 뿌리 깊게 잔존했던 5部 세력의 기반을 동요시킬 수 있었다. 그러나 고구려 왕들의 평양 일대 常住가 빈번했을 뿐 아니라 동천왕대 이래로 정치적 거점 역할을 해 왔다. 그렇기 때문에 천도로 인한 충격이나 파장은 생각처럼 크지는 않았다고 본다. 다만 5세기 후반 경에 귀족 세력들의 저항이 만만치 않았던 것 같다. 470년 무렵에 장수왕은 대규모 숙청을 전개했기 때문이다. 백제 개로왕이 472년에 북위 효문제에게 보낸 국서에 따르면 "지금 장수왕은 대신강족을 마구 죽이는 등 나라 전체가 魚肉이 되고 罪惡이 天地에 가득차게 되었고, 백성들은 이리 저리 흩어지고 있다(今璉有罪 國自魚肉 大臣彊族 戮殺無已 罪盈惡積 民庶崩離)"고 하였다. 이러한 숙청은 470년대 전반에 절정에 달한 듯 하다. 471년에 "고려 백성인 노구 등이 서로 이끌고 와서 항복하자, 각각 전택을 내려주었다(高麗民奴久等 相率來降 各賜田宅)"고 하여 귀족들의 북위로의 망명 기사가 보인다. 高肇와 高崇의 북위 망명도 이때 쯤의 일로 짐작된다.[77] 그리고 장수왕대 이후의 고구려 관련 기록에서 낙

77_ 徐永大는 장수왕 말기에 북위로 투항한 高肇와 高崇도 원래 고구려 귀족이라고 했다(徐永大,「高句麗 平壤遷都의 動機」『한국문화』2, 1981, 127쪽).

랑 지역의 大姓이었던 王氏나 韓氏가 보이지 않고 있다. 그러한 이유도 이들 호족들이 장수왕의 왕권 강화에 반대하여 살륙되거나 북위로 망명했기 때문으로 추측된다.[78]

475년에 장수왕은 몸소 백제 수도인 한성 공략을 단행하여 개로왕을 포살하는 등 대성과를 거두었다. 장수왕의 한성 공략 목적은 무리한 후계 구도 설정과 관련한 왕족들의 거센 반발에 대한 반작용적 성격을 띠었다. 외부와의 전쟁은 종종 왕과 귀족들과의 긴장을 완화시켜 줄 뿐 아니라 승리한 왕이 계속하여 신성한 지위를 얻고 있음을 증명하는 수단으로 유효했기 때문이었다.[79] 이때 고구려 왕족 가운데 북위로의 이탈자가 발생했지만 동시에 백제로의 망명자들도 나왔다. 일본 難波藥師의 비조인 德來 같은 이가 여기에 해당될 수 있다(『속일본기』 天平寶字 2년 조). 당시 고구려는 백제로의 이탈 귀족들에 대한 송환을 요구하였을 것이다. 또 이것을 명분으로 고구려는 백제에 대한 압박을 일층 강화한 것으로 보인다. 장수왕은 왕실의 내분 수습과 백제 공격에 대한 명분을 걸고 침공을 결행한 것으로 추측된다. 그런데 고구려 역시 백제로부터의 망명 귀족들을 포용하고 있었다. 재증걸루와 고이만년 등을 통해 백제 내정을 엿볼 수 있게 되었다. 또 이들을 백제 침공의 전면에 내세움으로써 백제로 이탈한 고구려 귀족들의 존재를 상쇄하고자 하였다. 게다가 백제 출신 재증걸루와 고이만년으로 하여금 개로왕의 면상에 침을 뱉게 했다는 것은 상징성이 큰 행위라고 하겠다. 백제인으로 하여금 백제 왕을 응징하게 한 것이다. 곧 백제 왕의 부도덕과 不法을 백제인으로 하여금 폭로하게 함으로써 고구려 원정의 정당성을 찾고자 한 행위였다.

사실 개로왕은 고구려에 밀리는 상황에서 고구려로부터 망명해 온 귀족들을 통한 고구려 내정에 대한 정보를 토대로 장수왕의 不德이나 非法을 성토하였다. 개로왕은 내정의 위기를 장수왕에게 전가함으로써 정치적 난국을 타개하려고 했다. 그런데 이러한 요인들이 장수왕을 크게 자극시켜 한성 공략으로 이어지게 하였다. 개로왕이 북위에 보낸 국서에 보면 금방 무너질 것 처럼 고구려를 묘사했다. 물론 이 국서의 내용은 상대방에 대한 비방과 과장이 전제되었다. 그러나 중요한 사실이 여기서 포착되어진다. 한성 함락은 백제나 고구려 모두 내분이 격화되는 상황의 연장선에서 외적 충돌이 발생했고, 또 그 산물이라고 단정해도 크게 틀리지는 않을 것 같다.

5세기 후반까지 고구려의 영토는 동쪽으로는 오늘날의 북간도인 두만강 하구 일원까지 미쳤다.

78_ 이동훈, 『고구려 중・후기 지배체제 연구』, 서경문화사, 2019, 316쪽.
79_ 니콜라 디코스모 著・이재정 譯, 『오랑캐의 탄생』, 황금가지, 2005, 249쪽.

서쪽으로는 요하선을 돌파하여 북위와 대치하였다. 남쪽으로는 아산만과 영덕을 잇는 線까지 밀고 내려왔다. 고구려는 백제를 압박하여 청원 남성골산성, 진천 대모산성(송두리 고분), 세종 연기면 나성, 유성 월평동산성 등에 흔적을 남겼다.[80] 고구려가 백제 심장부인 웅진성이나 사비성 지근의 북과 동을 각각 차단한 듯한 현상이었다.

남방경영에 이어 고구려는 북쪽으로는 쑹화강유역까지 진출하여 말갈족의 대부분을 복속시켰다. 그리고 고구려는 유목국가인 柔然과 더불어 지금의 내몽골 지역인 다싱안링산맥(大興安嶺山脈) 부근에 자리잡고 있던 거란족의 한 갈래인 地豆于에 대한 분할을 시도하였다. 고구려의 영향력은 몽골 고원지대까지도 미칠 정도였다. 즉 479년(장수왕 67)에 고구려는 蠕蠕과 모의하여 시라무렌강 북쪽에 소재한 지두우를 분할하고자 실제 출병하여 지두우와 거란을 공격했다. 그 결과 거란은 백랑수 동쪽까지 이동하였다. 이처럼 5세기 후반 당시 고구려와 유연은 동아시아의 최강국인 북위를 견제하기 위해 연합을 도모한 것이다. 그리고 양국은 서로 사신을 파견했을 것인데, 지금의 평양에서 柔然可汗國의 可汗庭이 있는 현재의 몽골공화국 중북부의 톨라강(Tola R) 상류인 할하강(Khalkha R)유역 혹은 오르콘강 동쪽의 호쇼-차이담(Khosho-Tsaidam) 호수 부근까지 분명히 길이 열려 있었을 것이다.[81]

484년에 북중국의 북위에 파견되어 온 사신의 서열이 南齊가 1위 그리고 고구려가 2위였다. 동아시아와 북아시아 전역에서 북위 및 남제와 어깨를 나란히 하는 강국으로 국제적인 인정을 받았다. 489년에는 남제가 북위에 간 자국 사신이 고구려 사신과 동급으로 취급받는데 대해 불만을 품고 항의할 정도였다.

491년에는 장수왕이 사망했을 때 訃告를 받은 북위의 황제가 喪服을 입고 동쪽 郊外에 나아가 哀悼式을 거행하고 사신을 고구려에 보내 조문하였다. 510년에는 북위에서 지금의 산둥성 광라오현(廣饒縣) 일대인 菁州에 고구려 시조를 제사지내는 사당인 高麗廟를 세우기까지 하였다. 이러한 사실은 북위가 고구려에 대하여 최상급 대우를 했음을 알려준다.

이러한 국력을 바탕으로 한 고구려인의 웅자는 「梁職貢圖」에 그려진 고구려 사신의 모습에 인상 깊게 전한다. 백제나 신라 사신의 다소곳한 자세와는 달리 고구려 사신은 가슴을 완전히 뒤로 젖힌

80_ 최종택, 『아차산 보루와 고구려 남진경영』, 서경문화사, 2014, 270쪽.
81_ 이재성, 『고구려와 유목민족의 관계사연구』, 소나무, 2018, 28-31쪽.

위풍당당하고도 호기롭게 서 있는 것이다. 「충주고구려비문」에도 신라를 東夷라고 지칭하면서 신라왕과 신료들에게 의복을 하사할 정도로 종주국을 자처하며 주변 諸國을 호령하였다. 의복의 하사가 지닌 정치적 의미로서는 1625년에 명으로부터 인조의 즉위 승인을 받고 임금의 正服인 면류관과 곤룡포를 하사받았던 사례와 견주어진다. 요컨대 장수왕은 39세의 젊은 나이에 세상을 뜬 부왕의 유지를 이어 받아 영토개척의 대역사를 성공적으로 완결지었다. 그 뿐 아니라 장수왕은 문자 그대로 98세의 천수를 누릴 정도로 '長壽'하여, 부왕의 못다한 생애까지 마저 살아준 느낌을 준다. 장수왕은 394년(광개토왕 3)에 태어나 491년에 세상을 떴으니, 동북아시아의 5세기는 '장수왕의 시대'라고 해도 과언은 아니다. 그야말로 장수왕은 '세기와 더불어' 살았던 군주였다.

(3) 고구려의 해양 경영

고구려의 정복활동 가운데 해양 경영과 관련한 동해안 장악은 주목된다. 고구려는 대외적으로 영역을 팽창해 가는 과정에서 동옥저와 濊 세력을 장악했다. 이들 세력은 함경도와 강원도를 비롯하여 동해안을 따라 영일만 일대까지 뻗어 있는 거대한 漁撈 공동체였다. 고구려는 동해안에 소재한 이들 세력을 장악함에 따라 소금과 해산물 및 곡물을 공납받을 수 있었다. 이와 맞물려 東海岸路의 이용이 본격화되었다. 그와 더불어 고구려는 高城港을 이용한 동해 해상 지배권 확립에 나섰다. 고구려가 이렇듯 동해안로와 동해에 대한 해상 지배권을 장악함에 따라 자연히 신라에도 영향력이 쏠리게 되었다. 결국 4세기 후반대에 고구려는 신라 사신을 대동하고 중국에 등장하였다.

강원도 삼척에 소재한 실직곡국과 경주 서북에 소재한 음집벌국 간의 '所爭之地'는[82] 동해안로를 따라 남하하는 실직곡국과 동일한 교통로를 이용하여 북상하는 음집벌국 간의 세력이 만나는 접점에서 야기된 지배권 충돌로 간주된다. 이 분쟁은 넓게 본다면 고구려 영향권 세력의 남하와 신라 영향권 세력이 東海岸路에서 접점을 찾지 못하고 충돌한 사건으로 해석할 수 있다. 스페인과 포르투갈 간의 항해활동은 치열한 경쟁을 유발하여 영유권 분쟁으로 이어졌다. 그러자 1494년에 로마 교황이 중재에 나서 해결했다.[83] 앞에서 언급한 두 소국 간의 분쟁에 등장하는 '所爭之地'의 '地'에는 '땅'의 뜻 외에 '장소'나 '곳'의 의미도 있다. 따라서 육지로 인접하지 않은 금관국 즉 남가라 수로왕이

82_ 『三國史記』 권1, 파사니사금 23년 조.
83_ 문점식, 『(증보판) 역사 속 세금 이야기』, 세경사, 2012, 108쪽.

중재한 실직곡국과 음집벌국 간의 분쟁도 해상 영유권 문제로 간주하는 게 자연스럽다.

동해안과 동해로 진출한 고구려는 이를 기반으로 일본열도와 교류하였다. 그러한 선상에서 고구려는 우산국이 소재한 울릉도의 전략적 중요성을 깨닫게 되었다. 울릉도 고분인 基壇式 積石石室墳에서 고구려 적석총의 흔적이 남아 있는 것은 그 유력한 증좌인 것이다. 『靑鶴集』에도 우산국과 고구려와의 연관을 시사하는 기록이 남아 있다. 신라가 우산국을 지배한 동기는 동해의 해상권 장악과 왜구 통제라는 요인이 작용한 것으로 밝혔다.[84)]

고구려는 한반도 남단에까지 영향력을 미쳤다. 고구려는 5세기 초에 신라 국경 밖을 戍邏하던 왜병을 잡아죽이기까지 했다.[85)] 고구려는 지금의 제주도에도 진출했다. 475년 고구려의 백제 한성 함락은 양국 간의 역학 관계에 엄청난 변화를 초래하였다. 동북아시아 전체의 세력 판도에도 지대한 영향을 미치는 일대 전기가 되었다. 이와 관련해 지금의 제주도인 涉羅를 고구려가 장악했다는 사실이 포착된다. 섭라를 신속시킨 고구려는 이곳으로부터 珂玉을 확보하여 북위에 보내는 조공품에 포함시켰다. 이와 더불어 고구려가 北魏에 보내는 조공품 가운데 하나가 백제의 人蔘이었다. 고구려는 신속시킨 백제로부터 조공받은 인삼 등을 섭라의 珂玉과 함께 對北魏 조공품에 포함시켰던 것이다.

고구려가 백제를 신속시킨 시기는 한성 함락 직후로 보인다. 당시 고구려의 기습적인 군사적 공격으로 인해 국왕이 피살되는 등 일대 국가 존망의 기로에 선 백제 조정에서는 생존의 방법을 심각하게 모색하였다. 그 결과 「광개토왕릉비문」 영락 6년 조에서처럼 고구려가 무엇보다 가장 탐내는 대상이었던 영토에 대한 할양을 결정하게 되었던 것으로 보인다. 『삼국사기』 지리지를 보면 고구려의 행정지명이 아산만 이북까지 미치고 있다. 그럼에도 고구려와 백제가 이 무렵 국경을 맞대고 상호 공방전을 전개한 기록은 그 어디에서도 찾아 보기 힘들다. 요컨대 이는 고구려가 백제로부터 아산만 이북의 영역을 할양받은 결과로 해석해야만 할 것이다. 그럼으로써 백제는 자국을 거세게 몰아붙이는 고구려의 군사적 압박에서 일단 벗어날 수 있게 되었다.

당시 백제 조정은 한성 함락 이후 이탈해 간 지방 세력의 흡수를 비롯한 귀족 세력의 제압과 신왕도의 건설을 비롯한 현안이 처처에 깔려 있었다. 백제 국가 초유의 비상적인 상황에서는 일부 영역

84_ 李道學, 「高句麗의 東海 및 東海岸路 支配를 둘러싼 諸問題」 『高句麗渤海硏究』 44, 2012, 169~198쪽.
85_ 『三國史記』 권45, 朴堤上傳.

을 고구려에 할양해서라도 국가 회복을 모색하는 게 시급한 과제로 판단했었을 수 있다.

백제는 그 이후 비슷한 정치적 상황을 겪었기에 이해가 일치되는 신라와의 결속을 통해 고구려에 대한 臣屬關係를 완전히 청산할 수 있었다. 493년에 맺어진 백제와 신라 간의 혼인동맹은 고구려에 대한 시위적인 성격마저 지녔던 것이다. 이러한 외적인 기반을 토대로 백제는 자국내 기존의 영향력 회복에 나선 결과 영산강유역까지 진출하였고, 나아가 섭라를 다시금 신속시킬 수 있었다. 이러한 상황에서 친고구려노선을 견지했던 涉羅 즉 耽羅王과 그 일족들은 위기감을 느끼게 되었고, 결국 고구려로 이주하였다. 반면 고구려의 영향력이 미치던 시기에 섭라로 이주해 왔던 고구려계 지배층은 백제에 귀속되었다. 이러한 고구려의 섭라 즉 제주도 경영은 몇 가지 점에서 근거를 찾을 수 있다. 우선 제주도의 토착 3姓 세력인 高乙那·梁乙那·夫乙那는 고구려의 5部 가운데 3部名과 연결된다. 그리고 제주도의 특산으로서 체격이 왜소한 제주마는 고구려의 果下馬와 연결되는 馬種으로 추정되었다. 제주마의 연원을 고구려의 과하마에서 찾았다. 백제가 과하마를 唐에 조공할 수 있었던 것은 제주도에 고구려의 과하마가 서식되었기에 가능한 일이었다. 그 밖에 제주도의 혼인풍속이 고구려의 그것과 연결된다는 사실과 더불어, 백제가 왜에 보낸 현재 法隆寺에 봉안된 百濟觀音像의 목재인 녹나무와 경상남도 창녕 송현동 7호분의 관목인 녹나무 역시 제주도에서 공납받은 것으로 추측되었다. 그럼에 따라 백제와 낙동강유역 임나 제국과의 관계를 재점검해 보는 계기가 된 것이다.[86]

9) 집권국가 단계 제3기, '연립정권설' 검토

6세기대에 접어들면서 고구려 내외 정세에 새로운 변화가 초래되었다. 531년 왕위계승을 노리는 모종의 음모에 낭만적인 성품의 안장왕이 피살되었다. 그를 이은 안원왕(재위 : 531~545) 또한 왕위계승을 둘러싼 麤群과 細群이라는 유력한 2개의 외척 세력이 宮門에서 싸우는 가운데 사망했다. 이 싸움에서 패한 세군측은 2천여 명의 피살자를 낼 정도로 큰 싸움이었다. 추군측의 왕자는 8세의 나이로 즉위한 양원왕이다.

86_ 李道學, 「漢城 陷落 以後 高句麗와 百濟의 關係—耽羅와의 關係를 中心으로」『전통문화논총』 3, 한국전통문화대학교, 2005, 113~134쪽.

고구려의 정치적 불안정은 이후에도 계속되었다. 551년 당시 신라군에 투항한 惠亮法師가 "우리 나라는 정란으로 언제 망할지 모를 지경이다"고 하였듯이, 귀족들 간의 분쟁이 장기화되었다. 귀족들 간의 내분에서 어느 한 派가 결정적인 승리를 거두어 강력한 일원적인 권력을 장악하지는 못하였다. 사병집단을 거느린 귀족들이 상호 타협하여 실권자의 직책인 大對盧를 선임하는 잠정적인 귀족연립정권체제를 형성하였다는 주장이 제기되었다.

『周書』 고려 조에 의하면 "대대로는 세력의 강약에 따라 서로 싸워 이기면 빼앗아 스스로 되고 왕의 임명을 거치지 않는다"라고 하였다. 대대로는 귀족들 간에 무력으로 경쟁해서 승자가 스스로 취임하며 왕이 임명하는 직책이 아니었다. 『翰苑』에 인용된 「高麗記」에 의하면, 대대로는 3년마다 선임하는데, 만약 그것이 여의치 않으면 귀족들은 각기 실력으로 대결하게 되고, 이때 왕은 궁문을 닫아 걸고 스스로를 지키는데 급급할 뿐 무력한 존재인 것으로 기술하였다. 무력에 의한 집권자의 출현과정은 연개소문에 이르러 절정에 달하게 되었다.

안장왕의 피살과 안원왕 말년의 귀족들 간의 내분을 고비로 귀족들 간의 연동력에 의해 움직이는 연립정권체제가 확립되었다고 한다.

(1) 시기구분의 좌표로서 '귀족연립정권기' 검증

① 왕권과 내분

고구려에서 단순한 모반 사건이 아닌 지배 세력 간의 분열과 갈등에서 기인한 內紛과 內戰은 주로 왕위계승과 관련하여 발생했다. 그런데 고구려 초기의 왕위계승은 부자상속이었다. 그러한 원칙은 後嗣를 명시한 태자 책봉을 통해 분명하게 천명되었다. 그럼에도 불구하고 고구려의 왕위계승이 형제상속에서 부자상속으로 이행되었다는 주장이 제기되어 왔다. 그러나 이러한 주장은 아무런 사료적 근거를 갖추지 못했다.

고구려사에서 대표적인 내전은 고국천왕 사후의 왕위계승과 관련한 갈등을 꼽을 수 있다. 이 때 2개의 정권이 공존하여 대립하고 있었으며, 요동군까지 개입하는 등 국제전의 양상마저 띠었다. 이와 관련해 왕비 于氏의 密謀가 개입된 형수와 시동생과의 連婚은 형사취수제나 그 잔영은 아니었다. 형사취수제는 재산과 종족의 보존 차원에서 생겨난 婚俗이었다. 그런데 고국천왕과의 사이에도 後嗣가 없던 于氏는 당초부터 취수혼 대상으로서의 動因을 상실했었다. 다만, 그 때까지 민간에 남아 있던 娶嫂婚을 빌어 于氏와 산상왕간의 정치적 결합을 납득시키려 한 것일 뿐이었다.

470년 전후한 무렵 장수왕의 對貴族 숙청은 왕권 강화 차원이나 평양성 천도에 반대하는 세력의 제거를 가리키는 현상만은 아니었다. 高齡의 장수왕이 취한 무리한 후계 구도 설정과 그에 대한 반발로 인한 갈등이 그 본질이었다. 장수왕은 아들 형제들을 제끼고 손자인 문자명왕을 후계자로 삼았기 때문이다. 그런데 6세기 중엽 양원왕의 즉위와 관련한 流血 內戰 상황이 발생한 장소가 宮門이었다. 宮門 앞이 격돌의 장소인 이유를 구명하기 위해 역사적으로 宮門의 기능에 대한 검토가 필요하다. 그 결과 궁문 앞은 신하들이 임금에게 諫하거나 형벌의 집행·연회 기능·동맹제와 같은 축제 장소·대사면령을 반포하는 기능을 지녔다. 궁문은 여론은 물론이고 국왕의 뜻과 의지가 일반 주민들에게 곧바로 전달되는 상징적인 장소였다. 혹은 民願이 왕에게 전달되는 장소이기도 하였다. 고대 이스라엘의 경우도 성문은 사람들의 조언을 구하거나 판결이 주어졌던 장소였다.[87] 고구려에서 6세기 중엽에 추군과 세군이 격돌하게 된 배경은 궁문 앞에서 상속상의 분쟁을 해결하는 전통에 기인한 것이었다. 이로 인해 궁문 앞에서 안원왕의 후계자 논의와 관련한 분쟁이 무력 대결로 치닫게 되었다. 이러한 전통은 고구려의 실권직인 대대로의 선출 장소로까지 이어졌다.

6세기 중반 이후 고구려 왕권은 약화되고, 갈등과 분쟁이 격화된 것으로 추측들을 해 왔다. 장수왕의 對貴族 숙청을 절망적으로 볼 수도 있을 것이다. 그러나 기실은 후계 구도의 확립을 통한 왕권 강화 차원의 문제였다. 마찬가지로 6세기 중반경의 분쟁도 그러한 측면을 배제할 수 없을 것 같다. 실제 이 무렵 고구려가 장안성 천도를 준비했듯이 강력한 왕권이 전제되었음을 시사해 준다.

② 內紛說의 史料 검증

고구려는 신라와 백제 동맹군에게 한강유역을 상실했다. 그러한 원인으로서는 귀족 간 내분의 여파와 서북 방면으로부터 돌궐의 위협을 꼽고 있다. 전자인 내분의 요인으로는 6세기 중반부터 시작되었다는 私兵을 거느린 귀족들이 상호 타협하여 實權者의 職인 大對盧를 選任하는 데서 찾았다. 이와 관련해 다음의 사료를 먼저 살펴 보도록 한다.

h-1. 그 大對盧는 强弱으로써 서로 침범하여 빼앗아서 스스로 그것을 하는 것이다. 왕이 임명하

87_ 마이크 보몽 著·김효준 譯, 『바이블 가이드』, 생활성서사, 2013, 45쪽.

여 두는데서 말미암지 않는다.[88]

h-2. 그 대대로는 强弱으로써 서로 침범하여 빼앗아서 스스로 그것을 하는 것이다. 왕이 임명하여 두는데서 말미암지 않는다.[89]

h-3. 그 벼슬에서 높은 것은 대대로라고 이름한다. 1品에 해당하며 國事를 총괄하고 있다. 3년에 한 번씩 交代하는데, 만약 職務를 잘 수행한다면 年限에 구애받지 않는다. 교체하는 날에 혹은 서로 삼가 명령에 복종하지 않으면 모두 군대의 대오를 정돈하여 점검하고는 서로 공격하여 이긴 자가 대대로가 된다. 그 나라 왕은 단지 宮門을 닫아걸고 스스로 지킬뿐 制禦하지 못한다.[90]

위의 인용에서 보듯이 대대로는 귀족들 간에 무력으로 경쟁해서 승자가 스스로 취임하였다. 대대로는 왕이 임명하는 직책이 아니었다. 이 같은 대대로 선임 기사는『周書』에서 처음 보인다. 그러므로 北周의 치세기인 557년~581년 사이에 포착된 사건으로 간주하였다. 그러나 636년에 완성된『주서』는[91] 唐 혹은 北宋 말기에 손상을 입었다. 그런 관계로 현존『주서』는 唐代에 편찬된 원저와는 다르고, 627년~659년 사이에 편찬된『北史』등에서 보충한 부분이 많다. 즉 "후세에 결락이 생겼다. 그 시기는 唐이라고도 하고 宋初라고도 이야기된다. 그래서 北宋時代에 校訂本이 만들어졌다. 그 결락 부분을『북사』등에서 채워 넣었다"[92]라고 한다.[93] 물론『주서』는『북사』에서 보충하였지만, 차이점도 많았다. 그리고 "기타 다른 곳에서도 脫誤가 적지 않다고 한다"[94]는 평가를 받았다. 이와 동일한 평가로서 "지금 이 책을 살펴 보면 결여된 부분이 특별히 많음을 알 수 있다. 후에『북사』를 이용하여 산실된 부분을 보충하면서 다시금 잘못되고 뒤섞인 부분이 많다"[95]고 했다.

그런데 h-1에 처음 보이는 대대로 선임 기사는『북사』(h-2)에도 동일한 문구가 보인다. 문제는 선행 사서인『주서』가 기실『북사』에서 引出・補入한 바가 많았다고 한다. 따라서 h-1이 北周代

88_ 『周書』권49, 異域傳(上) 高麗 條. "其大對盧則 以强弱相陵奪 而自爲之 不由王之署置也"
89_ 『北史』권94, 高句麗傳. "其大對盧則 以强弱相陵奪 而自爲之 不由王署置"
90_ 『翰苑』蕃夷部 高麗 條 ;『舊唐書』권199, 東夷傳 高麗 條.
91_ 李春植 主編,『중국학자료해제』, 신서원, 2003, 617쪽.
92_ 神田信夫・山根幸夫 編,『中國史籍解題辭典』, 燎原書店, 1989, 145~146쪽.
93_ 『周書』에 대한 史籍 해설은 姜義華 主編,『中國學術名著提要』, 歷史卷, 復旦出版社, 1994, 45~47쪽을 참조하기 바란다.
94_ 李春植 主編,『중국학자료해제』, 신서원, 2003, 617쪽.
95_ 劉節 著・辛太甲 譯,『中國史學史講義』, 신서원, 2000, 229쪽.

(557~581)의 고구려 정치 상황을 반영한다고 단정짓기는 어렵다. 게다가 h-1은『南史』·『隋書』에는 없다가 다시금 등장하는『舊唐書』수록 대대로 관련 기사(h-3)의 略本같은 인상마저 준다.

그러면『北史』에서 사실상 初出된 정변 관련 대대로 기사를 조응해 보자. 일단『북사』의 서술 하한인 618년 이전 즉 7세기 초엽의 고구려 정치 상황에 대한 반영 가능성이다. 실제 612년에 수 양제가 고구려로 출병하며 반포한 詔를 보면 고구려 내정을 "强臣과 豪族이 모두 국권을 잡고 朋黨 比周로써 풍속을 이루고, 뇌물이 市場과 같다"[96]라고 언급하였다. 여기서 比周는 黨을 나누어서 각기 黨人을 편애하는 뜻으로 사용되었다.[97] 이 기사에 비추어 612년 이전에 고구려 조정에는 强臣과 豪族으로 표현되는 귀족들의 권력 전횡을 엿 볼 수 있다. 바로 대대로 기사는 7세기 초엽 고구려 내정을 가리킨다고 볼 때 전후 상황상 무리가 없어 보인다.[98] 그렇다면 무력이나 정변에 의한 대대로 선임은 이때부터 비롯된 게 된다. 실제『周書』(h-1)의 대대로 관련 문구는『북사』(b-2)와 동일하다. 그러므로『周書』는『북사』에서 補入했을 가능성이 높다. 이와 관련해 다음과 같은『주서』와『북사』의 고구려 도성 관련 기사를 검토해 본다.

i-1. (A) 治所는 평양성이다. 그 城은 東西 6里인데, 남으로는 浿水에 臨하였다. 城 안에는 오직 군량과 무기를 비축하여 두었다가 賊들이 쳐들어 올 때는 곧 들어가 지킨다. (B) 왕은 별도로 그 곁에 집을 마련했으나 (C) 항상 그곳에서 거주하지는 않는다.[99]

i-2. 평양성에 도읍했는데, 역시 長安城이라고도 한다. 東西 6里인데, 산을 따라 屈曲졌으며, 남으로는 浿水에 臨하였다. 城 안에는 오직 군량과 무기를 비축하여 두었다가 寇賊들이 이를 때는 곧 들어가 지킨다. 왕은 별도로 그 곁에 집을 마련했으나 항상 그곳에서 거주하지는 않는다[100]

위의 i-1에서 묘사한 평양 지역의 도성 구조를 586년 장안성 移都 이전의 도성 구조로 인식하는 경향이 많았다. 즉 427년에 천도한 평양성을 가리킨다는 대성산성과 안학궁으로 각각 단정하였

96_ 『隋書』권4, 煬帝 大業 8年 春正月 辛巳 條.

97_ 李丙燾,『三國史記 國譯篇』, 乙酉文化社, 1977, 307~309쪽.

98_ 이상의 大對盧 관련 서술은 李道學,「高句麗의 內紛과 內戰」『高句麗硏究』24, 2006, 27~29쪽을 보완하였다.

99_ 『周書』권49, 異域傳(上), 高麗 條. "治平壤城 其城 東西六里 南臨浿水 城內唯積倉儲器備 寇賊至日 方入固守 王則別爲宅於其側 不常居之"

100_ 『北史』권94, 高句麗傳. "都平壤城 亦曰長安城 東西六里 隨山屈曲 南臨浿水 城內唯積倉儲器備 寇賊至日 方入固守 王則別爲宅於其側 不常居之"

다.[101] 나아가 이 구절은 『주서』 고려 조의 기사 하한으로 운위하기도 했다. 그러나 대성산성은 장안성이나 청암동토성 등과는 달리 대동강에 접하지 않았다. 대성산성은 대동강에서 무려 5km나 떨어져 있다. 그리고 C는 B의 왕궁이 고구려 왕의 상주처가 아님을 가리킨다. 그렇다고 할 때 B는 안학궁과 같은 궁성이 되기 어렵다. 따라서 『周書』에서 묘사한 '평양성'은 대성산성을 가리키지 않는다.[102] 더욱이 대성산성은 당시 魯城으로 불리었다.[103] 결국 "浿水에 臨한 東西 6里의 城"은 장안성을 가리키는 것이다. 이와 관련해 안학궁 유구가 고구려 고분 위에 조성된 사실을 주목했다. 안학궁을 고구려 말기의 別宮 정도로 간주하는 시각이[104] 설득력 있다.

그리고 『주서』의 평양성 기사(i-1)는, 『北史』의 장안성 기사(i-2)를 거의 그대로 轉載한 것이다. 다만 양 기록의 차이점은 『북사』의 "都平壤城 亦曰長安城 東西六里 隨山屈曲"라는 구절을, 『周書』에서는 "治平壤城 其城 東西六里"로 略記한 것 밖에 없다. 여기서 『周書』의 '其城'은 『북사』의 '長安城'을 가리킨다. 그리고 『주서』에는 『북사』의 '隨山屈曲'라는 구절이 없다. 이와 더불어 『주서』의 기사 하한은 581년이지만, 고구려의 장안성 移都는 586년이다. 『주서』의 수록 대상 시점을 넘어섰다. 그러니 『주서』의 평양성 기사(i-1)는 기실 장안성을 가리킨다고 보아야 한다. 따라서 이 기록은 선행 사서인 『주서』가 오히려 뒤에 출간된 『북사』를 토대로 재편집되었음을 반증한다. 평양성 기사(i-1) 역시 대대로 기사(h-1)와 마찬가지로 『북사』(c-2)에서 전재한 게 분명하다. 결국 『주서』 고려 조의 관련 기사 母本이 기실 『북사』일 가능성이 높아졌다.[105]

『주서』의 대대로 기사(h-1)의 대상 시기는 北周代(557~581)가 아니었다. 최소한 581년 이후 618년 이전의 사건으로 드러났다. 아울러 이와 연동된 귀족들 간의 갈등 역시 이 무렵으로 상정할 수 있다. 결국 『주서』에 처음 보이는 대대로 선임 기사를 통한 내분과 평양성 기록은 6세기 중엽 고구려의

101_ 정찬영, 「평양성에 대하여」 『고고민속』 2, 사회과학출판사, 1966, 17쪽.
李丙燾, 『三國史記 國譯篇』, 乙酉文化社, 1977, 287쪽, 註 2.
혹 i-1을 대성산성과 청암동토성으로 짝지운다고 하자. 그렇다면 청암동토성에서 대성산성으로 入堡하는 게 된다. 그렇지 않다면 패수인 대동강변에 소재한 평양성 즉 청암동토성에 입보한 것이다. 만약 그렇다면 평소 고구려 왕의 처소가 대성산성이 되어야 한다. 그러나 이는 어떻게 보든 타당하지 않다. 여기서 入堡는 入保로도 표기하지만 "寇至淸野入堡 而水軍擊之(『高麗史節要』 권33, 辛禑 14년 조)"의 표기에 따른다.

102_ 耿鐵華는 『周書』의 '평양성'을 장안성으로 비정하였다(耿鐵華, 『中國高句麗史』, 吉林人民出版社, 2002, 473쪽).

103_ 『通典』 권186, 邊防2, 東夷下, 高句麗.

104_ 關野貞, 「高句麗の平壤城および長安城について」 『(新版) 朝鮮の建築と藝術』, 岩波書店, 2005, 364쪽.

105_ 장안성에 대한 사료 분석은 李道學, 「『三國史記』의 高句麗 王城 記事 檢證」 『한국고대사연구』 79, 2015, 161~163쪽을 보완했다.

실정을 반영하지 않았다. 따라서『주서』고려 조에 근거한 6세기 중엽 고구려 내분설은 한 軸을 상실했다.

반면 고구려 왕권이 약화된 시점은 隋로부터의 압력과 전쟁 위협이 고조되는 607년 무렵으로 지목할 수 있다. 긴장된 비상 국면 속에서 對隋 강경 귀족들이 권력을 장악했던 것이다. 결국 영양왕의 異母弟로서 영류왕이 즉위하게 된 것도 영양왕이 권력 일선에서 퇴진했음을 암시하고 있다. 영류왕의 즉위는 영양왕과의 계승 관계가 매끄럽지 않았음을 뜻하는 동시에 심상찮은 정변 발생 가능성을 제기해 준다. 이는 왕권의 불안정성을 뜻하는 표징임은 부인할 수 없다.

그런데 연개소문 집권 후 강력한 독재체제에 이어 세습체제까지 확립되었다. 따라서 연립정권체제는 607년경부터 연개소문이 집권해서 강력한 권력을 구축하는 642년 이전 어느 때까지의 대략 30여년 정도로 국한시켜 볼 수 있다. 이는 세습체계까지 확립한 강력한 고려의 최충헌 정권을, 앞선 시기의 부침이 심한 무신정권과 동일하게 볼 수 없는 것과 같다. 요컨대 귀족연립정권기를 거대한 시기 구분의 좌표로 설정하기에는 너무 짧은 기간이라고 판단된다.

연개소문 정변은 귀족 다중의 이익이 착종하고 또 그 이익을 대변하는 귀족연립정권체제를 종식시켰다고 할 수 있다. 그러한 연개소문의 정변은 그 父가 역임했던 대대로직의 襲職 문제와 결부된 것이었다. 연개소문은 궁성 남쪽에서 열병과 酒饌을 베푼 후 반대파 귀족들을 초청해서 살해하였다. 그 때가 고구려의 국가적 명절인 동맹제 때였던 것으로 추정했다. 연개소문의 집권은 그에 반대하는 세력과의 갈등을 야기시켰다. 그가 안시성을 포위한데서 알 수 있듯이 무력 대결을 수반한 내전 상황이 발생하였다. 그러나 연개소문의 대당 강경노선과 전쟁은 내분과 내전을 일시에 잠재울 수 있었다. 그렇지만 어디까지나 봉합된 내분은 연개소문 사후 권력 핵심 간의 갈등으로 인해 걷잡을 수 없이 폭발하게 되었다. 결국 국가의 몰락이라는 값비싼 대가와 교훈을 안겨 주었다.[106]

(2) 대외정세와 한강유역 상실 과정

고구려는 551년에 나제동맹군에게 한강유역을 빼앗겼을 뿐 아니라, 신라와 밀약을 맺어 동해안 일대의 지배권을 양도하고 휴전을 했다. 동시에 고구려는 요동벌에 나타난 돌궐의 침입에 국력을 쏟았다. 돌궐은 552년에 그 상전이었던 유연을 격파하였다. 고구려와 우호관계를 유지하였던 유연

106_ 李道學,「高句麗의 內紛과 內戰」『高句麗研究』24, 2006, 9~28쪽.

이 돌궐에 격파 당하자 파동이 사방으로 확산되었다. 고구려는 서북부 국경선 일대에 새로운 긴장이 고조되었지만 신라와 밀약을 맺었다. 신라가 553년에 백제를 습격하여 양국 간에 격돌이 일어난 틈을 타서 고구려는 주력을 서북부 국경선에 집중시킬 수 있었다. 고구려는 이후 요하 상류의 거란족과 속말말갈 등 일부 말갈족의 지배권을 놓고 치열하게 각축전을 전개하였다. 이 같은 급박한 상황을 넘긴 후 고구려는 한강유역 회복을 시도했는데, 온달 장군 설화에 잘 응결되어 전한다.[107]

온달이 고토 탈환을 명분으로 신라를 공격한 시점은 7세기 초로 지목된다. 후술하겠지만 고구려와 신라는 오랜 기간에 걸쳐 화평을 유지했었다. 그러나 신라가 隋와 연계된 사실을 고구려가 눈치 채었다. 이에 대한 보복으로 고구려는 603년에 신라의 북한산성을 공격했다. 이로써 고구려와 신라 간의 화평은 깨지고 말았다. 그러므로 온달의 실지 회복 출정도 603년이나 그 이후로 지목할 수 있다.

그러면 고구려가 한강유역을 상실한 근본적인 요인은 무엇이었을까? 5세기 후반 이후 고구려는 정복전쟁의 침체에 빠졌다는 것이다. 자연히 이는 지배체제의 동요와 분열을 야기시켰다. 운명 공동체 의식을 수반하는 전쟁은, 지배세력 간의 결속을 가져와 왕권강화의 기반이 되었다. 그러나 481년~6세기 중반에 이르기까지 약 70년에 걸쳐 유례없는 정복전쟁의 침체에 빠졌다.

고구려가 한반도의 중추부를 상실하고 남진경영의 종식을 고하게 된 원인을 內政의 불안에서 찾았다. 이와 관련해 14세기 이슬람 최대의 역사가인 이븐 할둔(Ibn Khaldun)의 집단감정 소멸설을 생

107_ 온달이 전사한 阿旦城을 충청북도 단양군 영춘면 온달산성으로 지목된다.
李道學, 「永樂6年 廣開土王의 南征과 國原城」『孫寶基博士停年紀念韓國史學論叢』, 지식산업사, 1988, 87~107쪽.
사회과학원력사연구소, 『조선전사 3』, 과학백과사전종합출판사, 1991, 178쪽.
혹자는 백제 왕성인 풍납동토성을 압박하기 위해서는 고지대인 아차산성을 확보해야 한다. 그러므로 아단성은 아차산성이 가능하다고 했다. 그러나 이 상태로 고구려가 아차산성을 점령하고 있다면 백제의 왕성은 기능할 수가 없다. 따라서 백제로서는 천도가 불가피하지만 천도하지 않았다. 그렇기 때문에 「광개토왕릉비문」의 아단성은 아차산성이 될 수 없다. 온달이 출정 명분과 공격 목표로서 계립현과 죽령 서쪽 지역 탈환을 선언한 것은, 이곳이 당초 자국인 고구려 영역이었음을 뜻한다. 그렇지 않다면 온달이 굳이 그것도, 구체적으로 지역까지 언급할 이유가 없지 않은가? 그럼에도 온달의 전사처가 그와 정반대편인 한강 하류 아차산성이라는 것은 어불성설이다. 혹자는 온달의 전사처와 공격 목표를 결부 짓지 말라고 하는데, 아단성=아차산성 주장을 지키기 위한 巧說에 불과하다.
혹자는 온달 전설이 단양 이외의 지역에서도 전하고 있으므로 온달의 전사처로 단양을 지목할 수 없다고 했다. 그런데 단양 이외 지역의 온달 전설은 전사처와 무관한 변형된 이야기들에 불과하다. 따라서 논의 대상이 될 수도 없다. 그런데 정작 중요한 사실은, 전라남도 화순과 경상남도 하동에서도 전한다는 그 흔하디 흔한 온달 전설이 2000년 이전에는 온달의 전사처라는 아차산 주변에는 왜 전해지지 않는지 반문하고 싶다. 그리고 인천에는 비류 전설이 남아 있지만 정작 서울에는 온조 관련 전설이 단 한 곳도 남아 있지 않았다. 이러한 전승은 화순이나 하동의 경우에서 보듯이 후대에 부회되었지만, 口傳이 훨씬 후대인 17~19세기대에 채록되었을 가능성도 고려해야 한다. 그러므로 무조건 날조라고 강변해서는 안 될 것이다. 문제는 아차산의 온달이나 서울 지역 온조와 관련한 전승 자체가 일체 존재하지 않았다는 점이다. 아차산과 서울은 당초부터 온달이나 온조와 무관한 지역임을 반증한다. 따라서 혹자의 주장은 비교 대상이 되지도 못한다.

각해 볼 필요가 있다. 즉 "부족이 그의 집단감정의 도움으로 어떤 우월성을 성취했을 때, 그 부족은 그에 상응하는 양의 富를 소유해 왔던 사람들과 더불어 번영과 풍요를 나누어 갖게 된다.… 그러나 사치와 안락한 생활에의 탐닉은 유일하게 우월성을 창조해 내는 집단감정의 활력을 깨뜨린다. 집단감정이 파괴될 때 그 부족은 더 이상 부족 스스로를 보호 내지 방위할 수 없게 되며 어떤 주장들도 밀고 나갈 수 없게 된다."[108)]

고구려는 外征으로만 쏠렸던 귀족들의 관심이 內政으로 옮아갔다. 그럼에 따라 그들을 얽어매 놓았던 전투공통체로서의 집단감정에서 벗어났다. 그 연장선상에서 개체의 이익에 관심을 투사하게 되어 내부의 권력 쟁탈전을 야기했다. 전쟁으로 인한 부단한 긴장과 승리라는 전투공통체의 일체감 속에 구축한 고구려의 강력한 왕권은 지배구조의 근본적인 재편성이나 그 결속을 다질 수 있는 초부족적 이념적 구심체를 적절하게 확보하거나 활용하지 못했다. 그런 관계로 긴장이 풀어지자 내분의 야기와 더불어 지배체제의 급속한 분해를 초래했다. 그 결과 外侵에 효과적으로 대응하지 못하고 551년에 한강유역을 상실하게 되었다. 이로써 고구려 사회의 질적 변화의 한 단면을 읽게 된다.[109)]

한강유역 상실은 551년에 신라와 백제 동맹군이 고구려 영내로 진격한데서부터 비롯된다. 이 때 나제동맹군은 한강유역을 양분하여 석권했다. 이는 다음의 기사를 통해 확인된다.

j-1. 12年 신미에 王이 居柒夫와 구진대각찬 · 비태각찬 · 탐지잡찬 · 비서잡찬 · 노부파진찬 · 서력부파진찬 · 비차부대아찬 · 미진부아찬 등 8장군에게 명하여 백제와 함께 고구려를 침공하게 했다. 백제인이 平壤을 격파하자, 거칠부 등은 이긴 것을 틈타 竹嶺 以外 高峴 이내의 10郡을 공취하였다.[110)]

j-2. 이 해 백제 성명왕이 친히 무리 및 三國兵(三國은 신라와 任那이다)을 거느리고 가서 高麗를 정 벌하여, 漢城의 땅을 얻었다. 또 진군하여 平壤을 征討하였는데 무릇 6郡의 땅이다. 드디어 故地 를 수복하였다.[111)]

108_ Ibn Khaldun, Mugudima 著 · 金容善 譯, 『이슬람思想』 삼성출판사, 1976, 97~98쪽.
109_ 李道學, 「新羅의 北進經略에 관한 新考察」 『慶州史學』 6, 1987, 23~41쪽.
110_ 『三國史記』 권44, 居柒夫傳.
111_ 『日本書紀』 권19, 欽明 12年 條.

위의 기사에 따르면 고구려는 신라와 백제 동맹군에게 한강유역을 상실했다. 그러한 원인으로서는 귀족간 내분의 여파와 서북 방면으로부터 돌궐의 위협을 꼽고 있다. 그러나 고구려가 한강유역을 상실한 원인으로 운위되었던 內因의 내분설은 설득력이 취약했다. 그렇다면 外因에서 찾아 보아야할 것 같다. 그러면 다음 인용에 보이는 고구려의 한강유역 상실 원인으로 지목하는 서북방 위기상황을 검토해 본다.

k. 가을 9월에 突厥이 와서 신성을 포위하였으나 이기지 못하고 옮겨서 백암성을 공격하였다. 왕이 장군 高紇을 보내 병력 1만을 거느리고 막아 싸워서 이기고, 1천여 명을 죽이거나 사로잡았다. 신라가 공격해 와서 10城을 빼앗았다.[112]

위의 k에 보이는 돌궐의 고구려 침공 기사에 대해서는 거리상으로 보아 허구로 간주하고 있다.[113] 만약 이 견해가 맞다면 고구려가 한강유역을 상실하게 된 이유를 찾기 어렵다. 서북방 위기설이나 내분설, 그 어느 쪽도 적실한 해답은 되지 못하기 때문이다. 그러나 고구려가 돌궐의 발흥을 감지해 547년에 이미 백암성과 신성을 수리했고, 유목민의 특성을 고려할 때 기습적인 공격이 가능하므로 돌궐이 유연의 복속에 앞서 배후 세력인 고구려를 침입했을 가능성이 크다고 보아 사실로 수용하기도 한다.[114] 더욱이 k는 전투의 전개 과정과 결산이 구체적이다. 따라서 돌궐의 침공은 전후 정황에 비추어 볼 때 인정할 수 있는 사건으로 본다. 특히 고구려는 1만 명을 동원해 돌궐의 침략을 격파했다. 그 와중에 신라가 고구려 남변 10城 즉 10郡을 약취하였다. 이러한 사례는 다른 기록에서 보이므로 신뢰성을 높여준다. 가령 400년에 고구려가 신라 구원을 위해 步騎 5萬이 출병한 틈을 타고 후

112_ 『三國史記』 권19, 양원왕 7년 조.

113_ 이에 대한 정리는 노태돈, 『고구려사연구』, 사계절, 1999, 402쪽.
그런데 돌궐의 침공 시점은 인정하지 않지만 550년 5월에 즉위한 北齊 文宣帝가 고구려에 대한 强壓과 壓迫策을 구사하여 위협이 되었을 것으로 추측하기도 한다(李在城, 「6세기 후반 突厥의 南進과 高句麗와의 충돌」『동북아역사논총』 5, 2005, 114쪽, 註 101).

114_ 閔喆熙, 「高句麗 陽原王·平原王代의 政局變化」『史學志』 35, 2002, 71~74쪽.
돌궐의 침공을 인정하는 견해에 대한 연구사 정리는 장창은, 『고구려 남방진출사』, 경인문화사, 2014, 264~265쪽 참고바란다.
손영종은 고구려 한강유역 상실 원인을 내분에서 찾았다(손영종, 『조선단대사(고구려사 4)』, 과학백과사전출판사, 2008, 200~201쪽). 그런데 손영종이 제1 집필자인 『(개정판) 조선통사(상)』, 사회과학출판사, 2009, 159쪽에서는 "고구려가 서북방의 안전을 위하여 힘을 기울이고 있던 틈을 타서 551년에 백제와 신라는 련합하여 고구려의 남변을 공격하여 한강류역을 차지하였다"고 했다.

연이 그 서방 700里를 습취하였다.[115] 그리고 다음에서 보듯이 고구려가 隋와 격돌한 틈을 타고 신라가 그 남부 500리를 빼앗았다고 한다.

I-1. 태종이 사농승 相里玄奬을 보내 璽書를 고구려에 주며 말하기를…그러자 개소문이 현장에게 말하기를 "고구려와 신라가 원한으로 사이가 벌어진 것은 이미 오래되었다. 예전에 隋가 잇달아 침입하였을 때 신라가 그 틈을 타서 고구려의 5백리 땅을 빼앗고 성읍을 모두 차지하였는데, 땅을 돌려주고 성을 반환하지 않으면 이 전쟁은 아마 그치지 않을 것이다"라고 하였다. 현장이 말하기를 "이미 지나간 일을 어찌 거슬러 올라가 논할 것까지 있는가?"라고 하였으나 蘇文은 끝내 따르지 않았다.[116]

I-2. …玄奬이 국경에 들어왔을 때 蓋蘇文이 이미 병력을 거느리고 신라를 공격하여 두 성을 쳐부수었다. 왕이 불러오게 하니 돌아왔다. 현장이 신라를 침략하지 말라고 타이르니, 개소문이 현장에게 말하기를 "우리와 신라는 원한이 이미 오래되었다. 지난번에 수나라 사람이 침략해 왔을 때 신라가 그 틈을 타서 우리의 땅 5백 리를 빼앗아 그 성읍을 모두 차지하였다. 스스로 우리에게 빼앗은 땅을 돌려주지 않는다면 전쟁은 아마도 그만둘 수 없을 것이다"라고 하였다.[117]

I-3. 처음 玄奬이 국경에 들어갔을 때, 蘇文은 이미 군대를 거느리고 신라를 치고 있었다. 왕이 사신을 보내 연개소문을 부르자, 이에 돌아왔다. 현장이 조칙을 전하자, 蘇文은 다음과 같 이 말하였다. "지난날 隋人들이 우리를 침략하였을 때, 신라가 이를 틈타 우리 城邑 5백 리를 빼앗아 갔습니다. 이로부터 원한이 생기고 사이가 멀어진 것이 이미 오래되었습니다. 만약 우 리를 침략해서 빼앗아 간 땅을 돌려주지 않는다면, 전쟁을 멈출 수가 없습니다." 玄奬이 다음과 같이 말하였다. "이미 지나간 일을 어찌 다시 끄집어서 논의하고자 하십니까! 지금 遼東은 본래는 모두 중국의 郡縣이었습니다. 중국도 오히려 말하고 있지 않은데, 고구려는 어째서 반드시 옛 땅을 찾고자 하십니까?" 蘇文은 따르지 않았다.[118]

115_ 『三國史記』 권18, 廣開土王 9년 조.
116_ 『三國史記』 권5, 善德王 13년 조.
117_ 『三國史記』 권21, 寶藏王 3년 조.
118_ 『三國史記』 권49, 蓋蘇文傳.

물론 고구려가 수와 대결하는 598년(영양왕 9)~614년(영양왕 25) 사이에 신라가 고구려의 남변을 급습하여 장악한 기록은 없다. 오히려 고구려가 신라를 침공한 기록이 보인다. 그렇기 때문에 연개소문이 말한 失地 500里는 551년에 신라가 한강유역을 장악한 사실의 착각으로 지목하고 있다.[119) 물론 '城邑 5百里'(l-3)는 과장일 수 있겠다. 그렇지만 수와 보조를 맞췄던 신라가 전혀 하지도 않았던 영역 점령을, 연개소문의 강변으로만 단정하기는 어렵다. 이 件은 당에서 즉각 신라에 확인할 수 있기 때문이다. 만약 연개소문의 발언이 551년의 일을 가리킨다고 하자. 그렇다면 고구려가 한강유역을 일거에 상실한 배경은 돌궐의 침공 때문이 된다. 동시에 내분설은 더 이상 부지하기 어렵게 된다.

외침으로 인해 국력이 국경에 결집된 틈을 타고 그 후방을 급습하여 약취한 사례는 흔히 확인된다. 가령 당 태종이 고구려를 공격했을 때 그 틈을 이용하여 신라가 5만 병력을 동원해 고구려 南邊 水口城을 점령하였다.[120) 신라가 고구려의 南邊을 점령한 틈을 타서 이제는 백제가 신라의 西邊 7城을 점령했다.[121) 이러한 맥락에서 볼 때 551년에 신라와 백제 동맹군이 한강유역을 약취하게 된 데는 돌궐의 등장으로 고구려 서북방 국경의 불안에 힘 입은 바였던 것이다. 더욱이 k에 보이는 '10城'이 신라가 점유한 한강 상류의 10郡일 수 있다. 그렇다면 신라와 백제의 한강유역 진출 배경은 분명해진다. 결국 돌궐의 공세로 인해 고구려의 군사력이 서북에 집중된 틈을 타고 이전에 볼 수 없었던 신라·백제·가라로 구성된 3국연합의 압도적 대병력의 총공세가 가해졌다. 이로 인해 후방이 비게 된 고구려는 속수무책으로 한강유역을 상실한 것이다.

① 고구려와 신라의 通和

신라와 백제는 551년에 고구려 영역 내에서 10郡과 6郡을 각각 점유하였다. 그로부터 2년 후인 553년에 신라가 백제를 축출하고 6군을 점유하여 총 16郡을 독식하는 일이 발생했다. 다음에서 확인된다.

m-1. 이 해에 백제가 漢城과 平壤을 버렸다. 신라가 이로 인하여 한성에 들어가 자리 잡았다. 지

119_ 李丙燾, 『三國史記 國譯篇』, 乙酉文化社, 1977, 711쪽, 註 2.
120_ 『舊唐書』 권199, 동이전, 신라 조.
121_ 『三國史記』 권5, 善德王 14년 조.

금 신라의 牛頭方·尼彌方이다[地名 未詳].[122)]

m-2. 가을 7월에 백제의 동북 변경을 취하여 新州를 두고 아찬 武力을 軍主로 삼았다. 겨울 10월에 왕이 백제 왕의 딸을 娶해서 小妃로 삼았다.[123)]

m-3. 31년 7월에 신라가 동북 변경을 취하여 新州를 두었다.[124)]

553년에 신라의 기습적인 공격으로 백제는 한강 하류 6군의 땅을 빼앗겼다. 이와 관련해 혹자는 m-1을 토대로 신라는 한성에만 입성한 것으로 간주했다. 반면 남평양은 고구려가 점유한 것으로 해석하였다. 고구려와 신라의 세력 연합에 부담을 느껴 백제는 애써 점령한 한성과 평양을 포기했다고 한다.[125)] 백제는 76년만에 회복한 고토를 고구려와 신라의 협공에 지레 겁을 먹고 싸워 보지도 않고 포기했다는 것이다. 그런데 한강유역을 신라와 백제가 分占했다는 자체가 당초부터 갈등의 불씨를 내재하였다. 한강은 水系가 김포에서부터 충주를 지나 강원도 영월과 정선에 이르고 있다. 북한강은 춘천을 지나 김화로 올라간다. 그러한 한강은 임진강 수계와 연결되어 있을 뿐 아니라, 예성강 수계까지도 管制 범위에 들어간다. 이렇듯 한강 수계의 범위는 광활한 것이다. 그런데 한강을 신라와 백제가 분점한다면 수계가 지닌 당초의 기능을 발휘할 수 없다. 가령 서해에서 생산한 생필품 소금을 적재한 소금배가 더 이상 상류까지 운행하지 않을 수도 있다. 이로 인한 신라측의 불만이 한강 하류 장악을 촉발시킨 요인으로 보인다.

만약 혹자의 주장대로 553년에 신라가 점령한 지역이 한강 이남 한성에만 국한되었다고 하자. 그렇다면 고구려도 이때 한강 이북 지역을 탈환하거나 점유한 기사가 제시되어야만 한다. 그러나 이러한 사실은 보이지 않는다. 반면 m-2와 m-3에서는 신라가 '백제의 동북 변경'을 빼앗았다고만 했다. 신라의 한성 입성은 한성과 남평양성을 포괄하는 한강 하류 지역 전체를 가리킨다고 보아야 한다. 더욱이 555년에 진흥왕은 한강 이북의 북한산을 순행하고 강역을 획정했다.[126)] 이때 진흥왕의

122_ 『日本書紀』 권19, 欽明 13년 조.
123_ 『三國史記』 권4, 眞興王 14년 조.
124_ 『三國史記』 권26, 聖王 31년 조.
125_ 노중국, 「5~6세기 고구려와 백제의 관계」 『북방사논총』 11, 2006, 51쪽.
126_ 『三國史記』 권4, 眞興王 16년 조.
아차산 일대의 보루군은 고구려의 남평양성과 관련 있다. 즉 "그러한 남평양성 판도와 접하고 있는 아차산의 고구려 보루에서 출토된 토기 명문의 '後部'는, 별도인 남평양성을 구획한 5부 가운데 하나로 지목하는 게 자연스럽다(李道學, 「아차산 堡壘와 그 출토 유물을 통한 몇 가지 새로운 해석」 『불교춘추』 11, 1998; 『고대문화산책』, 서문문화사, 1999, 25쪽)"고 하였다.

북한산 순행은 한강유역에 대한 안정적 지배를 웅변한다.

진흥왕의 북한산 행차는 혹자의 주장대로 고구려와 신라가 553년에 한강을 양분한 지 2년도 채 되지 않아 신라가 고구려를 한강유역에서 축출시켰을 때 가능하다. 만약 그렇다면 고구려와 신라의 通和가 552년부터 차후 50년간 지속될 수 없었다. 이 점은 엄중하게 새겨야할 것 같다. 따라서 혹자의 주장은 따르기 어렵다. 결국 553년에 신라가 한강유역을 독식함으로써 나제동맹은 결렬되었다. 그런데 그 직전에 있었던 고구려와 신라 간의 소위 밀약설은 신라와 백제의 나제동맹이 파열되는 기제이기도 했다. 흔히 554년 관산성 전투로 인해 신라와 백제 간의 동맹이 결렬된 것으로 간주하였다. 그러나 이는 나제동맹이 결렬된 이후의 산물일 뿐이다. 결코 동맹 결렬의 동기나 원인이 되지 않는다. 나제동맹 파열의 기제가 되는 通和 기사는 다음과 같다.

n-1. 承聖 3년 9월 백제 병사가 珎城을 침범하여 남녀 3만 9천명과 말 8천 필을 빼앗아 갔다. 이에 앞서 백제는 신라와 더불어 군사를 합하여 高麗를 정벌하려고 도모할 때 眞興이 말하기를 "나라의 흥망은 하늘에 달렸는데 만약 하늘이 고려를 미워하지 않으면 내가 감히 바라겠는가"하고 이 말을 고려에 전하였다. 고려가 그 말에 감격하여 신라와 통호함으로 백제는 신라를 원망하여 來侵한 것이다.[127)]

n-2. 高麗와 더불어 신라는 通和하고 勢를 합하여 臣國(백제: 필자)과 任那를 멸하려고 도모하고 있다.[128)]

n-3. 올해 문득 들으니 신라와 狛國이 함께 모의하기를 "백제와 임나가 자주 일본에 나아가니 생각 건대 이것은 군사를 빌려 우리나라를 치려는 것인가? 이 일이 만약 사실이라면 나라의 패망을 발뒤꿈치 들고 기다리는 것과 같다.…"[129)]

n-4.… 斯羅가 무도하여 천황을 두려워하지 않고 狛과 더불어 마음을 함께 하여…지금 狛과 斯羅가 마음을 함께 하고 힘을 합하였으므로 성공하기 어렵습니다.[130)]

127_ 『三國遺事』 권1, 紀異, 眞興王 條.
128_ 『日本書紀』 권19, 欽明 13년 조.
129_ 『日本書紀』 권19, 欽明 14년 조.
130_ 『日本書紀』 권19, 欽明 15년 조.

위의 n-1에 보이는 승성 3년은 554년이다. 고구려와 신라가 通好한 것은 그 이전이 된다. 그랬기에 백제가 신라를 침공한 것이다. n-2는 552년에 고구려와 신라가 通和한 사실을 증언하고 있다. 그러므로 신라와 백제가 한강유역을 分占한 551년 이후 어느 때 고구려와 신라가 通和한 것이다. 당시 백제는 신라로 하여금 북진을 독려하였을 법하다. 승세를 몰아 백제 전성기의 영역이었던 예성강이나 그 이북으로까지 진격하려고 했을 것이다. 그런데 이때 얻게 될 영역에 대한 귀속 문제가 불거질 수밖에 없다. 백제로서는 북진을 통해 고구려의 심장인 평양성을 압박할 요량도 있었다. 아울러 백제는 故地였던 황해도나 그 이북 지역 회복이라는 실리를 계산했을 법하다. 어떠한 경우든 신라로서는 이득이 적은 전쟁을 종적으로 수행하는 것이 된다. 그러므로 신라군은 백제군을 따라 평양성을 최종 목적지로 진격하기에는 주저되는 면이 많았다. n-1~4는 그 틈을 타고 고구려가 신라에 접근한 결과로 보인다.

그러면 국가 간의 통화는 어떤 경우를 말하는 것일까? 이와 관련한 사례를 『삼국사기』에서 다음과 같이 적출했다.

o-1. 봄 2월에 吳王 孫權이 사신 胡衛를 보내 通和하기를 청하였다. 왕이 그 사신을 잡아두었다가 가을 7월에 이르러 목을 베어 머리를 魏에 보냈다(동천왕 10년).

o-2. 唐 高祖가 隋 末에 전사들이 우리 편에 많이 잡히어 있음을 알고 왕에게 조서를 내려 말하기를 "… 지금 두 나라가 通和하여 義가 막히거나 다른 것이 없으므로 여기에 있는 모든 고구려 사람들을 모아서 곧 보내려고 한다. …"고 하였다(영류왕 5년).

o-3. 태종이 백제와 신라가 대대로 원수를 맺어 서로 자주 침공한다고 하면서 왕에게 조서를 보내 말했다. "… 내가 이미 왕의 조카 복신과 고구려, 신라 사신들에게 서로 通和하도록 타이르고 모두 화목하게 지내게 하였다. 왕은 반드시 전날의 원한을 잊고 나의 본 뜻을 헤아려서 모두 이 웃의 정을 두터이 하여 즉시 전쟁을 중지하라." 왕이 곧 사신을 보내 표문을 바쳐 사죄하였다 (무왕 28년).

o-4. 3년 정월에 태조가 답서를 보냈다. "엎드려 오월국 通和使 班尙書가 전한 바의 조서 한 통을 받들었고, 아울러 그대가 수고롭게 보내준 긴 편지에 사실을 적은 것을 받았습니다(진훤전).

고구려와 신라가 通和한 사실은 다음의 「마운령진흥왕순수비문」에서도 엿볼 수 있다.

p. 이로 말미암아 사방으로 영토를 개척하여 널리 백성과 토지를 획득하니, 隣國이 信을 맹세하고 和使가 交通했다.[131)]

위의 p에서 거론한 '隣國誓信'은 박제상이 고구려 장수왕에게 "臣聞交隣國之道 誠信而已"[132)]라고 한 구절에서도 보인다. 그리고 '隣國誓信'에 이어 "和使交通"라고 하였다. 양국 간 교류의 물꼬가 트였던 것이다. 그러면 문헌에서 講和使·通和使·請和使 등과 함께 표기되는 '和使'가 교통한 '隣國'은 어느 나라일까? 마운령진흥왕순수비가 건립되는 568년 당시 仇讎 관계인 백제를 지칭할 수는 없다. 그리고 한때 백제와 더불어 한성과 남평양성을 공략할 때 함께 움직였던 가라는 562년에 멸망했다. 그러므로 「마운령진흥왕순수비문」의 '隣國'은 고구려일 수밖에 없다. 여기서 "信을 맹세하고 和使가 서로 오갔다"는 것은 적대국과 과거를 청산하고 화친한다는 의미이다. 임진왜란 이후 일본에 파견된 朝鮮通信使의 '通信'도 信의 交通을 의미한다. 이와 동일한 맥락에서 「마운령진흥왕순수비문」의 '信'과 '交通'을 새길 수 있을 것 같다. 그리고 이 사실은 황초령진흥왕순수비에도 함께 적혀 있다. 그러므로 신라가 점유한 마운령과 황초령 일대에 대한 영유권을 고구려가 인정해준다는 의미도 포함된 것이다. 양국 간의 '誓信'은 그렇게 해석해 볼 수밖에 없다. 그에 이은 和使의 交通은 영유권에 관한 문제를 불문에 부치고 현실의 기반 위에서 서로를 인정했기에 가능하지 않았을까? 진흥왕이 점령지에 건립한 비석에서 "隣國誓信和使交通"라고 하였다. 이 구절은 新領域에 대한 안정적 지배를 선포한 것이다. 즉 "和使交通"은 고구려도 신라의 지배를 인정했다는 의미가 함축되었다.

앞의 o-2에서 살폈듯이 552년에 이미 고구려와 신라가 통화하였다. 그러면 어느 쪽에서 통화를 제의했을까? 신라와 백제가 북진하는 정황에 비추어 볼 때 통화를 제의할 수 있는 쪽은 상황이 불리한 고구려일 수 있다. 일단 고구려로서는 나제동맹을 깨뜨리는 것이 선결 문제였다. 신라와 백제 가운데 북진에 집착한 국가는 신라보다는 백제일 가능성이 높았다. 백제로서는 전성기인 근초고왕과 근구수왕대의 北界까지를 염두에 두었을 수 있다. 반면 신라는 백제의 실지 회복과는 결이 달랐다. 이 점을 노리고 고구려가 신라에 통화를 제의했을 수 있다. 그렇다고 신라가 선뜻 고구려의 통화 제

131_ 한국고대사회연구소, 「마운령진흥왕순수비문」『譯註韓國古代金石文 Ⅱ』 1992, 87쪽. "因斯四方託境廣獲民土隣國誓信和使交通"
한국고대사회연구소, 「황초령진흥왕순수비문」『譯註韓國古代金石文 Ⅱ』 1992, 77쪽. "四方託境廣獲民土 隣國誓信和使交通"

132_ 『三國史記』 권45, 朴堤上傳.

의를 수용하는 일도 쉽지 않았을 것이다. 이 점은 신라의 진흥왕순수비가 멀리 황초령과 마운령에 건립된 배경과 결부지어 생각할 여지를 준다.

고구려가 이곳을 신라에 할양한 것으로 간주하기도 한다. 그러나 또 다른 가능성은 신라가 단독으로 이곳까지 진격해 오자 고구려로서는 크게 당혹했을 수 있다. 신라는 이곳을 배후 기지 삼아 원산만→평양 루트를 이용하여 평양성을 위협하거나 낭림산맥을 넘어 국내성까지 진출할 수 있었다. 고구려로서는 대단히 위협적인 상황에 직면한 것이다. 결국 고구려가 반격을 하지 않는 반면, 통화를 제의하여 신라 지배를 인정해 주었을 수 있다. 그럼으로써 전선을 고착시키는 한편, 신라와 백제 간의 동맹을 흔들어 놓았을 가능성이다. 신라와 백제 간의 동맹이 결렬되는 계기를 중국 사서에서는 다음과 같이 서술했다.

q-1. 이에 앞서 백제가 가서 고려를 정벌하면서, 신라에 가서 도움을 청하였다. 신라가 군대를 일으켜 백제국을 크게 격파했다. 이로 인하여 원한이 생겨 매번 서로 攻伐하였다. 신라가 백제왕을 잡아 그를 살해했다. 이로 말미암아 원한이 시작되었다.[133]

q-2. 처음 백제가 고려를 정벌하면서 와서 도움을 청하였다. 모든 병력을 이끌고 가서 이를 격파했다. 이로부터 서로 공격을 그치지 않았다. 후에 백제 왕을 사로잡아 그를 살해하였다. 이에 원한을 맺게 되었다.[134]

위의 기사들은 백제가 고구려를 정벌할 때 신라에 도움을 요청했는데, 도리어 신라가 백제를 쳤기에 양국이 앙숙이 되었다는 것이다. 그런데 '請救'의 주체를 백제가 아니라 고구려로 지목하기도 한다.[135] 즉 고구려와 신라가 통화한 방증으로 삼았다. 그러나 문맥상으로는 백제가 고구려를 정벌할 때 신라에 도움을 요청했지만, 도리어 백제를 공격한 것이다. 이는 신라가 백제와 더불어 합동 군사작전을 전개하여 한강유역을 점령했다. 그로부터 2년 후에 신라가 백제를 이곳에서 축출한 사건에 대한 함축으로 보인다. 따라서 q-1과 q-2는 결과론적인 서술이요 압축된 내용인 관계로 이해가

133_ 『舊唐書』 권199, 동이전, 신라 조. "先是百濟往伐高麗 詣新羅請救 新羅發兵大破百濟國 因此爲怨 每相攻伐 新羅得百濟王 殺之 怨由此始"
134_ 『新唐書』 권219, 동이전, 신라 조. "初 百濟伐高麗 來請救 悉兵往破之 自是相攻不置 後獲百濟王殺之 滋結怨"
135_ 노태돈, 『고구려사연구』, 사계절, 1999, 432쪽.

어려웠을 뿐이다.

② 고구려의 通和 제의 배경과 내분설의 맹점

고구려와 신라 간에 通和가 이루어졌다. 앞에서 거론했지만, 그러면 통화를 먼저 제의한 측은 누구였을까? 상황이 불리한 측에서 통화를 제의한다면 고구려를 지목할 수 있다. 그러면 고구려가 통화를 제의한 이유는 무엇이었을까? 여러 가지 가능성을 상정하면서 일단 통화의 軸線인 552년을 기준으로 하여 그 직전의 상황을 살펴볼 필요가 있다. 550년과 551년에 해당하는 기사를 『삼국사기』에서 다음과 같이 뽑아 보았다.

r-1. 봄 정월에 백제가 침략해 와서 道薩城을 함락시켰다(양원왕 6년).

r-2. 3월에 백제 金峴城을 공격하니 신라인이 그 틈을 타서 두 성을 빼앗았다(양원왕 6년).

r-3. 여름 6월에 사신을 北齊에 들여보내 조공하였다(양원왕 6년).

r-4. 가을 9월에 북제가 왕을 봉하여 사지절 侍中 표기대장군 영호동이교위 요동군개국공 고구려 왕 을 삼았다(양원왕 6년).

r-5. 가을 9월에 突厥이 와서 신성을 포위하였으나 이기지 못하고 옮겨서 백암성을 공격하였다. 왕 이 장군 高紇을 보내 병력 1만을 거느리고 막아 싸워서 이기고, 1천여 명을 죽이거나 사로 잡았 다(양원왕 7년).

r-6. 신라가 공격해 와서 10성을 빼앗았다(양원왕 7년).

r-7. 장안성을 쌓았다(양원왕 8년).

고구려가 통화를 제의했지만 상대방인 신라가 수용하지 않는다면 무의미해진다. 통화를 제의할 때는 상대가 수락할 수 있는 요인을 제시해야만 기대하는 효과를 거둘 수 있다. 그렇지 않는다면 상대가 덥석 수락할 리는 없기 때문이다. 이와 관련해 고구려는 이미 상실한 한강유역과 함께 함흥평야 일대를 신라에게 넘겨주고, 대신 양국이 화평한 관계를 맺는다는 게 주된 골자였을 것으로 추측하였다. 이로 인해 나제동맹은 결렬될 뿐 아니라 남부 국경의 안전을 보장받을 수 있게 된다고 했다.[136] 문제는 밀약 자체는 원체 은밀한 속성을 지닌데다가 기록이 영성한 고대사 속에 등장하기 때문에 검증이 어렵다. 다만 현상을 통해 살피는 일은 어느 정도 가능하다. 이와 관련해 通和 제의의 배경 가능성이 높은 환경을 적출해 보고자 한다.

고구려가 신라에 通和를 제의한 552년은 34년간에 걸친 국가적 대토목 공사인 장안성 축조를 시작한 때였다. 장안성 축조는 552년 이전부터 계획되었고, 축조와 관련한 인력 동원 계획을 비롯하여, 석재와 목재 수송 계획 등도 함께 짜여졌을 것이다. 최소한 551년에는 장안성 축조와 관련한 기본 계획은 완료되었다고 본다. 그러한 시점인 551년에 고구려는 신라와 백제 동맹군으로부터 총 16개 군을 빼앗겼다.

고구려가 신라와 백제 동맹군에게 한강유역을 상실하게 된 배경과 결부 지어 내분이나 서북방 위협 고조를 운위하고는 한다. 여기서 서북방 위협은 가능성이 없다고 한다면[137] 순전히 내분으로 고구려는 한강유역을 상실한 게 된다. 그러나 후술하겠지만 내분설은 사료 분석을 소홀히 한 결과로 드러났다. 그렇다면 고구려가 한강유역을 상실한 원인은 어디서 찾아야할까? 지금까지 등장한 정황에 비추어 볼 때 돌궐의 침공을 받자 고구려는 1만의 병력으로 대적하였다. 그러기 위해 고구려는 후방의 병력을 各城에서 차출하였을 것이다. 후방의 諸城들이 비었기 때문에 고구려가 저항다운 저항 없이 속수무책으로 한강유역을 빼앗긴 것처럼 비친다.

550년에 고구려는 백제에게 도살성을 빼앗겼다. 그러자 고구려는 즉각 백제 금현성을 공격했다.[138] 신속하게 응전하는 고구려의 모습이 포착된다. 만약 고구려가 내분 상황이었다면 가능하지 않은 일이었을 것이다. 그런데 그 1년 후 고구려는 무기력하게 광활한 한강유역을 빼앗긴 것처럼 비친다. 왜 그랬을까하는 의문이 자연 제기된다. 그러면 다음과 같은 내분 기사를 검증해 보기로 한다.

s-1. 이 해에 고려에 大亂으로 주살 당한 자가 많았다[百濟本記에 이르기를 12월 甲午에 高麗國 細 群과 麤群이 宮門에서 싸웠다. 북을 치며 전투하였는데, 細群이 패했다. 군대를 3일이나 풀지 않고 細群 子孫들을 모두 붙잡아 죽였다. 戊午에 狛國 香岡上王이 죽었다].[139]

136_ 노태돈, 『고구려사연구』, 사계절, 1999, 433쪽.
137_ 노태돈, 『고구려사연구』, 사계절, 1999, 422쪽.
138_ 『三國史記』 권4, 眞興王 11년 조.
139_ 『日本書紀』 권19, 欽明 6년 조.

s-2. 이 해에 고려에 大亂으로 무릇 싸우다가 죽은 자가 2천여 명이었다[百濟本記에 이르기를 高麗 는 정월 丙午에 中夫人 子를 세워 왕을 삼았다. 나이가 8세였다. 狛王에게는 3夫人이 있는데, 正夫人은 子가 없고, 中夫人은 世子를 낳았다. 그 舅氏가 麤群이다. 小夫人이 子를 낳았는데 그 舅氏가 細群이다. 狛王이 병이 심해지자 細群과 麤群은 각각 그 夫人의 子를 세우려고 하였다. 그런 까닭에 細群에서 죽은 자만 2천여 인이었다].[140]

s-3. 고려가 그 王 安을 시해했다.[141]

물론 내분설의 유력한 근거는 s-1과 s-2에서 보듯이 545년에 안원왕의 임종을 둘러싼 외척 간의 격돌에서 찾았다.[142] 이 기록과 h-1~3에 인용된 대대로 선임 기사 속의 무력한 고구려 왕의 모습을 결부 지어 호소력 있게 제기되었다. 게다가 l-3의 531년에 발생했다는 안장왕의 피살설도 한몫 거들고 있다. 그러나 일단 l-3의 안장왕 피살 기사는『삼국사기』정황과는 부합하지 않는다. 안장왕에서 아우인 안원왕으로의 계위는 정변의 산물이 아니었다.『삼국사기』기사처럼 안장왕에게는 女만 있는데서 기인했을 수도 있다. 즉 피살설은 안원왕 즉위 조의 "큰 도량이 있어 안장왕이 그를 사랑하였다. 안장왕이 재위 13년에 서거하고 아들이 없는 까닭에 즉위하였다"[143]는 기사와도 배치된다. 그리고 l-2에서 8세에 즉위했다는 유년왕은 양원왕을 가리킨다. 양원왕은 부왕인 안원왕 재위 3년에 태자로 책봉되었다. 그는 안원왕 재위 15년에 부왕을 이어 즉위했다.[144] 이러한 정황은 양원왕이 8세에 즉위했다는『백제본기』기사와 배치된다.

더욱이 양원왕이 8세에 즉위했다면 재위 15년에 22세로 사망한 것이다. 그렇다면 양원왕을 이은 그 아들인 평원왕은 즉위시 7~8세를 도저히 상회할 수 없다. 그럼에도 평원왕은 재위 7년에 태자를 책봉하고 있다.[145] 이때 평원왕은 아무리 올려잡아도 14세 정도에 불과하다. 그러한 평원왕이 태자를 책봉할 수 있을까? 이 역시『백제본기』기사의 신뢰성을 떨어뜨린다. 그 밖에 h-1과 h-2의 궁문 앞 내전 기사는 2천여 명의 사망자가 발생했다고 한다. 유력 지배층의 분열과 내분으로 인해 고구려가

140_ 『日本書紀』권19, 欽明 7년 조.
141_ 『日本書紀』권17, 繼體 25년 조.
142_ 이에 대해서는 李弘稙,「日本書紀 所載 高句麗 關係 記事考」『韓國古代史의 硏究』, 신구문화사, 1971, 157~162쪽을 참조하기 바란다.
143_ 『三國史記』권19, 安原王 즉위년 조.
144_ 『三國史記』권19, 陽原王 즉위년 조.
145_ 『三國史記』권19, 平原王 7년 조.

금방 망할 것 같은 인상을 준다. 이는 개로왕이 북위에 보낸 다음과 같은 국서의 글귀를 연상시킨다.

> 지금 璉은 罪가 있어 나라 전체가 魚肉이 되고 大臣彊族을 살륙하기를 그치지 않아 罪가 차고 惡이 쌓여 백성들이 무너져 떠나가고 있으니, 이는 멸망의 시기요 손을 빌려서라도 칠 때입니다.[146)]

개로왕은 고구려 장수왕의 殘虐과 민심 이반으로 인해 고구려가 금방 무너질 것처럼 묘사하였다. 관망하던 북위의 개입을 유도하려는 목적에서였다. 고구려를 공격만하면 금방 승리할 수 있다는 자신감을 고취하고 있다. 이와 마찬가지로 「百濟本記」에 보이는 내분과 내전 기사는 신라를 유인하여 북진을 독려하기 위한 과장이나 거짓 정보일 가능성이다. 472년의 對北魏 국서에서처럼 6세기 중엽에도 고구려가 붕괴일로에 있다는 점을 띄우고 있다. 물론 외교문서와 사서의 성격이 동일할 수는 없다. 그러나 「백제본기」는 이 사실을 사서 편찬시 수록했을 뿐이다. 그러니 6세기 고구려의 내정 자료로서 거론되었음은 부인하기 어렵다. 문제는 「백제본기」 기록이 『삼국사기』와는 전혀 부합하지 않는다는 것이다. 『삼국사기』에는 그 어디에도 지배층의 분열이나 내분에 관한 기사가 비치지 않았다. 앞서 검토했듯이 「백제본기」의 내분 기사들은 허구일 가능성이 높아졌다. 이러한 맥락에서 볼 때 「백제본기」 기사를 맹신해야할 이유가 없어진다. 그럴듯한 허위정보 가능성을 고려해야 한다.

백제는 당시 고구려의 유약한 소년왕의 재위를 거론하면서 승산을 주지시켰다고 본다. 이는 472년에 개로왕이 고구려 장수왕을 '小豎' 즉 어린애로 폄칭한[147)] 사실과 연결된다. 당시 장수왕은 80세 육박하는 고령이었다. 결국 백제는 고구려 공격에 대한 자신감을 고취하는데 성공한 것 같다. 이는 550년까지 실리만 챙기며 대고구려 공세에 소극적이던 신라를 움직이게 만들었기 때문이다. 사실 신라는 동맹이 무색할 정도로 이때 고구려와 백제의 城을 모두 약취했다.[148)] 그러한 신라가 그 1년 후에는 백제와 함께 움직인 것이다. 결국 백제가 유포한 고구려 내분설은 과거에는 북위를 움직이게 하지는 못했다. 그러나 이제는 백제와 신라 및 가라 3국 연합군의 결성과 더불어, 북진하여 한강 유역을 석권하게 한 동인이 된 듯하다. 따라서 h-1과 h-2의 내분 기사는 액면대로 믿을 수 없는 요소를 상정해야 한다.

146_ 『三國史記』 권25, 蓋鹵王 18년 조.
147_ 『三國史記』 권25, 蓋鹵王 18년 조.
148_ 『三國史記』 권4, 眞興王 11년 조.

또 한편으로 유의해야할 사안이 있다. 내분으로 인해 과연 방대한 영역을 일거에 상실할 수 있었냐는 문제이다. 이러한 경우는 연중무휴로 내분이 꼬리를 물지 않고서야 가능하지 않다. 3년에 한 번씩 있는 대대로 선임이나 왕위계승전이 1년 내내 발생할 수는 없다. 설령 내분 중이더라도 외침은 내분을 잠재우는 역할도 한다. 오히려 고구려 공동체 내부의 위기감의 확산으로 인해 응집력을 강화시켜 외침에 대응하는 기제로 전환하게 된다. 전쟁 동기 가운데 내분 수습용은 이와 동일한 맥락에서 파악할 수 있다. 게다가 내분이 발생했다 하여 영역을 대거 상실한 경우가 있었던가? 만약 존재한다면 구체적인 사례를 적시했어야 할 것이다. 더욱이 h-1 국왕 외척 간의 내전은 545년의 일이다. 그로부터 6년 후에 고구려는 한강유역을 상실했다. 내전과 한강유역 상실 간에는 시간적 정합성이 없다. 게다가 한강유역 상실 불과 3년 전인 548년에 양원왕은 몸소 군대를 거느리고 백제 독산성을 공격했다.[149] 동일한 548년에 고구려는 백제의 마진성을 포위하였다.[150] 그리고 한강유역 상실 불과 1년 전인 550년에 고구려는 백제의 금현성을 공격했다(r-2). 내분 상황이라면 가능할 수 없는 현상이 아닐까? 따라서 고구려의 내분과 내전을 한강유역 상실 요인으로 지목하기는 어렵다.

물론 고구려 승려 혜량의 신라 투항과 관련한 구절 속에 고구려 政情의 혼미를 운위하고 있다. 다음 기사도 응당 검토가 필요하다.

> 이때 혜량법사가 그 무리를 거느리고 길가로 나왔다. 거칠부가 말에서 내려 軍禮로 인사를 올리고 앞으로 나아가 “옛날 유학할 때 법사의 은혜를 입어 생명을 보전할 수 있었습니다. 지금 우연히 서로 만나니 어떻게 은혜를 갚아야 할지를 모르겠습니다”라고 말하였다. “지금 우리나라의 정치가 어지러워 멸망할 날이 얼마 남지 않았다. 나를 그대 나라로 데려가 주기를 바란다”고 대답하였다. 이에 거칠부와 함께 수레를 타고 돌아와서 그를 왕에게 뵙게 하니, 왕이 僧統으로 삼았다. 비로소 百座講會 및 八關의 법이 두어졌다.[151]

149_ 『三國史記』 권7, 陽原王 4년 조.

150_ 『日本書紀』 권19, 欽明 9년 조.
고구려의 독산성 공격과 마진성 공격을 동일한 사건으로 간주하기도 한다. 그러나 이는 단순히 동일한 해에 발생한데서 비롯된 추측일 뿐 특별한 근거는 없다. 이와 관련해 백제에서 爾林을 공격할 때 생포한 高麗奴 6口 이외에 狛虜 10口를 각각 倭로 보내고 있다(『日本書紀』 권19, 欽明 11년 4월 조). 이때는 550년이므로, 그 이전에 고구려와 백제가 자주 교전했음을 알려준다. 고구려가 내분 상황에서 一擊을 받아 551년에 한강유역을 깡그리 상실한 게 아님을 암시하고 있다.

151_ 『三國史記』 권48, 거칠부전.

위의 인용에서 혜량법사의 "지금 우리나라의 정치가 어지러워 멸망할 날이 얼마 남지 않았다"는 말은 『일본서기』의 내분 기사와 잘 연결되고 있다. 그러므로 고구려가 내분으로 인해 적절하게 대응하지 못했기에 한강유역을 상실한 것으로 굳게 믿게 했다. 그러나 『삼국사기』에서 이 무렵을 대상으로 한 고구려본기 어디에도 정란 기사가 없다. 게다가 이 시기 고구려 왕들에 대한 『삼국사기』의 풍모 기사 역시 그럴만한 여지를 전혀 보이지 않고 있다. 비록 안장왕(519~531)에 대한 풍모 기사는 없지만, 그 뒤를 이은 안원왕(531~545)부터는 다음과 같이 보인다.

t-1. 안원왕(531~545): 큰 도량이 있어 안장왕이 그를 사랑하였다.[152]

t-2. 양원왕(545~559): 어려서부터 聰慧하고 장성하여서는 雄豪한 풍도가 남보다 뛰어 났다.[153]

t-3. 평원왕(559~590): 膽力이 있고 騎射를 잘 하였다.[154]

t-4. 영양왕(590~618): 風神이 준수하고, 濟世 · 安民을 自任했다.[155]

위에서 보듯이 519년부터 618년까지 1세기 동안 내분이나 強豪들에게 휘둘리는 군왕의 풍모는 그 누구에게도 없었다. 즉 '큰 도량'이나 '雄豪한 풍도', 그리고 '膽力'이나 '濟世 · 安民'의 소유자들은 h에 보이는 무력한 고구려 왕의 행태와는 전혀 맞지 않다. 물론 영양왕 말년에는 強豪들에게 권력이 넘어가 있었다. 그렇다고 영양왕 재위 전반기까지 소급해서 그러했다고 단정할 수는 없다. 양원왕 같은 이는 548년에 몸소 군대를 이끌고 백제의 독산성을 공격했다. 평원왕은 571년에 궁실에 대한 重修를 시도하기까지 하였다.[156] 그리고 평원왕대 이후부터는 국왕의 지원으로 낙랑 · 대방계 호족들이 중앙 정계에서 활약했다고 한다. 게다가 평원왕은 평민 출신의 온달을 사위로 맞이하였다. 평원왕은 이렇듯 군사적 재능이 특출한 평민 출신들을 기용하여 왕권을 강화하려고 했다.[157] 고구려의 別宮인 안학궁은 고구려 귀족들의 분묘 위에 조성되었다. 이 역시 강력한 고구려 왕권의 존재를 상정하지 않고서는 생각하기 어렵다.

152_ 『三國史記』 권19, 安原王 즉위년 조.
153_ 『三國史記』 권19, 陽原王 즉위년 조.
154_ 『三國史記』 권19, 平原王 즉위년 조.
155_ 『三國史記』 권20, 嬰陽王 즉위년 조.
156_ 『三國史記』 권9, 陽原王 13년 조.
157_ 李基白, 「溫達傳 檢討」 『白山學報』 3, 1967, 143~154쪽.

그런데 6세기 후반대의 고구려 왕들이 귀족들에게 휘둘렸다고 하자. 그렇다면 上記한 王者들의 풍모 기사는 물론이고 전투 지휘 기사와 왕권 강화의 상징인 궁실 중수 기록들이 나오기는 어려웠을 것이다. 그리고 양원왕과 평원왕도 '好太王'으로 일컬었던 점이 상기된다. 호태왕 호칭은 광개토왕이나 미천왕과 문자명왕에서 확인되듯이 걸출한 업적과 풍모를 지닌 왕들에게 부여되고 있다.[158] 그러한 호태왕 호칭은 上記한 양원왕과 평원왕의 풍모와도 잘 부합이 된다. 이 점은 양원왕과 평원왕이 결코 유약한 왕이 될 수 없음을 반증해준다. 그리고 영양왕의 경우도 598년에 몸소 말갈병을 이끌고 遼西 지역을 공략한 바 있다.[159] 600년(영양왕 11)에 그는 『신집』이라는 국사를 편찬하기까지 했다.[160] 이러한 역사서 편찬을 가능하게 한 왕권의 기반을 짐작할 수 있게 한다.

그러면 대대로직에 스스로 취임하면서 귀족들이 권력을 오로지 했던 시기는 언제일까? 앞에서 거론했듯이 612년 이전에 고구려 조정에는 强臣과 豪族들의 권력 전횡이 포착되었다. 바로 이것을 가리킨다고 보겠다.[161] 그리고 혜량법사의 "정치가 어지러워" 운운 발언은 그가 신라의 최고 僧職인 僧統까지 오르는 만큼, 망명할 수밖에 없는 불가피한 이유를 갖춰주어야 했다. 가라국의 樂師 于勒도 망명 동기를 "그 나라가 어지러워지자"[162]라고 밝혔다. 혜량이나 우륵 모두 정란을 피해 망명한 것으로 적혀 있다. 정란이라면 1차적으로 정치적 패배자인 귀족들의 망명 사유가 되어야 한다. 그런데 정작 고구려 귀족들이 망명한 기사는 그 어디에도 없다. 오히려 정치와는 비교적 거리를 둔 종교인이나 예술인들의 망명 동기로 정란을 운위하였다. 따라서 이들의 망명 명분을 액면대로 취신하기는 어렵게 한다. 게다가 『삼국사기』 거칠부전을 보면 고구려에 간첩으로 침투한 거칠부에게 포섭된 혜량이 기획망명한 듯한 인상마저 준다. 즉 처음에는 혜량이, 나중에는 거칠부가 생명을 보존해주는, 首尾가 딱 맞는 서술이었다.[163] 이러한 서사 구조상 혜량의 발언도 망명 명분을 만들기 위해 치장했을 수 있다. 따라서 혜량의 발언을 액면대로 믿기는 어렵다고 본다.

158_ 李道學, 「太王陵과 將軍塚의 被葬者 問題 再論」『高句麗硏究』 19, 2005 ; 『고구려 광개토왕릉비문 연구』, 서경문화사, 2006, 323쪽.

159_ 『三國史記』 권20, 嬰陽王 9년 조.

160_ 『三國史記』 권20, 嬰陽王 11년 조.

161_ 고구려 왕들의 풍모에 대한 서술은 李道學, 「高句麗의 內紛과 內戰」『高句麗硏究』 24, 2006, 28~30쪽 서술을 보완한 것이다.

162_ 『三國史記』 권4, 眞興王 12년 조.

163_ 『三國史記』 권48, 居柒夫傳.
이에 관한 논의는 閔喆熙, 「高句麗 陽原王·平原王代의 政局變化」『史學志』 35, 2002, 66쪽에서도 언급하였다.

(3) 長安城 축조

6세기 중엽의 고구려가 내분 상황이 아니라는 정황을 제시할 수 있었다. 무엇 보다도 정란 중이라면 어떻게 귀족들과 힘을 모아 장안성 축조라는 국력을 집결한 국가적 토목공사가 추진될 수 있었을까? 너무나 자연스러운 의문임에도 간과하였다. 뿐만 아니라 무비판적으로 내분설을 취신하여 몰고간 느낌이 짙다. 더욱이 규격화된 도시 구획인 里坊制의 실시는 귀족들의 거주 공간 제한을 통한 통제 의도가 있었다. 그리고 국내성 지역 귀족들에 대한 장안성으로의 집단 이주를 통한 기존 지배 구도의 해체라는 저의도 담겼던 것이다. 이에 대한 반발이 환도성 干朱里의 반란이라고 본다.[164]

고구려 서북방으로의 병력 집결 사실이 한강유역 상실의 중대한 요인이 된다고 하자. 그러면 축조와 관련해 전국적인 노동력이 징발된 것도 원인이 될 수는 없을까? 고구려는 다음에서 보듯이 552년(양원왕 8)에 장안성을 축조하기 시작하여 586년(평원왕 28)에 평양성에서 移都하였다. 다음의 기사가 그러한 사실을 알려준다. 즉 34년간에 걸쳐 도시 전체를 성벽으로 둘러막는 큰 도성을 축조하고는 移都한 것이다.

* 8년에 장안성을 쌓았다.[165]
* 28년에 장안성으로 移都했다.[166]

장안성은 외성과 중성, 내성 그리고 북성이라는 4개 구역으로 구분되었다. 그러한 장안성의 성벽은 방어에 유리한 고지와 강기슭을 따라 축조했다. 장안성의 총길이는 약 23㎞이다. 성안의 면적은 11.85㎢로서 연인원 230만 명의 동원으로 추산되고 있다. 평면 구도가 표주박 모양처럼 생긴 장안성 안에 里坊制가 실시되었다.[167] 여기서 연인원 230만 명은 성벽 축조에 동원된 數字만 가리킨다. 도시 구획과 관련한 도로 공사, 궁성과 관청을 비롯한 민가와 사찰 건립에 동원된 인원까지 포함한다면 230만의 몇 갑절이 되었을 것이다. 따라서 장안성 조성은 고구려 건국 이래 최대의 役事임이

164_ 李道學, 「高句麗의 內紛과 內戰」『高句麗研究』 24, 2006, 26~27쪽.
165_ 『三國史記』 권19, 陽原王 8년 조. "八年 築長安城"
166_ 『三國史記』 권19, 平原王 28년 조. "二十八年 移都長安城"
167_ 사회과학원 력사연구소, 『조선전사3』, 과학백과사전종합출판사, 1991, 179쪽. 185쪽.
장안성의 축조 방법과 功力에 관한 구체적인 서술은 손영종, 『조선단대사(고구려사 5)』, 과학백과사전출판사, 2008, 32~33쪽을 참조하기 바란다. 그리고 『平壤續志』에도 장안성이 얼마나 견고하게 축조되었는지를 구체적인 사례를 통해 알려주고 있다.

분명해진다.

그러면 고구려가 장안성을 축조하여 移都한 이유는 무엇일까? 침략군과 전투가 벌어졌을 때 궁성을 비롯하여 도시에 소재한 모든 시설물을 적들에게 내 맡기고 국왕과 대신 이하의 관리들과 군사들 뿐 아니라 수도 주민들이 모두 산성 안에 들어 가지 않으면 안되었다. 이러한 조건에서는 전투에서 승리하는 경우에도 도시를 파괴·소각 당하고 황폐화시키는 참상을 면할 수 없었다. 246년과 342년 환도성 함락이 이것을 잘 말해준다.[168] 특히 서북쪽에서 돌궐의 침공과 같은 상황에서 수도의 방어를 강화시키기 위해 도시를 전부 성벽으로 둘러막는 규모가 큰 도성의 축조가 필요했기 때문이었다. 이러한 맥락에서 볼 때 고구려가 547년에 돌궐의 발흥을 감지하여 백암성과 신성을 수리했듯이[169] 도성 방어 체계에 대한 획기적인 방안을 모색했을 수 있다. 551년에 돌궐의 침공을 격퇴한 직후 그 전부터 기획되었던 장안성 축조를 실행에 옮겼다고 본다. 2차례나 겪었던 환도성과 같은 도성 함락의 비극을 되풀이하지 않으려는 비상한 의지의 발로였던 것 같다. 장안성은 고구려 도성 체제의 안정적 유지에 필요한 획기적인 방안이기도 했다.[170] 특히 서북방으로부터의 위협에서 도성의 안전을 지키기 위한 방책이었다.

그러한 장안성에는 외성 안에 운하가 조성되었다. 외성의 서문인 다경문에서부터 중성의 남문인 정양문 사이에서 3km에 걸쳐 나타난다.[171] 전국 각지에서의 물산을 왕궁까지 신속히 조달받게 하려는 의도에서 掘鑿한 것으로 보인다. 이렇듯 고구려 건국 이래 최대의 토목공사가 야심 차게 펼쳐졌다. 그런데 국가적 토목 공사에서 가장 곤혹스러운 대상은 외부로부터의 침공이었다. 전투에 나갈 수 있는 청장년층이 공사장에 묶여 있었기 때문이다.

그러면 도성을 조성하는 기간 중에는 전쟁 양상은 어떠하였을까? 고구려의 경우 427년에 평양성으로 移都하게 된다. 평양성 移都 계획은 광개토왕대 후반기부터 추진되었다고 하자. 410년 광개토

168_ 사회과학원 력사연구소,『조선전사3』, 과학백과사전종합출판사, 1991, 178쪽.

169_ 장창은,『고구려 남방진출사』, 경인문화사, 2014, 264~265쪽.

170_ 586년 장안성 移都 배경을 隋의 압박 대비용으로 해석하기도 한다. 그러나 이러한 해석은 두 가지로 이유만으로도 성립되지 않는다. 첫째 국가 최대 토목공사인 장안성 축조를 단행할 때인 552년 이전에 이미 移都 계획이 수립되었다. 이때는 北朝의 隋가 등장하기 무려 29년 전이었다. 둘째 隋가 陳을 멸망시키고 중원을 통일한 것은 589년이었다. 장안성 移都는 隋의 전격적인 통일 이전이었다. 그러므로 장안성 축조 동기를 隋의 압박 대비용으로 해석한 주장은 맞지 않다. 이와 관련해 장안성 공사 기간이 무려 34년이므로 초축과 천도 배경은 구분해야 한다는 주장도 있다. 工期가 34년이나 되는 백제 왕흥사는 창건과 완공 배경이 다를 수 있다. 그렇지만, 그러한 주장을 취신하던가?

171_ 사회과학원 력사연구소,『조선전사 3』, 과학백과사전종합출판사, 1991, 185쪽.

왕의 동부여 원정 이래 427년까지 금석문이나 史書에서 전쟁 기사 자체가 없다. 안정적인 상황에서 移都가 이루어졌음을 알 수 있다. 백제의 경우 "更爲强國"을 선언한 무녕왕 후반기부터 사비성 천도가 추진되었다고 한다.[172] 이 무렵의 전쟁 기사를 『삼국사기』에서 뽑아 보면 다음과 같다.

u-1. 가을 9월에 고구려가 加弗城을 습격하여 빼앗고, 다시 군사를 옮겨 圓山城을 격파하니 죽이거나 약탈하여 간 것이 매우 많았다. 왕이 용감한 기병 3천 명을 거느리고 葦川 북쪽에 나가 싸우니 고구려 병사들이 왕의 군사가 적은 것을 보고 가벼이 여겨 진을 치지 않았으므로 왕이 기발한 작전을 써서 기습을 하여 크게 무찔렀다(무녕왕 12년).

u-2. 겨울 10월에 고구려 왕 興安이 직접 군사를 거느리고 침입하여 북쪽 변경 穴城을 함락시켰다. 왕이 좌평 燕謨에게 명령하여 보병과 기병 3만 명을 거느리고 五谷 벌판에서 항전하게 하였으나 이기지 못했다. 사망자가 2천여 명이었다(성왕 7년).

u-3. 18년 가을 9월에 왕이 장군 燕會에게 명령하여 고구려의 牛山城을 치게 하였으나 승리하지 못했다(성왕 18년).

위의 인용 기사에서 알 수 있는 사실은 사비성 천도 준비 기간에는 백제가 전쟁을 일으킨 적이 없었다. 다만 침공해 오는 고구려군을 상대로 교전하였을 뿐이다. 그런데 사비성 천도가 완료된 538년에서 불과 2년 후인 540년에 백제는 고구려를 침공하였다(v-3). 이 사실은 천도 준비에 가장 큰 저해 요인이 전쟁임을 알려준다. 천도라는 국가 최대의 토목 공사를 진행할 때는 국력을 아끼고자 했음을 알 수 있다. 그랬기에 전쟁을 피하고자 한 것으로 보인다. 이러한 맥락에서 볼 때 고구려가 552년에 신라에 通和를 제의한 데는 몇 가지 포석이 깔렸다고 하겠다. 첫째는 북진하는 신라와 백제 동맹 체제를 이간하여 해체하려는 목적이었다. 둘째는 대규모 국가적 토목공사인 장안성 移都 준비가 차질 없이 진행되기 위해서는 주변 환경이 안정되어야만 했다. 외침을 받지 않아야 하는 것이다. 이러한 두 가지 목적으로 인해 고구려는 통화를 제의했다고 본다. 그 본질은 안정적인 장안성 축조를 위

172_ 서정석, 『백제의 성곽』, 학연문화사, 2002, 131쪽.
李道學, 「백제 사비 천도의 재조명」『사비시대의 백제와 문화』, 부여군 백제문화제선양회, 2002 ; 「百濟 泗沘 遷都의 再檢討」『東國史學』39, 2003 ; 『백제한성·웅진성시대연구』, 一志社, 2010, 392~396쪽.

한 전략이었다.[173] 이와 엮어서 나제동맹 해체를 시도한 것이다.[174]

고구려와 신라는 통화를 통해 일종의 느슨한 동맹을 맺었다. 이러한 정황은 양국의 對百濟 공동 전선에서 엿볼 수 있다. 즉 554년 7월에 신라는 관산성 전투에서 백제 성왕 이하 3만에 가까운 백제군을 몰살시켰다.[175] 그로부터 3개월 후인 554년 10월에 고구려가 크게 군대를 일으켜 즉각 백제 웅천성을 공격하였다. 다음의『삼국사기』기사에 보인다.

* 겨울 10월에 고구려가 크게 군사를 일으켜 웅천성을 공격해 왔으나 패하여 돌아갔다(위덕왕 원 년).
* 겨울에 백제 웅천성을 공격하였으나 이기지 못했다(양원왕 10년).

위의 기사는 백제가 관산성 전투에서 참패한 틈을 탄 기습 공격일 수 있다. 그러나 전후 정황을 놓고 볼 때 고구려와 신라가 백제를 공동의 적으로 설정하여 공격한 것이 분명하다. 554년 7월과 10월에 신라와 고구려의 백제 공격은 양국 간의 通和가 단순한 結好를 넘어 군사 연대로까지 발전했음을 반증한다. 그러한 고구려와 신라 간의 통화가 결렬된 것은 다음에 보이는 603년의 북한산성 공격부터였다.

가을 8월에 고구려가 북한산성에 침입하였으므로 왕이 몸소 군사 1만 명을 이끌고 막았다.[176]

고구려와 신라 간의 통화 결렬은 고구려가 수와 전쟁할 때였다. 신라 진평왕은 圓光을 통해 수에 乞師表를 올리기도 했다.[177] 신라가 수 편을 들었을 뿐 아니라, 고구려 남부 500리를 약취했다고도 한다. 연개소문이 수와의 전쟁 때 고구려 남부 500리를 약취당했다는 주장은, 통화를 깬 신라와 수의 연결을 상기시킴으로써, 차제에 발생할 수 있는 신라와 당과의 연결을 차단하려는 의도로 본다. 위의 기사는 그에 따른 고구려의 보복이기도 했다. 아울러 양국 간의 통화는 50년만에 결렬되었다.

173_ 이와 관련해 "신라와 물밑 접촉을 통해 連和하는 데 성공했다. 이를 바탕으로 고구려는 552년 장안성 축조를 시작함으로써(김진한,「陽原王代 高句麗의 政局動向과 對外關係」『東北亞歷史論叢』17, 2007, 311쪽)"라고 했다.
174_ 李道學,「高句麗와 倭의 關係 分析」『東아시아古代學會 第66回 定期學術大會 및 國際學術大會와 文化 探訪』, 동아시아고대학회, 2017.7.6, 22쪽.
175_ 『三國史記』권4, 眞興王 15년 조.
176_ 『三國史記』권4, 眞平王 25년 조.
177_ 『三國史記』권4, 眞平王 30년 조.

고구려가 통화를 제의한 552년부터 신라의 북한산성을 공격한 603년까지 대략 50년이 통화 기간이었다.[178] 신라는 통화가 유지되는 동안 황초령과 마운령 일대를 지배했다고 보아야 한다. 이는 신라의 최북단이요 마운령비가 소재한 이원군까지 신라 고분이 분포한데서 확인된다. 특히 마운령과 황초령 사이에 소재한 홍원군 부상리에는 200여 기의 대형 신라 고분이 분포했다. 신라 고분의 조성 시기는 6세기 중엽~후반으로 지목되었다.[179] 이는 고구려와 신라 간에 전쟁이 없었던 50년간의 통화 기간과 부합한다. 이와 관련해 진흥왕순수비가 건립된 568년에 신라는 比列忽州(安邊)를 폐지하고 達忽州(高城)를 설치했다. 이 기록을 誤譯하면 비석을 세우자마자 마치 신라가 마운령과 황초령에서 철수한 것처럼 비친다. 그러나 同年에 北漢山州(서울 북부와 경기도 고양시 일원)를 폐지하고 南川州(利川)를 설치했다. 그렇다고 신라가 한강 이북을 상실한 것은 아니었다. 따라서 州의 남하가 곧 영토의 상실 표징은 아님을 알 수 있다.[180] 이는 함경남도 지역에 길게 분포한 신라 고분군과 산성의 존재가 반증하지 않은가?

그런데 흔히 진흥왕 3巡狩碑를 國境碑로 여긴다는 것이다. 순수비는 문자 그대로 국왕이 자신의 안정적인 영역에서 순수한 사실을 공표한 기념비일 뿐 邊境碑는 아니었다. 진흥왕순수비는 境域 가늠의 지표는 될 수 있다. 그렇다고 순수비 자체가 변동과 부침이 심한 국경 지역 행차를 가리키지는 않는다. 이를 착각하는 경우가 적지 않다. 가령 신라는 553년에 서울 이북을 점령했다. 그렇지만 북

178_ 혹자는 고구려와 신라가 50년간 通和를 했다는 증거가 부족하다고 했다. 그러나 이 기간 동안 고구려와 신라 간 전쟁이 없었다. 바로 이 사실 자체가 통화의 강력한 증거가 아니고 무엇이랴? 게다가 함경남도 지역에 분포한 수백기의 대형 석실분들의 존재는 신라가 일시적으로 점령했다가 후퇴하지 않았음을 반증한다. 이러한 증거는 『삼국사기』의 한계를 극복해주는 不動의 물증으로 해석되어진다. 그럼에도 『삼국사기』에 보이는 州治의 이동만을 놓고서 산성과 古墳이라는 不動의 물증을 외면하는 경우가 많다. 이들의 경우 마운령과 황초령 진흥왕순수비는 지우고 싶어서인지 노상 '함흥평야' 타령만 하는 것 같다. 그렇지만 홍원군 부상리에만 200기가 넘는 대형 신라고분의 존재는 일시적 지배가 아닌 적어도 1세대 이상에 걸친 안정적 지배가 지속되었음을 반증한다. 게다가 2개의 순수비가 파괴되지 않았다는 사실도 유의해야 하지 않을까. 이는 관구검기공비가 파괴된 사실과는 비교된다. 아무리 접근성이 나쁜 山頂에 비를 세웠다고 하더라도 지금까지 남아 있었다는 것은, 안정적인 지배를 반증하는 물증이 아니겠는가?

179_ 박진욱, 「동해안일대의 신라무덤에 대하여」『고고민속』, 사회과학원출판사, 1967-3, 17~19쪽.

180_ 현장을 실견하지도 않았고, 도면이나 사진 자료도 불충분한 상황이다. 그러므로 이들 신라 고분에 대한 편년 설정은 신중해야 하겠지만, 현재로서는 북한의 편년을 취할 수밖에 없다. 이 무렵 신라 고분은 함경남도만 하더라도 정평군 다호리, 오로군 오로읍, 홍원군 부상리와 삼성리, 북청군 지만리, 이원군 곡창리 등지를 비롯하여 광범한 지역에 소재했다(박진욱, 위의 논문, 12쪽).
박진욱, 「동해안일대의 신라무덤에 대하여」『고고민속』 사회과학원출판사, 1967-3, 19쪽.
참고로 육군본부를 비롯한 삼군본부를 서울에서 남쪽의 계룡시로 이전했다고 하여 북방 영토 상실을 의미하지 않는다. 전략적으로 여러 면을 고려한 결과였다. 마찬가지로 당시 신라의 州治 남하도 그렇게 보아야 한다.

한산순수비는 그 보다 15년 후인 568년이나 그 이후에 건립되었다.[181] 따라서 568년 당시 신라의 북계는 서북으로는 북한산 이북, 동북으로는 마운령 이북으로 상정해야 맞다. 황초령과 마운령은 적어도 568년 이전에 신라 영역이 되었던 것이다.

(4) 장안성 천도와 왕권

고구려는 586년(평원왕 28)에 안학궁터의 서남쪽에 해당하는 곳에 35년 간에 걸쳐 도시를 전부 성벽으로 둘러막는 큰 도성을 축조하여 천도했다. 장안성을 가리킨다. 이름 그대로 '오랫동안 평안한' 도성 건립을 야심차게 추진했다. 이러한 장안성의 성벽은 방어에 유리한 고지와 강기슭을 따라 축조하였다. 그 총길이는 약 23㎞이고, 성안의 면적은 11.85㎢로서 연인원 230만 명이 동원된 것으로 추산되고 있다. 장안성은 평면 구도가 표주박 모양처럼 생겼다. 그 안에 里坊制가 실시되었다. 田은 1개의 坊이고, 이것이 16개 모이면 1개의 里가 된다. 『삼국유사』 기이편 고구려 조에는 "고구려가 강성할 때 21만 508호가 거주하였다"고 했다.

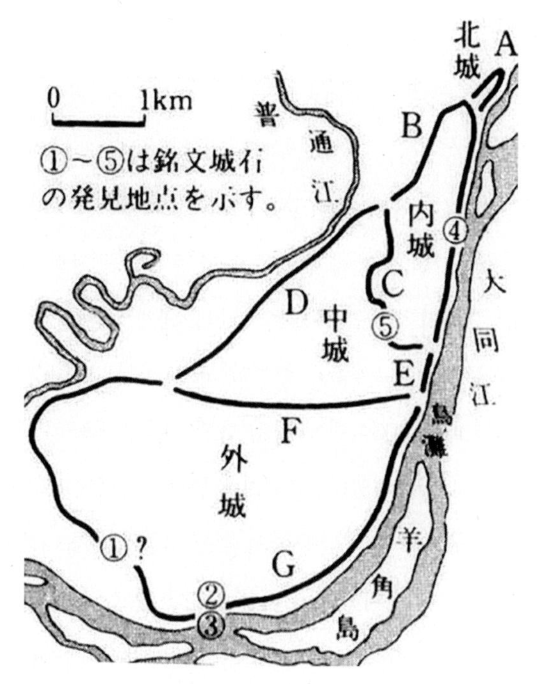

그림 12 | 고구려 장안성도[181]

4개의 구역으로 조성된 장안성의 맨 꼭대기에 소재한 북성에는 祠廟나 사찰과 더불어 군량이나 軍器의 비축처였던 것 같다. 내성에는 왕궁, 중성에는 귀족들의 거주 공간, 외성은 기타 주민들의 거주 공간으로 해석되어진다. 이 경우는 後金의 도성이 참고된다. 내성 안의 목책에는 누르하치의 공간, 내성에는 누르하치의 일족, 외성에는 장수들의 일족, 외성을 에워싸고 군인들이 경비했다.[183] 고구려 장안성이나 후금 도성의 구조는 기본적으로 동일하였다.

181_ 한국고대사회연구소,『譯註 韓國古代金石文 Ⅱ』1992, 68쪽.
182_ 東潮・田中俊明,『高句麗の歷史と遺跡』, 中央公論社, 1995, 226쪽.
183_ 『紫巖集』 권6,「建州聞見錄」

장안성으로 천도한 후 고구려 왕은 망명 외국인이나 군사적 재능을 가진 평민 출신과의 연결을 꾀하여 귀족세력을 견제하고자 했다. 이러한 배경 하에서 을지문덕과 온달 장군이 등장했다고 한다.

고구려 왕권이 약화된 시점은 隋로부터의 압력과 전쟁 위협이 고조되는 607년 무렵부터였다. 긴장된 비상 국면 속에서 對隋 강경 귀족들이 권력을 장악했다. 연립정권체제는 607년경부터 연개소문이 집권해서 강력한 권력을 구축하는 642년까지의 대략 35년 정도로 국한된다.

10) 隋와의 전쟁

삼국 간의 분쟁은 6세기 종반, 대륙의 정세 변화에 따라 새로운 국면으로 접어들게 되었다. 隋는 586~587년 북방에 長城을 축조하여 고구려의 침공에 대비했다. 그 직전인 584년에 고구려는 수에 간 고구려 사신을 통해 수 관리들에게 뇌물을 주면서 수의 내정을 탐지하였다. 결국 589년 중국대륙을 통일한 수는 중국 중심의 국제질서를 지향하는 추세를 나타냈다. 수가 돌궐을 격파하여 복속시킴에 따라 300여년에 걸쳐 다원적인 세력균형 상태를 유지해 왔던 동아시아의 국제질서는 중국 중심으로 개편되었다. 고구려에 중대한 위협이 되었음은 말할 나위없다.

고구려는 수가 남중국의 陳을 멸망시키자 다가올 위협에 대비해서 군비를 강화시켜 나갔다. 고구려는 이에 대비하여 군비를 증강하였고, 수에서 온 사신을 통제하여 기밀 누출을 막았다. 『수서』에 의하면 "정치하는 법을 가르쳐주기 위해 파견한 사자를, 빈 客館에 앉혀놓고 삼엄한 경계를 펴며 눈과 귀를 막아 영영 듣고 보지도 못하게 하였소. 무슨 음흉한 계획이 있기에 남에게 알리고 싶지 않아서 그러는가?… 종종 기마병을 보내어 변경 사람을 살해하고"라고 한 기록이 잘 말하고 있다. 그리고 고구려는 이때 "군사를 훈련시키고 곡식을 저축하여 방어할 계획을 세웠다"고하여 외교 문제로까지 비화되기도 하였다. 그렇지만 고구려는 재물을 뿌려 수의 弩手를 빼어 갔다. 수에 대적하기 위한 군비증강 계획의 일환이었다. 이에 대해 수가 고구려를 힐책하면서 "가만히 재물을 써서 소인들을 꾀었으며 쇠뇌 기술자들을 데리고 자기 나라로 달아났다"고 비난했다. 598년에 고구려 영양왕은 몸소 말갈병 1만 명을 앞세우고 요서 지방에 있던 수의 전진기지를 공격하였다. 『수서』에 의하면 "이에 거란의 무리들을 아우르고 바닷가 초소들을 쳐서 수비병들을 죽였으며, 말갈의 행동을 본따서 遼西를 자주 침공하였다. 청구[東方] 나라들이 모두 조공의 길을 이행하는데.…(고구려는) 조공하는 물건들을 탈취하고 내왕하는 길을 가로 막았다"[184]고 하여 보인다.

그러는 가운데 고구려 세력 하에 있던 일부 거란족과 말갈족이 이탈해 나갔다. 이에 힘입어 隋文帝를 이어 즉위한 수 양제는 고구려에 국왕의 入朝를 요구하였다. 고구려의 복속을 강요한 것인데, "양자강 이남의 陳을 멸망시키는데 한 달이 못되었고, 군사도 수천 명에 지나지 않았는데, 하물며 長江의 폭과 비교되지 않는 遼水를 가지고서 감히 대적하려는가?"라고 겁박하였다. 수가 고구려 왕의 입조를 요구하게 된 직접적인 동기는 수 양제가 동돌궐의 추장인 啓民 可汗의 帳幕을 방문했을 때(607년) 고구려 사신과 마주치게 되어 의혹이 일었기 때문이다. 결국 수 양제는 고구려 국왕의 입조를 요구했지만, 거절 당하자 침공을 결행했다. 수는 612년부터 614년까지 3차례에 걸쳐 고구려 원정을 단행했지만, 참담한 패전으로 종결되었다. 전과라면 遼水 서쪽에 고구려가 배치한 초소인 武厲邏만을 함락시켰을 뿐이었다.

고구려가 승리하게 된 요인은, 첫째 대병력을 구비했기 때문이다. 『신·구당서』 발해말갈 조에 "옛날 고구려는 그 전성시대에 군사 30만으로 당에 항거하여 싸웠다"고 하였다. 둘째 요동 지역의 鞍山과 撫順을 비롯한 유수한 철광산지를 확보했기 때문이다. 셋째 고구려의 지형·지세가 게릴라전에 유리하였다. 길이 좁고 보급이 힘들어서 수 군대는 1인당 100일분의 식량과 갑옷·창·천막·취사도구를 짊어지고 행군했는데, 1인당 3섬[185] 이상의 무게를 짊어졌다. 모두 113만 3,800명이 24개 군단으로 나누어 침공해 왔지만, 개인 장비의 과중으로 위력을 발휘하기 어려웠다. 넷째 기만전이 주효하게 작용하였기 때문이다. 을지문덕은 "신통한 전략은 天文을 꿰뚫었고 기묘한 전술은 지리를 통달하였네, 싸움에서 이겨 공로가 이미 높으니 만족함을 알고 돌아감이 어떠하리!"라는 내용의 오언시를 지어 적장을 희롱했다. 그리고는 거짓 항복하여 군사를 돌이키면 왕을 받들고 황제에게 인사하겠다고 해 놓고는 회군하는 수 군대가 살수를 반쯤 건넜을 때 공격하여 궤멸시켰다. 즉 "30만 5천 명의 수 군대는 1日1夜에 압자수에 이르니 450리를 간 것이고, 요동에 왔을 때는 2,700명 뿐이었다"고 했다.

184_ 『隋書』 권4, 大業 8년 정월 壬午 條.
185_ 10말이 1섬이므로, 3섬은 30말을 가리킨다.

11) 막부 군사독재체제와 멸망

중원대륙을 통일한 唐은 隋와 동일한 순서를 밟아 고구려에 대한 침공을 준비하였다. 이에 대비하여 16년 간에 걸쳐 고구려는 동북쪽으로는 扶餘城(농안)에서 서남쪽으로는 발해만의 卑沙城(다롄)에 이르는 천리장성을 축조하였다. 631년에는 당측에서 고구려의 대수전 전승기념물인 京觀을 헐어버렸다. 京觀의 '京'은 '높은 언덕'을, '觀'은 '궁문 양 옆에 있는 높은 臺의 형상'을 가리킨다고 했다.[186] 싸움에서 죽은 시체를 쌓아놓고 그 위에 흙을 덮어 적을 이긴 공로를 드러내는 것이다. 몽골은 제2차세계대전 때 생포한 일본군 포로를 동원해 도로 건설과 건축 공사에 투입시켰다고 한다. 고구려 또한 수군 포로를 동원하여 경관을 지었을 가능성이 보인다.

그러면 고구려의 西境으로서 631년(영류왕 14)부터 16년 간에 걸쳐 축조한 천리장성이 지닌 의미를 상기해 본다. 왜냐하면 천리장성은 漢代 이래 중국 역대 왕조가 평양성을 공격했을 때 육로와 수로를 함께 이용한 점을 상기할 때 무모한 토목 공사였기 때문이다. 곧 線에 불과한 천리장성이 군사방어적으로 유효한 기제가 되기는 어려웠다. 실제 고구려와 당과의 전쟁에서 천리장성의 존재감 자체는 아예 없었다. 이와 관련해 천리장성 축조와 관련한 기사를 다음과 같이 인용해 보았다.

> 당은 광주사마 長孫師를 파견하여 수의 戰士 무덤의 해골에 제사지내고, 그때 세운 경관을 헐어버렸다. 2월에 왕은 백성을 동원하여 장성을 쌓되 동북은 부여성에서 서남은 바다에까지 이르니 길이가 천여리요, 무릇 16년만에 준공되었다.[187]

위에 보이는 천리장성 축조의 동기를 "당이 고구려 所立의 경관을 헐었으므로, 왕은 혹 (唐이) 자국을 칠까 두려워하여 西境 방비의 목적으로 시작한 것이니"[188]라고 해석하기도 했다. 『구당서』 고려 조의 "건무(영류왕: 필자)는 (당이) 그 나라를 정벌할까 두려워하여 장성을 쌓았는데…"라는 구절을 그 직전의 해골 수습이나 경관 파괴와 결부지어 인과론적으로 해석했기 때문이다. 그러나 이러한 해석은 지극히 현상적인 이해에 불과하다. 왜냐하면 천리장성 축조 직전에 고구려와 당은 긴장

186_ 『龍飛御天歌』 40章.
187_ 『三國史記』 권20, 영류왕 14년 조.
188_ 李丙燾, 『國譯 三國史記』, 乙酉文化社, 1976, 319쪽, 註 6.

상황이 아니었다. 626년에 신라와 백제 사신이 당에 와서 고구려 때문에 입조할 수 없었다고 하소연했다. 그러자 당이 중재하여 화해를 시켰다. 영류왕은 고분고분하게 당에 사죄하였고, 신라와의 회맹까지 요청했다. 628년에 고구려는 당이 돌궐을 격파한 것을 축하하였고, 封域圖까지 올렸다.[189] 이러한 양국 간의 공조와 평화 분위기 속에서 이전대의 전몰 군인 유해 수습과 경관을 허는 일이 뒤따랐다. 이처럼 천리장성 축조 이전에 고구려와 당 간에 긴장 관계는 없었다. 그러므로 고구려의 천리장성 축조 배경을 당과의 대립 구도 속에서 이해하는 것은 맞지 않다. 오히려 당이 추진한 일련의 움직임에 부응하여 천리장성 축조를 단행했다고 볼 수 있다. 그러면 다른 맥락에서 천리장성 축조 배경을 살펴야 할 것 같다.

당 태종 이전인 통일제국 수 이래 중국인들은 요동 지역이 당초 중국 영역이었음을 강조하였다. 중국이 곧 탈환해야할 지역으로 설정했다. 소위 四郡 지역이 그러한 범주에 속하게 된다. 당은 고구려 영역 가운데 과거 한사군의 영역과 魏代 이후의 요동군을 수복지로 지목하였다. 당 태종은 "요동은 옛적에 중국 땅이었다.… 짐은 장차 가서 이를 경략하려 하는 것이다"[190]고 했다. 이에 대한 대응으로 고구려는 자국의 世界 내지는 권역 설정 개념으로 천리장성 축조를 단행한 것으로 보인다. 요컨대 중국 진시황의 만리장성은 결과적으로 소위 華와 夷의 정치·문화적 계선이 되었다. 이와는 달리 고구려 천리장성은 당초부터 중국과 고구려를 구분 짓는 계선이라는 의미로 축조한 것이다. 그렇게 보아야만이 당의 침공시 고구려 천리장성이 방어적 기능으로서 의미가 없었던 이유를 알 수 있다. 즉 고구려 천리장성은 군사적 의미 보다는 고구려 세계와 권역의 설정이라는 상징성을 지니고 있었다. 바꿔 말해 당의 고구려 침공 동기에 대응한다는 차원에서 그 축조 동기를 살펴야 맞을 것 같다.[191]

고구려 천리장성 축조의 직접적인 동기는 경관을 허문 사건과 연계되어 있다. 일반적으로 당인이 무단으로 경관을 헐었던 사건을 고구려와 당과의 대립으로 해석했다. 그러나 경관을 허문 때로부터 9년 후인 640년(영류왕 23)에 고구려는 세자를 당에 파견하였다. 당은 그를 후대했다. 이때 영류왕은 자제를 당 國學에 입학하고자 요청하였다.[192] 그러한 우호적인 기조는 이듬 해인 641년까지 이어

189_ 『舊唐書』 권199, 동이전, 高麗 條.
190_ 『三國史記』 권21, 보장왕 3년 조.
191_ 李道學, 「界線으로서 韓國史 속 百濟人들의 頭髮과 服飾」『백제 하남인들은 어떻게 살았는가』하남문화원, 2013. 10. 11, 9쪽.; 李道學, 「「廣開土王陵碑文」에 보이는 '南方'」『嶺南學』 24, 2013, 7~39쪽.
192_ 『三國史記』 권20, 영류왕 23년 조.

졌다. 경관을 허문 631년 이전에도 양국은 아주 우호적이었다. 고구려는 621년(영류왕 4)부터 622년 · 623년 · 624년 · 625년 · 626년 이후에도 당에 사신을 파견하거나 唐使가 찾아 왔다.[193] 628년(영류왕 11)과 629에도 당에 사신을 파견하여 조공했다.[194] 그런 직후인 631년에 경관을 허문 사건이 발생한 것이다.[195] 이는 622년에 고구려 영내의 수군 포로들을 수만 명이나 송환한 연장선상에서 해석이 가능하다.[196] 즉 631년에 고구려는 자국 영내에서 전사한 수군 해골에 제사지낸 후에 경관을 헐었던 것이다.

이러한 맥락에서 볼 때 경관을 헐게 된 배경에는 고구려측의 양해가 있었음을 알 수 있다. 즉 고구려와 당 간의 화평의 표지로써 경관을 헐고 천리장성 축조를 시작한 것으로 보인다. 고구려가 천리장성을 축조함으로써 중국을 넘볼 일이 없음을 가시적으로 선언한 것이다. 598년 고구려군의 요서 기습과 같은 침범이 재현되지 않을 것임을 선언하는 행위였다. 즉 중국에 대한 불가침 표지라고 하겠다. 동시에 당으로 하여금 요동에 대한 고지수복론을 재론하지 말라는 경고이기도 했다. 고구려와 당이 각자 절충하여 타협하는 선에서 고구려의 西界가 설정된 것이다. 그럼으로써 고구려는 양국 간의 화평을 꾀하고자 한 것으로 보인다. 이는 고구려 서계에 대한 권역의 확정이었다.

그러나 이러한 화평 관계는 642년에 천리장성 감독관으로 파견한 연개소문이 그해 10월에 영류왕을 시해하고 집권함으로써 파탄 상태에 빠졌다.[197] 화평의 표상인 천리장성 축조에 파견된 이가 연개소문이었다. 연개소문은 그에 대한 불만으로 대당 유화론자인 영류왕을 살해하고 대당 강경노선으로 치달았다.[198]

고구려는 16년에 걸친 역사를 통해 천리장성을 구축했다. 이는 고구려의 경계선을 요하 동쪽으로 설정함으로써 더 이상 요하 서쪽 지역을 넘보지 않겠다는 화해의 표지였다. 중국의 당과 고구려가 각자의 계선을 설정하고 인정하도록 한 것이었다. 그런데 이러한 계선은 연개소문의 집권과 더불어 허물어졌다. 고구려가 천리장성 서쪽 지역으로 진출한 흔적이 포착되었기 때문이다. 당으로부터 압박을 받고 있던 연개소문은 천리장성 자체를 인정한다는 자체가 당과의 공존을 뜻하는 동시에, 자

193_ 『三國史記』 권20, 영류왕 5년 · 6년 · 7년 · 8년 · 9년 조.
194_ 『三國史記』 권20, 영류왕 11년 · 12년 조.
195_ 『三國史記』 권20, 영류왕 14년 조.
196_ 『三國史記』 권20, 영류왕 5년 조.
197_ 『三國史記』 권20, 영류왕 25년 조.
198_ 李道學, 「高句麗의 內紛과 內戰」『高句麗硏究』 24, 2006, 35~36쪽.

신의 비정상적인 막부 정권 퇴출을 기정 사실화한 것으로 간주했기 때문이었다. 연개소문은 당 태종의 침공을 막아낸 후에 천리장성이 아무런 상징적 구실도 못한다는 것을 체감하였다. 당을 견제하기 위해서는 요서 지역의 거란이나 奚를 비롯한 주변 종족들을 영향권에 넣어야 유리하다고 판단했다. 그랬기에 고구려의 지배권이 요하 서쪽으로 넘어설 수 있었다고 본다.[199]

연개소문은 집권 후 강경한 대외정책을 표방하여, 당 사신을 토굴에 감금함으로써 정면 대결의 자세를 확고히 했다. 이는 수 양제가 고구려 사신을 太廟에 告하도록 한 뒤 억류시킨데 대한 보복이었다. 신라에 대해서도 공세를 강화시켰다. 642년에 찾아온 김춘추의 화평제의를 거절하고 강경노선으로 치달았다. 이것이 고구려의 운명을 결정지었다. 고구려와의 교섭이 좌절된 후 신라는 당의 연호를 사용하고 官服을 당에 맞추어 입는 등, 당과의 동맹을 더욱 확고히 하였다. 따라서 고구려는 남북에서 강력한 적대세력을 맞게 되었다. 물론 이에 대항해서 고구려는 백제와 연결하고 북방의 유목민족과 제휴를 모색하였으나 그러한 연결은 취약했다.

645년 연개소문의 시역에 대한 정토를 명분으로 당 태종이 이끈 원정군의 침공으로 양국 간의 전쟁은 발발하였다. 군량 50만 석이 비축되었던 요동성도 함락되면서 반역자들도 나왔다. 그러나 지금의 랴오닝성 하이청(海城)의 동남방에 소재한 英城子山城인 安市城에서 고구려 군대는 힘있게 항전하여[200] 당군을 물리쳤다. 중국 사서에서는 이 전투와 관련해 당 태종의 10만 병력 중 전사자는 1,200~2,000명이라는 거짓된 기록을 남겼다. 그 뒤에도 당군은 산발적으로 공격해 와 고구려의 국력은 피폐해졌다. 백제가 멸망한 660년 7월 이후 고구려는 신라와 당군의 집요한 공격을 계속 받았다. 특히 신라는 당군의 장기간 주둔이 가능하게끔 남쪽으로부터 군수물자를 공급해 주었다. 665년경 연개소문 사망 이후 그 아들형제 간의 분란으로 인해 668년 9월에 평양성이 함락되면서 고구려는 멸망하였다.

이와 엮어져서 한 장의 고구려인의 모습이 저멀리 중앙아시아의 우주베키스탄 사마르칸트 市에 소재한 아프로시압 궁전벽화에서 보인다. 고대 소그디아나 왕국의 수도였던 이곳 궁전벽화에 나타나고 있는 외국 사절단 가운데 두개의 새깃털을 세운 모자에 넓은 소매 달린 웃저고리에 팔짱을 낀 채 민고리형 칼을 차고 모로 서 있는 두 명의 인물을 발견할 수 있다. 이 두 인물이 고대 한국인임은

199_ 李道學, 「「廣開土王陵碑文」에 보이는 '南方'」『嶺南學』 24, 2013, 7~39쪽.
200_ 고연수와 고혜진이 15만 병력을 이끌고 안시성을 구원하기 위해 출동했으나 대패하고 말았다. 그리고 말 5만 필, 소 5만 마리, 明光鎧 1만 벌을 빼앗겼다.

그림 13 | 아프로시압 궁전벽화에서 보이는 고구려 사신도(복제)

복식으로나 차고 있는 칼로 보아 의심할나위 없다. 더욱이 두 개의 새깃털을 세운 모자는 고구려의 전매 특허격인 절풍임이 분명하다.

그러면 고구려 사신의 모습이 중앙아시아 지역에 남겨지게 된 배경이 궁금해진다. 어떠한 형태로든 간에 고구려와 중앙아시아 지역과의 교류가 있었기에 가능하였을 것이다. 이는 고고학적으로도 입증이 된다. 가령 고구려 봉토분의 특징처럼 되어 있는 모죽임천정[抹角藻井]이 중앙아시아를 거쳐서 유입되어 왔음은 널리 알려졌다. 그리고 중국의 서역 관문인 돈황의 642년에 제작된 석굴벽화(220호)에는 두개의 새깃털이 달린 모자를 쓴 고구려 인물이 묘사되어 있다. 따라서 고구려 사신은 문화루트이기도 한 실크로드를 이용하여 사마르칸트까지 왔다고 보겠다. 문제는 그 시점이다. 왜냐하면 궁전벽화는 700년 경에 그려진 것이기 때문이다. 고구려 멸망(668) 후 적어도 30여 년의 세월이 흐른 후의 작품이었다. 그러나 고구려 사신이 사마르칸트에 온 것이 분명하다. 따라서 그 목적은 하나로 집약되어진다. 즉 신라와 당 연합군의 공격으로 고립되어 있는 절박한 상황의 고구려였다. 고구려는 소그디아나 왕국에 사신을 파견해 외교적 노력으로써 위기를 타개하려고 하지 않았을까?[201]

201_ 이에 대한 상세한 논의는 이도학, 『삼국통일 어떻게 이루어졌나』, 학연문화사, 2018, 451~454쪽을 참조하기 바란다.

12) 회복운동과 유민의 향배

唐은 평양성을 함락시킨 후 이곳에 安東都護府를 설치하였다. 고구려의 전국을 9都督府 46州 100縣으로 나누고, 그 우두머리에는 고구려인을 뽑아 임명하였다. 동시에 당 관리를 보내어 실제 통치에 임하였다.

669년에 당은 고구려인들의 저항을 원천적으로 봉쇄하기 위해 유력한 민호 2만 8,200호를 자국 내지로 강제 이주시켰다. 이는 당시 고구려 말기의 인구 69만 7천호에 견주어 볼 때 고구려의 뿌리를 뽑으려는 폭거였다. 이러한 당측의 지배정책은 고구려 유민들의 강력한 저항을 촉발시켰다. 劍牟岑 일파의 회복운동과 안시성 등에서 봉기하였다. 신라는 고구려 유민들의 국가회복운동을 지원하였다. 해서 고구려 유민들과 신라와의 연합작전이 전개되었다. 670년 薛烏儒와 高延武의 연합작전이 대표적이다.

그런데 671년 안시성이 함락되었고, 673년에 瓠瀘河에서 회복군은 패배하였고, 평양 부근 일대의 고구려 유민들이 신라로 넘어감으로써 회복운동은 좌절되었다. 고구려 왕족인 安勝이 회복군을 이끌고 남하하여 신라에 귀속되어, '고구려왕'에 이어 '報德王'이 되어 지금의 전라북도 익산인 금마저에 報德國을 세웠다. 그러나 그는 곧이어 신라에 귀부하여 소판을 제수받고, 김씨 성을 하사받았다. 신라 진골귀족에 편제된 것이다. 동시에 그는 경주에 거주하면서 저택인 甲第와 良田을 하사받았다.

676년에 신라에 패한 당이 安東都護府를 요동으로 옮긴 후 대동강 이남의 고구려 영역과 주민들은 신라에 완전 귀속되었고, 보덕국도 해체되었다. 고구려 유민 중 일부는 몽골 고원지대의 돌궐 영내로 이주하여 몇 개의 집단을 형성해 돌궐 可汗의 통치하에서 자치적인 단위를 형성하였다. 高文簡과 高拱毅 그리고 高定溥 등이 대표적인 인물이다.

한편 안동도호부를 통한 당의 요동 지배는 고구려 유민들의 저항으로 인해 뜻대로 되지 않았다. 해서 677년에는 보장왕을 遼東都督으로 삼고 '朝鮮王'에 봉하였고, 당으로 옮겨졌던 2만 8천여 戶와 함께 요동에 와서 고구려 유민들을 다스리게 하였다. 그러나 보장왕은 말갈과 연결하여 당에 저항을 도모했지만 발각되었다. 보장왕은 다시금 당으로 소환되었고, 고구려 유민들도 당으로 귀환되었다.

699년에 당은 보장왕의 아들인 高德武를 안동도독으로 임명하여, 요동 지방의 고구려 유민들을 통치하게 했다. 이를 小高句麗國으로 일컫기도 하지만, 續高句麗로 표기하는 게 타당하다. 유인궤가 백제 재건의 명분으로 내세운 "망한 것을 일으키고, 끊어진 것을 잇는 것은, 옛 성현들의 보편적인 가르침이다(興亡繼絶 往哲之通規)"라는 말은 중국에서의 전통적인 명분이었다. 「유인원기공비문」에서도 백제인들이 "스스로 망한 것을 일으키고, 끊어진 것을 잇는다고 일컬으며(自謂興亡繼絶)"라고 했다. 續에는 '잇다'는 의미가 있다. 그러므로 內藩(番) 고구려를 '續高句麗'로 표기하는 게 당시 復國 취지에 부합한다.

이와 관련해 827년에 "고구려승 丘德이 당에 들어갔다가 經을 가지고 와서 王이 여러 사찰의 승려들을 불러모아 그를 맞이했다(『삼국사기』 홍덕왕 2년 조)"는 기사의 '고구려승'은 의미 있다. 고구려를 잇는 속고구려국은 요동 지방 고구려 유민들의 끈질긴 항쟁의 결과였다. 唐의 입장에서는 거란을 견제하고, 698년 발해의 건국을 견제하여 요동을 확보하기 위한 조치였다.

고덕무와 그의 자손들은 요동 지방에서 반독립적인 세력을 유지했지만, 9세기 전반 무렵 발해에 병합되었다. 만주와 한반도에 걸쳐 강성한 국력과 찬란한 문화를 꽃피웠던 고구려의 역사와 문화는, 유민들의 발길 따라 신라와 발해로 각각 나누어 계승되었다.

제2절 백제

1. 백제 성립의 기반, 三韓의 宗主 마한

1) 삼한의 태동과 마한의 辰王

한반도의 중심부를 도도하게 관류하는 한강이라는 대동맥을 중심으로 선사시대 이래 문화가 꽃피웠다. 국가가 탄생하는 청동기시대에 이르러 한반도 중부 지역에는 결집된 정치세력의 모습이 드러났다. 『사기』에 의하면 대왕조선이 강성할 때의 사실로서 이런 기록을 남기고 있다. 즉 지금의 황해도 지역에 소재한 眞番 곁의 辰國이 중국의 漢에 글을 보내어 직접적인 통교의 길을 트고자 했으나 통로를 장악하고 있는 위만조선의 반대로 좌절되었다는 내용이다. 이 기사를 통하여 진국은 漢에 글을 보내었을 정도로 한문을 구사할줄 알았다. 또 선진 문물을 받아들이고자 하는 욕구가 강렬하였음을 생각하게 한다. 진국이 대왕조선의 반대로 한과의 통교가 단절되었음은, 육로를 통한 요동군과의 교섭을 기대하였음을 뜻하는 한편, 해로 교통이 원활하지 않았음을 의미한다. 이렇게 하여 모습을 드러낸 진국의 위치는 한강 유역을 포함하여 그 이남에 소재한 소국 연합체로 추정되고 있다.

그런데 진국과 한과의 통교를 방해하던 대왕조선은 급기야 한이 침공하는 빌미를 제공하여 멸망했다. 대왕조선을 멸망시킨 한은 그 옛 땅에 군현을 설치하여 직접 통치를 단행하자 그것을 피하여 많은 유망민들이 남쪽으로 이동해 왔다. 그 직전인 대왕조선 말기에 우거왕과 불목하였던 조선상 역계경같은 이도 예하의 2천 戶를 이끌고 진국으로 왔었다.

대왕조선 영역으로의 주민 유입은 진국에 크나큰 충격을 안겨주었다. 진국이 갈망하였던 중국으로부터의 선진문물의 혜택을 누리고 있던 대왕조선 주민의 유입은 진국의 사회적 변화를 급속히 진전시켰다. 즉 서북에서부터 끊임없이 대거 유입해 오는 주민 파동을 진국이 감당하지 못한 것 같다.

진국 밑에는 韓이라고 불리는 지역이 존재했다. 한반도 중부 이남 지역이 韓의 범주에 속한다. 秦役을 피해 중국 북부 지역에서 유망해 온 주민들이 마한의 동쪽으로 유입되었다. 이 사실을 "마한이 그 동쪽 경계의 땅을 떼어서 그들에게 주었다"[202]고 했지만, 기실은 유이민들의 이주를 통제하지 못했기 때문이었다. 기존의 집락 단위로 구성된 韓의 영역에 유이민 파동이 거세게 몰아친 결과였다. 그 산물이 3개 정치세력의 태동이었다. 한반도 중부 이남에는 마한과 진한 · 변한이라는 이른바 삼한이 등장하였다.

삼한의 위치는 대략 다음과 같이 지목할 수 있다. 즉 마한은 지금의 경기도와 충청남도 그리고 전라남 · 북도에, 진한은 낙동강 동쪽에, 변한은 낙동강 서쪽에 소재하였다. 이들은 제사와 군사적 의무를 공유하는 戎祀 공동체였던 것이다. 즉 특정한 시기에 거대한 제천행사를 집전하면서 동일한 神의 자손이라는 연대 의식과 전쟁을 함께 치르는 3개의 커다란 연맹체였다.

3개의 연맹 가운데 3세기 단계에서 마한은 대략 54개 국, 진한과 변한은 각각 12개 국으로 구성되어 있었다. 『삼국지』 한 조에 따르면 "弁 · 辰韓 합하여 24국이다. 대국은 4~5천 家, 소국은 6~7백 家인데, 총 4~5만 戶이다. 그 12국은 辰王에 속하였다. 진왕은 항상 마한인을 써서 그렇게 만들어 대대로 서로 이었다. 진왕은 스스로의 힘으로는 왕이 되지 못하였다(弁 · 辰韓合二十四國 大國四五千家 小國六七百家 總四五萬戶 其十二國屬辰王 辰王常用馬韓人作之 世世相繼 辰王不得自立爲王)"고 했다. 즉 변한과 진한의 24국 가운데 12국이 진왕에 속한다는 것이다. 진왕은 마한인이라고 했다. 마치 마한 출신의 진왕이 이곳에 파견되어 통치하는 듯한 인상을 준다. 그랬기에 진왕에 대한 여러 해석이 제기되었다. 이 문제에 대해서는 사료 자체에 대한 분석이 전제되어야 한다. 한 사람이 편찬한 『삼국지』 동이전, 그것도 한 조의 마한 항과 변진 항의 진왕이 서로 다른 인물일 가능성은 희박하다. 게다가 同名異人이라면 반드시 필자인 진수가 단서를 달아놓게 마련이지만, 그렇지도 않았다.

그러면 이 사안을 검증해 본다. 『삼국지』에 덧붙여진 「魏略」에 따르면 "분명히 그들(진한)은 흘러서 이주해온 사람들인 까닭에, 마한의 다스림을 받았다(魏略曰 明其爲流移之人 故爲馬韓所制)"고 했다. 마한이 진한을 통제하고 있음과 더불어, 마한에는 "진왕이 목지국을 다스린다(辰王治目支國)"고 하였다. 진한까지 통제하고 있는 마한 맹주 진왕에 대해, 동일한 『삼국지』 韓 條에서 "진왕은 목지국을 다스린다. (진왕에게는) 臣智 혹은 臣雲遣支報安邪踧支濆臣離兒不例狗邪秦支廉이라는 특출나게 부르

202_ 『三國志』 권30, 동이전, 한 조. "馬韓割其東界地與之"

는 호칭을 더했다(辰王治目支國 臣智或加優呼臣雲遣支報安邪踧支濆臣離兒不例拘邪秦支廉之號)"고 했다. 진왕의 優呼에 보이는 安邪와 狗邪는 변한의 國名이다. 그리고 진한의 성립 배경을 "마한이 그 동쪽 경계의 땅을 떼어서 그들에게 주었다(馬韓割其東界地與之)"고 했다. 弁·辰韓 가운데 '그 12국은 진왕에 속하였다'고 한데다가 진왕의 優呼에 변한의 安邪와 狗邪가 보인다. 따라서 진왕의 영향력은 진한은 물론이고 변한까지 미쳤음을 알 수 있다. 그렇기 때문에『삼국지』기사를 계승한『후한서』에서는 "마한이 가장 컸다. 그 종족을 함께 세워 辰王으로 삼았다. 목지국에 도읍하였으며, 죄다 삼한의 땅에서 왕을 했다. 그 諸國 왕들의 선조는 모두 마한 종족이었다(馬韓最大 共立其種爲辰王 都目支國 盡王三韓之地 其諸國王先皆是馬韓種人焉)"고 했다. 그리고『삼국사기』에서도 "瓠公을 보내 마한에 朝聘하자, 마한 왕이 호공을 꾸짖어 말하기를, '진한과 변한 두 韓은 우리의 屬國인데, 근년에 와서 職貢을 보내지 않으니, 큰 나라를 섬기는 禮가 이와 같아서야 되겠는가!(혁거세 38년 조)'고 했다. 한진서도 "마한이 당시 삼한의 패권을 쥐고 있었음을 이것으로 징험할 수 있다"[203]고 하였다.

마한의 진왕은 진한은 물론이고 변한까지도 영향력을 행사했다. 이는『후한서』에서 진왕을 삼한의 總王으로 기재한 기록과도 자연스럽게 연결된다. 따라서 동이전의 진왕은 한 명을 가리키는 게 분명하다. 삼한 전체에 영향력을 행사했던 거대한 위상의 진왕은 그에 걸맞는 官府를 갖추었던 것 같다. 진왕은 예하에 魏率善·邑君·歸義侯·中郎將·都尉·伯長과 같은 중국식 관호를 지니고 대방군과 연계된 群小 세력들을 외형상 거느리고 있었다.

마한·진한·변한이라는 3개의 연맹 안에는 지리적 요인으로 경제적 이익을 공유하는 연합체가 결성되었다. 낙동강 하류와 남해안에 소재하여 水路와 海路를 장악한 蒲上八國을 꼽을 수 있다. 그리고 수리권을 둘러싸고 최초의 정치적 단결이 이루어졌다고 한다.[204] 가령 여러 곳에서 노동력을 징발해 구축한 관개시설로 인해 蒙利를 공유하는 공동체가 상정된다. 즉『삼국지』한 조에 수록된 弁辰彌離彌凍國·難彌離彌凍國·弁辰古資彌凍國을 꼽을 수 있다. 여기서 '彌凍國'의 '彌凍'은 '물뚝'을 가리킨다고 한다. 즉 '水堤'인 것이다. 義林池로 유명한 堤川의 삼국시대 지명은 '奈吐'였다. 이는 '내뚝'의 音을 표기한 것이다. '내뚝'을 漢譯하면 '川堤'가 된다. 현재의 堤川 지명은 이렇게 유래하였다. 金堤라는 현재 지명도 碧骨堤에서 유래했다.

203_ 『海東繹史續集』 제3권, 지리고3, 삼한, 疆域總論.
204_ 井上秀雄,『古代朝鮮』, 日本放送出版協會, 1972, 59쪽.

朴堤上의 이름을『일본서기』에서는 毛麻利叱智라고 했다. 여기서 '叱智'는 존칭어미에 불과하다. 그리고 毛麻利는『삼국사기』에서 '毛末'과 동일하다. 그 의미는 '마리' 즉 '말'은 우두머리 '上'의 뜻이다. '모'는 '못' 즉 물을 채운 둑인 '堤'로 번역된다. 모마리 즉 못마리인 堤上은 못뚝의 수리권을 장악한 지방 수장의 別號로 보였다. 공주 수촌리 고분에서 확인되듯이 지방 수장의 분묘에 살포가 부장된 사실도 이와 무관하지 않다. 살포는 논의 물꼬를 트거나 막을 때에 쓰는 네모진 삽이다. 살포는 수리권의 장악과 관련한 지방 수장을 상징했음을 알 수 있다.

2) 마한의 맹주 목지국

마한은 2세기 후반에 접어들어 크게 강성하였다. 왜냐하면 후한이 황건적의 난과 같은 내란과 연동하여 영서낙랑은 존재감이 현저히 약화되었다. 이에 따라 과거 낙랑군의 통제를 받던 토착 주민들이 한반도 중남부 지역으로 이주해 왔다. 이러한 이동은 氣候史的인 요인에서도 찾을 수 있다. 2~3세기 경의 기후는 전세계적으로 일치하는 小氷河期였다고 한다. 이 시기의 기후는 일반적으로 엄동 · 多雪 · 추운 여름 · 많은 비가 내리는 것이 특징이었기에 농경 사회에서는 가장 나쁜 기후 조건이 되었다. 기근과 動搖의 시기가 되는데, 기후 환경의 악화로 인해 농업생산력이 부진해 짐에 따라 기존 정치체제에 대항하는 內亂이나 이탈이 있게 되었다고 한다. 중국에서는 황건적의 난(184~192)이라는 대규모 농민 반란이 일어났고, 일본열도에서도 2세기 후반에 이른바 왜국대란이 발생하였다. 동아시아의 이러한 역사적 움직임에서 낙랑 지역 토착 주민들의 남하를 설정해 볼 수 있다. 마한은 어쨌든 이들을 흡수하면서 강성해졌다. 중국은 마한의 강성에 제동을 걸고 삼한 전체에 대한 통제력을 강화시킬 목적의 전초 기지로서 204년 경에 진번군의 옛 땅인 황해도 지역에 대방군을 설치하였다.[205)]

바로 이무렵 삼한연맹의 영도권을 지닌 진왕은 목지국을 거점으로 하면서 낙동강유역의 변한에도 영향력을 일부 행사하였다. 진왕은 삼한과 중국 군현과의 교섭을 비롯한 일종의 대외적 기능을 전담한 수장이었다. 그런데 진왕의 소속국인 목지국의 소재지로는 교통의 요충지인 천안에서 가까

205_ 李道學,『새로 쓰는 백제사』, 푸른역사, 1997, 73쪽.

운 木村部曲이 소재한 충청남도 牙山 일대가 적합하지 않을까 생각했다.[206] 더욱이 이곳에서는 청동기 유적이 많이 확인되었기 때문이다.

그러나 목지국의 위치를 다른 곳으로 비정할 소지가 있다. 이와 관련해 『삼국사기』 시조왕기의 紀年을 그대로 수용할 수는 없다. 그렇지만 시조왕본기는 시간의 경과와 소재지에 대해서는 중요한 단서를 제공해 준다. 시조왕본기 13년 조에 따르면 백제의 南境이 熊川이었다. 그 24년 조에는 백제 왕이 熊川柵을 만들자 마한 왕이 책망했다는 것이다. 여기서 마한왕은 목지국 왕으로 지목하는데 별다른 이견이 없다. 그렇다면 목지국은 웅천 이남에 소재했어야 한다. 웅천은 지금의 금강이 분명하다. 결국 목지국은 금강 이남에 소재한 것이다. 곧 목지국의 소재지는 새로 찾아야 할 것 같다. 이와 관련해 마한 왕이 백제왕에게 당초 동북 땅 1백리를 떼어준 사실을 환기했다. 그렇다면 마한왕은 백제의 서남쪽에 소재했음을 뜻한다. 이와는 달리 '동북 1백리'는 '서북 1백리'가 맞다는 견해도 있다.[207] 백제가 처음 소재한 근거지가 마한의 서북 1백리라면 미추홀과 위치가 부합한다.

이와 관련해 목지국 소재지로 익산을 지목한 전통적인 견해가 주목된다. 그런데 이 견해는 익산 금마면의 乾馬國說과 상충하는 문제가 따른다. 건마국이 금마면에 소재했다면 목지국은 그 주변 지역으로 가닥을 잡아야 한다. 그리고 주목해야 할 사안은 익산 지역에서 중국제 청동기가 다수 출토되었다는 사실이다. 즉 한반도 남부에서는 익산 신룡리 · 완주 상림리 · 함평 초포리유적에서 桃氏劍이 출토된 바 있다. 이 중 완주 상림리(현재 전주 안심유적 인근 추정)에서는 26점이 일괄 부장되어 있었다. 東周式 동검이라고도 하는 도씨검은 기원전 4~3세기 경 한반도의 여러 정치체가 중국과 활발히 교류했음을 보여주는 유물이기 보다는, 주민의 이동과 결부 지을 수 있다. 마한 주민들이 중국 본토와 '활발히 교류'는 용이하지 않기 때문이다. 설령 이러한 도씨검들이 죄다 모방품이라고 하더라도 진품을 소지했을 때 방제품 제작이 가능하다. 혹은 중국에서 장인들이 이주해 온 결과로 추정하기도 한다.

이러한 중국제 유물의 유입 요인으로는 진개의 침공으로 고조선이 동편으로 이동한 사실과 연관지어 생각해 볼 수 있다. 이 때 고조선의 한패는 해로를 이용하여 지금의 전라북도 서해안 지역에 상륙했을 가능성이다. 익산 지역이 중국 본토와 교류한 물증이기보다는 고조선 주민의 이동과 결부

206_ 李道學,「새로운 摸索을 위한 點檢, 目支國 연구의 現段階」『마한사연구』, 충남대학교 출판부, 1998, 121쪽.
207_ 申采浩,「'三國史記'에 바뀐 東西 兩字」『朝鮮史研究艸』, 乙酉文化社, 1974, 34~35쪽.

지어 볼 수 있다. 그리고 한반도 서남해안 지역에서 주로 나타나는 가지무늬토기의 계통도 그 문양만으로 살펴본다면 중국 동북지역과 한반도 남부지역과의 교류라기 보다는 주민 이동으로 해석하는 게 설득력 있다. 그리고 경상남도 고성 송천리 솔섬 유적에서 19기의 석관묘가 조사되었다. 이곳에서 무문토기·와질 주머니 호·돌도끼와 더불어 뜬금없이 철검이 출토된 것이다. 이 역시 기원전 4세기 말~3세기 초 해로를 통한 고조선 주민의 유입과 관련 지어 해석해 볼 수 있다. 왕·후조선 준왕의 南來 이전부터 고조선계 주민의 유입을 상정할 수 있는 정황들이 보인다.

목지국을 맹주로 하는 마한은 한반도 남부 가운데 서쪽에 위치하였다. 그 백성은 토착 생활을 하였으며, 곡식을 심고 누에치기와 뽕나무를 가꿀 줄을 알고 綿布를 만들었다. 각 소국들은 규모에 따라 세력이 큰 수장은 臣智라고 했다. 그 다음은 邑借라고 하였다. 마한에서 대국은 1만여 호이고, 소국은 수천 호였는데, 총 10여 만호였다고 한다. 대략 마한은 3세기 후반 단계에서 50만 정도의 인구를 지닌 사회였다. 이러한 마한에는 54개 국이 속해 있었다.

3) 마한의 사회와 풍속

(1) 농경과 토기

『삼국사기』 백제본기에는 백제 지역에서 쌀·보리·콩·팥 등과 같은 작물 재배와 제방 축조 기사가 여러 차례 나타난다. 충청남도 부여의 송국리와 전라북도 부안의 소산리·반곡리·전라남도 나주 가흥리, 해남 군곡리 등지에서도 탄화미와 콩·팥 등이 출토되었다. 광주 신창동 유적에서는 호도·살구·오이·조롱박씨 등의 씨앗 뿐 아니라 괭이·가래·낫자루·보습 등 각종의 농기구가 출토되었다. 이러한 작물의 재배 환경 속에서 비슷한 농경의례가 생겨난 것으로 보인다.

『삼국지』 한 조에는 파종기와 수확기의 농경의례가 기록되어 있다. 의례 자체가 고고학적 물증을 남기기는 어려운 만큼 백제와 마한을 곧바로 비교할 수야 없지만 거의 동일한 농경의례를 공유한 것으로 보인다. 농사 가운데 벼농사의 경우는 1년을 꼬빡 지켜보아야 하는 것이므로, 농경 기술만 아니라 농경의례도 함께 전파되는 속성을 지녔기 때문이다. 『삼국지』 한 조에서 이때의 가무를 "그들의 춤은 수십 명이 모두 일어나서 뒤를 따라가며 땅을 밟고 구부렸다 치켜들었다 하면서 손과 발로 서로 장단을 맞춘다"고 서술하였다. 이는 현재까지 전하는 강강술래를 연상시키고 있다.

음식이나 곡식을 비롯한 제반 물체를 허실 없이 보관·보존하기 위한 용기가 토기였다. 3세기경 서울 일원의 백제와 금강유역 마한세력이 공유했던 대표 器種으로는 圓底短頸壺가 있다. 또 파주 주월리 육계토성에서 출토된 옹관의 다이아몬드 문양은 나주 지역에서 출토된 기종과 동일하다고 한다. 그리고 백제 고분인 청주 신봉동 고분과 충청남도 아산 명암리 · 전라남도 나주 반남면 고분과 광주 광산구 월전동 주거지에서 출토된 토기에서는 鳥足文이 나타난다. 그 밖에 4세기 중엽~5세기대의 유적인 광주 월전동의 주거지에서 출토된 토기에 성행하고 있는 垂直集線文을 비롯한 문양이나 우각형 把手, 적갈색 연질의 장동호의 목 형태 등이 4세기 후반~5세기 초반으로 편년되고 있는 신봉동 유적에서 출토된 기종과 상당히 유사하다고 한다.

(2) 묘제

현재 전라남도 지역 마한 문화로 상징되는 분묘는 나주 반남면 일대의 옹관묘이다. 이 고분은 한 봉분 안에 옹관을 비롯한 여러 基의 墓壙이 자리잡고 있는 일종의 집단묘이다. 나주 반남면 신촌리 9호분은 34.85×30.28m의 규모를 가지고 있는데, 12기의 전용 옹관이 매납되어 있다. 나주 다시면 복암리 3호분의 경우 한 봉분 안에 41기의 매장 시설이 확인되었다. 이러한 집단묘는 여러 시기에 걸쳐 조영된 것인데, 서울의 가락동에서도 확인된다. 가락동 2호분의 분구 안에는 3기의 토광과 1기의 옹관을 포함한 모두 4기의 매장 시설을 수용하고 있다.

그리고 서울의 석촌동과 가락동에서는 3세기 중엽~4세기 초에 속하는 옹관묘가 확인되다. 이는 영산강유역의 옹관묘와 동일함은 물론이다. 특수한 경우이지만 서울을 비롯하여 한강과 임진강유역에서 조영되는 葺石封土墳이 전라남도 해남군 북일면에서도 확인되었다. 또 마한의 묘제로서 4세기 전반대까지도 축조된 서해안 지역 周溝土壙墓 계열의 분묘들은 전라남도 지방 4~5세기대의 분묘와 연결된다.

(3) 주거지

『삼국지』 한 조에는 마한의 주거 형태를 "거주하는 곳은 草屋에 土室을 만들었는데, 형태가 무덤과 같다"라고 하였다. 이는 수혈식 움집에 대한 묘사인 것이다. 이러한 주거 형태는 마한에서 어김없이 나타나고 있다. 움집 발굴 결과 3세기까지는 爐址가 주거지 바닥 한쪽으로 치우쳐 설치한 敷石式 노지와 온돌 구조가 혼재하다가 그 이후부터는 벽쪽으로 완전히 부착되었다. 이 같은 예는 서울의 몽촌토성을 필두로 하여 순천 대곡리와 낙수리 등지에서 확인되고 있다. 3세기 후반~4세기 경으로 편년되는 영암이나 광주 명화동과 여수 조산 주거지의 경우도 마찬가지에 속한다. 또 광주 월전동 유적의 창고로 추정되는 지상건물은 경기도 하남시 미사동에서도 나타난다.

(4) 城

백제 최초의 왕성인 위례성은 당초 木柵에서 출발했다. 청동기시대 유적인 충청남도 부여 송국리에서도 목책이 확인되었다. 이러한 목책 유구는 한반도 남부 지역까지 미쳤다. 토성의 경우도 서울의 몽촌토성이나 풍납동토성을 필두로 하여 전국적으로 이 무렵에 축조되었다. 가령 전라북도 부안의 소산리와 사산리의 토성 등이 일례가 된다. 마한제국에서는 토성을 중심 단위로 하는 세력권이 형성되었다.

(5) 祭儀

마한의 제의에 관한 기록은『삼국지』동이전 한 조에 보인다. 즉 "귀신을 믿는데 國邑에는 각각 한 사람을 세워 천신에 대한 제사를 주관하게 하였는데, 이를 天君이라 이름한다. 또 諸國에는 別邑이 있는데, 이를 이름하여 蘇塗라고 한다. 큰 나무를 세우고 방울과 북을 걸어두고는 귀신을 섬긴다. 몇 번이나 도망하여 그 안에 이르더라도 모두 돌려보내지 않으므로 도적질하기를 좋아했다. 그곳에서 소도를 세운 뜻은 浮屠를 닮았지만, 善惡을 행하는 데에는 차이가 있다"[208]고 하였다. 천군은 國邑에서 최고신인 天神 제사를 주관한다. 반면 蘇塗는 別邑에 소재하였고, 제사 대상이 '鬼神'이었다. 이렇듯 天君의 제사 대상과 주재 공간은 別邑의 소도와는 구분되었다. 따라서 "한편, 삼한에는 정치적 지배자 외에 제사장인 천군이 있었다. 그리고 신성 지역으로 소도가 있었는데, 이 곳에서 천군은 농경과 종교에 대한 의례를 주관하였다. 천군이 주관하는 소도는 군장의 세력이 미치지 못하는 곳으로, 죄인이라도 도망을 하여 이 곳에 숨으면 잡아가지 못하였다"[209]는 서술은 오류이다. 천군은 소도를 주관하지 않았다. 천군은 천신에 대한 제의를 주재하였다.

소도의 성격은 "蘇塗는 생명력의 高揚을 表象하는 大木을 結界로, 귀신을 매개로 한 종교적이며

208_ 『三國志』 권30, 동이전, 한 조. "信鬼神 國邑各立一人主祭天神 名之天君 又諸國各有別邑 名之爲蘇塗 立大木 縣鈴鼓 事鬼神 諸亡逃至其中 皆不還之 好作賊 其立蘇塗之義 有似浮屠 而所行善惡有異"

209_ 교육인적자원부, 『고등학교 국사』 2002, 42쪽.

정치적 금기의 영역을 형성하고, 그 공간을 거룩한 '성역'으로 한 것 같은 것이다"[210]는 문구에 집약되어 있다. 소도에 관한 고고학적인 물증은 전라북도 부안의 수성당 유적에서 확인되었다. 그 주변에서 출토된 유물들 가운데 축소·모조된 거울이나 구슬·판갑 그리고 圓板 등은 죄다 구멍이 뚫려 있다. 이는 방울과 북 등을 큰 나무에 걸어 놓고서 제사를 지냈던 마한의 소도를 연상하게 한다. 백제 때 부안의 죽막동 수성당 앞에 서 있었을 아름드리 당목[神木]의 가지에는 구슬·거울·모조 판갑 등 별의별 물건들이 현란하게 걸려 있는 모습이었을 것이다.

蘇塗에는 '더럽힌 데서 깨어나다'라는 의미가 있다. 이로 볼 때 心身 재기의 기능을 염두에 둔 것처럼 비친다. 遁避處와 관련해『구약성경』에서 유사한 사례가 보인다. 즉 야훼의 명으로 모세는 실수로 살인한 사람이 피신할 수 있는 6개 성읍을 지정했다. 그 성읍들은 살인자가 회중 앞에서 재판도 받아보지 못하고 보복자의 손에 죽는 일이 없도록 피할 수 있는 逃避城이었다. 도피성은 요르단강 건너편 성읍 가운데 3곳, 가나안땅 성읍 가운데 3곳이었다. 이스라엘 백성 뿐아니라 외국인이나 거류자도 도피성에 피신할 수 있었다. 살인자는 대사제가 죽을 때까지 그 도피성에서 살다가 대사제가 죽은 다음에야 제 소유가 있는 땅으로 돌아갈 수 있다(민수기: 35장 9절~29절). 도피성은 살인자가 회중 앞에 출두하기까지 피살자의 앙갚음을 할 근친에게서 벗어나 피할 곳으로 삼았다(여호수아: 20장).

이와는 달리 소도의 현실적인 기능에 주목하기도 한다. 즉 "인구의 획득을 위하여 이 구역 내에 亡名 逃入한 외래자를 追捕할 권리를 인정하지 않고 이 편에서 그것을 환송하지도 아니하였다"[211]는 것이다. 성역으로서 소도는 일본 근세에 존재했던 '뛰어드는 절(駆け込み寺)'과 유사하였다.[212] 남편이나 시가의 학대에 시달리던 여인들이 도망쳐 오면 이들을 보호해주고 문제를 중재해 주던 사찰이다. 소도는 세속의 정치사회 권력이 닿지 못한 성역의 범주로 인식되었다. 정치 권역 너머 제사장의 신성 권역이 엄존했던 것이다. 이집트에서 체납자들이 도피하는 장소로 이용되었던 신전과도 유사하였다.[213]

소도의 흔적으로 짐작되는 유구가 솟대였다. 솟대는 경기도 광주를 비롯하여 충청남도 청양 등 전국적으로 남아 있는 민속이다. 백제의 왕성이었던 몽촌토성에서도 목제 나무 오리가 출토되었다.

210_ 小倉紀藏,『朝鮮思想全史』, 筑摩書房, 2017, 55~56쪽.
211_ 孫晉泰,『朝鮮民族史概論(上)』, 乙酉文化社, 1948, 75쪽.
212_ 井上秀雄,『古代朝鮮』, 日本放送出版協會, 1972, 64쪽.
213_ 문점식,『(증보판) 역사 속 세금 이야기』, 세경사, 2012, 50쪽.

이 나무 오리는 솟대의 꼭대기에 앉아 있었던 것으로 보인다. 그러므로 솟대 신앙의 연원이 마한 때로 소급된다는 물증을 얻었다. 나아가 백제와 마한 전역이 동질적인 제의 정서를 공유했음을 알려준다. 일본 오사카의 야요이박물관에도 솟대 꼭대기에 앉아 있는 야요이시대의 나무 오리가 전시되어 있다. 곧 마한과 백제 그리고 왜로 이어지는 문화교류 관계가 포착된다.

(6) 유통수단, 철정

마한에서는 중국제 화폐가 널리 통용되기 전에는 유통 수단으로서 규격화된 덩이쇠인 鐵鋌이 통용되었다. 賣買의 수단으로서 진한에서의 鐵을 鐵鋌으로 지목한다. 그러나 3세기 후반대까지는 철정이 등장하지 않았다. 반면 棒狀鐵斧가 유통수단으로 이용되었다고 한다.[214]

유수한 製鐵產地인 충주의 탄금대토성에서는 철정 40매가 한 장소에서 출토되었다. 백제 토성에서 출토된 철정 40매는 366년에 백제 근초고왕이 왜 사신에게 선물한 철정 40枚와 연결되고 있다. 백제에서는 철소재인 철정이 유통과 가치 척도로서 통용되었던 것이다. 이는 백제에서만 국한되지 않고 마한 전역에서 확인된다. 가령 충청남도 서산 명지리 토광묘와 전라남도 해남 원진리 · 봉학리 · 부길리, 영암 월송리 · 와우리, 나주 석천리, 영광 하평리와 같은 영산강유역의 옹관묘와 전라북도 부안의 죽막동 제사유적에서도 발견되었다. 백제와 마한 전역에 미치는 광범위한 유통경제망의 존재를 읽을 수 있다. 또 이것이 상호 간의 문물 교류를 촉진시키는 한 요인을 제공하였고, 동일 문화권 형성에도 일조한 것으로 보인다.

(7) 珍寶에 대한 인식, 구슬

『삼국지』 한 조에 의하면 "瓔珠를 財寶로 여겨 혹은 옷에 꿰메어 장식하기도 하고 혹은 목에 걸거나 귀에 늘어뜨리기도 하는데, 金銀과 錦繡는 진귀하게 여기지 않는다"고 하였다. 마한에서는 구슬을 매우 중시하였음을 뜻한다. 경기도 하남시 미사동에서는 청동기시대의 유물인 曲玉 · 飾玉과 삼한의 유물인 琉璃管玉 등이 출토되었다. 이는 2~3세기 중 · 후엽기의 천안 청당동 마한 고분에서 출토된 金箔 琉璃製玉과 瑪瑙, 전라남도 해남의 군곡리 패총에서 출토된 土製曲玉 · 土製小玉 · 貝製管玉 · 牙製管玉 등의 장신구와 더불어 동일한 정서 속에서 이해할 소지가 크다. 특히 금박 유리제옥은

214_ 孫明助, 『韓國古代鐵器文化研究』, 진인진, 2012, 79쪽.

그 제작지가 흑해연안이므로 실크로드를 따라 전래된 것으로 판단되었기 때문이다. 이러한 옥류는 전라남도 지방의 고분에서 어김없이 출토되었다. 가령 나주 반남면 일원의 대형 고분을 비롯하여 함평 신덕 고분 등에서도 다양한 기법을 보이며 풍부하게 출토된다. 이 지역에서 유리를 비롯한 飾玉類의 다양성은 당시 옥석 공예가 상당한 수준에 이르렀음을 뜻한다. 무녕왕릉에서 출토된 옥류는 다양할 뿐 아니라 수량도 실로 많았다.

그러면 백제에서는 옥류에 대한 어떤 인식을 지니고 있었을까? 백제에서는 국왕이 왜에 사신을 보내어 大珠를 구해 오게 하였고(아화왕 11년), 또 왜에서 보내온 夜明珠를 받았다(전지왕 5년). 구슬 가운데 명품은 왜의 특산물이기도 했다. 히미코의 야마다이국에서 대방군에 헌상한 물품 가운데 白珠와 大句珠라는 구슬이 저명한 사례이다. 또 왜에서는 푸른색을 띠고 있으며 크기가 계란만한 如意寶珠가 산출되었는데, 밤에는 빛을 발했다고 한다. 백제 전지왕이 왜로부터 받은 야명주가 바로 이러한 구슬일 것이다.

구슬은 고대 일본의 三種神器 가운데 하나였다. 그러므로 단순히 완구나 사치품이기 보다는 국왕의 권능을 상징하는 呪具나 聖具로서의 성격을 띠었다. 구슬이 지닌 주술성과 권위의 상징물로서의 마한과 백제 그리고 왜는 동일한 정서를 공유하고 있었다.[215]

215_ 이상의 서술은 李道學,「마한·백제 문화의 상관성」『역사와 문화』, 광주민속박물관, 1999, 30~35쪽에 의하였다.

2. 국호의 기원과 건국 주체 및 王城

1) 국호의 기원

국호는 그 국가가 성장하는 풍토 속에서 자연스럽게 마련된다. 한반도 서남부 지역을 영역으로 성장한 백제 국호의 유래에 관해서는 여러 가지 견해가 제기되었다. 첫째로『삼국사기』에 의하면 만주에서 남하해 온 온조와 비류 형제는 나라의 터전을 잡는데 그 위치 선정에 의견이 엇갈렸다. 지금의 인천인 미추홀에 근거지를 형성한 비류와는 달리, 온조는 지금의 서울을 가리키는 위례성에서 국가를 형성하였다. 그런데 온조는 국가경영에 있어 열명의 신하[十臣]로써 보좌를 받았으므로, 국호를 十濟로 정했다고 한다. 그 후 국가 경영에 실패한 비류계의 미추홀 백성들이 온조계의 근거지인 위례성으로 합류했다. 합류 할 때 백성들이 "즐겁게 따랐다"고 하므로 국호를 '백제'로 고쳤다고 한다.

『삼국사기』에 의하면 지금의 서울 지역에 국가를 형성한 온조 집단은 당초에는 십제라는 국호를 사용하였으나, 인천 지역의 동계 집단을 흡수함에 따라 백제로 국호를 바꿨다는 것이다. 국가의 규모가 커짐에 따라 국호도 그 격에 맞게끔 '十'에서 '百'이라는 단위로 바뀌어졌다는 것이다. 이러한 국호의 유래는 '百家濟海'처럼 국호에서 비롯된 부회에 불과하다.

둘째는 중국 隋(581~618)의 역사를 적은『隋書』의 백제 조 기록이다. 이에 따르면 국호의 유래를 百家나 되는 집단이 바다를 건너 와서 국가를 세운데서 찾고 있다. 즉 '百家濟海'라는 말에서 한 글자씩 취하여 국호를 정했다는 것이다. 이는 백제를 건국한 세력의 규모와 건국 루트에 의미를 부여하여 국호의 유래를 끌어냈다. 이 기록을 중시하여 백제의 국가적 성격을 해양국가로 규정하기도 한다.

셋째는 시조 이름에서 국호가 기원했다는 견해이다. 우리 말에서 '百'의 옛새김은 '온'이므로 백제를 '온제'로 읽을 수 있다. 이는 백제 시조 이름인 溫祚와 그 音이 연결되어진다. 이러한 경우는 적지 않게 확인된다. 가령『구약성경』의 창세기에 의하면 "카인은 제가 세운 고을을 아들의 이름을 따서 에녹이라고 불렀다"는 기록이 그것이다. 로마(Rome)라는 도시와 국호의 유래도 시조인 로물루스와 레무스라는 형제 이름에서 비롯되었다. 게다가 만주를 비롯한 유목민족 지역에서도 部의 이름이나 국호가 시조 이름에서 기원하기도 한다. 吐谷渾의 경우가 대표적인 예이다.

넷째는 백제라는 국호가 우리 말의 '밝잣' 곧 '光明한 城'이라는 뜻으로 해석하는 견해이다. 즉 백제의 '백'을 '밝' 다시 말해 '광명'과 연결 짓고, '제'를 성을 가리키는 말로 풀이하였다. 고대인들의 태양숭배 신앙과 결부지어 나온 해석이었다. 이러한 맥락에서 본다면 백제 국왕이 거처하는 성인 위례성은 다름 아닌 '광명한 성'이다. 광명한 성에 거처하는 백제 국왕은 '밝음' 자체로서 고구려에서와 마찬가지로 태양의 아들이라는 의식을 가졌던 게 분명하다.

백제 역대 국왕들이 제사를 지낸 東明廟라는 사당의 祭神인 '동명'은 부여의 시조이자 그 자체가 '동쪽의 광명'을 뜻하고 있다. 하남위례성인 풍납동토성이나 몽촌토성의 정동쪽에 위치한 산악인 崇山은 지금의 경기도 하남시에 소재한 검단산이다. 이곳에 동명묘가 소재한 것으로 추정되고 있다. 그러고 보면 백제 국왕은 왕성인 풍남동토성이나 몽촌토성에서 검단산 위로 솟아 오르는 태양을 바라 보면서 그와 관련한 의식을 집전하였으리라고 본다. 그러는 가운데 '광명한 성'이라는 의미의 백제 국호가 태동하지 않았을까?

다섯째는 백제라는 국호는 貊城의 뜻을 지닌 것으로 생각해 볼 수 있다. 즉 '貊族의 國城'이라는 뜻이 되겠다. 백제의 '백'은 다름 아닌 그 국가를 세운 종족 이름에서 기원했다는 것이다. 濊貊族의 '맥'은 '狛'으로도 표기하고 있는데 본디 음은 모두 '백'이라고 한다. 그렇다고 할 때 백제의 '백'은 종족 이름을 가리킬 수 있는데 사례가 있다. 즉 732년에 세워진 광대한 영역을 지닌 유목국가인 돌궐의 왕족인 퀼테킨의 비석에 의하면 역대 합한(가한)들의 치적을 설명하는 구절 가운데 고구려를 가리키는 '모쿠리'라는 국호가 등장한다. 모쿠리는 貊句麗에 대한 표기라고 하는데, '맥'은 종족 이름을, '구려'는 고구려어에서 城을 가리키고 있다. 그러므로 맥구려는 '맥족의 성'이라는 뜻이 되겠다. 따라서 백제라는 국호 또한 동일한 의미로 해석이 가능하다.

여섯째는 부여족을 일컬은 貊은 百濟의 '百'으로, '濟'에는 渡船場의 의미가 담겼다. 그러므로 百濟는 '夫餘族이 있는 渡船場'의 뜻으로 풀이한다.[216] 이러한 해석은 한강변에 소재한 백제 왕성의 입지 여건과 부합된다. 그러므로 이는 흥미 있는 해석인 동시에 나라[國家]의 어원이 나루[渡津]에서 비롯되었다는 단재 신채호의 지견과도 연결되고 있다.[217]

위와 같은 백제 국호의 유래 가운데 『삼국사기』와 『수서』에 적혀 있는 기록은 '백제'라는 국호를 놓고서 탁상에서 고안해 낸 이야기일 가능성이 제기되었다. 가령 '백가제해' 기원설의 경우는, 高麗라

216_ 京城電氣株式會社, 『京電ハイキングコース 第三輯 風納里土城』 1937, 24쪽.
217_ 申采浩, 『朝鮮史研究艸』, 乙酉文化社, 1974, 20쪽.

는 국호가 '山高水麗'에서 취했다는 견강부회식 해석과 동일하다. 그 나머지 견해들은 앞으로 더욱 심도 있는 논의가 뒤따라야 한다.

그리고 일본에서는 백제를 '구다라'로 일컫고 있다. 구다라의 어원과 관련해 여러 견해가 제기되었다. 일단 백제는 삼국 가운데 유일하게 국호에 '氵'이 보이고 있다. 국호 자체가 물과의 연관성을 암시해준다. 실제 백제 국호도 '맥족의 나루'에서 기원했다는 주장도 있다. 백제 두 번째 수도인 熊津은 나루 이름 자체가 국도 이름으로 이어졌다. 그러니 구다라도 백제의 국제항인 부여 '구드래 나루'의 '구드래'에서 연유했을 가능성이 높다. 백제는 나루를 이용하여 내륙수로와 해로를 잘 이용했던 국가였다. 항해와 관련한 나루의 비중이 지대했기에 국도 이름이나 국호로까지 이어졌을 가능성이다.

2) 건국 주체와 始祖觀

『삼국사기』에는 백제 시조를 溫祚 혹은 沸流로 각각 달리 기재하였다. 『삼국사기』 백제본기 본문에 의하면 백제는 고구려 시조인 추모왕의 둘째 아들인 온조가 형인 비류와 함께 남하해서 건국했다고 한다. 반면 『삼국사기』의 동일한 기사의 할주에 의하면 백제의 시조는 온조의 형인 비류인데 북부여 왕 解扶婁의 庶孫인 優台의 아들로 적혀 있다. 이처럼 동일한 사서에 상이한 시조전승이 보인다. 어느 쪽 기록이 타당한지는 김부식 스스로도 "어느 것이 옳은지 모르겠다"고 하였다. 그러므로 이것만으로는 단정하기 어렵다. 『삼국사기』 백제 건국 설화 자체에는 "주몽이 졸본에 이르러 越郡 여자에게 장가들어 두 아들을 낳았다고 한다"라고 하는 시조의 母系에 대한 異說까지 수록되어 있다. 따라서 『삼국사기』 백제 시조 관련 기록의 신빙성이 떨어진다는 것을 체감하게 된다.

『삼국사기』에는 백제 왕실의 계통에 관해 고구려계의 온조와 부여계의 비류라는 2 전승을 함께 수록하였다. 이에 대한 시비는 순암 安鼎福이 "지금 보건대 백제가 고구려의 高氏 姓을 따르지 않고 扶餘氏라 하였으며, 또한 개로왕이 魏에 올린 表를 고찰하건대 '臣은 고구려와 함께 근원이 부여에서 나왔습니다'고 하였으니, 이 말이 증거가 되고, 따라서 優台의 후손이 분명하다"[218]라고 명쾌하게 설파했다. 백제 시조는 추모가 아니라 부여계 우태의 후손임을 논증한 것이다. 한치윤도 "그러나 부

218_ 『東史綱目』 第1(上), 계묘년 마한 조.

여는 句麗와 百濟가 스스로 일어난 곳인 까닭에"[219]라고 하였고, 또 "백제 선조는 부여 동명왕의 후손이다"[220]고 했다. 그는 백제의 기원을 고구려가 아니라 부여에서 찾았다. 단재 신채호도 안정복과 동일한 근거를 제시한 후에 "本紀에는 沸流・溫祚를 鄒牟의 子라함이 二誤이다"[221]고 했다. 사회경제주의 사학자인 이청원도 백제 건국 세력을 부여 종족이라고 했다.[222] 이는 신민족주의 사학자인 李仁榮의 다음과 같은 서술에서도 확인된다.

> 辰韓 馬韓 五十餘國 中에 伯濟國(지금 廣州)이 있으니 원래 夫餘 系統의 移民 部落으로 始祖를 溫祚 或은 沸流라 한다. 처음에 지금 서울 附近인 慰禮라는 곳에 根據를 두고 살면서 勢力을 길러 後에 廣州로 옮기었던 것이다. 百濟의 勢力이 커짐에 따라 馬韓의 中心 勢力은 지금 稷山에서 益山 地方으로 몰려 내려가고 말았지만…[223]

이인영은 백제의 기원을 부여족의 남하에서 찾았다. 그는 지금의 한국사 교과서 서술과는 달리 백제 시조도 온조와 비류를 모두 언급하였다. 비류 전승을 존중한 것이다. 그리고 백제의 성장에 맞물려 힘이 축소되어 간 마한이 직산에서 익산으로 남하한 것으로 인식했다. 이 점은 상당히 시사적인 해석이었다. 훗날 그렇게 간주하는 이들이 있었기 때문이다. 그렇지만 그 누구도 이인영의 創見임을 언급하지 않았다. 백제의 기원에 대해 필자는 일찍부터 "그러나 분명한 것은 위례시대는 문화적인 측면에서 보아 같은 조상의 후손으로서 고구려와 동북아시아에서의 패권 다툼의 시기였다는 점이다. 즉 근초고왕 이후 개로왕대까지는 부여의 건국자인 東明王을 시조로 하는 같은 부여족으로서 정통 계승의식 속에서의 날카로운 각축전이 전개되었다. 『속일본기』・『신찬성씨록』에서는 백제의 시조를 都慕, 즉 東明으로 기록하고 있다. 또한 『삼국사기』 백제본기에서 위례시대의 백제 왕들의 東明廟 배알 기사에서도 이 점을 분명히 알 수 있다"[224]라고 하였다. 즉 백제는 관념적이기는 했지만 부여 시조인 동명왕의 후예라는 인식 속에서 고구려와 팽팽하게 대립했다는 것이다.

219_ 『海東繹史』 권4, 世紀, 부여.
220_ 『海東繹史』 권9, 世紀, 백제.
221_ 丹齋 申采浩先生紀念事業會, 『改訂版 丹齋 申采浩全集(上)』, 螢雪出版社, 1987, 127쪽.
222_ 李清源, 『朝鮮歷史讀本』, 白揚社, 1937, 52쪽.
223_ 李仁榮, 『國史要論』, 金龍圖書株式會社, 1950, 24쪽.
224_ 李道學, 「百濟 慰禮文化의 史的 性格」 『東大新聞』, 동국대학교 신문사, 1981.5.12.

물론 『隋書』에서는 "백제의 선조는 高麗國에서 나왔다. … 그 나라 왕의 한 侍婢가 있었는데 갑자기 임신하였기에, 왕이 그녀를 죽이고자 했다. … 이름을 東明이라고 했다. 장성하자 高麗 王이 그를 꺼리자 … 夫餘人들이 모두 그를 받들었다"[225]는 기사가 있다. 이 기사에 따라 백제 건국자들이 고려 즉 고구려에서 출원했다는 주장이 제기되었다. 그러나 이 기사에 등장하는 동명은 고려국에서 출원하여 부여의 왕이 된 것이다. 本末顚倒된 동명의 출원지인 高麗國은 고구려가 될 수 없다. 高麗國은 『삼국지』의 '高離之國'의 '高離'를 비롯하여 『論衡』과 『梁書』의 '槀離', 『魏略輯本』·『搜神記』 등에 보이는 '槀離' 등의 誤記에 불과하다. 실제 이와 대동소이한 기사를 게재하고 있는 『北史』에서도 '索離國'이라고 하였다. 백제의 근원이 부여이므로 소급하여 부여 시조 동명 설화를 冒頭에 넣은 것이다. 그러하였기에 동명의 후손인 仇台가 백제의 건국자로 『隋書』에서 등장하였다. 조금만 세심하게 살피면 도저히 오인할 수 없는 사안이지만, 많은 연구자들을 현혹시켰다.

그 밖에 『삼국사기』에서 "그 世系는 고구려와 함께 부여에서 나온 까닭에 부여로써 氏를 삼았다"고 했다. 그 뿐 아니라 부여씨의 존재는 부여 王姓으로서 엄연히 확인되고 있다. 부여에는 外患 등에 의한 왕실교체의 산물로서 해모수·해부루와 같은 解氏뿐 아니라 부여씨 또한 왕실의 씨성이었다. 그러한 백제 왕실의 족원은 부여였고, 부여에서도 최고 지배세력을 형성할 정도로 핵심적 위치에 있었다.

이처럼 백제 왕실의 족원이 부여임은, 『삼국사기』에서 "시조 東明王廟에 배알하였다(다루왕 2년조)"와 '시조 동명(제사지)'이라고 한 시조관을 통해서 뒷받침된다. 동명왕은 고구려 시조인 주몽이 아니라 부여의 건국 시조였기 때문이다. 이는 「천남산묘지명」에서 동명과 주몽을 별개의 인물로 각각 명시한데서도 명백해진다.

그리고 백제 시조로 또 다른 기록에 보이는 仇台에 관한 서술 중 "구태의 제사를 받드는데, 부여의 후예임을 계승하였다(『翰苑』)"고 하여, 족원이 부여임을 다시금 천명했다. 『續日本紀』에도 "대저 百濟의 太祖 都慕大王은 日神이 몸에 내려와 扶餘를 차지하고 開國했다. 天帝가 籙을 내려서 (도모대왕은) 모든 韓을 합치고 王을 칭했다"[226]고 하였다. 이 구절의 "奄扶餘而開國"의 '奄'은 『고려도경』

225_ 『隋書』 권81, 동이전, 백제 조. "百濟之先 出自高麗國 其國王有一侍婢 忽懷孕 王欲殺之 婢云 有物狀如雞子 來感於我 故有娠也 王捨之 後遂生一男 棄之廁溷 久而不死 以爲神 命養之 名曰東明 及長 高麗王忌之 東明懼 逃至淹水 夫餘人共奉之"

226_ 『續日本紀』 권40, 桓武天皇, 延曆 9년 秋7월 조."夫百濟太祖都慕大王者 日神降靈 奄扶餘而開國 天帝授籙 摠諸韓而稱王"

에서 "太祖皇帝御極 奄有萬國 昭遣使來朝(태조 황제가 등극하여 만국을 죄다 차지하자 昭(정종: 譯者)가 사신을 보내 조회하러 왔으므로)"[227]라고 하여 '차지하다'의 뜻으로 사용되었다. 그리고 도모대왕은 815년에 편찬된 『新撰姓氏錄』에도 다음과 같이 보인다.

* 都慕王十世孫 貴首王之後也
(『新撰姓氏錄』右京諸蕃下, 百濟 條)
* 長背連. 高麗國王 鄒牟[一名 朱蒙]之後也
(『新撰姓氏錄』右京諸蕃下, 高麗 條)

『新撰姓氏錄』高麗 條를 보면 鄒牟와 朱蒙을 동일 인물에 대한 다른 표기로 지목했다. 그러나 이들을 동일한 책 백제 조에 보이는 都慕王과는 관련 짓지 않았다. 이로 볼 때 都慕王은 고구려 시조 鄒牟와는 무관한 것 같다. 따라서 "日神이 몸에 내려와 扶餘를 차지하고 開國했다"는 都慕王은, 부여 시조 東明王을 가리킨다. 도모왕 출생과 건국 설화는 부여적인 관념에 "모든 韓을 합치고 王을 칭했다"고 했듯이 마한에서 건국한 백제 관련 실제적인 요소가 결합되었다.

그런데 이는 "9년에 존호를 올려 皇太后라 했다. 그 百濟의 먼 조상인 都慕王이라는 이는 河伯의 딸이 日精에 감응해서 태어났는데, 皇太后는 곧 그 후손이다"[228]는 구절과 충돌한다. 즉 도모왕의 출생과 관련해 "日神이 몸에 내려와"는 부여 동명왕의 출생설화이다. 그리고 "河伯의 딸이 日精에 감응해서 태어났는데"는 고구려 시조 설화소처럼 비친다. 그러나 「광개토왕릉비문」에서는 "천제의 아드님이고, 어머니는 하백의 따님이시다. 알을 깨고 세상에 내려오셨다(天帝之子 母河伯女郎 剖卵降世)"고 했다. 「광개토왕릉비문」에서는 고구려 시조의 출생이 卵生이었다. 양자 간에 상이한 점이 보인다. 그리고 "日精에 감응해서"는 『삼국지』 부여 조에서 동명왕의 어머니인 婢가 "계란만한 기운이 내려온 까닭에 내가 임신했다(有氣如雞子來下 我故有身)"는 기록과 부합한다. 다만 도모왕의 어머니를 '河伯의 딸'이라고 한 기록은 고구려 시조 출생 설화와 일치한다. 그러나 이는 고구려 시조 설화만의 요소가 아니라고 본다. 부여 시조 설화가 성장하면서 건국자 어머니의 격을 높이기 위한 修飾에

227_ 『高麗圖經』 권2, 世次 王氏.
228_ 『續日本紀』 권40, 桓武天皇, 延曆 8년 12월 조. "九年追上尊號 曰皇太后 其百濟遠祖都慕王者 河伯之女感日精而所生 皇太后卽其後也"

불과하다고 간주된다. 이처럼 동명과 추모 설화가 결합하여 고구려의『신집』이나『구삼국사』이래로 양자가 동일 인물로 상정되었다.

백제의 기원이 부여임은 중국 역사서에서 백제를 '부여의 別種' 곧 支派라고 하였고, 백제에서 국왕을 가리키는 호칭인 於羅瑕가 부여에서 왕을 일컫는 보통명사에서 기인한 점에서도 방증된다. 그러나 무엇보다 472년에 개로왕이 북위에 보낸 국서에서 "저희는 고구려와 함께 근원이 부여에서 나왔습니다"라고 하여 왕실의 계통을 부여로 밝힌데서 분명히 읽을 수 있다.『삼국사기』시조왕기에 보면 북부의 解婁를 右輔로 삼으면서 "본시 부여인이다(시조왕 41년 조)"고 하였다. 비류 설화에도 북부여 왕의 씨성이 해씨로 등장하고 있는 만큼, 해루가 부여인임은 분명하다. 이 사실은 백제 건국에 부여계 출신들이 참여하였음을 뜻한다. 그랬기에 백제는 538년에 사비성으로 천도한 후 국호를 (南)扶餘로 고친 것이다. 요컨대 백제는 장구한 세월 동안 국가의 법통을 집요하게 부여에서 찾았다.『삼국사기』에는 "按海東古記 或云始祖東明 或云始祖優台"[229]라고 한 기록이 있다.『삼국사기』찬자는『해동고기』를 살펴보니 백제 시조에 대해 동명과 우태 2가지 기록이 있었음을 언급했다. 동명과 우태 모두 부여계 인물인데다가, 우태는 부여 왕 仇台와 동일시할 수 있는 요소까지 보인다.[230]

지금까지 살펴 본 바에 따르면 백제 시조로서는 온조·비류·구태·동명왕·도모대왕 등 총 5명이 등장하였다. 이 가운데 4명이 부여계 인물이었다. 나아가 백제 건국세력의 출원지는 부여로 밝혀졌다. 그러므로 온조의 계통은 고구려가 아닌 부여로 잡는 게 온당해 보인다. 그렇다면 온조의 계보를 추모와 연결짓는 기록은 어떻게 해석해야 할까? 이는 고구려 시조인 추모를 고조선의 시조인 단군의 아들로 설정한 구도와 결부지어 생각해 볼 수 있다.『삼국유사』에 인용된「壇君記」에 의하면 檀君은 西河 河伯의 딸과의 사이에서 북부여 왕인 夫婁를 낳았다고 한다. 그러한 解夫婁王의 서손인 優台의 아들이 곧 비류라고 백제 시조설화에 보인다. 그렇다면 백제 역시 그 연원이 왕검조선의 단군과 연결되고 있다. 문제는 이러한 기록이 사실일 리는 없다는 것이다. 다만 고려 초기 역사 인식의 한 단면을 말해 준다고 하겠다. 이러한 추정은 정작『삼국사기』고구려본기에서는 추모와 온조를 관련시킨 기록이 없다는 점에서도 방증된다. 다만 그 割註에서 "또는 말하기를 주몽이 졸본부여에 이르렀을 때 그 왕은 아들이 없었는데, 주몽이 보통 사람이 아닌 것을 알고는 그 딸을 그의 아내로

229_ 『三國史記』권32, 雜志, 祭祀 條.

230_ 백제 건국 세력의 계통을 '부여·고구려 계통'으로 적는 경우가 많다. 부여 기원설의 타당성을 인정할 수밖에 없는 상황에서 舊說인 기존의 고구려 기원설을 포기하지도 못한 어정쩡한 심리 상태를 읽을 수 있다.

삼고 왕이 돌아가자 주몽이 왕위를 이었다고 한다"라고 한 구절은 김부식이 백제측 기록을 끼워넣은 것에 불과하다. 그러므로 역시 관련 짓기는 어렵다. 따라서 온조의 계보를 추모와 연결 짓는 기록은 신빙성이 없다고 본다. 다만 그 생성 배경을 다른 차원에서 검토해 보는 것은 필요하다.

다시금 살펴 본다면, 『삼국사기』 백제본기에 적혀 있는 온조 설화는 곧 백제 개국설화로 의심 없이 수용되는 경향이 있었다. 온조 설화는 백제 때부터의 所傳이 아니겠냐는 믿음을 가져 왔다. 그렇지만 이에 대한 근본적인 의문 제기나 치밀한 검증은 없었다. 더욱이 온조 설화는 당시에 흔히 확인되는 시조의 출생과 관련한 신화적 요소가 전혀 없을 뿐 아니라, 동일한 『삼국사기』에 게재된 비류 설화와 충돌하고 있다. 그럼에도 온조와 비류 설화에 대한 상호 비교·검토가 제대로 이루어지지 못했다.

백제 왕실의 전승에 따르면 도모대왕 설화에 보이는 日神感應出誕說이 건국시조설화의 원형이 된다. 이 전승은 백제 말기까지 존속한 관계로 일본측 사서인 『續日本紀』에 수록될 수 있었다. 온조 설화가 백제 개국 이후나 7세기대에 생성되거나 채택되었다는 견해가 있다. 그러나 이 견해는 우선 도모대왕 설화와 배치되기 때문에 설득력이 떨어진다. 도모대왕은 동명왕과 동일한 神格이었다. 성왕대에 국호를 '南扶餘'로 고치는 등 부여로의 정통성을 천명하는 상황에서 격상된 신격으로 보인다. 이와는 별도로 廟祠를 갖추고 있었던 仇台는 온조 설화와는 전혀 연결되지 않는 신격이었다. 그러나 구태는 비류 설화와의 연결점이 어느 정도 보이고 있다. 게다가 백제 왕실은 전시기에 걸쳐 부여로부터의 전통을 일관되게 강조하였다. 가령 북부여 왕실의 성씨이기도 했던 부여씨라는 백제 王姓의 존재, '부여별종'이라는 종족 계통에 관한 기록, 국서에서 자신들의 부여 기원에 대한 언급, '남부여'로의 개호를 통해 볼 때 백제는 줄곧 부여 기원설을 천명했음을 알 수 있다. 이러한 정서에서는 고구려 출원의 온조 설화가 비집고 설 틈이 없었다고 보는 게 정직한 해석이다. 온조 설화대로 한다면 형식상 백제 왕실은 高氏를 칭했어야 마땅하다. 백제 말기에 와서 설령 온조 설화가 국가 시조설화로 채택되었다고 하더라도 왕실의 성씨인 부여씨와 연결되지 않는다. 그럼에도 어떻게 주몽(추모)의 아들 云云하는 설화가 생성될 수 있을까? 이 부분은 지극히 상식에 관한 사안이지만, 간과한 것인지 외면한 것인지 모를 정도로 도외시하였다.

따라서 온조 설화는 백제 멸망 이후 어느 때 생성되었다고 보는 게 순리가 아닐까 싶다. 이와 관련해 주목되는 사안이 고려시대의 역사 인식이었다. 추모를 단군의 아들로 설정했을 뿐 아니라, 동·북부여와 삼국을 비롯한 여러 정치세력을 단군의 후예로 설정한 것이다. 이는 단군을 정점으로 하는 단일한 역사체계 확립을 통한 대통합과 융합을 이루려는 정치적 의도에서 생겨난 '만들어진 역사'의 전형이었다. '만들어진 역사'가 필요한 시점은 고려시대 때 몇 번 있었다. 그 첫 번째는 후삼국을 힘겹게 통일한 직후였을 것이다. 고려 초에 편찬된『구삼국사』를 통해 백제의 시조 전승에서 비류의 弟로 적혀 있는 온조를 뽑아와서 추모와 연결시키는 '역사 만들기'가 단행된 것으로 보인다. 그럼에 따라 고구려를 계승한 고려 왕조의 정치적 우위는 보장되었다. 게다가 이는 백제를 계승한 후백제와 고구려의 후신인 고려와의 동질성을 운위할 수 있는 기제였다. 고려 왕조는 대통합을 위한 명제로서 백제 시조를 온조로 설정하여 고구려 시조인 추모의 아들로 접속시켰다고 본다. 백제 당시에 존재할 수 없었던 고구려계 온조 설화가 생성된 배경은 이 같은 정치적 배경에서 출현한 것으로 해석된다.

3) 백제 族源에 대한 인식

웅진성 도읍기 백제와 가장 긴밀했던 중국 왕조가 남조의 梁이었다. 「양직공도」 題記에 의하면 "백제는 옛날의 來夷로 마한의 무리이다(百濟舊來夷 馬韓之屬)"고 적혀 있다. 백제를 '來夷'와 연관 지어 서술한 것이다. 이 구절의 래이를 '東夷'의 오기로 간주하는 견해는 맞지 않다. '來夷'와 관련해『尙書』주석에 보면 嵎夷와 萊夷를 일치시켜 이해하면서 래이의 기원을 우이라고 했다. 논의를 정리해 보면 嵎夷=萊夷=來夷라는 등식이 성립된다. 그런데 사실 여부를 떠나 중국에서는 백제와 우이 혹은 래이를 일치시켜 인식했다. 이는 당 고종이 백제를 공격할 때 신라 태종 무열왕에게 내렸다는 '嵎夷道行軍總管' 직명에서 확인된다. 당은 백제 공격로를 '우이도'로 호칭하였다. 571년에 北齊에서 위덕왕을 '持節都督東青州諸軍事東青州刺史'로 책봉했다. 이 직함에 보이는 '동청주'는 옛적 嵎夷의 거주지와 무관하지 않다. 물론 북제에서 책봉한 위덕왕의 관작에 보이는 '동청주'는 실제적인 의미는 없다. 이것은 '우이의 거주지'와 관련한 상징적인 표현이 다분하다. 물론 남제가 백제 귀족들에게 책봉한 지역과의 연관성도 지녔다. 어쨌든 중국에서는 백제와 우이를 일치시켜 해석한 까닭에 嵎夷의 故地인 동청주의 刺史로 위덕왕을 책봉했을 것이다. 백제의 기원을 래이로 인식한 것은 산둥 지역과의 연관성에서 출발한 것으로 보인다.

「양직공도」에서 백제는 래이의 거주지였던 산둥 지역에 대한 연고권을 내세웠다. 그 이전인 동성왕대의 백제는 북중국 지역에 태수를 분봉하였다. 이 때 분봉된 청하태수는 산둥성 청하현 일대를 통치하는 직함이다. 중국은 래이의 본거지인 산둥성 지역인 동청주를 백제 왕의 관할 구역이자 연고지임을 공표하였다. 당이 백제를 침공할 때 보이는 '우이'의 존재는 당이 웅진도독부 관내에 설치한 嵎夷縣이라는 이름에서도 확인된다. 이렇듯 隋와 唐은 백제를 상징하는 지명과 종족명을 의도적으로 사용했다. 물론 백제는 중국과의 관계에서 부여 계승을 표방하였다. 그러나 521년 경에 백제는 래이와의 연관을 내세웠다. 중국에서는 그러나 뒤에 백제와 래이의 관련성에 회의적인 생각을 품었다. 그 결과 백제와 래이와의 관련 기록은 역사서에서 공식적으로 사라진 것으로 보인다. 다만 백제와 래이의 관련은 당이 백제를 침공할 때 '嵎夷'라는 관념으로서 그 잔영을 비쳤을 뿐이다. 춘추시대의 齊가 래이를 멸망시켰을 때의 정서를 반영한 것으로 보인다.[231]

4) 『삼국사기』 온조왕본기가 비류왕본기인 근거

『삼국사기』 온조왕본기는 본기의 주체를 '王'으로만 표기했을 뿐 온조왕이라는 구체적인 인물을 지칭한 바는 없다. 그런 만큼 이 상황에서는 온조왕본기의 주체를 섣불리 예단할 수 없다. 그런데 온조왕본기의 주체가 온조왕이 될 수 없는 몇 가지 편린을 묶어 볼 수 있다. 『삼국사기』 온조왕본기는 기실 비류왕본기임을 입증할 수 있는 근거를 다음과 같이 제시해 본다.

첫째, 『삼국사기』 온조왕 13년 조의 기사에 보이는 王母의 존재이다. 즉 "… 국모가 세상을 떠나고"라는 기사에서 왕모의 존재가 확인된다. 백제 시조왕의 왕모는 온조왕 시조 기록에서는 졸본부여 왕의 둘째 딸 혹은 越郡의 여자로 각각 다르게 적혀 있을 뿐이다. 그런데 비류왕 전승에서는 왕모 이름이 소서노로 밝혀져 있을 뿐 아니라 두 아들과 함께 남하한 것으로 전해졌다. 온조왕 기록에서는 왕모가 함께 남하한 기록이 없다. 따라서 온조왕본기의 왕모는 소서노를 가리킨다고 보아야 한다. 나아가 온조왕본기의 내용은 기실 비류왕본기임을 반증한다.

둘째, 백제 시조왕의 왕모 즉 國母는 기원전 6년에 61세로 사망했다. 이것을 역산하면 국모는 기원전 66년 生임을 알 수 있다. 반면 추모는 기원전 19년에 40세로 사망했다고 한다. 추모는 기원전 58년 생인 것이다. 양자를 비교해 봤을 때 국모가 추모보다 무려 8세나 연상인 것이다. 추모가 온조왕 기록처럼 부여 왕의 '둘째딸'과 결혼했다면 부여 왕의 여러 딸 가운데 연령대를 서로 맞췄음을 뜻

231_ 李道學, 「'梁職貢圖'의 百濟 使臣圖와 題記」 『백제 문화 해외 조사보고서』 6, 국립공주박물관, 2008, 111~112쪽.

한다. 그러나 소서노가 추모보다 훨씬 연상으로 드러나고 있다. 추모가 과부였던 소서노와 혼인했다는 비류왕 전승의 타당성이 한층 높아진다.

셋째, 『삼국사기』는 王母의 사망 때 연령을 구체적으로 적시하였다. 이는 『삼국사기』에서 지극히 이례적인 기록인 것이다. 온조왕 기록과는 달리 비류왕 전승에서 이례적으로 왕모의 이름을 소서노로 명기한 사실과 잘 연결된다.

넷째, 『삼국사기』 고구려본기에서는 온조와 비류 형제 전승이 수록되지 않았다. 이들이 당초 왕위를 계승할 수 있는 위치였다면 유리 왕자의 등장과 더불어 남하했다는 기록이 비치지 않을 리 없다. 이렇듯 백제본기의 비류와 온조 형제가 추모의 아들이라는 기록은 고구려본기의 추모 전승과 연결되지 않는다. 이 사실은 추모왕의 아들이라는 온조왕 기록의 신빙성을 떨어뜨린다.

다섯째, 시조에 대한 인식이 『삼국사기』 고구려본기와 백제본기 간에 상이하다는 것이다. 고구려본기에서는 '시조 동명성왕'이라고 한 반면, 백제본기에서는 '시조 동명왕묘(다루왕 2년 조)'의 '동명왕'이라고 했다. 여기서 동명성왕과 동명왕은 동일 인물처럼 간주될 수 있다. 그러나 양자는 별개의 인물로 구분해야 할 것 같다. 비류왕 전승에서 '시조 비류왕'이라고 했듯이 백제는 엄연히 자국의 시조가 존재했다. 백제본기 첫 장에서 '시조 온조왕'이라고 하였다. 그러므로 '시조 동명성왕'이 백제 시조를 가리키는 '동명왕'과 동일시 될 수 없다. 전자의 동명성왕은 어디까지나 고구려 시조인 추모를 가리킬 뿐이었다. 반면 후자는 부여 시조를 가리킨다고 보아야 할 것 같다. 백제 건국 세력의 연원과 관련해 부여 시조를 자국 시조로 간주했을 가능성이다. 그리고 비류왕 전승에 따르면 '북부여 왕 해부루'가 등장한다. 해부루는 연원이 부여 시조 동명왕과 결부되어 있다. 그러니 동명왕은 부여계 비류왕 전승과도 연계된 요소이다.

여섯째, 온조왕본기의 인물 중 비류왕 전승과 연결될 수 있는 요소가 보인다. 즉 "봄 정월에 右輔 을음이 죽으므로 북부의 解婁를 임명하여 우보로 삼았다. 해루는 본래 부여인인데, 지식이 깊었으며 나이 70을 넘겼지만 팔 힘이 줄지 않았으므로 이를 채용하였다(41년 조)"는 기사이다. 해루의 해씨는 백제 8大姓의 기원과 관련 있는 흥미 있는 근거를 제시해 주었다. 백제 한성 도읍기 진씨와 더불어 유력한 귀족 가문이었던 해씨의 출원지가 부여라는 것이다. 더욱이 해씨는 비류왕 시조전승에서 그 族祖로 언급된 해부루왕과도 연결되고 있다. 온조왕 기록에서는 온조가 고구려에서 10臣과 함께 남하했다고 했을 뿐 해씨와 관련된 어떠한 문자도 남기지 않았다. 이 역시 온조왕본기의 실체가 비류왕 전승에 기반을 두었음을 시사한다.

일곱째, 마한 왕이 백제 시조를 힐난하면서 "왕이 처음 강을 건너와서 발붙일 곳이 없기에(24년 조)"라고 한 구절이다. 이 구절은 비류왕 전승에서 패수와 대수를 건너왔다는 기록과 부합한다. 온조왕 기록에는 남하한 기록만 있을 뿐 渡江 기사는 없다. 게다가 온조왕본기에는 "漢水의 동북쪽 부락에 기근이 들어 고구려로 도망해 간 자가 1천여 戶나 되니, 浿水와 帶水 사이가 텅비어 사는 사람이 없었다(37년 조)"라고 하여 패수와 대수의 존재가 확인된다. 이 역시 온조왕본기가 기실 비류왕본기임을 가리키는 방증이 된다.

지금까지의 검토를 통해 『삼국사기』 온조왕본기의 '왕'은 온조왕이기 보다는 비류왕 전승의 비류왕으로 드러났다. 백제 다른 왕들의 본기에서도 그렇지만, 『삼국사기』 온조왕본기의 연대기 역시 시조 이름 대신 '王'으로만 기재되었다. 즉 시조본기의 주인공이 '온조왕'이라는 어떠한 단서도 제공해주지 않았다. 이 점 환기시키고자 한다. 물론 제2대 다루왕의 계보를 "온조왕의 元子"라고 한 기술은 시조를 온조로 전제한데서 연계된 표현에 불과하였다.

『삼국사기』 상 백제 시조는 부여계 沸流가 타당함을 문헌과 물적 자료를 통해 확정 짓게 되었다. 우선 문헌자료에서는 온조 기사만 제외하고는 일관되게 백제 건국세력의 부여 출원을 천명하였다. 그것도 후대 기록만 아니라 백제 당대의 기록에서 그 같은 사실이 다수 확인되었다. 이러한 맥락에서 본다면 유일하게 백제 건국세력을 고구려 계통으로 기록한 온조 시조기사는 의문을 낳게 한다. 실제 『삼국사기』 온조왕본기를 분석해 본 결과 8가지 근거를 제시하여 기실 그 속성은 비류왕본기로 밝혔다.[232] 그 밖의 일례를 추가한다면 『삼국유사』에 따르면 온조왕을 일컬어 "체격이 크고, 성격은 효성스럽고 우애가 있었고, 말 타고 쏘기를 잘했다(體洪大 性孝友 善騎射: 남부여 후백제)"고 하였다. 이 기사는 『삼국사기』에서는 보이지 않는다. 그런데 "性孝友"라는 평가는 어머니를 모시고 내려오지도 않았을 뿐더러 형인 비류와도 결별하여 미추홀과 위례로 쪼개진 온조시조 기사에는 부합하지 않는다. 반면 어머니인 소서노를 모시고 내려왔을 뿐 아니라 아우인 온조와 함께 미추홀에 정착한 비류시조 기사와는 부합한다. 이로써도 '백제시조 온조왕'은 '백제시조 비류왕'임을 입증할 수 있게 된다. 여기서 한 걸음 더 나아가 온조왕시조 기사는 대통합을 필요로 했던 고려 전반기에 생성된 '만들어진 역사'의 결과였음을 입증했다.[233]

232_ 李道學, 「『삼국사기』 온조왕본기'의 主體에 대한 再解釋」『21세기의 한국고고학 V』, 주류성, 2012, 659~680쪽.
233_ 李道學, 「百濟 始祖 溫祚說話에 대한 檢證」『韓國思想史學』 36, 2010, 111~142쪽.

사실 온조시조 기사에는 "온조가 하남위례성에 도읍했다"고 했지만, 本紀에서는 시조왕 13년까지 河北에 도읍하고 있었다. 그리고 시조 기사에서 漢山에 이르러 부아악에 올라 도읍할 지역을 살피는 기사는 누가 보더라도 南漢山 쯤에서 바라보는 상황이라야만 적합하다. 즉 "북으로는 漢水가 띠를 두르고 있고, 동으로는 高岳에 의거하고, 남으로는 沃澤을 바라보고, 서로는 大海에 막혔다"고 한 지리 형세는 남에서 북을 바라보고 살핀 정황이다. 만약 부아악에 올라 살폈다면 "남으로는 한수가 띠를 두르고"라고 묘사해야 맞다. 온조시조 기사는 이렇듯 본기와 어긋나고 있다. 이 역시 온조시조 기사는 원 기록의 일부가 아니라 만들어져 붙여졌을 가능성을 제기해 준다.

백제 건국세력의 고구려 출원설의 고고학적 근거가 되었던 게 적석총이었다. 그러나 한강유역 소위 무기단식 적석총의 속성은 고구려와는 무관한 葺石封土墳 혹은 葺石墓니 葺石式 積石墓로 일컫게 되었다. 이들 고분에 대한 호칭은 다르지만 그 본질은 동일한 것이다. 물론 전형적인 고구려계의 계단식 적석총은 4세기 후반에 조영되었다. 그러나 이는 주민의 이동과는 무관한 묘제 채용에 불과한 현상이었다.

서울 지역에는 온조와 관련한 어떠한 전승이나 유적도 전하지 않고 있다. 그런데 반해 비록 후대 기록이라고 하더라도 인천에서는 미추홀 왕릉이나 산성, 그리고 비류 우물 등이 문헌에 채록되었다. 이 사실은 온조 시조 기록의 허구성을 암시해 주는 한편, 비류 시조 기록의 실체를 방증해 준다고 보겠다. 결국 미추홀에 정착했던 비류 집단이 위례가 있던 지금의 서울 지역으로 진입하여 새로운 터전을 잡았음을 알 수 있었다.[234]

5) 한반도에서의 첫 근거지가 인천인 증거

백제 건국세력이 부여에서 출원했음은 문헌 뿐 아니라 고고학적 물증을 통해서도 입증되었다. 가령 풍납동토성에서 출토된 銀製裝飾片이나 馬頭坑을 비롯하여 冠帽와 服裝, 墓制와 埋葬風習을 통해 뒷받침될 수 있었다. 무엇 보다도 김포 운양동 3세기대 주구묘에서 출토된 弧片形 金耳飾은 백제 건국 세력의 南下路를 시사해 주는 중요한 단서가 되었다. 즉 弧片形 金耳飾의 출토지를 따라 吉

234_ 李道學, 「백제 건국세력은 어디서 와서, 어디에 정착했는가?」 『백제, 그 시작을 보다』, 하남역사박물관, 2016, 226쪽.

林→通化→鴨綠江→大同江→臨津江→김포로 이어지는 夫餘 出源 백제 건국 집단의 南下路를 상정해 볼 수 있다. 이는 비류 집단이 패수(예성강)와 대수(임진강)를 건너 미추홀에 정착했다는 『삼국사기』 기사와 부합한다. 비류 세력이 처음 정착한 미추홀 즉 지금의 인천은 부여 계통의 金耳飾이 출토된 김포 지역과 동일한 세력권이었다. 이 사실은 곧 비류의 미추홀 정착의 역사적 사실을 뒷받침해 준다. 그리고 보고서에 따르면 운양동 분구묘는 낙랑이나 진한 및 변한과도 교류를 주도했던 마한 최고의 위계로 분류되고 있다. 그러한 서해안 지역 중심이 되었던 미추홀에 근거한 비류 집단이 서울 지역으로 진출했음을 생각하게 한다.[235]

그림 14 | 김포 운양동 주구묘 출토 金耳飾

그리고 1~2세기에 제작된 것으로 추정되는 부여 유목문화계 銅炳鐵劍이 충북 청주시 오송읍 생명과학단지의 마한계 토광묘에서 출토되었다. 이러한 장검(길이 약 1m, 손잡이 15㎝)은 중국 지린성 老河深 유적과 랴오닝성 西岔溝 유적에서 출토된 바 있다.[236] 이 역시 백제 건국세력의 계통을 암시해주는 물증이 된다. 이 철검을 '광의의 漢系'일 가능성을 제기하기도 했다. 그런데 '廣義'라는 모호하고도 광범한 개념에 포함되지 않는 유물이 있을까?

『삼국사기』 상에 전하는 온조 기록과 비류 시조 전승 가운데 어느 전승을 취신할 수 있는가 여부가 긴요하다. 먼저 온조 기록을 취신하는 입장에서 그것을 검증해 보도록 한다. 백제 건국세력이 고구려에서 기원했다면 이른 시기 적석총의 존재가 한강유역에서 확인되어야 할 것이다. 하지만 그러한 유구는 적어도 현재 서울 일원에서는 확인된 바 없다.[237] 고구려계 적석총의 조성 시기는 4세기

235_ 李道學,「百濟 建國勢力의 系統과 漢城期 墓制」『百濟學報』10, 2013, 5~25쪽.
풍납동토성과 김포 운양동 출토 부여계 金耳飾의 존재를, 주민의 이주가 아닌 원거리 교역의 산물로 해석하기도 한다. 이러한 주장이 공감대를 얻으려면 부여 유물을 구입한 교역 대상과 교역처에 대한 제시가 선결되어야 하지 않을까? 요서경략을 부정하는 이 가운데는 아주 심하게 말한다면 당시 船票라도 제시하지 않으면 믿을 수 없다는 투였다. 그럼에도 요서경략보다 이전 시기의 부여계 金耳飾들을 백제인들이 구입한 게 된다. 그렇다면 앞서와 동일하게 乘船 인원이나 항로와 목적지 등을 제시했어야 마땅하지 않을까?

236_ 李道學,「백제 건국세력은 어디서 와서, 어디에 정착했는가?」『백제, 그 시작을 보다』, 하남역사박물관, 2016, 206~226쪽.

237_ 권오영,「백제의 성립과 발전」『한국사』6, 국사편찬위원회, 1995, 19~20쪽, 註 26. "서울에서 기단식 적석묘의 출현은 3세기대로 올라갈 수 없다는 입장도 있다(李道學,「百濟集權國家形成過程硏究」, 한양대학교 사학과박사학

중반 이후 즉 후반경으로 간주하고 있다.[238] 비록 남 · 북한강유역과 임진강유역에서 1~2세기경 적석총의 존재가 보고되기는 하였다. 그렇지만 이들 소위 무기단식 적석총의 실체를 이도학이 葺石封土墳으로 규정한[239] 이래로 葺石墓,[240] 혹은 葺石式 積石墓[241]로 간주했다. 즉 이들 유구와 고구려 적석총과의 관련성을 배제하였다. 따라서 葺石封土墳을 백제 건국세력의 계통을 알려주는 지표로 삼기는 어렵게 되었다.[242] 즙석봉토분이라는 동일한 묘제를 조영하는 묘제공동체의 등장을 3세기 중엽으로 지목할 수 있었다.[243] 이와 더불어 고구려와 연관 지을 수 있는 그 밖의 물질 자료는 3세기 중 · 후반까지 한강유역에서 확인되지 않고 있다.[244] 따라서 현재 서울 지역에서 4세기 중반 이전으로 소급되는 적석총은 존재하지 않는다.[245] 일례로 석촌동 2호분의 편년도 4세기 후반경[246] 혹은 4세기 중엽을[247] 소급할 수 없다고 한다.[248] 그리고 계단식 적석총은 근초고왕대에 처음 등장한 것으로 본다.[249]

물론 부여에서 출원한 고구려 건국세력처럼 백제 건국세력의 현지 묘제 채용 가능성도 배제할 수 없다. 그렇다고 한다면 적석총과의 관련성은 더욱 희박해진다. 흔히 온조전승과 결부 짓는 묘제로

위청구논문, 1991, 33~36쪽.; 박순발, 「漢城百濟 成立期 諸墓制의 編年 檢討」『백제 고고학의 제문제』, 한국고대학회 제5회 학술발표회 발표문, 1993)."

238_ 李道學, 「百濟의 起源과 國家發展過程에 관한 檢討」『韓國學論集』 19, 1991, 189쪽. 166쪽;『백제 고대국가 연구』, 一志社, 1995, 83쪽. 96쪽.
朴淳發, 『한성백제의 誕生』, 서경문화사, 2001, 30쪽.

239_ 李道學, 「百濟의 起源과 國家發展過程에 관한 檢討」『韓國學論集』 19, 한양대학교 한국학연구소, 1991, 154~156쪽. 188쪽.

240_ 崔秉鉉, 「墓制를 통해서 본 4~5세기 韓國古代社會」『韓國古代史論叢』 6, 1994, 7쪽. 15쪽. 40쪽.

241_ 朴淳發, 「한성백제 성립기 諸墓制의 編年檢討」『先史와 古代』 6, 1994.; 『한성백제의 誕生』, 서경문화사, 2001, 133쪽.

242_ 朴淳發은 이들 묘제와 濊와의 관련성을 云謂하지만(朴淳發, 『한성백제의 誕生』, 서경문화사, 2001, 137쪽), 『三國志』에 게재된 濊의 공간적 범위와는 연결되지 않는다. 게다가 濊의 墓制인 木槨墓와도 관련되지 않고 있다. 어느모로 보나 이들 묘제는 濊와의 整合性은 보이지 않는다.

243_ 李道學, 「百濟의 起源과 國家發展過程에 관한 檢討」『韓國學論集』 19, 한양대학교 한국학연구소, 1991, 188쪽.

244_ 송호정, 「고고학 자료를 통해 본 백제의 기원」『백제의 기원과 건국』(백제문화사대계 연구총서 2), 2007, 173쪽.

245_ 李道學, 「百濟의 起源과 國家發展過程에 관한 檢討」『韓國學論集』 19, 1991, 166쪽.; 『백제 고대국가 연구』, 一志社, 1995, 83쪽.
朴淳發, 『한성백제의 誕生』, 서경문화사, 2001, 155쪽.

246_ 李道學, 「百濟의 起源과 國家發展過程에 관한 檢討」『韓國學論集』 19, 1991, 154쪽.; 『백제 고대국가 연구』, 一志社, 1995, 77쪽.

247_ 朴淳發, 『한성백제의 誕生』, 서경문화사, 2001, 153쪽.

248_ 석촌동 2호분과 같은 형식의 묘제를 토광분구묘에 기원을 둔 '粘土充塡式 積石塚'으로 命名하였다(李道學, 「百濟의 起源과 國家發展過程에 관한 檢討」『韓國學論集』 19, 1991, 154쪽.; 『백제 고대국가 연구』, 一志社, 1995, 78쪽).

249_ 李道學, 「百濟의 起源과 國家發展過程에 관한 檢討」『韓國學論集』 19, 1991, 190쪽.; 『백제 고대국가 연구』, 一志社, 1995, 123쪽.
朴淳發, 『한성백제의 誕生』, 서경문화사, 2001, 154쪽.

서 적석총 가운데 석촌동 3호분을 운위한다. 백제가 적석총을 조영한 점을 주목하여 고구려와의 계통적 연관성을 생각할 수는 있다. 그러나 이는 어디까지나 墳墓採擇으로 보겠다. 백제의 경우도 무녕왕릉이 계통적 연고도 없는 중국 南朝 계통의 전축분을 채용한 바 있다. 이후 백제 왕실의 묘제는 다시금 석실분으로 바뀌었다. 신라에서도 왕실교체와 같은 외부적인 변화가 없는 적석목곽분 단계에서 석실분으로 묘제가 바뀌었다.[250] 이러한 해석은 분묘가 지닌 보수적 성격에 위배되는듯 하지만, 기실 묘제가 피장자의 계통을 알려주는 절대적 지표가 되기도 어렵다는 점을 말하고 있다. 왜냐하면 부여에서 훈강유역으로 이주해온 계루부 고구려 왕실의 경우 종족 본래의 묘제인 토광묘나 석관묘를 버리고 新定着地의 적석총을 채용하였기 때문이다.[251] 게다가 백제도 적석총에서 석실분으로 묘제가 전환되고 있다. 요컨대 장대한 규모를 자랑하는 석촌동 3호분은 王者의 위엄 과시를 목적으로 한 고구려 묘제 채용의 결과였다.[252]

백제 건국세력의 기원을 부여에서 찾는다고 하자. 이는 부여 출원 집단이 고구려를 경유해서 남하·건국했다는 누구 말마따나 애매하고도 막연한 주장과는 성격을 달리해야 한다. 고구려 지역에서 내려온 집단이 백제를 건국했다는 주장은 아니기 때문이다. 그러면 부여에서 출원한 집단의 존재를 암시하는 물증은 있을까? 그러한 물증은 생활유적과 분묘유적에서 함께 찾을 수밖에 없다. 주지하듯이 백제와 관련된 서울 지역의 이른 시기 묘제는 토광묘이다. 백제 건국세력이 현지의 토광묘를 채택했을 가능성도 고려해 볼만하다. 그렇지만 마한 지역에 산재한 묘제 토광묘의 기원을 부여와 관련 짓기에는 선뜻 어려워 보인다. 그러나 火葬이나 순장 가능성이 보이는 토광묘의 존재를 놓고 볼 때 부여와의 관련성은 오히려 크게 다가올 수 있다. 그렇다면 백제 한성기에 생활유적과 분묘유적에서 출토된 부여 관련 물증을 다음과 같이 제시해 본다.[253]

250_ 李道學, 「百濟의 起源과 國家發展過程에 관한 檢討」『韓國學論集』19, 1991, 171쪽; 『백제 고대국가 연구』, 一志社, 1995, 109쪽.

251_ 田村晃一, 「高句麗と積石塚」『樂浪ど高句麗の考古學』, 同成社, 2001, 349쪽.

252_ 李道學, 『백제 고대국가 연구』, 一志社, 1995, 110쪽.

253_ 다음의 논지와 관련해 몇 가지 언급해 둘 사안이 있다. 본고 중 '백제 건국세력의 墓制와 夫餘系 物證'은 李道學, 「백제 건국세력의 계통과 한성기 묘제」『한성지역 백제 고분의 새로운 인식과 해석』 제13회 백제학회정기발표회, 2013. 3.2. 59~72쪽.; 「百濟 建國勢力의 系統과 漢城期 墓制」『百濟學報』 10, 2013, 5~25쪽에 의하였음을 밝혀 둔다. 본고에서 인용한 한강문화재연구원, 『김포 운양동 유적Ⅱ(2권)』(36册), 2013은 판권에 2013년 3월로만 적혀 있다. 이도학이 본 연구원의 厚意로 본 보고서를 2013년 6월 11일에 입수할 수 있었다. 그런데 『김포 운양동 유적Ⅰ(2권)』(42册)은 2013년 8월 26일 간행으로 판권에는 적혀 있다. 그러나 본 보고서 Ⅰ은 이도학이 한강문화재연구원을 公務로 방문했던 2014년 8월 12일에도 간행되지 않았다. 그때 이도학은 해당 논문이 수록된 『百濟學報』 10集 別刷 2부를 기증하고 왔었다. 이도학이 연구원으로부터 본 보고서 Ⅰ을 우편으로 수령한 것은

첫째, 풍납동토성에서 출토된 銀製裝飾片이다. 이러한 은제장식편은 부여 영역이었던 지린성 楡樹市 老河深 유적에서 출토된 金製耳飾과 형태가 거의 동일하다.[254] 라오허선 中層에서 출토된 金製耳飾은 2개인데, 葉片의 길이는 각각 1.35cm, 폭 0.6cm, 두께 0.02mm, 그리고 길이 1.3cm, 두께 0.7cm, 두께 0.02mm이다.[255] 그러나 풍납동토성 은제장식편은 약 5cm에 불과하여 耳飾片 보다는 관모 장식일 가능성이 높다. 그렇다고 할 때 신분의 지표이기도 한 관모 양상이 백제와 부여가 동일했을 수 있다. 이 점 명백히 백제의 부여 출원설을 뒷받침해준다.

둘째, 김포 운양동 2세기 중후엽~3세기 전반대 분구묘에서[256] 출토된 弧片形 金耳飾 1쌍(2-9지점 6구역 1호 분구묘)과 1개(1-11지점 12호 분구묘), 모두 3개의 弧片形 金耳飾은 老河深 中層遺蹟(41호 · 93호 · 103호)에서 출토된 金耳飾과 동일한 형식이다.[257] 운양동 금이식은 현재 국내에서 출토된 가장 이른 시기의 제품이다.[258] 그러한 운양동 弧片形 金耳飾의 중심지는 지린시 일대에 거점을 둔 夫餘였다.[259] 弧片形 金耳飾은 압록강 右岸의 通化 石湖 王八(月脖)子墓群에서도 유사한 것이 1개 출토되었다.[260] 지린시에서 제작한 弧片形 金耳飾 완제품이 압록강 右岸을 경유하여 김포 운양동에까지 도달한 것이다. 즉 弧片形 金耳飾의 출토지를 따라 吉林→通化→鴨綠江→大同江→臨津江→金浦(仁川)로 이어지는 부여 출원 백제 건국 집단의 남하로를 상정해 볼 수 있다.[261] 이는 비류 집단이 패

2015년 2월 11일이었다. 따라서 본 보고서 Ⅰ에 수록된 내용은 이도학의 앞선 논고들보다 뒤에 나왔음을 분명히 알려주고자 한다. 그리고 무슨 연유인지 한강연구원 홈페이지의 보고서 발간 목록에는 『김포 운양동 유적Ⅱ』를 『김포 운양동 유적』으로만 표기했다. 실제 간행 순서와는 차이가 나므로 헷갈리게 된다. 그리고 본 보고서 간행 날짜도 실제 보고서 판권과는 차이가 난다. 게다가 제39책이나 제40冊이 2014년 1월 1일 간행으로 모두 적혀 있다. 선후가 뒤바뀌어 있는 것이다. 알 수 없는 일로 생각된다. 따라서 본 보고서 Ⅰ(1권), 'Ⅵ. 고찰, 1. 김포 운양동 분구묘' 편의 "따라서 현재의 자료만으로 인천과 김포 일대를 아우르는 특정 마한 소국을 비정하기에는 무리가 있다. 이에 잠정적으로 비류와 관련한 마한 소국으로 비정해 두고자 한다(683쪽)"는 문구는 이도학 논고보다 뒤에 집필된 것이다. 이 점을 분명히 해 둔다.

254_ 국립문화재연구소, 『풍납토성 XⅢ』 2012, 554~555쪽.

255_ 吉林省文物考古研究所, 『楡樹老河深』, 文物出版社, 1987, 58~59쪽. 圖版 40.

256_ 한강문화재연구원, 『김포 운양동 유적Ⅱ(2권)』 2013, 228쪽.

257_ 吉林省文物考古研究所, 『楡樹老河深』, 文物出版社, 1987, 59쪽. 60쪽. 圖版 43.
라오허선 유적에서 3件 5점의 金耳飾이 운양동 것과 유사하다고 한다(이한상, 「김포 운양동 유적 출토 금제 이식에 대한 검토」 『김포 운양동 유적Ⅱ(2권)』, 한강문화재연구원, 2013, 261쪽).
한편 라오허선 유적의 金耳飾을 金製護指나 金指甲套로 간주하는 주장에 대해서는 이한상이 충분한 근거 제시를 통해 부당함을 밝혔다(이한상, 위의 논문, 265쪽).

258_ 한강문화재연구원, 『김포 운양동 유적Ⅱ(2권)』 2013, 268쪽.

259_ 이한상, 「김포 운양동 유적 출토 금제 이식에 대한 검토」 『김포 운양동 유적Ⅱ(2권)』, 한강문화재연구원, 2013, 265쪽.

260_ 安文榮 · 唐音, 「鴨綠江右岸雲鳳水庫淹沒區古墓葬調査與發掘」 『2007中國重要考古發現』, 文物出版社, 2008, 83쪽.

261_ 풍납동토성과 김포 운양동 출토 부여계 金耳飾의 존재를, 주민의 이주가 아닌 원거리 교역의 산물로 해석하기도 한다. 이러한 주장이 공감대를 얻으려면 부여 유물을 구입한 교역 대상과 교역처에 대한 제시가 선결되어야

수와 대수를 건너 미추홀에 정착했다는『삼국사기』기사와 부합한다. 비류 세력이 처음 정착한 미추홀 즉 지금의 인천은 부여 계통의 金耳飾이 출토된 김포 지역과 동일한 세력권이기 때문이다. 이 사실은 곧 비류 세력의 미추홀 정착이라는 역사적 사실을 뒷받침해 준다. 나아가 운양동 주구묘에 부장된 金耳飾은 18K 이상의 높은 金純度를 지닌 耳飾이라는 것이다.[262] 게다가 철제 장검과 환두대도가 3점이나 출토된 분구묘는 모두 대형분이었다.[263] 그렇다면 최고급 신분의 집단이 부여에서 남하했음을 암시해 주는 물증이 될 수 있다.[264] 아울러 백제 건국세력이 주구묘라는 현지 마한의 묘제를 채용한 사실을 알려준다. 운양동 유적은 서해안 지역 초현기 마한 분구묘 중 최고 위계를 지녔다.[265] 이 사실은 운양동 세력이 서해안 지역의 정치적 중심이었음을 뜻한다. 나아가 운양동 세력이 백제로 발전했음을 암시해주기에 충분하다.

셋째, 김포 운양동 분구묘에서 출토된 瑪瑙·유리구슬·管玉은[266] 라오허선 중층유적의 출토상과 부합하고 있다. 대부분의 라오허선 中層 유적에서는『삼국지』부여 조에서 부여 특산물로 소개된 '朱玉'인 瑪瑙가 부장되어 있기 때문이다.[267] 그리고 이곳에서는 유리구슬·管玉·구슬이 출토되었다.[268] 라오허선 유적의 6각형 유리구슬은 운양동에서도 출토되었기 때문이다.[269] 게다가 운양동 분구묘에 부장된 철제 장검과 동일한 형식은 라오허선 유적에서도 확인된다.[270] 특히 철제 장검의 청동제 劍鬲은 라오허선 유적과 동일한 형식이다.[271] 그 밖에 운양동 분구묘에서 출토된 이조선돌대주조철부 역시 라오허선 유적에서도 확인된다.[272]

하지 않을까? 요서경략을 부정하는 이 가운데는 아주 심하게 말한다면 당시 船票라도 제시하지 않으면 믿을 수 없다는 투였다. 그럼에도 요서경략보다 이전 시기의 부여계 金耳飾들을 백제인들이 구입했다는 게 된다. 그렇다면 앞서와 동일하게 乘船 인원이나 항로와 목적지 등을 제시했어야 마땅하지 않을까? 더욱이 금이식이 출토된 만주 내륙 지역까지 어떠한 경로를 통해 교류가 이루어졌는지가 선행되어야 한다. 그리고 보다 근원적인 사안은 弧片形 金耳飾이 교역품이었다면 구매력과 선호도를 지녔다는 게 된다. 만약 그렇다면 한반도에서는 인천에서만 弧片形 金耳飾이 출토된 이유를 설명해야 마땅하다.

262_ 한강문화재연구원,『김포 운양동 유적 II (2권)』2013, 154쪽.
263_ 김기옥,「한강 하류역 원삼국시대 외래계 유물」『崇實大學校韓國基督教博物館誌』9, 2013, 47쪽.
264_ 이 유물을 부여족의 이동과 결부 짓는 견해는 신경철,「백제 문화의 원류, 백제와 고구려 문화; 토론문」『백제사람들 서울 역사를 열다』, 한성백제박물관 국제학술회의, 2011.
265_ 한강문화재연구원,『김포 운양동 유적 II (2권)』2013, 228쪽.
266_ 한강문화재연구원,『김포 운양동 유적 II (1권)』2013, 126쪽. 130쪽.
267_ 吉林省文物考古研究所,『楡樹老河深』, 文物出版社, 1987, 14~39쪽.
268_ 吉林省文物考古研究所,『楡樹老河深』, 文物出版社, 1987, 68쪽.
269_ 한강문화재연구원,『김포 운양동 유적 II (1권)』2013, 126쪽. 130쪽.
270_ 한강문화재연구원,『김포 운양동 유적 II (2권)』2013, 223쪽.
271_ 吉林省文物考古研究所,『楡樹老河深』, 文物出版社, 1987, 77쪽 圖 72, 劍 5(I 式木柄鐵劍).
272_ 김기옥,「한강 하류역 원삼국시대 외래계 유물」『崇實大學校韓國基督教博物館誌』9, 2013, 47쪽.

넷째, 풍납동토성 경당 지구에서는 제의와 관련해 馬頭를 매장한 坑의 존재이다. 경당 지구 9호유적에서는 훼기된 토기들과 더불어 9체분 馬頭와 1체분 牛頭 모두 10개의 獸頭가 출토되었다. 이러한 현상은 모종의 제의와 연관 짓게 하였다.[273] 실제 풍납동토성 197번지 일대의 나-10호 주거지에서는 말의 견갑골을 이용한卜骨이 확인되었다.[274] 따라서 馬頭坑은 祭儀 유구일 가능성을 높여주었다. 바로 그러한 마두갱이 라오허선에서도 확인된다. 라오허선 분묘 구역의 중앙에 위치하고 있는 마두갱은 길이 2.97m, 폭 0.75m의 장방형이다. 그 안에 7片의 馬頭骨이 남아 있다. 坑 내에서는 다른 유물은 발견되지 않고 3필 정도의 말 개체분만 확인되었다.[275] 이 같은 祭儀는 비록 생활유적과 분묘유적이라는 차이에도 불구하고 종족이나 집단의 정체성과 관련 있다. 그러한 관계로 쉽게 변화되지 않는 속성을 지녔다. 게다가 馬頭 제의 유구는 고구려 영역에서는 명확하게 알려진 바 없다. 따라서 풍납동토성에 거주했던 백제 건국세력의 계통은 "其國善養牲"[276], 즉 제사 때 제물로 바치는 가축인 犧牲을[277] 잘 길렀다는 부여와 연관될 가능성을 높여준다.[278]

다섯째, 부여에서 관모에 금은을 장식하는 "以金銀飾帽"라는 기사는 고구려에서 "衣服皆錦 繡金銀以自飾 大加主簿頭著幘 如幘而無餘 其小加著折風 形如弁"라고 한 기사와는 대응하지 않는다. 즉 『삼국지』에서 "言語諸事 多與夫餘同 其性氣衣服有異"라고 하였듯이 '衣服'에 있어서는 부여와 고구려는 차이가 있다고 했다. 구체적으로 말해 부여와 고구려는 관모에서 차이가 보인다. 반면 부여의 金銀 관식은 백제의 무녕왕릉에 부장된 金花 관식과 연결되고 있다. 金花飾烏羅冠을 착용한[279] 백제왕 관모의 金花飾을 가리키기 때문이다. 백제에서 6품 이상의 官人은 銀花冠飾을 착용하였다.[280] 물론 고구려도 7세기대에는 관련 기록이 보이지만, 백제는 신분의 지표로서 상징성이 지대한 관모와 관련해 계통적으로 부여와 연결된다. 여기서 백제의 은화관식은 흔히 운위하는 소위 銀製冠飾은

273_ 한신대학교 박물관, 『風納土城Ⅳ(本文 · 圖面)』 2004, 319~322쪽.

274_ 국립문화재연구소, 『풍납토성 XⅣ』 2012, 518~519쪽.

275_ 吉林省文物考古研究所, 『楡樹老河深』, 文物出版社, 1987, 38~40쪽.

276_ 『三國志』 권30, 동이전, 夫餘 條.

277_ 韓國精神文化硏究院, 『譯註 經國大典 註釋篇』 1986, 120쪽.

278_ 나주 복암리 3호분 1호 석실묘의 말뼈와 복암리 2호분 주구에서도 추정 馬齒가 출토된 바 있다. 그러나 이것의 성격은 犧牲보다는 순장 가능성이 더 높게 제기되었다(박중환, 「백제권역 동물희생 관련 考古자료의 성격」『百濟文化』 47, 2012, 188~191쪽).

279_ 『三國史記』 권24, 고이왕 28년 조.

280_ 『三國史記』 권24, 고이왕 27년 조.

아니다.[281] 은화관식은 부여 왕홍사 목탑에 관테와 함께 부장되었던 花形 雲母 冠飾일 가능성이 높다. 이는 나주 복암리 3호분 제5호 석실에 관테가 부장된 데다가 雲母片이 출토된 것과 연결되기 때문이다. 물론 제5호 석실에서는 '銀製冠飾'이 부장되어 있었다. 여기서 제5호 석실에 부장된 운모편은 왕흥사 목탑 터의 花形 雲母 冠飾과 성격이 동일할 수 있다. 왕흥사 목탑 터에서는 '銀製冠飾'은 부장된 바 없었다. 그렇다면 同 석실의 '은제관식'은 실제 관식이 아닐 가능성이 높아진다. 더욱이 5호 석실에서는 2개의 관테가 부장되어 있었다. 2개의 관모가 부장되었다는 게 된다.[282] 이러한 점에서도 단 1개가 부장된 '은제관식'은 관식일 가능성이 희박해진다. 실제 제6호 석실에서는 '은제관식'이 현실 바깥 즉 연도에 부장되어 있었다.[283] 이와 관련해 동아대학교 소장 李忠武公 영정에 따르면 관모 정면에 銀花를 붙여놓았다. 花形 雲母 관식을 연상시킨다. 게다가 '銀製冠飾'은 폭이 좁고 밑이 뾰족한데다가 관모 장착에 필요한 구멍도 없다. '銀製冠飾'은 관모에 고정시킬 수가 없는 것이다. 따라서 '은제관식'은 관식은 아니라고 본다. 그러나 화형 백색 운모 관식은 문헌의 銀花冠飾을 가리킨다고 하겠다. 또 그러한 전통은 부여와 연결 지을 수 있게 된다.

여섯째, 고구려와 차이가 있다는 부여의 복장은 "白布大袂袍袴履革鞜"라고 하였다. 고이왕의 복장을 "紫大袖袍"에 '烏韋履'라고 하였다. 이러한 백제의 의복은 부여와 부합하고 있다. 「양직공도」에 보이는 백제 사신은 左衽의 커다란 도포를 무릎을 약간 덮을 만큼 착용하였다. 관모 앞 부분은 지워져서 자세히 살필 수는 없으나 銀花 장식이 있었을 것으로 보인다. 도포 밑에는 바지 부리가 넓은 開口袴를 입었다.[284] 이러한 복장 역시 부여와 부합한다. 그리고 부여와 관련된 중국 헤이룽장성 빈현[賓縣] 칭화성지[慶華城址]에서 장방형의 골갑편 4편이 출토되었다.[285] 중국에서는 骨甲을 생산했다는 문헌 기록이나 물증도 없다고 한다.[286] 그런데 몽촌토성에서는 골갑편이 출토되었다. 이 역시 백제 건국세력과 부여와의 연관성을 방증해준다,

일곱째, 백제 건국세력과 직접 관련된 묘제는 부여 계통의 묘제이기도 한 목관 토광묘임을 방증해 주는 근거가 보인다. 즉 석촌동 고분군 B 지역 대형토광묘와 즙석봉토분 사이에 위치한 화장 유

281_ 오은석, 「백제 '銀花冠飾'의 형상과 정치적 성격 검증」『동아시아고대학』 35, 2014, 27~57쪽.
282_ 나주문화재연구소, 『나주 복암리 3호분』 2006, 230~231쪽.
283_ 나주문화재연구소, 『나주 복암리 3호분』 2006, 302~303쪽. 307쪽.
284_ 李道學, 「梁職貢圖의 百濟 使臣圖와 題記」『百濟文化 海外調査報告書』 6, 국립공주박물관, 2008.; 『백제 한성·웅진성시대 연구』, 一志社, 2010, 452쪽.
285_ 黑龍江省文物考古研究所, 「黑龍江賓縣慶華遺址發掘簡報」『考古』 1988-第7期, 596~598쪽.
286_ 박선희, 「복식비교를 통한 고조선 영역 연구」『남북학자들이 함께 쓴 단군과 고조선연구』, 지식산업사, 2005, 115쪽.

구이다. 목관을 놓고 그 전체를 불태운 화장 유구가 된다.[287] 이러한 장례 형태는 매장할 때 관목을 묘광에 내려놓은 후 다시 불을 지르는 라오허선 고분과 유사하다.[288]

여덟째, 석촌동 3호분 동쪽 대형토광묘 안에서 8기의 목관이 동시에 매장되었고[289] 여성 인골까지 출토된 사례이다. 즉 폭 2.6~3.2m, 길이 10m 이상되는 대형 토광을 거의 남북 방향으로 깊이 0.8m 정도 판 다음 목관을 안치하였다. 현재 확인된 목판은 모두 8개이다. 이 8개 목판은 동시에 안치된 것으로 판단되며 각 목판에 대한 개별 무덤 구덩이는 없고 하나의 대형 토광 바닥에 목관들을 나란히 놓은 후 목관 사이 사이에는 회청색 뻘흙 혹은 논흙과 같은 점토질이 강한 토양을 채워 다졌다. 개별 목관의 깊이는 현재 남은 정황으로 미루어 35cm 내외였을 것으로 추정된다. 목관 상부의 전체 무덤 구덩이 내에는 이 구덩이를 만들 때 파낸 흙을 다시 채우고 나서 마지막으로 1~2겹의 깬돌로 덮어 묘역을 만들고 있다. 8기의 목관 가운데 1기는 순장묘에 흔히 등장하는 부장곽(5호 · 180cm)이라는 것이다. 그 나머지 7기 중에서 7호 목관만 길이 308cm에 폭이 66cm로 제일 규모가 크다. 나머지 6기의 목관 길이는 178cm(2호) · 230cm(3호) · 255cm(1호) · 256cm(8호) · 275cm(4호) · 295cm(6호)이다. 그리고 1호 · 2호 · 6호 목관에는 유물이 전혀 없었다. 다만 3호 · 4호 · 8호 목관에서만 토기 1점이 부장되었을 뿐이다. 반면 7호 목관에서는 보고서 표현대로 한다면 '비교적 다양한 부장 유물'을 가지고 있다. 철제 낫과 가래 끝쇠 1점씩과 토기 1점과 소형 철검이 부장되어 있었다.[290] 7호 목관을 중심으로 한 종속성과 동시성이 확인된다. 더욱이 층위가 동일한 8기의 목관이 일렬로 매장되었다는 자체가 추가장 가능성을 희박하게 해준다. 이렇듯 8기의 목관이 동시에 묻혔다는 게 강제성의 근거가 되지 않을까 한다. 요컨대 이처럼 순장 조건을 충족한다면 집단묘인 석촌동 대형토광묘의 순장묘 가능성을 제기할 수 있다. 동시에, 대형토광묘가 순장묘일 가능성이 있다면 응당 그 기원을 부여에서 찾을 수밖에 없다.

이와 관련해 석촌동 3호분 대형 토광묘와 유사한 분묘가 지린성 퉁허(通化) 완파보지(萬發撥子) M21호 토광묘이다. 완파보지 M21호 토광묘는 戰國時代 中晩期 이전이므로[291] 기원전 4세기~3세기

287_ 서울大學校 博物館,『石村洞3號墳 東쪽古墳群 整理調査報告』1986, 31쪽. 25쪽.

288_ 吉林省文物考古研究所,『楡樹老河深』, 文物出版社, 1987, 18쪽.

289_ 서울大學校 博物館,『石村洞3號墳 東쪽古墳群 整理調査報告』1986, 27쪽.

290_ 서울大學校 博物館,『石村洞3號墳 東쪽古墳群 整理調査報告』1986, 23~27쪽.

291_ 吉林省文物考古研究所 · 通化市文物管理委員會辦公室,「吉林通化市萬發撥子遺址二十一號墓的發掘」『考古』 2003-8, 43쪽.

대로 편년할 수 있다. 따라서 완파보지 M21호는 고구려의 기원을 기원전 3세기대로 설정하더라도 고구려 이전의 유적임이 분명하다. 길이 16.5m, 폭 2.3m인 장방형 토광 안에 총 35구의 인골이 매장되어 있었다. 넓지 않은 공간에 무려 35명이나 묻혀 있었던 것이다. 인골의 연령은 6개월~60세까지인데, 묘광의 침범이나 교란은 보이지 않았다. 따라서 추가장 가능성은 없다. 그리고 400점 가량의 부장품에서도 질과 양에서 차이가 보였다. 묘광의 중심인 M21-19, M21-20은 25~30세로 추정되는 2명의 여성 인골 부근에서 靑銅杯와 玉杯 그리고 瑪瑙管을 비롯한 부장품이 가장 많았다. 즉 "부장품의 수량이 많을 뿐만 아니라, 그 종류와 재료의 등급도 다른 개체보다 또한 현저히 높았고, 게다가 생산공구와 생활용구가 기본적으로 보이지 않았는데, 두 사람이 생전에 특별한 지위를 가졌음을 반영하였다"[292] 고 했다. 이렇듯 완파보지 M21호는 35구의 인골 가운데 묘광의 중심이 설정되어 있었다. 중심에 소재한 2구의 여성 인골 주변에 수량에서나 질적으로나 차별화된 부장품이 집중되었다. 그리고 다양한 연령층의 인골이 함께 매장되어 있었다. 그리고 추가장의 흔적도 보이지 않는 등 다인장이 아니라 강제력이 따르는 순장으로 단정할 수 있는 요소가 많다. 더욱이 고구려 영역 속의 주된 묘제는 적석총이었다. 토광묘인 萬發撥子 M21호는 반면 부여와의 연관성이 깊다. 비록 시기적 차이는 크지만 석촌동 3호분 대형 토광묘는 완파보지 M21호와의 연관성이 보인다.

萬發撥子 M21호에서는 유아의 매장도 확인되었다. 완파보지 M21호가 순장묘일 가능성은 최근에 영남대학교 박물관에서 확인한 경산시 조영동 5세기대 고분군의 순장 사례를 통해서 방증된다. '임당 古塚'에서 출토된 고인골의 유전자를 분석한 결과 무덤 주인의 인골 외에 4개체분의 유골이 확인되었다. 무덤의 主槨에 墓主와 함께 순장된 2명 가운데 1명이 4~8세의 여아였는데, 副槨에 순장

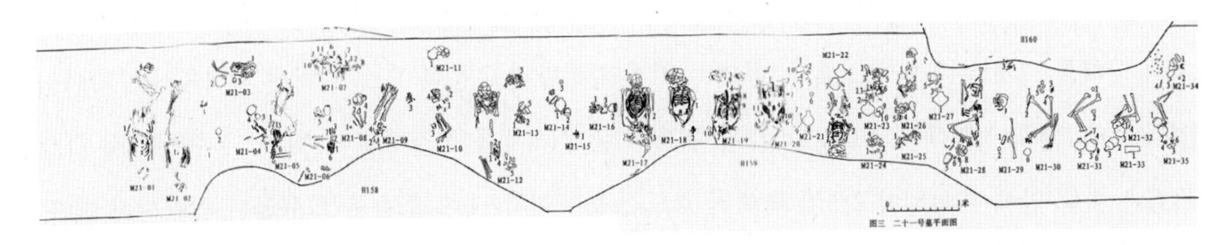

그림 15 | 萬發撥子 M21호 평면도[292]

292_ 吉林省文物考古研究所 · 通化市文物管理委員會辦公室, 「吉林通化市萬發撥子遺址二十一號墓的發掘」『考古』 2003-8, 36쪽.

293_ 吉林省文物考古研究所 · 通化市文物管理委員會辦公室, 「吉林通化市萬發撥子遺址二十一號墓的發掘」『考古』 2003-8, 37쪽. 圖3.

된 2명이 이 여아의 부모로 확인된 것이다. 조영동의 또 다른 5세기 고분 부곽에서 발견된 인골 2개체도 부녀 사이로 밝혀졌다. 10세 안팎의 여아와 아버지가 나란히 순장된 것이다. 5세기 말과 6세기 초의 서로 다른 무덤에서 각각 발견된 유골이 남매 사이로 밝혀지기도 했다. 결국 DNA 분석으로 고대 경산 지역 가족 순장의 습속을 파악한 것이다.[294] 이와 마찬 가지로 유아가 매장된 완파보지 M21호도 가족 순장으로 파악할 수 있다. 석촌동 3호분 동쪽 대형토광묘 안에서 동시에 매장된 8기 목관의 성격을 암시해주는 관건이 된다.

아홉째, 석촌동 고분군에서는 선비계의 금제 귀고리가 출토된 바 있다.[295] 그리고 백제에서 등장하는 유목민 사회의 직제인 左·右賢王制 역시 이것과 분리되지 않는다.[296] 즉 백제의 기원이 고구려 보다는 부여와의 연관성을 암시해 준다. 그리고 1~2세기에 제작된 것으로 추정되는 부여 유목문화계 銅炳鐵劍이 충북 청주시 오송읍 생명과학단지의 마한계 토광묘에서 출토되었다. 이러한 장검(길이 약 1m, 손잡이 15㎝)은 중국 지린성 라오허선 고분과 랴오닝성 시차거우 고분에서 출토된 바 있다.[297] 이 역시 백제 건국세력의 계통을 암시해주는 물증이 된다. 백제 지역에서 출토된 4세기 후반~5세기대 귀고리나 마구류 가운데 모용선비계가 확인되었다. 위신재와 마구류에 있어서 鮮卑系가 확인된다는 것은 중요한 의미를 지녔다. 백제가 최소한 4세기 후반 이전부터 모용선비와 접촉했음을 뜻하는 동시에, 兩者 間의 지리적 인접 가능성까지 암시해준다. 이와 관련해 청주 일원에서 출토된 선비계의 馬鐸 2점은 중국 랴오닝성 베이파오시 西溝에서 출토된 마탁과 동일한 계통으로 간주할 수 있었다. 보다 중요한 사실은 청주 신봉동 고분에서 수습한 것으로 전하는 鐵鍑의 존재였다. 동복과 철복은 한반도에서는 모두 5개밖에 확인되지 않았다. 평양의 낙랑 유적에서 1개, 김해에서 3개, 그리고 청주에서 1개인 것이다. 김해 대성동 고분에서 출토된 동복 2개는 부여족의 이동과 결부지어 의미를 크게 부여하기도 했다. 반면 선비계의 북방적인 문화 요소는 백제 지역에서도 확인되었다. 특히 청주 지역에서 출토된 馬鐸과 鐵鍑의 존재는 새롭게 조명될 수 있다. 청주 봉명동 출토 馬鐸은 方廓 안에 乳頭形이 2개씩 陽刻된 호드긴 톨고이 01-1호 출토 흉노 유물과 연관성이 깊다. 그리고 경주 황오동 16호분의 마탁과도 관련 지을 수 있다. 이러한 면에 비추어 보더라도 청주 출토

294_ 김대욱, 「임당고총에서 확인된 가족 순장」『고대 인골연구와 압독국 사람들』, 영남대학교박물관, 2019, 33~45쪽.
295_ 李道學, 「百濟의 起源과 慕容鮮卑」『충북문화재연구』 4, 충청북도문화재연구원, 2010, 7~28쪽.
296_ 李道學, 『백제 고대국가 연구』, 一志社, 1995, 123쪽.
297_ 박상현, 「청주 고분서 출토-부여 유목문화와 마한 교류 입증하는 사료」『연합뉴스』 2016.8.31.

그림 16 | 지금은 훼손되었지만 문학산 밑에 소재했던 '백제 우물'

마탁은 북방계, 그것도 유목계 유물임은 더욱 분명해진다. 후자의 경우는 신라 김씨 왕가의 기원을 흉노와 관련 짓는 물증으로의 활용도 배제할 수 없다.[298)]

열 번째, 인천에는 비류 관련 유적과 전승이 남아 있다. 반면 서울 지역에는 온조 관련 지명이나 전승이 전혀 없다. 가령 "彌鄒忽: 지금의 仁川이다. 세속에 전해오기를, 文鶴山 위에 비류성의 터가 있고 성문의 문짝 판자가 지금도 오히려 남아 있으며, 성안에 沸流井이 있는데 물맛이 시원하다'고 한다. 『여지승람』에 실리지 않아 한스럽다"[299)]고 했다. 문학산 밑에서도 '백제 우물' 터를 확인한 바 있다.[300)] 그리고 『여지도서』에서는 "문학산 꼭대기는 꽤 평평한데 미추홀의 옛 도읍지이고, 돌로 쌓은 성의 터가 있다"[301)]고 했다. 문학산성은 본래 土城을 삼국시대 말기에 石城으로 개축하였다.[302)] 게다가 문학산성 주변에 대한 지표조사 결과 백제 초기 토기편들이 수습되었다.[303)] 그러므로 문학

298_ 李道學,「百濟의 起源과 慕容鮮卑」『충북문화재연구』4, 충청북도문화재연구원, 2010, 7~28쪽.
299_ 『東史綱目』第1卷上, 계묘년 조.
300_ 李道學,「백제국의 성장과 소금통로의 확보」『우리 문화』, 전국문화원연합회, 1991-2;『한국고대사 산책』, 서문문화사, 1999, 62~63쪽.
301_ 『輿地圖書』京畿道, 仁川都護府, 古跡 條.
302_ 인천광역시,『문학산성 지표조사 보고서』1997, 99쪽.
303_ 인하대학교 박물관,『인천 문학산 주변 지역 일대 지표조사』2002.

산 토성은 백제 성일 가능성이 높다. 『仁川邑誌』에는 "府邑 남쪽 남산(문학산)에 미추홀 왕릉이라고 불리는 능이 있는데 봉분이 헐리고 망부석이 넘어져 방치된 채 흉하다"고 적혀 있다.

미추홀 遺址로 언급되는 곳이 관교동 토성지이다. 이에 대해서는 다음과 같이 적혀 있다. 관교동 토성지: 관교동 북쪽 일명 승학산을 둘러싸고 있었다는 토성이다. 1949년 이경성의 『인천의 명소고적』에 처음 기록된 이래 문학산을 비롯한 인천지역에서 고고학적 조사를 통하여 확인된 백제 유적은 8곳이다. 선학동과 문학동 등 문학산 주변에서 2곳, 문학산 서쪽 끝 해안에서 건너다 보이는 영종도에서 6곳의 백제토기 산포지가 확인된다. 모두 지표조사로 확인된 곳이어서 유구의 성격은 명확치 않다. 다만 주변 환경과 지형으로 볼 때 대부분 생활유적으로 보이고, 중산동 구 영종진 유적은 연안방어 시설일 가능성이 있다. 수습된 백제 토기편은 40여 점이고 일부 와편도 확인된다. 연대는 기원 2~5세기에 걸쳐 있는데 발굴조사를 거쳐야 분명해질 것이다. 이들 유적은 인천 지역 백제 문화의 성격만이 아니라 인천지역사 연구에도 중요한 의미를 지닌다. 문학산 일대의 백제 관련 전승이 가치를 부여받을 수 있기 때문이다.[304] 인천 중산동 유적에서도 백제 주거지에서 토기가 출토되었다.[305] 그 밖에 문학산 동쪽 기슭 월드컵경기장 예정부지 2곳에서 백제토기편이 수습되었다.[306]

지금까지 살펴 보았듯이 서울 지역에는 온조와 관련한 어떠한 전승이나 유적도 전하지 않고 있다. 그런데 반해 인천에서는 비록 후대 기록이라고 하더라도 미추홀 왕릉이나 산성, 그리고 비류 우물 등이 전하고 있다. 이 사실은 기록 자체가 아예 전하지도 않는 온조 始祖像의 허구를 암시해 주는 한편, 비류 시조 기록의 실체를 방증해 준다. 결국 미추홀에 정착했던 비류 집단이 위례가 있던 지금의 서울 지역으로 진입하여 새로운 터전을 잡았음을 알 수 있었다.

따라서 백제 건국 집단은 비류 세력이었다. 이들은 패수(예성강)와 대수(임진강)를 건너 미추홀인 지금의 김포와 인천 지역으로 이주해 왔다. 이후 비류 집단은 위례로 불리었던 지금의 서울 지역으로 진출하여 새로운 터전으로 잡았다. 온조 시조 기록에서는 이 사실을 비틀어서 서술했다. 즉 미추홀에 정착했던 비류 집단이 국가 경영에 실패하여 서울의 위례 지역으로 흡수된 양 묘사한 것이다.[307]

304_ 인천일보, 「"백제"가 중심이었던 인천 고대사」 2001. 4. 11.
305_ 장홍선, 「인천 중산동유적 백제 주거지 출토 토기 고찰」『인천 중산동유적』 2012, 790~795쪽.
306_ 인천광역시, 『문학산성 지표조사 보고서』 1997, 6쪽.
307_ 李道學, 「백제 건국세력은 어디서 와서, 어디에 정착했는가?」『백제, 그 시작을 보다』, 하남역사박물관, 2016, 226쪽.

6) 왕성

(1) 위례성 이름의 유래

백제 국왕이 거처하는 공간인 왕성의 이름은 慰禮城이다. 미추홀에서 옮겨 온 백제는 지금의 서울 지역에서 국가의 터전을 확립했는데, 한강 이북에서 그 이남으로 천도한 것으로 적혀 있다. 한강 이북에서의 백제 왕성은 河北 위례성이요, 그 남쪽에서의 그것은 河南 위례성으로 일컬었다.

그러면 백제 왕성의 이름인 위례성은 어떠한 의미를 담고 있을까? 이 문제에 관해서도 견해가 몇 가지로 나뉘어진다. 첫째는 위례성의 '위례'는 방어시설이자 담장을 가리키는 '우리・울[圍哩]' 즉, 城柵을 세우고 흙을 쌓아 만든 圍柵의 뜻에서 비롯되었다는 것이다. 다산 정약용의 해석이 되겠다. 이는 백제가 처음 국가를 세울 때 나무로 엮은 방어시설인 柵을 설치한 사실과 더불어, 우리나라 역사상 최초의 국가 형태로 운위되는 城邑國家의 개념과도 부합되는 측면이 있다. 그러나 흔한 범칭이 최고 통치자의 공간 이름으로 사용되기는 어렵지 않을까?

둘째는 왕성의 뜻으로 해석하는 견해이다. 중국 역사책인『周書』백제 조에 의하면 백제에서는 국왕을 於羅瑕로 불렀다고 한다. 職處에 쓰여진 접미사인 '하'를 떼어낸 어라하의 '어라'와 위례성의 '위례'는 음이 닮았다. 게다가 양자는 왕과 더불어 왕이 거처하는 공간에 쓰여졌던 호칭이다. 그러므로 왕에게 쓰여졌던 '어라' 곧 '위례'라는 호칭이 부여된 위례성은 왕성의 뜻으로 풀이된다.

셋째는 동족이나 씨족을 의미하는 '우리'라는 말에서 유래한 것으로 해석하는 견해이다. 고대 일본에서 씨족을 나타내는 단어인 '우지'가 동족이나 씨족을 나타내는 한국어의 '우리'와 상응하고 있음을 주목한 데서 비롯되었다.

넷째는 강변에 소재한 성이라는 뜻으로 파악하는 견해가 되겠다. 즉 한강의 옛 이름이 阿利水 혹은 郁里河로 일컬어졌는데, 이는 위례성의 '위례'와 음이 연결될 수 있다. 이와 관련해 尉那巖城이라는 고구려의 왕성 이름 가운데 '위나'는 江을 뜻하는 만주어의 우라[兀喇]에서 비롯되었다고 한다. 위례성의 '위례'와 위나암성의 '위나'는 음이 서로 통하고 양자 모두 강변에 세워진 성인데서 붙여진 이름으로 간주하기도 한다.

다섯째는 큰 성[大城]을 뜻하는 것으로 파악하는 견해이다. 즉 백제 국왕에 대한 호칭인 어라하의 '어라'는 크다[大]는 뜻을 지니고 있다. 그리고 '하'는 존장자 내지는 수장에게 붙여지는 존칭어미이다. 그러므로 어라하는 大首長의 뜻을 담고 있다. 욱리하의 '욱리', 아리수의 '아리'가 모두 '크다'는 뜻이므로, 어라=욱리=아리와 연결되는 위례성의 '위례' 또한 '크다'는 의미임을 알게 된다.『일본서기』

에 의하면 "고구려 군대가 이렛 동안의 낮과 밤으로 '대성'을 공격하여 왕성이 함락되었다. 드디어 '위례'를 빼앗겼다(雄略 20년 조)"라고 적혀 있다. 이 기사를 통해서 대성이 백제의 왕성인 동시에 위례성으로도 표기되었음을 알게 된다.

여섯째는 위례성의 '위례'는 빨리 읽게 되면 '열'과, '성'은 '제'와 연결될 수 있는데, 이는 백제의 최초 국호라는 '十濟'와 연결된다는 것이다.

일곱째는 위례성은 기실 마한의 맹주였던 目支國이 아니라 판본에 따라 月支國으로 기록된 그것에 다름 아닌 것으로 파악한다. 위례는 '월'에, 성은 '지'에 대응된다는 것이다.

위례성의 유래에 관한 이상과 같은 견해 가운데 다섯번째 견해가 보다 설득력이 있는 것으로 받아들여진다. 그러면 백제 왕성으로 등장하는 漢城과의 관계는 어떠할까? 위례성과 한성은 별개가 아니라 동일한 성으로 간주되어진다. 왜냐하면 첫째, 한성이 위례성과 별개의 성이었다면 국왕의 거주 공간이라는 비중과 그 이용 기간의 장구함에도 불구하고 성을 쌓았다는 기록이 없다는 게 이해되지 않는다. 둘째, 『일본서기』에서 고구려 군대가 공격하여 함락시킨 '대성'을 "드디어 위례를 빼앗겼다"라고 하여 왕성인 위례성으로 표기하고 있다. 반면 동일한 사건을 『삼국사기』에서는 '王都漢城'이라고 하였다. 그러므로 475년에 고구려에 함락된 백제의 왕성은 위례성과 한성으로 달리 표기되었지만 동일한 성임을 알게 된다. 넷째, '욱리'·'아리'와 마찬가지로 '크다[大]'의 뜻에서 위례성의 '위례'가 기원하였는데, 위례성은 대성의 뜻을 지닌 한성과도 동일한 의미를 지닌 성이다. 위례와 같은 어근인 '욱리' '아리'에서 비롯한 욱리하·아리수는, 그와 마찬가지로 '큰 강[大水]'의 뜻을 지닌 漢水와 연결되기 때문이다. 즉 한강을 가리키는 욱리하와 한수는 『삼국사기』에 함께 등장하고 있다. 그 뿐 아니라 「광개토왕릉비문」에는 한수를 아리수로도 표기하고 있다. 한강에 대해 이같이 달리 표기하고 있는 현상은, 위례성을 한성으로 표기하고 있는 것과도 맥이 닿는다. 요컨대 백제 당시에 달리 표기되어진 욱리하·아리수·한수가 동일한 강이듯이, (하남)위례성과 한성도 동일한 성이라는 등식이 가능해진다.

(2) 王城의 조건과 서울 지역 백제 왕성의 소재지

일찍이 육당 최남선은 삼국이 각축하였던 한반도의 특장을 일러 "지리상으로 보아 半島가 다른 육지보다 優勝한 點은, 도틀어 말하자면 海陸 接境에 處하여 陸利와 海利를 兼하여 받는 것이라"[308] 면서 '海陸文化의 최상처로서의 半島'를 갈파하였다. 六堂은 '海陸文化'라는 용어를 최초로 사용했다. 그러한 海陸文化에 속한 백제는 지금의 서울 일원인 漢城에 도읍하였다. 475년에 백제는 고구려군의 강습을 받아 웅진성으로 천도했다. 그로부터 63년 후 백제는 사비성으로 다시금 천도하였다. 그런데 세 곳의 백제 왕성에서 한 가지 공통점을 발견할 수 있다. 현재 서울의 백제 왕성인 풍납동토성은 물론이고, 공주 공산성이나 부여 부소산성과 연계된 왕성은 한결같이 강변에 소재하였다. 江은 방어적인 해자 역할도 한다. 그러나 또 한편으로는 강수의 범람에 대한 대비도 필요하다. 개로왕대에 한강 南岸에 축조한 제방이 그것을 말한다.[309] 이처럼 양면성을 지닌 江과 엮어져 백제 도성이 조성되었다. 그러므로 기획도시인 사비도성의 서편 백마강변에 나성을 축조하지 않았다는 주장은 성립이 어렵다.[310] 江水의 해자 기능만 염두에 두었을 뿐 洪水 대비 개념은 없었기 때문이다.

그러면 백제 왕이 거처하였던 위례성은 어디에 소재했을까? 『삼국사기』에서는 '河南慰禮城'[311] 기록이 보인다. 이로 미루어 응당 하북위례성도 존재했을 것으로 판단하였다. 그렇다면 그 기준인 '河' 곧 한강의 이북에 처음 도읍했다가 한강 이남으로 移都했다고 보아야 순리일 것 같다. 그런데 현재까지는 하북위례성의 소재지를 명확하게 밝히지 못하였다. 반면 하남위례성의 소재지로는 일찍부터 풍납동토성이 지목되었다.[312] 즉 위례성의 소재지와 관련해 "이 河南의 땅은 북쪽으로는 漢水를 띠처럼 띠고 있고, 동쪽으로는 높은 산을 의지하였으며, 남쪽으로는 비옥한 벌판을 바라보고, 서쪽으로는 큰 바다에 막혔으니 이렇게 하늘이 내려 준 험준함과 지세의 이점[天險地利]은 얻기 어려운 형세입니다. 여기에 도읍을 세우는 것이 또한 좋지 않겠습니까?"[313]라고한 국도의 입지 조건에 풍납동토성이 부합된다고 한다. 아울러 풍납동토성은 말갈의 침략을 막기에 유리한 한강의 天塹을 국방에 이용하고 있음을 역설했다.[314]

308_ 崔南善, 「海上大韓史(六)」 『소년』 1909~1910.; 六堂全集編纂委員會, 『六堂 崔南善全集』 2, 현암사, 1974, 397쪽. 399쪽.

309_ 『三國史記』 권25, 蓋鹵王 21년 조. "百姓之屋廬 屢壞於河流…緣河樹堰 自蛇城之東 至崇山之北"

310_ 이에 대해서는 李道學, 「百濟 泗沘都城과 '定林寺'」 『白山學報』 94, 2012, 116~119쪽에서 언급되었다.

311_ 『三國史記』 권23, 시조왕 즉위년 조.

312_ 朝鮮總督府, 『大正六年度朝鮮古蹟調査報告』 1920, 72쪽.

313_ 『三國史記』 권23, 시조왕 즉위년 조.

314_ 大原利武, 「朝鮮歷史地理」 『朝鮮史講座-一般史』, 朝鮮總督府, 1924, 53쪽.
이상의 '江上 立都'에 대한 서술은 李道學, 「百濟 泗沘都城의 編制와 海外 交流」 『東아시아 古代學』 30, 2013, 231~267쪽을 보완하였다.

『삼국사기』에서 한수와 한강이 병기되고 있다. 그러면 당시 한강은 처음부터 한수나 한강으로 표기되었을까? 이와 관련해 다음 기사를 살펴 본다.

> 또 郁里河에서 大石을 취하여 槨을 만들어 父骨을 장례지내고, 河川을 따라 제방을 쌓았는데, 蛇城의 東쪽부터 崇山의 北쪽에 이르렀다.[315)]

위의 기사를 놓고 보면 사성은 백제 도성 부근의 강안에 위치하였다. 京城電氣株式會社, 『京電ハイキングコ-ス 第七輯 南漢山』 1938에 수록된 「南漢山城案內略圖」에서도 삼성동토성은 한강변에 붙어 있다. 이러한 삼성동토성 위치는 강변에 소재한데다가 "봉은사 동북쪽에 있다"는 『朝鮮寶物古蹟調査資料』 기록과도 부합한다. 따라서 둘레 500m 미만인 삼성동토성 성벽이 현재 경기고등학교 부지까지는 이어질 수 없다. 이 사실은 현재의 경기고등학교 부지를 삼성동토성으로 지목하는 주장이 근거 없음을 반증한다. 아울러 경기고등학교의 土壘처럼 비치는 유구는 학계에서 성격조차 구명되지 않았다. 결국 삼성동토성은 현 청담배수지공원과 봉은초등학교 뒷편에 소재했던 유구가 맞다. 이곳에서 그 유명한 연화문 와당이 출토되었다.[316)] 입지적인 조건을 놓고 볼 때 한강변 高地에 소재한 삼성동토성은 전략적 요지였다. 즉 북으로는 한강, 동으로는 탄천과 접하여 있다. 그리고 동으로 왕성인 풍납동토성과 몽촌토성, 한강 북안의 옥수동토성과 구의동 보루 및 아차산성이 잘 관측된다.[317)]

사성의 동쪽으로부터 崇山의 북쪽에 이르기까지 제방이 축조된 것이다.[318)] 사성과 숭산은 삼성동토성과 검단산으로 각각 비정된다.[319)] 그러면 위에서 인용한 구절의 '河川'은 어느 강을 가리킬까?

315_ 『三國史記』 권25, 蓋鹵王 21년 조.

316_ 金和英, 「三國時代 蓮花紋 硏究」 『歷史學報』 34, 1967, 87쪽.
백제문화개발연구원, 『百濟瓦塼圖錄』 1983, 11~12쪽.
朴容塡, 「百濟瓦當의 類型硏究」 『百濟瓦塼圖錄』, 백제문화개발연구원, 1983, 341쪽.

317_ 최병식 外, 『강남의 역사』, 강남문화원, 2014, 66~67쪽.

318_ 이 제방을 후대 기록에서 長漢城이라고 일컬은 것 같다. 혹자는 이도학 논지를 일러 "현재의 한강 남안의 지형을 당시의 지형과 오인한 것"이라고 했다. 그러나 이도학은 개로왕대에 한강 남안에 축조한 제방을 가리키며 "… 장한성은 한강 남부에 소재한 한성이라는 도시를 보호하기 위하여 길게 축조한 성곽(장성)이라는 의미에서 '장한성'으로 일컬은 것으로 보인다(李道學, 「1. 고대」 『아차산의 역사와 문화유산』, 구리시 · 구리문화원, 1994, 48쪽)"고 했다. 혹자는 사실을 왜곡해서 전달한 것이다. 혹자는 한강 북쪽의 고구려 보루군을 '긴 한성'으로 간주했다는 것이다. 그러나 보루 자체가 독립된 성 단위인 만큼 적절하지 않은 해석일 뿐 아니라, 후대인들이 보루 자체를 인지하지 못했기 때문에 나올 수 없는 명칭이었다. 발상 자체가 너무 앞서 간 것은 차치하고 他者의 논문을 자의적으로 왜곡해서는 안 된다.

319_ 李道學, 『백제 한성 · 웅진성시대 연구』, 一志社, 2010, 232쪽.

이 문장의 맨앞에 郁里河가 등장한다. 이어서 등장하는 '河'는 별다른 전제가 붙어 있지 않다. 그러므로 '河'는 앞의 욱리하와 동일한 강을 가리킨다고 보여진다. 제방을 축조한 배경은 개로왕대에 단행된 거국적인 토목공사의 한 동기를 "선왕의 해골이 땅위에 임시로 매장되어 뒹굴고 있으며 백성들의 집은 번번히 파괴되어 강물에 허물어지고 있다"[320]라고 했다. 즉 한강의 범람으로 인한 도성의 안전을 보장받기 위한 데 있었다. 따라서 욱리하는 한강이 명백해진다. 그리고 백제 때 한강을 욱리하로 일컬었음을 알 수 있다. 한편「광개토왕릉비문」영락 6년 조를 보면 광개토왕이 아리수를 건넌 사실이 포착된다.[321] 이에 따르면 "其國城殘不服義 敢出百戰 王威赫怒 渡阿利水 遣刺迫城"라는 구절이 주목된다. 광개토왕의 고구려군이 '其國城' 즉 백제 왕성을 향해 진격하다가 '渡阿利水'하자 백제 왕이 항복을 했다는 것이다. 이때 백제 國城은 왕성을 가리키고 한강 이남에 소재한 게 분명하다. 당시 백제 왕성이 풍납동토성이라고 할 때 아리수는 한강으로 지목할 수 있다.

지금까지의 논의를 정리해 보면 한강을 욱리하 혹은 아리수로 일컬었다. 그리고 욱리하와 아리수의 '욱리'·'아리'는 위례성의 '위례'와의 연관성을 생각하게 한다. 물론 다산 정약용은 慰禮城 '慰禮'의 어원을 울[圍籬]에서 취했다.[322] 그러나 단재 신채호는 이를 반박하면서 위례 어원을 한강의 古名 '아리'에서 찾았다.[323] 그 연장선상에서 慰禮를 한강의 古名인 '郁里河'·'阿利水'나 만주어로 江城의 뜻인 '우라'의 轉音으로[324] 고찰하기도 한다.

(3) 慰禮城과 漢城의 관계

백제 때 한강을 가리키는 욱리하·아리수는 慰禮城의 '慰禮'에서 연유했을 가능성이 제기된다. 그러나 '위례'가 당초 보통명사에서 유래했을 가능성도 고려해야 한다. 이와 관련해 鐵騎 李範奭은 헤이룽강성의 省都인 치치하얼을 지나 여러 날 이동하여 盛家地營子에서 10리 쯤 되는 곳에서 목격한 '얄루허'라는 강이다.[325] 이 얄루허는 중국인들이 압록강을 일컫는 말과 동일했다고 한다. 실제 중국어에서는 압록강의 '압록'을 'Yālù'로 발음하고 있다. 여기서 얄루허의 '얄루'는 추모왕이 건넜다는 奄

320_ 『三國史記』권25, 蓋鹵王 21년 조. "先王之骸骨權攢於露地 百姓之屋廬屢壞於河流"
321_ 한국고대사회연구소,『譯註 韓國古代金石文 I』, 가락국사적개발연구원, 1991, 10쪽.
322_ 丁若鏞,「慰禮考」『與猶堂全書』卷3.
323_ 申采浩,『世界歷史大系 11 朝鮮史研究艸』, 을유문화사, 1974, 10쪽.
324_ 稻葉岩吉 外,『朝鮮滿洲史』, 平凡社, 1935, 52쪽.
325_ 李範奭,『우둥불』, 思想社, 1971, 205쪽.

利大水의 '엄리', 고구려 왕성인 尉那巖城의 '위나'와도 연결된다. 이러한 '알루'型 江名은 한강을 가리키는 욱리하 · 아리수의 '욱리' · '아리'와도 연결되고 있다. 그렇다면 '알루'型 강명은 고유명사라기 보다는 보통명사일 가능성을 제기해 준다. 실제 위례는 고구려의 위나와 마찬 가지로 동일한 부여어이며, 여진어와 동일하게 '江'의 뜻이 담겨 있다고 한다.[326] 그러나 이와는 다른 해석도 가능해진다.

먼저 욱리하 · 아리수와 語根이 연결되는 위례성의 '위례'에 대한 의미를 탐색해 보자. 백제에서 왕을 於羅瑕로 일컬었다.[327] 어라하의 '하'는 존칭어미에 불과하다. 그렇다면 '어라'가 고유 어근인 것이다. 어라 역시 욱리 · 아리 · 위례와 동일한 어원에서 연유했을 여지가 커진다. 그러면 '어라' 등은 어떤 의미를 지닌 것일까? 이와 관련해 鴨水의 '鴨'은 '아리'라고 하였는데, '長'의 뜻으로 풀이하기도 한다. 아리수는 '長水'의 뜻이라고 했다.[328] 그러나 이 보다는 奄利大水의 경우 '奄利'와 '大水'가 중첩되었다는 주장이 설득력 있어 보인다. 즉 '엄리'는 '엄내'로서 大水라고 한다.[329] 그렇다면 '알루'型 어원은 모두 '大'에서 연유한 것으로 지목할 수 있다. 이러한 맥락에서 본다면 욱리하와 아리수의 연원이 된 위례성의 위례는 '大'의 뜻으로 파악된다. 이는 다음을 통해서도 확인이 가능하다.

> 乙卯年 겨울 狛의 大軍이 내려와서 大城을 七日七夜 공격하자 王城이 降陷되었고, 드디어 慰禮를 잃었다. 國王 및 大后와 王子 등은 모두 敵手에 몰살되었다.[330]

위의 인용 문구에서 大城=王城=慰禮이라는 등식이 성립된다고 하자. 慰禮城은 '大城'의 의미인 동시에 於羅瑕는 '大干'의 뜻이 된다. 그렇다면 大城이요 王城인 慰禮城名에서 왕성 근방을 흐르는 하천명이 욱리하 혹은 아리수로 命名된 것이다.

위례성은 왕이 거처하는 공간임은 분명하다. 그런데 "温祚都河南慰禮城"라고 하였다. 즉 위례성은 王城보다는 훗날 都城 개념처럼 주민들과 함께 거주하는 공간인 듯한 인상을 준다. 이와 관련해 "秋七月 就漢山下立柵 移慰禮城民戶"라는 구절을 음미해 볼 때 '漢山'은 당초에는 지명이 아니라 북

326_ 朝鮮總督府, 『大正五年度朝鮮古蹟調査報告』 1917, 72쪽.
327_ 『周書』 권49, 異域傳(上), 百濟 條.
328_ 申采浩, 『朝鮮史研究艸』, 乙酉文化社, 1974, 22쪽.
329_ 李丙燾, 『韓國古代史研究』, 博英社, 1976, 217쪽.
330_ 『日本書紀』 권14, 雄略 20년 조. "乙卯年冬 狛大軍來攻大城七日七夜 王城降陷 遂失慰禮 國王及大后王子等 皆沒敵手"

한산을 가리켰다. 그리고 한산 밑으로 나가 柵을 세운 후 위례성 民戶를 옮겼다고 했다. 위례성에 民戶가 거주했음을 알 수 있다. 이로 볼 때 위례성은 왕성만 아니라 일반 주민들도 거주하는 훗날의 都城 개념임을 알 수 있다. 이는 다음의 기사를 통해서도 확인된다.

왕궁에 불이 나서 民家를 태웠다. 10월에 궁실을 수리하였다(비류왕 30년 조).

위의 기사를 통해 하남의 왕궁은 민가와 連接했음을 알려준다. 왕성이 별도로 존재했다면, 왕궁의 화재가 성벽을 넘어 민가로까지 번져가기는 어려웠을 것이다. 이 경우는 왕궁과 人家가 개활지에 연접한 상황을 가리킬 수 있다. 반면 한성은 '漢城人家'나 '漢城人解忠'라는 구절을 볼 때 도성 구역을 가리키는 게 분명하다. 실제 '王都漢城'이라고 했다. 그러므로 한성이라는 도성 구간 안에 왕성인 위례성이 소재했음을 알 수 있다. 이는 특정한 학설이기 보다는 사료 자체가 알려주는 사실이다. 도성제가 완결된 개로왕대에 왕성은 왕과 왕족 및 관인들만 거처하는 공간이 되었다. 반면 도성은 왕성 바깥에서 일반 주민들이 거주하는 행정단위로 구분되었다고 보겠다. 개로왕대의 왕궁과 왕릉을 비롯한 제방 축조 등 대대적인 토목공사는 도성제의 완비 과정으로 해석된다. 그리고 『삼국사기』 시조왕대의 漢城 기사는 어디까지나 후대 기사의 소급에 불과하다.[331] 그러므로 논의 대상이 되기는 어렵다.

그러면 한수나 한강이라는 江水名은 언제 생겨났을까? 백제가 한성에 도읍하고 있을 때 한강을 욱리하나 아리수로 일컬은 것은 분명하다. 그런데 "온조가 하남위례성에 도읍했다"고 했듯이 위례성은 도성 개념을 가리키는 범칭으로도 사용되었다. 물론 이는 후대에 遡及·架上된 기록일 가능성이 농후하다. 그리고 백제 도성명에서 연유한 행정지명으로서 한성은 다음 기사에서도 확인된다.

*이 해에 백제 성명왕이 친히 무리 및 2國兵[2국은 신라와 임나를 말한다]을 거느리고 가서 高麗를 정벌하고 漢城의 땅을 획득하고 또 진군하여 평양을 토벌하였는데, 무릇 6郡의 땅으로 드디어 故地를 회복하였다.[332]

331_ 근초고왕대의 사실이 시조왕대에 遡及·架上되었음은 李道學, 「百濟 初期史에 관한 文獻資料의 檢討」『韓國學論集』23, 漢陽大學校 韓國學硏究所, 1993, 36~38쪽에서 언급했으니 참고바란다.

332_ 『日本書紀』 권19, 欽明 12년 조. "是歲 百濟聖明王 親率二國兵[二國謂新羅·任那也]往伐高麗 獲漢城之地 又進軍

* 이 해에 백제가 한성과 평양을 버렸다. 신라가 이로 인하여 한성에 들어가 자리 잡았다. 지금 신라의 牛頭方·尼彌方이다[地名 未詳].[333]

한성으로 불리었던 백제 도성 구간은 고구려의 지배를 거쳐 신라 영역이 되었다. 561년(진흥왕 22)에 쓰여진「昌寧新羅眞興王拓境碑文」에서 '漢城軍主'가 보인다. 따라서 지금의 서울 지역을 기준으로 할 때 한강 이북은 평양, 그 남쪽은 한성으로 일컬었음을 다시금 확인할 수 있다. 6세기대 신라 한성은 백제의 한성 지명을 승계한 것이다.

(4) 江名과 都城名

江名에서 都城名이 유래한 경우도 보인다. 중국 洛陽은 洛水의 북쪽에 입지한 데서 비롯했다. 도성명과 그 입지의 기원이 될 정도로 강의 비중은 지대하였다. 이와 관련해 중국의 도성은 夏代~北宋과 金代까지 黃河를 軸線으로 하여 소재했다. 水資源이 도성 결정의 중요한 요소임을 말해주고 있다. 그랬기에 반드시 '廣川之上'에 定都했다는 것이다. 그리고 중국에서는 토양의 조건을 도성 결정의 요인으로 지목했다. 이 경우는 백제가 당초 해변인 미추홀에 도읍했다가 慰禮로 옮기는 배경과 관련해 "땅이 습하고 물이 짰다"는 데서 찾을 수 있었다. 역시 도성의 선정과 관련해 江과 더불어 토양의 조건이 중요한 요소임을 웅변해 준다.

중국이나 한국의 경우 국도 선정에 江水의 존재를 중요하게 지목하였다. 이와 더불어 江水의 범람인 홍수와 같은 재해 예방에도 신경을 썼던 사실이 확인된다. 그리고 왕성이나 도성명과 강명이 연결된 사실을 확인할 수 있었다. 가령 백제 최초의 王城名인 慰禮城에서 郁里河·阿利水라는 강명이 비롯되었다. 이어 왕성의 범위를 넘어 都城名으로서 漢城이 생겨났다. 이와 더불어 당초 도성 구간을 통과하는 강명인 漢水 역시 江水 전역으로 확대되었다.

백제 때 아리수·욱리하로 불리었던 한강은 신라가 한수로 소급해서 고쳤다는 견해도 있다. 물론 '정복의 법칙'에 점령지 지명을 고치는 일이 포착된다.[334] 그러나 신라는 삼국을 통일한 후 8세기대에 와서야 행정지명을 개정했지만, 여전히 古地名이 사용되었다. 따라서 '한성별궁' 등 백제 행정지

討平壤 凡六郡之地 遂復故地"

333_ 『日本書紀』권19, 欽明 13년 조.

334_ 李道學,「廣開土王陵碑文'에 보이는 征服의 法則」『東아시아古代學』20, 2009, 87~117쪽.

명을 신라가 일일이 改作한 산물로 간주하기는 어렵다.

그런데 "漢山下로 나아가 柵을 세우고 위례성 민호를 옮겼다(시조왕 13년 조)"는 기사를 볼 때 당초에는 위례성이 왕성만은 아니었다. 위례성 안에 왕과 주민들이 혼거했음을 알려준다. 개로왕대에 도성제가 확립되면서 왕성과 도성의 구분이 생겨났던 것이다. 이때부터 위례성은 순전히 왕성 기능이었고, 한성은 都城名으로 일컬어졌다고 본다. 물론『삼국사기』시조왕기에 '漢城民' 기록이 보인다. 그러나 이는 후대에 소급된 기록에 불과하였다. 그리고 웅진성이나 사비성과 마찬가지로 위례성 구간의 한강을 아리수·욱리하로 일컬은 것으로 보인다.『삼국사기』지리지에 한양군 조가 존재한다. 그리고 "경덕왕 14년에 漢陽郡으로 고쳤다. 고려 초에 또 楊州로 고쳤다"[335]는 기록이 보인다. 경덕왕 14년인 755년에 漢陽郡이라는 행정지명이 등장한 것이다. 조선시대 도성인 漢陽名은 한수 북쪽에 입지한 데서 유래하였다. 이러한 漢陽 행정지명은 통일신라 때 이미 등장했고, 漢水 이북에 소재한데서 그러한 지명이 부여되었다. 백제 때 한성과 통일신라인 755년 이후 漢陽은 그 위치가 한강 南과 北으로 각각 구분되었다. 8세기 중엽에 생겨난 漢陽 지명은 14세기 말 조선의 國都名으로 이어졌다.

(5) 도성의 구비 조건

도성의 구비 조건 가운데 도성을 진호해 준다는 鎭山으로는 負兒岳을 지목할 수 있다. 부아악은 조선시대 고지도에서 그 모습이 확연히 드러나고 있는데, 북한산(三角山) 白雲峰 일원을 가리킨다.

백제 건국설화에 의하면 부아악에서 온조와 비류 형제가 국가의 터전을 잡기 위해 사방을 둘러본 것으로 나온다. 그러나 登頂 여부와는 상관없이 부아악은 백제 국가, 특히 그 심장부인 도성을 靈護해 주는 산악으로 믿어졌던 것 같다. 그러나 백제가 부아악을 靈山으로 여겨 제사를 지낸 기록은 보이지 않는다. 신라가 제사를 지낸 산악 가운데 지금의 서울 지역에서는 유일하게 부아악만이 小祀에 해당되고 있다. 그런데 신라가 특별히 부아악을 중시해야 될 이유보다는 오히려 백제에서 일찍부터 도성과 국가를 영호해 주는 산악으로서 제사 되었던 것 같다. 계룡산이나 월출산 같은 백제 영역 내의 산악을 제사체계에 수용한 신라가 부아악을 여기에 포함시킨 것은 백제 때의 그것을 계승한 것으로 보인다. 중국의 周가 殷을 멸망시켰지만 殷의 제사를 인정해 주는 등 타국의 제사를 자

335_ 『高麗史』권56, 지리1, 남경유수관 양주 조.

국의 제사로 포용하고 있다. 이러한 선상에서 부아악이 신라의 소사 체계에 편제된 것으로 보고자 한다.

廟祠의 경우는 東明廟를 꼽을 수 있게 된다. 동명묘의 소재지와 관련하여 개로왕대에 축조된 제방 구간의 종점인 '崇山'의 존재가 주목된다. 숭산의 '崇'은 "高大之 尊尙之"의 뜻이 담겨 있으므로 문자 그대로 '崇拜하는 산' 즉 영산으로 인식된 게 분명하다. 숭산은 검단산으로 추정되고 있다. 검단산은 풍납동토성이나 몽촌토성의 정동쪽에 위치하고 있으므로 동명묘가 그곳에 소재했을 가능성을 높여준다. 태양숭배 신앙의 소산인 日光感情出誕 說話를 가지고 있는 동명왕을 제사지내는 東明廟가, 왕성과는 정동쪽으로 서로 연결되는 위치에 있다. 마치 동녘의 검단산에서 떠오르는 태양의 精氣를 왕성의 王者가 가장 빨리 받아들이면서 배알하는 신앙적 차원에서 생각해 봄직하다. 이는 日月神에 대한 숭배 신앙과 관련된 것으로 보겠다. 국가의 제사처가 國都의 동쪽에 소재하였음은 고구려 '國東大穴'이 著例가 아닐까 싶다. 그리고 國母廟를 비롯한 여타 廟祠는 도성내에 소재했을 것으로 짐작된다.

그 밖에 신앙 유적으로는 서울시 강서구에 소재한 孔巖을 꼽을 수 있다. 백제 이래의 전렵지로서는 검단산 일대를 지목할 수 있게 된다. 이러한 요소들은 한성후기 백제 도성제의 정비와 관련된다고 보겠다.

⑹ 한성 도읍기 왕성에 대한 몇 가지 문제점

한성후기 왕성의 파악과 관련해 몇 가지 문제점을 지적해 본다. 첫째, 근자에 風納洞土城을 '風納土城'으로 일컫고 있는 게 보편적인 현상이 되었다. 그러나 이러한 호칭은 적절하지 않다. 왜냐하면 이는 토성의 이름이 '풍납'인 것을 말하는 것이 되지만, 실제로 그와 같이 불린 적이 없었기 때문이다. 다만 풍납동토성은 坪古城으로 표기되었다(『증보문헌비고』 성곽 廣州 조). 평고성은 '벌판에 소재한 옛 성'이라는 뜻으로서 그 소재지와 형상을 설명하고 있을 뿐이다. 평고성은 풍납동토성의 당초 성명은 아니다. 현재 풍납동토성의 城名을 알 수가 없다. 이러한 경우는 그 유적이 소재한 지명을 취해서 命名하는 방안이 가장 온당하다. 20세기 초기에 이 성을 조사했던 일본인 연구자들이 소재지 名에서 취하여 '風納里土城'이라고 호칭하였다. 그러한 풍납동토성은 1963년 1월 21일에 '광주풍납리토성'이라는 이름으로 사적 제11호로 지정되었다. 현재 문화재청에서 서울특별시 송파구 풍납동 72-1 外에 소재한 사적 제11호에 대해 명칭 변경을 하였다. 즉 2011년 7월 20일에 告示한 공식 명

그림 17 | 경작되고 있었던 사적 제11호 풍납동토성

그림 18 | 몽촌토성 성문터와 지금은 사라진 비석

칭은 '서울 풍납동 토성'이다. 그러므로 세간의 '풍납토성' 표기는 적절하지 않다. '풍납토성'으로 부른다면 虵城說의 근거였던 '배암드리'→'바람드리'→'風納'을 연상시킨다. 풍납동토성을 虵城으로 오인했던 잘못된 논거가 풍납토성이었다.

둘째, 몽촌토성과 풍납동토성의 先後 관계 문제이다. 몽촌토성은 평야를 끼고 있는 해발 50m 안팎의 구릉지에 축성된 경주의 반월성이나 청도의 이서국성 등과 같은 일반적인 國邑城의 거점과 입지 조건이 부합되고 있다. 이에 반해 풍납동토성은 발달된 성이다. 풍납동토성에 선행하는 왕성의 존재를 상정한다면 몽촌토성을 지목할 수밖에 없다. 그런데 왕성이 북성과 남성, 2개 城으로 구성되었음은 당초부터 그러했던 것은 아니었을 것으로 본다. 이는 왕권의 강화와 王都의 팽창에 따른 王城의 확대를 의미하는 것이다. 여기서 북성과 남성을 풍납동토성과 몽촌토성으로 각각 비정한다고 하자. 그런데 현재까지의 발굴 성과에 따르면 풍납동토성의 축조 시기는 몽촌토성 보다 앞선다고 한다. 풍납동토성을 축조한 후 몽촌토성이 축조되었다는 것이다. 그렇다면 동급의 왕성들이 축조방법에 있어서 상호 균형을 이루지 못하고 있다. 풍납동토성 보다 후대에 축조되었다는 몽촌토성이 기실은 그 보다 앞선 시기의 구조적 특징을 보이고 있기 때문이다.

셋째, 도성의 조성과 연계되어 있는 산악인 南漢山에서도 백제 토기편들이 출토되었다. 이는 남한산 일대가 적어도 백제 때 일정한 기능을 담당했던 곳으로 밝혀진 것이다. 남한산성에 南壇寺라는 절이 소재했었다. 이곳은 백제가 天地에 제사를 지내던 南壇으로 추정하기도 한다. 그렇다면 남한산을 이러한 기능 등과 연결 지을 수는 없을까. 그리고 개로왕대에 왕성을 개축할 때 '烝土築城'했다고 하였다. 그러한 흔적이 풍납동토성 성벽 발굴 결과 확인되었는지와, '烝土築城'의 성격 논의가 필요할 것 같다. 물론 몽촌토성 일부 구간 토축 안에 석회가 섞인 것을 관련 짓기도 하지만, 더 많은 논의가 필요하다.

넷째, 무기류로는 화살촉밖에 출토되지 않은 풍납동토성과는 달리 몽촌토성에서는 저장공을 비롯하여 투겁창 · 창대끝쇠 · 말재갈 · 화살촉과 같은 군사용 시설과 무기류들이 다량으로 출토되었다. 풍납동토성과 몽촌토성을 동일한 왕성으로 규정한다고 하자. 그러면 이 같은 출토 유물상의 차이를 어떻게 설명해야하는가의 문제가 따른다. 구릉지에 소재한 몽촌토성의 군사적 성격이 풍납동토성 보다는 컸음을 뜻한다고 보아야할까. 그렇다고 하면 이는 북성과 남성 간의 기능상의 차이를 상정할 수 있게 한다. 그러나 풍납동토성에서도 銅弩와 같은 무기류가 출토되었을 뿐 아니라 몽촌토성에서 출토된 군사용 시설과 무기들 다수는 이곳을 점령한 고구려군과 관련될 소지가 크다.

한성 공략시 고구려군은 북성을 7일만에 함락시킨 후 남성을 공략하였다. 풍납동토성과 몽촌토성을 북성과 남성으로 각각 비정한다면, 불과 650m 남짓 至近 거리에서 7일 간이나 공방전을 벌인 후 남성을 공격했다는 게 쉽게 납득이 되지 않는다. 백제 왕이 남성인 몽촌토성에 거처하는 상황이라면 7일 간에 걸쳐 풍납동토성만을 공격할 리 없다. 고구려군은 인접한 몽촌토성까지 한꺼번에 공격하게 마련이다. 설령 그렇지 않았더라도 지근 거리에 소재한 풍납동토성과 몽촌토성을 분리해서 공격하고, 그것도 풍납동토성 공격에만 무려 7일 간이나 소요되었다는 것은 이해하기 힘들다. 이러한 측면에서 본다면 북성과 남성은 한강을 隔하고 있는 하북위례성과 하남위례성으로 각각 지목하는 게 온당하다.

다섯째, 풍납동토성에서 출토된 '大夫' 銘 土器의 銘文이 마치 왕성의 결정적 근거인 양 회자된 적도 있다. 그러나 산성이나 고분에서 출토된 기와나 토기의 겉면에는 '夫'를 비롯하여 '大王'이나 '大干'과 같은 명문들이 확인되었다. 하남 이성산성 · 상주 청리 고분 · 부여 구아리 등지 출토 유물에서도 '夫' 字 명문이 확인된다. 청주 상당산성에서도 '夫瓦' 명 기와가 출토된 적이 있다. 이처럼 발굴 현장에서 이처럼 '大'와 '夫'는 더러 확인되는 명문이다. 따라서 '大夫' 명문의 성격을 재검토하는 게 좋다.[336]

336_ 李道學, 「백제 한성도읍기 도성제에 관한 몇 가지 검토」『백제 도성의 변천과 연구상의 문제점』, 국립부여문화재연구소, 2002, 50~52쪽.

3. 풍토와 문화 그리고 천하관

1) 백제인들의 활동 반경

(1) 백제인들의 발길은 어디까지 미쳤는가?

국력은 자고로 인구와 경제력을 가지고 말하기 마련이다. 고구려 말기의 인구는 69만 7천 호였다. 당시 백제의 인구는 고구려를 상회하는 76만 호였다. 게다가 경제력은 백제가 고구려를 훨씬 웃돌고 있었다. 이는 조선시대인들의 백제에 대한 평가와도 다르지 않다. 이조판서 등에도 올랐던 李承召가 1478년에 "옛적에 백제는 삼국 가운데 가장 强悍하였고, 전투를 좋아했다"[337]고 했다. 1623년(인조 1)에 인조는 鄭經世와의 經筵에서 "삼한시절에 백제가 가장 강했다"[338]고 단언하였다. 저명한 실학자인 다산 정약용도 "삼한 가운데 백제가 가장 강하였다"[339]고 했다. 삼한 즉 삼국 가운데 고구려를 제끼고 백제의 국력이 앞섰음을 이구동성으로 말하였다.

그러나 일제 치하를 겪으면서 백제는 약속국으로 간주되었다. 그래야만 왜가 백제를 종속시키고 한반도 남부를 호령하며 고구려와 격돌했다는 주장이 성립되기 때문이었다. 손진태는 "4세기 말로부터 5세기 말에 亘하여 고구려 및 遼西에 향하여 적극적 공세를 취하여 국도를 漢城에 옮기고(371년) 일시는 북위 · 고구려와 비견할 强國이 되었으니 실로 백제의 전성기이었다. 그러나 5세기 말에 이르러 북위에게 요서 지방을 상실하고"[340]라고 간파했다. 백제가 고구려를 꺾고, 평양성에서 고국원왕을 전사시킨 사실을 염두에 두었다. 그리고 백제가 요서에 진출하여 북위를 제압한 중국 사서의 기록에 근거한 것이다. 백제는 북위 · 고구려와 더불어 1백년 간 동아시아의 3强이었음을 밝혔다. 실제 백제 무녕왕이 梁에 보낸 국서에서 "여러 차례 句驪를 격파하고 다시 강국이 되었다(累破句驪更爲强國)"고 선언했다. 백제 왕 스스로 강국이 백제 본래의 모습임을 선포한 것이다.

그런데 강국 백제의 문화를 남성적인 고구려 문화에 대응하여 여성적인 정서로 규정하고는 한다. 물론 기세가 흐르는 고구려 문화와는 달리 온화한 기품이 감돌고 있기 때문일 것이다. 과연 그렇게

337_ 『三灘集』권11, 序. "卽古百濟之國 於三國最强悍 好戰鬪"
338_ 『經筵日記』인조 원년 조. "上曰…三韓之時 百濟最强"
339_ 『與猶堂全書』第6集 地理集, 第2卷 疆域考 弁辰別考.
340_ 孫晉泰, 『朝鮮民族史槪論(上)』, 乙酉文化社, 1948, 123쪽.

만 볼 수 있을까? 문화적 개성과 사람들의 기질은 풍토의 영향을 받는 법이다. 그러므로 이와 연관지어 살펴 보지 않을 수 없다. 백제하면 지금의 경기도와 충청남도, 그리고 전라도 지역을 우선 떠올리게 된다.

백제는 한반도의 서남부 지역을 강역으로 해서 성장하였다. 이곳은 굴곡이 많은 복잡한 리아시스식 해안을 끼고 있어 일찍부터 항만이 발달하여 해상교통이 발달한 곳이었다. 자연 백제인들은 선박을 이용하여 드넓은 세계로 나가게 되었다. 빼어난 조선술을 가졌던 동시에 바다를 잘 이용할 줄 알았던 것이다. 서해의 거친 파고를 헤치고 나아가 중국대륙과 교섭을 가졌다. 그리고 북중국의 강자인 北魏 군대를 해상전에서 손쉽게 격파할 정도였다. 신라말 최치원은 "고구려와 백제의 전성 시절에는 강병이 백만이나 되어 … 남쪽으로는 吳越을 침공하였고 … 중국의 커다란 좀이 되었다"라고 하여 해상을 통한 백제의 중국 남부 진출을 언급하였다. 물론 이 기록은 과장된 측면도 있지만 大洋을 누볐던 백제의 역동적인 자취는 현재까지 남아 있다. 중국의 최남부 지역인 廣西壯族自治區에 소재한 지금의 '百濟墟'는 百濟郡이 설치된 곳이 되겠다. 晋平郡은 그 자치구내의 蒼梧縣 일대나 푸젠성의 푸저우(福州)로 새롭게 비정된다. 『신당서』에서 백제의 서쪽 경계를 越州(저장성 紹興市)라고 하였다. 의미 깊게 되새겨야할 문구인 것이다.

백제는 제주도 뿐 아니라 북규슈와 지금의 오키나와를 중간 기항지로 삼고 타이완 해협을 지나 필리핀 群島까지 항로를 연장시켰다. 필리핀 군도는 黑齒國으로 일컬었던 곳이다. 중국 뤄양의 북망산에서 출토된 백제장군 黑齒常之의 墓誌石에 의하면 그 가문은 부여씨 왕족에서 나왔지만 '흑치'에 분봉된 관계로 그 地名을 따서 氏를 삼았다고 한다. 왕족을 지방의 거점에 파견하여 통치하는 담로제의 일면을 엿볼 수 있다. 백제는 다시금 항로를 확장시켜 인도차이나 반도에까지 이르렀다. 지금의 캄보디아를 가리키는 扶南國과 교역하였다. 그리고 백제는 북인도 지방의 모직물을 수입하여 왜에 선물하기까지 했다. 모두 6세기 중반에서 7세기 중반 경의 일이다. 이러한 항해루트 덕분에 성왕대의 승려인 謙益이 중인도에서 佛經을 가져 올 수 있었다. "모든 길은 로마로!"라는 말이 있듯이, 동아시아의 모든 물산은 백제로 집중되었다. 백제가 동남아시아 諸國과 교류한 사실은 물증을 통해서도 밝혀졌다. 가령 백제가 남방 조류인 鸚鵡를 왜에 선물한 것은 물론이고, 무녕왕릉 출토 타이製 무티사라 구슬의 경우를 꼽을 수 있다. 의자왕이 왜의 권신에게 선물한 木畵紫檀碁局의 자단목은 원산지가 스리랑카이며, 바둑돌은 상아였고, 모서리에 그려진 8필의 쌍봉낙타는 서식지가 몽골 지역이었다. 이 역시 백제인들의 활동 반경을 통해서 유추할 수 있다.

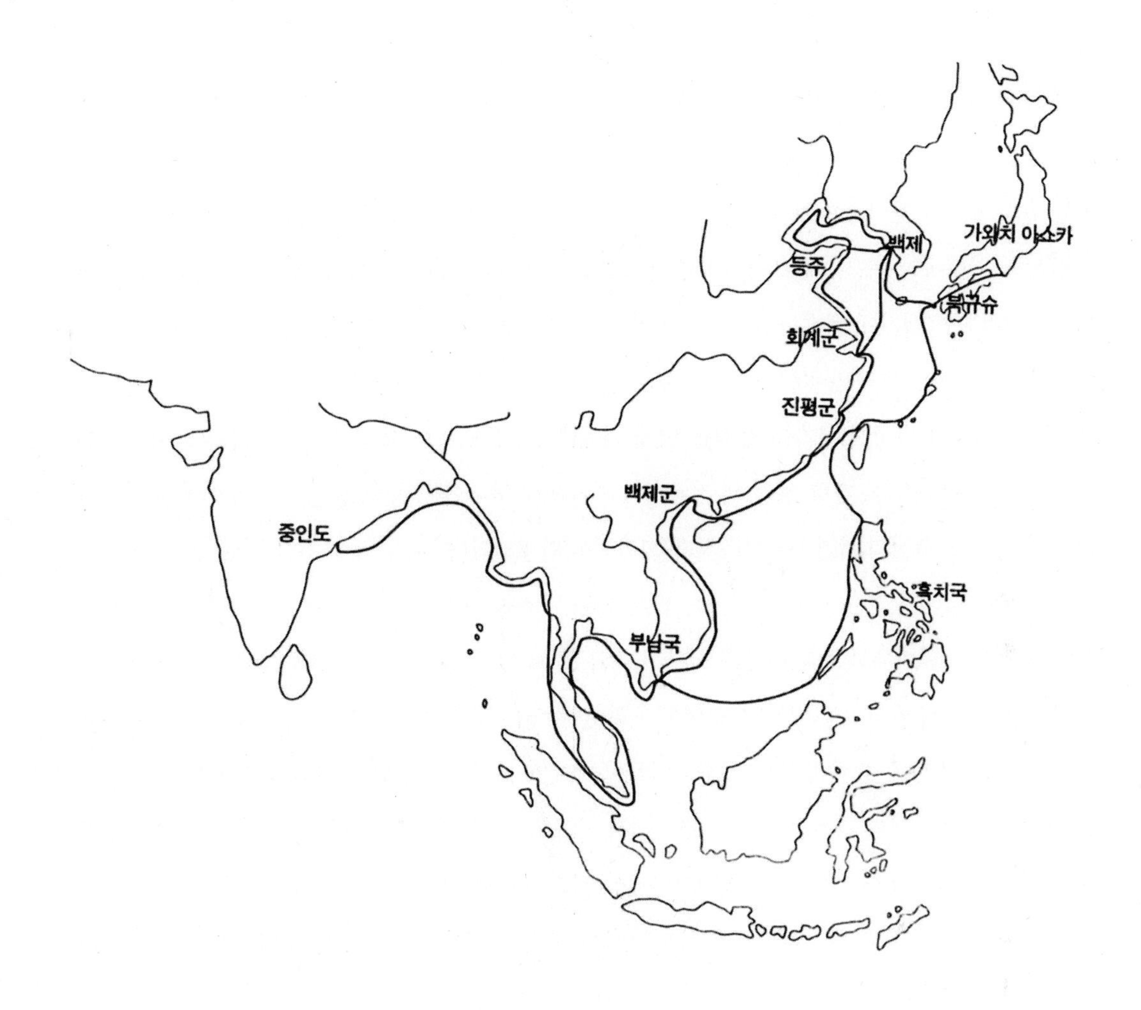

그림 19 | 해상실크로드를 이용한 백제인들의 활동 반경

5세기 후반인 延興(471~475) 연간에 물길의 사신 乙力支가 延興(471~475) 연간에 북위에 파견되어, 백제와 힘을 합쳐 고구려를 협공하는 案을 제시하였다. 그러나 북위 조정에서 서로 침공하지 말라고 만류하는 바람에 중지했다는 것이다.[341] 여기서 백제가 고구려 북쪽에 소재한 물길과 교류할 수 있는 정황을 읽을 수 있다. 그렇기에 물길은 백제와의 협공 계획을 염두에 둘 수 있었다고 본다. 이러한 정황은 백제가 몽골과의 교류 가능성을 열어두게 한다. 교류는 경제적인 교역으로 이어지게 마련이다. 몽골에서는 주로 가축·털·가죽·모피 등을 판매했다고 한다.[342] 그러므로 백제가 왜 조

341_ 『魏書』 권88, 勿吉傳.

342_ 강톨가 外 著·김장구·이평래 譯,『몽골의 역사(재판)』, 동북아역사재단, 2015, 70쪽.

정에 보낸 선물 가운데 보이는 쌍봉낙타는 몽골과 교역의 산물이었다.

백제금동대향로에 보이는 봇짐을 지고 코끼리에 올라탄 사내의 모습은 백제와 동남아시아 제국간 교류의 일단을 약여하게 보여주고 있다. 물산 뿐 아니라 사람도 마찬가지였다.

중국의 역사책인 『수서』에 보면 "(백제에는) 신라 · 고구려 · 왜인 등이 섞여 있으며, 중국인도 있다"고 하였다. 그랬기에 백제는 고구려의 69만 호 보다 많은 76만 호를 거느린 대국의 위용을 자랑하게 되었다. 76만 호라면 400만에 육박하는 인구를 거느렸음을 뜻한다. 이러한 환경 속에서 백제는 다종족이거나 다국적 국가의 성격을 띠게 되었다. 백제 조정의 요직에 중국인이나 왜인이 기용되어 있었기 때문이다. 가령 성왕 때 전국의 5方 가운데 하나인 동방의 장관인 東方令에 왜 조정의 모노노베[物部] 출신의 마카무노무라치라는 귀족이 임명되었다. 또 나솔 관등의 모노노베노 가쿠라와 같은 인물을 비롯하여 백제 조정에는 많은 倭系 관료들이 활약하고 있었다. 그리고 西河太守에 임명된 馮野夫를 비롯하여 將軍號를 지닌 王茂와 張塞, 박사 高興이나 陳明과 같은 인물들은 모두 중국계이다. 백제 말기 大將이었던 禰植이나 禰寔進 역시 후한 말의 平原(산동성 平原郡) 사람 禰衡과[343] 同系로 보인다. 요컨대 왜인과 중국인들이 백제 조정에서 상당한 직책의 벼슬에 있었던 게 확인되었다. 백제 조정의 지배층은 일단 부여에서 남하에 온 부여계 세력과 마한의 토착 세력을 軸으로 하였다. 이러한 토대 위에 수혈된 왜계와 중국계를 비롯한 고구려 · 신라 · 가라계 등으로 잡다하게 구성되었다. 백제가 국가 경쟁력을 극대화시킬 수 있었던 배경은 이처럼 열린 사회였기에 가능했던 것으로 보인다.

국제국가로서 백제의 탄생은 그 자연 환경과 풍토에 기인한 바 실로 크다고 하지 않을 수 없다. 즉 백제 영역은 해안과 평야를 끼고 있어 해산물과 농산물이 풍부하였을 뿐 아니라 기후마저 온난다습하였기에 자연 인구가 몰리게 되었다. 국력은 자고로 경제력과 인구를 가지고 논하는 법이다. 저명한 실학자인 다산 정약용이 삼국 가운데 백제가 최강하였다는 평을 내린 것은 실로 탁견이 아닐 수 없다. 이러한 넉넉한 토대 속에서 일도양단식의 고구려인들과는 달리 백제인들은 느긋한 심성을 가지게 되었다. 고루함과 편견에서 과감히 벗어날 수 있었다. 그랬기에 무덤이 지닌 보수성에도 불구하고 무녕왕릉은 중국 남조의 묘제를 채택하여 조영될 수 있었던 것이다. 영산강유역에 왜계 前方後圓墳이 조영될 수 있었던 배경도 이와 무관하지 않을 것 같다. 반면에 적석총을 비롯하여

343_ 『資治通鑑』 권62, 建安 원년 조.

사회제도 전반에는 左·右賢王制와 같은 북방적인 문화 요소도 작동하고 있었다. 이는 백제의 기원과 관련한 것이었다. 여하간 북방과 해양적인 문화 체험을 통해 백제인들은 광활한 세계인식을 가지게 되었다. 또 편벽되지 않은 균형잡힌 심성을 기르게 되었기에 따스한 체온이 감도는 문화를 남길 수 있었다.

2) 백제의 천하관

「광개토왕릉비문」이나 「모두루묘지」에서 자국인 고구려를 세상의 중심으로 인식하는 四海·천하관이 강하게 표출되었음은 두루 알려진 사실이다. 때문에 고구려와 동계이거니와 강력한 라이벌이었던 백제 또한 천하관이 존재했을 가능성이 높다. 이는 백제의 건국초기 국토 개척에 관한 역사 서술과 더불어 근초고왕이 '중심'을 의미하는 '黃旗'를 그 군대 전체에 사용하게 한 데서 알 수 있다. 즉 백제 왕자의 통치권이 직접 미치는 공간을 세상의 중심으로 인식하였던 만큼, 근초고왕은 자신의 통치권 내의 '무력'을 '皇軍'으로 분류하게 하는 우월감을 지니고 있었다. 이러한 사방의식은 배타성을 지닌 채 확대되면서 천하관으로 발전하였다.

백제의 천하관은 근초고왕 당대에 확립되었다고 본다. 『일본서기』에서 백제는 영산강유역의 마한세력을 '南蠻'이라고 일컬은데서 확인된다. 이는 자국 중심의 사방관념에서 주변 국가를 저급하게 취급함으로써 우월성을 내세우는 천하관과 결부지을 수 있다. 이 같은 추정은 「무녕왕릉 매지권」에서 天子의 죽음에나 사용되는 '崩' 字가 표기된 데서 확고부동하게 입증된다. 최근의 연구 성과에 의하면 무녕왕비의 장례에는 중국·대가라·영산강유역·왜 등 적어도 4곳에서 조문 사절과 함께 조문용 제의품을 보내왔다는 사실이 밝혀졌다. 백제의 위세를 엿볼 수 있는 면면이 아닐 수 없다.

근초고왕이 왜왕에게 하사한 칠지도의 형상 역시 宇宙木인 세계수의 형상을 刀劍化한 聖具였다. 세계수는 世界를 지배하는 나무, 혹은 하늘까지 닿는 나무를 세계수라고 한다.[344] 전하는 칠지도의 명문은 백제 왕의 권세와 천하관을 웅변해 주는 물증이 된다. 칠지도의 釋文과 명문 해석은 다음과 같다.

344_ 篠田知和基, 『世界神話入門』, 勉誠出版, 2017, 80쪽.

(앞면) 泰△四年△月十六日丙午正陽造百練鋼七支刀△辟百兵宜△供侯王△△△△

(뒷면) 先世以來未有此刀百濟王世△奇生聖音故爲倭王旨造傳△後世

(앞면) 태화 4년 5월 16일 병오일의 정오에 백번 단련한 강철로 칠지도를 만들었는데, (이 칼을 소지하게 되면) 모든 兵害를 물리칠 수 있으며 순탄하게 후왕으로 나아가는 게 마땅하다. [아무개가 이 칼을] 제작하였다.

(뒷면) 선세 이래 이 칼이 없었는데, 백제왕 치세에 기묘하게 얻은 성스러운 소식이 생긴 고로, 왜왕 을 위하여 만든 뜻을 후세에 전하여 보여라.

위의 명문에 따르면 근초고왕은 先世 이래 없던 刀劍을 얻은 사실을 선포하고 있다. 이 경우는 眞臘 국왕이 외출할 때 손에 거머쥐고 다녔던 金劍을 연상시킨다. 철로 된 칼에 금자루가 달린 길이 약 1m의 金劍은 주권의 상징으로서 대대로 전해져 현재 프놈펜 왕궁에 보관되어 있다. 이 금검은 힌두교의 인드라신이 캄보디아 왕의 선조에게 주었다고 전해진다.[345] 마찬 가지로 근초고왕도 先世 이래 없던 칠지도를 하늘로부터 받았음을 공표한 것이다. 근초고왕은 天命의 소유자요 대행자임을 내세웠다.[346]

천명의 소유자인 백제왕은 그 예하에 다수의 王과 侯들을 거느린 존재였다. 혹자는 1국에 왕이 여러 명이 된다는 것은 왕권이 약했음을 뜻한다고 열변했다. 그는 백제왕이 왕 중의 왕인 大王임을 몰랐기 때문이었다. 이러한 '대왕'과 관련해 흔히 생각하는 '선조대왕'류가 아니라 小王과 侯들을 거느린 우람한 황제적 위세를 연상해야 맞다. 최근에 출토된 미륵사지 서탑 「사리봉안기」에서 백제 무왕을 가리키는 '대왕 폐하'라는 용어가 해답을 주고 있지 않은가?

세상의 중심에 군림한다는 대왕이 통치하는 세상의 천손국 의식은 주변 제국들을 저급하게 일컫게 했다.[347] '東夷' 등과 같은 사방 오랑캐 호칭이 그것이다. 보다 중요한 것은 이러한 우월감이 정치

345_ 周達觀 著 · 전자불전 · 문화재콘텐츠연구소 篇, 『진랍풍토기』, 백산자료원, 2007, 41쪽.

346_ 중 · 고등학교 국사 교과서에는 칠지도의 성격을 왜에 보낸 선물로 지목했다. 이러한 견해를 추종하는 연구자들도 있다. 그런데 백제가 왜에 함께 보낸 '重寶'는 선물이다. 칠지도는 일본열도에서 출토된 '王賜' 銘 철검이나 船山古墳 출토 철검명을 통해 보면 정치적 성격을 지닌 하사품이었다. 게다가 칠지도는 단순한 도검과는 다르게 銘文에 메시지가 담겨 있다. 그리고 칠지도와 함께 보낸 七子鏡은 왜에서도 3種의 神器 가운데 하나인 도검과 鏡이다. 따라서 칠지도는 단순한 선물이 아니고, 왜왕에게 권위를 부여해 줄 목적의 사여품으로 보아야 한다.

347_ 혹은 "칠지도의 명문을 통해 볼 때, 4세기 후반 369년 당시 백제와 왜의 교류는 아무리 백제의 지위를 낮추어 보

적인 행위로써 발휘될 때 현실적인 위상을 갖게 된다. 천손국과 주변 국가 간의 외교적 관계가 되는데, 「광개토왕릉비문」에 나타나듯이 '朝貢' 관계로써 나타나고 있다. 기록에는 보이지 않지만 황제적 위상을 확보했던 백제나 신라의 경우도 上下 조공 관계로 주변 小國들 위에 군림하였다고 생각된다. 백제의 경우 탐라로부터 貢賦 즉 조공을 받았고, 한 때 斯羅 즉 신라를 비롯한 임나 제국들을 위성국으로 거느리고 있었던 양 행세한 사실이 확인되었다. 즉 「양직공도」에는 백제 곁의 소국들을 "旁小國有叛波·卓·多羅·前羅·新羅·止迷·麻連·上巳文·下枕羅等附之"라고 기재하였다.

주지하듯이 황제국은 주변국들과 內·外臣 관계를 설정해 놓았다. 자국 영역내의 주민들은 內臣을, 주변의 조공국은 外臣의 범주에 속하게 되는 것이다. 이때 황제국은 조공국의 수장에게는 자국의 관작을 제수하였다. 그러한 내외신 관계의 실례는 백제에서 다음과 같이 포착된다. 즉 "4월에 탐라국이 방물을 바치자 왕이 기뻐하여 사자에게 은솔 벼슬을 주었다"고 했다. 여기서 탐라국은 백제 통치권 밖의 세력이었지만, 백제에 대한 조공 의무를 이행해야할 대상이다. 동성왕대에 탐라가 공부를 바치지 않자 무진주까지 친정하여 그것을 재개시킨데서도 알 수 있다. 요컨대 문주왕이 탐라국의 사자에게 자국의 관등을 제수하는 행위는 분명히 외신 관계의 설정을 뜻한다. 백제는 이때 탐라국 사신에게만 불쑥 제수했다고 보기는 어렵다. 백제는 탐라국 왕을 비롯하여 일련의 제수가 있었고, 또 그러한 선상에서 탐라국 사신에게 제수가 있었다고 하겠다. 실제로 백제에 복속된 耽羅國主가 백제의 좌평 官號를 稱하였다. 또 그러한 관계를 '臣屬'이라고 하였기 때문이다. 이와 관련해 백제 왕·후·태수들의 분봉 지역을 다음과 같은 표로 작성해 보았다.

표 2 | 백제 왕·후·태수들의 분봉 지역

국내 분봉지	국외 분봉지
面中王(광주 광역시)	西河太守(山西省 汾陽縣)
都漢王(전남 고흥)	廣陽太守(河北省 隆化縣)
八中侯(전남 나주)	朝鮮太守(河北省 盧龍縣)

아도 대등한 隣國 간에 이루어진 성격의 것이었다"고 해석하기도 한다. 이 역시 백제에서 왜로 보낸 선물설인 것이다. 여기서 백제의 지위를 낮추어 보아야 할 근거가 무엇인지 궁금하지만, 『일본서기』 기술을 가리킴은 분명하다. 논자는 『일본서기』 기술의 '하등한'에서 칠지도의 명문을 통해 '대등한'으로 끌어 올렸다고 자부하는 듯하다. 그런데 '대등한 인국 간에 이루어진'이라고 했지만, 칠지도 명문에서 "후세에 전하여 보여라"는 명령형의 문투가 아닌가? 칠지도 명문은 양국 간의 대등함이 아니라 오히려 上下 질서를 말해주고 있다. 더구나 전통적으로 도검은 사여품이지 않은가?

국내 분봉지	국외 분봉지
阿錯王(전남 신안)	廣陵太守(江蘇省 揚州市 西北)
邁盧王(전북 옥구)	清河太守(山東省 清河縣)
弗斯侯(전북 전주)	帶方太守(遼寧省 義縣 北)
邁羅王(전남 장흥)	樂浪太守(遼寧省 義縣 北)
中王(전북 김제)	城陽太守(河南省 泌陽縣 南)
弗中侯(전남 보성)	

위에서 地名에 왕·후를 冠稱한 이들은 왕족을 비롯한 백제 본토 출신이었다. 반면 중국에 사신으로 파견되었던 태수들은 중국계였던 것으로 밝혀진 바 있다.[348] 이와 더불어 주목할 점은 이 무렵 백제의 관작은 이원화되어 있다는 점이다. 본토 출신의 경우는 한반도 관내의 지역명을 王·侯號에 관칭하였다. 반면 중국계 사신들은 대체로 북중국 지역 태수호를 칭했다. 중국계 태수들에게는 선비족의 점유 공간인 北朝에 대한 영유권을, 본토 출신에게는 마한 故地에 대한 영유권을 내세우고 있는 듯하다. 이는 명목상으로는 중국 남조 정권에 조공하고 제수를 요청하고 있지만, 백제의 영향력이 미치지 못할 뿐 아니라, 책봉을 한 南朝 정권의 관할권 밖이었다. 오히려 이는 백제 중심의 內外 천하관과 결부지어서 설명할 소지가 있다. 백제 영토 내에는 본토인을, 중국 지역은 그 실제 지배 여부와는 상관없이 중국인을 封함으로써 의제적인 내외신 관념 속에서의 백제적인 소우주관을 엿볼 수 있는 단서 내지는 그 일면의 표출이었다.

백제가 왜에 선물한 동물들은 백제나 그 인근 국가들에서는 당초 서식하지도 않은 희귀한 종류였기에 선물로서의 희소성과 값어치가 있었다. 백제가 이처럼 자국 밖에서 서식하는 동물들을 왜에 선물한 이유는 일단 물산의 풍부함과 광범한 교역 채널을 과시하는 데 있었던 것이다. 366년에 백제가 왜 사신과 처음 대면했을 때 "우리나라에는 진귀한 보물이 많다"라고 한데서도 뒷받침된다. 선진국이란 여타 주변국들이 갖지 못한 풍부한 물산을 향유하고 있는 상태를 말한다. 이 같은 맥락에서 볼 때 백제는 선물을 통해 당장의 정치적 의도를 이루는 동시에 나아가 부강한 선진국의 이미지와 자부심을 심어주고자 했던 것 같다.

백제금동대향로에 보이는 악어라든지 원숭이와 코끼리 상 등 또한 모든 것을 갖추고 있는 선진국 이미지를 과시하는 의도가 깔려 있었다. 요컨대 백제는 선물을 통해 왜인들에게는 도저히 상상할

348_ 李道學, 「漢城末·熊津時代 百濟 王位繼承과 王權의 性格」『韓國史硏究』 50·51合輯, 1985, 8~9쪽.

수도 없는 놀랍고도 신기한 동물들을 예사롭지 않게 보여준 것이다. 이를 통해 백제에는 천하의 만물이 집결되는 곳이라는 이미지와 자부심을 심어 줄 수 있었다. 중국에서도 汗血馬를 비롯해서 주변의 蕃國에서 보내온 산물들을 전시하면서 그 위세를 과시하고는 하였다. 마찬 가지로 백제에서도 백제적인 천하관의 산물로서 이 같은 각종 동물의 존재를 과시한 것으로 해석할 수 있다. 즉 백제의 영향력이 북으로는 고구려를 껑충 뛰어넘어 몽골 사막 일대까지, 남으로는 일본열도를 훨씬 지나 아열대 지역에 깊숙이 미치는 등 종횡무진의 무궁한 웅자를 보이고 있다.

실제 백제는 요하 서쪽의 유목국가인 後燕과의 연계를 통해 고구려를 압박한 바도 있다. 그 뿐 아니라 백제는 勿吉과 함께 고구려를 협공하려고 했을 정도로 백제의 외교 반경은 가위 일반의 상상을 뛰어넘어 멀리 무단강유역까지 미치고 있었다. 요컨대 백제가 왜에 선물한 동물 가운데 白雉는 백제 왕이 천하를 통치하는 聖世와 융성을 과시하기 위한 表象으로서는 단연 압권이었다. 그러므로 백제의 천하관과 결부지어 왜에 선물한 이러한 동물들의 성격을 해석해야 된다. 즉 백제 국력의 범위를 알려주는 지표로 활용되었던 것이다.

백제는 동남아시아 제국 뿐 아니라 사막 건조 지대인 몽골과도 교류했을 정도로[349] 그 활동 반경과 무대는 가위 현대인의 상상을 뛰어 넘었다. 이것이야 말로 국제화된 백제의 활동 공간이요, 또 그러한 풍토 속에서 국제적인 문화가 조성된 것이다. 다양한 외국인들이 거주하였고, 동아시아 세계 물류의 결집처로서 백제의 위용은 이렇게 하여 갖추어졌다.

『수서』 백제 조에 보면 "(그 나라 사람들에는) 신라 · 고구려 · 왜인 등이 섞여 있으며, 또한 중국인도 있다"[350]고 했다. 이 기사를 과거에는 백제의 개방적인 풍토를 가리키는 문자 정도로만 해석하였다. 그런데, 이 기사는 중국인의 견문이라고 할 때 백제 국도에서 외국인의 존재가 분명하게 인지되었음을 가리킨다. 일회성으로 방문한 중국 사신이 식별 가능할 정도의 인지였다고 한다면, 외국인들의 개별적인 거주라기 보다는 집단적인 거주를 암시해주는 단서가 될 수도 있다. 이와 관련해 부여에서는 타국계 유물의 출토가 나타난다는 사실이다. 가령 부여군 용정리절터와 부여초등학교 부지에서 고구려계 연화문 와당이 출토된 바 있다. 고구려계의 暗文土器는 궁남지와 나성 · 송국리 · 능

349_ 『日本書紀』 권22, 推古 7년 조.
『日本書紀』 권26, 齊明 3년 조.

350_ 『隋書』 권81, 동이전, 백제 조.

산리절터에서 확인되었다.[351] 손가락 끝의 押捺文을 기와 끝에 병렬시키는 암막새는 지안이나 평양 등지의 고구려 절터에서 출토되고 있다. 그러한 암막새는 부여 군수리 절터에서도 확인되었다.[352] 가탑리를 비롯한 羅城 내부 다수 지점에서 고구려계 토기가 출토되고 있다.[353] 이렇듯 고구려계 유물이 사비도성 구간에서 자주 확인되었다. 이는 단순히 고구려 문화의 영향으로만 간주할 수 없다. 오히려 고구려 주민의 이주와 결부 지어 살피는 게 적합할 것 같다.[354] 이와 관련해 1995년에 국립부여문화재연구소가 갈수기를 이용하여 가칭 궁남지의[355] 연못 바닥을 발굴·조사하는 과정에서 출토된 한 점의 木簡이 주목된다. 이 목간의 명문은 다음과 같다.

西部後巷巳達巳斯丁依活△△後部

歸人中口四小口二邁羅城法利源水田五形 (앞면)

西△△部夷 (뒷면)

사비도성에 거주하는 주민 가운데 '歸人'과 '部夷'의 존재가 확인된다. 이들은 당초 백제인이 아닌 다른 국적의 주민을 가리키는 것은 분명하다.[356] 어쨌든 이들이 도성에 거주한 사실이 확인된다. 동시에 '夷'라는 호칭을 통해서 백제 중심 천하관의 확립을 시사받을 수 있다.[357] 이러한 맥락에서 본다

351_ 金鍾萬, 『사비시대 백제토기 연구』, 서경문화사, 2004, 275쪽.

352_ 齋藤忠, 『古代朝鮮文化と日本』, 東京大學出版會, 1981, 53쪽.

353_ 충청남도역사문화연구원, 『유적 유물로 본 백제(Ⅰ)』 2008, 108쪽.

354_ 부여 지역에서 출토된 유물 가운데 왜계나 신라 및 중국계 유물에 대한 면밀한 정리가 필요해진다. 일례로 부소산 사자루 자리에서 출토된 鄭智遠銘 불상은 현재 남경시박물관 소장품과 유사하다. 光背銘에 보이는 鄭智遠이나 그 妻인 趙思가 백제에 거주하는 중국인일 가능성도 제기된다. 실제 중국계나 왜계 백제인의 존재는 확인된 바 있다.

355_ 현재의 궁남지가 백제 때 궁남지가 아님은 李道學, 『백제 사비성시대 연구』, 一志社, 2010, 530~532쪽을 참조하기 바란다.

356_ 李鎔賢, 「扶餘 宮南池 出土 木簡의 年代와 性格」 『宮南池發掘調査報告書1』, 國立扶餘文化財硏究所, 1999, 323~326쪽.
양기석, 「동아시아의 디오게네스 백제인」 『한가위 별책—백제 깨어나다』, 한겨레신문사, 2010.

357_ 백제의 천하관에 대해서는 李道學, 『백제 한성·웅진성시대 연구』, 一志社, 2010, 188~202쪽을 참조하기 바란다. 그런데 '部夷'가 백제 중심의 중화사상과 관련 있음은 李鎔賢, 「扶餘 宮南池 出土 木簡의 年代와 性格」 『宮南池發掘調査報告書1』, 國立扶餘文化財硏究所, 1999, 334쪽에 보인다.
이와 관련해 노중국은 "근초고왕은 이 침미다례 세력을 '南蠻'으로 불렀다. 남만이란 표현은 중국의 사이관을 차용한 것으로서 백제가 주변 세력들을 이적시하는 천하관을 가지고 있었음을 보여주는 것이다(노중국, 『백제의 대외교섭과 교류』, 지식산업사, 2012, 455쪽)"고 했다.

면 '歸人'은 "인구 추쇄나 귀농 조처 등에 따라 다시 돌아온 사람"[358]이기 보다는 대왕권에 귀의한 者라는 해석이 가능하다.[359] 「광개토왕릉비문」에 보이는 '歸王' 등의 용례를 놓고 볼 때 이와 같은 해석이 무난할 것 같다. 즉 '歸王'은 『孟子』 離婁 上에서 "백성들이 仁한 곳으로 돌아온다(民之歸仁也)"라는 구절처럼 대왕권에 대한 歸順者라는 의미가 담겼기 때문이다.[360] 이와 관련해 진 시황이 戰國의 各國을 쳐부술 때마다 그 궁실을 모방하여 咸陽의 북쪽 산기슭에 궁궐을 지었던 사례가 상기된다. 즉 秦이 통합한 六國宮을 건립한 것이다. 동시에 六國에서 포로로 잡아들인 궁인과 기물을 두었다. 이들 궁전은 楚宮이나 衛宮 같이 제후국의 國名으로 명명했다.[361] 이와 마찬 가지로 백제도 주변국 형태를 재현하기 위한 목적으로 고구려·신라·중국·왜국의 주민들을 집단으로 거주하게 했을 수 있다. 특히 중국이나 왜국 주민의 경우는 망명자 중심이었을 것이다. 고구려나 신라인의 경우는 망명자에 전쟁 포로들이 덧붙여졌을 수 있다. 그렇다면 백제 천하관 속의 주민 편제로서, 백제 왕이 천하를 통치한다는 관념을 발현시킬 수 있는 것이다.

그러나 이러한 견해는 李道學의 다음 서술에서 이미 보인다. "그런데 백제가 영역적 지배가 아니라 貢納的 지배의 대상으로 설정한 영산강 유역의 忱彌多禮를 '南蠻'으로 일컫고 있음은 주목되는 사실이다. '南蠻'이라는 표현은 史書 編纂時의 인식이 일차적으로 반영된 것이지만, 그와 같이 불려진 세력이 백제에 복속되지 않은채 馬韓經略 이후에도 존속한 것을 생각할 때, 四夷의 중심에 자리잡았다는 천하관과 관련짓는 게 가능하다. 즉, 백제는 중화적인 천하관을 빌어 노령산맥 이남의 마한 잔여 세력을 南蠻이라는 멸칭으로 일컬은 것이다. 이러한 사실은 백제가 南蠻뿐 아니라 여타의 四方的 夷名도 설정하여 그 중심에 군림한다는 인식을 지녔음을 알려주는 동시에 自國 중심의 사방관념에서 주변 국가를 저급하게 취급함으로써 우월성을 내세우는 천하관의 발로라고 하겠다.(李道學, 『백제고대국가연구』, 一志社, 1995, 244~245쪽)."

358_ 노중국, 『백제 사회사상사』, 지식산업사, 2010, 224쪽.

359_ 이러한 해석은 이미 李鎔賢, 「扶餘 宮南池 出土 木簡의 年代와 性格」 『宮南池發掘調査報告書1』, 國立扶餘文化財研究所, 1999, 325쪽에서 "백제왕의 王化에 歸附한 사람"이라고 하여 보인다. 그리고 歸人의 유형에 대해서는 朴賢淑, 「宮南池 出土 百濟 木簡과 王都 五部制」 『韓國史研究』 92, 1996, 16~17쪽이 참고된다.

360_ 李道學, 「廣開土王陵碑文의 思想的 背景」 『고구려 광개토왕릉비문 연구』, 서경문화사, 2006, 225쪽.

361_ 張分田 著·이제훈 譯, 『진시황평전』, 글항아리, 2011, 829~830쪽.

4. 백제사의 전개

1) 시대 구분

백제의 역사를 일반적으로 도읍지의 변천에 따라 백제가 지금의 서울 지역인 한성에 도읍하던 한성시대(기원전 18~475)와, 지금의 충청남도 공주 지역에 도읍하던 웅진시대(475~538), 그리고 지금의 충청남도 부여에 도읍하던 사비시대(538~66년)로 구분하였다. 백제 역사의 시간적 범위도 기원전 18년에서 660년까지로 인식해 왔다. 이러한 종전의 인식은 현상적인 이해에서 탈피하지 못한 것이다. 문제는 기존의 견해와는 근본적으로 차이가 나는 게 있다. 부여에서 내려온 백제 건국세력의 정착지를 미추홀로 불린 인천과 김포 일원으로 지목했다는 것이다. 백제 중심축은 당초의 미추홀에서 위례로 진출한 것으로 해석했다. 그럼에 따라 백제사의 시기 구분은 전면적으로 달라질 수밖에 없다.

백제 건국세력이 미추홀에 정착했을 때부터 역사의 전개를 살핀다면, 회의체 읍락사회→國→聯盟國家→왕조국가→集權國家(漢城後期・熊津城도읍기・泗沘城도읍기)→국가회복운동기(무력항쟁기・웅진도독부기)→唐에서 재건된 백제로 세분화할 수 있다.

첫째, 회의체 읍락사회 단계는 인천 문학산 일대를 거점으로 한 시기이다.

둘째, 國 단계에는 인천과 김포를 비롯한 서해안 해로의 장악과 더불어 한강 하구 일원으로 세력을 확장하였다. 김포 운양동 등지에 주구묘가 조성되었다.

셋째, 연맹국가 단계에서는 소금에 대한 독점적 생산과 공급을 통해 한강과 임진강유역의 諸國들과 연맹을 결성한다. 구릉지에는 토성이 축조되었다. 서울시 송파구 석촌동에 출현한 대형 葺石封土墳과 동일한 묘제가 한강유역에 조영되어 분묘 공동체가 성립된다. 3세기 중반 단계로서, 백제의 거점이 미추홀에서 위례로 옮겨 온다.

넷째, 왕조국가 단계는 백제 중앙세력의 원심력이 연맹 전체에 미치는 시기이다. 서울을 제외한 지역에서 대형 봉토고분의 성장이 억제되는 4세기 중반까지이다.

다섯째, 집권국가 단계는 4세기 중반 이후부터가 된다. 律令이 반포되어 통치의 중앙집권화와 법제화가 완료되고, 새로운 묘제인 피라미드형의 계단식 대형 석실적석총이 조영되었다. 집권국가 단계는 한성후기(346~475)와 웅진성도읍기(475~538)・사비성도읍기(538~660)로 세분된다.

여섯째, 국가회복운동기는 무력항쟁기인 660년~663년 9월까지와, 당의 괴뢰정권이지만 웅진도독부에 의해 통치되는 664년부터 672년까지로 설정해 볼 수 있다. 백제사의 종식은 660년이나 663년도 아니다. 국가회복을 위한 또 다른 모색인 웅진도독부의 소멸 시점인 672년이 되겠다(종전의 웅진도독부의 소멸 시기로 간주한 671년은 오류이다).

일곱째, 唐의 內番으로 재건된 백제이다. 건안고성으로 이동한 백제 유민들이 재건한 백제였다. 당에서의 백제는 9세기 전반 발해의 요동 진출로 점유될 때까지 존속했다.

2) 한성 도읍기

(1) 마한 일원으로서의 백제와 시조왕상

백제는 연맹국가 단계에서 지금의 인천 지역에서 서울 지역으로 거점을 옮겼다. 백제는 서울시 송파구 관내의 몽촌토성과 풍납동토성 일원을 근거지로 하여 발전했다. 그러나 백제는 어디까지나 마한의 맹주요 적어도 대외관계에서는 삼한연맹 전체에 대한 영도권을 쥐고 있는 目支國에 예속된 상태였다. 3세기 후반에 편찬된 『삼국지』의 동이전 韓 條는 그러한 사실을 담고 있다. 『삼국사기』 시조왕기도 백제가 마한으로 기록된 목지국에 전쟁 포로를 바치거나 천도를 告하는 등 부용국이었음을 말하고 있다. 그럼에도 백제는 동일한 『삼국사기』 시조왕기에서 갑자기 속성 재배된 양 놀랄 정도의 대영역으로 나타나고 있다. 즉 "8월에 마한에 사신을 보내어 천도를 고하고 疆埸을 획정하였는데, 북은 패하에 이르고, 남은 웅천에 限하고, 서는 대해에 이르고, 동은 주양에 極하였다(13년 8월 조)"라는 기사가 그것이다. 『삼국사기』 시조왕 13년 조는 기원 전 6년에 해당하는데, 북으로는 예성강, 동으로는 춘천, 남으로는 금강에 이르는 대영역을 확보한 양 적혀 있다. 그럼에도 불구하고 3세기 후반에 편찬된 『삼국지』에는 백제에 대해 特記가 없다. 이 경우는 낙랑이나 대방군을 통한 당시의 정보 자료를 토대로 하였고, 또 옛 기록의 재당이 많은 通史가 아닌 斷代史인 『삼국지』에 사료적 신빙성을 부여해야 할 것 같다.

『삼국사기』에는 시조왕기 이후 정복 사업에 대한 기록이 일체 보이지 않는다. 근초고왕대의 마한 정벌도 『일본서기』 神功紀를 통해서만 확인할 수 있다. 『삼국사기』 시조왕기는 일정한 목적을 가지고 후대 사실을 소급해서 부회시킨 기록으로 보아야 한다. 나아가 『삼국사기』에 전하는 시조왕상을 통해 그 사실 여부를 구명하는 일은 그다지 의미가 없다. 始祖王紀에는 권위가 막중한 시조왕을 통한, 왕실에서 전달하려는 일련의 정치적 메시지가 담겨 있지만 사실은 아니다. 그 메시지는 시조왕이 건국하기까지의 고난스러운 이동과, 정치적 용단에 의한 국가의 터전인 국도의 옳바른 선택, 그리고 영웅적인 분투로써 외침을 막고 국토를 크게 개척하여 현재의 백제 영역을 물려준 정복군주로서의 이미지가 부각되어 있다. 즉 북으로는 예성강, 동으로는 춘천, 남으로는 금강을 넘어 노령산맥에 이르는 드넓은 영역을 개척한 것으로 적혀 있다. 그러나 기실 이는 근초고왕대에 이룩한 영역을 시조왕대의 업적으로 투영시킨 것에 다름 아니다.

『삼국사기』 시조왕기는 국가의 창건과 영역 확장에 있어서 시조왕의 명철한 판단과 빼어난 군사적 능력을 한껏 과시하였다. 이와 더불어 생민을 책임지는 농경군주로서의 면모와 더불어, 民과 친근한 자애로운 德化君主로서의 면면까지 나타내었다. 이처럼 시조왕기를 관류하는 흡사 서사시적인 서술은 남옥저인들의 귀순으로 대단원의 막을 내린다. 그 자체가 번성과 부강함을 상징하고 있는 시조왕 위업에 대한 일종의 귀결점이었다. 이러한 『삼국사기』 시조왕기는, 최종 승자인 부여씨 왕실의 입장과 더불어 당시 정치적 현안과 결부되어 나왔다. 따라서 『삼국사기』에 서술된 시조왕상은 이 점을 염두에 두고 접근하는 게 온당하다.

(2) 3세기 중엽 연맹국가의 결성

백제는 3세기 중엽 경에는 괄목할만한 성장을 이루었다. 그러한 성장의 일단은 諸國 간 연맹의 결성으로 나타났다. 일반적으로 연맹을 결성하게 되는 배경으로 첫째 경제적 교환 관계, 둘째 양 집단 간의 혼인 관계, 셋째 외부세력의 침략에 대한 공동대응 등을 요인으로 지목하고 있다. 실제 백제는 성장의 주된 동인이었던 기본적 생존자원인 소금의 확보와 독점적 공급을 하였다. 주지하듯이 소금은 인간생활의 생존을 유지하기 위한 필수적 식품이었던 만큼 국가의 성장 또한 富의 요체가 되는 소금산지의 확보와 불가분의 관련을 맺고 있었다. 백제의 경우도 결코 예외는 아니었다. 그런데 당시의 소금은 염전에 의하여 생산되지 않고 가마나 토기에 海水를 넣고 끓여서 결정염을 얻어내는 방식이었으므로 해변의 확보가 선결 문제였다. 그런데 소금 산지인 서해안과 인천을 기반으로 한 백제는 내륙수로인 한강을 장악하였다. 이와 더불어 남한강과 북한강이 합류하는 요지인 서울 지역으로 거점을 이동했다. 백제는 나아가 소금을 남 · 북한강유역의 세력들에게 공급해 주는 대가로 고대국가의 잠재적 국력의 척도로 여길 정도로 비중은 크지만 부존자원이었던 철재의 매입과 비축이 가능할 수 있었다. 이로써 백제는 농업생산력의 증대와 무력기반의 확대를 도모하는 한편, 교역으로써 그 대상 세력을 정치적 영향권 내에 묶어두는 게 가능하였다. 이는 곧 권력범위의 확대를 뜻하기도 하는데, 소금을 매개로 한 교역 또한 점차 賜與와 貢納의 형식을 띠면서 정치 조직화되어 간 것으로 보인다.[362]

백제는 안산을 비롯한 서해연안을 따라 계속 잠식해 가면서 소금산지의 독점뿐 아니라 중국 대륙과의 교통로까지 장악하는 성과까지 올렸다. 그럼에 따라 백제는 노령산맥 이북의 마한제국이 개별적으로 누리고 있던 중국과의 교역창구에 대한 독점이 가능하게 되었다. 이것이 지금의 경기도 전역과 충청도 그리고 강원도 일부 지역에까지 무력의 직접적인 수반 없이, 백제가 비교적 용이하게 세력을 미칠 수 있었던 요인이었다. 백제의 세력확장 비결은 여기에서 찾을 수 있다. 소금을 자체 조달할 수 없었던 중부 내륙 지역에 대한 장악 배경은 이같은 선상에서 보아 크게 틀리지 않을 것이다. 요컨대 백제를 중심으로 한 정치적 통합의 규모는, 소금루트를 통한 그 교역체제의 범위에 의해서도 규정되어진다.

3세기 중엽에 책계왕은 '대방왕녀'와 혼인하여 한강유역의 諸國 가운데 백제의 대표권을 대외적으로 인정받는 계기를 구축했다. 247년에 백제는 중국군현과 마한세력 간의 대결을 선도하였다. 244년에 관구검의 고구려 원정 승전으로 이 때 魏軍을 지원한 낙랑군과 대방군의 위세가 강화되었다는 추측도 있다. 그러나 『진서』 지리지에 따르면 280년 경 낙랑군은 3현 3700호, 대방군은 7현 4900호에 불과했다. 이와 맞물려 277년과 280년대에 마한제국은 중국대륙의 서진과 빈번하게 조공하고 있다. 따라서 낙랑군과 대방군이 기록에서처럼 역할을 했는지도 의문이다. 실제 246년에 마한연합체 군대와의 기리영 격돌에서 대방태수 궁준이 전사하기까지 했다. 그럼에도 이 때 2군은 "드디어 韓을 멸했다"고 했지만 모두 허세로 가득 찬 거짓 기록이다.

백제를 맹주로 하는 남·북한강 수계세력을 연맹이라는 하나의 거대한 틀로 묶는 작업을 성공적으로 이룩한 국왕은 고이왕(재위: 234~286)이었다. 그의 재위 기간과 연맹국가 단계가 시점에 어긋나지 않고, 사실 여부를 떠나 『삼국사기』에 의하면 고이왕대에 16관등체계가 확립되었다고 한다. 물론 16관등체계는 사비성 도읍기에 완성되었지만, 관리들의 복장[衣冠]에 대한 규정과 법령이 제정되었다고 할 정도로 내부체제가 정비된 때였다. 이 시기를 나타내는 묘제는 남·북한강유역에 조성된 즙석봉토분이었다.

362_ 李道學, 「伯濟國의 성장과 소금 交易網의 확보」 『百濟研究』 23, 1992, 5~20쪽.

(3) 왕실 교체와 아시아 역사로서 대두한 백제

백제 역사상 영역과 영향력이라는 면에서 당대에 그 왕조 최대의 영토 확장을 이룩한 군주로서 제13대 근초고왕(재위: 346~375)을 꼽을 수 있다. 『삼국사기』에 의하면 근초고왕은 제11대 비류왕의 둘째 아들이라고 한다. 그러한 근초고왕을 가리켜 "체격과 용모가 奇偉하고 원대한 식견이 있었다" 라고 하면서 契王이 돌아가자 왕위를 이었다고 했다. 그의 용모가 '기위'했다는 것은 예삿 사람과는 달리 범상하지 않은 면모와 위엄을 갖추었음을 뜻한다. 이러한 근초고왕의 등장은 4세기대 동아시아의 정세와 결부지어 살펴 보아야 마땅하다.

잘 알려져 있듯이 4세기대의 동북아시아는 격동의 시기였다. 만리장성 이북의 유목민족들이 대거 그 이남으로 밀고 내려왔다. 晋은 그것을 감당하지 못하고 316년에 양자강유역으로 쫓겨 내려가 그 이듬해에 지금의 난징을 중심으로 동진 정권을 성립시켰다. 그럼에 따라 북중국은 유목민족들이 할거하는 세력 각축장으로 변모하여 요동치는 장소가 되었다. 이러한 파동은 한반도의 정세에도 영향을 미쳤다. 즉 漢族 세력이 북중국에서 현저하게 쇠퇴하는 상황을 놓치지 않을 리 만무한 고구려 또한 만주와 내몽골 지역의 유목국가군과 마찬가지로 세력확장 대열에 뛰어 들었다. 낙랑군이 축출되자 2세기대 이래 고구려는 지금의 평안도와 황해도 지역까지 세력을 미쳤다. 그렇다고 고구려의 영토가 이곳까지 확대된 것을 의미하지는 않는다.[363] 그렇지만 고구려 영향력의 남하는 한반도 중부 지역 세력들로 하여금 일종의 위기의식을 불러 일으켜 공동 대응할 수 있는 세력 결속의 계기를 조성해 주었다. 이것이 바로 비교적 느슨한 형태로서 개별적으로 세력을 누리고 있던 한강유역의 마한제국이 伯濟國을 중심으로 통합될 수 있었던 요인인 듯하다.[364]

여러 史書의 기록을 검토해 볼 때 백제는 4세기 중엽에는 한반도 전체 면적의 약 1/3에 이르는 지역을 직접 장악하거나 영향력을 행사하게 된다. 백제는 이 무렵에 국세를 크게 떨쳐 북쪽으로는 예성강까지, 남쪽으로는 노령산맥까지 영역을 확대하는 한편, 그 영향력은 영산강과 낙동강유역에 까지 미쳤다.[365] 예컨대 백제는 정치적으로 최대의 라이벌인 고구려를 공격하여 그 왕을 전사시킬 정도로 북진의 성과는 현저하였다. 즉 근구수 태자는 水谷城(황해도 신계) 서북쪽에 이르러 고구려 군대에 대한 추격을 멈추고 돌을 쌓아 표지를 삼은 다음 그 위에 올라가 좌우를 돌아다 보며 "이 다음

363_ 孔錫龜,「高句麗의 領域擴張에 대한 硏究」『韓國上古史學報』6, 1991, 233~245쪽.
364_ 李道學,「百濟의 起源과 國家發展過程에 관한 檢討」『韓國學論集』19, 1991, 182쪽.
365_ 李道學,「百濟의 起源과 國家發展過程에 관한 檢討」『韓國學論集』19, 1991, 185~186쪽.

날에 누가 다시 이곳까지 이를 수 있을까!"라는 말을 감회 어리게 할 정도였다. 또 백제는 영산강유역과 낙동강유역에도 진출하여 마한 잔여세력과 임나 제국을 제압하였다.

백제의 정지할 줄 모르고 추진되어 온 정복사업의 성과는 근초고왕 당대의 일이었다. 근초고왕대에 절정을 이룬 백제의 정복 활동은 크게 세 방향으로 광범위하게 전개되었다. 즉 영산강유역과 낙동강유역 그리고 예성강유역으로의 진출이었다. 이 가운데 백제가 크게 주력한 것은 마한 지역의 제패였다. 그랬기에 백제 영역은 적어도 금강 이남에서 노령산맥 이북까지 미쳤다. 이 때 백제의 정치적 영향력은 노령산맥을 넘어 지금의 전라남도 해변 지역까지 미칠 정도로 마한 전역에 대한 지배권을 확립하였다.[366] 백제가 이처럼 동남쪽으로는 낙동강유역과 북쪽으로는 예성강선까지 정치적 영향력을 미치거나 영역을 확장하는데 소요된 기간은 369~371년까지의 단 2년에 불과한 짧은 시일이었다. 이 기간 동안 백제는 남과 동과 북으로 영토를 확대하였거니와 서쪽으로는 중국 동진과의 교섭을 통하여 그 존재를 국제 무대에 찬연히 드러냈다. 이 같은 백제의 흥기와 세력 팽창, 특히 그 힘의 東進은 낙동강 東岸 지역에 자리잡은 진한제국 전체의 위기의식을 초래하여[367] 신라를 중심으로 통합되는 계기를 마련해 주었다.

그런데 백제의 단기간에 걸친 세력 팽창 배경을 계기적인 발전 과정에서만 찾으려고 하였다. 그러나 근초고왕 대 백제의 폭발적인 팽창은 계기적으로만 설명할 수 있는 사안은 결코 아니다. 근초고왕 대와 그 이전 代의 백제 왕실 계보가 단층이 진다는 지적을 입증하는 차원에서도 왕실 교체에 의한 정복국가론이 제기되었다.[368]

① 정복국가론

백제사의 전개와 관련한 정복국가론 관련 논고를 소개하면 다음과 같다.

李道學, 「百濟의 起源과 國家形成에 관한 再檢討」『韓國古代史硏究 會報』7, 한국고대사연구회, 1988.

366_ 李道學, 「百濟의 交易網과 그 體系의 變遷」『韓國學報』63, 1991, 76~78쪽.

367_ 末松保和, 『新羅史の諸問題』, 東洋文庫, 1954, 138~139쪽.

368_ 이도학의 정복국가론은 꾸준히 논거가 보완되어 발전하여 왔다. 그럼에도 지금은 절판이 된 1990년에 출간된 대우학술총서에 수록된 논문과 접근성이 나쁜 1991년의 박사학위 논문만 거론하면서, 그것도 4세기 이전 백제 초기사를 인정하지 않았다고 왜곡했다. 만주 지역에서 출원한 백제에 의한 伯濟國의 통합과 왕실 교체가 백제 초기사 부정과는 아무런 관련이 없다. 그것은 본서에서 4세기 이전 백제사가 서술된 데서도 알 수 있다.

李道學,「百濟의 起源과 國家形成에 관한 재검토」『한국 고대국가의 형성』, 민음사, 1990.

李道學,「百濟의 起源과 國家 發展過程에 관한 檢討」『韓國學論集』19, 한양대학교 한국학연구소, 1991.

李道學,「百濟 初期史에 관한 文獻資料의 檢討」『韓國學論集』23, 한양대학교 한국학연구소, 1993.

李道學,「4세기 정복국가론에 대한 검토」『한국고대사논총』6, 한국고대사회연구소, 1994.

李道學,『백제 고대국가 연구』, 一志社, 1995.

이상의 논고를 토대로 한 정복국가론의 핵심은 다음과 같다. 부여계인 만주의 백제 세력이 2차례 이동하여 지금의 서울 지역에 정착했다는 것이다. 1차 이동은 1세기 단계로, 2차 이동은 4세기 중반 단계로 설정하였다.[369] 백제의 국가형성 문제와 관련지어 생각해 보아야 할 문제는 그 기원이라고 하겠다. 기원은 그 국가의 성격을 암시해주는 일종의 좌표 구실을 하기 때문이다. 그런데 여러 기록을 놓고 볼 때 백제의 기원은 고구려가 아니라 부여임이 명백하게 드러났다.[370]

② 사료에 보이는 만주 백제

3세기 후반에 집필된『삼국지』의 동이전 한 조에 의하면 마한 54개 국 가운데 백제국이 보이고 있다. 당시 마한제국의 맹주국은 목지국이었다. 백제국은 그 예하의 평범한 일개 국으로서 존재하였다. 그런데 동북아시아의 격동기이자 백제가 홍기하기 직전인 4세기 중엽에 그 존재가 만주 지역에서 확인되고 있다. 그것도 하나의 사료가 아니라 계통이 서로 다른 3개의 史書에서 각각 그렇게 전한다. 먼저『자치통감』영화 2년(346) 정월 조를 보면 다음과 같다.

처음에 夫餘는 鹿山에 거처하였는데, 百濟의 침략을 받아 部落이 衰殘해져서 서쪽으로 燕 근처로 옮겼으나 방비를 하지 않았다. 燕王 皝은 세자 儁을 보내어 慕容軍·慕容恪·慕輿根 3장군을 거느리고 17,000餘 騎로 부여를 습격하게 하였다. 儁은 가운데 거처하면서 지휘를 하고 군사는 모두 恪에게 맡겼다. 드디어 부여를 빼앗고 그 王 玄 및 部落의 5萬餘 口를 사로잡아 돌아 왔다. 皝

369_ 이와 관련해 이도학의 논지를 왜곡한 강종원,「백제왕실교체설의 재검토」『한국고대사연구의 현단계』, 주류성, 2009, 227~230쪽에 대해서는 李道學,「'Neo 백제 정복국가론'이 걸어 온 길」『전통문화논총』7, 한국전통문화대학교, 2009, 378~396쪽에서 전형적인 指鹿爲馬 글임을 밝혔다.

370_ 이에 관하여 李道學,『백제고대국가연구』, 一志社, 1995, 52~72쪽을 참조하기 바란다.

은 玄을 鎭軍將軍으로 삼고 딸을 妻로 삼게 하였다.[371)]

그런데 일제 官學者들의 주장 이래로 위의 기사에 보이는 '百濟'를 고구려의 誤記로 간주하여 왔다.[372)] 혹은 민족주의 사학자들에 의해서 백제의 해상진출과 관련지어 요서경략설의 근거로도 이용되었다. 그러나 이러한 해석들은 백제의 중심지를 시종 한반도로만 단정했을 때 거리 관계상 나올 수밖에 없는 발상에 불과하다. 만약 이 기사의 사료 가치를 의심한다면 『晋書』 慕容皝載記에 등장하는 '백제'의 존재를 어떻게 설명할 것인가? 이 곳의 '백제'도 誤記라고 해야만 하기 때문에 설득력이 약하다고 보겠다. 그것도 하나의 사료가 아니라 계통이 서로 다른 사서에서 그렇게 전하고 있기 때문이다. 그러므로 이를 단순히 誤記로만 돌리는 것은 궁색한 해석에 불과하다. 근자에 중국 학자가 이 '백제'를 말갈 7部의 하나인 '伯咄'의 잘못된 기재로 간주하자 기다렸다는 듯이 추종하는 이도 나왔다. 그런데 '백돌'은 7세기대인 隋 · 唐代 이후에 등장하는 말갈의 족속 이름일 뿐 4세기대를 무대로 하여 나타난 바 없다. 물론 이 주장은 '백돌'의 음과 글자가 백제와 닮았다는 점에 근거하고 있다. 그러나 『구당서』와 『신당서』를 비롯한 여타 역사서에는 한결같이 伯咄部가 '汨咄部'로 적혀 있으므로 논거로 삼기는 더욱 어렵다. 그 뿐 아니라 백돌부는 부여 중심지인 지린시의 북쪽에 소재하였다. 만약 부여가 백돌의 공격을 받았다고 하자. 부여는 남쪽으로 이동했어야 마땅하지 서쪽으로 이동해야 될 이유가 없었다. 더욱이 '백돌' 자체가 7세기대 이후에야 등장하므로 논거가 될 수도 없다.[373)]

그렇더라도 위에 보이는 '백제'를 '고구려'의 誤記로 간주한다고 하자. 이러한 논리가 성립되기 위해서는 먼저 이 기사의 하한인 영화 2년인 346년은 西遷한 부여가 전연에게 격파당한 시점이라는 것을 전제해야 한다. 부여가 설령 백제가 아닌 고구려에 몰려서 서쪽으로 이동했다고 하더라도 그 시점은 이 보다 훨씬 이전이 된다.

285년에 부여는 전연의 침공을 받아 파국에 직면했다가 서진의 지원을 받아 復國된 바 있다. 서

371_ 『資治通鑑』 권97, 永和 2년 정월 조. "初夫餘居于鹿山 爲百濟所侵 部落衰散 西徙近燕 而不設備 燕王皝遣世子儁帥慕容軍 · 慕容恪 · 慕輿根三將軍 萬七千騎襲夫餘 儁居中指授 軍事皆以任恪 遂拔夫餘 虜其王玄及部落五萬餘口而還 皝以玄爲鎭軍將軍 妻以女"

372_ 日夜開三郎, 「夫餘國考」 『史淵』 34, 1946, 37쪽.
池內宏, 「夫餘考」 『滿鮮地理歷史研究報告』 13, 1932 ; 『滿鮮史研究』 上世篇 第一册, 『滿鮮史研究(上世篇 第一册)』, 吉川弘文館, 1951, 460쪽.
李丙燾, 『韓國古代史研究』, 博英社, 1976, 221쪽.

373_ 李道學, 『한국고대사, 그 의문과 진실』, 김영사, 2001, 200~202쪽.

진과 우호 관계에 있으면서 전연에 공동 대처하고 있던 국가가 고구려였다. 그러니 고구려로서는 3세기 말경에 서진의 보호 아래 있던 부여를 공격할 정황이 되지 못한다. 그런 만큼 世紀를 넘겨 4세기 전반에 고구려가 쑹화강유역에 진출하여 지린시 방면에 소재한 부여를 압박한 근거를 제시했어야 할 것이다. 그러나 문헌에 보면 고구려가 4세기 전반에 북상했다는 하등의 기록도 발견하기 어렵다. 고구려와 전연과의 전쟁 기사가 빈출함에도 불구하고 고구려와 부여 관계 기사는 일체 비치지 않고 있다. 당시 고구려는 전연의 압박에 시달리고 있었다. 그러므로 고구려가 부여를 몰아붙일 객관적인 상황이 되지도 못한다. 게다가 3세기대 부여의 남쪽 경계는 '고구려'였지만[374] 4세기대에는 '선비'와 접하였다.[375] 전연의 영향력이 부여에 미친 시기가 285년 이후였다. 따라서 이러한 지리 관계 기사는 285년 이후 4세기대에 접어들어 기존 부여의 남부 영역을 전연이 장악한 상태를 가리킨다. 그런 만큼 고구려가 4세기 전반에 부여를 직접 공격하는 일은 가능할 수도 없었다. 바꿔 말해 이 사실은 위의 인용에 보이는 '백제'가 '고구려'의 誤記일 수 없음을 다시금 확인시켜 주었다.

이와 관련해 高麗에 왕실의 연원을 두고 있는 金이 고려를 압박했을 뿐 침공하지 않았던 사실[376]이 상기된다. 이것을 일반화시킬 수야 없겠지만 그 支派임을 선포한 나라가 그 祖源이 되는 국가를 군사적으로 공격하기는 어렵다는 것이다. 그런 만큼 영화 2년 조의 부여를 북부여로 간주하면서, 그곳을 침공한 백제를 '고구려'로 지목한 견해는 설득력이 떨어진다.[377] 따라서 『자치통감』에 인용된 백제를 고구려의 오기로만 간주하는 견해는 더욱 신중한 검토가 필요하다.

만주 방면에서 백제의 움직임은 345년에 전연의 記室參軍인 封裕가 국왕인 모용황에게 건의한 上書의 다음과 같은 구절에서도 다시금 포착된다.[378]

374_ 『三國志』 권30, 동이전, 夫餘 條. "南與高句麗 東與挹婁 西與鮮卑接 北有弱水"

375_ 『晋書』 권97, 夫餘 條. "南接鮮卑 北有弱水"

376_ 金庠基, 「金의 始祖에 對하여」 『(改訂版) 東方史論叢』, 서울대학교 출판부, 1984, 286~287쪽.

377_ 물론 본고에서 언급한 永和 2년 조의 부여는 原夫餘를 가리킨다. 개로왕의 국서에서 백제 역시 고구려와 더불어 부여에서 출원했다고 한 바 있다. 그런데 국서의 부여는 汎夫餘系로 표기한 것일 뿐이므로 백제 역시 고구려와 마찬 가지로 북부여 출계를 생각해 볼 수 있는 문제이다. 그랬기에 백제가 鹿山의 '夫餘'를 몰아붙일 수 있었다고 생각된다. 백제가 국호를 남부여로 바꾼 것도 그 연원이 되는 북부여를 의식한 것일 수 있다고 본다.

378_ 이도학의 관련 논지는 1988년에 처음 제기되었다(「百濟의 起源과 國家形成에 관한 再檢討」 『韓國古代史研究會會報』 7, 韓國古代史研究會, 1988). 1990년에는 대우학술총서로 간행되었고(「百濟의 起源과 國家形成에 관한 再檢討」 『한국고대국가의 형성』, 민음사,1990), 1991년에 박사학위논문으로 제출되었다(「百濟集權國家形成過程研究」, 한양대학교 대학원 사학과 박사학위논문,1991). 이후 1995년에 연구서로 출간되었다(백제 고대국가 연구』, 一志社, 1995). 계속 업데이트되어 2007년에도 충청남도역사문화원 간행 백제문화사대계연구총서에도 수록되었다(「제2절 중앙집권체제의 확립과 영역확장」 『한성도읍기의 백제』, 백제문화사대계연구총서, 3, 2007). 2010년에도 단행본 책자에도 수록되었다(『백제한성 · 웅진성시대연구』, 一志社, 2010). 그럼에도 논자들은 1991

고구려 · 백제 및 宇文 · 段部의 사람은 모두 兵勢를 옮겼는데, 중국의 義를 사모하여 온 것 같지는 않으니 모두들 돌아갈 생각이 마음에 있습니다. 지금 戶가 10萬이나 좁은 도성에 몰려들고 있어서 장차 국가에 큰 害가 될까 두렵습니다. 마땅히 그 형제종족을 나누어서 서쪽 경계의 여러 城으로 옮겨 이들을 은총으로 위무하고 法으로 단속하면 됩니다.[379]

위의 기사는 전연의 수도인 龍城(랴오닝성 차오양시)으로 붙잡혀 온 주변국 포로들의 처리 문제가 된다. 여기서 '백제'라는 국호가 중국 사서에 처음 등장한다. 이 때 백제는 전연의 공격 대상 국가인 고구려라든지 우문부 · 단부 등과 병칭되고 있다. 이렇게 웅자를 드러낸 백제는 345년 이전에 전연과의 교전 끝에 이미 상당한 숫자의 포로가 발생했음을 짐작시킨다. 요컨대 346년 훨씬 이전에 서쪽으로 부여를 밀어붙인 백제가 345년 이전 어느 때, 이제는 전연과도 조우하여 교전했음을 뜻한다. 전연이 부여를 공파한 것은 346년이었다. 그러므로 봉유의 상서에 등장하는 백제는 '부여'의 誤記일 수도 없다.[380] 그러한 백제의 소재지는 고구려 · 우문부 · 단부 등과 마찬가지로 전연과 인접한 만주

년까지만 언급하고 있다. 이것은 담함없이는 생각할 수 없는 일인 것이다. 그 이유는 이도학 논지의 확산을 차단하기 위한 목적에 자신들이 왜곡시킨 논지만 공급하겠다는 심사가 아니고 무엇이겠는가?

혹자는 封裕가 모용황에게 올린 글을 '상소'라고 했지만, 사료에는 '上書'로 적혀 있다. 사료 인용에 세심한 주의가 요망된다. 이 사료와 관련해 "다만 후대에 정리된 기록인가, 당대의 사실에 의한 기록인가 여부가 진위 논란의 핵심이 된다고 하겠다"며 기준까지 제시했지만, 아주 모호하고 추상적인 글놀음에 불과하다. 어느 사료라도 걸면 다 걸리는 애매한 표현인 것이다.

혹자는 이도학의 논지와 관련해 "백제가 만주 내륙에 위치할 수밖에 없었다고 주장하였다"고 하면서 "요서 지역에 존재한 백제의"라고 운운했다. 그런데 이도학은 본 사료와 관련해 백제가 요서에 소재했다는 견해를 피력한 바 없다. 혹자의 표현대로 '만주 내륙에 위치'라고 했다. '만주 내륙'이 요서일 수는 없다. 혹자의 사실 왜곡인 것이다. 그리고 이동설과 관련해 국가 규모의 이동은 어렵다고 논단했다. 그 훨씬 이전 고조선의 역계경도 2천여 호를 거느리고 辰國으로 이동하였다. 그 일행이 저지받았다는 기록이 있던가? 7천만이 거주하는 현재 한반도와 휴전선 개념을 연상하면 안 될 것이다.

그 밖에 "부여가 고구려의 침략을 피해 서쪽으로 이동한 것이 정확한 표현이라 할 수 있다"고 했지만, 이미 일제 관학자들의 주장을 답습한데 불과할 뿐 아니라, 성립할 수 없음은 이미 제기했을 뿐 아니라 본문에서 다시금 거론했다. 게다가 혹자는 자신의 논지에 걸림돌이 되는『송서』백제국 조에서 "百濟國은 본래 高驪와 함께 遼東의 동쪽 千餘 里에 있었다"는 기사는 언급하지 않았다.

그리고 혹자는 백제가 372년과 373년에 東晋과 교류할 수 있었던 것은 요서 지역의 중간 거점이 있었기에 가능했다는 것이다. 그러나 이 보다 훨씬 이전에 馬韓諸國들이 西晋과 교류한 바 있다. 그것도 북중국의 요서에 거점이 있어야만 양쯔강 이남의 동진과 교류할 수 있었다는 것도 사리에 맞지 않다. 그 밖에 자의적인 억지 추단이 많다. 일례로 "다만 慕容農이 列人縣에서 거병하였을 때 합류한 東夷餘和의 경우 부여계일 수도 있으나, '동이'라는 표현에 주목하면 부여가 아니기 때문에 특별히 표기한 것이며, 이를 적극적으로 해석하면 백제계일 가능성도 있다"는 주장 등 실로 많다.

379_ 『晋書』권109, 慕容皝載記. "句麗 · 百濟及于文 · 段部之人 皆兵勢所徙 非如中國慕義而至 咸有思歸之心 今戶垂十萬 狹湊都城 恐方將爲國家深害 宜分其兄弟宗屬 徙于西境諸城 撫之以恩 檢之以法 使不得散在居人 知國之虛實"

380_ 물론 285년에 전연은 부여를 공격해서 5만 명을 포로해서 귀환한 적이 있다. 그러나 345년으로부터 무려 2세대 전에 붙잡아 온 호구로 인한 문제로 생각되지 않는다. 혹자는 이 구절의 백제를 부여의 오기라고 주장했지만, 입

내륙 지역으로 볼 수밖에 없다. 이 구절은 백제인들이 요서 지역에 거주한 모습과는 관련이 없다. 분명히 '兵勢'라고 하였듯이 고구려 · 宇文 · 段部의 사람들과 마찬 가지로 軍事의 산물이었다.

이러한 점을 시사해 주는 고고학적 물증이 있다. 백제 지역에서 출토된 바 있는 선비 계통의 귀고리와 마구류의 존재가 된다. 이 중 귀고리의 경우 東晋을 경유하거나 고구려와의 전쟁을 통해 모용선비 문물의 접촉 가능성을 상정해 왔다. 그러나 간접 접촉을 상정하고 있는 전자나 후자 모두 가능성이 없다고 판단된다. 왜냐하면 동진이나 고구려에서 선비계 귀고리가 출토된 적이 없었기 때문이다. 그러므로 이들 지역을 경유했으리라는 추측은 설득력이 없다. 오히려 백제가 선비와 직접 접촉했을 가능성을 설정해야만 타당성이 높다. 실제 선비계 마구류는 백제 중앙권력과 선비와의 직접 교섭에 의해 전래 가능성이 제기되었다.[381] 따라서 이러한 고고물증 역시 백제와 모용선비 간 충돌의 산물로 해석하면서, 백제의 존재를 당초 만주 지역으로 설정했을 때 쉽게 이해될 수 있다. 또 그러한 물증들은 만주 백제 세력의 남하로 인해 한반도 지역에 전파된 것으로 해석하는 게 자연스러워진다.

백제와 선비의 관련성은 5세기 중반 백제의 직제에 좌현왕과 우현왕제가 확인된 데서도 방증이 된다. 주지하듯이 좌 · 우현왕제는 선비를 비롯한 유목민족 국가의 직제였다. 그것이 5세기 중반에 처음 백제 관련 문헌에 보이지만 그것은 문헌에 우연히 포착된 시점일 뿐이다. 좌 · 우현왕제는 그 이전으로 소급시켜야 될 사안이 분명하다. 또 이는 말할 나위없이 백제의 국가적 정체성을 암시해 주는 근거가 된다.

이와 더불어 前秦의 苻洛이 380년에 반란을 일으켰을 때였다. 그가 사자를 나누어 보내어 징병을 요구한 국가 가운데 백제의 존재가 다음과 같이 보인다.

> 使者를 나누어 보내어 선비 · 오환 · 고구려 · 백제 및 薛羅 · 休忍 等 諸國에서 徵兵했는데 모두 따르지 않았다.[382]

론의 타당성을 떠나 선행 연구에 대한 인용이 누락되었다.

381_ 李勳, 「수촌리 고분군 출토 백제 마구에 대한 검토」『4 · 5세기 금강유역의 백제문화와 공주 수촌리유적』, 충청남도역사문화원 제5기 정기심포지엄, 2005, 109쪽.

382_ 『晋書』 권113, 苻堅 上. "分遣使者徵兵於鮮卑 · 烏丸 · 高句麗 · 百濟及 薛羅 · 休忍等諸國 並不 從"

이들 제국은 前秦에서 연락 가능한 곳에 소재한 국가들을 가리키고 있다. 백제 역시 고구려와 함께 그 인근에 소재했음을 알려준다. 물론 이 기록과 관련한 시점은 380년 경이다. 이 무렵에도 백제가 만주 지역에 소재했다고는 생각되지 않는다. 더구나 부락이 이들 제국에서 징병을 시도했지만 성과가 없었다. 이로 볼 때 백제의 실체는 만주 방면에서 이미 사라졌었다. 그렇지만 백제는 고구려 인근의 만주 방면에 소재했다는 오랜 관념으로 인해 전진인들의 징병 대상으로 역시 인식되었던 것 같다. 더욱이 전진과 한반도의 백제는 전혀 교류가 없었다. 그렇기 때문에 이같은 상정을 가능하게 해준다.

그 밖에 백제가 만주 지역에 존재했음을 시사하는 기록이 『송서』 백제국 조에 보인다. 그 첫머리에 보이는 다음과 같은 구절이다.

* 百濟國은 본래 高驪와 함께 遼東의 동쪽 千餘 里에 있었다.
* 그 후 高驪가 요동을 차지하자, 백제는 요서를 차지하였다. 백제가 통치하는 곳을 晋平郡 晋平縣 이라 했다.[383)]

즉 백제는 본디 고려 곧 고구려와 함께 요동군의 치소인 랴오양의 동쪽 천여 리에 소재했다고 한다.[384)] 물론 이 기록을 중국인의 지리관에서 비롯된 관념적인 내용으로 간주할 수도 있을 것이다. 그러나 『삼국지』 고구려 조에서 그 소재지를 "고구려는 요동의 동쪽 천리에 있다"라고 한데 반하여 평양성으로 천도한 장수왕대의 상황을 기록한 『위서』 고구려 조에는 "요동 남쪽 1천여 리"라고 하여 그

383_ 『宋書』 권97, 百濟國 條. "百濟國 本與高驪俱在遼東之東千餘里 其後高驪略有遼東 百濟略有遼西 百濟所治 謂之晋平郡 晋平縣"

384_ 여기서 진평군 관련 기사는 백제 요서경략의 근거가 되는 구절이다. 그런데「양직공 도」에서는 '백제'가 '樂浪'으로 적혀 있다. 그러므로 논자는 이것을 가리켜「양직공 도」를 제작한 蕭繹이 "백제의 왕이 낙랑태수를 겸대하고 있었던 관계로 백제를 대신 하여 낙랑이 진출의 주체였던 것처럼 서술하였다"고 했다. 그러나「양직공도」의 이 구절은 "晋末에 고구려가 요동의 樂浪을 치자, (백제) 역시 요서의 晋平縣을 쳤다(晉末駒麗略有遼東樂浪 亦有遼西晋平縣)"로 해석된다. 주어인 백제가 생략된 것을 모르고 엉뚱하게 '낙랑'을 주어로 오판한 것이다. 그렇지 않았기에 고구려가 요동을 경략하자, 낙랑은 요서 진평현을 경략했다는 해석이 나왔다. 「양직공도」의 이 구절은 주체가 백제인데 느닷없이 낙랑이 뛰어든 것이다. 그리고 고구려가 경략한 곳은 요동인데, 낙랑은 요서 진평현이라는 더욱 구체적인 기록을 남겼다. 상호 균형이 맞지 않는 서술이다. 게다가 당시 낙랑은 모용씨의 도움으로 요동에 소재하였다. 그러한 낙랑을 313년에 고구려가 경략하였고, 그 시점은 晋末 즉 西晋(266~316)과 정확히 부합한다. 그러므로 근초고왕이 낙랑태수라는 직함을 동진으로부터 부여받은 관계로 요서 지역으로 이동해간 낙랑을 백제로 착각한 것이라는 주장은 夢說로 드러났다.

중심 거점의 남하를 분명히 읽고 있었다. 따라서 중국 역대 정사류 가운데 백제전이 최초로 立傳되었거니와 사료 가치가 높기로 정평이 난 『송서』 백제국전[385]에서 백제가 고구려와 함께 요동의 동쪽 천여 리에 소재했다는 기록은 결코 관념적인 문구로 돌릴 수 없게 한다. 실제 『송서』 백제국전 첫머리의 '본래[本]' 字는 그것이 편찬되는 488년의 시점과는 달리 백제가 당초의 거점으로부터 이동했음을 염두에 둔 서술이 분명하기 때문이다.[386]

물론 『삼국사기』에는 만주에서 '백제'의 존재가 확인되지 않고 있어 의문이 제기될 수 있다. 고구려는 초기 발전 과정에서 주변의 비류국이나 행인국・갈사국・황룡국・개마국 등 뿐 아니라 원시적 소국을 가리키는 那 집단을 정복 혹은 합병한 바 있기 때문이다. 그러나 『삼국사기』에 보이는 이들 국이나 나 집단은 고구려 정복사업의 편린에 불과할 것이다. 고구려의 영역 팽창과 관련지어 볼 때 많은 국명들은 기록에서 누락되었으리라 생각된다. 실제 만주 백제의 존재는 대무신왕이 비류수 상류를 지나 부여를 공격하기 2년 전인 19년에 "백제 주민 1천여 호가 來投하였다"라고 한 기사를 통해 입증될 수 있다. 요컨대 이 기사는 국내측 문헌에 실로 우연찮게 남아있는 만주 지역 백제의 존재에 대한 확실한 증거가 된다. 그렇지 않고서 이들이 한강유역의 백제 주민들이라고 하자. 그렇다면 고구려 땅이 '지상낙원'도 아닐진대 다른 이유도 아니고 '饑荒'을 이유로 중국 군현 지역을 통과하면서까지 북상한 게 된다. 그러나 이들이 자국 백제보다 열악한 풍토의 고구려로 이주했다는 것은 쉽게 납득되지 않기 때문이다.

③ 만주 백제 세력의 남하와 관련된 증거

4세기 중반 경에 남하한 만주 백제 세력은 어떻게 해서 한반도의 백제와 합류할 수 있었을까? 비옥한 충적평야 지대로서 인구조밀 지역이기도 하거니와 고구려 세력권 밖의 첫 지역인 한강유역으로 진입한 백제 세력은 백제국 세력권에 진입하게 되었다. 백제국이 자리잡은 서울 지역은, 원산에서 시작된 추가령 구조곡을 타고 내려오는 말갈의 침입 루트와, 평안도・황해도를 지나 개성을 통과해서 내려오는 루트가 합쳐지는 교통의 요충지였다. 요컨대 서울 지역은 한반도 북부의 동・서 루트

385_ 姜鍾薰, 「百濟 大陸進出說의 諸問題」『韓國古代史論叢』 4, 1993, 412쪽.

386_ 이 구절의 '本'은 백제와 고구려의 동일한 족원을 가리키는 게 아니라 소재지를 가리키는 文字임은 너무나 분명하다. 혹자는 "백제가 본래 고구려에서 갈라져 나왔다는 의미로 '本'자를 썼다고 해석할 수도 있는 것이다"고 했다. 그런데 『魏書』 백제 조에 보면 "저희는 근원이 고구려와 함께 부여에서 나왔습니다"라고 하였듯이 백제는 기원을 부여에서 찾았다. 따라서 앞서 언급한 혹자의 해석은 전혀 타당하지 않은 억설로 드러났다.

가 한데 모이는 곳이었다. 때문에 만주의 백제 세력이 남하하면서 어느 루트를 이용하였든 간에 마한 판도의 북부에 자리잡은 백제국과 맞닥뜨리게 된다는 것은 지리 형세적인 측면에서 볼 때 결코 우연한 일은 아니었다. 그러한 결과 동계인 양 지배층은 군사적 대결보다는 타협을 모색했던 것 같다. 요컨대 남하 세력이 정주세력을 흡수한 것이다. 그러니 백제사의 상층부는 먼저 한강유역에 정착하였던 백제국의 역사적 경험과 사실이 반영되어 일원적으로 재편집되었을 것이다.

만주 지역 백제 세력의 한강유역 정착은 고고학적으로도 입증된다. 서울의 석촌동에는 완성된 형태의 적석총인 계단식 석실적석총이 소재하고 있다. 이러한 고분 양식은 동일 지역의 이전 시기에 조영된 토광묘·옹관묘·즙석봉토분·점토충전식 적석총 등과는 계통이 판이하게 다른 일종의 단층이 진다. 또 현재로서는 서울 지역 적석총의 축조 상한은 4세기 후반을 상회하기 어려운 실정이다. 따라서 이 같은 석촌동의 백제 최고지배층 분묘의 변화를 통하여 왕실교체를 상정하는 것도 가능해진다. 『삼국사기』에서 근초고왕을 기점으로 그 이전과는 역사 기술상의 단층이 지고 있다는 지적도 이와 관련해 참고할 가치는 있다. 또 4세기 중반 이후 만주 지역에서 백제의 활동이 사라진 것도 이를 반증할 수 있다.

아울러 석촌동 고분군 B지역 대형토광묘와 즙석봉토분 사이에 위치한 화장 유구가 주목된다. 즉 목관을 놓고 그 전체를 불태운 화장 유구인 것이다. 이러한 장례 형태는 목곽묘인 울주 下垈 23호분에서도 확인된다.[387] 또 그러한 화장 풍습은 북방 유목민족의 葬制로 밝혀진 바 있다. 이러한 맥락에서 볼 때 석촌동 고분군의 화장 유구는 백제의 기원을 암시해 주는 유력한 물증이 된다고 하겠다. 이와 더불어 후술하겠지만 석촌동 고분군에서는 선비계의 금제 귀고리가 출토된 바 있다. 그리고 청주 봉명동에서 출토된 '大吉' 명 동탁은 중국 랴오닝성 베이파오에서 출토된 모용선비의 '大吉利宜牛馬' 銘 동탁과 연결된다. 그랬기에 이것을 백제와 모용선비 간 교류의 결과로 이해하고 있다.[388] 백제에서 등장하는 유목민 사회의 직제인 좌·우현왕제 역시 이러한 물증들과 짝을 이루면서 그 정체성을 암시해 주는 근거로서 잘 부합한다.[389] 그 밖에 석촌동의 대형토광묘 안에서 8기의 목관이 동

387_ 釜山大學校 博物館, 『蔚山 下垈遺蹟-古墳』 1997, 8쪽.
388_ 국립 부여박물관, 『백제의 文字』 2002, 111쪽.
389_ 백제의 좌·우현왕제는 吳가 사신을 고구려에 파견하여 동천왕에게 선우를 封한 것과는 성격이 다르다. 이는 吳가 처음 교섭한 고구려를 유목민 국가로 간주한데서 기인한 일방적이고 의례적인 칭호에 불과한 것이다. 그러나 백제의 경우는 개로왕대에 백제 스스로가 유송에 관작을 요청해서 책봉된 것이었다. 더구나 좌현왕인 곤지가 倭에 파견된 것은 동방을 관장하는 좌현왕의 所管과 관련되고 있다. 곧 이는 백제 사회에서 좌·우현왕제가 실제 작동했음을 뜻하기 때문에 고구려의 경우와는 그 성격을 비교할 수 없다.

시에 매장되었고, 여성 인골까지 출토된 사례가 주목되어진다.[390] 이것을 통해 집단묘인 대형토광묘의 순장묘 가능성과 더불어 그 기원을 다시금 부여에서 확인할 수 있기 때문이다. 실제 35구의 시신이 한꺼번에 매장된 통허 완파보지 M21호분도 순장묘일 가능성을 제기해 주었다. 요컨대 지금까지 논급한 요소들은 백제가 부여나 모용선비의 전연 등과 인접한 지리적 환경의 산물이라고 볼 때 자연스러워진다.

만주 백제세력의 남하는 문화 현상의 移動을 통해서도 방증이 된다. 만주 지역 백제세력의 한반도로의 급속한 남하는 정착 지역에 커다란 변화를 초래하기 마련이다. 그러니 이러한 요소가 확인되지 않을 수 없다. 먼저 백제 왕의 호칭인 鞬吉支는 Konikisi 또는 Kokisi로도 일컫고 있다. 이는 돌궐에서 '天子'의 뜻으로 쾨키시(Kök Kishi)라고 일컫던 말과[391] 연결이 가능하다. 그리고 흉노나 모용선비라든지 돌궐의 경우 본디 태자나 왕의 후계자와 같은 近親者가 임명되는 좌·우현왕제가 개로왕대(455~475)에 포착된다. 이 직제야말로 백제의 원주지를 만주 지역으로 설정할 수 있게 한다. 또 그러한 환경에 맞게끔 유목민족 제도를 수용한 일면의 표출 내지는 그 잔영이 틀림없다. 백제의 국가적 성격과 계통을 이보다 잘 반영해주는 자료는 없을 것이다.

아울러 백제금동대향로에 보면 5인의 주악상 머리 모습은 禿頭에다가 오른쪽 귀언저리에 머리채를 끌어 모아 묶은 형식[兩角髻]에 속한다.[392] 즉 이같은 두발 양식은 剃頭辮髮에 속하는 것으로 역시 유목민 사회의 두발 형태였다.

그러고 보면 백제 성씨 가운데 難氏의[393] 계통을 유목민족인 오환족에서 찾는 주장도 있지만 흉노의 氏로 명백히 나타나고 있다.[394] 그리고 백제 조정의 귀족 가문인 段氏 역시 漢族뿐 아니라 선비족 계통의 段部에서 그 연원을 찾는 게 가능하다. 백제에서 확보했던 사막 건조 지대의 운송 수단인 낙타와 초원 지대의 가축인 羊이나 나귀 및 노새의 존재는[395] 정확히 흉노와 같은 유목사회에서 목도할 수 있는 가축에 속한다.[396] 나귀는 특히 선비족의 중요한 운송 수단으로 알려져 있다. 이러한 요소들은 백제의 천하관과는 별개로 유목체제에서 출발한 백제의 정체성을 웅변해 준다.

390_ 서울大學校 博物館,『石村洞3號墳東쪽古墳群整理調査報告』1986, 23~27쪽.
391_ 최한우,『중앙아시아』, 펴내기, 1992, 21쪽.
392_ 권태원,『백제의 의복과 장신구』, 주류성, 2004, 81쪽.
393_ 李文基,「百濟 遺民 難元慶墓誌의 紹介」『慶北史學』23, 2000, 493~526쪽.
394_ 『史記』권110, 흉노전. "朕書曰 右賢王不請聽後義盧侯難氏等計 絶二主之約離兄弟之親"
395_ 李道學,「백제의 對倭 교역의 展開 樣相」『민족발전연구』제13-14호, 2006, 111쪽.
396_ 『史記』권110, 흉노전.

가. 물적 증거, 귀고리

백제 지역에서 출토된 유물 가운데 모용선비 계통이 확인되고 있다. 물론 이는 느닷없는 물증으로 돌릴 수 있겠다. 그렇지만 앞서 소개한 문헌 기록들과 잘 연계되고 있다. 따라서 갑작스런 물증이 아니라 지극히 자연스러운 현상으로 판단할 여지가 크다. 특히 이러한 유물들은 위세품인 귀고리와 더불어 마구류라는 점에서 그것이 지닌 상징성이 지대하다.

우선 석촌동 제4호분 주변에서 출토된 귀고리는 主環 3개와 이것에서부터 분리된 垂飾이 달렸다. 이 귀고리는 15개의 金環을 오므리고 구부려 고리를 만들고 서로 연결하여 길쭉한 금사슬을 만들었다. 그리고 맨 밑에는 조그마한 心葉形板을 매달아 장식하였다.[397] 최근 백제 한성 도읍기의 고분에서 출토된 귀고리를 분류해 놓은 성과에 따르면 한성 도읍기 귀고리는 모두 6개 유형으로 구분된다고 한다. 그런데 석촌동 제4호분 주변에서 출토된 귀고리와 동일한 양식은 그 밖의 2개 所에서 출토되었다. 즉 익산 입점리 1호묘와 곡성 석곡에서 출토된 귀고리이다.

익산 입점리 것은 주환에 금실을 걸어 조금 늘어뜨린 다음 그 아랫쪽에 사슬을 연결하고 그 끝에 三翼形 垂下飾을 매달았다. 곡성 것은 매우 가는 주환에 작은 유환을 걸고 금고리 8개를 연결한 사슬 아래에 둥근 고리와 큼직한 심엽형판을 매달았다. 심엽형 수하식의 가장 자리에는 각목대를 부착하였다. 심엽형 수하식의 금판은 아랫 부분은 둥글게 처리하였고 각목대를 길게 늘어뜨려 뾰족하게 만들었다. 이와 함께 사슬과 심엽형판 사이에 유환을 끼우는 것은 석촌동 제4호분 주변에서 출토된 귀고리 보다는 발달된 모습이라는 평가를 받고 있다.[398]

그런데 석촌동과 익산 그리고 곡성에서 출토된 귀고리와 동일한 형태의 그것이 중국 랴오닝성 朝陽市의 동북쪽인 北票市 喇嘛洞Ⅱ M71묘에서 출토되었다. 라마둥에서 출토된 금제 귀고리는 주환의 직경이 2.8~3.3cm이며, 수식을 포함한 전체 길이는 5.8cm에 이른다.[399] 백제 지역에서 출토된 귀고리와 동일한 그것을 부장하였던 북표 라마둥 고분군은 모용선비족이 세운 前燕·後燕·北燕의 이른바 三燕 시기에 조성되었는데, 1993년 가을부터 1998년 겨울에 이르기까지 420기를 발굴하였다. 이 가운데 라마둥Ⅱ M71호 고분에서 백제와 연결되는 귀고리가 출토되었다.[400]

397_ 李漢祥,「百濟 耳飾에 대한 基礎的 硏究」『湖西史學』3, 2000, 24쪽.

398_ 李漢祥,「百濟 耳飾에 대한 基礎的 硏究」『湖西史學』3, 2000, 31쪽.

399_ 遼寧省文物考古硏究所,『三燕文物精髓』, 遼寧人民出版社, 2002, 42쪽. 128쪽. 이에 대해서는 李道學,『서울의 백제고분, 석촌동고분』, 송파문화원, 2004, 232~234쪽에 상세히 서술되어 있다.

400_ 라마둥Ⅱ M71호 고분에서 출토된 금제 귀고리는 이도학이 랴오닝성박물관에서 여러 차례에 걸쳐 實見하고 촬

그러면 어떻게 하여 백제가 모용선비의 문물을 섭취할 수 있었을까? 혹자는 "백제와 선비의 관계를 문헌 기록에서 확인할 수 없어 백제가 선비의 문물을 받아들인 경로를 추적하는 것은 難題가 아닐 수 없다"고 했다. 그러면서 동진을 경유한 모용선비 문물의 접촉 가능성이나 고구려와의 전쟁을 통한 모용선비 문물의 접촉 가능성을 상정했다. 그러나 간접 접촉을 상정하고 있는 전자나 후자 모두 가능성이 없다고 판단된다. 동진이나 고구려에서 선비계 귀고리가 출토된 적이 없었으므로, 그쪽을 경유했으리라는 추측은 설득력이 없다. 오히려 백제가 선비와 직접 접촉했을 가능성을 설정해야만 타당성이 높다. 실제 양자 간에는 접촉했던 정황이 포착되고 있다.[401] 그러나 본질적으로는 4세기 중엽경 만주 지역 백제 세력의 남하와 결부짓는다면 자연스럽다.

나. 馬具類

대가라가 소재한 고령 지산동 고분에서 선비 계통의 마구류들이 출토된 바 있다. 대가라가 선비와 연결될 수 있는 정치・지리적 배경은 확인되지 않는다. 그런데 지산동 32호분과 유사한 재갈이 천안 두정동 I-5호 목관묘에서 출토된 바 있다. 단면 5각형의 장병 등자는 원주 법천리 등자와 유사한 형태이다. 그리고 지산동 35호분의 타원형 경판비는 천안 용원리 108호분 경판비와 유사하다고 한다. 현재까지 드러난 자료를 통해 볼 때 대가야의 지산동 집단이 백제와 깊은 관련성을 보여준다는 것이다. 백제 지역인 두정동 고분에서 출토된 재갈의 경우 "이른바 삽자루형 인수로서 2조선으로 된 철봉의 가운데 부분이 오므라들었다가 넓어지면서 끝에 핀을 꽂아 마무리하여, 북방 지역 특히 선비계 마구 특징을 잘 반영하고 있다"[402]고 했다. 백제 초기 마구의 도입은 모용선비와의 교섭의 산물로서 騎乘用 마구의 移入 가능성을 제기한 것이다.[403] 그렇기 때문에 선비 문물이 백제를 경유해서 대가라에 전래되었을 가능성이 제기된 바 있다.[404]

선비계 마구류가 출토된 지산동 32호분의 조성 연대를 5세기 전반으로 설정할 수 있다고 한다.[405]

영한 바 있다.

401_ 李道學,「高句麗와 百濟의 對立과 東아시아 世界」『高句麗研究』21, 2005;『고구려 광개토왕릉비문 연구』, 서경문화사, 2006, 103~108쪽.

402_ 成正鏞,「大伽倻와 百濟」『大加耶와 周邊諸國』, 고령군, 2002, 101쪽.

403_ 成正鏞,「中西部 馬韓地域의 百濟 領域化過程研究」, 서울대학교박사학위청구논문, 2000, 110쪽.

404_ 姜賢淑,「考古學에서 본 4・5世紀代 高句麗와 加耶의 成長」『加耶와 廣開土大王』, 金海市, 2003, 90쪽. 이와 관련해 백제가 고구려와의 전쟁을 통해 선비 문물을 접했을 것으로 추측할 수 있다. 그러나 이러한 견해는 공간적으로 서로 떨어진 백제와 선비가 감히 접촉할 수 없다고 단정한 데서 말미암은 것이다.

405_ 金世基,『고분 자료로 본 대가야 연구』, 학연문화사, 2003, 233쪽.

그렇다면 시간상으로 볼 때 400년 이전 백제와 후연과의 교류 가능성을 상정하는 게 자연스러워진다. 실제 백제 중앙권력과 선비와의 직접 교섭에 의해 선비계 마구류가 백제로 수입되었을 가능성이 제기된 바 있다. 백제 지역에서 출토된 선비계의 귀고리와 마구류는 만주 지역 백제와 후연 간의 교류를 입증해 주는 물증이라는 해석이 가능하다. 그것이 만주 백제 세력의 남하와 관련해 한반도 지역으로 전파된 것으로 볼 수 있게 한다. 결국 대가라 고분에서 출토된 선비계 마구류는 백제를 경유한 산물이었다.

다. 馬鐸

청주 봉명동 A-52호 토광묘에서 출토된 馬鐸은 복판 테두리 안에 '大吉' 銘文이 양각되었다. 이는 베이파오 西溝에서 출토된 마탁과 기본적으로 동일한 양식이다. 청주 봉명동 고분에서 출토된 '大吉' 銘 馬鐸은 높이가 6.9cm인데[406] 반해 베이파오 西溝에서 출토된 마탁은 높이가 4.3cm이다. 西溝 馬鐸은 길상구인 '大吉利'와 '宜牛馬' 3字가 앞뒷면에 양각되었다. 그리고 명문 주변과 兩側面에는 돌기된 邊框과 和網格文이 있다.[407] 이와 관련해 청원 송대리 출토 마탁 가운데도 和網格文이 존재한다.

그런데 랴오닝성 베이파오 西溝의 마탁과 흡사한 것이 경주 황오동 신라 고분에서 출토된 바 있다.[408] 황오동 고분에서는 '大吉利'가 아니라 '大富貴'로 적혀 있고, '宜牛馬'가 아닌 '宜牛羊'이라고 양각되어 있다. 후자의 명문은 유목적인 색채가 더욱 강하다고 할 수 있다. 그러한 황오동 고분에 부장된 마탁의 유입 경로는 확인할 수 없다. 그렇지만 선비계의 마탁이 분명한 만큼 차후에 그 유입 경로에 대해서는 차분한 추적이 필요할 것 같다. 다만 '大富貴' 銘 마탁이 출토된 황오동 16호분은 5~6세기로 편년되지만, 봉명동 마탁의 편년은 4세기 후반을 하한으로 하고 있다.[409]

청주 봉명동과 청원 송대리에서 출토된 마탁 역시 매납 시차 폭은 있지만 모용선비와의 관련성은 분명하다. 이 유물은 청주 지역 세력이 낙랑이나 漢과의 교섭 과정에서 수입한 것으로 추정하지만[410] 선비계 유물을 중국을 매체로 얻었다는 것은 설득력이 없다. 오히려 베이파오에서 출토된 마탁

406_ 忠北大學校博物館, 『淸州鳳鳴洞遺蹟(Ⅱ) 본문편』 2005, 147쪽.
407_ 遼寧省文物考古硏究所, 『三燕文物精髓』, 遼寧人民出版社, 2002, 132쪽.
408_ 국립경주박물관, 『文字로 본 新羅』 2002, 15쪽.
409_ 忠北大學校博物館, 『淸州鳳鳴洞遺蹟(Ⅱ) 본문편』 2005, 572쪽.
410_ 국립부여박물관, 『百濟의 文字』 2002, 111쪽.

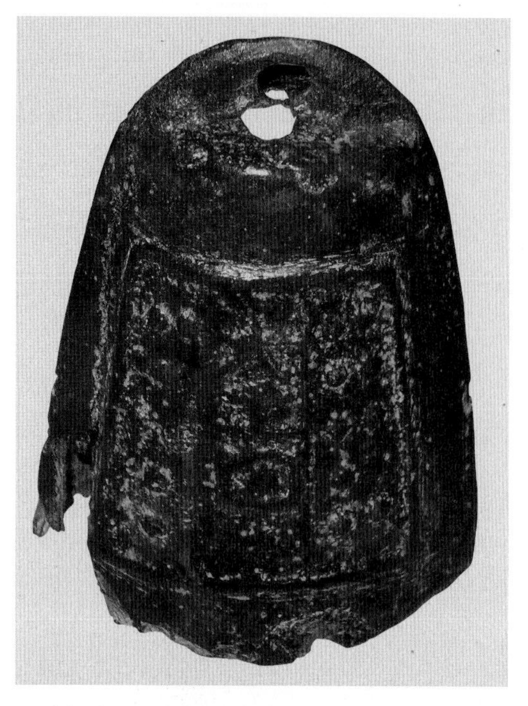

그림 20 | 청주 봉명동 마탁

그림 21 | 청원 송대리 마탁

과의 연관성이 크므로 양자 간의 교류[411] 내지는 그와 연관 있는 집단의 이주로 파악된다.

청주 봉명동 출토 마탁은 方廓 안에 乳頭形이 2개씩 陽刻된 호드긴 톨고이 01-1호 출토 흉노 유물과 연관성이 깊다. 그리고 경주 황오동 16호분의 마탁과도 관련 지을 수 있다. 이러한 면에 비추어 보더라도 청주 출토 마탁은 북방계, 그것도 유목계 유물임은 더욱 분명해진다. 후자의 경우는 신라 김씨 왕가의 기원을 흉노와 관련 짓는 물증으로의 활용도 배제할 수 없다.

라. 銅鍑

한반도에서 출토된 銅鍑과 鐵鍑의 존재가 주목된다. 북방민족이 고대에 사용하던 취사도구의 일종을 중국에서는 ordos式 銅鍑으로 일컫고 있다(본고에서는 편의상 철복까지 포함해서 동복으로 표기하기로 했다). 동복은 양 귀에 끈을 꿰어 말안장에 매달 수 있는 이동식 솥이었다. 실제 흉노 분묘에서는 동복과 철복이 부장되었다.[412] 북방민족들은 목축을 주로 하면서 가축을 따라 옮기고, 물과 풀을

411_ 국립부여박물관, 『百濟의 文字』 2002, 111쪽.
412_ 장은정, 「흉노의 금속기」 『흉노고고학개론』, 진인진, 2018, 216쪽.

따라 옮겨 다녔다. 이동생활에서 구연 위에 양쪽으로 귀가 달린 솥은 가지고 휴대에 편리할 뿐 아니라 고정된 화로를 사용하지 않는 등 거주가 일정하지 않은 유목생활에 적합했다. 동복은 유라시아 초원 유목민을 대표하는 용기로서 기원전 7세기-기원후 4세기대까지 유라시아 전역에서 비교적 광범위하게 사용되었다.[413]

동복은 구지제(顧志界)의 분류에 의한다면 형태에 따라 다음과 같은 4가지 유형으로 구분된다.[414]

동복은 지린시 마오얼산 고분과 융지현 세구둥산(學古東山) 고분군에서도 출토되었다. 1994년 11월에 燒失된 중국 지린성 지린시박물관에는 永吉縣 烏拉街學古村과 舒蘭縣(市) 白旗嗄牙河磚廠에서 출토된 굽이 없는 平底 형태의 동복이 각각 진열되었다. 부여 영역이었던 융지현과 수란시에서 출토된 이들 동복(그림 23 사진 1 · 2)은 구지제의 분류에 의한다면 BⅡ式(10)에 해당되며, 중국 漢代~三國時代에 걸쳐 행하였던 양식이다. BⅡ식 가운데 지린시박물관에 소장되었던 동복과 동일한 양

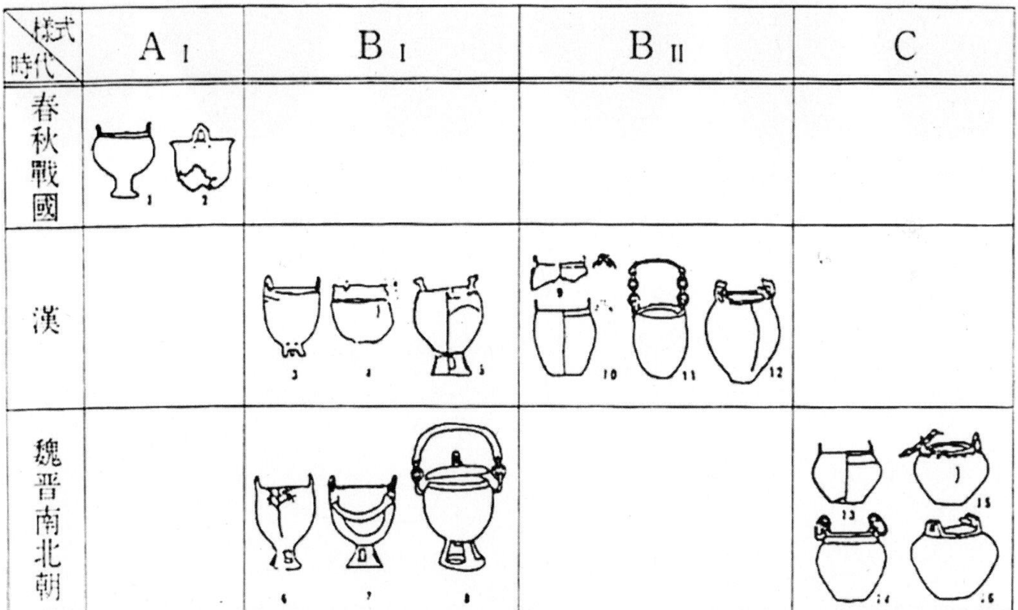

樣式 / 時代	A I	B I	B II	C
春秋戰國	1, 2			
漢		3, 4, 5	9, 10, 11, 12	
魏晉南北朝		6, 7, 8		13, 14, 15, 16

그림 22 | 顧志界의 동복 분류표

413_ 장은정, 「흉노의 금속기」『흉노고고학개론』, 진인진, 2018, 209쪽.
414_ 顧志界, 「鄂尒多斯式銅(鐵)釜的形態分析」『北方文物』3, 1986, 20쪽.

식은 내몽골의 이민부동구(伊盟補洞溝)에서도 출토되었다. 또 지린성 위수 라오허선과 지안박물관의 소장품에서도 확인된 바 있다. 그러므로 이러한 양식의 동복은 내몽골 · 위수 라오허선 · 수란시 · 융지현과 고구려 영역 및 경상남도 김해의 대성동 고분군에서도 출토된 것이다. BⅡ식으로는 흉노계 동복인 보르한 톨고이 95호 · 솜보진 벨치르 7호 · 도르릭 나르스 1호-W1 배장묘 철복을 꼽을 수 있다.[415] 다음 사진은 본고와 관련한 동복인데, 왼쪽부터 순서대로 사진 1-6이다.[416]

한반도에서 출토된 동복은 모두 4개로 알려졌다. 즉 평양에서 1개, 그리고 김해 대성동에서 2개, 김해 양동리에서 철복 1개였다. 그러므로 3개나 되는 동복이 김해에서만 출토되었다. 더욱이 한반도에서 출토된 다른 3개는 모두 C 형식으로 시기가 3세기 중반 이후로 떨어진다. 그런데 반해 대성동 29호분에서 출토된 동복은 BⅡ식으로서 내몽골과 부여 영역에서의 출토품과 동일한 양식이다. 부여의 주된 묘제인 木槨墓는 김해 대성동 고분에서도 확인되었다. 이러한 이유로 김해 대성동 고

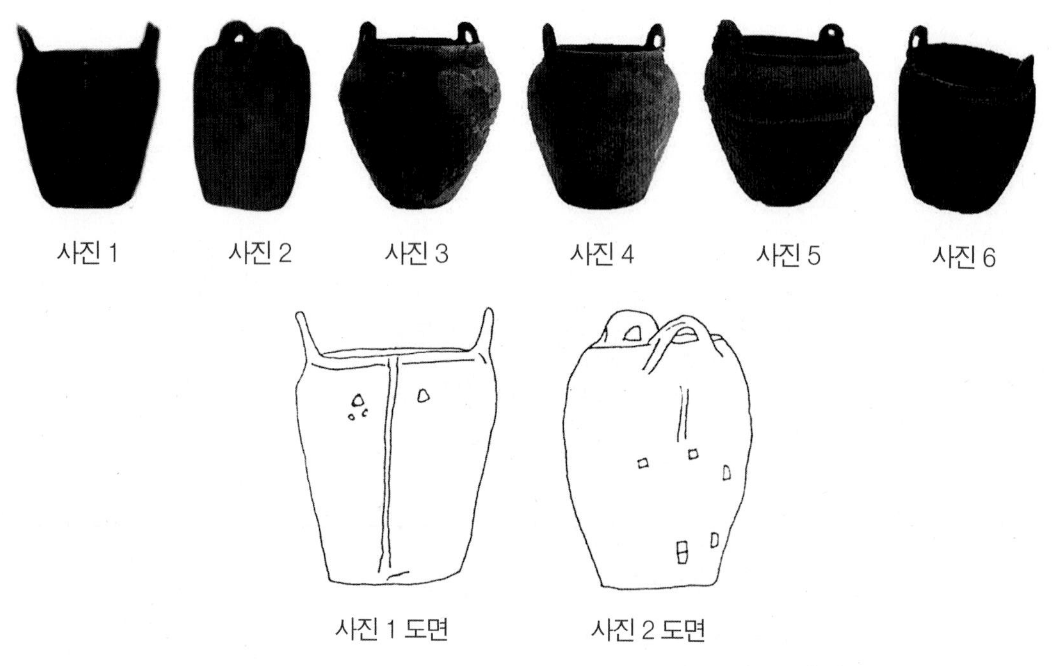

그림 23 | 관련 동복 사진 및 도면

415_ 장은정, 「흉노의 금속기」『흉노고고학개론』, 진인진, 2018, 213쪽.

416_ 이들 동복의 출토지와 諸元은 다음과 같다.
사진 1: 중국 지린성 永吉縣 烏拉街學古村 출토. 사진 2: 중국 지린성 舒蘭縣 白旗嗄牙河磚廠 출토. 도면 1: 사진 1-2와 동일. 사진 3: 중국 랴오닝성 北票 喇嘛洞ⅡM328 출토 동복. 높이 15.8cm(요녕성고고문물연구소 册子). 사진 4: 중국 랴오닝성 北票 喇嘛洞ⅡM166 출토 동복. 높이 17.5cm(요녕성고고문물연구소 册子. 사진 5: 한국 청주 신봉동 고분군 수습 鐵鍑, 높이 17.5cm. 사진 6: 한국 김해 대성동 고분군 출토 동복.

분군 조성 세력을 부여계로 지목하였다.[417] 요컨대 부여 영역에서 출토된 2개의 동복과 똑같은 양식의 제품이 한반도 중부권에 위치한 백제나 신라 영역을 훌쩍 뛰어넘어 그 남단인 김해 지역에서 다시금 출토되었다. 이처럼 계통이 동일한 동복이 지리적으로 크게 격절된 곳에서 각각 출토되었음은 단순히 문화의 전파로만 해석하기 보다는 주민의 이동을 뜻하지 않을까? 동복은 이동성 위주의 생활에서 쓰여졌던 食器였다. 그런 만큼 기동력을 생명으로하는 이들이 단기간 내에 한반도 남단까지 이른다는 것은 결코 우연만은 아니라고 하겠다.[418] 더욱이 정주민들이 이동식 솥인 동복을 수입해야할 이유는 없기 때문이다.

동복은 백제 영역인 충북 청주 신봉동 백제 고분군에서도 추가로 수습되었다. 신봉동 鐵鍑의 器形 자체는 〈그림 22〉와 맞춰 보면 BⅡ-10에 가깝다. 이 철복은 몸통에 2개의 귀가 달려 있고 높이는 18cm이다.[419] 신봉동 철복(그림 23 사진 5)은 베이파오(北票) 라마둥(喇嘛洞)에서 출토된 〈그림 23 사진 3〉의 동복과 器形이 동일한 C式이다. 특히 신봉동 출토 철복은 몸통에 돌기가 돌려져 있다. 이 역시 베이파오 라마둥에서 출토된 〈그림 23 사진 3〉의 동복과 동일한 양식이다. 한편 永吉縣 출토 부여 동복(사진 1)의 縱線 돌기는 〈그림 23 사진 4〉의 동복과 같이 구연부에서 밑바닥까지 이어졌다. 따라서 부여와 선비의 동복 간에는 본질적인 차이가 없다. 더욱이 베이파오 라마둥에서도 철복이 출토되었다.

지금까지 한반도에서 출토된 동복과 철복은 한반도에서는 모두 5개밖에 확인되지 않았다. 평양의 낙랑 유적에서 1개, 김해에서 3개, 그리고 청주에서 1개인 것이다. 김해 대성동 고분군에서 출토된 동복 2개는 부여족의 이동과 결부지어 의미를 크게 부여하기도 했다. 그리고 대성동 91호분에서는 선비계 유물이 다량으로 출토되었다. 金銅製步搖付飾金具·金銅製辻金具·圓帽球形鈴·銅帶卡·馬鈴·鹿角鑣轡 등의 마구류와 함께 銅盤이 출토되었다. 이러한 유물들은 중국 랴오닝성 베이파오 일대 前燕 時期 출토품과 유사하다. 대성동 88호분에서 출토된 金銅製透彫大金具와 유사한 예로는 라마둥ⅡM275호분 출토품을 꼽을 수 있다.[420] 이 같은 동복의 존재는 초원세력의 대규모 결집

417_ 申敬澈, 「金海 大成洞 古墳群의 발굴조사 성과」『慶南鄕土史論叢』 1992, 241-253쪽.
418_ 李道學, 「銅鍑文化의 移動과 금관가야의 탄생」『우리문화』, 전국문화원연합회, 1995-2월호; 『고대문화산책』, 서문문화사, 1999, 78~83쪽.
419_ 국립청주박물관, 『충청북도 박물관 미술관 찾아가기』 2009, 80쪽.
2010년 11월 4일에 청주백제유물전시관에 소장된 신봉동 철복을 이도학이 조사한 바에 따르면 높이는 17.5cm에, 最大 口徑은 16.5cm, 바닥 너비는 10.5cm로 계측되었다.
420_ 홍보식, 「전기가야의 고고학적 연구쟁점과 전망」『가야사연구의 현황과 과제』, 주류성, 2018, 74~75쪽.

을 이룩해 낸 흉노에 의하여 초원계 문화가 확산된 범위를 반영하는 하나의 지표였다.[421)]

동복을 제외한 선비계 북방적 문화 요소도 백제 지역에서 확인되고 있다. 특히 청주 지역에서 출토된 馬鐸의 존재는 새로운 조명이 가능하다. 석촌동 고분군에서는 선비계의 금제 귀고리가 출토된 바 있다.[422)] 그리고 백제에서 등장하는 유목민 사회의 직제인 좌・우현왕제 역시 이것과 분리되지 않는다.[423)] 즉 백제의 기원이 고구려 보다는 부여와의 연관성을 암시해 준다. 그리고 1~2세기에 제작된 것으로 추정되는 부여 유목문화계 銅炳鐵劍이 충북 청주시 오송읍 생명과학단지의 마한계 토광묘에서 출토되었다. 이러한 장검(길이 약 1m, 손잡이 15㎝)은 중국 지린성 위수 라오허선 유적과 랴오닝성 시차거우 유적에서 출토된 바 있다.[424)] 이 역시 백제 건국세력의 계통을 암시해주는 물증이 된다.

그 밖에 선비계 마구류의 존재를 빼 놓을 수 없다. 즉 대가라가 소재한 고령 지산동 고분에서 선비 계통의 마구류들이 출토된 바 있다. 선비계 마구류가 출토된 지산동 32호분과 유사한 재갈이 천안 두정동 Ⅰ-5호 목관묘에서도 출토되었다. 백제 지역인 천안 두정동 고분에서 출토된 재갈의 경우 "북방 지역 특히 鮮卑系 馬具 특징을 잘 반영하고 있다"[425)]고 했다. 백제를 통한 선비계 기마문화의 확산을 가리키는 지표로 해석된다. 이와 더불어 풍납동토성 출토 각진 장방형 銀板 裝飾 1점과[426)] 부여 영역인 지린성 위수 라오허선에서 출토된 금제 귀고리와[427)] 베이파오 라마둥에서 출토된 금제 귀고리는[428)] 동일한 계통으로 밝혀졌다.

④ 백제 사회의 유목적 기풍

백제에서는 왕비를 '於陸' 즉 '오루쿠'로 일컬었다. 이러한 호칭은 遼 太祖가 멸망시킨 발해의 왕 大諲譔과 그 妻(王妃)에게 각각 하사한 거란어 이름인 오로고(烏魯古)나 아리기(阿里只)와[429)] 관련 있

421_ 장은정, 「흉노의 금속기」『흉노고고학개론』, 진인진, 2018, 215쪽.
422_ 李道學, 「百濟의 起源과 慕容鮮卑」『충북문화재연구』 4, 충청북도문화재연구원, 2010, 7~28쪽.
423_ 李道學, 『백제 고대국가 연구』, 一志社, 1995, 123쪽.
424_ 박상현, 「청주 고분서 출토–부여 유목문화와 마한 교류 입증하는 사료」『연합뉴스』 2016. 8. 31.
425_ 成正鏞, 「大伽倻와 百濟」『大加耶와 周邊諸國』, 학술문화사, 2002, 101쪽.
426_ 국립문화재연구소, 『풍납토성 XⅢ』 2012, 554~555쪽.
427_ 吉林省文物考古研究所, 『榆樹老河深』, 文物出版社, 1987, 58~59쪽. 圖版 40.
428_ 遼寧省文物考古研究所, 『遼寧省文物考古研究所藏文物精華』, 科學出版社, 2012, 119쪽.
429_ 『遼史』 권2, 天顯 원년 秋7월 조.

어 보인다. 즉 '오로'나[430] '아리'는 위례성이나 아리수 혹은 욱리하의 '위례'·'아리'·'욱리'와 마찬 가지로 '大'의 뜻을 지녔기 때문이다. 백제 왕비 호칭 오루쿠는 '大夫人'의 뜻으로 보인다. 주지하듯이 삼국시대 왕비는 '夫人' 또는 '大夫人'으로 일컬었다.

통치와 권력 승계 방식에서 백제와 몽골 간의 接點이 보인다. 고구려와 백제에서는 왕권이 약화되었을 때마다 왕비족은, 권력 분담의 산물인 병권을 장악했다. 그런 만큼 병권의 행방은, 실질적인 권력의 소재를 가리켜 주는 일종의 나침반과 같은 것이었다. 왕권이 강화된 개로왕대는 병권마저도 왕족이 장악하였다. 흉노와 오환의 경우 선우 처족의 위세가 강대했다고 한다.[431] 오환만 하더라도 "거처와 재물은 모두 처가에서 나왔다. 따라서 그 습속에서는 婦人들의 계책을 따랐다, 전투할 때만 (남자가) 스스로 이것을 결정했다"[432]고 하였다. 고구려에도 왕비족제가 있었지만 국왕의 姻族이 강한 곳은 단연 백제였다.[433] 이러한 사회적 전통도 백제가 유목사회에 몸 담궜던 영향으로 보아 무리가 없을 것 같다.

그리고 劉宋으로부터 개로왕의 弟인 곤지가 제수받은 '征虜將軍 左賢王' 職이 주목된다.[434] 흉노나 돌궐의 직제에 나타나는 좌현왕은, 군왕의 후계자로서의 자격을 지닌 동시에 병권을 장악한 위치에 있었다. 게다가 『일본서기』에서 곤지를 '軍君'으로도 표기했는데 그 별칭이 되겠다. 이 별칭은 그 字義上 병권의 장악과 관련 있는 좌현왕이라는 곤지의 직책과 잘 부합되고 있다. 곤지가 병권을 장악했음을 뜻한다. 더구나 좌현왕은 전통적으로 영역의 동방을 관장하는 직책이었다. 따라서 곤지는 대왜 관계를 통섭하는 위치에 있었음을 생각하게 한다.[435] 그리고 후한의 應劭로부터 "戎狄이 官紀를 몰라서 모두 다 相을 칭한다"[436]는 비아냥을 받기는 했지만, 대왕조선과 흉노에서는 相이라는 직책이 있었다.

그 밖에 매 형상이 정수리에 장식된 기원전 3세기 경 흉노의 金冠을 주목해 본다. 鄂尒多斯市 杭

430_ 烏魯古는 옛 투르크어·몽골어에서 '크다'는 의미를 지닌 '울룩'이란 語音과 동일하다고 한다(이재성, 「南匈奴列傳 譯註」『譯註 中國正史外國傳 3』, 동북아역사재단, 2009, 309쪽).

431_ 사와다 이사오 著·김숙경 譯, 『지금은 사라진 고대 유목국가 이야기, 흉노』, 아이필드, 2007, 125쪽.

432_ 『三國志』 권30, 烏桓鮮卑傳.

433_ 李基白, 「百濟王位繼承考」『歷史學報』 11, 1959, 44쪽에서 근초고왕에서 아화왕대까지를 가리켜 "王族과 王妃族의 聯合政權時代라고도 부를 수 있는 時期이다"고 했을 정도로 근초고왕 이후 국왕의 姻族이 득세하였다. 그런데 이러한 요소는 흉노를 비롯한 유목민 사회의 전통과 동떨어진 것은 아니라는 점에서 주목을 요한다.

434_ 『宋書』 권57, 夷蠻東夷, 百濟國 條.

435_ 李道學, 『백제 한성·웅진성시대연구』, 一志社, 2010, 297~298쪽.

436_ 『史記』 권115, 朝鮮傳.

錦旗阿魯柴登에서 출토되어 현재 內蒙古博物館에 소장된 금관이다.[437] 흉노 최고 권력자가 착용했을 금관의 정수리에 장식된 매는 백제와 연관이 보인다. 백제의 별호가 鷹準 혹은 鷹遊였기 때문이다.[438] 매사냥이 유행했던 백제에서 상징성이 지대한 조류가 매였음을 알려준다. 이 역시 아주 작은 편린이지만 백제와 흉노를 연관 짓는 요소가 된다.

백제에서 나타난 좌·우현왕제는 고구려에서도 확인되지 않는 유목사회 흔적임은 분명하다. 그러나 중국 삼국시대 吳主 손권은 사신을 보내 고구려 동천왕을 '單于'로 삼은 바 있다.[439] 이는 고구려 주변 유목 종족에 대한 지배권을 동천왕에게 부여한 것으로 해석된다. 유목 세계의 통합 지배자까지 꿈꾸었던 고구려 선우의 모습을 상정할 수 있다. 그러고 보면 고구려 역시 흉노 세계와 분리되지 않았다. 그리고 근구수태자가 北界의 표지로서 "이에 돌을 쌓아 표를 했다(乃積石爲表)"는 기사이다. 이는 유목계 출신인 북위 제왕들의 잦은 '단을 쌓고 행적을 기록했다(築壇記行)'거나 '돌을 쌓고 행적을 기록했다(累石記行)'는 사적과 성격이 동일하다. 더욱이 군사령관인 국왕 근초고왕의 전쟁수행 양식은 친정→약탈→분배라는 유목형 군주의 그것과도 부합된다. 이러한 요소들은 유목 지역에서의 생존 방식이 백제에 영향을 미쳤음을 알려준다.[440] 그 밖에 선비족이 세운 북위의 8大姓과[441] 사비성 도읍기 백제 8大姓과의 묘한 연관성도 간과해서는 안될듯 싶다.[442]

이와 더불어 연유한 조카를 제끼고 연만한 숙부가 즉위하는 기풍, 사냥터에서의 정변 등에 이르기까지 양자 간에는 공통점이 많다. 즉 흉노를 비롯한 유목국가에서 사냥은 목축업 다음으로 중요한 분야였다.[443] 그러다 보니까 사냥터에서 정변이 발생하는 일도 빚어진다. 사냥터에서의 정변은 우선 고구려 국상 창조리가 봉상왕을 제거하고 미천왕을 즉위시킨 사례가 두드러진다.[444] 백제에서도 사냥터에서의 정변은 다음과 같이 보인다.

437_ 李聯盟,『中國地域文化通覽 (內蒙古卷)』, 中華書局, 2013, 畫報.

438_ 『帝王韻記』권下, 百濟紀."或號南扶餘 或稱鷹準".
『三國遺事』권4, 皇龍寺九層塔 條. "第一層日本 第二層中華 第三層吳越 第四層托羅 第五層鷹遊 第六層靺鞨 第七層丹國 第八層女狄 第九層穢貊"에 보이는 '鷹遊'가 백제의 別稱인 鷹準임은 의심할 나위 없다.

439_ 『三國志』권47, 吳主傳第2, 嘉禾 2년 조.

440_ 李道學,『백제고대국가연구』, 一志社, 1995, 124쪽.

441_ 가와카스 요시오 著·임대희 譯,『중국의 역사—위진남북조』, 혜안, 2004, 378~379쪽.

442_ 백제 8大姓의 북위와의 연관성을 딱히 유목적이라고 단정할 수야 없겠지만, 양자 간의 교류가 적지 않았던 상황에서 확인되는 만큼, 차후에 심도 있는 논의를 통해 일정한 의미 부여가 필요할 수 있다.

443_ 강톨가 外 著·김장구·이평래 譯,『몽골의 역사(재판)』, 동북아역사재단, 2015, 68쪽.

444_ 『三國史記』권17, 미천왕 즉위년 조.

* 왕이 구원에서 사냥하며 열흘이 지나도록 돌아오지 않았다. 11월에 왕이 구원행궁에서 사망했다.[445)]

* 11월에 왕이 웅천 북쪽 벌판과 사비 서쪽 벌판에서 사냥하였는데. … 이때에 와서 백가가 사람을 시켜 왕을 칼로 찔러서 12월에 이르러 왕이 사망하였다.[446)]

이러한 사냥터 정변의 元祖는 흉노 묵특 선우가 아버지인 투만 선우를 제거하고 즉위한데서[447)] 아주 잘 나타나고 있다. 고구려와 백제에서의 사냥터 정변은 중국과 구분되는 유목적 풍토의 산물로 해석된다.

366년에 근초고왕이 왜 사신에게 선물한 물품 가운데 角弓이 있다. 각궁은 선비에서 "角端牛가 있는데, 뿔로 활을 만들었다. 세상에서는 이것을 일러 角端弓이라고 하였다"[448)]는 바로 그 활로 간주된다. 4세기 중엽 당시 백제가 중국 남방의 水牛를 통해 각궁을 제작했다고는 보이지 않기 때문이다. 백제와 몽골 세계와의 관련성을 암시해준다.

한편『삼국사기』에 보이는 백제 왕실 계보의 불균형은 複數의 왕실을 하나로 엮는 과정에서 비롯되었을 수 있다. 이 자체가 2개 왕실의 존재를 상정하지 않고는 납득하기 어려운 성질이 보인다. 이는 서울 지역 주묘제의 교체와도 연결되고 있다. 그런데 서울 지역에 4세기 후반에야 계단식 적석총이 출현했다는 이도학의 견해에[449)] 동조하면서도 왕실 교체를 뒷받침하는 문헌적 근거가『삼국사기』에 없으므로 동의하기 어렵다고 했다. 이러한 논리라면 근초고왕대의 마한 정벌도『삼국사기』에 없으므로 취신하지 말았어야만 한다. 게다가 누차 지적했듯이 근초고왕대를 기점으로 한 기년상의 단층을 비롯하여, 2년이라는 짧은 기간 동안에 한반도의 약 1/3을 직접 점유하거나 영향력을 행사할 수 있었던 폭발적인 힘은 자체 역량의 계기적 발전만으로 설명하기 어렵다. 일종의 외적 수혈에 의한 결과로 보는 게 온당한 해석으로 여겨진다. 그 외적 수혈은 중장 기병을 중심으로 하는 세력의 남하에 따른 왕실 교체 외에는 달리 설명할 방법이 없다. 이와 관련해 무녕왕릉이 그러하듯이 석촌동에

445_ 『三國史記』 권25, 진사왕 8년 조.
446_ 『三國史記』 권26, 동성왕 23년 조.
447_ 『史記』 권110, 匈奴傳.
448_ 『後漢書』 권90, 烏桓鮮卑傳.
449_ 이도학은 서울 지역에 계단식 적석총이 출현한 시점을 1988년에 정복국가론에 의한 백제 왕실 교체론을 제기한 이래의 많은 論戰 속에서도 4세기 후반임을 일관되게 주장했었다.

석실적석총의 출현 역시 정치세력의 변동을 증명하는 결정적인 증거는 될 수 없다고 했다. 백제에서 무녕왕릉과 같은 전축분은 단 4기 정도에 불과하다. 그러나 석촌동의 석실적석총은 묘제 전반의 획기적인 변화를 수반하는 것이다. 그러므로 이는 단순히 묘제 채용으로만 설명하기는 어렵다. 그런 만큼 서울 지역 석실적석총의 출현은 앞서 제기한 근초고왕대의 폭발적인 정복력의 배경과 관련지어 설명이 가능하다. 게다가 이는 계보상의 단층과 2명의 시조의 존재를 해명해 주는 관건이 된다.

혹자는 만주 지역에 백제가 존재했다면『삼국지』에 立傳되어야만 한다고 주장한다. 그러나 3세기 후반에 편찬된『삼국지』의 서술 단계 이전 만주 지역의 백제는 고구려 주변에 산재하였던 흔히 원시적 소국으로 운위되는 那 세력 정도에 머물렀다. 게다가 백제가 중국 역대 왕조와 외교적 교섭이나 군사적 충돌이 없었다면 입전되기 어려운 것이다. 이는 고구려의 팽창 과정에서 那 혹은 國으로 운위된 집단을『삼국사기』에서 적지 않게 확인할 수 있다. 그렇지만 이들 세력이 중국 사서에는 전혀 기록되지 않았다. 따라서『삼국지』에의 입전 여부는 그 세력의 규모라든지 중국과의 관계를 알려주는 준거는 된다. 그러나 그 존재 여부까지 결정지어주는 지엄한 잣대로 간주한다면 크나 큰 착각이라고 하겠다.[450)]

⑤ 청주 지역과 선비계 유물

청주 신봉동에서 출토된 철복은 수습 유물인 만큼 제작 연대를 가늠하기는 어렵다. 다만 신봉동 고분군의 최성기가 4세기 후반~5세기 중엽이라고 할 때[451)] 참조할 수 있을 것 같다. 그리고 청주 지역에서 출토된 철복과 봉명동 마탁은 모두 모용선비와 관련이 깊은 것으로 드러났다. 봉명동 토광묘는 4세기 후반을 하한으로 하고 있어, 신봉동 고분군과 시간상 전후로 상호 연결되고 있다. 이와 관련해 천안 두정동 I -5호 목관묘에서 출토된 재갈과 천안 용원리 108호분에서 출토된 경판비 역시 모용선비와의 관련성이 지적되었다. 모용선비계의 귀고리 역시 서울의 석촌동과 익산 및 곡성에서도 출토된 바 있다. 이러한 유물들은 백제와 모용선비 간의 교류가 상당힌 긴밀했음을 뜻하는 증거였다. 나아가서 이는 좌·우현왕제를 비롯한 문헌에서 확인할 수 있는 북방적 요소들과 모순 없이 잘 부합한다.

450_ 李道學,『백제고대국가연구』, 一志社, 1995, 113쪽.
451_ 忠北大學校博物館,『清州 新鳳洞古墳群』1995, 294쪽.

그렇다면 이러한 물증들은 어떠한 결과물들일까? 문화교류적인 측면에서 해석해 볼 수도 있다. 일단 고구려를 통해서 선비계의 문물이 백제로 전파되었을 가능성이다. 그러나 정작 고구려에서는 이러한 선비계의 물증이 뚜렷하지 못한 만큼 고구려를 매개로 한 교류 가능성은 희박하다. 역시 이러한 물증은 史書에서 백제가 전연과 교전한 기록을 놓고 볼 때 서로 인접해 있었음을 뜻하는 만큼 직접 교류의 산물로 받아들여진다. 또 그렇게 해석하는 것이 자연스럽다. 나아가서 부여를 서쪽으로 밀어붙였던 백제의 原住地를 만주 지역으로 설정하는 게 무리하지 않았음을 뒷받침해준다.

백제 지역에서 출토된 선비계 유물은 위신재로서의 귀고리와 기마와 관련한 마구류 및 마탁과 동복 등이었다. 정치적인 성격을 띤 위신재인 귀고리는 지방의 거점 지역에서 출토되었다. 즉 백제 지역에서 출토된 선비계의 귀고리와 마구류는 4세기 중·후반 백제의 폭발적인 정복력의 배경을 암시해 주는 물증이 될 수 있었다. 백제 왕실은 2개였고, 만주 지역에서 남하해 온 백제 세력에 의한 통합과, 그와 같은 외적 수혈로 인해 백제는 重裝騎兵 중심의 전투를 구사하여 빠르게 영역을 확장해 갈 수 있었던 요인을 다시금 확인하였다. 그리고 서울 석촌동에서부터 출토된 선비계의 금제 귀고리는 담로제 시행의 근거가 된다. 동시에 일종의 點의 지배 형태인 담로의 실재를 확인시켜 주는 물적 근거로서 중요한 기능을 하게 했다.[452]

반면 선비계 마구류는 천안과 청주 지역에서 출토되는 양상을 보인다. 이 점은 각별히 주목을 요한다고 보겠다. 더욱이 4세기 후반~5세기 중엽이 중심 연대인 신봉동 고분군은 백제 지역 단일 분묘군으로는 최다량의 마구와 무기 그리고 武具가 출토되었다. 그렇기 때문에 이 고분의 피장자를 군사적 성격이 강한 집단의 분묘로 지목하는데는 대체로 의견이 일치하고 있다. 이렇듯 청주 지역에서 출토된 풍부한 武具類와 馬具類에서 나타나듯이 무장적 성격의 기동 병력을 보유하고 있던 집단으로 추정이 가능하다고 한다.[453] 주지하듯이 천안이나 청주는 교통의 요로였다. 이와 관련해 청주 신봉동 고분군을 전사단의 분묘로 간주하는 시각이 있듯이 선비계 유물은 의미심장한 시사를 한다. 백제가 영토 확장을 할 때 청주나 천안 지역은 영토 확장의 교두보였기에 기마전적인 요소들이 많이 남겨 질 수 있었다고 본다. 백제가 남쪽으로 영역을 확장할 때 북방적인 기마집단이 주력을 이루면서 나간 것으로 추정된다. 백제의 국도였던 지금의 서울 지역은 훼손이 심했던 관계로 그러한 요

452_ 이에 대해서는 李道學, 『서울의 백제고분, 석촌동 고분』, 송파문화원, 229~243쪽을 참조 바란다.
453_ 申鍾煥, 「清州 新鳳洞 出土 遺物의 外來的 要素에 關한 一考」『嶺南考古學』18, 1996, 107~108쪽.

소가 남아 있지 못하였다. 반면 청주와 그 주변은 백제 영토 팽창의 교두보였고, 지속적인 새로운 영토 개척 상황에서 군사적 색채가 강한 지배자 집단이 상주한 관계로 봉명동과 신봉동에 유관 분묘가 연이어 조성될 수 있었을 것이다.

북한강유역인 강원도 화천군 하남면 원천리 마을 유적에서도 백제가 동북방 진출을 위한 교두보로 이용했던 시설이 확인되었다고 한다. 특히 발굴된 등자와 재갈과 같은 마구류와 갑옷류는 한반도 중부 지방에서는 출토된 사례가 없는 북방계에 속할 가능성이 큰 것으로 판단하고 있다. 이러한 북방계 마구류 등을 통해 백제의 국가적 정체성과 더불어 세력 팽창에 성공한 요인을 가늠할 수 있게 된다.

그리고 근래에 중국에서 제기된 백제의 이동설을 다음과 같이 소개해 본다. 이 논의의 공감 여부를 떠나 자료 공유 차원에서였다.

> 위에서 설명한 것을 종합하면, 백제는 지금 지린성 지린시를 중심한 夫餘에서 기원했는데, 전통적 관점에서 인식했던 고구려는 아니었다. 부여 왕실의 교체가 발생했기 때문에, 漢末 夫餘王 尉仇台의 후손들은 3세기 말~4세기 초에 沃沮 지역에서 독립적인 나라를 세웠다. 백제는 이후 한때 부여를 격파하고 동북아 강국이 되었다. 그러나 얼마 후 고구려의 침공을 받아, 4세기 중엽에는 동예 지역을 거쳐 帶方故地로 진입하게끔 떠 밀려, 즉 지금 조선반도 중부 한강유역에서 다시 건국하였다. 백제는 한강유역에서 발을 딛고는 머지 않아 왜국과 연합하여 대거 마한으로 進攻하여, 실력을 신속하게 회복하고, 371년에는 평양전투에서 고구려 왕 釗를 擊殺하고, 다시 동북아의 강국이 될 수 있었다. 백제는 조선반도에서 나라를 세워 성공한 전형이었다.[454]

부여가 285년에 전연에 격파되어 일족들이 옥저로 이동한 기록을 주목했다. 그 옥저에서 건국한 백제가 부여를 격파했지만, 고구려에 밀려 이동하여 지금의 서울 지역에서 재차 건국했다는 것이다. 이 견해는 이미 제기되었던 이동설을 조합하였다. 게다가 이 견해 자체가 정치적 목적을 지녔음은 밝혀진 바 있다. 그렇지만 근자에 중국에서 제기된 학설인 만큼 예의 검토가 요망된다. 즉 무엇보다 정확한 논지 이해가 긴요하다고 판단하였기에 맺음말의 앞 부분을 인용했다.

454_ 姜維公,『百濟歷史編年』, 科學出版社, 2016, 25쪽.

(4) 국가체제의 통일성 확립

① 영역의 확장과 교역망 구축

청주 일원에서 확인된 북방적인 선비계 유물은 백제가 남방 경영과 관련해 이곳을 중시했음을 뜻한다. 戰士團의 墓地로 불릴 정도로 군사적인 성격의 부장품이 유달리 많았던 신봉동 고분의 성격과 결부지어 볼 수 있었다. 교통의 요로인 천안에서도 선비계 마구류가 출토되는 현상과 결부지어 볼 때 더욱 그러한 생각이 든다.

문헌이나 유물을 통해 백제는 선비를 비롯한 북방문화의 영향을 지대하게 받았던 사실이 확인되었다. 백제의 북방적 요소는 어느 면에서는 고구려와도 크게 구별되는 사안이기에 확실히 주목을 요한다. 곧 史書에 기록된 만주 지역 백제의 존재를 웅변해 주는 물적 증거물이라는 점에서 큰 의미를 부여할 수 있었다.

백제 세력은 만주 지역에서 부여·전연 등과 교전경험을 가졌었거니와 또 그로 인해 중장기병 중심의 정복전 수행능력을 갖추었으리라고 판단된다. 부여를 서쪽으로 밀어 붙이기까지 하였던 백제 또한 이 같은 전투장비를 구비하지 않았다고는 생각하기 어렵다. 그런데 이러한 장비로 무장한 백제 세력이 한반도 중부 지역에 등장하였음은 보병전 단계에서 크게 벗어나지 못하였을 금강 이남의 마한사회가 견지해온 기존의 세력 균형관계를 일순에 깨뜨렸음은 의심할 나위 없다. 군사력에 있어서 현저한 우위에 있었을 백제의 입장으로서는 일면 타협을 통한 공존관계를 모색하기도 하였겠지만 무력을 수반하는 정복전에 끌리기 마련이었다.

그러한 근초고왕대에 절정을 이룬 백제의 정복활동은 크게 세 방향으로 광범위하게 전개되었다. 첫째는 전라도 지역으로의 진출이요, 둘째는 낙동강유역에 대한 진출이며, 셋째는 황해도 방면으로의 진출이었다. 특히 백제군은 369년에 경남 해안에서 서쪽으로 우회, 古奚津(강진)에 이르러 忱彌多禮(해남)를 함락시킨 전투이정의 설정이 가능하다. 대외교역항인 고해진을 직접 장악한 백제는 이후 영산강유역 재래의 읍락단위의 질서를 유지시키고 공납을 징수하는 형태로 지배하게 된 것으로 보인다. 이 같은 추정은 백제가 전남 해변의 강진을 장악했음에도 불구하고, 실제로 영토로 편입시킨 지역은 부안·김제·정읍·고부 일원에 국한되고 있는 만큼, 정확히 노령산맥선까지의 영역확대에 그치고 있는 데 근거한다.[455]

455_ 李道學,「百濟의 起源과 國家發展過程에 관한 檢討」『韓國學論集』19, 漢陽大學校 韓國學硏究所, 1991, 139-192쪽.

북으로는 예성강, 동으로는 춘천, 남으로는 노령산맥에 이르는 영역과 더불어 영산강유역의 마한 세력과 낙동강유역의 임나 제국을 백제의 정치적 영향권 하에 두었다. 『삼국사기』에 보이는 시조왕대의 영역 확장 기록은 기실 근초고왕대의 그것을 소급 · 기재한 것이다. 아울러 바다 건너의 왜 세력에도 백제의 정치 · 경제적 영향력이 미쳤다. 이 무렵 백제 중심의 소우주관이랄까 천하관이 형성되었다.

근초고왕은 대외 교역권을 장악해 나갔다. 이와 관련해 백제의 대방고지 건국설에 대한 재해석이다. 그 본질은 한반도에서 축출된 대방군이 기존에 행사하던 권한을 백제가 장악하려는 의도에서 표방된 것으로 해석했다. 백제 왕은 帶方郡公이나 帶方郡王으로 책봉되고 있다. 이는 기왕의 대방군이 행사하던 기반에 대한 계승을 공인 받았음을 선포한다는 차원이었다. 그럼에 따라 백제는 사서에서 왜국에 관한 위치기록의 기준이 될 정도로 그곳과 정치적으로 연관이 깊던 대방군이 이용하던 항로와 교역창구의 장악이라는 차원에서 한반도 서남해안 지역과 일본열도와의 교역을 진행했던 것으로 보인다. 요컨대 백제는 대방군이 마한제국과 왜국에게 행사하던 영향력을 계승하였던 것이다.

이러한 선상에서 364년에 백제는 일본열도와의 교섭을 시도할 목적으로 지금의 경상남도 남해안까지 사신을 파견하고 있는데, 육로보다는 그간 임나 제국과의 교섭에서처럼 연안항해를 이용하였을 것이다. 그 결과 366년에 왜와 교섭하고 있던 경상남도 창원의 卓淳國[456]에 파견된 倭使를 백제로 초청하여 五色綵絹 각 1필과 角弓箭 그리고 鐵鋌 40매를 선물하는 한편 "우리나라에는 진귀한 보물이 많다. 귀국에 貢上하려 생각하고 있으나 도로를 몰라 마음만 있을 뿐 실현하지 못하고 있다. 그러나 다시 이번 사자에 부탁하고 계속하여 공물을 바치겠다"라고 하여, 왜측의 강한 구매욕구를 촉발시켰다. 이 문구는 물론 과장되고 윤색된 『일본서기』의 기록이지만, 당시 양국 간 교섭의 성격을 이해하는데 도움을 준다.

七枝刀 1口와 七子鏡 1面 및 각종의 重寶를 바쳤다. 이어 사뢰기를 "臣의 나라 서쪽에 강물이 있는데, 근원은 谷那鐵山에서 나오고 있습니다. 그 멀기는 7일을 가도 이르지 못합니다. 마땅히 이

456_ 今西龍,『朝鮮古史の研究』, 近澤書店, 1937, 351쪽.

물을 마시면 곧 이 山鐵을 얻을 수 있으므로 길이 聖朝에 바치겠습니다"라고 말하였다.[457)]

위에서 "臣의 나라 서쪽에 江水가 있는데, 근원은 谷那鐵山에서 나오고 있습니다"라는 구절의 '江水'의 흐름에 주목하여 욕나철산의 소재지를 파악하려는 경향이 많았다. 그러나 이 구절은 백제가 새롭게 확보한 鐵場에서 산출한 철제품의 격을 올리기 위해 구사한 언사일 뿐이다. 특히 "이 물을 마시면 곧 이 산철을 얻을 수 있으므로"라고 한 구절은 숙신의 특산물인 靑石 產地를 "채취하려면 반드시 먼저 신에게 기도해야 한다"[458)]라는 문구처럼 신비적 표현에 불과하다. 여기서 던져주는 메시지는 욕나철산은 아주 먼 곳에 소재한 동시에 江水를 마시는 제의 행위가 선결되어야 하는 등 접근이 어렵다는 것이다. 하늘로부터 산철을 점지받아 자신들만이 소유하고 있고, 자신들의 능력으로만 산철 채취가 가능함을 알리고 있다.

철정과 더불어 백제가 왜 사신에게 내린 물품 가운데 견직물인 채견은 倭 지배세력의 호사품이었다. 그리고 기마전 무기인 각궁전, 무력기반의 확대와 생산력 증대를 위한 철소재인 동시에 유통 수단이기도 하였던 철정 등은 왜측의 관심을 끌었음은 분명하다. 고고학적으로도 입증되고 있듯이 왜는 4세기 후반 이래로 중국과의 교섭이 두절된 상황이었다. 그러므로 왜가 중국을 대신하여 교역 중심지로 부상한 백제와의 교역을 열망하고 있었음은 헤아리기 어렵지 않다. 근초고왕은 양질의 철과 호사품인 비단, 성능 좋은 기마전용 각궁전을 선보임으로써 왜와 임나 제국과의 교역로를 백제로 돌리게 하였다. 근초고왕은 상인왕으로서의 진가를 발휘한 것이다. 고해진을 비롯한 요항이나 욕나철장의 확보 등도 이와 동일한 맥락에서 살필 수 있다. 백제가 한반도 서남해안의 운송로와 항로의 안전을 확보했음은 두 말할 나위 없다.

근초고왕은 양질의 철제품을 왜인들에게 선보였다. 그럼으로써 그간 왜가 신라에서의 약탈이나 탁순국 등에서 공급받던 철 수입선 변경을 추진한 것이다. 이후 왜는 호감을 피력했던 것 같다. 그러자 백제는 본국에서 왜로 이어지는 항해를 수반하는 교역로상의 장애 요인을 토로한 것으로 보인다. 그 중 하나가 한반도 서해안에서 남해안으로 꺾어지는 모서리에 소재한 寄港地인 해남의 침미다례와 강진의 고해진이었다. 연안항해상에서 피할 수 없는 요지에 소재한 이곳을 통과하면서 통행

457_ 『日本書紀』 권9, 神功 52년 조. "則獻七枝刀一口・七子鏡一面 及種種重寶 仍啓曰 臣國以西有水 源出自谷那鐵山 其邈七日行之不及 當飮是水 便取是山鐵 以永奉聖朝"

458_ 『晋書』 권97, 동이전, 肅愼氏.

세를 납부하거나 때로는 억류와 탈취당하는 경우도 있었을 법하다. 막강한 해군과 무역을 통해 번성해 온 카르타고와 이제 막 이탈리아 반도의 통일을 이루어 해외진출을 노리는 로마 간의 충돌을 불가피해졌다.[459] 전자에 해당하는 나주 반남 세력이나 해남의 침미다례 등은 후자의 경우인 백제와의 충돌이 불가피해진 것이다.

서남해 제해권과 교역 거점 확보를 위한 근초고왕의 제안에 왜군이 동원되었다. 양국의 이해가 맞아떨어졌기 때문이다. 369년에 백제와 왜 연합군은 고해진을 접수하고, 강대한 침미다례를 도륙했다. 백제가 교역로를 장악하여 숨통을 쥐고, 지역 맹주인 침미다례를 꺾었다. 그러자 내륙의 벽지와 고사를 비롯한 마한 제국이 겁을 먹고 항복한 것이다. 이어 백제는 욕나철산의 철제품 수송의 안전과 관련해 섬진강 하구에 다사성을 축조했다. 그리고 백제에서 왜로 이어지는 水路의 안정적 확보를 위해 고흥반도에 거점을 구축하였다. 길두리 고분이 그 물증이 된다. 백제의 인적 자산과 물류가 왜로 소통할 수 있는 통로가 열린 것이다.

② 수리권의 장악

근초고왕은 강력한 중앙집권체제를 확립하기 위해 제의권을 비롯하여 군사권과 수리권·교역권의 독점을 통해 재부 뿐 아니라 정치 권력을 집중시켰다. 백제는 여타의 것에 대한 통제보다 더 큰 힘을 제공하는 기본적 생존자원의 '생산수단'을 확보·장악하고자 하였다. 이는 막대한 농업생산력을 수중에 집중시켜 국가유지의 물질적 토대를 마련할 수 있는 灌漑施設의 축조로 나타나게 되었다. 관개시설의 축조는 토목공사에 따른 대규모 노동력의 징발을 가져오게 하였다. 그러므로 이는 집권화의 수단으로 알려졌기에 백제는 김제 벽골제를 장악한 것으로 보인다. 이렇듯 수리권의 장악이 지닌 상징성은 지대한 것 같다. 이는 경상남도 양산 지방(揷梁州)의 干이었던 朴堤上의 '堤上'은 '제방의 우두머리'라는 뜻이므로, 수리권을 관장한 데서 비롯된 지방 '官'에 대한 별칭이나 범칭일 가능성에서도 함축된다. 朴堤上을 '毛末'[460] 혹은 '毛麻利叱智'로도 일컬었다.[461] 후자의 경우 존칭어미인 '叱智'를 뺀 '毛麻利'는 '못뚝의 우두머리'라는 해석이 가능하므로 堤上과는 상응한다. 이러한 호칭은 지방관의 역할 가운데 기본적 생존자원에 대한 생산수단인 수리권에 대한 지배가 점하는 비중이

459_ 문정식, 『(증보판) 역사 속 세금 이야기』, 세경사, 2012, 61쪽.
460_ 『三國史記』 권45, 朴堤上傳.
461_ 『日本書紀』 권9, 神功 5년 조.

켰던 데서 비롯된 것으로 보인다. 실제 공주 수촌리 고분에서 출토된 살포의 존재는 지방 수장이 곧 관내 수리권의 지배자임을 상징하는 도구였다.

문제는 벽골제의 축조 주체가 되겠다. 기록에 적힌대로 330년 당시 마한에서 벽골제를 初築했다고 하자.[462] 그러면 어떻게 그러한 사실이 『삼국사기』에 수록될 수 있었는지에 대한 해명이 필요해진다. 마한의 운동력은 『삼국사기』 시조왕본기 외에는 그 어디에도 수록된 바 없다. 설령 330년이라는 연대를 존중한다고 하더라도, 엄청난 노동력이 투입될 뿐 아니라 확장 개축이 가능한 벽골제의 속성을 열어두어야 할 것 같다. 백제가 이 지역을 장악한 후에 국가 규모로 벽골제를 증축했을 가능성이다. 특히 저수지라는 수리시설의 축조는, 대규모 노동력에 대한 조직화를 수반하기 때문에 국가 권력 주관 하에 추진된 사업이었다. 저수지와 같은 수리시설 자체는 주민통제 특히 지방세력에 대한 통제수단으로서의 효과가 컸기 때문에 국가는 그것의 관리에 각별한 관심을 쏟지 않을 리 없었다.

이러한 선상에서 백제는 인구조밀 지역이기도 한 비옥한 농경지에 축조된, 이를테면 국영 저수지의 관리와 收取 등에 필요한 통치의 거점을 모색하였을 것이다. 저수지 인근에 城도 축조했을 것이다. 벽골제의 남단인 김제군 부량면과 정읍군 신태인읍의 경계선상에 있는 해발 약 54m의 야산에 축조된 테뫼식 토성은, 벽골제를 방비하고 동진강 하구를 따라 내륙으로 진입하는 적을 차단하는 목적의 방어시설인 동시에 통치 거점이기도 하였다. 이 곳에 파견된 지방관의 힘은 일차적으로 관개농법에 필수적인 수리권의 장악에 연유했음은 두말할 나위 없다.[463] 벽골제를 관장하는 토성은 鳴琴山土城이었다. 이곳은 벽골제와 주변의 농지를 한눈에 장악할 수 있는 요지였다.

이러한 토대에서 백제는 律令을 반포하여 율령국가 체제로 진입하였다. 그러한 근초고왕의 外的 업적으로는 단연 영역확장을 꼽을 수 있다. 그러면 근초고왕이 369년에 몸소 한수 남쪽에서 군대를 크게 사열하면서 모두 황색 기치를 사용한 직접적인 동인은 무엇일까? 이는 全 部兵을 국왕의 군대이자 국가의 군대로 편제시켰음을 의미한다. 그런 만큼 비록 원론적인 단계였을지는 몰라도 武器自

462_ 벽골제와 백제 왕성인 풍납동토성의 판축이 차이가 보이므로 양자는 관련이 없다는 주장도 있다. 즉 벽골제는 백제 중앙과 무관한 마한의 축조라는 것이다. 그런데 몽촌토성과 인접한 풍납동토성의 판축법도 서로 차이가 보인다. 그렇다고 兩者가 백제 축조와 무관하다고 단정할 수는 없지 않은가?

463_ 李道學, 『백제고대국가연구』, 一志社, 1995, 169~176쪽.

그림 24 | 명금산토성에서 바라본 벽골제와 그 주변의 농지

辨에서 벗어나 국가에서 무기를 제공하고 통제하는 단계로의 이행을 뜻하고 있다. 예컨대 화살과 같은 소모성 무기야 말로 전형적인 중앙 공급식 지급 형태였을 것이다. 요컨대 이러한 사실은 근초고왕이 5부의 병권 장악을 알려준다.[464)]

③ 중앙집권화를 위한 조치

4세기 중반 이후 백제의 그칠 줄 모르는 전쟁수행은 정치권력의 집중을 가능하게 하였을 뿐 아니라 획득한 인적·물적자원을 토대로 국왕의 사회·경제적 기반을 강화시켜 주었다. 근초고왕은 토지와 전쟁포로를 포함한 많은 전리품을 소유하게 되어 권력기반을 강화시킬 수 있었거니와 그 賜與를 통하여 권력범위를 확대시키는 게 가능했다. 근초고왕은 왕권의 강화라든지 국가성장과 軌를 같이 하였던 전쟁을 통하여 얻어진 권위를 정치적인 권력축적으로 연결시켰다.

국가사회 발전의 요체로써 기본적 생존자원의 생산과 획득에 대한 통제가 요구된다고 할 때, 백제 또한 무관하지는 않았다. 백제는 여타의 것에 대한 통제보다 더 큰 힘을 제공하는 기본적 생존자원의 '생산수단'을 확보·장악하고자 하였다. 이는 막대한 농업생산력을 수중에 집중시켜 국가유지의 물질적 토대를 마련할 수 있는 관개시설의 축조로 나타나게 되었다. 그리고 근초고왕은 광범위한 정복전쟁의 수행과 승리를 통하여 군사력을 독점함으로써 권력을 한층 강화시켰다. 『삼국사기』 근초고왕 24년(369) 조의 전군 사열에서 황색 깃발을 나부낀 기사는 전 部兵을 국왕의 군대이자 국가의 군대로 편제시켰음을 뜻한다. 이는 무기자변에서 벗어나 국가에서 무기를 제공하고 통제하는

464_ 李道學, 『백제고대국가연구』, 一志社, 1995, 253쪽.

단계로의 이행을 의미하였다. 예컨대 화살과 같은 소모성 무기는 전형적인 중앙 공급식 지급 형태였을 것이다. 백제사상 최초로 국왕이 호족의 군대인 부병을 직접 관장하게 됨으로써 집권적 지배체제의 기반이 마련되었다. 이는 곧 國軍의 탄생을 의미하는 일이기도 했다. 종국적으로 율령을 반포함으로써 집권적 국가체제를 완결시켰다.[465]

근초고왕은 백제의 국가적 통일과 관련해 도량형의 통일을 단행했다. 석촌동 고분군에서 출토된 돌추[石錘]가 주목된다. 이 돌추는 자른 면이 모를 죽인 장방형이고, 네모진 몸체 윗 부분에 구멍이 뚫린 반원형 꼭지가 있다. 물체의 무게를 측정하는 이러한 측량 기구는 돌추 뿐 아니라 尺度를 비롯한 도량형 전체의 통일을 가져왔을 것이다. 도량형의 통일은 중앙집권적 통치질서 확립에 긴요한 요체였다.[466]

율령의 반포는 조직체계의 법제화를 가져왔다. 그리고 畵師와 瓦師를 비롯한 전문기술직이 소속된 여러 관부도 설치되었다. 박사 고흥에 의한 문서 작성(始有書記)의 공식화는 국가제도 전반에 걸친 전문화된 행정기구의 출현과 깊은 관련을 맺고 있다.

(5) 요서경략 기사

만주 지역의 백제가 성장해 가는 과정에서 모용선비는 극복의 대상이었다. 그런 가운데서 양자 간의 군사적 충돌로 인해 백제는 다수의 포로를 발생시켰다. 그렇다고 백제가 모용선비와 격돌만 한 것은 아니었다. 양자 간의 이해 관계와 국제 정세의 흐름에 따라 얼마든지 입장이 바뀔 수 있기 때문이다. 이와 관련해 백제의 요서경략 기사를 주목해 본다. 이 기록의 연원이 되는 『송서』와 『양서』 백제 조의 관련 구절을 다음과 같이 인용해 본다.

* 백제국은 본래 고려와 함께 요동의 동쪽 천여 리에 있었다. 그 후 고려가 요동을 차지하자 백 제는 요서를 차지하였다. 백제가 다스리는 곳을 진평군 진평현이라 했다.[467]
* 백제는 옛날의 來夷로 마한의 무리이다. 晋末에 고구려가 요동의 樂浪을 치자, (백제) 역시 요 서

465_ 李道學, 『백제고대국가연구』, 一志社, 1995, 253쪽.
466_ 李道學, 『살아 있는 백제사』, 휴머니스트, 2003, 137쪽.
467_ 『宋書』 권97, 夷蠻傳, 백제국 조. "百濟國 本與高驪俱在遼東之東千餘里 其後高驪略有遼東 百濟略有遼西 百濟所治 謂之晋平郡 晋平縣"

의 晋平縣을 쳤다.[468]

*그 나라는 본래 고구려와 더불어 요동의 동쪽에 있었다. 晋 때 고구려가 이미 요동을 차지하자 백 제 역시 요서와 진평 2郡의 땅을 차지하고 스스로 백제군을 두었다.[469]

위의 기사를 보면 고구려의 요동경략 기사[470]에 이어 백제의 진평군 설치 기사가 보인다. 백제의 요서경략 시점은 명시되지 않았지만 「양직공도」에서 '晋末', 『양서』에서 '晋世', 『송서』에서도 백제가 설치한 郡名을 晋平郡이라고 했다. 모두 '晋'의 존재가 거론되었다. 백제의 요서경략 기록은 488년에 편찬된 晋의 후신인 劉宋의 역사를 담은 『송서』에 제일 먼저 적혀 있다. 여기서 西晋과 東晋은 후대의 구분일 뿐 당시는 모두 '晋'으로 일컬어졌다. 그렇다고 고구려가 요동의 낙랑을 차지한 시점과 백제가 요서에 진평현을 설치한 시점이 동일하지는 않을 것이다. 고구려가 요동의 낙랑을 친 시점은 313년이었다. 그러므로 '晋末'은 西晋(265~316)과 정확히 부합한다. 그러면 백제가 요서의 진평현을 친 시점은 언제일까? 고구려가 후연을 축출하고 요동을 완점한 시점과 결부 지으면, 백제의 요서경략은 동진(317~420)이 멸망하는 420년을 하한으로 한다. 대략 동진 말인 400년~420년 어느 시점으로 볼 수 있다.

백제의 요서경략 기사는 『양서』를 비롯한 중국 사서에 명백히 적혀 있다. 이와 더불어 백제가 북위와의 전쟁에서 승리한 기록이 『삼국사기』와 중국 정사인 『남제서』에 각각 보인다. 이 기사 역시 유목민족인 선비족이 세운 북위가 바다를 가로질러 백제를 공격했을 리도 없고, 그렇다고 백제가 해상으로 진출해서 북위를 공격했을 것 같지도 않다는 판단하에 오류로 간주되기도 한다. 또는 백제 동성왕이 북위의 앙숙인 南齊의 황제로부터 칭찬받을 목적에서 만들어낸 허위 기록이라는 주장까지 나왔다. 혹은 백제가 북위가 아니라 고구려와 치른 전쟁으로 해석하거나, 고구려 양해 하에 북위군이 육로를 이용해 백제를 침공했다는 기상천외한 해석도 나왔다. 그런데 일반적으로 가장 많이 적시하는 부정론은 北朝系 사서에 요서경략이 없으므로 믿을 수 없다는 것이다. 이러한 논리라면 「광개토왕릉비문」에 적힌 정복전쟁 기사가 『삼국사기』에 없으므로, 부정해야 한다는 주장과 동일하

468_ 「梁職貢圖」"百濟舊來夷 馬韓之屬 晋末駒麗略有遼東樂浪 亦有遼西晋平縣"

469_ 『梁書』 권54, 諸夷傳, 백제 조. "其國本與句驪在遼東之東 晋世句驪既略有遼東 百濟亦據有遼西・晋平二郡地矣 自置百濟郡"

470_ 일반적으로 '요서경략설'로 표기하고 있지만, 학설이 아니라 사료에 보이는 기록을 가리킨다. 그러므로 '요서경략 기사'로 표기하는 게 맞다.

다. 또 예를 든다면 475년에 고구려가 백제 한성을 함락시키고 개로왕을 참살했지만 회군했기에, 한강유역을 지배하지 않았다는 주장과 동일하다. 고구려본기에도 고구려의 한강유역 점령 기사가 없으므로, 한강 이남으로 내려오지 않았다는 주장과 매한가지이다. 『삼국사기』에는 553년 7월에 신라가 백제의 '東北鄙' 즉 '동북 지역'을 취하여 新州를 두었다고 했다. 이때 신라가 비로소 백제의 한강유역을 점령한 게 된다. 그러나 고구려가 세종시나 유성까지 진출한 물증이 나타날 뿐 아니라 지리지 기록에는 아산만까지 행정지명이 깔려 있다. 따라서 기록에 보이지 않으므로 따를 수 없다는 주장도 성립이 되지 않을 뿐 아니라, 다수의 기록이 있음에도 배제하는 주장은 결론을 내려놓고 몰고 간다는 느낌만 준다. 모두 백제의 해상진출을 부정하려는 저의가 담겼다. 더욱이 唐代의 문헌 『通典』에서는 백제가 지배한 구간을 구체적으로 北平과 柳城 사이로 밝혀 놓았다. 그럼에도 요서로 가는 선편의 乘船 인원이 확인되지 않았다는 등 어거지를 쓰고 있다.

기존 주장대로 한다면 '해양강국 백제'라는 말은 구두선이나 메아리 없는 구호에 불과하다는 생각이 든다. 한반도를 공간적 범위로 해서 고구려와 자웅을 겨루던 백제가 무대를 바꿔 요서 지역에 진출하게 된 것은 양국 간의 전쟁과 역학 구도가 국제성을 띠었기에 가능한 일이었다. 「광개토왕릉비문」에 보이는 신라 구원을 명분으로 400년 고구려군 5만 명의 낙동강유역 출병도 기실은 백제의 사주를 받은 왜 세력의 신라 침공이라는 유인책의 덫에 걸린 것이었다.[471] 이때를 놓치지 않고 후연이 고구려의 배후를 기습하여 서쪽 700여 리의 땅을 일거에 약취하고 말았다. 고구려의 낙동강유역 진출은 이로 인해 실패로 돌아갔다. 당시 백제는 왜와 후연과 연계하여 고구려와 신라에 맞서고 있었다. 400년 이후 후연과 고구려는 요동 지역의 지배권을 놓고 사투를 벌였다. 그렇지만 후연은 고구려에게 시종 밀리고 있었을 뿐 아니라 다링하 방면의 숙군성까지 빼앗겼고, 심지어는 지금의 베이징인 燕郡까지 공격을 받았을 정도로 수세에 놓였다. 다급한 후연이 고구려의 앙숙인 백제에 지원을 요청함에 따라 백제군은 요서 지역에 진출해서 고구려의 西進을 막고자 했다. 그런데 그 직후 붕괴된 후연 정권의 후신이자 고구려 왕족 출신인 高雲의 북연 정권은 408년에 고구려와 우호관계를 맺었다. 돌변한 상황에 후연을 지원할 목적으로 요서 지역에 출병한 백제군의 입장이 모호해졌다. 결국 백제군은 기왕에 진출한 요서 지역에 대한 실효 지배의 과정을 밟게 되었다. 그 산물이 요서 지역의 진평군이었다. 그러고 보면 "고구려가 요동을 경략하자 백제는 요서를 경략했다"는 구절은 정

471_ 李道學, 「고구려와 백제의 대립과 동아시아 세계」 『고구려연구』 21, 2005, 369-395쪽.

확한 기록인 것이다. 488년과 490년에 백제가 북위의 기병 수십만의 침공을 격퇴하고 해상전에서 승리한 전쟁은 진평군을 에워싼 전투가 분명하다고 본다. 이러한 점을 고려할 때 요서 지역의 진평군은 북중국을 통일한 북위 정권이 들어선 이후에도 존속했던 것 같다.[472)]

이와 관련해 백제가 북위와 전쟁한 기사를 검토하지 않을 수 없다. 다음과 같은 관련 기사는 백제의 화북 진출이나 요서경략과 관련해 일찍부터 주목을 받아 왔다.

v-1. 魏에서 군대를 보내어 와서 정벌하였으나 우리에게 패했다.[473)]

v-2. 魏가 군대를 보내어 백제를 쳤으나 백제에게 패하였다.[474)]

v-3. 이 해에 魏虜가 또 騎兵 수십만을 동원하여 백제를 공격하여 그 境界에 들어가니 牟大가 장군 沙法名·贊首流·解禮昆·木干那를 파견하여 무리를 거느리고 虜軍을 기습 공격하여 그들을 크게 무찔렀다. 建武 2년(495년 ; 동성왕 17)에 모대가 사신을 보내어 표문을 올려 말하기를 "지난 庚午年(490년)에 獫狁이 잘못을 뉘우치지 않고 군사를 일으켜 깊숙히 쳐들어 왔습니다. 臣이 沙法名 등을 파견하여 군사를 거느리고 역습케 하여 밤에 번개처럼 기습 공격하니, 匈梨가 당 황하여 마치 바닷물이 들끓듯 붕괴되었습니다. 이 기회를 타서 쫓아가 베니 시체가 들을 붉게 했습니다. 이로 말미암아 그 예리한 기세가 꺾이어 고래처럼 사납던 것이 그 흉포함을 감추었 습니다. 지금 천하가 조용해진 것은 실상 사법명 등의 꾀이오니 그 공훈을 찾아 마땅히 표창해 주어야 할 것입니다. 이제 사법명을 임시로 征虜將軍 邁羅王으로, 贊首流를 임시로 安國將軍 辟中王으로, 解禮昆을 임시로 武威將軍 弗中侯로 삼고, 木干那는 과거에 軍功이 있는 데다가 또 臺와 舫을 때려 부수었으므로 임시로 廣威將軍 面中侯로 삼았습니다. 엎드려 바라옵건대 天恩을 베푸시어 특별히 관작을 제수하여 주십시오"라고 하였다.[475)]

백제와 북위와의 전쟁은 "이 해에 魏虜가 또 騎兵 수십만을 동원하여"라고 한 구절의 '又'에서 알

472_ 李道學, 「百濟의 海上活動 記錄에 관한 檢證」『2010 세계대백제전 국제학술회의』, 세계대백제전조직위원회, 2010, 322~325쪽.

473_ 『三國史記』권26, 동성왕 10년 조.

474_ 『資治通鑑』권136, 永明 6년 조

475_ 『南齊書』권58, 동이전 백제 조.

수 있듯이 490년 이전에 이미 있었다. 이는 바로 v-1과 v-2의 永明 6년(488)에 있었던 전쟁을 가리킨다고 보면 지극히 자연스럽다. 그런데 v-1과 v-2의 '騎兵 수십만'의 동원과 v-3의 경오년(490)에는 "시체가 들을 붉게 하였습니다"고 한 만큼 육상전으로 보일 수 있다. 그런데 v-3에서 백제군 장수들의 전공에 "舫을 때려 부수었다"고 하였으므로 육상전과 해상전의 배합을 헤아릴수 있다. 이와 관련해 백제군이 때려부순 '壘'는 영토안의 접경 지역이나 해안 지역의 감시가 쉬운 곳에 마련한 초소라는 점과 舫의 파괴와 연계되어 있다. 이러한 점에 비추어 볼 때 백제는 육상에서 북위군의 공격을 받았지만, 壘와 舫을 때려부술 정도로 역습에 성공했다고 하므로, 戰場은 북위 연안에서의 상륙전을 가리킬 수 있다. 그렇다고 한다면 여기서 북위군 '騎兵 수십만'이 당초 침공해 온 백제 영역은 북위와 陸續된 요서 지역으로 지목하는 게 자연스럽다.[476)]

진평군의 소멸 시기는 연구 과제로 남았다. 그렇지만 우리나라 역사상 최초의 해외파병이었던 백제의 요서 진출은 우리 역사 무대의 공간적 범위가 한반도를 뛰어넘었을 정도로 국제성을 지녔다. 더불어 해양강국의 위용을 확인시켜 주었다는 점에서 의미가 크다. 아울러 지금까지의 검토를 통해 4세기 중엽 경 백제와 선비는 대립과 갈등 관계였지만, 후연 말경에는 고구려에 공동 대응하는 우호적인 관계로 발전했다. 이러한 선상에서 백제는 요서 지역에 진출해서 실효 지배의 과정을 밟게 되었던 것이다. 그 뒤 백제는 선비를 族源으로 하는 북위와 요서 지역의 지배권 유지를 에워싸고 갈등을 빚었다. 그렇지만 고구려의 군사적 압박에 고전하던 백제는 472년 후연에 군사적 지원을 북위에 요청한 바 있다. 그리고 5세기 말경에 백제는 요서 지역의 지배권을 둘러싸고 북위와의 전쟁에서 승리하였다. 이렇듯 백제의 기원과 성장에서 鮮卑는 갈등과 우호 그리고 반목을 거듭했던 존재였다.

백제는 그러나 모용선비의 마구류를 비롯한 우월한 군사 물자를 획득함으로써 한반도내에서의 마한 장악과 낙동강유역 진출, 그리고 고구려와의 전쟁에서 다대한 성과를 거둘 수 있었다고 본다. 이 점 백제가 모용선비와의 관계에서 얻은 일종의 선물인 셈이다.

(6) 한성 후기와 개로왕대, 도림 기사의 재검토

고구려와 공방전을 전개하던 근구수왕대 이후 백제 왕권은 극심한 동요를 보였다. 진사왕(재위:

476_ 이상의 서술은 李道學, 「百濟의 海外活動 記錄에 관한 檢證」『충청학과 충청문화』 11, 충청남도역사문화연구원, 2010, 325~326쪽에 근거하였다.

385~392)・아화왕대(재위: 392~405)에는 왕비족인 眞氏가 병권을 장악하였다. 그 뒤를 이은 전지왕대(재위: 405~420)에는 즉위에 공을 세운 解氏가 병관좌평을 맡았다. 왕실의 외척 세력이 병권을 장악했음은 권력의 실질적인 한 軸을 장악했음을 뜻한다. 그러므로 부여씨-진씨(해씨)와의 공동정권으로 운위해도 크게 어긋나지 않는다.

백제의 위기는 396년에 고구려의 공격을 받아 미추성(인천)과 충주를 비롯한 남한강 상류 일대를 상실한 데부터 비롯되었다. 고구려가 생필품인 소금 공급과 관련한 한강 하구를 틀어쥐었기 때문이다. 게다가 남한강을 이용해 백제의 수도로 공급했던 유수한 제철산지가 소재한 충주까지 장악당했기 때문이었다. 백제로서는 생명줄과 같은 한강 수로를 이용할 수 없는 상황에 직면한 것이다. 백제가 중국에 사신을 보낼 때도 경기도 화성의 당항성을 이용해야 하는 불편함이 따랐을 수 있다.

한성 후기에는 사냥터에서의 정변이 보이는 등 내분이 격화되었다. 이러한 선상에서 비유왕(재위: 427~454) 역시 정변에 의해 희생된 것으로 추정되고 있다. 그러한 비유왕을 이은 개로왕의 즉위 과정 역시 순탄하지만은 않았다. 그 같은 가능성은 다음과 같은 점에서 유추가 된다. 즉 『삼국사기』 개로왕기는 수상하게도 14년 이전의 기록이 공백이었다. 이 공백 기간의 정치적 상황을 알길이 없으나 어느 정도 유추는 가능하다. 한성 함락 후 개로왕을 포살한 고구려 장수 재증걸루와 고이만년은 본시 백제인이었으나 죄를 얻고 고구려로 도망했다고 한다. 이 두 사람이 고구려로 망명한 구체적인 사건은 알 수 없으나 개로왕 즉위 초 정변과 관련 있을 수 있다. 선왕의 능묘가 제대로 조영되지 못한 채 개로왕 재위 상당 기간 동안 방치된 사실도 무언가의 큰 변동을 지닌 급박한 상황에서 개로왕이 즉위했음을 생각하게 한다. 그리고 『삼국유사』와 『일본서기』에서는 이례적으로 비유왕과 개로왕 간의 혈연관계가 명시되어 있지 않다. 이 점도 양자 사이에 어떤 문제가 게재된 것으로 의심을 갖게 해준다.

개로왕이 정변을 통해 즉위했다면 지배 세력 내의 서열이나 세력 균형에도 일정한 변화가 수반되었을 법하다. 이는 『송서』의 기록을 통해 어느 정도 유추가 가능하다. 『송서』에 의하면 개로왕은 즉위 3년인 457년에 유송으로부터 진동대장군을 제수받았다. 이듬해에 개로왕은 그 신하 11명에 대한 관작을 요청하여 장군호를 제수받게 했다. 장군호를 제수받은 11명의 귀족 가운데 8명이 부여씨 왕족이고 나머지 3명은 이와는 성씨가 다른 귀족이다. 8명의 왕족 가운데 征虜將軍 左賢王 餘昆과 輔國將軍 餘都는 모두 왕의 아우인 곤지와 문주로 각각 밝혀진 바 있다. 근친 왕족들이 고위급 장군호를 대거 제수 받았지만, 실제적인 의미가 없는 의례적인 작호에 불과한 것은 아니다. 왜냐하면 여도 즉, 문주가 보국장군의 장군호를 제수 받았음은, 개로왕이 즉위하자 국정을 보좌하여 벼슬이 상좌평까지 올랐다는 『삼국사기』 기록을 뒷받침해 주기 때문이다.

그리고 『송서』의 장군호 제수 기록은 권력구조가 왕족 중심으로 개편된 사실을 가리킨다. 왕족을 제외한 異姓 귀족 3명 중에도 비유왕대까지 실권을 쥐었던 해씨나 진씨 세력이 한 명도 보이지 않고 있음은, 결코 우연한 일이 아니라고 생각된다. 왕족인 여신이 사망하자 상좌평을 승계한 이는 解須였다. 그러했을 정도로 정치나 군사권이 해씨에게 집중된 것이 비유왕대였다. 이에 반해 개로왕의 즉위로 해씨가 장악했던 상좌평직이 왕의 아우인 문주에게 돌아갔다는 사실은 권력구조의 중대한 변화를 뜻한다. 개로왕의 즉위로 인한 권력구조의 변화는 병권의 행방을 확인함에 따라 그 면모가 드러난다.

종래 왕권이 약화되었을 때마다 왕비족이 장악해 왔던 직책은, 권력 분담의 산물인 병권이었다. 그런 만큼 병권의 향방은, 실질적인 권력의 소재를 가리켜 주는 일종의 나침반과 같은 것이었다. 그러한 병권을 개로왕대는 왕족이 장악하였다. 이와 관련해 유송으로부터 곤지가 제수받은 '정로장군 좌현왕' 직이 주목된다. 흉노나 돌궐의 직제에 나타나는 좌현왕은, 군왕의 후계자로서의 자격을 지닌 동시에 병권을 장악한 위치였다. 게다가 『일본서기』에서 곤지를 軍君으로도 표기하였다. 軍君이라는 별칭은 字義上 병권의 장악과 관련 있는 좌현왕이라는 곤지의 직책과 부합되고 있다. 그러므로 곤지가 병권을 장악했음을 뜻한다고 보겠다. 더구나 좌현왕은 전통적으로 영역의 동방을 관장하는 직책이었다. 그러므로 곤지는 對倭 관계를 통섭하는 위치에 있었음을 생각하게 한다. 요컨대 곤지의 대왜 파견이 고구려의 남진 압박에 공동 대처하기 위한 군사적 목적이 다분한 점을 상기한다면, 이는 곤지가 병권의 책임자인 사실과 무관하지 않았음을 알려준다.

개로왕 정권의 2인자인 곤지는 정로장군 좌현왕으로 『宋書』에 등장하고 있다. 그에 대한 기재가 11명의 제수 귀족 가운데 2번째로 적혀 있으니 백제에서는 우현왕이 좌현왕보다 높은 지위라는 주장이 제기되었다. 그러나 백제 역시 좌현왕이 우현왕보다 높은 직위임을 입증했다. 우현왕 餘紀는 대중국 관계를 관장한데다가 太子였기에 제수 귀족 중 맨 앞에 대표격으로 적힌 것으로 파악되었다. 軍君이라는 별칭에 걸맞게 곤지의 渡倭 목적은 請兵에도 있었다. 동시에 일본열도 내 백제 귀족들의 경제적 기반을 흡수해서 왕권을 강화하려는 데 두었다. 곤지의 渡倭를 추방설의 입장에서 보는 견해를 부정한 것이다.

이렇듯 개로왕의 즉위로 정치와 병권을 왕족이 모두 장악하였다. 한편, 유송으로부터 제수받은

11명의 귀족 가운데 해씨나 진씨와 같은 유력 귀족들이 보이지 않는 것도 눈길을 끄는 현상이다. 이 사실은 곧 지배체제 내의 서열이나 세력 균형에 중대한 변화가 발생했음을 알려 준다. 의례적인 표현으로 돌릴 수도 있겠지만 그 제수 요청의 명분을 '忠勤의 顯進'에 둔 사실은 개로왕의 지배체제 확립과 무관하지 않다. 그런데 개로왕이 지배체제를 확립하고자 하는 노력은 지배 세력 간의 갈등을 격화시켰다. 왕권과의 대결에서 패배하거나 숙청 혹은 반감을 지닌 세력 가운데는 고구려로 이탈하는 자들도 생겼다. 한성이 함락된 후 백제에서 망명한 고구려 장수들이 개로왕을 포획하여 가혹하게 복수하는 데서 짐작된다. 요컨대 개로왕 재위 초기에 왕 또는 장군호를 제수받은 왕족이 다수 출현하였음은 개로왕의 친위체제 구축을 뜻한다. 이 점은 南齊로부터 신하들이 王·侯·太守 등의 작호를 제수받은 동성왕 대와 마찬가지 상황으로 볼 수 있다. 그러면 백제 왕 이 외에 왕·후 등의 칭호를 갖는 세력이 다수 나타났음은 무엇을 의미할까? 어떤 논자가 당초 주장했듯이 왕권의 귀족 세력에 대한 통제력의 약화를 의미하지는 않는다. 오히려 백제 왕의 지위가 왕·후들 위에 군림하는 이른바 '대왕'으로 격상된 사실을 나타내 준다.

근초고왕 대에 확립된 대왕권은 개로왕 대에도 대왕의 정치적 지위의 확립을 전제로 한 왕족 간의 신분적 서열의 정비를 뜻하는 '大后'의 존재를 통해서도 확인된다. 한성 함락 관련『일본서기』기사 가운데『백제기』를 인용한 "국왕 및 대후와 왕자 등은 모두 적의 손에 몰살당했다"라는 문구에서 대후의 존재가 보인다. 이처럼 개로왕 대에 확립된 대왕권은 백제 말기까지 유지되었다. 의자왕 대에 '小王' 또는 '外王'의 존재가 금석문이나 문헌에서 보이기 때문이다.

왕족 중심의 지배체제를 통하여 개로왕은 대왕권을 확립시켰다. 대왕권은 왕권이 귀족권을 압도함으로써 성립될 수 있었다. 그 성립 과정에서 국왕이 모든 귀족 세력을 상대로 대립할 수도 없는 노릇일 뿐 아니라 가능하지도 않다. 게다가 전대 왕권이 실추되어 있는 상황에서 갑자기 개로왕이 부상하여 힘을 쓸 수는 없었다고 하겠다. 개로왕은 왕권을 강화시키기 위해 누대의 귀족인 해씨나 진씨가 아닌 특정 세력의 힘을 빌었다고 보인다. 이와 관련해 유송으로부터의 제수귀족 가운데 이성귀족 중 제1위로 부상된 용양장군 沐衿이 주목된다. 목금의 '沐'씨는 다름 아닌 문주왕을 보필하여 웅진 천도에 공을 세운 목려만치의 그 목씨로 간주되므로, 구이신왕대부터 두각을 나타낸 목씨가 개로왕 즉위와도 관련 되었을지도 모른다. 목씨 세력이 해씨나 진씨에 대한 견제 세력으로 내세워졌을 가능성을 배제하기 어렵다.

개로왕은 지배체제의 쇄신을 통해 대왕을 정점으로 하는 강력한 왕족 중심의 지배체제를 구축하였다. 이와 관련해 472년에 북위에 파견된 冠軍將軍·駙馬都尉·弗斯侯·長史 餘禮를 주목할 필요가 있다. 여례는 부마도위 즉, 왕의 사위임에도 '餘氏' 다시 말해 扶餘氏를 칭하였다. 얼핏 이는 부여씨 간의 근친혼을 연상하기 쉽다. 그러나 부여씨 백제 왕족은 2개의 왕실로 나누어진다고 보이므로 餘禮는 이전 왕실의 부여씨로 보겠다. 개로왕은 근친왕족들 뿐 아니라 범부여씨 왕족 간의 혼인과 요직에의 중용을 통해 친위체제를 구축했던 것이다. 그럼에도 불구하고 지배 세력 간의 갈등이 내연할 소지는 여전히 잠복하고 있었다. 그러므로 개로왕은 그것에 대한 해소 방안을 적극적으로 마련하지 않을 수 없었다. 그러한 노력은 권력 집중의 한 전형일 뿐만 아니라 왕권 확립의 가시적 효과도 기대할 수 있는 대규모 토목공사로 표출되었다.[477)]

『삼국사기』 개로왕 21년 조 말미에 적힌 도림 기사는 내용 분석 결과 『삼국사기』 도미전과 내용이 연결되는 것으로 밝혔다. 양자는 설화적인 서술일 뿐만 아니라 개로왕대와 한성 일원을 시간과 공간적 배경으로 공유하고 있다. 그리고 내용은 개로왕이 간첩승과 아녀자의 꾀임에 빠지는 우둔한 군주라는 것이다. 또 그로 인해 국정을 파탄에 빠뜨리고 한성을 상실했으며, 자신도 패사했다는 일종의 교훈적인 내용으로 귀결되고 있다. 이러한 도림 기사는 戰國時代 蘇秦의 典故와 흡사하다. 도미전은 『데카메론』의 내용과 흡사한 구성으로 되어 있다. 이 같은 사실은 典故가 있는 흔한 사례들인 관계로 典故에 기초한 허구의 산물일 가능성이 높다. 양자의 내용은 8세기대 한산주도독으로 부임해 와서 이 지역의 풍물과 지리·전설을 담았을 김대문의 『한산기』에 수록된 것으로 밝혀졌다. 따라서 도미 이야기에 보이는 編戶小民의 노비 소유에 기초한 사회 발전 단계 추정은 의미가 없다.[478)]

도림 기사를 개별적으로 분석해 보더라도, 도림의 부추김으로 대규모 토목공사가 단행되었다는 주장은 개로왕대의 시대적 환경과 부합되지 않는다. 개로왕은 과감한 숙청 작업을 통해 집권한 군주일 뿐 아니라 王 中의 王인 대왕권 체제를 구축하였다. 이 같은 강력한 왕권을 구축하기 위한 작업의 일환으로서 개로왕은 토목공사를 단행한 것이었다. 이는 역사적 사례와도 정확히 부합된다. 더욱이 제방 축조는 일반 주민들에게 혜택이 돌아가는 관계로 민심 이반보다는 민심을 결집시키는 요인이 되었다는 게 정확한 평가일 것이다. 혹자는 도림이 470년 경에 백제로 망명하여 토목공사를 부추겼고, 심지어는 472년에 북위에 보낸 국서까지도 그가 작성했다고 했다. 그런데 이 국서에 보면 당시

477_ 李道學, 「漢城 後期의 百濟王權과 支配體制의 整備」 『百濟論叢』 2, 백제문화개발연구원, 1990, 281~312쪽.

478_ 李道學, 「漢城末·熊津時代 百濟 王位繼承과 王權의 性格」 『韓國史硏究』 50·51合輯, 1985, 7쪽.
李道學, 「<三國史記> 道琳記事 檢討를 통해 본 百濟 蓋鹵王代의 政治」 『先史와 古代』 27, 2007, 27~56쪽.

백제는 고구려와의 전쟁으로 재정이 파탄지경에 빠져 있었다. 그런 관계로 백제는 토목공사를 단행할 여유도 없을 뿐 아니라 그런 발상 자체도 나오기 힘든 현실이었다. 고구려의 계속되는 군사적 압박으로 곤경에 처한 개로왕은 절박한 심정으로 북위에 군사적 지원을 요청하고 있었기 때문이다.

3) 웅진성 도읍기

(1) 2세대 63년 간

백제는 지금의 공주 땅인 熊津城에 새로운 국가의 터전을 급히 마련하였다. 『개로왕의 아우인 문주왕은 신라의 지원을 받아 즉위했다. 백제는 고구려 수군의 해상로 차단으로 인한 국제적 고립에 빠질 수 있는 위기 상황이었다. 백제 조정의 실권자인 내신좌평 곤지가 피살된 후, 문주왕 역시 병관좌평 해구에게 살해되었다. 그럼에 따라 국왕이 없는 空位 상황이 발생하였다. 이때 백제 왕실을 지탱해 준 세력이 眞氏 가문이었다. 진씨 세력은 해구 세력을 제압한 후 사망한 문주왕의 아들인 13세의 삼근을 옹립하였다. 그러나 삼근왕은 재위 3년만에 사망했다.

『삼국사기』 상 한성 말기부터 웅진성 도읍기 백제 왕계의 오류가 적출되었다. 「무녕왕릉 매지권」을 통해 『삼국사기』의 신빙성이 높아졌다고 환호했지만 그 반대로 해석할 여지가 높아졌다. 일례로 무녕왕은 동성왕의 2子라는 『삼국사기』 기록과는 달리 곤지의 子로 지목하는 게 타당해졌다.[479] 그리고 구이신왕과 비유왕도 父子 관계가 아니라 兄弟 관계로 밝혀졌다. 아울러 개로왕과 문주왕, 그리고 곤지라는 3형제의 관계도 선명하게 드러났다. 그럼에 따라 격동의 시기인 한성 도읍기 말기부터 웅진성 도읍기 백제 정치 세력의 변동 관계가 새롭게 밝혀지는 전환점이 되었다.[480] 참고로 무녕왕을 에워싼 계보상의 오류는 이도학이 최초로 밝혔다.[481]

「무녕왕릉 매지권」을 단서로 분석한 결과 한성말·웅진성 도읍 초기 백제 왕계의 오류가 밝혀졌

479_ 본 논문의 성립 과정은 이도학, 「백제 무녕왕과의 인연」『누구를 위한 역사인가』, 서경문화사, 2010, 62~68쪽에 상세하게 보인다.

480_ 李道學, 「百濟 王系에 對한 異說의 檢討」『東國』 18, 東國大學校 校誌編輯委員會, 1982, 164~178쪽.
李道學, 「漢城末·熊津時代 百濟 王系의 檢討」『韓國史硏究』 45, 1984, 1~27쪽.

481_ 이에 대한 상세한 내용은 다음의 글을 참조하기 바란다.
李道學, 「백제 무녕왕과의 인연」『한국전통문화학보』 56, 한국전통문화대학교 학보사, 2009. 5.15 ; 『누구를 위한 역사인가』, 서경문화사, 2010, 62~68쪽.
李道學, 「동악에서 맺은 인연들」『동국대학교 사학과 창립 70주년 기념 기억모음집』, 동국대학교 사학과총동문회, 2016, 148~165쪽.

다.[482] 그로 인해 국난기였던 웅진성 도읍기의 정치적 역학관계도 새롭게 조명받았다. 우선 문주왕의 피살과 삼근왕의 短命 직후 즉위한 동성왕의 즉위 배경은 倭 세력과 백제 조정 眞氏 세력의 결탁이 있었기에 가능한 일이었다. 그러한 동성왕은 일본열도에 세력 기반을 구축한 곤지의 第2子로 알려졌다. 곤지가 河內飛鳥 일대에 기반을 구축한 사실은 이도학이 밝힌 바 있다.[483] 그런데 곤지의 5子 중 동성왕이 옹립된 배경에 대해서는 무녕왕은 庶子인데 반해 동성왕은 嫡子로 간주했다. 그리고 동성왕은 문무겸비한 총명한 인물이었기 때문에 백제 중흥에 적임자라는 현실 판단에 기인했다는 주장이 제기되었다.

그러나 옹립은 국왕 후보자의 총명 보다는 지원 세력의 이해득실이 1차 요인임은 두말할 나위 없다. 동성왕의 경우도 타국인 왜국에서 거주한데다가 유년이었다. 동성왕은 국내 실정에 어둡고 다루기 용이한 연령이었다. 이것이 동성왕 옹립의 주된 배경이었던 것으로 간주하는 게 타당할 듯하다. 이와 더불어『일본서기』에서는 479년 4월에 동성왕이 귀국했다고 적혀 있다. 이때 귀국한 동성왕은 그해 11월에 삼근왕을 죽이고 즉위했다는 주장이 제기되었다. 그러나 삼근왕이 479년 4월 이전에 사망함에 따라 동성왕이 옹립되어 귀국한 것이다. 그런데 환국한 동성왕이 즉각 즉위할 수 없는 변수가 도사리고 있었다. 해씨 잔당과 남천 귀족 일부가 곤지의 다른 왕자를 옹립하여 저항했던 것 같다. 그러한 왕위계승 분쟁을 정리하고 동성왕이 즉위한 시점이 479년 11월이었다. 그런데 칭원법과는 무관하게 삼근왕 사망과 동성왕 즉위 간의 공백을 메워 동성왕 즉위의 흠결을 없애려고 했다. 삼근왕의 사망을 479년 11월로 설정한 배경으로 밝혀졌다.[484]

실권 귀족인 진씨 세력은 왜에 체류하고 있던 곤지의 어린 아들 牟大를 귀국시켜 옹립하였다. 동성왕이 되는 牟大는 혼인동맹으로써 신라와 함께 고구려의 남진을 한층 효과적으로 막아 나갔다. 동성왕은 沙氏를 비롯하여 苩氏 · 燕氏 등 금강을 중심으로 한 토착 세력을 대거 등용시켰다. 이는 동성왕이 특정 귀족의 권력 독주를 막기 위해 다양한 세력을 기용한 것이다. 즉 귀족들 간의 상호 견제와 대립을 통해 왕권을 강화시키려고 한 조치였다. 동성왕은 무진주까지 진군하여 탐라의 조공을 받아냈을 정도로 정치적 영향력을 강화하고 확대시켜 나갔다. 이처럼 동성왕은 내적으로도 강력한 왕권체제를 구축해 나갔지만, 귀족들의 불만과 반발을 야기시켰다. 결국 동성왕은 사냥 나갔다가

482_ 李道學,「百濟 王系에 對한 異說의 檢討」『東國』18, 東國大學校 校誌編輯員會, 1982, 164~178쪽.
483_ 李道學,「漢城末 · 熊津時代 百濟 王位繼承과 王權의 性格」『韓國史硏究』50 · 51合輯, 1985, 13~14쪽.
484_ 李道學,「東城王의 卽位 過程에 대한 再檢證」『白山學報』91, 2011, 81~105쪽.

가림성주 백가가 보낸 자객에 의해 피살되고 말았다.

* 11월에 웅천 북쪽 들판에서 사냥을 하였다. 또 사비 서쪽 들판에서 사냥하다가 큰 눈에 막혀 마포촌에 묵었다. 처음에 왕이 백가에서 가림성을 진수하게 하였지만 가지 않으려고 병을 말했다. 왕이 허락하지 않자 이로써 왕을 원망하였다. 이에 이르러 사람으로 왕을 찌르게 했다. 12월에 이르러 왕이 돌아갔다. 시호를 동성왕이라고 했다.
* 봄 정월에 좌평 苩加가 加林城에 의거하여 반란을 일으켰다.

501년 11월에 동성왕은 가림성주 백가가 보낸 자객의 칼에 찔려 중태에 빠졌다가 12월에 운명했다. 502년 1월에 백가가 반란을 일으켰다. 반란을 일으킬 때 백가는 좌평이었다. 부임하지 않으려고 했던 백가는 동성왕 피살 후 좌평으로 복귀한 것으로 보인다. 이러한 사건의 흐름에 비추어 볼 때 백가의 반란은 돌연하다는 인상을 준다. 추측하자면 백가가 옹립한 왕족이 따로 있었던 것 같다. 백가는 많은 귀족들이 옹립한 무녕왕을 수용할 수 없었기에 적극 저지하고자 했을 가능성이다. 그럼에도 수용되지 않고 무녕왕이 즉위한 데 대한 반발로서 반란을 일으킨 것 같다. 백가는 곤지계가 아닌 문주왕 후손 즉 삼근왕의 아우를 옹립했을 가능성이다. 무녕왕계 적통론은 백가가 동성왕을 살해한 데 대한 일종의 명분이 될 수 있다고 판단한 것 같다. 아울러 자신의 안전을 도모하기 위한 조치로도 보인다.

아니면 가림성주 백가의 반란을 진압한 후에 40세의 연만한 연령의 무녕왕이 옹립되었을 수 있다. 무녕왕은 『삼국사기』에는 동성왕의 아들로 적혀 있지만 곤지의 아들이 맞다. 그는 곤지가 왜로 가는 도중에 후쿠오카 북쪽 바다인 가카라시마(各羅嶋)라는 섬에서 출생하였다. 그랬기에 '섬'을 일컫는 斯麻라는 이름을 얻게 되었다고 한다. 참고로 무녕왕과 동성왕의 아버지가 되는 곤지에 관한 언급이 필요할 것 같다. 곤지는 458년 중국 남조정권인 劉宋으로부터 왕족을 포함한 11명의 백제 귀족 가운데 가장 높은 征虜將軍 左賢王을 제수받은 바 있다. 그는 당시 개로왕 정권의 兵權을 장악한 세력가였다. 좌현왕은 흉노와 같은 유목국가에 등장하는 직제로서 동방인 왜와 관련된 사안을 관장하였다. 실제 그는 461년에 고구려의 남진 압박에 왜와 공동대처하기 위한 군사 협력관계로 일본열도에 건너간 이후 지금의 남부 오사카인 가와치 아스카(近飛鳥) 지역을 개척하여 근거지로 삼았다.[485] 그러한 곤지의 아들이 무녕왕이었다.

백제가 망하다시피한 상황을 몸소 체험했던 무녕왕은 무엇보다도 군사력 배양과 실지 회복에 비상하게 힘을 쏟았다. 무녕왕은 왕권의 안정을 위해서는 주민 생활에 직접 영향을 미치는 농업 경제에 비상한 관심을 투사했다. 백제는 중국 남조의 梁과 그리고 일본열도의 왜와의 관계를 긴밀히 하였다. 梁은 선진 문물의 섭취 창구로서, 또 국왕의 위상 확립에 있어서 긴요한 대상이었다. 아울러 사비성 천도 작업도 이 무렵에 진행된 것으로 보인다.

(2) 馬韓 殘餘故地 前方後圓墳의 성격

웅진성 도읍기의 가시적 현상 가운데 하나가 外系 墓制의 등장이다. 무녕왕릉과 송산리 6호분으로 대표되는 중국 南朝 계통 전축분과 마한 고지에 倭系 전방후원분이 조성되었다. 백제가 채용한 양대 묘제의 대상국은 가장 긴밀한 관계를 유지해야할 1차 대상이었다. 묘제를 통해 백제가 직면한 내우외환을 타개하기 위한 방편으로 각별히 중시한 남조 정권과 왜의 존재가 드러나게 된다.[486]

한반도 서남부 지역에서 확인된 고대일본의 표지적 묘제인 전방후원분 피장자에 대해서는 많은 논의가 있었다. 그럼에도 그 성격 구명에는 공감대를 이끌어내지 못한 감이 없지 않았다. 더불어 전방후원분이 소재한 공간 이해가 부족했다는 인상을 받았다. 이곳은 노령산맥 이북과 영산강유역, 그리고 해남반도에 이르는 3개 권역으로 나누어진다. 그런데 전방후원분이 소재한 구간은 369년에 백제 근초고왕이 금강을 건너 평정한 마한 잔여 지역이었다. 이때 백제군은 왜군과 합동작전으로 이 지역을 석권한 것으로 알려졌다. 바로 그러한 유서 깊은 공간에 왜계 전방후원분이 조성되었다. 이 점은 그 피장자의 성격을 암시해주는 단서가 될 수 있다. 이와 더불어 전방후원분의 조성 시점이 백제사에서 간난기인 6세기 전반이라는 사실은 주목을 요한다.

475년에 한성이 함락되고 웅진성 천도를 단행한 백제는 고구려의 군사적 위협에서 벗어나는 일이 현안이었다. 동성왕이 왜에서 귀국하여 즉위할 때 왜병 5백 명이 衛送했다. 이 숫자는 전지왕이 왜에서 귀국할 때 따라온 왜병 1백 명 보다 무려 5배나 많은 숫자였다. 여기서 전방후원분 피장자들이 활약했던 5세기 말~6세기 초엽에 비상시국을 맞은 백제에 큰 버팀목이 되었던 세력이 倭였음을

485_ 李道學,「漢城末・熊津時代 百濟 王位繼承과 王權의 性格」『韓國史硏究』50・51合輯, 1985, 14쪽.
486_ 李道學,「馬韓 殘餘故地 前方後圓墳의 造成 背景」『東아시아古代學』28, 2012, 169~203쪽.

알 수 있다. 당시 동성왕은 이탈해간 지방 세력을 흡수하는 작업을 병행하였다. 그 작업의 일환으로서 과거 백제와 왜 간의 공동작전의 성과이기도 했던 마한 殘餘故地에 왜인들을 분봉하였다. 이때 분봉된 왜인들은 369년에 백제가 이곳을 점령할 때 활약했던 倭將과 韓婦 사이에 출생한 후예이거나 백제와 관련을 맺은 가문으로 확인되었다. 곧 전방후원분 피장자들은 백제와 연고를 맺고 있는 왜인들이었다.

6세기 중엽 경에 백제 조정에는 왜계 관인들이 등장한다. 백제인과 왜인들이 두 조정에 모두 속해 있는 경우들이다. 이러한 兩屬體制의 연원은 근초고왕과 왜장 간의 벽지산과 고사산 誓盟에서 연원을 찾을 수 있다. 그 즉시 양국은 공조체제를 갖추었다. 그 첫번째가 마한 평정 군사작전이었고, 그 두번째는 백제에서 왜로의 박사 파견이 된다. 전자는 倭에서 백제로 파병된 것이요, 후자는 백제에서 왜로의 학자 파견이었다. 이 사실에서부터 양속체제의 실마리를 잡을 수 있다. 이후 백제는 五經博士나 瓦博士와 같은 기술직 박사를 3년 교대로 왜에 파견하였다. 요컨대 근초고왕대 이래 백제와 왜는 공동의 이익을 위해 지속적으로 운명을 함께 하는 관계를 구축하였다.

백제도 6세기 중엽에 官人을 왜에 파견한 사실이 확인되었다. 이는 왜계 관인이 백제에서 활약한 사실과 연관 짓게 된다. 6세기 중엽까지 백제는 한수유역을 점유하고 있던 고구려를 몰아내고 고토를 회복하는 일이 숙원이었다. 한성 함락이라는 비상시국과 고토회복이라는 숙원 사업 속에서 백제와 왜는 이해가 일치하였다. 왜왕 武의 상표에서 보듯이 왜는 고구려의 위협을 심각하게 받아들이고 있었다. 이때 백제와 왜는 고구려의 군사적 위협에 공동 대응하는 상황에서 일종의 양속정권적 비상체제를 강화하였다. 그랬기에 백제와 왜간의 관인들이 상호 왕래하여 상대국 조정에 배치될 수 있었다. 나아가 백제는 지방 지배를 완료하는 소기의 성과를 거두고 方·郡·城制라는 전면적인 지배 방식으로 전환하였다. 이와 맞물려 백제는 분봉했던 왜인들을 조정의 관인으로 전환시켰다. 즉 왜인들을 중앙관료화시켰던 것이다. 그런데 회복한 한수유역을 신라에 침탈당하고 양속정권의 한 軸이었던 성왕의 전사와 맞물려 그 성격은 쇠퇴하고 말았다.

문제는 백제와 왜 간의 양속체제의 배경이다. 여기에는 종래 운위되었던 외교나 협력 관계만으로 설명할 수 없는 부분이 있었다. 왜계 관인이 백제 조정의 관료로 활약한 것과 마찬 가지로 백제에서도 왜 조정에 관인을 파견했기 때문이다. 이와 더불어 倭 朝廷 핵심 지역에 '百濟' 국호가 大宮을 비롯한 상징성이 큰 지역에 자리잡았다. 게다가 왜왕의 혈통에도 백제 왕실과의 관련성이 엿보이고 있다. 그렇다면 백제와 왜 간의 官人 교환은 현상만 놓고 양속체제라고 한 느낌이 든다. 유례가 극히 드문 이러한 사례의 본질은 연합정권적 성격을 가리키는 증좌일 수도 있다.

(3) 웅진의 토착 세력 문제 -- 수촌리 세력의 苩氏說 검토

웅진성으로 천도하기 전에 공주에는 어떤 세력이 존재하고 있었을까? 이와 관련해 木氏나 苩氏를 지목하기도 한다. 먼저 목씨의 경우는 문주왕의 南遷에 함께 했지만, 가문은 임나 문제에 관여하였다. 그러므로 목씨 가문의 세력 기반을 공주 수촌리와 연관 짓기는 지리적으로 근사점이 보이지 않는다. 한편 백씨를 수촌리 지역과 연관 짓는 立論은 대략 다음에 근거하고 있다. 즉 苩氏는 大姓 8族의 하나인데, '苩'이 웅진의 '熊'을 표시하는 '狛' 혹은 웅진을 흐르는 錦江의 별명인 白江의 '白'과 관계가 있으므로 웅진 지역을 기반으로 한 세력으로 지목했다. 여기서 苩氏의 경우를 熊津 지역과 연관 짓는 근거로서, 白江의 '白'을 웅진과 관련시키고, 백씨 가문의 苩加가 왕의 최측근인 위사좌평이라는 데 두었다.

그런데 白江은 공주 지역 뿐 아니라 부여 지역도 통과하는 지금의 금강을 가리킨다. 공주와 관련된 백제 때 금강 이름은 白江이 아니라 기실 熊水 혹은 『삼국사기』 동성왕 13년 조에 명확하게 적혀 있듯이 熊川이라고 하였다. 즉 "6월에 웅천의 물이 불어서 王都의 200餘 家가 漂沒되었다"라고 했다. 여기서 白江의 '白'의 訓讀은 '사뵈'이다. 그러므로 白江은 곧 泗沘江을 가리키며 지금의 부여 지역을 통과하는 강을 가리키고 있다. 이러한 사실은 무녕왕이 부여 임천면에 소재한 가림성의 성주 苩加의 반란을 진압한 후 그 시신을 白江에 던졌던 데서도 뒷받침된다. 요컨대 백강이 지금의 부여 지역을 통과하는 강을 가리키는 이름임을 명확히 알 수 있다. 따라서 白江의 '白'은 공주와는 아무런 관련이 없다는 사실을 알려준다. 나아가 이것에 근거한 백강과 백씨 그리고 공주 지역과의 연관성을 찾는 견해는 설득력을 잃었다. 일례로 다음의 주장이 그것에 해당될 수 있다. 즉 苩加는 웅진 지역을 근거로 한 세력인데, 苩이라는 성은 熊津의 熊과 관련되며, 이 熊은 감 · 검 · 곰 등으로 읽혀 監奚卑離國의 監과도 대응된다는 것이다. 그런 까닭에 苩氏는 일각에서 공주로 소재지를 추정하는 감해비리국 수장의 성씨이며, 수촌리 고분은 바로 백씨 가문의 분묘로 간주할 수 있다는 주장이다. 이러한 주장은 입론도 잘못되었을 뿐 아니라 무조건 '감' 字만 나오면 공주와 연관 짓는 식이 되고 말았다. 공주와 연관 있는 지명을 찾는다면 고대사 문헌에서 공주를 가리키는 '구마나리'나 '고마' 등의 음가와 연관 짓는 게 타당했을 것이다. 게다가 『청구도』에서 충청남도 홍성군 금마면을 大甘介面이라고 하였다. 이러한 근거로 監奚卑離國의 '감해' 즉 '감개'를 홍성 대감개면의 '감개'에 비정하기도 했다.

그리고 위사좌평 백가가 공주 지역 호족 출신이고, 웅진성 천도에 이들 가문의 도움이 지대하였다면, 어떠한 형태로든 문주왕과 삼근왕대에 苩氏의 존재가 등장하지 않을 수 없었을 것이다. 더욱이 백씨가 공주 지역 토착 호족 가문이라면 문주왕 피살과 삼근왕 즉위 과정에서 발생한 해씨와 진씨 가문의 격돌에서 백씨가 아무런 역할을 하지 않았다는 게 납득되지 않는다. 오히려 燕氏 세력이 해씨와 연계되어서 등장하고 있을 따름이다. 그 뿐 아니라 위사좌평은 왕이 신임할 수 있는 최측근을 임명하게 마련인데, 웅진 지역 土豪를 그 직위에 임명한다는 것은 오히려 왕권에 부담이 될 수 있기 때문에 당초부터 기용하기는 어렵지 않을까 싶다. 이와 관련해 『삼국사기』 고이왕 28년 조에 보면 위사좌평에 高壽를 임명하고 있는 사실이 유의된다. 위사좌평 직에 재직했던 인물로서는 백가와 더불어 고수만이 『삼국사기』에서 보인다. 그런데 高壽는 박사 高興과 동일한 낙랑·대방계 출신으로 추측되고 있다. 그렇다면 위사좌평에는 가문의 토착적 기반이 없는 이들이 기용되었다는 이야기가 된다. 따라서 백가의 공주 지역 토착 호족설은 어느모로 보나 근거가 두텁다고 보기는 어렵다. 그 밖에 수촌리 지역은 공주의 금강 이북에 소재하고 있다는 점이다. 당시 山川을 경계로 세력권이나 정치적 범위가 구획되었다고 할 때 공산성 대안의 금강 북안에서 직선거리로 5km 이상 떨어진 수촌리 지역은 백제가 천도한 금강 이남의 공산성 일대와는 세력권에서는 직접 관련이 없음을 시사해 준다.

(4) 무녕왕의 계보

「무녕왕릉 매지권」은 무녕왕의 계보에 관한 언급은 없으나, 523년에 그가 62세에 사망했음을 알려준다. 이를 토대로 할 때 그는 462년에 출생하여 40세인 501년에 즉위하였음을 알려주고 있다. 그런데 무녕왕의 계보에 관해서는 몇 가지 이설이 제기되고 있다. 이와 관련해 우선 한성말기에서 웅진성 시기에 이르는 『삼국사기』 백제본기 본문의 왕계에 문제가 있음을 직시할 필요가 있다. 19대 구이신왕은 405년에 출생하여 427년에 사망한 것으로 밝혀졌다. 23대 삼근왕은 465년에 출생하여 479년에 사망하였다. 25대 무녕왕은 「무녕왕릉 매지권」을 통하여 462년에 출생하여 523년에 사망한 것으로 밝혀졌다.

그렇다고 할 때 19대 구이신왕과 25대 무녕왕까지의 5세대 사이에 즉위한 국왕들의 출생 연령을 놓고 볼 때, 57년이 소요되었다. 또 각 왕들은 세대 평균 11년마다 즉위 국왕들을 출생시킨 격이 된다. 이러한 숫치는 매 국왕들 간의 연령차가 고구려나 신라의 경우 27~31세 정도인 점과는 현저한 차이를 보이고 있다. 가령 구이신왕과 그의 고손자인 삼근왕 사이에 2세대 차이인 60년밖에 연령 차이가 나지 않는다. 과연 그럴 수 있을까? 이는 말할 나위 없이 『삼국사기』 백제본기 본문의 왕계에 문제점이 도사리고 있음을 느끼게 한다. 이러한 점을 염두에 두면서 무녕왕의 계보를 살펴 본다.

표 3 | 『삼국사기』 백제본기 본문의 왕계

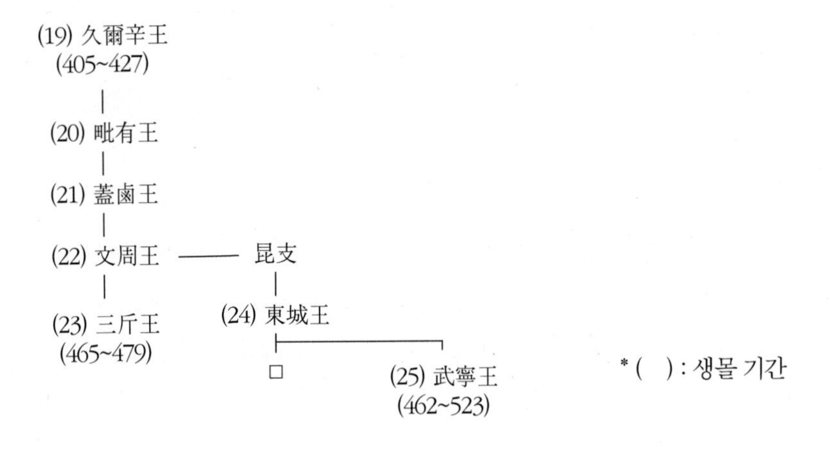

표 4 | 무녕왕에 대한 諸史書의 계보

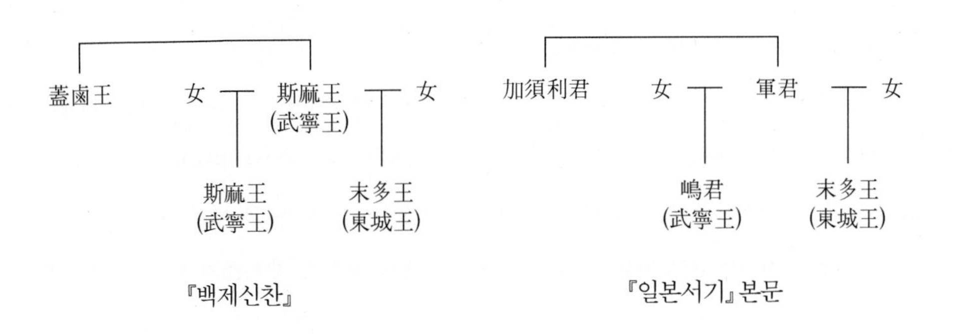

표 5 | 새로 조정된 한성말 · 웅진 도읍기의 백제 왕위계승 관계와 계보표

(19) 久爾辛王 —— (20) 毗有王
(405~427) 〈427~455〉
〈420~427〉

(21) 蓋鹵王 — (22) 文周王 —— 昆支
〈455~475〉 〈475~477〉 (?~477)

(23) 三斤王 (25) 武寧王 (24) 東城王
(465~479) (462~523) 〈479~501〉
〈477~479〉 〈501~523〉

*( ) : 생몰 기간
〈 〉: 재위 기간

『일본서기』에 적혀 있는 兄弟共妻說話는 곤지가 왜로 건너간 시기나, 무녕왕의 출생 연대와 그 출생 장소에 관해서는 수긍되는 바 있다. 무녕왕의 출생 연령이 「무녕왕릉 매지권」과 비교할 때 1년 차이밖에 없다. 또 그가 출생하였다는 가카라시마는 이키시마(壹岐島)와 후쿠오카현(福岡縣) 북쪽 해안에 소재한 가라츠시(唐津市)를 직선 거리로 잇는 바다 위에 소재한 가카라시마(加唐島)로 비정되는데, 한국에서 건너온 여인이 허리띠를 풀고 아이를 낳았다는 전설이 남아 있기 때문이다. 그러나 개로왕의 여인 그것도 만삭의 妊婦를 곤지가 娶했다는 일종의 兄弟共妻 설화는 기괴한 느낌마저 준다. 더구나 극적인 부분이 많다. 가령 곤지가 형의 여인, 그것도 임신한 여인을 취했다고 하자. 그럼에도 만삭의 여인을 데리고 과연 파고가 거센 현해탄을 건널 생각을 할 수 있었을까? 만삭의 여인이라고 해도 본시 자신의 아내였다면 불가능한 이야기는 아닐 것이다. 그러나 야반도주하듯이 선박을 타야할 개연성이 없다. 여러모로 이 기록을 따를 수는 없다.

다만 이러한 설화에는 어떤 정치적 복선이 깔렸음이 분명하다. 주지하듯이 무녕왕은 40세의 장년에 그것도 배다른 동생인 동성왕이 정변에 의해 피살된 연후에 귀족들의 추대로 즉위하였다. 그렇지만 국왕의 잇따른 피살과 그로 인한 거듭된 傍系로 이어지는 왕위계승상의 혼란을 말끔히 거두고 즉위한 인물이 무녕왕이었다. 무녕왕은 사비성 도읍기 백제 왕실의 중시조가 되는 격이 높은 군주였다. 그렇지만 무녕왕의 즉위 과정은 그가 당초 왕위계승권에서 멀찌감치 떨어져 있었음을 암시해 준다. 그러나 무녕왕은 종국적으로 그의 후손들이 통치하는 길을 열었던 최종 승자였다. 무녕왕이 곤지의 아들임은 부정할 수 없는 엄연한 사실이었다. 그러나 무녕왕을 곤지의 형인 개로왕과 연결짓는 상징조작으로써 계보상의 권위를 높이고자 했다. 사회적으로 볼 때 무녕왕은 곤지의 아들이었지만 기실은 개로왕의 아들이라는 메시지였다.

이와는 달리 『일본서기』 武烈 4년 조에 인용된 백제 역사책인 「백제신찬」에는 무녕왕을 개로왕의 아우인 곤지의 아들로 기록하였다. 이 기록에 의하면 무녕왕은 동성왕의 이복형이 되는데, 여러 가지 논증을 통해 볼 때 타당함이 입증되었다. 일례를 든다면 479년 왜에서 귀국하여 즉위하는 동성왕의 연령을 '幼年'이라고 하였다(『일본서기』 雄略 23년 조). 유년의 상한 연령인 15세를 기준으로 할 때, 적어도 그는 465년 이후에 출생했다. 이는 462년에 출생한 무녕왕보다 적어도 동성왕이 3세 정도 연령이 더 어렸음과 더불어, 『백제신찬』에 기록된 무녕왕의 계보가 타당함을 알려준다. 요컨대 무녕왕은 곤지의 아들로서 동성왕의 형이었지만 동성왕의 사망 후인 40세에 즉위한 것이다.

무녕왕릉 발굴 이후 『삼국사기』 기사의 정확성이 확인되었다고 했지만, 오히려 『삼국사기』의 부정확성이 폭로되고 말았다. 무녕왕이 계묘년인 523년 5월 7일에 사망했다고 매지권에 적혀 있고, 『삼국사기』에서는 무녕왕 23년 조에 "여름 5월에 薨했다"고 적혀 있기 때문에 흔히 『삼국사기』가 정확하다고 말한다. 그러나 『일본서기』 계체 17년 조에도 "여름 5월에 백제왕 무녕이 薨했다"고 했듯이 『삼국사기』 기사와 하나도 틀리지 않는다. 무녕왕이 사망한 해와 달에 대한 동일한 기록을 남겼다. 이 것을 가지고 『삼국사기』 기사가 정확하다고 감격해 할 것이 아니라 일본측 기록도 정확하다고 해야 한다. 더구나 3~4세기 이전도 아니고 6세기대를 시간적 배경으로 하는 기록을 놓고서 정확하다고 놀랄 일이 아니라 지극히 당연하게 받아들여야 할 성질의 것이라고 본다. 더구나 왕의 사망 시점은 기년이나 역법과 관련된 일종의 척추뼈에 해당되는 것이다. 그러므로 정확할 수밖에 없다. 다른 것도 아니고 왕의 사망 시점이 정확하지 않는다면 기년 자체가 성립될 수 없다. 때문에 적어도 6세기대 기록이라면 맞아야만 한다.

문제는 무녕왕릉 매지권을 통해 『삼국사기』의 부정확성이 폭로되고 말았다. 『삼국사기』에 따르면 무녕왕은 동성왕의 둘째 아들로 적혀 있지만, 『일본서기』에는 개로왕의 아들 혹은 개로왕의 아우인 곤지의 아들로 적혀 있다. 어느 설을 따르던 간에 무녕왕의 계보와 관련해 『삼국사기』 기록을 취신하는 연구자는 아무도 없다. 이것은 『삼국사기』의 부정확성을 만천하에 폭로하는 것이고, 역시 『삼국사기』에 대해서는 엄정한 사료 비판이 줄곧 필요하다는 판단을 하게 한다. 「광개토왕릉비문」에 적혀 있는 전쟁 기사가 『삼국사기』에 어느 한 줄이라도 제대로 기록된 게 있는가? 전혀 연대나 사건 자체가 연결이 되지 않고 있다. 이는 무엇을 말하는 것일까? 바로 『삼국사기』의 한계를 알려주고 있다. 따라서 무녕왕릉 발굴 이후 『삼국사기』의 정확성이 확인되었다는 주장은 전혀 맞지 않다.

(5) 사비성 천도의 기획 시점과 중심 가문

백제의 사비성 천도는 제24대 동성왕대부터 추진되어 후반 경에는 사비 羅城의 축조가 완료 되는 등 천도를 위한 제반 여건이 모두 완비되었다고 한다. 동성왕의 피살은 사비성 천도를 반대하는 웅진성 토착세력의 저항의 산물로 해석하였다. 그러나 이러한 견해는 설득력이 부족했다. 동성왕대에는 지방 세력의 이탈을 막고, 또 이탈해 나간 주변 임나 세력의 회복 등 懸案이 산적했다. 그리고 왕권과 귀족권 간의 역학관계를 새롭게 설정해 나가는 상황이었다. 대외적으로는 신라와의 혼인동맹을 통해 失地 회복하는 일이 급선무였다. 이렇듯 동성왕대에는 천도를 준비할 수 있는 개관적인 여건이 조성되지 않았다. 오히려 사비성 천도는 제25대 무녕왕 후반기부터 추진되어 왔다. 이때 백제는 梁에게 "다시 강국이 되었다(更爲彊國)"고 선언하였다.

遷都라는 것은 이해가 착종하는 여러 귀족 세력들을 압도 내지는 조정할 수 있는 강력한 왕권이 구축되었을 때 가능하다. 무녕왕은 동성왕대에 이루어진 지방에 대한 지배와 왕권 강화를 토대로 농업 생산력 증대에 비상하게 심혈을 기울였다. 실제 다대한 성과를 기록했던 것 같다. 즉 "민심이 귀부했다"고 할 정도로 무녕왕의 治世는 확실히 볼만한 것이 있었다. 또 무녕왕대는 왕권과 귀족권 간의 갈등도 조정 국면에 접어들었을 정도로 빠른 속도로 왕권의 안정이 이루어졌다. 무녕왕은 중국 梁의 문물을 활발하게 받아들였다. 또 그것을 왜에 전파했을 정도로 文治의 시대를 역동적으로 열었다. 아울러 백제는 숙적인 고구려와의 전쟁에 승리하여 북방 영토의 확장과 더불어 대고구려전의 주도권을 장악하였다. 백제는 섬진강 유역에도 진출했을 정도로 외정에 크나 큰 성과를 거두었다.

이러한 성과를 기반으로 무녕왕대 후반기에 접어들어 사비성 천도가 추진되었던 것 같다. 백제가 사비성으로 천도하고자 했던 목적은 다음과 같이 정리된다. 국가의 중심축이 남쪽으로 내려옴에 따라 호남평야의 농업생산력을 장악하기에 유리하였다. 사비라는 도시 자체가 그 주변에 거대한 농경지를 끼고 있는 등 무녕왕대 이래로 추진해 온 농업생산력 증진에 박차를 가할 수 있는 지리적 이점을 지니고 있었다. 그리고 사비성은 웅진성 보다 서해와 가까운 금강 하류에 소재한 만큼 중국대륙이나 일본열도와의 관계가 한층 긴밀해지는 상황에서 외부 세계와의 활발한 접촉이 가능한 입지적 조건을 갖추었다.

이와 관련해 『택지리』의 다음과 같은 기사가 주목된다. "공주 동쪽은 강물이 얕고 여울이 많아서 강의 배가 통하지 못한다. 그러나 扶餘·恩津부터는 바다의 潮水와 통하게 되므로 백마강 이하 鎭江 일대까지는 모두 배가 통행할 수 있는 이점이 있다." 요컨대 웅진강은 교역로와 歲貢路로 부적절하다는 것이다. 이와 동일한 지리적 요인으로 인해 漕運路를 단축시키는 이점이 있다. 리아시스식 해안을 끼고 있는 백제는 그 지형적 특성상 서해안에서 금강으로 이어지는 조운로의 비중이 클 수밖에 없었다. 웅진성에서 사비성으로의 천도는 조운로를 단축시켜 준다는 경제적 효용성의 문제와 더불어 지방에 대한 통제력의 강화라는 측면을 함께 고려했던 것 같다. 아울러 웅진성의 지리적 한계를 극복하는 동시에 그 지역의 토착 세력들로부터 탈피하여 왕권을 강화시키기 위한 목적이 엄존했다. 그리고 儒敎의 禮治와 불교에 의한 이상국가를 한꺼번에 구현할 수 있는 공간적 조건을 지니고 있었기 때문일 것으로 보았다. 22部 官署의 명칭과 "절과 탑이 매우 많았다(寺塔甚多)"라고 했을 정도로 숱하게 조성된 사찰의 존재는 그러한 이상의 표출이 아니었을까.

백제가 사비성으로 천도를 준비한 시기에 관한 논의이다. 이에 대해서는 여러 견해가 있지만, 필자는 국력이 회복된 무녕왕대 후반기로 지목했다. 그리고 조운로를 단축시켜 준다는 경제적 효용성의 문제와 더불어 지방에 대한 통제력의 강화라는 측면을 함께 고려해 보았다. 사비성 천도를 주도했던 세력으로는 부여 지역 호족으로 지목한 沙氏를 거론하는 상황이었다. 그러나 사비성 지역인 현재의 부여 읍내는 당시 소택지가 많은 미개척지였다. 게다가 沙氏와 부여 지역과 연결되지도 않았다. 반면 왕궁을 제외하고서는 가장 핵심 구간인 사비도성의 中部에 속한 木氏가 사비성 천도에 지대한 영향력을 미쳤을 것으로 보인다. 일례로 사비성 천도 5년 후인 543년의 群臣 회의에 모두 8명의 신하가 등장한다. 여기서 沙氏는 상좌평 沙宅己婁 1명만 보인다. 반면 웅진성 천도에도 공을 세웠던 木氏는 중좌평 木劦麻那와 하좌평 木尹貴, 그리고 덕솔 木劦昧淳 등 3명이나 등장한다. 3좌평 가운데 2명의 좌평이 木氏일 정도로 득세하고 있다. 사비성 천도에 가장 가까운 시점의 기록에서 목씨는 그 위세가 훗날의 사씨 보다 앞선다. 이 사실은 사비성 천도에 목씨의 영향력을 웅변하는 증좌로 받아들인다고 해도 무리한 해석은 아닐 것 같다.[487)]

이 무렵 성씨와 관련해 階伯을 姓으로 지목하는 견해가 있다. 이는『大東地志』에서 "階伯[名升 百濟同姓 官達率 義慈王二十年戰亡]"라고 한 기록에 근거하였다. 계백에 대한 割註에서 이름을 升이라고 했다. 그러므로 계백은 姓이라는 것이다. 계백이라는 姓은 '百濟同姓'이라는 글귀에 근거하였다. 이는 백제 왕성인 扶餘氏와 동일하다는 뜻으로 해석했다. 그런 다음 부여씨에서 계백씨로 분지되었다는 것이다. 그런데『대동지지』의 구절을 가만히 음미해 보자. [ ]의 할주는 계백에 대한 부연

487_ 李道學,「百濟 泗沘 遷都의 再檢討」『東國史學』39, 2003, 25~52쪽.

설명인 것이다. 여기서 階伯을 姓이라고 할 때 다음과 같은 의문이 제기된다. 우선『삼국사기』열전을 놓고 볼 때 이름 없이 姓만 달랑 표기한 사례는 여성인 薛氏女만 빼고 그 어디에도 없다. 오히려 이름만 표기할 뿐 姓에 대한 표기가 없는 경우가 대부분이었다. 가령 온달과 驟徒를 비롯하여 官昌 등등 헤아릴 수도 없다. 그럼에도 姓만으로 열전의 인물을 표기한 사례는 그 어디에도 없지 않은가?

만약 계백이 姓이었다면 관련 할주는 [百濟同姓 名升]으로 倒置되어야만 한다. 이러한 맥락에서 볼 때 '名升'은 계백을 설명하면서 '一名升'의 '一' 字가 누락된 것으로 보인다. 계백을 일명 升으로도 일컬었다는 게 된다. 실제 階가 '섬돌'이라는 뜻과 함께 '오르다'라는 뜻이 있다. 따라서 '升'은 혹시 그와 연관 있는지 모르겠다. 그리고 '백제동성'은 계백의 姓이 왕실과 동일한 부여씨임을 가리킨다. 조선 말기에 출간된『대동지지』에 적힌 '名升'은 계백의 이름이 숙종대에 세워진 忠谷書院과 같은 祠廟에 오른 사실을 특기한 것이다. 따라서 계백이 姓이라는 주장은 타당성 없다. '階伯[名升 百濟同姓…]'라는 구절은 '계백은 百濟同姓에 이름을 (祠廟에) 올렸다'는 뜻이 될 수 있다. 즉 계백은 扶餘氏에 이름을 올릴 수 있었다는 것이다. 扶餘階伯이므로,『대동지지』의 기록을 오독하여 '階伯升'으로 해석한 견해는 설득력이 없다.[488)]

참고로『남제서』에 보이는 동성왕대 귀족 姐瑾은 웅진성 천도에 공을 세운 祖彌桀取의 조미씨와의 관련을 연상시킨다. 扶餘氏를 餘氏로만 표기한 것처럼, 複姓인 祖彌氏를 單姓인 姐氏로만 표기한 것으로 추정할 수 있다.[489)]

4) 사비성 도읍기

(1) 주어진 시간 123년과 6대 왕

聖王은 이름에 걸맞는 빼어난 업적을 남겼다. 회복된 국력을 바탕으로 국호를 '남부여' 즉 '부여'로 고쳐, 부여에서 이어지는 역사적 법통을 분명히 밝히는 한편 고구려와의 대등한 자세를 확고히 하였다. 이와 동시에 538년(성왕 16)에는 도읍을 협착한 웅진성에서 사비성(충청남도 부여)으로 천도하여, 원대한 국가경영의 토대를 마련하였다. 웅진성 도읍기 백제는 중앙에서는 중국계 전축분을 수

488_ 李道學,「世宗市 일원 佛碑像의 造像 목적과 百濟 姓氏」『한국학연구』56, 고려대학교 한국학연구소, 2016, 18~20쪽.
489_ 李道學,『새로 쓰는 백제사』, 푸른역사, 1997, 177쪽.

용했다. 반면 지방에는 전방후원분이라는 왜계 분묘가 조성되었다. 이 같은 외국 분묘의 조성은 국제적으로 고립되어 위기감을 절감한 백제 왕권의 입장에서는 취약한 왕권과 실추된 국력을 만회하기 위한 가시적 수단이기도 했다. 즉 묘제의 외세화를 통해 남조 왕조와 왜의 지원을 입고 고립되지 않은 왕권을 현시하려는 의도가 담겼다. 성왕은 사비성 천도를 통해 改號하면서 부여적인 것을 찾음으로써 정체성을 확인하고자 했다. 이와 짝하여 전방후원분이나 전축분과 같은 외래 묘제도 청산된 것으로 보인다. 한성 후기 묘제인 석실분으로 회귀한 것이다.

성왕은 사비성 천도와 짝하여 지방에는 方-郡-城체제를 시행하여 전면적인 지방 지배를 단행했다. 그리고 16관등제의 정비와 더불어, 국왕을 축으로 하는 효율적인 국정 운영을 위해 22개의 관부를 설치하였다. 이 밖에 불교 교단을 정비하였다. 왜에는 불교를 전파하여 종교 · 문화적으로 지대한 기여를 하였다. 성왕에 이어 위덕왕과 혜왕, 그리고 법왕과 무왕이 재위하였다.

의자왕은 무려 42년이라는 장구한 기간 동안 통치를 한 무왕이 사망한 후 즉위하였다. 해동증자라는 평에 걸맞게끔 의자왕은 유교 정치사상을 강조하여 취약한 왕권을 강화시키고자 하였다. 그는 국제관계의 흐름에 대한 예리한 통찰력을 지녔다. 그에 맞추어 전략을 수립하였고 즉각 실행에 옮겼다. 의자왕은 재위 15년에, 先王인 무왕의 왕비이자 실권자였던 계모가 세상을 뜬 것을 계기로 정변을 단행하여 대대적인 숙청을 전개하였다. 그럼에 따라 의자왕은 귀족세력의 견제에서 벗어나게 되었고 권력 독주가 가능해졌다.

660년의 뜨거운 한 여름, 나당군의 침공으로 웅진성으로 피신하였던 의자왕과 태자 효를 비롯하여 여러 성들도 모두 항복하고 말았다. 그러나 당군의 만행이 발단이 되어 조국을 회복하기 위한 항쟁이 임존성 등지에서 일제히 일어 났다. 주류성을 왕성으로하면서 풍왕을 수반으로 하는 백제가 재건되었다. 재건된 백제는 663년 9월의 백강 전투에서 백제와 왜군이 신라와 당군에게 패함으로써 막을 내렸다. 664년부터는 의자왕의 아들인 부여융을 수반으로 하는 당의 괴뢰정권인 웅진도독부가 백제 옛 땅에 설치되었다. 웅진도독부는 신라가 당군을 축출하고 부여 땅에 所夫里州를 설치하는 672년까지 존속하였다. 백제인들의 조국회복운동은 친왜정권인 풍왕을 수반으로 하는 무력항쟁기(660~663)와 친당정권인 부여융을 수반으로 하는 웅진도독부의 통치기(664~672)로 나누어 진다. 이어서 요동의 건안고성에서 백제가 재건되었다.

(2) 성왕

백제 제26대 국왕 이름에는 영어로 홀리(holy)의 뜻인 거룩할 '聖' 字가 붙었다. '聖人'을 비롯한 숭고한 대상에게 부여되는 글자이다. 삼국시대 왕으로는 모두루묘지에서 '鄒牟聖王'이나 '好太聖王'이 보인다. 전자는 고구려 시조요, 후자는 광개토왕 시호이다. 모두 사후에 추존되었다.

이와는 달리 생전에 '거룩한 임금'으로 불리었던 성왕이었다. 그는『삼국사기』에서 "나라사람들이 일컫기를 성왕이라고 했다(國人稱為聖王)"고 한다. 그는 '聖明王'이나 '明王'으로도 불리었다. '성명'은 임금의 밝은 덕이나 지혜를 가리킨다. 의자왕대에 세워진 사택지적비에는 "성명을 머금었다(含聖明以)"는 구절이 있다. '홀리 킹'이었던 성왕은 생전의 호칭이 가감없이 시호가 되었다.

생전에 '거룩한 임금' 평을 받았던 성왕은『삼국사기』에서 "지혜와 식견이 영민하고 비범했고, 일을 잘 결단했다(智識英邁 能斷事)"고 하였다.『일본서기』에서는 "성왕은 천도와 지리에 신묘하게 통달했기에 명성이 온 천하에 자자했다(聖王妙達天道地理 名流四表八方)"고 했다. 두 역사서 모두 성왕에 대한 평가가 부합하고 있다.

성왕에 대한 칭송에 등장하는 '천도'는 만물의 생성과 육성, 자연현상의 변화 등을 포괄하는 관념이었다. 혹은 '人道'의 본원으로서, '誠'을 가리킨다. 을지문덕이 隋將을 조롱하며 지은 五言詩에도 "신통한 전략은 천문을 꿰뚫었고 기묘한 전술은 지리를 통달하였네(神策究天文 妙算窮地理…)"라고 하여 '천문'에 이어 '지리'가 등장한다.

그러면 성왕이 통달했던 '지리'는 무엇일까? 1394년에 "좌시중 조준과 영삼사사 권중화 등 11인을 보내어 書雲觀의 員吏 등을 거느리고『地理秘錄撮要』를 가지고 가서 천도할 땅을 毋岳 남쪽에서 살펴보게 하였다(『태조실록』 3년 2월 18일 조)"고 했다. 천도 관련 기사 속에 등장하는 책이름에 '지리'가 보인다. 그리고 영삼사사 권중화와 좌시중 조준 등이 무악으로부터 돌아와 아뢰면서 "… 또한 고려 왕조의 秘錄과 중국에서 通行하는 地理의 법에도 모두 符合합니다(『태조실록』 3년 2월 23일 조)"고 하여 '지리의 법'이 등장한다. 역시 한양 천도와 관련해 '新京地理(『태조실록』 6년 3월 8일 조)'라는 용어가 등장한다.

성왕이 묘달했던 '天道地理'는 '하늘과 땅의 도리(天地道理)'였다. 하늘과 땅의 운행질서와 자연의 섭리를 꿰뚫었다는 것이다. 여기서 성왕이 묘달했던 '지리'는 단순한 의미만 지니지 않았다. 성왕은 사비성 천도를 실행에 옮긴이였기 때문이다. 무녕왕대에 사비성 천도 작업이 이루어졌더라도 천도 이행은 간단하지 만은 않다. 조선의 경우만 하더라도 한양 천도 후에 다시금 개경으로 재천도하기도 했다. 그리고 앞서 인용한 기사에서 보듯이 한양에서 正宮 부지를 정하는 일에는 고심에 고심을 거듭하였다.

성왕을 일러 "지혜와 식견이 뛰어났다"는 것은 장대한 안목과 혜안을 지녔음을 뜻한다. 성왕은 부왕인 무녕왕대에 계획한 사비성 천도를 성사시켰고, 입지 선정에서 발군의 지혜를 발휘하여 추진했던 것 같다. 그랬기에 "일을 잘 결단했다"는 평가를 받은 게 아닐까. 오늘의 부여를 역사서에 등장하는 비중 높은 도시로 만든 이가 혜안과 결단력을 지닌 성왕이었다.

그러면 성왕은 어떠한 과정을 밟아 즉위했을까? 부자 간이라도 정치적 이해가 일치하지 않는 경우가 적지 않다. 조선 영조와 사도세자의 경우가 대표적이다. 성왕은 부왕이 설계한 사비성 천도를 흔들림 없이 추진하였다. 그랬기에 결단력 있다는 평가를 얻은 것 같다. 그러한 성왕은 무녕왕의 원자였기에 큰 장애없이 즉위한 것일까? 그렇지는 않은 듯하다. 왜냐하면 『삼국사기』나 『삼국유사』에서 성왕은 무녕왕의 아들[子]로만 적혀 있다. 그에게는 '원자'니 '장자'니 하는 기록이 붙어 있지 않았다. 다만 성왕의 맏아들인 위덕왕의 나이를 토대로 역산해 보면 성왕은 무녕왕이 즉위한 이후에 낳은 왕자였다. 무녕왕은 40세라는 연만한 연령에 즉위한 인물이었다. 『일본서기』에 따르면 왜에서 숨진 순타 태자는 무녕왕이 왕자시절에 낳은 게 분명하다. 이와 대응하는 성왕은 무녕왕의 즉위에 공을 세운 귀족 가문의 왕비 소생으로 추측된다. 그렇다고 둘째 왕비 소생의 성왕이 성큼 보위를 거머쥘 수 있는 상황은 아니었다. 그런데 여느 왕자들과는 달리 지혜와 식견이 영민하고 비범했던 특출난 왕자가 성왕이었다. 게다가 그는 천도와 지리에 묘달했기에 명성이 온 천하에 자자하였다. 무녕왕을 이을 다음 임금으로 성왕을 지목하는 데 주저하지 않았을 정황이 보인다.

538년 정월에 성왕은 오래 기간 준비했던 사비성 천도를 단행하였다. 성왕을 일러 "지혜와 식견이 뛰어났다"는 것은 장대한 안목과 혜안을 지녔음을 뜻한다. 성왕은 부왕인 무녕왕대에 계획한 사비성 천도를 성사시켰고, 입지 선정에서 발군의 지혜를 발휘하여 추진했던 것 같다. 그랬기에 "일을 잘 결단했다"는 평가를 받은 게 아닐까. 오늘의 부여를 역사서에 등장하는 비중 높은 도시로 만든 이가 혜안과 결단력을 지닌 성왕이었다. 동시에 국호를 '부여'로 고쳤다. 동만주에 소재했던 동부여가 494년에 고구려에 병합되었다. 이로써 부여라는 老大國은 더 이상 지구상에 존재할 수 없었다. 동부여 소멸로부터 44년이 흘렀을 때 지구상에 다시금 '부여'가 솟아났다. 백제 왕실은 "고구려와 함께 부여에서 나왔기에 부여로 氏를 삼았다"고 했다. 그랬기에 의자왕의 이름은 '부여 의자'였다. 백제 왕실에 '고씨'는 없었다. 백제 왕실과 고구려는 혈통적으로 아무런 연관이 없었다. 온조 시조 이야기는 고려 초 '역사 만들기'의 산물에 불과했다. 중국의 역사서에서도 백제를 '부여의 別種' 즉 부여의 한 갈래로 인식하였다. 백제 당시에 그 뿌리를 고구려로 인식한 기록은 없었다. 성왕이 바꾼 '부여' 국호는 이 무렵 일본의 역사서에서도 확인된다.

성왕은 국호 개정을 통해 부여로부터 내려오는 역사적 법통 계승을 천명했다. 한성 도읍기 이래로 백제와 고구려는 부여의 정통성을 둘러싸고 격렬하게 대결하였다. 그랬기에 고구려 시조 鄒牟가 아닌 부여 시조 동명왕의 사당을 각자 세운 바 있다. 양국의 대립은 어떤 측면에서는 종주권 쟁탈전이었다. 결국 성왕은 사비성 천도를 통해 부여의 종주권을 확보했음을 선언한 것이다. 그러한 자신감은 무녕왕대에 고구려를 連破한 후 "다시 강국이 되었다"는 데 있었다. 백제는 본래의 모습 '강국'을 회복한 것이다.

이 무렵 백제 시조는 중국 역사서에 仇台로 적혀 있다. 백제인들은 1년에 네 차례나 시조인 구태의 사당에 제사지냈다고 한다. 백제 수도였던 사비성을 방문했던 중국 사신들이 목격한 바에 따른 것이다. 구태는 부여 시조 '동명의 후손'으로 알려져 있다. 구체적으로 구태는 『통전』에서 "후한말 부여왕 위구태"라고 하였다. 그리고 백제는 위구태의 후손이라고 했다. 따라서 백제는 '부여 시조 동명왕의 후손인 부여왕 위구태'를 제사지냈다. 『삼국사기』에서 시조라는 온조나 비류는 백제 당시에 존재하지도 않았다. 동명왕(도모왕)이나 구태가 백제 시조였다. 성왕은 자국의 연원을 부여 위구태왕에서 찾았다.

성왕의 부여 계승은 단순히 구호에 그친 게 아니었다. 성왕은 가라군과 신라군을 몸소 이끌고 76년만에 한강유역 고토를 수복했다. 성왕이 한성에 입성하는 장면은 일생일대의 감격이요 쾌거였다. 이로써 성왕은 부여의 적법한 계승자임을 직접 보여주었다. 비록 백제 당시의 금석문에서는 '부여'가 보이지 않는다는 아쉬움이 따른다. 그러나 백제 멸망 후 마지막 수도였던 사비성은 '부여군'으로 편제되었다. 신라는 부여라는 국호를 행정지명으로 부여했다. 백제와 부여는 등가치한 국호임을 알 수 있다. 신라 진흥왕이 대가라를 멸망시킨 후 경상북도 고령을 '대가야군'으로 삼은 사례와 동일하다. 물론 지명은 계속 바뀌게 마련이다. 그렇지만 백제 멸망 후 천 수백년이 흘렀건만 '충청남도 부여군'으로 건재하고 있다. 당초 자신들의 原鄕인 부여를 성씨와 국호로 다시 살려낸 백제인들의 집념과 긍지가 헛되지 않았던 것일까?

1972년 부여에 세워진 '불교전래 사은비'에는 "일본 문화의 精華를 이룩하였다. 일본 불교도는 그 은덕을 천추에 잊을 수 없어"라고 적혀 있다. 불교를 전래해준 성왕에 대한 감사한 마음을 표출한 것이다.

(3) 불법과 왕법을 일치시킨 위덕왕

관산성 회전에서 간신히 포위망을 벗어나 돌아왔던 위덕왕은 성왕의 맏아들로서 즉위하였다. 그러나 자신의 실책으로 인해 부왕이 전사하게 되었기에 심정적인 부담이 적지 않았다. 그가 567년에 성왕을 위한 능산리 원찰 창건에 나서게 된 배경이 여기에 있다. 위덕왕 재위시의 백제는 熊川城(공주)까지 침공해 왔던 고구려 군대를 격퇴했다. 백제는 고구려와의 군사적 긴장을 팽팽하게 유지하였다. 신라에 대해서는 말할 나위 없이 공세로 나왔으나 백제가 패배하고는 했다. 이러한 상황에서 백제가 활로를 찾는 방법은 외교밖에는 없었다. 남조의 陳과 북조의 北齊 그리고 北周에 빈번하게 사신을 파견하였다. 북주를 이어 隋가 세워지자 기민하게 사신을 보내면서 남조의 진에 사신을 파견하는 것을 잊지 않았다. 수가 진을 평정했다는 소식을 듣고는 축하 사절을 파견하는 등 전형적인 등거리 외교를 구사했다.

① 능산리 절터에서 솟아난 '昌王'

세기적 발견으로 회자되는 백제금동대향로가 누워있던 자리에서 그리 멀지 않은 지점에서였다. 비스듬히 땅 속에 꽂힌 석조물이 드러났다. 파헤쳐 보니 우체통 모양의 석조물이었다. 아치형으로 앞이 푹 파인 석조물 좌우로 '百濟昌王十三季太歲在丁亥妹兄公主供養舍利'라는 글귀가 해서체로 새겨져 있었다. "백제 창왕 13년 태세 정해에 누이인 형공주가 사리를 공양했다"는 것이다. 창왕은 백제 27대 위덕왕의 이름이었다. 국왕 생전에는 시호가 나오지 않았다. 이름 그 자체로 불리었던 것이다. 그리고 '妹'는 남자의 여자형제를 가리키지만, '손아래 누이'의 뜻이 크다. 남자의 누나는 '姉'로 표기했다. 통일신라 塔銘인 김천 葛項寺 石塔記에도 동일하게 적혀 있다. 그리고 '妹'에 이어서 적혀 있는 '兄公主'의 '兄'은 이체자였다. 이체자는 뜻과 음은 동일하지만 글자 형태가 다르다. 그런데 '형공주' 앞에 '매' 즉 '누이'가 적혀 있다. 그러므로 '형공주'는 위덕왕의 여동생을 가리킨다. 공주는 왕의 딸을 가리키지만 신분을 가리키는 용어였다. 왕의 딸이면 모두 '공주'로 일컬어진 것은 아니었다. 조선시대만 하더라도 공주보다 신분이 낮은 왕의 딸은 '옹주'였다.

신분을 가리키는 호칭인 '공주'는 2 종류였다. 왕의 嫡女는 '공주'였지만, 부왕의 딸이자 국왕 자신의 누이도 '공주'로 일컬어졌다. 그러나 이런 경우는 항렬이 다르므로 구분이 필요했다. 가령 우리

나라 촌수에는 2 종류의 고모가 있다. 본인을 기준으로 할 때 아버지의 누이인 고모에 대응하여, 조부의 누이들은 '왕고모'나 '대고모'로 불렀다. 신라도 국왕의 딸들과 구분하여 그 누이는 '長公主'라고 했다. 창왕명 석조사리감에서 국왕의 妹로 적혀 있는 '兄公主'의 '兄'은 '어른'의 뜻을 지녔다. '兄'은 장공주의 '長'과 동일한 의미였다.

'王子'의 용례도 신분적 개념으로 사용될 뿐 아니라 '王弟'에게도 적용되었다. 위덕왕과 관련된 '阿佐 王子'의 경우도 정황상 왕제일 가능성이 높다. 실제 北九州 稻佐神社 기록을 통해 아좌 왕자는 성왕의 왕자 즉, 위덕왕의 王弟로 명료하게 밝혀졌다. 따라서 위덕왕 말년에 왕위계승권을 지닌 왕자는 존재하지 않았던 것이다. 이러한 맥락에서도 위덕왕 '三王子'의 사망은 정치적 의미가 각별했다고 본다.

창왕 13년 정해년(567)에 만들어진 목탑의 심초에 놓였던 석조물은 사리구를 안치한 사리감이었다. 위덕왕의 여동생이 공양한 사리는 극귀한 불사리를 가리킨다. 567년 당시 능산리 능원에 안치된 왕릉은 554년에 조성된 성왕릉 1기 뿐이었다. 그로부터 13년 후 목탑에 불사리가 봉안된 상황은 사찰의 완공을 뜻한다. 성왕릉 곁에 조성된 이 사찰은 성왕의 명복을 빌기 위한 목적의 願刹이 분명했다. 사비나성의 정문인 동문 앞 좌측에 陵寺가 조성된 것이다. 사비도성에 입성하는 이들의 참배에 적합한 입지였다. 반드시 참배할 수밖에 없는 위치에 성왕을 기리는 원찰을 조성했다.

이 작업을 기획하고 주관한 이는 위덕왕과 여동생인 형공주 남매였다. 그러한 위덕왕을 평생 따라다니며 옥조인 것은, 자신의 실책으로 부왕이 전사했다는 죄책감이었다. 때문에 위덕왕은 출가를 고려한 적이 있었다. 그러나 신하들의 만류로 佛事를 통해 대속하고자 했다. 능사의 창건은 이러한 선상에서 해석할 수 있다.

② 대속물로 희생시킨 3 왕자

한이 맺힌 위덕왕은 부왕을 죽인 신라를 거세게 몰아붙였다. 그러한 위덕왕은 무려 45년이라는 장구한 세월 재위했지만 아들에게 왕위를 물려주지는 못했다. 성왕이 전사했을 때 위덕왕은 29세였다. 그러니 위덕왕은 70세가 훌쩍 넘어 사망했음을 알 수 있다. 그의 뒤를 이은 혜왕은 위덕왕의 왕자가 아니라 아우였다. 그러한 혜왕은 고령이었던 게 분명하다. 실제 혜왕은 재위 1년만에 사망했다. 그러면 위덕왕은 무슨 이유로 자신의 왕자들에게 왕위를 물려주지 못했을까? 위덕왕의 아우인 혜왕이 즉위할 때는 불가피한 사정이 있었던 것 같다.

이에 대한 해답이 백마강변 왕흥사지 목탑터에서 나온 청동 사리함 명문이다. 즉 "丁酉年二月十五日 百濟王昌爲三王子 立刹本舍利二枚葬時 神化爲三 정유년 2월 15일에 백제왕 창이 3 왕자를 위해 탑을 세웠다. 본래 사리는 2매였으나 장례(사리를 柱礎 중에 묻는 의식을 가리킴 : 필자) 때 신묘한 변화로 3매가 되었다"고 했다. 탑 완공의 마지막 畵龍點睛은 사리 봉안이었다. 바로 그 날은 부처가 열반한 2월 15일이었다. 문제는 '三王子'에 대한 판독이었다. 대부분 이 글자를 '亡王子'로 판독하여 '죽은 왕자'로 해석했다. 이도학은 2007년 10월 24일의 왕흥사지 발굴현장지도위원회 이전부터 국립부여문화재연구소에서 본 명문을 꼼꼼히 검토할 기회를 가졌다. 당시 이도학이 촬영한 사진만 보더라도 '亡' 자가 아닌 게 분명하다.

1919년에 부소산 사자루 자리에서 출토된 정지원명 금동불상 광배명에 '亡妻'의 '亡' 자가 보인다. 분명히 'ㄴ' 자 형 1획으로 새겨져 있지만, 왕흥사지 사리함 명문은 획이 떨어져 있다. 게다가 기둥인 '丶' 획은 기실 사리함 도처에서 발견되는 부식성 파인 자국에 불과했다. 그러니 '三' 자로 판독해야 마땅하다. 그러나 사회는 학문도 형편 좋게 '다수결'로 해결하려고 한다. 비근한 예로 「미륵사지 서탑 사리봉안기」에서는 " 우리 백제 왕후께서는 좌평 사탁적덕의 따님이다(我百濟王后佐平沙乇積德女)"고 적혀 있다. 여기서 '乇' 자는 '잎 탁'이다. 그럼에도 '乇' 자를 '택'으로 읽는 경우가 부지기수이다. 심지어는 '宅'으로 변형시키기까지 했다. '三人成虎'를 넘어 指鹿爲馬를 연상시킨다.

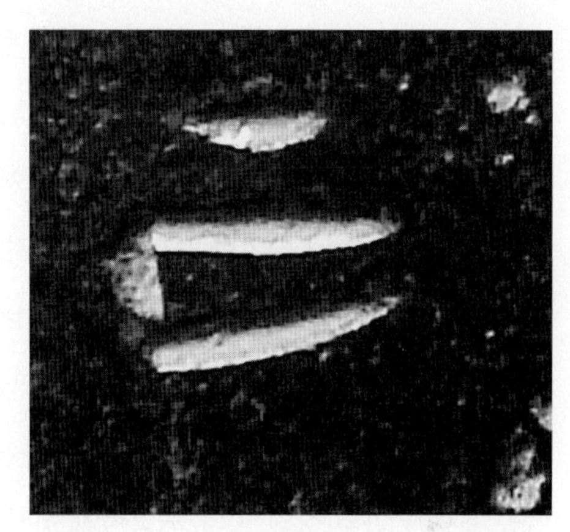

그림 25 | '亡' 자가 아닌 '三' 자. '三王子'가 맞다.

위덕왕에게는 3명의 왕자가 있었지만 모두 사망했던 것 같다. 위덕왕은 3 왕자를 追福하기 위해 목탑을 세웠다. 그리고 부처 열반일에 맞춰 사리를 봉안한 것이다. 이러한 경우의 탑은 가람 배치 규약과 무관한 願塔에 속한다. 황룡사지 9층목탑도 황룡사보다 후대에 건립된 원탑이었다. 가람 규약과는 관련이 없다는 것이다. 소망을 담은 원탑은 중국은 물론이고 우리나라에서도 사례가 보인다.

③ 원탑에서 가람 왕흥사로

왕흥사지의 원탑은 577년(丁酉年)에 건립되었다. 왕흥사는 『삼국사기』에 분명히 적혀 있듯이 600년에 창건되어 634년에 완공되었다. 따라서 왕흥사지 원탑은 왕흥사 창건과는 무관했다. 위덕왕이 건립한 원탑 부지에 훗날 왕흥사가 창건된 것이다. 왕실의 흥륭을 기원하는 절 이름 '王興'은 위덕왕이 건립한 3왕자 원탑의 발원을 확장시킨 결과였다.

위덕왕 왕자들은 죄다 사망했기에 고령의 아우인 혜왕이 즉위한 것이다. 이와 관련해 왕흥사 부지에서 577년에 '立刹' 즉 탑을 세울 때 발생한 異蹟을 다시금 주목한다. 다중이 응시하는 가운데 2매의 사리가 3매로 늘어나는 신이한 分顆가 일어났다. 불사리임을 입증해 준 것이다. 그 결과 불사리를 보유하고 법회를 주재한 위덕왕의 聖的인 권위를 인정시켜준 기제가 되었다. 위덕왕은 聖俗의 명실상부한 兩大 주재자로서의 권위를 얻게 된 것이다. 사리 분과는 출가 대신 즉위한 위덕왕 통치의 정당성을 상징하는 일대 사건이었다.

패전과 부왕의 서거라는 정신적 부채를 한꺼번에 짊어진 정서에서 위덕왕은 왕자들을 전쟁에 내몰았던 것 같다. 위덕왕은 관산성 패전을 일거에 만회하기 위한 방편으로 전쟁을 추진했다고 본다. 위덕왕은 패전할수록 꺾이기 보다는 전쟁에 대한 집착이 한층 강렬했을 것이다. 백제 위덕왕의 시호가 불교의 五大明王의 한 분이요 승전 기원과 관련한 신앙의 대상인 大威德明王을 의미했다. 위덕왕이 추구했던 바가 응결되어 있다. 위덕왕이 자신의 대속 차원에서 희생을 강요하다시피한 결과물이 왕자들의 戰歿이었다고 본다. 본시 2매였던 사리가 신묘한 변화를 일으켜 3매로 늘어 났다고 했다. '神化'로써 늘어난 사리 3매는 순국하거나 그렇게 인식한 3 왕자를 가리키고 있다. 3 왕자의 순국을 패사가 아닌 성전 속의 순교적인 殉死로 그 의미를 승화시키는 기제로 작동시켰다. 그랬기에 사리함에 명기했을 것이다.

공양품 가운데 최고의 공양품은 두 말할 나위 없이 불사리였다. 백제 왕실의 사리 공양이 포착되었다. 능사 목탑의 경우는 위덕왕의 여동생인 공주가 불사리를 공양하였다. 왕이나 공주의 불사리 공양을 통해 至高·至寶하여 상징성이 큰 불사리에 대한 독점과 분여권을 왕실이 확보했음을 알 수 있다. 즉 성왕 이래 불교 교단 장악을 통한 종교적 수장으로서의 위상 확보와 관련 있었다. 게다가 이는 王卽佛 사상의 발현이기도 했다. 성왕은 중인도 즉 中天竺에서 직접 가지고 온 불경을 번역시켰을 정도로 佛國과 '직거래'하는 상황을 확보했다. 그 결과 왕실의 배타적 우월감을 확립하는 정치적 상황이 자연스럽게 조성되었고, 王과 佛을 일치시키는 매체로서 사리 신앙이 빛을 발했다.

④ 중국과 일본열도와 관련한 위덕왕

571년에 위덕왕은 北齊로부터 '使持節都督東青州諸軍事東青州刺史'에 책봉되었다. 그 1년 전에 위덕왕이 책봉받은 帶方郡公이 형식상 과거 대방군이 행사하던 한반도 남부 지역과 일본열도에 대한 지배권을 위임받는 것이라면, 동청주자사는 동청주 지역에 대한 지배권을 인정받는 것이다. 『수서』에 보면 "또 후위가 동청주를 두었는데, 설치한 지 오래지 않아 폐했다(권30, 地理 中, 平原郡 條. "又後魏置東青州 置未久而廢")"고 했다. 여기서 後魏는 北魏(386~534)를 가리킨다. 487년에 설치된 平原郡(山東省 聊城縣 동북) 관내에 동청주가 보인다. 게다가 『위서』에는 동청주자사에 임명된 인사들이 보이므로 실체는 확인된다. 동청주는 清河郡 동남편에 소재했다. 지금의 산둥 성에 소재한 동청주의 서북편에 위치한 청하군은, 490년에 백제 태수가 분봉된 곳이었다.

북제에서는 자국 영역이지만, 과거 북위 때 행정 구역으로써 위덕왕을 책봉했다. 南齊가 책봉한 북위 영역에 대한 백제의 지배적 연고권을 인정해주려는 의도였다. 이는 당시 북제가 처한 상황과 맞물려 있었다. 北周의 위협을 심각하게 받고 있던 북제는 백제를 우군으로 끌어들이고자 했다. 동청주 지배권을 북제가 위덕왕에게 위임한 데는 이러한 저의가 담겼던 것 같다.

'동청주자사'에 책봉되었을 정도로 위덕왕은 국세를 한반도를 넘어 중원대륙으로 확대시켰다. 왜와의 관계에서도 예외가 되지는 않았다. 다음은 불교 수용과 관련한 왜에서의 주목할 만한 전승이다.

> …多多良氏가 일본국에 들어 갔습니다. 그 까닭은 일본에서 일찍이 大連 등이 군사를 일으켜 불법을 멸하고자 하였고, 우리나라 왕자 聖德 太子는 불법을 높이고 공경하였기 때문에 교전했습니다. 이때 백제 국왕이 태자 琳聖에게 명하여 大連 등을 치게 하였으니, 임성은 大內公입니다. 이러한 까닭으로 성덕 태자께서 그 공을 가상히 여겨 州郡을 하사한 이래로 그 거주하는 땅은 '大內公朝鮮'이라고 부릅니다. 지금 大連 후손을 否定함이 있지만, 耆老 가운데 박식하고 통달한 군자가 있어서 그 계보가 상세합니다. 大連 등이 군사를 일으킨 때가 일본국 鏡當 4년인데, 隋 開皇 원년(581)에 해당하니…(『단종실록』 원년 6월 기유).

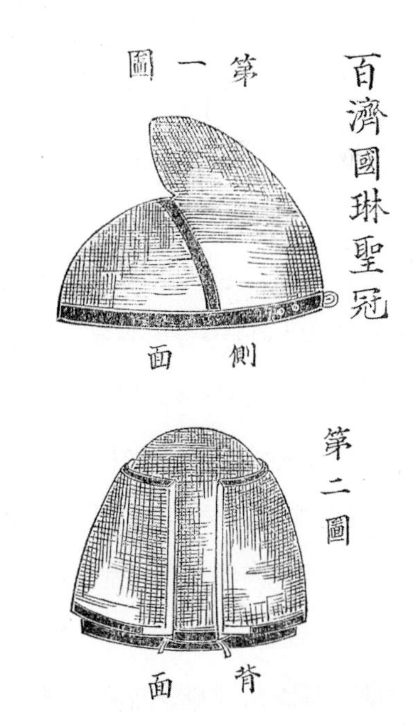

그림 26 | 1892년에 하야시 다이스케가 지은 『朝鮮史』에 수록된 일본에 남아 있던 임성 태자의 관모

그림 27 | 임성 태자의 묘로 전해지는 야마구치현 소재 다이니치 고분 석실 내부

위덕왕이 아들인 임성 태자에게 명하여 성덕 태자를 도와 오무라치(大連) 즉 모노노베노 오무라치 오코시(物部大連尾輿)를 공격하게 했다는 것이다. 大連이 경당 4년인 581년에 군사를 일으켰다가 이후 어느 때 임성 태자에게 패했다는 이야기였다. 물론 소가씨(蘇我氏)가 587년에 모노노베씨(物部氏)를 타도한 사실과 시점상으로는 부합하지 않는다. 그러나 이는 왜의 私年號인 경당의 연대 착오에 기인한 것이므로 그 본질은 신뢰할 수 있다. 즉 왜의 불교 수용에 깊이 관여했던 백제가 崇佛派를 직접 지원한 사실을 알려준다.

숭불파가 승리한 직후에 위덕왕은 처음으로 불사리를 비롯하여 승려와 사원 기술자들을 대거 왜에 보냈다. 이전까지와는 달리 국가에서 국가로, 조정에서 조정으로 보내는 공식적인 외교였다. 588년 이전에 백제는 왜의 귀족들에게 사적으로 불교 문물을 전파 해 주었다. 그러나 그 이후에는 공식적인 국가 사절로서 승려와 사원 기술자들을 파견한 것이다. 위덕왕은 불교 전래와 관련해 상당한 공력을 왜에 쏟았다. 소아씨가 승리한 직후인 593년에 일본열도 최초의 사찰인 法興寺(飛鳥寺)의 목탑이 조성되었다. 그 이전인 588년에 위덕왕은 왜에 승려를 보내 불사리를 분여한 바 있다. 사리 분여에 대한 독점적인 지위를 확보한 위덕왕은 자신의 위상을 부처와 동격으로 일치시켜 나갔다. 동시에 그는 사원 기술자들을 왜에 파견함으로써 백제와 동일한 성격의 불교 道場을 조성하게 했다. 위덕왕은 동아시아에서 자국을 불교의 本領으로 삼으려 한 것 같다. 위덕왕은 왕즉불 사상으로써 왜에까지 자신의 영향력을 확대하고자 한 것이 분명하다. 위덕왕은 왕실과 연계된 불교 이데올로기의 수출을 통해 백제 중심의 사상적 신질서를 구축하고자 했다.

⑤ 내면과 외면의 위덕왕

자신의 실책으로 부왕인 성왕을 전몰시켰기에 즉위하지 않고 출가 수도하고자 했던 위덕왕이었다. 그는 자신의 분신인 3 왕자를 순국시키기까지 했다. 서거 후에는『법화경』에 근거한 '威德'이라는 시호를 부여받았을 정도로 공덕을 많이 쌓은 왕이었다. 낙화암 쯤에서 건너편 백마강 대안에 우뚝 솟은 원탑을 바라보며 전몰한 부왕과 3 왕자를 회상하는 날이 많았을 것이다. 모두 위덕왕 자신으로 인해 전몰한 겨레붙이들이었다. 왕 자신이 누리고 있는 영화보다는 만감이 교차했을 게다. 또 그럴수록 불가에 대한 귀의 의식이 한층 강렬했을 것이다. 「사리함 명문」에서 '백제 창왕'이 아니라 '백제왕 창'으로 자신을 표기했을 정도로 세속의 위세는 티끌처럼 날려버리고 있었다. '백제왕 창'은 부처에게 모든 것을 맡기고자 했을 법하다. 위덕왕이 가슴에 품었던 정서를 헤아리면서 왕흥사지 「사리함 명문」이 지닌 의미를 평가해야 되지 않을까?

위덕왕은 외적으로는 전쟁을, 내적으로는 불교 이데올로기를 통해 왕권을 강화시켜 나갔다. 위덕왕 내면의 세계와는 다른 냉혹한 '현실'에서였다.[490]

(4) 짧은 재위, 그러나 막후에서 헌신했던 제28대 혜왕

惠王은 백제 제28대 왕이었다. 『삼국사기』에는 "혜왕의 이름은 季이다. 명왕의 둘째 아들인데, 창왕이 돌아가시자 즉위했다. 2년에 왕이 돌아가셨다. 시호를 혜라고 했다"고 하였다. 혜왕에 관한 기록은 이 짧은 구절이 전부였다. 이름 '계'에는 ① 끝 ② 어리다 ③ 末年 ④ 철, 즉 '계절'의 뜻이 담겼다. 나쁜 뜻은 아니라지만 그렇다고 고아한 의미는 더욱 아니었다. 이와는 달리 『삼국유사』 王曆에서는 "혹은 헌왕이라고 한다(一云獻王)"고 했다. '헌'에는 ① 바치다 ② 술그릇 이름 ③ 威儀가 있다 ④ 비취로 장식한 것이라는 뜻이 담겼다. '헌'은 '계'보다는 임금 이름으로서 격조는 있다. 추성군 태수로 재직 중인 855년에 金立之가 지은 聖住寺事蹟碑片에서는 "百濟國獻王太(子)"라는 구절이 포착된다. 여기서 헌왕은 혜왕의 이름이다. 그러므로 혜왕의 이름은 '계'보다는 '헌'일 가능성이 높다. 그런데 『일본서기』에서는 즉위 직전의 혜왕을 3회에 걸쳐 '왕자 혜'로 적었다. 따라서 '혜왕'이 시호인지 여부는 불명확하다.

혜왕은 명왕(성왕)의 둘째아들로서 창왕(위덕왕)이 사망한 직후 왕위를 이었다고 했다. 위덕왕에게 왕자가 존재했다면 아우인 혜왕에게 왕위가 넘어가지는 않았을 게 분명하다. 전지왕의 서자라는 毗有王도 즉위하였기 때문이다. 물론 비유왕은 구이신왕의 맏아들이라는 기록도 있지만, 서자 기록이 타당한 것으로 드러났다. 비유왕의 계보에 대해 어느 기록이 맞든 간에 "혹은 전지왕의 서자라고 한다[어느 것이 옳은 지 모르겠다]"고 한 기록을 볼 때 서자도 즉위할 수 있음을 알려준다. 전지왕은 庶

490_ 본서의 성왕・위덕왕・의자왕은 (재)백제고도문화재단, 『향』 2018, 겨울호, 2019, 봄・여름호에 게재되었다.

弟인 여신을 내신좌평에 이어 상좌평에도 임명했다. 서제는 "아버지의 첩에게서 난 아우"를 가리킨다. 이로 볼 때 백제에서는 신분상 嫡庶의 차이는 없었다고 보여진다. 그럼에도 위덕왕의 아우인 혜왕이 즉위한 데는 위덕왕에게는 서자도 없었기 때문임을 알 수 있다. 북규슈에 소재한 이나사 신사(稻佐神社) 기록을 통해 아좌 왕자는 성왕의 왕자 즉, 위덕왕의 왕제로 명료하게 밝혀졌다. 위덕왕 말년에 왕위계승권을 지닌 왕자는 존재하지 않았다. 따라서 왕흥사지 사리함 명문에서 보듯이 '三王子'는 모두 순국했기에 위덕왕의 뒤를 이을 왕자는 존재하지 않았다. 그로 인해 70세가 넘는 고령의 혜왕이 즉위했지만 재위 기간은 1년 미만이었다. 위덕왕은 598년 12월에 사망했고, 곧바로 즉위했다고 하더라도 혜왕은 599년에 사망했기 때문이다. 혜왕이 사망한 달[月]은 기록에 보이지 않는다.

555년 2월에 위덕왕은 혜 왕자를 왜에 보내 성왕의 사망 사실을 알렸다. 『일본서기』에서는 "백제 왕자 여창이 왕자 혜를 보내어"라고 하였다. 여창이 즉위하지 않는 空位 상황이었기에 '백제 왕자 여창'으로 적은 것 같다. 556년 정월에 혜 왕자는 귀국하는데, 왜왕이 兵仗과 良馬를 매우 많이 보내주고, 1천 명의 호위병력을 딸려주었다. 위기에 처한 백제를 지원하는 왜측의 정서가 담겨 있었다. 혜 왕자는 군수물자와 군마를 잔뜩 싣고 귀국하였다. 그로부터 무려 42년의 세월이 흐른 후 혜왕이 즉위했다. 그 장구한 기간 동안 혜 왕자의 역할이나 활약은 포착되지 않는다. 위덕왕을 도와 국정의 한 축을 담당했던 것으로 보인다. 특히 위덕왕이 부왕인 성왕의 패사에 대한 책임을 지고 출가수도 하려고 했을 때였다. 만약 위덕왕이 당초의 뜻대로 佛家에 귀의했다면, 위덕왕이 낳은 소년 왕자들보다는 연만한 왕제인 혜 왕자가 즉위하게 되었을 것이다.

위덕왕의 즉위 固辭로 인해 발생한 공위 기간에 혜 왕자는 직권 대행 즉 權知했을 것으로 보인다. 마음의 부채가 지대했던 위덕왕에게 여동생인 형공주, 그리고 혜 왕자는 허한 마음을 메워주는 든든한 버팀목이 되었을 것이다. 창왕명사리감의 '妹兄公主'는 창왕인 위덕왕의 여동생을 가리킨다. 만약 형공주가 위덕왕의 누나라면 손위누이를 가리키는 '姉'로 표기했을 것이다. 위덕왕 정권은 이들 3인에 의해 운영되었던 것 같다. 혜 왕자는 왜에 지원을 받아 귀국하는 등 조용한 행보가 적지 않았다. 물론 정작 그가 즉위했을 때는 재위 기간이 1년 미만이라 치적을 내세울 절대적 시간이 없었다. 그렇지만 왕제인 그는 위덕왕을 보필하면서 상당한 역할을 했을 것으로 보인다. 위덕왕대 보이지 않는 정치의 많은 부분은 혜 왕자의 작품일 가능성을 상정할 수 있을 듯하다.

(5) 부처의 現身 제29대 법왕

고령의 혜왕을 보필하여 1년 미만의 짧은 기간에 실질적으로 국정을 운영했던 이가 법왕이었다. 혜왕의 맏아들인 법왕은 이름이 宣이었지만 孝順이라고도 했다. 신라 말 구산선문 도량의 한 곳인 성주산파의 본산인 충청남도 보령시에 소재한 성주사에는 성주사의 내력을 기록한 「崇巖山聖住寺事蹟」에 보면 "聖住禪院은 隋 양제 大業 12년 을해에 백제국 28세 혜왕의 아들인 법왕은 烏合寺를 세워 전쟁에서 이기고, 원혼들이 佛界로 오르기를 바라는 원찰로 삼았다"고 했다. 오합사의 창건 동기를 적어놓은 것이다. 성주사의 전신이 백제 오합사임을 밝히고 있다. 「성주사낭혜화상비문」 주석본에서도 "절 편액을 옛 이름인 오합사에서 성주로 바꿨다"고 했다. 여기서 대업 12년은 616년으로서 백제 무왕대이다. 그렇지만 오합사 창건자를 법왕이라고 하였다. 여기서 연호나 干支보다 주체인 인명의 증거 능력이 앞선다는 것을 말하고 싶다. 더욱이 성주사사적비편에서 "(三)韓鼎足之代 百濟國獻王太(子)"라는 글귀의 '헌왕태자'는 헌왕 즉 혜왕의 태자인 법왕을 가리킨다. 법왕이 태자시절에 창건한 사찰이 오합사라는 것이다.

그러면 효순 태자가 전쟁에 승리하여 원혼들을 위해 창건 동기가 되는 전쟁은 무엇일까? 혜왕의 재위 기간이 598년 12월~599년까지이므로, 이 시점에서 전쟁을 찾아 보자. 백제가 중국의 隋와 기맥을 통하는 것을 안 고구려가 598년 9월에 국경을 침공해 왔다. 한강유역을 비롯한 한반도 중부를 신라가 장악한 상황에서 고구려의 백제 침공을 의아하게 여기는 이들도 있다. 그러나 고구려는 지금의 공주로 보이는 웅천성을 침공한 적이 있었다. 그리고 고구려는 백제의 松山城(당진시 송악읍 송악산성)을 공격했지만 이기지 못했다. 그러자 고구려는 석두성(당진시 송악읍 현진리)을 침공하여 주민을 노략해 갔다. 『증보문헌비고』에는 석두성을 가리켜 "삼국시대에 평양(고구려: 필자)이 백제와 싸워 빼앗은 석두창이 있었는데, 수군의 군량을 두었던 곳이라고 했다(권33, 輿地考21, 關防9, 海防3, 沔川)"고 하였다. 그러므로 598년 9월에도 고구려군은 백제 경내에 충분히 침공할 수 있었다고 본다. 고구려군이 침공한 지역은 전몰한 원혼을 위령하기 위해 창건한 오합사와 지리적으로 관련 있을 것이다. 그렇다고 할 때 고구려군은 보령 방면 해변에 상륙했다가 백제군의 반격을 받아 패전한 것으로 보인다. 그러고 나서 3개월 후 위덕왕이 사망하고 혜왕이 즉위했다. 혜왕이 재위한 599년에는 법왕이 되는 효순 왕자가 태자로 책봉되어 있었다. 효순 태자는 599년에 고구려군을 격파한 보령 관내의 명당인 숭암산 밑에 오합사를 창건한 것이다.

그런데 오합사라는 절 이름이 특이하다. 문헌에 따라 烏含寺(『삼국사기』 의자왕 15년 조), 烏會寺

(『삼국유사』 태종 춘추공 조), 오합사(『삼국유사』 태종 춘추공 조), 오합사(「숭암산성주사사적」『精校四山碑銘註解』)로 표기되어 있다. 보건대 오합사가 분명한 것 같다. 그러면 오합사는 무슨 의미가 있는 것일까? 오합사의 '오합'은 흔히 烏合之卒이나 烏合之衆이라는 성어로 사용되었다. 모두 부정적인 의미로 사용되었음은 분명하다. 오합사는 전쟁에서 이기고[戰勝], 전몰한 원혼들이 불계에 오르기를 바라는 목적에서 창건한 호국사찰임을 알 수 있다. 여기서 원혼은 '분하고 억울하게 죽은 사람의 넋'을 가리킨다. 원혼의 범주에는 백제 군인 뿐 아니라 어떤 면에서는 고구려 군인이 적합할 수도 있다. 패몰한 고구려 군인들의 넋을 달래주기 위한 鎭魂 목적도 지녔을 것 같다. 그렇지 않고 자국의 순국한 군인들만을 위한 사찰이라면 비칭인 '오합'을 사찰 이름으로 사용할 수 있었을까? 오합사는 법왕 소리를 듣게 될 효순 태자의 거룩한 품성과 결부지어 볼 때 적국인 고구려 병사들의 혼령까지 포함한 靈場으로 보인다. 오합사는 시체를 뜯어먹기 위해 까마귀가 모여든 사찰이라는 뜻을 지녔다. 바로 시체가 널브러진 戰場에 건립된 사찰이라는 의미를 포함했다. 그러한 오합사가 호국도량이었음은 다음 3곳의 사서에서도 암시받을 수 있다.

* 여름 5월에 붉은 말[騂馬]이 北岳 오함사에 들어가 금당[佛宇]을 여러날 동안 울면서 돌다가 죽었다(『삼국사기』 의자왕 15년 조).
* 현경 4년 기미에 백제 오회사[또는 烏合寺라고도 한다]에서 큰 붉은 말[赤馬]이 밤낮으로 六時(하루에 염불과 독경을 하는 시간: 필자)를 절을 돌며 行道했다(『삼국유사』 태종 춘추공 조).
* 백제가 신라를 정벌하고 돌아왔을 때 말이 절 금당에서 행도하면서 밤낮으로 그치지 않았다. 오직 풀을 뜯어 먹을 때만 그쳤다[혹본에서 이르기를 庚申年에 이르러 敵에게 멸망당할 조짐이다](『일본서기』 齊明 4년 조).

신라의 대찰인 경주 황룡사가 예언 기능을 가졌듯이 오합사도 이와 동일했음을 알 수 있다. 효순 태자는 599년에 즉위하여 600년 5월에 사망했다. 법왕의 재위 기간은 1년이 채 되지 않은 것 같다. 극히 짧은 재위 기간 중에 법왕은 중대한 치적을 남겼다. 법왕은 즉위하는 12월에 영을 내렸다. 즉 "살생을 금했고, 민가에서 기르는 매를 거두어 놓아주었고, 고기잡고 사냥하는 도구들을 불살랐다"고 했다. 법왕은 땅 위를 걷는 짐승, 물 속에 사는 모든 물고기들, 하늘을 나는 새들에 이르기까지 일체 살생을 금하였다. 법왕은 피비린내 나는 살륙과 살생이 없는 태평한 세상을 구현하고자 했다. 태자 시절 법왕의 오합사 창건도 더 이상의 살륙에 종지부를 찍고 평화로운 세상, 낙토를 건설하려는 의지의 표출이었다.

국왕이 수범을 보이니 일반 백성은 말할 것도 없고, 왕족과 귀족들도 채식하는 상황이 되었을 것이다. 중국 사서인 『隋書』에서는 "(백제에는) 오곡 · 소 · 돼지 · 닭이 있는데, 대부분 불에 익혀 먹지 않았다(有五穀 · 牛 · 猪 · 雞 多不火食)"고 했다. 백제에서는 음식물을 불에 익히거나 삶아 먹지 않았다고 하였다. 그렇다고 백제인들이 짐승을 죽여 육회로 먹었다는 이야기는 아닐 것이다. 채식 위주의 식문화를 가리킨다고 본다. 법왕의 아들인 무왕대에도 짐승에 대한 살생, 즉 육식이 금지되었다면 얼마든지 가능한 식문화 풍속이 된다. 조선시대에는 흉년에나 먹는 구황작물인 마[薯]가 이 때는 식용으로 널리 퍼졌던 것 같다. 마를 팔아 생계를 꾸렸다는 서동 왕자 이야기는 이러한 정서에서 나온 듯하다. 백제에서는 육식을 금했기에 화식 자체가 없었지만, 곡식은 화식을 했을 것으로 본다.

법왕의 금살령은 백제 사회에서 일대 혁명적인 사건이 되었을 것이다. 손쉽게 얻을 수 있는 해산 자원이 풍부한 나라가 백제였다. 밀렵에 대해서도 엄혹한 처벌이 따랐을 것이다. 법왕은 불국토 국가를 구현하기 위해 실천 가능한 조치로 살생부터 금했다. 법왕의 거룩한 이상과는 달리 백성들의 현실적인 고통과 불만은 적지 않았을 것 같다. 법왕의 재위 기간이 너무 짧기 때문에 단언할 수는 없지만, 신라나 고구려와도 終戰 선언을 했을 수 있다. 법왕의 아들인 무왕이 신라 진평왕의 딸과 혼인할 수 있는 분위기가 조성된 것이다. 종전 선언의 담보로서 양국이 사돈관계를 맺었다면 하등 이상할 게 없다.

법왕은 600년 정월에 부소산 대안에 왕흥사를 창건하였다. 이로부터 35년 후인 634년(무왕 35)에 왕흥사는 낙성된다. 그는 김제에 금산사도 창건하였다. 이 무렵 백제는 국가적 제사 대상이며 국토 보호령으로 인식된 국토 4방의 경계에 소재한 산악을 설정했다. 동계의 鷄藍山(계룡산), 서계인 旦那山(월출산), 남계인 霧五山(지리산), 북계인 烏山(오서산)이 되겠다. 이러한 사방 경계에 소재한 산악에 짝하여 호국사찰이 창건되었다. 이를테면 오합사는 북악과 짝하여 '북악 오합사'가 『삼국사기』에 보인다.

법왕은 불교 이념의 사회 저변으로의 깊숙한 침투를 통해 왕권의 기반을 확대하려고 했다. 그는 국가적 제의였던 산악 신앙의 소임까지 불교 신앙으로 대신하고자 했다. 그랬기에 "크게 한발이 들어 왕이 칠악사에 행차하여 기우제를 지냈다. 여름 5월에 돌아가시자 시호를 올려 法이라고 했다"고 하였다. 법왕 생전의 마지막 공식 행사였던 기우제를 집전하고 열반했다. 1년이 채 되지 않는 법왕의 재위 기간과 태자 시절까지 포함해도, 그의 업적은 오합사와 왕흥사 창건, 살생을 금하는 令 반포, 사찰에서 집전한 기우제가 전부였다. 모두 불교 관련 행사로 일관되었다. 그에게 부여된 시호 '법왕'은 부처를 가리킨다. 백제 제29대 효순왕은 生佛로 이 땅에 아주 짧게 왔다 간 것이다. 백제인들에게는 적어도 그렇게 기억되었던 것 같다. 혜왕의 "혜"는 은혜의 뜻이었고, 아들 법왕의 또 다른 이름 宣은 '베풀다'의 뜻을 지녔다. 혜왕과 법왕 부자의 이름을 합치면 '은혜를 베풀다'는 뜻이 된다. 짧게 세상을 다스리다가 건너갔지만 중생들에게 베푼 은혜는 적지 않았고, 여운도 길었던 듯하다.

(6) 웅위했던 무왕

① 어떻게 즉위했는가?

맏동 즉 薯童으로 알려진 백제 왕이 무왕(600~641)이었다. 치세도 42년으로 길었지만 신라 왕녀와의 혼인으로 더욱 유명해진 인물이었다. 그에 관한 기록은『삼국사기』는 물론이고『삼국유사』와 중국 사서에도 적혀 있다. 그런데 백제와 가장 긴밀했던 왜의 역사를 담고 있는『일본서기』에는 42년 장구한 재위 기간임에도 단 한줄도 언급이 없다. 아주 이례적이요 희한한 일로 여겨진다. 백제와 왜의 교류사에서 큰 공백이 무왕대였다.

42년 무왕의 치세는 결단코 성정과 분리되지 않았을 것이다. 무왕을 일러『삼국사기』에서는 "풍모가 영특하고 뜻과 기상이 호기롭고 걸찼다"고 했다.『삼국유사』에서는 "그릇과 도량을 헤아리기 어려웠다(器量難測)"고 하였다. 무왕 일생에 예상을 뛰어넘는 파격적인 사건이 존재했음을 암시해준다. 신라 진평왕의 셋째딸과의 혼인도 이 범주에 속한다.

무왕의 출생을『삼국유사』는 "어머니가 과부로 살면서 京師 남쪽 못가에 집[室]을 짓고 살다가 못 속의 용과 관계하여 낳았다"고 하였다. 이어서『삼국유사』는 "항상 마를 캐어 팔아서 생업을 삼았기에 나랏 사람들이 인하여 이름을 삼았다"고 했다. 서동 곧 맏동은 타칭이었다.『삼국유사』는『삼국사기』에 적혀 있지 않은 뜻밖의 정보를 알려주었다.『삼국사기』는 무왕의 계보를 "법왕의 아들이다. … 법왕이 즉위 이듬해에 돌아가시자 아들이 왕위를 이었다"고만 했다. 이 기사만으로는 무왕이 법왕의 원자인지 여부를 알 수 없다. 오히려 원자가 아닐 가능성을 내비치고 있다.『삼국유사』기록을 존중한다면 무왕은 서출이었고, 또 그랬기에 생계를 스스로 해결해야하는 상황이었다. 그러한 무왕의 즉위 요인으로는 옹립과 법왕의 고명을 함께 고려해야 한다. 부처로 일컬어졌고, 백제 역사상 일체 살생을 금했던 군왕이 법왕이었다. 법왕은 홀어머니를 극진히 봉양했을 정도로 효행이 빼어났고,

마를 캐어 팔면서 채식 생활에 수범을 보였던 무왕을 지목했을 수 있다. 실제 "五金寺: 보덕성 남쪽에 있다. 세상에 전하기를 '서동이 어머니를 지성으로 섬겼는데, 마를 캐던 땅에서 갑자기 五金을 얻었다. 뒤에 그는 임금이 되어 그 땅에 절을 짓고 오금사라 했다'고 하였다(『신증동국여지승람』 익산군 佛宇 조)"고 했다.

무왕이 신라 왕녀와 혼인한 이야기는 그 성정에 관한 기록에 비추어 볼 때 불가한 사건은 아닐 수 있다. 신라 도성에 잠입한 그가 모략으로써 공주를 출궁시켜 데려온 이야기는 호쾌하기 이를 데 없다. 문제는 과연 가능할 수 있는 일이었냐는 것이다. 살생을 금했고, 전쟁을 중단하고 태평한 세상을 만들고자 한 이가 법왕이었다. 그런데 전쟁은 이해 상대가 있는 만큼 자신의 의지만으로 해결되지 않는다. 그랬기에 법왕은 서자인 무왕을 신라 왕녀와 혼인시킴으로써 전쟁이 없는 시대를 열고자 했을 수 있다. 두루 알려져 있듯이 국가 간의 혼인은 동맹의 성격을 지녔다. 여기서 일보 나아가 법왕은 무왕에게 왕위를 물려줌으로써 자신의 이상을 구현하고자 했을 수 있다.

② 사탁씨 왕후의 등장

무왕은 웅진성 도읍기의 모반 사건에 연루되어 권력의 변두리로 밀려난 해씨와 백씨 세력 및 중국계 세력과의 연계를 통해 왕권을 강화시키고자 했다. 서출이었던 무왕은 유력 귀족 세력의 옹립을 받지 않았음을 알 수 있다. 이들에 대한 견제 세력으로 소외 세력과 손을 잡았음을 알려준다.[491]

무왕은 자신의 정치적 입지를 위해 처가인 신라를 공격했다. 그는 끊임없이 신라 침공을 감행함으로써 부왕인 법왕의 유지를 파기하였다. 정치는 현실이었기 때문이다. 이 때 백제와 신라의 주전장은 지금의 전라북도 남원과 경상남도 함양을 비롯한 동서 횡단로 주변이었다. 양국이 격돌하게 된 주된 요인은 전라북도 장수와 남원 운봉고원 일대의 鐵場 장악에 있었다. 재부의 원천일 뿐 아니라 국가 유지의 물질적 토대이자 기간 산업인 제철산지의 확보를 위한 대격돌이었다.

무왕은 정치적 안정을 위해 두 번째 왕비를 받아들인 것 같다. 유력 가문인 사탁씨의 딸이었다. 2009년 정월에 세상을 깜짝 놀라게 한 사건이 미륵사지 서탑 해체했을 때 드러난 「사리봉안기」 속의 인물이었다. 무왕의 배필은 선화 왕비가 아니었다. 전혀 들어 본 적이 없었던 뜻 밖의 여인이 등장했다. 즉 "우리 백제 왕후께서는 좌평 사탁적덕의 따님이다(我百濟王后 佐平沙乇積德女)"고 적혀 있었

491_ 李道學,「百濟 武王의 系譜와 執權 基盤」『百濟文化』34, 2005, 69~85쪽.

다. 좌평 벼슬에 있었던 사탁적덕의 딸이 무왕의 왕후였다. 사탁씨는 砂宅智積으로 널려 알려진 사택씨를 가리킨다. 무왕은 8대 귀족 가문 가운데 가장 힘이 셌던 사탁씨 가문의 여성을 맞이했다. 그럼으로써 왕권의 든든한 후원 세력을 얻을 수 있었다. 이로써 친정이 신라 왕실인 선화 왕후의 입지는 한층 좁아졌을 것이고, 권력 일선에서 퇴출되었을 게 분명하다.

선화 왕후의 발원에 의해 미륵삼존이 출현한 못을 메우고 창건한 대가람이 미륵사였다. 미륵사 창건에는 신라 진평왕이 百工을 보내 지원해 주었다. 전란과 고통이 없는 미륵의 세상은 백제나 신라 모두 바랐던 이상향이었기 때문이다. 미륵사는 중앙에 거대한 목탑을 두고 좌우에 동과 서에 석탑을 세웠다. 3개의 탑과 3개의 금당으로 구성된 가람이었다. 미륵사 서탑에서 639년에 봉안한 「사리봉안기」가 부장되어 있었고, 왕후로 사탁씨가 등장했다. 중심의 목탑과 동탑에도 필시 「사리봉안기」가 부장되어 있었을 것이다. 이 두 곳의 「사리봉안기」 가운데 선화 왕후가 봉안한 내용과 발원이 적혀 있을 수 있다. 3개의 탑 가운데 단 1개의 탑에서 나온 내용을 토대로 미륵사 창건의 주체를 사탁씨 왕후로 단정할 수는 없다. 더욱이 본 「사리봉안기」에는 창건 동기와 관련한 미륵 신앙 구절이 보이지 않았다. 匹夫들에게서 보이는 무왕의 장수를 염원하는 지극히 평범하고도 단순한 염원만 적혀 있었다. 자신이 미륵사 창건의 발원자라면 우람한 미륵 신앙의 이상을 담은 우렁찬 무장을 낳았을 것이다. 그러나 사실은 그렇지 않았다. 따라서 사탁씨 왕후는 미륵사 창건의 발원자는 아니었다. 그녀는 서탑의 발원자에 불과하다는 사실을 읽을 수 있다. 그리고 639년이라면, 무왕 33년인 632년에 책봉된 연만한 의자 태자가 2인자로 대기하고 있었다. 그럼에도 자신이 의탁할 대상인 태자의 장수에 대한 염원이 담겨 있지 않았다. 이로써도 사탁씨 왕후와 의자 태자는 친모자 간이 아님을 읽을 수 있다.[492]

사탁씨 왕후는 잠재적 적대자인 의자 왕자가 태자로 책봉하는 것을 반대했던 인물로 보인다. 해동증자의 명성을 얻었던 의자 왕자가 무려 무왕 치세 33년에야 태자로 책봉되었다. 전적으로 사탁씨 왕후의 방해로 말미암았다고 짐작된다. 사탁씨 왕후는 자기 소생의 왕자를 태자로 책봉하고 즉위시키려는 꿈을 가졌을 것이다. 잠재적 경쟁자인 의자 왕자의 왕이 되는 1차관문인 태자 책봉을 집요하게 방해했던 게 분명하다.

492_ 李道學,「彌勒寺址 西塔 舍利 奉安記의 分析」『白山學報』83, 2009, 265쪽.

③ 또 하나의 도성

무왕은 익산을 또 하나의 도성으로 경영했다. 무왕이 익산을 도성으로 삼았음은 여러 문헌 기록을 통해서도 입증된다. 게다가 부여 왕궁 일원에서만 출토되는 '首府' 명문 기와가 왕궁평성이나 익산토성에서 출토되었다. 말할 나위 없이 '수부'는 수도를 가리킨다. 그런데 많은 이들이 익산 천도를 인정하지 않고 미완의 수도를 운위하여 왔다. 그러나 무왕의 정치적 한계와 낭만성을 내재하고 있는 '미완의 수도' 설은 전혀 타당하지 않다. 왕궁평성에서 출토된 중국제 청자와 백자, 그리고 금실[金絲]을 비롯하여 유리 제품, 공방 시설, 상수관의 존재 등은 최고위 신분이 거처한 공간임을 웅변한다. 천도하지 못한 궁성이라고 하자. 그러면 이러한 최고급 물품을 향유했던 이들은 누구란 말인가? 문화재청의 공식 견해도 이곳은 백제 왕궁터였다.

무왕이 익산에 또 하나의 도성을 건설하게 된 목적은 현실적으로 사비도성의 인구압력을 지목할 수 있다. 기록에 따르면 사비도성 안에 1만여 호 즉 5만~6만이 거주했다고 한다. 무왕대의 사비도성에서는 활용할 공간이 더 이상 존재하지 않았다. 그랬기에 7세기대에는 기존의 공간을 철거한 후 가칭 '정림사'를 현재 부지에 조성한 것이다. 근자에 각광받고 있는 考古地磁氣法 측정에 따르면 '정림사'는 7세기 전엽에 조성되었고, 그 밑층에서 삼족토기 등이 출토된 백제 때 문화층이 발견되었다. 이러한 사비도성의 포화 현상을 극복하기 위한 방편으로 또 하나의 도성을 건설했을 수 있다.

무왕이 경험했던 중국의 隋와 唐은 공히 東都와 西都라는 2개의 도성을 경영했다. 뤄양과 시안이 동도와 서도에 각각 해당한다. 이러한 사례와 더불어, 중국 사서에서 당시 백제 왕은 東城과 西城, 2곳 성에 거처한다고 했다. 중국에서처럼 바로 동도와 서도가 되는 것이다. 사비도성과 금마저성을 가리키는 게 분명하다. 공주를 가리키는 웅진성은 5方城 중 북방성의 거점이었기에 해당되지 않는다. 무왕은 익산 왕궁평성 일대를 枳慕蜜地라고 이름하였다. 탱자나무 자라는 따뜻한 남방의, 그리워하는 꿀이 흐르는 땅이라는 복된 땅[福地]과 樂土 개념을 담았다. 무왕은 도성 뿐 아니라 미륵이 하생하는 이상향으로 간주했기에 익산에 미륵사를 창건했던 것이다.

무왕은 寺域에 들어온 사람들이 지상에 있는 동안 미륵의 세상을 체감하게 하려고 했다. 미륵사는 감미롭고 은은한 분위기에 웅장하지만 아름다운 미륵의 세계를 재현한 지상 모형이었을 것이다. 그리고 지상에서 미륵의 세상으로 가는 중간 경유지에 무왕의 역할을 설정했다. 미륵을 迎禮한 전륜성왕이 무왕이었다고 한다. 그러니 미륵사 창건은 무왕의 역할로 미륵의 세상이 구현된다는 확고한 메시지였다.

④ 신선사상에 심취한 무왕의 만년

『삼국사기』를 보면 백제에서 인공 못을 조성한 기록이 다음과 같이 보인다. 이 중 두 번째 기사는 무왕대 후반에 속한다.

* 봄에 임류각을 궁 동쪽에 세웠는데, 높이가 5길이나 되었다. 또 못을 파서 기이한 새들을 기르자 諫官이 글을 올렸으나 듣지 않고, 다시 간하는 자가 있을까 두려워하여 궁문을 닫아버렸다(동성왕 22년 조).
* 3월에 궁성의 남쪽에 못을 파고 물을 20여 리에서 끌어들이고, 사방의 언덕에 버드나무를 심고 못 가운데 섬을 쌓았는데, 이는 方丈仙山을 모방했다(무왕 35년 조).

위의 무왕대 기사에 보면 궁남지 복판의 인공섬은 발해 가운데 있다고 하는 삼신산의 한 곳인 방장선산을 모방한 것이다. 董仲舒의 천인감응설에 따르면 무왕은 신선을 감응시키기 위해 仙界를 본뜬 모형을 궁남지에 재현한 것이다. 자국 안에 선계를 구현하려는 무왕의 열망이 담겨 있음은 두 말할 나위 없다. 그러한 못 속에는 용이 살고 있다고 믿어졌다. 池龍의 아들이라는 속전을 지닌 이가 무왕이었다. 이렇게 보면 백제금동대향로의 받침대인 용 발톱과 연꽃이 넘치는 수중세계, 그 위에 솟아 있는 산악은 궁남지 방장선산의 재현일 수 있다. 더욱이 의자왕을 가리켜 해동증자라고 하였듯이 백제는 해동 즉 발해 동쪽으로 지칭되어졌다. 그렇기에 백제는 발해 중에 있는 삼신산의 소재지와 크게 어긋나지 않는다. 또 그렇다면 백제는 백제금동대향로 속에 방장선산을 재현해 놓았을 수 있다.

앞서 인용한 "못을 파서 기이한 새들을 기른(동성왕 22년 조)" 곳은 '못 가운데 섬'의 존재를 암시해 준다. 섬 안에 재현한 무왕대 기사의 방장선산에도 "기이한 새들을 길렀다"고 할 수 있다. 새들 뿐이었을까? 백제금동대향로에 보이는 鸚鵡를 비롯한 '기이한 새'나 괴수의 경우도 이 같은 방장선산의 구성과 관련 있을 것이다. 결국 백제금동대향로는 신선의 이상세계를 재현해 놓은 것으로 판단된다. 불로장생의 신선세계에 대한 희구는 무녕왕릉에 부장된 銅鏡에서 "천상에는 仙人이 있어 늙음을 모르고, 갈증이 나면 玉泉을 마시고, 굶주리면 대추를 먹으니, 수명이 金石과 같다"라고 하여 보인다. 따라서 사비성 천도 이후에는 이 같은 신선사상이 왕실 저변에 깔려 있었을 수 있다.

진 시황이 불로초를 구하도록 동남동녀 3천 명과 함께 파견한 서복과 관련한 동해의 이상향이 삼신산이다. 그러한 삼신산은 지금의 제주도로 인식되기도 한다. 또 그렇기에 사실 여부를 떠나 서복 전설과 제주도를 결부 짓기도 했다. 그런데 이 무렵 백제는 신선이 산다는 제주도를 영향권내에 복속시켰다. 그렇게 되면 백제는 삼신산이라는 이상향을 포용한 것이다. 주지하듯이 무왕대에는 정복 전쟁에서 승리를 구가했다. 동시에 익산 천도와 맞물려서 신수도를 '지모밀지' 즉 '낙토'나 '복지' 개념으로 설정하였다. 이와 더불어 미륵부처의 하생과 엮어서 미륵신앙의 요람임을 과시했다. 특히 「미륵사지 서탑 사리봉안기」에 따르면 무왕의 장수를 기원하고 있다. 이는 정복군주의 성향인 신선 사상에 대한 동경이 담겨 질 수 있는 정황이 된다. 이러한 맥락에서 본다면 무왕대 미륵국토 구현 의지와 관련해 蓮華藏 위에 피어오르는 방장선산의 모습은 궁남지 모습과 다르지 않을 것이다. 요컨대 이미 지적되었듯이 불교의 연화장 세계와 도가의 이상향이 응결된 그 재현물이 백제금동대향로였다.

백제금동대향로에는 앵무와 사자, 그리고 악어를 비롯한 진귀한 남방산 동물들과 더불어 봇짐을 짊어진 사내가 코끼리 등 위에 올라탄 정경 등 모두 이국풍들이다. 백제금동대향로에는 앵무새나 악어를 비롯해서 코끼리·원숭이·양·사자에 이르기까지 백제에서 서식하지 않은 진귀한 동물들이 등장한다. 이는 백제가 왜에 선물한 낙타·노새·양·흰꿩·앵무새·당나귀 등과 같은 동물들의 실재와 결부 짓는 게 가능하다. 백제 의자왕이 왜의 권신인 후지와라노 가마다리에게 선물한 바둑함에도 코끼리 모습이 담겨 있다. 그러므로 백제금동대향로의 동물들은 이 같은 천하의 만물이 집결하고 서식한다는 백제인들의 자국 중심 천하관을 반영한다. 실제 백제금동대향로가 출토된 능사에서는 서역과의 교류를 암시해 주는 유리편까지 출토되었다. 요컨대 백제금동대향로에는 백제 영역이나 활동권 및 세계관의 확장에 따라 확보된 물산의 풍부함을 과시하였다. 자국의 위상을 높이고자 한 세계관의 표출이었다.[493)]

무왕이 조성한 궁남지의 방장선산에는 외국에서 들여온 진귀한 금수들이 서식했을 것이다. 백제금동대향로의 세계가 재현되었을 게 분명하다. 알렉산더 대왕시절부터 권력자들은 다른 나라의 동물을 주민들에게 보이며 권력을 과시했다고 한다. 무왕의 경우도 이와 별반 다르지 않았을 것이다. 불로와 신선에 대한 동경은 무왕도 진 시황이나 한 무제처럼 정복군주였음을 반증한다.

493_ 李道學,「百濟의 祭儀와 百濟金銅大香爐」『충청학과 충청문화』17, 2013, 29-49쪽.

(7) 의자왕 대에 대한 재해석

① 정치와 인간

백제 의자왕은 제30대 무왕과 신라 선화 왕후 사이에서 출생했다. 신라 왕실은 무왕의 즉위에 일정한 역할을 했던 것으로 보인다. 그러나 무왕은 즉위 후 처가인 신라 왕실을 적대 세력으로 규정하고 군사적 공세를 펼쳤다. 백제와 신라의 험악한 상황은 무왕과 선화 왕후 사이에 출생한 의자 왕자의 정치적 입지를 좁혔다. 그러나 그는 성장하면서 반듯한 성품과 지극한 효성으로 인해 뭇 사람들부터 좋은 평판을 받았다. 이러한 좋은 평판과 칭송은 그가 태자로 책봉될 수 있는 데 매우 유리한 상황을 조성했다. 그는 부모에게 효도하고 형제 간에 우애가 있어 해동증자라는 칭송을 얻었던 것이다. 그럼에도 그는 쉽게 태자로 책봉되지는 못했다. 그렇지만 그가 구축한 다양한 혼맥으로 인해 많은 귀족층으로부터 한 목소리로 지지를 얻었다. 의자 왕자는 40세 가량의 연만한 연령에야 결국 태자로 책봉되었다.

태자로 책봉된 이후까지 의자왕은 최소한 10여~20여 가문과 혼사를 맺었다. 그러한 기반 속에서 이복형제들을 자연스럽게 제압하고 즉위할 수 있었다. 의자왕은 왕자나 태자시절에 혁혁한 무공을 세웠다. 신라와의 전쟁에서 그는 전공을 세웠던 것 같다. 이러한 요인들 역시 신라 왕실을 외가로 한 의자왕자가 즉위할 수 있는 기반이 되었다.

정치체제로서 의자왕은 대왕 밑에 소왕을 두었다. 소왕은 공간적 통치 범위에 따라 내왕과 외왕으로 나누어졌다. 그리고 좌평직은 귀족 중심의 '內 佐平'과 의자왕의 서자들에게 부여한 '外 佐平'으로 크게 구분되었다. '내 좌평'에는 의직과 같은 의자왕의 친아우가 속한 관계로 여타 귀족들을 일정하게 통제할 수 있었다. 모두 권력의 집중화를 이루고자 한 의자왕의 정치 개혁 시도였다.

의자왕의 이 같은 혁신적인 정치 · 경제 개편은 귀족들의 거센 반발과 갈등을 유발했다. 그 틈새에서 의자 왕비 즉 君大夫人 은고가 권력을 농단하게 되었다. 이것은 백제 지배층 내부의 갈등을 증폭시키는 요인으로 작용하였다. 노쇠한 의자왕으로부터 권력을 잠식한 은고의 전횡으로 인한 정치적 혼미가 거듭되었다. 신라와 당의 침공이라는 外壓으로 인해 의자왕 정권은 의외로 간단하게 붕괴되고 말았다. 자국의 우월한 국력에 도취한 의자왕의 정세 오판이 백제 멸망의 직접적인 요인이 되었다.

② 정치와 술

의자왕의 음주는 부패타락의 전형으로 운위되고는 한다. 물론 그러한 기록이 보이는 것은 사실이다. 『삼국사기』에 의하면 "왕이 궁인과 더불어 음황 탐락하여 술마시기를 그치지 않았다(의자왕 16)"고 하였다. 『삼국유사』에서 "泗沘河 양쪽 언덕이 그림 병풍처럼 되어 있어, 백제 왕이 매번 놀면서 잔치하고 노래와 춤을 추었으므로, 지금도 大王浦라고 일컫는다"고 했다. 여기서 '백제 왕'은 의자왕일 수도 있다. 실제 『신증동국여지승람』 恩津縣 조에 보면 "산에 큰 돌이 편편하고 널찍하여 市津의 물을 굽어 보고 있으니 이를 皇華臺라 부르며, 세상에서 전하는 말에 백제 의자왕이 그 위에서 잔치하고 놀았다고 한다"고 하였다. 『삼국유사』에서도 의자왕을 일러 "정관 15년 신축에 즉위한 후로는 주색에 빠져 정사가 거칠고 나라가 위태하였다"고 했다. 물론 의자왕의 주색은 앞서 거론했듯이 통치 후반기에, 그것도 『삼국사기』 기록에 단 한 차례 등장한다. 그러나 "좌평 성충이 적극 말렸다. 왕이 노하여 그를 옥에 가두었다. 이로 말미암아 감히 간하려는 자가 없었다(의자왕 16년)"는 기사의 문맥을 놓고 보자. 의자왕의 음주는 오래되었음을 알 수 있다. 655년 9월의 시점에서 『삼국사기』는 "이때 백제의 임금과 신하들은 사치가 심하고 방탕하여 나랏일을 돌보지 않았다. 백성들은 (이를) 원망하고 신은 노하여 재앙과 괴변이 여러 차례 나타났다"고 했다. 그러자 김유신이 왕에게 "백제는 무도하여 그 죄가 桀·紂보다 더하옵니다. 이에 진실로 하늘의 뜻에 따라 백성들을 불쌍히 여기시고 죄인을 징벌하실 때입니다"고 하였다.

그러면 의자왕은 왜 음주를 즐겼을까? 음주는 국왕과 신하 간의 일체감을 조성하고 응집력을 촉발하는 역할을 한다. 그리고 술은 정치적 긴장 상황에서 해방시켜주는 기능도 했다. 그러나 의자왕의 경우에는 지속적인 음주를 보여주고 있다. 이는 알코올 중독의 결과로 간주할 수 있으며, 복잡한 정치 상황에서 벗어나게 하는 수단이기도 했다. 그리고 잔치에 참여한 구성원들 간의 일체감을 조성하여 강력한 왕권을 유지하고자 한 것이다. 의자왕이 성충이나 흥수의 간언을 배제하거나 제거할 수 있었던 요인도 술에 기반하고 있다. 술의 힘을 빌어 단호하게 정적들을 제거할 수 있었다. 의자왕은 신라와 당의 침공 대비라는 피곤한 현실에서 벗어나고자 했다. 그 자신은 신라와 당의 협공 가능성을 희박하게 보았다. 그럼에도 경고의 비상 나팔을 불러대자 짜증을 낸 것이다. 의자왕이 현실을 잊거나 벗어나기 위한 탈출구로서 술을 이용한 측면도 배제하기 어렵다.

그런데 보다 중요한 사실은 의자왕 즉위 15년부터 음주 기사가 등장한다. 의자왕은 이때부터 강력한 권력을 구축하였다. 의자왕은 오랜 동안 은인자중하며 비수처럼 품어 왔던 혁명적인 정변을 단행했다. 『일본서기』 기록을 합리적으로 검토할 때, 皇極 원년(642) 조의 정변 기사를 齊明 원년(655) 조에 배치하는 게 타당하다. 그렇다면 의자왕은 재위 15년에 무왕의 왕비이자 실권자였던 계모 사탁씨가 세상을 뜬 것을 계기로 정변을 단행하였다. 대대적인 숙청은 왕족뿐 아니라 계모의 친정세력을 비롯하여 명망가적 식자층에도 미쳤다. 이들을 海島로 추방시켰던 것이다. 그럼에 따라 의자왕은 귀족세력의 견제에서 벗어나 권력 독주가 가능해졌다.

국왕을 견제할 수 있는 귀족 공동체의 결집력을 와해시킨 의자왕은 이내 매너리즘에 빠졌다. 의자왕은 즉위 전부터 재위 15년까지의 오랜 기간 동안 사뭇 긴장된 생활을 하였다. 그러나 이제는 정적들을 제거함에 따라 정치적 긴장에서 해방되었다. 해동증자라는 칭송이 더 이상 의자왕을 구속할 수 없었다. 의자왕은 너무나 지쳐 있었고, 눈치 볼 사람도 없어졌다. 환갑을 넘긴 의자왕의 가슴 속에 갇혀 있던 생동적 에네르기는 음란과 향락의 방향으로 뿜어져 나왔다. 의자왕의 이러한 사치와 탐락은 백제 멸망의 요인으로 자리잡았던 것 같다. 이와 관련해 "덕행은 언제나 곤궁 속에서 이루어지고, 몸을 망치는 것은 대부분 뜻을 얻었을 때이다(成德每在困窮 敗身多因得志)"라는 『庸言』의 말이 실감나게 와닿는다.

의자왕이 胃癌으로 추정되는 질병[反胃]으로 고난을 겪었으며 길고 긴 투병생활이 통수권의 약화를 불러 백제의 사령탑과 전투 의지를 와해시켰다는 해석이 제기되었다. 이 주장은 『文館詞林』에 수록된 「貞觀年中撫慰百濟王詔一首」에 근거한 것이다. 의자왕은 자신의 신병 치료를 위해 당에 사신을 보내 장원창이라는 의사를 찾았다고 한다. 그 때가 644년 말로 추정되고, 장원창은 반위 치료의 전문의였다고 하므로, 의자왕의 위 질환은 적어도 643년 이전으로 소급된다고 보았다. 그런데 당 태종은 백제의 요청을 들어주지 않았기에 의자왕의 위 질환은 완치될 수 없었다는 것이다. 그 결과 "긴 투병생활이 통수권의 약화를 불렀다"고 했다.

그러면 이러한 주장을 검증해 보도록 하자. 일단 위암에 걸리면 상복부 불쾌감·상복부 통증·소화불량·팽만감·식욕부진 등이 있다. 이러한 증상은 위염이나 위궤양의 증세와 유사하다고 한다. 문제는 의자왕이 위 질환을 앓고 있었다고 하자. 그렇다면 어떻게 즉위 초부터 몸소 군대를 이끌고 신라를 공격하여 일거에 40여개 성을 공취하는 혁혁한 무훈을 세울 수 있었는지 의아하다. 이후로도 의자왕의 신라에 대한 공세는 줄기차게 이어졌다. 위암 환자 치고는 특이 사례로 기록되어야할 의학계의 새로운 보고 자료감이다. 게다가 '길고 긴 투병 생활' 중이라던 의자왕이 '술 마시기를 그치지 않았다'고 할 정도의 체력과 몸 상태를 유지할 수 있었는지 의아하다. 내 몸이 불편한데 어떻게 술 마시며 홍청거릴 수 있었는지? 그리고 정력적으로 의자왕이 신라를 압박할 수 있었을까? 더구나 집권 초기부터 위암에 걸렸다는 의자왕은 위암환자 치고는 너무 오래 산 것이다. 위암에 걸린 지 대략 20년을 누렸다. 이 역시 의학계에 보고할 사안이 아닐까 싶다.

③ 둘째 왕후에게 넘긴 권력

국가의 쇠퇴나 멸망에는 여자 이야기가 회자되기도 한다. 백제의 경우는 고구려 승려 道顯이 지은『日本世記』에서 "혹은 말하기를 백제는 스스로 망하였다. 君大夫人 妖女가 무도하여 國柄을 제 마음대로 빼앗아 賢良을 주살한 까닭에 이 禍를 불렀다 … (『일본서기』 齊明 6년 7월 조)"고 했다. 부여 '정림사지' 5층탑신에 새겨진 명문에도 "항차 밖으로는 곧은 신하를 버리고, 안으로는 妖婦를 믿어, 형벌이 미치는 것은 오직 忠良에게 있으며, 총애와 신임이 더해지는 것은 반드시 먼저 아첨꾼이었다"고 하였다. 여기서 '요녀'와 '요부'로 전하는 '군대부인'은 왕후를 가리킨다. 이 여인은 백제 멸망 때 의자왕과 더불어 당군에 생포되었다. 그녀를 '그(의자왕) 처 恩古'라고 하여 그 실체가 드러났다(『일본서기』 齊明 6년 10월 조). 그러면 요녀와 요부는 어떤 의미를 담고 있을까? 즉 "요사하고 망령된 여자"와 "요사스러운 계집"으로 각각 풀이하고 있다. 요망하고 간사한 여자라는 것이다. 의자왕이 간사한 왕후 은고에게 홀리어 국정을 파탄냈다는 의미가 된다.

의자왕은 재위 4년에 부여융을 태자로 책봉하여 후계자 문제를 일찍 매듭지었다. 그런데 의자왕은 은고 세력의 지원을 얻어 정변에 성공했다. 이로 인해 太子位는 부여융에서 은고의 아들 부여효로 교체되었다. 그와 동시에 요사한 둘째 왕후 은고가 권력을 거머쥐었다. 은고는 노쇠한 의자왕이 사치와 향락에 빠져 국정을 돌보지 않게 하였다. 그녀가 전횡을 일삼은 시점이 655년 곧 의자왕 재위 15년부터였다. 의자왕-은고 공동정권의 출범이었다. 명의는 의자왕이었지만 은고가 권력을 좌지우지하였다.

은고는 갖은 감언이설로 의자왕을 감쪽같이 속였다. 미래권력인 태자의 어머니였기에 권력을 휘두르는데 거리낌이 없었다. 그러면 만취한 의자왕이 그야 말로 태평성대처럼 잔치나 베풀었던 배경은 무엇일까? 이는 의자왕의 성취와 무관하지 않다. 의자왕은 즉위 직후 몸소 군대를 이끌고 신라의 서쪽 변경을 침공하여 일거에 40여 개 성을 점령했다. 여기서 멈추지 않고 그의 군대는 전략적 요충지인 합천의 대야성을 점령하였다. 아울러 신라의 실권자인 김춘추의 사위와 딸을 붙잡아 죽였다. 백제 군대는 동진을 거듭하여 지금의 88고속도로의 동쪽 기점인 화원 인터체인지 구간까지 점령하였다. 백제 군대는 낙동강을 건너 지금의 성주나 구미 방면까지 진출하기도 했다.

의자왕대의 혁혁한 전과는 신라 조야를 사뭇 긴장하게 했다. 위기감 속에서 신라가 택할 수 있는 국난 타개 방안은 당의 손을 빌리는 길밖에 없었다. 이는 651년에 신라 사신 김법민이 당 고종에게 "고구려와 백제는 긴밀히 의지하면서 군사를 일으켜 번갈아 우리를 침략하니, 우리의 큰 성과 중요한 鎭은 모두 백제에게 빼앗겨서, 국토는 날로 줄어들고 나라의 위엄조차 사라져갑니다"고 한데서 극명하게 드러난다. 당시 신라인들이 백제를 얼마나 두려워했는지는 김유신이 진덕여왕에게 잃어버린 대량주 즉 대야성 회복을 주청한 데서 엿볼 수 있다. 이때 여왕은 "작은 것이 큰 것을 범하려다가 위태로워지면 장차 어찌하겠는가?"라고 말했다. 여기서 '적은 것'은 신라이고, '큰 것'은 백제를 가리킨다. 이에 김유신은 "군사가 이기고 지는 것은 크고 작은 데 달려있는 것이 아니라, 다만 사람들의 마음이 어떠한가에 달려 있을 따름이옵니다. … 지금 저희들은 뜻이 같아서 더불어 죽고 사는 것을 함께 할 수 있으니, 저 백제라는 것은 족히 두려워할 것이 없나이다"고 했다. 신라 여왕 스스로가 자국을 소국으로 간주하였다. 반면 백제를 대국으로 여겨 잔뜩 겁 먹고 위축되어 있었다.

의자왕의 성취는 친위 정변을 통해 절대 권력을 구축한 재위 15년 즉 655년 이전의 일이었다. 의자왕의 승리는 정국에 대한 가 없는 낙관을 가져왔다. 국가 명운의 사활이 걸린 신라로서는 할 수 있는 모든 방안을 강구할 수밖에 없었다. 신라가 극단적인 선택을 하여 당과 협공할 수 있었다. 그럴 가능성을 염려한 성충이 탄현과 기벌포 방비를 당부했었다. 그러나 연이은 승리에 도취했을 뿐 아니라 왕후 은고의 간계에 빠져 의자왕은 소통과 담을 쌓고 말았다. 의자왕은 주연을 통해 자신의 공적을 뽐내면서 자아도취로 흘러가고 있었다. 신라가 택할 수 있는 마지막 카드에 대해 대수롭지 않게 여겼던 것이다. 설령 신라와 당이 손을 잡고 쳐들어온다고 해도 쉽게 제압할 것으로 판단했다. 의자왕이 보건대 자국은 고구려보다 인구도 많았고, 물산도 풍부하였다. 고구려도 꺾지 못한 당이 감히 우리 백제를 쳐들어 온다고 하자. 그렇더라도 陸續된 고구려와는 달리 서해가 가로놓인 백제 공략은 호락호락하지 않을거라고 자만했다.

승전에 도취한 의자왕 조정에는 좌평 임자와 같은 이중간첩들의 암약과, 은고를 축으로 하는 궁중부패가 만연했다. 계백과 함께 황산 전투에 참전했다가 신라군에게 항복한 좌평 충상과 달솔 상영처럼 수상한 기회주의자들도 박혀 있었다.

④ 성인과 주색잡기, 양면성 지닌 의자왕 생애

660년 7월, 의자왕이 설마했던 일이 현실로 닥쳤다. 신라와 당이 협공을 한 것이다. 그는 웅진성으로 몽진했다가 660년 7월 18일에 항복하였다. 의자왕은 소정방과 김유신에게 술잔을 올리는 수모를 겪은 후 당으로 압송되어 唐帝 면전에 무릎을 꿇는 치욕을 당했다. 그 며칠 후 의자왕은 천추의 한을 품고 세상을 건너갔다. 그의 묘소는 吳의 손권 손자인 손호의 무덤과 남북조시대 마지막 황제인 진의 진숙보 무덤 옆에 조성되었다. 비석까지 세워졌다. 오와 진의 마지막 왕이요 주색을 탐했던 이들의 능묘 곁에 의자왕 무덤을 쓴 것이다. 다분히 의도적이었다.

의자왕은 '해동의 증자와 민자', 혹은 '해동의 증자'라는 칭송을 받았었다. 의자왕 집권 초기의 인덕정치는 증자의 환생처럼 비쳐졌다. 공자의 제자인 증자는 맹자와 어깨를 나란히 하는 유가의 큰 대들보였다. 그와 견주어졌던 의자왕의 효행은 중국 宋의 과거 시험에 詩題로까지 올랐었다. 의자왕대에 나라가 망하지 않았더라면 도덕 교과서에도 올랐을 인물이었다. 우리나라 역사에서 기록상 최초의 효자였다. 그러한 의자왕은 당대에 무려 100개가 넘는 성을 점령한 걸출한 정복군주였다. 그러나 이러한 성취가 오히려 毒이 되고 말았다. 자만심을 배태시켰다. 성공한 그는 쓴소리에 귀를 닫았다. 총기 있던 의자왕은 어느덧 감언이설과 듣기 좋은 소리에 길들여져 있었다.

맏아들이었지만 그는 무왕 33년까지 저울대 위에서 검증받았다. 겨우 태자로 책봉되었던 것이다. 오랜 기간 긴장된 생활은 그가 친위정변으로 절대권력을 확보한 후 후유증을 유발했다. 심신이 지친 그에게 파고든 은고에게 권력의 많은 부분을 넘겨주었다. 노쇠한 그의 눈과 귀를 막은 요녀는 국가를 결단 내었다. 그로부터 240년의 세월이 흐른 후 백제를 재건한 진훤 왕은 "의자왕의 숙분을 풀겠다!"고 선언했다. 聖人과 주색잡기의 화신은 종이 한 장 차이였다. 굴곡 많은 의자왕의 생애가 시사하는 바가 적지 않다.

⑤ 의자왕의 차선책

의자왕은 신라와 당에 항복함으로써 차선책인 타협을 통한 국권 유지를 바랐다. 그러나 이것이 실패함으로써 백제 주민들은 거세게 항전하였고, 3년에 걸친 국가 회복을 위한 운동이 들불처럼 도도히 번져 나갔다. 이후 후백제 건국에 이르기까지 의자왕은 백제 유민들의 구심체로서 여전히 그들 가슴 한 복판에 자리 잡았다. 의자왕은 백제의 화신이었던 것이다.

의자왕의 항복과 관련해 禰植이라는 高官이 보인다. 예식에 관한 기사가 다음과 같이 확인된다.

* 그 대장 예식이 또 義慈를 扶持하고 와서 항복하였다. 태자 隆과 아울러 여러 城主들이 모두 함께 款을 보냈다(其大將禰植 又將義慈來降 太子隆幷與諸城主皆同送款).[494]

* 그 장군 예식이 義慈와 더불어 항복하였다(其將禰植與義慈降).[495]

위의 기사를 볼 때 예식의 항복이 의자왕의 항복과 연계되어 나타나고 있다. 이와 관련해 『구당서』의 기록을 토대로 "이식은 '大將' 또는 '將'으로 나오므로 웅진방령으로 추정되는데, 그가 의자왕을 거느리고 항복하였다는 것은 사세가 위급해지자 의자왕을 사로잡아 나당연합군에 항복하였음을 보여주는 것이라 하겠다"[496]는 해석이 나왔다. 이러한 해석은 "又將義慈來降"의 '將'을 '거느리다'는 뜻으로만 해석하다보니까 예식이 의자왕을 생포해서 나당연합군에게 바친 것이 된다. 만약 이러한 해석이 맞으려면 『신당서』의 동일한 구절에도 이와 비슷한 내용이 들어 있어야만 한다. 그러나 없지 않은가? 그 뿐 아니라 '將'에는 무려 21개의 뜻이 담겨 있다. 이 구절과 관련해서는 '거느리다' 보다는 오히려 '행할[行]'·'곁붙을[扶持]'·'이을[承]'·'함께 할[伴也]' 등의 새김이 적합할 것이다. 특히 맨 마지막의 새김을 취한다면 "그 대장 예식은 또 의자와 함께[將] 와서 항복했다"는 해석이 된다. 이러한 해석은 『신당서』의 "그 장군 예식이 義慈와 더불어[與] 항복하였다"는 해석과 정확히 부합되고 있다. 따라서 앞서의 기존 해석은 억측에 불과한 것으로 드러난다. 예식이 의자왕을 사로잡아 나당군에 바친 것이라며 '捉'과 같은 표현을 사용했을 것이다.[497] 여러 뜻이 담긴 '將' 字를 굳이 사용할 이유도 없을뿐더러 당장 『신당서』에서는 '與'라고 해서 앞선 해석과는 배치되고 있다. 따라서 설득력 없는 주장이라고 하겠다. 더욱이 『삼국사기』 태종 무열왕 7년 7월 18일조의 기사에 따르면 "의자왕이 태자 및 웅진 方領의 군대를 거느리고 웅진성으로부터 와서 항복했다 義慈率太子及熊津方領軍等 自熊津城來降"라고 했다. 의자왕의 身柄 처리에 비상하게 주목했을 신라측 所傳에서도 의자왕이 내분으로 생포된 구절이 없는 것이다.

이상의 기록을 놓고 볼 때 예식은 당과의 교섭을 이끌어 내는데 주도적인 역할을 한 인물임을 알 수 있다. 더욱이 의자왕을 항복으로 이끈 장소가 예씨 가문의 근거지인 웅진성이기 때문에 더욱 그

494_ 『舊唐書』 권83, 蘇定方傳.
495_ 『新唐書』 권111, 蘇烈傳.
496_ 노중국, 『백제부흥운동사』, 一潮閣, 2003, 57쪽.
497_ 『日本書紀』 권26, 齊明 6년 7월 조에 보면 의자왕과 신하들이 唐軍에 생포된 것을 "所捉百濟王以下 … "라고 기록하였다. 곧 '捉'이라고 한 것이다. 이러한 점에 비추어 보더라도 '將'을 '생포'의 뜻으로 해석하기는 어렵다.

러한 느낌을 준다. 물론 의자왕이 웅진방령군을 이끌고 항복한 것을 볼 때 예식을 웅진방령으로 지목할 수도 있다. 그러나 예식을 大將이라고 한 만큼 웅진방령보다는 위상이 높은 인물로 지목되어진다. 이는 백제의 '大將' 용례를 동일한 『구당서』에서 확인함으로써 뒷받침된다. 즉 백제국가회복운동 기간에 도침이 기세등등했을 때였다. 그는 唐將 유인궤의 사자에게 자신은 一國의 '大將'임을 거론하면서 사자의 직급이 낮다고 내치고 있다.[498] 이러한 기록을 볼 때 예식의 관직을 가리키는 大將은 달솔급의 방령보다는 좌평으로 지목하는 게 온당하지 않을까 싶다. 게다가 예씨 가문이 웅진성의 土豪로 밝혀졌다는 것이다. 그렇다고 할 때 좌평 예식은 자신 가문의 세력 근거지이자 同系가 웅진방령이었을 웅진성을 의자왕 피신 거점의 1차적 대상으로 삼은 것은 자연스러운 일이었다.

「禰寔進墓誌之銘」을 통해 백제 멸망기의 중요한 사실을 포착할 수 있다.[499] 그리고 공주 공산성에서 "貞觀十九年四月二十一日…李肇銀" 등의 명문이 적힌 漆甲이 출토되었다. 발굴자는 이 漆甲의 착용자를 백제인으로 지목하였다. 그러나 공산성은 당군이 장기간 주둔한 웅진도독부가 설치된 곳인 데다가 명문에 보이는 '李肇銀'은 唐將이었다. 결국 출토될 수 있는 공간에서 그 모습을 세상에 드러낸 게 貞觀 銘 漆甲이었다. 漆甲은 백제 갑옷으로 간주할 수 있는 요소가 많았지만, 貞觀 연호가 적혀 있는 등 唐 장군이 착용한 게 분명했다. 게다가 칠갑 명문의 '史△軍'은 '史護軍'으로 釋文할 수 있는데, 護軍은 唐의 軍職에 보인다.[500]

498_ 『舊唐書』 권199, 동이전, 백제 조. "道琛等恃衆驕倨 置仁軌之使於外館 傳語謂曰 使人官職小 我是一國大將 不合自參 不答書遣之"

499_ 李道學, 「禰寔進墓誌之銘을 통해 본 백제 禰氏 家門」『전통문화논총』 5, 한국전통문화대학교, 2007, 66~91쪽.

500_ 李道學, 「公山城 出土 漆甲의 性格에 대한 再檢討」『인문학논총』 28, 경성대학교 인문과학연구소, 2012, 321~352쪽. 최근 혹자는 이도학이 본 칠갑을 "당나라 갑옷 명광개로 보았다"고 하면서, 조사단은 "명광개일 가능성을 검토한 바 있으나"라고 하면서 발을 뺐다. 혹자는 이도학의 본 논문 334~343쪽에서 그렇게 주장했다고 하지만, 그러한 내용은 없다. 정작 이남석은 '검토'가 아니라 명광개로 단정하여 주장했고, 심지어는 의자왕 착용 가능성마저 주장했다(李道學, 위의 논문, 324~326쪽). 이도학은 본 논문 말미에서 다음과 같이 결론을 내렸다. "645년 4월 21일에 당태종이 당나라 장군들의 士氣를 진작시킬 목적에서 백제 황칠을 바른 칠갑을 제작하여 지급했을 수 있다. 당나라 護軍 將帥 李肇銀은 이때 받은 칠갑을 착용하고 對高句麗戰을 수행했을 것이다. 급기야 그 15년 후에는 백제를 침공하는 데 착용했으니 아이러니하다고 할 수 있다. 요컨대 이러한 사실은 앞으로 확인될 札甲의 새로운 명문 판독에 따라 명확하게 밝혀질 것이다. 결론적으로 말해 공산성 출토 漆甲은 明光鎧 與否나 埋納 經緯와는 상관 없이 唐將이 着用한 것은 분명하다. 단언하건대 가장 기본적이요 일차적인 본 작업만으로써도 本稿가 지닌 意義는 有效하다고 본다(349쪽)."

6) 국가 회복운동기

(1) '부흥운동' 개념의 검토

백제의 멸망 연대는 교과서에는 660년으로 기재하였다. 이는 백제 지배세력의 붕괴 연대이지 국가의 멸망 연대가 될 수는 없다. 의자왕이 항복한 직후에 즉각 국가회복운동이 들불처럼 번져 200여 성을 회복했을 정도로 공주와 부여 일원을 제외하고는 전역을 거의 회복하였다. 게다가 풍왕을 수반으로 하는 어엿한 국가체제를 복원했기 때문이다. 그랬기에 실학자들도 백제의 멸망을 국가회복운동이 막을 내리는 663년으로 지목하였다. 이와 더불어 교과서에는 국가회복운동 이후에 등장하는 웅진도독부라는 唐의 괴뢰정권에 대한 언급이 없었다. 웅진도독부의 首班인 웅진도독은 의자왕의 아들인 扶餘隆이었고, 그 예하의 官署와 지방 통치는 옛 백제의 왕족과 귀족들이 맡았다. 이 웅진도독부는 신라가 당군을 축출하고 부여 땅에 所夫里州를 설치하는 672년까지 존속하였다(과거에는 소부리주의 설치 시기를 671년으로 간주했었다).

이러한 웅진도독부의 성격에 대해서는 백제인들의 국가회복운동과 결부지어서 설명하는 게 온당하다. 국가회복운동 기간은 무력항쟁기(660~663)와 唐과의 타협을 통한 국가재건의 모색기인 웅진도독부의 통치기(664~672)로 나누어 해석하는 게 좋을 것 같다. 그렇지 않다면 비록 명목상이라고 하더라도 백제인들이 통치했던 웅진도독부의 역사를 도둑 맞게 되는 것이다. 중국에서 출간된 『중국역사지도집』 '唐時期全圖'에 의하면 웅진도독부가 설치되었던 옛 백제 땅이 당 영토로 표시되어 있기 때문이다. 중국에서는 이 무렵 한반도의 서남부 지방을 중국 영토로 간주하였다. 역사가 일과성의 과거 문제로 그치는 게 아니라 현재성을 지니고 있는 것은 이같은 이유 때문이라고 보겠다.

'백제부흥운동'이라는 용어의 사용은 개념에 대한 정의와 밀접히 관련되어 있다. 적확한 용어의 사용이 바람직할 것 같다. 일본인이 저술한 최초의 한국통사인 하야시 다이스케(林泰輔, 1854~1922)의 『朝鮮史』에서는 任那 再建과 관련해 "또 백제에 命하여 興復을 圖謀"라고 하였다. 1892년에 간행된 『朝鮮史』에서는 비록 임나 재건과 관련해 興復은 사용했다. 그러나 백제 재건과 결부 지어 '復興' 용어는 등장하지 않았다.

그런데 1923년에 오다 쇼코(小田省吾, 1871~1953)가 「朝鮮上世史」 『朝鮮史講座 一般史』에서 '百濟復興'이라는 용어를 사용한 것이 현재까지 확인된 가장 오래된 용례이다. 그리고 서울대학교 국사연구회에서 1946년에 펴낸 『國史概說』에서도 '백제의 부흥운동' · '부흥군'이라는 용어를 사용하였다.

이홍직도 '부흥운동'·'부흥군'이라고 했다. 이병도 역시 1959년에 '백제인의 부흥운동'이라는 소제목에서 "사비성의 함락과 의자왕의 항복으로써 백제의 국가적 운명은 최후를 고한 셈이었다. 그러나 이것이 곧 백제의 완전한 평정을 의미하는 것은 아니었다. 백제의 유신·유장들은 각지에서 국가부흥운동을 일으켜 백제 최후의 幕을 장식하였다"고 했다.

노중국도 '부흥운동'이라는 용어를 사용하는 배경으로서 여러 가지 다양한 표현을 소개한 후 " … 만 3년의 부흥운동 기간이 전쟁의 연속이었다는 점을 감안한다면 전쟁이라는 표현은 부흥운동의 내용을 잘 나타내는 표현이다. … 그러나 부흥이라는 용어가 이미 일반화되어 버린 상태여서 … 이 책에서는 현재 가장 많이 쓰이는 부흥운동을 사용하기로 한다"라고 했다. 노중국은 '부흥' 개념의 문제점을 인지하기는 했지만 '현재 가장 많이 쓰이는'이라는 이유만으로 '부흥'이라는 용어를 그대로 사용했다고 한다.

'復興'이 과연 적합한 개념인지 여부를 검토해 볼 필요가 있다. 현재 사용되는 '復興' 개념은 나라가 망한 후 국권을 되찾는 투쟁이다. 그러므로 한 국가가 쇠퇴해졌다가 다시 흥기하는 개념의 '부흥'과는 본질적으로 그 성격이 다르다. 부흥의 개념을 신기철·신용철, 『새우리말 큰사전』에서는 "한번 쇠퇴한 것이 다시 성하여 일어남. 또는 일어나게 함"이라고 정의하였다. 이숭녕, 『현대 국어대사전』에서는 부흥을 "일단 쇠잔한 것이 다시 일어남. 또는 다시 일어나게 함"이라고 하였다.

자유당 시절의 復興部도 국가가 존재한 상황에서 부흥 개념이 사용된 것이다. 흔히 길거리의 포스터에서 눈에 띄는 '심령 부흥회'라는 것도 비신자에게는 해당되지 않는다. 어디까지나 믿음이 전제된 신자들의 약화된 믿음을 크게 진작시키기 위한 목적에서 나온 신앙 행위였다. 이미 믿음이 없어진 사람이나 비신자에게는 부흥 개념이 적용되지도 않는다. 물론 백제부흥군은 풍왕을 수반으로 한 국가 체제를 갖추었으므로 국가의 존재가 전제되었다. 그렇기 때문에 부흥이라는 개념을 사용할 수 있다고 주장할 수도 있다. 이러한 논리라면 일제하의 독립운동도 부흥운동이라고 불러야하는 것이다. 상해임시정부가 수립되어 있었고, 대통령을 수반으로 하는 국가 조직을 갖추었다. 뿐만 아니라 비록 국외이기는 하지만 국권을 회복하기 위한 투쟁을 집요하게 전개했었기 때문이다. 물론 백제부흥운동의 지휘부는 국내에 있었고, 상해임시정부는 국외에 소재했었기 때문에 경우가 다르다고 말할 수 있다. 그러나 이것은 현상이 아니라 본질적인 면에서 접근해야 되는 사안이 아닐까. 그런데 누가 보더라도 양자 간에 본질적 차이는 없다.

게다가 그 속성에 있어서 소위 백제부흥운동은 국가를 진흥시키려는 운동과는 차원이 다르다. 당과 신라가 강점하고 있는 백제 자국 영토에 대한 주권을 회복하려는 일종의 독립 투쟁이었다. 아무리 자국 영토의 일각에서 국가 체제를 갖추었다고 하더라도 국가의 상징인 국왕과 수도를 빼앗겼다. 따라서 국권의 회복이 절체절명 목전의 현안인 상황이었다. 그러므로 국가를 온전히 회복하고 있을 때의 국가 진흥이나 중흥 개념의 부흥과는 동일시할 수 없다.

그러면 정작 '復興' 개념은 어떤 것일까? '復興' 개념에 대한 현저한 사례는『사기』에서 간명하게 확인된다. 즉 "後의 14世에 帝인 武丁이 傅說을 얻어 相을 삼으니 殷이 復興하였기에 高宗이라 일컬었다"라고 하였다. 여기서 부흥은 중흥 개념으로 사용되었다. 그랬기에 商을 부흥시킨 武丁이라고 칭송하였다. 요컨대 부흥은 멸망한 국가를 되찾기 위한 개념으로 사용된 것은 아니었다. 그러니 궁색하게 맞지도 않는 부흥 용례를 억지로 꿰어 맞출 게 아니다. 기록에 있는 그대로 보여주면 되지 않은가?

『삼국사기』에 따르면 국가회복운동을 '興復이나 '復邦' 곧 '復國'으로 표기하였다. 그런 만큼 '부흥'보다는『삼국사기』에 적힌 '興復'이라는 용어가 적절해 보인다. '興復'은 한 번 망한 漢을 재건하여 후한을 세운 광무제 관련 고사에 등장하는 용어였다. 이와 그 성격이 서로 부합되기 때문이었다. 그리고 1217년(고종 4)에 서경을 근거지로 해서 반란을 일으켰던 崔光秀가 스스로를 '句高麗興復兵馬使'라고 했는데, '句高麗'는 '高句麗'의 誤記로 보인다. 여기서 중요한 사실은 최광수가 고구려의 재건을 가리켜 '興復'이라고 했다는 점이다. 실제로 최남선은 "백제가 믿지도 못할 倭를 믿다가 허무하게 나라를 지니지 못하매 유민들의 원한이 깊어서 祖國興復運動이 그치지 않고 이짓 저짓이 다 무효하매 遺將의 中에는 唐으로 건너간 이가 적지 아니하니 저 당 고종 때에 하원군경략대사로서 吐藩 突厥等 西方의 强族을 制服하야 그 이름이 내외를 드날린 흑치상지가 그 一人이다. 토번은 시방 西藏族(Tibet)이오 돌궐은 시방 土耳其族(Turk)이니 다 唐人의 능히 제어하지 못하는 것이다"고 하였다. 최남선은 '興復' 개념을 사용하여 이를 '祖國興復運動'이라고 했다.

그런데 현재 통용되는 '백제부흥운동'은 당과 신라가 강점하고 있는 백제 자국 영토에 대한 주권을 회복하려는 일종의 독립 투쟁이었다. 그랬기에 일찍부터 이것을 '구국항전' 혹은 "국가의 回復을 圖"하는 것으로 규정하였다. 또 그러한 군대를 '獨立軍'이나 '義兵'으로 命名하기까지 했다. 아무리 자국 영토의 일각에서 국가 체제를 갖추었다고 하자. 그렇더라도 국가의 상징인 국왕과 수도를 빼앗겨서, 그것의 회복이 절체절명 목전의 현안인 상황이었다. 그러므로 그것을 온전히 회복하고 있을 때의 국가 진흥이나 중흥 개념의 '復興'과는 동일시하기는 어렵다.

따라서 단재 신채호는 백제 주민들이 조국을 찾기 위한 항쟁을 '백제의 多勿 운동'이라고 하였다.

多勿은 "6월에 松讓이 나라를 들어 와 항복하므로 그곳을 多勿都라 하였다. 松讓을 封하여 그곳의 主를 삼았다. 고구려 말에 舊土의 回復을 多勿이라 하므로 그와 같이 이름한 것이다"라고 하였듯이 復舊疆土 즉 舊土 回復을 가리키는 말이었다. 일제하에 독립운동을 多勿運動이라고 하였는데, '국권을 회복하자'는 뜻으로 사용되었다. 그러므로 단재는 '백제의 다물운동'을 失地 回復과 관련하여 상실된 국권 회복 운동으로 사용했음을 알 수 있다. 손진태가 이것을 '祖國回復運動'으로 命名한 것은 그 본질을 꿰뚫어 본 적확한 표현이었다. 그런데 '운동'이라는 용어는 하나의 큰 흐름 속에서는 이해가 되지만, 일제하의 '신간회 운동'과 '물산장려 운동' 등에서 느낄 수 있듯이 비폭력적인 인상을 준다. 따라서 '조국회복운동'은 내용상 663년까지는 '祖國回復戰爭'으로 명명하는 게 좀더 온당하지 않을까 한다. 기존의 부흥운동 용어는 전체적인 큰 틀 속에서 볼 때는 '復國運動'으로, 부흥군은 '復國軍'으로 일컫는 견해도 일리 있는 것이다.

소위 '백제부흥운동'의 '백제부흥'이라는 용어는 일본인이 최초로 사용한 것으로 밝혀 보았다. 그러면 일본인 오다 쇼코가 백제인들의 독립투쟁을 '부흥'으로 표기한 배경은 어디에 있었을까? '復興'과 관련한 용례가 『일본서기』에 다음과 같이 보인다.

* 夏 6월 壬辰 朔 甲午에 近江毛野臣은 6만의 군사를 이끌고 任那에 가서 新羅에 격파된 바 있는 南加羅·㖨己呑을 復興시켜 세우고 任那에 합하고자 하였다.[501)]
* 秋 7월 丁酉朔에 詔하여 "나의 先考 天皇의 世에 新羅는 內官家의 나라를 멸망시켰다[欽明天皇 23년에 任那는 신라에게 멸망된 까닭에 新羅가 內官家를 멸망시켰다고 한다]. 先考 天皇은 任那를 회복하려고 도모하였으나 실행하지 못하고 돌아가셨기에 뜻을 이루지 못하였다. 이에 朕은 마땅히 神謀를 받들어 도와 任那를 復興시키려고 한다".[502)]

위의 기사에는 任那 諸國이나 任那의 再建과 관련하여 한결같이 '復興'이라는 용어가 사용되었다. 즉 임나의 재건과 관련한 왜의 역할과 종주국으로서의 위상을 과시하는 구절에서 나타나고 있다. 천황권의 역사적 승리를 과시하고 미화시키기 위한 목적에서 편찬된 『일본서기』 속의 천하관에 보이는

501_ 『日本書紀』 권17, 繼體 21년 조.
502_ 『日本書紀』 권17, 敏達 12년 조.

용어가 '復興'이다. 그러한 개념을 일본인들이 백제의 재건과 회복을 위한 항쟁을 가리키는 용어로 고스란히 옮겨서 사용한 것이다. 이는 임나 문제에서와 마찬 가지로 백제 재건에 있어서도 倭의 역할과 종주권 행사에 대한 의식이 저변에 깔려 있었다. 임나를 멸망시킨 신라도 倭의 臣民이었다. 그런 관계로 倭의 허락이나 승인 없이 역시 왜의 신민인 임나의 멸망은 상정할 수도 없다는 전제에서 나온 것이었다. 즉 임나의 멸망은 멸망이 아니었다. 왜가 재건해 줄 수 있기 때문에 부흥으로 사용해야한다는 의도가 깔린 것이다. 건재한 왜의 신민인 임나를 멸망시킬 수 있는 세력은 누구도 없다는 저의가 깔려 있다. 이러한 추정은 475년 백제 한성 함락과 관련한 다음의 기사에서도 확인된다.

> 천황이 백제가 高麗에게 격파되었다는 소식을 듣고는 久麻那利를 문주왕에게 내려주어서 그 나라를 救興시켰다. 그때 사람들이 모두 말하기를 "백제국은 비록 이미 망하였기에 모두 倉下에 모여 걱정하였지만, 실은 천황에게 의지하여 그 나라를 다시 만들었다[更造]"고 했다.[503]

위의 기사에서 분명히 백제는 한번 망했지만 천황에 의해 재건되었다는 메시지를 전하고 있다. 소위 천황에 의한 백제 재건과 관련해 '救興'이나 '更造'라는 용어를 사용하였다. 이러한 용어는 두 말할 나위 없이 '任那復興'의 그 '復興'과 동일한 개념으로 사용된 것이다. 따라서 이러한 배경에서 생겨난 '백제부흥'이라는 용어는 더 이상 사용되어서는 안 될 것 같다. 백제인들의 국가회복운동은 중흥 개념의 '復興'이나 황국사관에서 사용된 '復興'이 아니라 '復國'·'興復'·'조국회복운동(남창 손진태)'이라는 용어를 사용하는 것이 적합하다.

1941년 11월 대한민국 임시정부가 발표한 새 민주국가의 건설을 위한 강령인 「大韓民國建國綱領」은 제1장 〈總綱〉 7개 조, 제2장 〈復國〉 8개 조, 제3장 〈건국〉 7개 조 등 합계 22개 조로 구성되었다. 여기서 '復國'은 건국을 통해 국가를 회복한다는 개념을 담고 있다. 이러한 「大韓民國建國綱領」을 보더라도 '復興'은 타당하지 않다.

1971년에 간행된 어느 중학교 역사책 즉 국사에서는 '부흥군'이 아니라 '의병'으로 적혀 있었다. 민족주의 사학자나 신민족주의 사학자인 손진태 뿐 아니라 북한에서도 '부흥운동'이라는 용어를 일체 사용하지 않았다. 유독 일본과 한국에서만 '부흥운동'이라는 용어를 사용하고 있다.

503_ 『日本書紀』 권14, 雄略 21년 조.

⑵ 주류성과 백강 전투

당 장수 유인원의 기공비문에 보면 백제인들의 항쟁을 "미친 듯이 날뛰는 사람을 불러모아 任存이라는 작은 성에 의존하니, 벌떼가 모이고 고슴도치가 일어나, 산을 가득 메우고 골짜기에 가득 찼다(招集狂狡 堡據任存 蜂屯蝟起 彌山滿谷)"고 했다. 국가를 회복하기 위해 항쟁하는 백제인들을 '미친 듯이 날뛰는 사람'이나 '벌'과 '고슴도치'에 비유했다. '狂'과 '蜂'이 보인다. 청군이 1894년 6월에 조선에 상륙하자 자진 해산한 동학 농민군을 가리켜, 위안스카이를 찾아간 민영준은 "미친 벌과 궁색한 개들(狂蜂 · 窮狗)이 … 오늘 흩어진 것은 오로지 天兵이 왔기 때문이니 … 모두 대인이 진력한 덕택입니다"[504]고 하례했다. 1908년에 순종이 의병들에게 布諭한 문건에도 "出沒山險에 無異狂蜂之聚竄하고(「巡郡曉諭에 關한 件」, 佈諭文 謄本)"라고 하여 의병을 '狂蜂'에 비유하였다. 이렇듯 부여융의 친당정권과 민씨 일파의 친청정권, 그리고 순종의 친일정권 모두 자국민을 '미친' · '벌' · '고슴도치' · '개'에 견주었다.

백제인들의 항쟁에 힘입어 豊王을 수반으로 하는 백제가 재건되었다. 풍왕은 전통적인 동맹인 倭의 힘을 빌어 국가를 재건하려는 親倭政權이었다. 그런데 "갑자기 복신이 도침을 살해하고 그의 군사를 아우르니, 부여풍은 제사만 주재했을 뿐이었다"[505]고 했다. 내분 발생 직후 실권은 복신이 장악하고 있었다. 제사만 주재한 국가 수반 풍왕이었다. 이는 蜀의 後主 劉禪이 제갈량에게 "정치는 葛氏가 행하고, 제사는 과인이 맡겠다"[506]는 상황을 연상시킨다. 물론 복신과는 달리 제갈량은 유선을 위협하지는 않았다.

주류성을 왕성으로 회복된 백제는 663년 9월의 백강 전투에서 자국군과 왜군이 신라와 당군에게 패함으로써 막을 내렸다. 백제가 멸망한 국가를 회복하기 위해 항전할 때 倭의 다대한 인적 · 물적 지원이 뒤따랐다. 가령 인적 지원만 본다면, 제1차 파병 5천여 명, 제2차 파병 2만 7천여 명, 제3차 파병 1만여 명이나 되었다.[507] 이들 인원을 설령 연인원으로만 잡는다고 해도, 무려 4만 2천여 명에 해당한다. 그렇지 않고 제1차~제2차까지 파병한 왜병들이 귀환하지 않고 한반도에 줄곧 포진했다면, 4만 2천 명이나 되는 병력이 투입된 것이다. 이러한 數値 확인을 떠나 7세기 중엽 동아시아의 대

504_ 『駐韓日本公使館記錄』 3권, (13)我兵入京ニ付韓廷幷ニ京城內模樣探報, 六月十九日午前接惠堂及袁氏ノ問答.
505_ 『舊唐書』 권199, 上, 동이전, 백제 조. "尋而福信殺道琛 併其兵衆 扶餘豐但主祭而已"
506_ 『三國志』 권33, 蜀書3, 後主傳 第3. "魏略曰 … 政由葛氏 祭則寡人"
507_ 倉本一宏, 『戰爭の日本古代史』, 講談社, 2017, 142쪽.

전이 벌어진 역사적 현장이 백강과 주류성 일원이었다.

663년 동아시아大戰의 현장인 백강을 금강으로 지목하기도 한다. 660년 7월과 그 이전의 백강은 금강이 분명하므로, 663년의 백강도 금강일 것이라는 선입견이 작동한 것일 뿐, 특별한 근거는 없었다.[508]

백강의 위치는 기록의 일관성을 가지고 검증하는 게 관건이다. 먼저 백강 위치와 관련해 당측의 기록을 살펴본다. 즉 "百濟는 熊津口를 지키고 있었는데, 定方이 공격하자, 오랑캐가 大敗하였다"[509]고 했다. 이는 660년에 처음 당군이 백제 도성을 공격하기 위해 금강 하구로 진입하는 기록이다. 여기서 금강 하구를 분명히 '웅진구'라고 했다. 금강이 웅진강인 것이다. 그런데 "유인궤로 하여금 수군을 거느리고 가게 하여 웅진강에서 동시에 진군하여 주류성으로 육박하였다. 豊의 무리는 백강구에 주둔하고 있었다. 이들을 사면에서 공격하여 다 이기고, 4백 척의 배를 불사르니, 풍은 도망쳐 자취를 감추었다"[510]고 했다. 이 기사에 등장하는 백강구가 660년의 웅진구와 동일할 수는 없다. 더욱이 앞의 웅진강과 뒤의 백강은 동일한 강을 가리킬 수 없다. 동일한 『신당서』 동이전 백제 조에서 명백히 웅진강과 백강은 별개의 강으로 나타나고 있다. 그럼에도 어떻게 모두 동일한 금강으로 지목할 수 있을까?

웅진강과 백강은 금강 구간에 대한 江名이기는 어렵다. 다음의 동일한 『삼국사기』에 따르면 당군이 백강을 통과했다는 말을 듣고 백제군이 방비한 곳이 웅진구였기 때문이다.[511]

* 또 당과 신라의 군사가 이미 白江과 炭峴을 지났다는 말을 듣고 왕은 장군 堦伯을 보내어 결사대 5천 명을 거느리고 黃山에 나가서 신라 군사와 싸우게 했다. 네 번 접전하여 네 번 모두 이겼으나, 군사가 적고 힘이 모자라서 마침내 패하여 계백은 전사했다.
* 이에 군사를 합하여 熊津口를 막고 강가에 군사를 주둔시켰으나, 소정방이 왼쪽 강가로 나가서 산에 올라 진을 치고 싸우니 우리 군사가 크게 패했다. 당군은 조수를 이용하여 많은 배들이 서로 잇따라 나아가며 북을 치고 고함을 지르는데, 소정방은 보병과 기병을 거느리고 바로 眞都城

508_ 倉本一宏, 『戰争の日本古代史』, 講談社, 2017, 140쪽.
509_ 『新唐書』 권220, 東夷傳, 百濟 條. 顯慶 5년 조.
510_ 『新唐書』 권220, 東夷傳, 百濟 條. [龍朔] 2년 7월 조.
511_ 『三國史記』 권28, 의자왕 20년 조.

으로 쳐들어가서 1舍쯤 되는 곳에서 멈췄다. 우리 군사는 있는 군사를 다 내어 막았으나 또 패전하여 죽은 사람이 1만여 명이나 되었다.

위의 기사는 백제인들이 남긴 기록이 아니다. 신라인들이 정리한 기사에 중국 사서를 배합한 것이다. 여기서 사비도성 直攻路인 금강 하구를 웅진구라고 했다. 당군이 웅진구에 진입하기 직전에 통과했던 백강은 금강과 별개의 水系로 드러난다.

백제가 온전했을 때의 백강이 지금의 금강이니 회복운동 기간에도 금강이라는 주장도 있다. 즉 "불과 3년 만에 백강의 하구가 다른 곳으로 위치가 바뀌었다고 보기는 매우 어렵다"는 것이다. 이러한 주장은 3년이라는 사이에 백제사에 엄청난 변화가 초래되었다는 것을 홀시했다. 3년이라는 짧은 기간 동안에 백제는 멸망했다가 회복하는, 백제 역사 이래 초유의 참극이 빚어졌던 비상시국이었다. '불과 3년 만에' 이렇게 큰 변동이 있었다. 왕성도 바뀌었다. 그러니 새로운 왕성 중심으로 지명도 바뀌는 게 자연스럽다. 지명 이동 사례는 역사적으로 확인되기 때문이다. 일례로 수도가 江都로 이전하자 고려 개경에 소재한 송악산이 강화도에도 등장하였다. 18세기 중엽에 그려진 「江華以北海防圖」에 따르면 고려 왕궁의 主山 이름이 松岳山(488m)이었다. 왕도가 이전하면 관련 지명도 따라 붙는 경우가 나타나기 때문이다. 게다가 江名에 대한 기록 주체가 달라졌다는 점도 유의해야 한다.

백강과 주류성 위치와 관련해 분명한 것은 663년에 신라와 당의 수군은 白江에서 육군과 합세하여 주류성을 공격했다.[512] 이로 볼 때 백제 왕성인 주류성의 위치는 백강 근방임을 알 수 있다. 그랬기에 "주류성 함락의 원인은 백강의 패전에 있다고 할 수 있다"[513]고 단언했다. 이렇듯 백강의 위치는 주류성의 위치와 엮어져 있다. 따라서 일부 논자들의 주장처럼 백강과 주류성의 위치가 공간적으로 격절된 금강과 부안으로 나누어지기는 어렵다. 신라와 당의 군대가 상륙하여 공격하는 최종 목표가 부안 주류성이었다. 그렇다면 백제군이 주류성과 관련도 없는 금강 하구를 수비한 이유가 무엇인가? 더불어 신라와 당의 군대가 금강 하구를 공격한 이유를 해명해야 한다. 그렇지 않다면 백강=금강 주장에 공감하기 어렵다.

백제인들이 스스로 기록을 남기지 못한 시기에, 백제 정벌에 참여했던 중국인들이 남긴 기록에,

512_ 『舊唐書』 권199 上, 東夷傳 百濟 條.
513_ 津田左右吉, 「百濟戰役地理考」『朝鮮歷史地理』 1, 1913, 169쪽; 『津田左右吉全集』 11, 岩波書店, 1975, 172~173쪽.

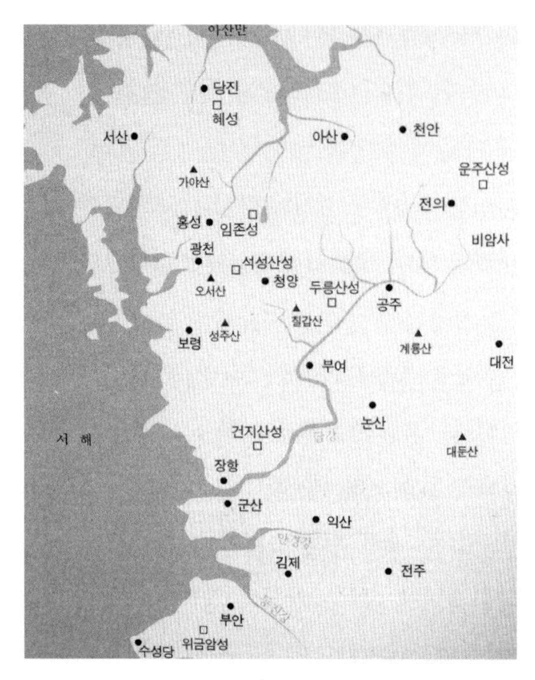

그림 28 | 주류성과 백강으로 비정되는 위금암산성과 동진강 일원

웅진강과 백강은 서로 별개의 강으로 처리되었다. 이와 관련해 "금강 하구부터 동진강 하구까지는 약 20km 이상의 범위에 광대한 갯벌이 이어져 있다. 전투는 海水가 있는 바다 위에서 이루어지므로 백강 전투의 무대는 특정한 川의 河口라는 좁은 범위가 아니고 금강 하구부터 동진강 하구까지 사이의 海上으로 생각하는 방법도 좋을 듯하다"[514]는 견해도 소개한다. 요컨대 이 무렵의 백강은 동진강이고, 주류성은 부안의 위금암산성이 타당하다. 사실 한산의 건지산성설은 발굴 결과 고려 때 축조한 성으로 드러났다. 한 때 통설이었던 건지산성=주류성설은 붕괴되었다. 조국회복운동은 주로 전라북도 김제 등 남쪽 방면이 주전장인데, 사령부인 주류성이 금강 북쪽에 소재했다면 운용상 굉장히 불편한 입지이다. 양국의 사령부인 건지산성과 사비도성은 서로 근접해 있지만, 전장은 그 보다 훨씬 남쪽에서 펼쳐졌다는 것은 누가 보더라도 어색하다.

백제 지역에 병력을 상륙시키기 위한 목적의 왜 수송선은 대기하고 있던 당의 전함과 맞닥뜨리자 상대가 되지 못했다. 수송선과 전함의 차이가 승부를 갈랐다는 생각은 못했던 것 같다.

당이 660년에 당초 백제고지 지배를 위해 설정한 5도독부는 백제회복군의 저항으로 탁상계획에 그쳤다. 다만 웅진도독부만이 軍政機構로서의 기능을 수행했을 뿐이다. 그런데 백강전투로 백제회복운동이 종식됨에 따라, 그 이듬해인 664년 2월에 당은 백제고지에 대한 통치 구획을 설정하였다. 그 결과 당은 백제고지의 동반부에 대한 통치권을 신라에 위임하는 대신, 그 서반부에는 웅진도독부를 중심한 7州 51縣을 설치하였다. 백제고지에 대한 이 같은 당의 직할령화 정책은 665년 8월의 취리산서맹에서 신라로부터 공식적으로 인정받게 되었다.

514_ 倉本一宏,『戰爭の日本古代史』, 講談社, 2017, 140~141쪽.

(3) 熊津都督府의 귀속 문제

백제 멸망 이후 당이 세운 웅진도독부의 성격이다. 부여융이 도독이었던 웅진도독부에 의한 백제 故地 통치 사실을 수록은 하면서도 백제사 체계에서는 삭제하는 경향이 대부분이었다. 중국에서 1982년에 간행된 譚其驤 主編, 『중국역사지도집』 제5책(地圖出版社)에 보면 웅진도독부 시기의 백제 땅이 당의 영토로 표시되어 있다. 중국인들은 이 무렵 한반도 서남부 지역을 자국 영토로 간주하였다.

그러나 『구당서』에 의하면 665년 8월에 당의 장수 유인궤가 귀국하면서 데리고 온 외국 사신들의 국적으로 "신라 · 백제 · 탐라 · 왜국"이 보인다. 여기서 웅진도독부를 '백제'로 표기하였다. 웅진도독부가 곧 백제를 가리킨다는 사실을 중국인 스스로가 알려주고 있다. 웅진도독부의 역사를 唐史로 간주한 것은 자신의 학문적 소신과는 무관하게 결과적으로 현재 중국인들의 역사 인식과 동일하다. 참고로 웅진도독부의 존속 기간을 671년이 아니라 672년까지로 설정했다.[515] 그리고 663년 9월까지는 제1차 조국회복운동으로, 672년까지는 제2차 조국회복운동으로 설정한 바 있다.[516] 전자는 친왜정권, 후자는 친당정권으로 그 성격을 규정하였다.[517]

의자왕의 아들인 부여융을 도독으로 하는 웅진도독부는 백제 멸망시 당으로 압송되었던 백제의 귀족들을 귀환시켜 요직을 구성하였다. 이는 좌평 사택손등의 경우에서 살펴진 바 있다. 부여융을 수반으로 하는 친당정권의 수립인 것이다. 그런데 신라의 압력으로 부여융이 당으로 돌아감에 따라 唐將 유인원이 웅진도독부를 관장하였다. 그러나 668년 8월에 유인원이 유배됨에 따라, 백제 멸망시 좌평이었고, 당으로부터 右戎衛郎將 · 上柱國을 제수받은 禰軍이 웅진도독부의 실질적인 수반이 되었다. 그러나 예군은 670년에 신라의 유인책인 고구려회복군 토벌 문제를 협의하기 위해 신라에 초치되었다가 억류당했다.

한편 웅진도독부 관하 7주 51현의 운영은 熊山縣令 · 上柱國 · 司馬 法聰을 통해 살필 수 있다. 熊山縣은 魯山州의 州縣인 魯山縣으로 밝혀졌는데, 금강 하류인 지금의 익산시 웅포면의 어래산성에 치소를 두고 있었다. 이곳은 역사적으로 대외교역 창구로서 높은 비중을 지닌 지역이었다. 이처럼 전략적으로 비중 높은 지역인 魯山縣(熊山)의 현령인 법총은 웅진도독부의 대왜 외교에 일익을 담당하였다. 이렇듯 웅진도독부의 실질적인 운영은 백제계 관인들이 주도하였으며, 그 독자적인 활로를

515_ 李道學, 「熊津都督府의 支配組織과 對日本政策」『白山學報』 34, 1987, 81-113쪽.
516_ 李道學, 「書評: 盧重國 著, 백제부흥운동사」『한국사연구』 124, 2004, 273~281쪽.
517_ 李道學, 『새로 쓰는 백제사』, 푸른역사, 1997, 490쪽.

개척하고 있었다.

웅진도독부와 왜와의 외교적 교섭은 664년 2월에 웅진도독부와 신라 사이에 체결된 웅령서맹 직후 백제계 관인의 주도로 시작되었다. 그 목적은 고구려와 일본 간의 군사적 동맹을 차단하는 외에 백제고지의 반환 약속을 당이 어긴데 따른 신라의 불만에 대비하는데 있었다. 잠재적으로 웅진도독부의 안전이 신라에 의해 위협받게 됨에 따라 당은 백제의 재건을 명분으로 일본세력을 한반도 문제에 개입시켜, 웅진도독부 자체의 안전을 보장받는 동시에 고구려와의 전쟁에 총력을 기울이려는 속셈이었다. 따라서 이 때 왜에 파견된 웅진도독부의 예군과 곽무종은 신라의 왜침공설을 유포하여, 고구려와 왜가 동맹을 맺어 당에 대항할 수 있는 국면을, 신라와 왜 간의 전쟁으로 전환을 유도하였다. 이로 인해 왜는 북규슈의 다자이후(大宰府)와 세도내해(瀨戶內海) 지역의 방위를 위해 664년부터 667년까지 축성과 더불어 방인 및 봉수를 배치하고 있는데, 그 방비 대상은 당이 아니라 신라였다.

668년 8월 이후 웅진도독부의 실질적인 통치권자였던 예군이 670년에 신라에 역류됨에 따라 통치권의 공백을 노린 신라의 기습공격으로 웅진도독부는 궤멸 일로에 놓였다. 위급을 타개하기 위해 웅진도독부는 왜에 청병하였지만 성과는 없었다. 신라의 서해안 방비로 당군의 구원까지 차단된 채 고립된 웅진도독부는 신라의 공격으로 붕괴되었다. 그 결과 신라는 사비성(부여)에 소부리주를 설치함으로써 백제고지에 대한 지배권을 장악하였다. 그 시기는 종래 생각했던 문무왕 11년(671)이 아니고, 문무왕 12년(672)으로 밝혀졌다.

백제인들의 조국회복운동은 친왜정권인 풍왕을 수반으로 하는 무력항쟁기(660~663년)와 친당정권인 부여융을 수반으로 하는 웅진도독부의 통치기(664~672년)로 나누어졌다.

7) 唐에서 재건된 백제

史書에 보면 백제 멸망에 관한 마지막 기사를 다음과 같이 게재했다. 우선『삼국사기』백제본기의 관련 내용을 거의 全文 소개해 본다.

w-1. … 드디어 측근들을 거느리고 밧줄에 매달려 (성밖으로) 나갔다. 백성들이 모두 그들을 따라 가니 泰가 말릴 수 없었다. 정방이 군사로 하여금 성첩에 뛰어 올라가 당 깃발을 세우게 하였 다. 태는 형세가 어렵고 급박하여 문을 열고 명령대로 따를 것을 요청하였다. 이에 왕과

태자 효가 여러 성과 함께 모두 항복하였다. 정방이 왕과 태자 孝 · 왕자 泰 · 隆 · 演 및 대신과 將士 88명과 백성 12,807명을 唐 京師로 보냈다.

나라는 본래 5部 · 37郡 · 200城 · 76萬戶가 있었다. 이 때에 이르러 熊津 · 馬韓 · 東明 · 金漣 · 德安의 5 都督府를 나누어 두고 각각 州 · 縣을 통할하게 하였고, (그 지역의] 渠長들을 발탁하여 都督 · 刺 史 · 縣令으로 삼아 다스리게 하였다. (그리고) 郎將 劉仁願에게 명령하여 都城을 지키게 하고 또 左衛郎將 王文度를 웅진도독으로 삼아 남은 백성들을 위무하게 하였다.

정방이 포로를 바치니 上(고종)이 꾸짖고는 용서하였다. 왕이 병으로 죽자 金紫光祿大夫 衛尉 卿을 추증하고 옛 신하들이 喪禮에 나가는 것을 허락하였다. (그리고) 조서를 내려 孫皓와 陳 叔寶의 묘 옆에 장사하고 아울러 비를 세우게 하였다. 隆에게는 司稼卿을 제수하였다. 왕문도가 바다를 건너다가 죽자 유인궤로 대신하게 하였다. …

이보다 앞서 黑齒常之가 흩어진 무리들을 불러모으니 10일 사이에 돌아와 붙은 자가 3 만여 명이었다. 소정방이 군사를 보내 쳤으나 상지가 막아 싸워 이겼다. (흑치상지가) 다시 200여 성을 빼앗으니 정방은 이길 수 없었다. … 두 사람이 마침내 그 성을 빼앗으니 지수신은 처자를 버리고 고구려로 달아나고 나머지 무리들도 모두 평정되었다. 仁師 등이 군대의 위세를 떨치며 돌아가니 (고종은) 인궤에게 조서를 내려 군사를 거느리고 머물러 지키게 하였다. 전쟁의 결과로 즐비하던 가옥은 황폐하고 썩지 않은 시체는 풀더미와 같았다. 인궤가 비로소 명령 을 내려 해골을 묻고, 호구를 등록하고, 촌락을 정리하고, 관청의 장을 임명하고, 도로를 개통하고, 다리를 놓고 堤堰을 보수하고, 저수지를 복구하고, 농사와 누에치기를 권장하고, 가난한 자 를 賑恤하고, 고아와 노인을 양육하고, 당의 社稷을 세우고, 正朔과 廟諱를 반포하니 백성이 모두 기뻐하고 각기 제자리에 안주하게 되었다. 당 고종이 부여융을 웅진도독으로 삼아 귀국하게 하여 신라와의 옛 원한을 풀고 유민들을 불러오게 하였다. 麟德 2년(665)에 (융이) 신라 왕과 더불어 웅진성에 모여 백마를 잡아 맹서하였는데 인궤가 맹서의 글을 지었다. 金泥로 쓴 증표를 만들어서 신라의 종묘 속에 간직하였다. 맹서한 글은 신라본기에 보인다. 仁願 등이 돌아 가니 융은 군사들이 흩어질까 두려워하여 역시 당 京師로 돌아갔다.

w-2. 儀鳳 연간(676~678년)에 융을 熊津都督 帶方郡王으로 삼아 귀국하게 하여 남은 무리들을 안 정시키게 하고, 곧 安東都護府(평양 소재: 필자)를 新城(遼寧城 撫順市 高爾山城 : 필자)으로 옮겨 통할하게 하였다. 이때 신라가 강성하므로 융은 감히 舊國에 들어가지 못하고 고구

려에서 잠시 다스리다가 죽었다. 武后가 그의 손자 敬으로 왕위를 잇게 하였으나 그 땅은 이미 新羅·渤海靺鞨에게 분할되어 國系가 드디어 끊기고 말았다.

『구당서』 및 『신당서』 백제전과 『자치통감』에서는 백제 멸망과 관련해 의자왕이 항복한 660년과 국가회복운동 및 웅진도독부의 역사를 수록한 후 그 末尾에 다음과 같은 기사를 남겼다.

w-3. 儀鳳 2년(677)에 [융]에게 光祿大夫 太常員外卿 兼 熊津都督 帶方郡王을 제수하여 本蕃에 돌아 가 남은 무리를 安輯하게 했다. 이때 백제의 本地는 荒毁하여 점점 신라의 소유가 되어가고 있 었으므로 隆은 끝내 舊國에 돌아가지 못한 채 죽었다. 그의 손자 敬이 측천무후 때에 帶方郡王 에 襲封되어 衛尉卿을 제수하였다. 이로부터 그 땅은 신라 및 渤海靺鞨이 나누어 차지하게 되 었으며, 백제의 종족이 마침내 끊기고 말았다(『구당서』).

w-4. 儀鳳 연간(676~678년)에 [隆을] 帶方郡王으로 승진시켜 藩으로 돌려 보냈다. 이 때 신라가 강 성하자 隆은 감히 舊國에 들어가지 못하고 高麗에서 잠시 다스리다가 죽었다. 武后 때에 또 그 의 손자 敬으로 왕위를 잇게 하였으나 그 땅은 이미 新羅·渤海靺鞨이 나누어 차지하고 있어 백제는 결국 멸망하고 말았다(『신당서』).

w-5. 또 司農卿 扶餘隆을 웅진도독으로 삼고 대방왕에 책봉했다. 또한 돌아가서 백제의 남은 무리 들을 按撫하게 하였다. 이어서 안동도호부를 新城으로 옮겨서 그들을 통괄하게 했다. 이때 백 제는 荒殘해졌기에 부여융에게 명령하여 高麗의 境域에 寓居하도록 하였다. … 高麗의 舊城은 신라에 병합되고 나머지 무리들은 흩어져서 말갈과 돌궐로 들어갔다. 부여융 역시 끝내 감히 故地로 돌아가지 못하니 고씨와 부여씨는 드디어 망하였다(『자치통감』).

위의 기사는 결국 대동소이한 내용인 것이다. 다만 w-2와 w-4에서 부여융이 고구려에서 사망했다는 기록은 그의 묘지석이 중국 뤄양의 북망산에서 출토되었기 때문에 타당하지 않다. 그러나 관련된 "고구려(고려)에서 잠시 다스리다가 죽었다(w-2·w-4)"·"高麗의 境域에 寓居하도록 하였다(w-5)"라는 구절은 그 시점이 고구려가 멸망한 후인 儀鳳 연간(676~678년)이다. 이와 관련해 다음의 기사를 주목해 본다.

w-6. (677년) 2월 정사에 工部尙書 高藏에게 遼東都督을 除授하여 朝鮮郡王에 封하고는 安東府로 돌려보내 高麗 餘衆을 安輯하게 했다. 司農卿 扶餘隆 熊津都督을 帶方郡王에 封하여 (그곳에) 가서 백제 餘衆을 安輯하도록 명하였다. 이에 안동도호부를 新城으로 옮겨서 그곳을 관할하게 했다.

위의 기사에 따른다면 고구려 유민은 '安東府' 즉 안동도호부에 거주했음을 알 수 있다. 백제 유민의 경우는 정확히 알 수 없지만 부여융의 거주지와 관련한 "高麗에서 잠시 다스리다(w-4)" · "고려의 境域에 寓居(w-5)"는 예전에 고구려 영역이었던 요동 지역 거주를 가리킨다. 부여융은 그 묘지명에 적혀 있듯이 그 후 뤄양으로 돌아와 私第에서 生을 마감했다. '寄治'에는 "治所를 임시로 다른 지역에 두는 일"이라는 뜻이 담겼다. 부여융이 일시적으로 요동에 거처했음을 뜻한다. 이렇게 볼 때 史書의 내용과 묘지명은 모순되지 않는다.

문제는 『삼국사기』를 비롯한 위의 사서에서 "그 땅은 이미 신라 · 발해말갈에게 분할되어 國系가 드디어 끊기고 말았다"는 구절이다. 여기서 백제 영역이 신라에 넘어 간 것은 맞다. 그렇지만 백제 영역이 말갈로 분할되고 말았다는 기록은 이해되지 않는 측면이 있다. 그랬기에 『삼국유사』에서는 이 구절을 다음과 같이 풀이했다. 즉 "삼국사에는 '백제 말년에 발해말갈 · 신라가 백제 땅을 나누어 가졌다'고 했다. 이 말에 의한 즉 발해는 또 나뉘어서 두 나라가 된 것이다"라고 하였다. 『삼국유사』의 찬자인 일연은 이 구절이 이해되지 않았던 관계로 백제 영역이 발해말갈로 분할된 이유를 발해가 두 나라일 것이라는 데서 찾았다. 일연은 백제의 소재지를 한반도로만 전제하고 있었다. 그랬기에 발해를 백제 故地였던 한반도 서남부 지역으로 끌어 당겨서 이 문구를 풀이하고자 하는 궁여지책을 발휘했다. 물론 일연의 해석은 타당하지 않다.

『삼국사기』를 비롯한 사서에는 백제 멸망 후 그 영역이 신라와 발해말갈로 넘어 간 기록을 남겼다. 그런데 이 기사가 의미하는 바를 올바로 파악하지 못했기 때문에 오류 정도로 간주하는 견해가 일반적이었다. 그러나 이 기사는 오류가 아니었다. 한반도에서 백제는 멸망했지만 당에서 재건된 웅진도독부와 연계된 백제 유민들과 관련되었기 때문이다. 당은 보장왕을 수반으로 한 고구려 유민들을 요동으로 이주시켰다. 이 집단이 소위 소고구려국의 기원으로 운위되고 있다. 역시 당은 웅진도독 부여융을 수반으로 하는 백제 유민 집단을 건안고성으로 移置시켰다. 건안고성의 '城傍餘衆'에서 특출난 將材들이 배출되어 唐營에서 혁혁한 전공을 세운 경우도 있었을 것이다.

건안고성의 백제 유민 거주지는 명목상 독립 왕국적인 성격을 띠었다. 이 사실은 중국 사서에서 당 조정이 부여융으로 하여금 고구려 境域에 거주하게 한 배경으로서 "그때 백제가 荒殘했다"고 하였다. 백제의 쇠락을 언급할지언정 멸망했다고 하지는 않았다. 이 점 역시 몹시 중요한 백제 인식이라고 보겠다. '荒殘'한 백제의 중흥을 염두에 둔 기술이기 때문이다. 실제 이와 맞물려 부여융은 그 조부인 무왕이나 부왕인 의자왕이 唐朝로부터 제수받았던 帶方郡王 관작을 동일하게 襲封하였다. 이는 唐朝가 부여융을 백제 국왕으로 인정해 주었음을 뜻한다. 이러한 습봉은 부여융의 손자인 扶餘敬에게까지 이어진 사실이 확인되었다. 725년의 泰山 封禪 기록에서 '백제 대방왕'을 '內臣之番'이라고 하였다. '백제'라는 국호와 '대방왕'이라는 작호는 물론이고, '蕃'의 존재까지 확인되었다.

건안고성에서 습봉한 왕은 측천무후 집권기(684~704)의 扶餘敬에서 끝난 것만은 아니었다. 그리고 백제 유민들은 '백제'라는 독립된 정치 세력으로서 당에 군사력을 제공해 주었다. 백제가 멸망한 지 무려 1백년이 경과했음에도 沙吒利를 蕃將이라고 했다. 이 사실은 그가 漢族 社會에 완전히 편제된 인물이 아니었음을 뜻한다. 곧 唐域의 蕃으로서 존재한 백제를 상정할 수 있는 근거가 된다.

唐이 백제를 재건해 준 배경은 676년에 신라가 唐 세력을 한반도에서 축출한 사건과 맞물려 있다. 당은 '興亡繼絶'이라는 백제 유민들의 염원을 구현해 주는 한편 신라 견제용으로 활용하고자 하였다. 唐 사회에서 백제인들이 지닌 효용성 또한 백제 재건의 기제로 작용한 것이었다.

그러한 內蕃(番)로서 建安故城의 백제 왕국은 8세기 중엽이나 9세기 초엽 어느 때 요동 지역으로 세력을 뻗친 발해에 병합되었다. 그럼에 따라 唐域에서 餘脈을 이어 간 백제는 역사의 전면에서 종언을 고하고 말았다. 이 사실을 일컬어 사서는 "그 땅은 이미 신라·발해말갈에게 분할되어 국계가 드디어 끊기고 말았다"고 평가했다. 여기서 '國系'라는 문자는 당에서 재건된 백제가 백제사의 법통을 계승했음을 뜻하는 의미심장한 문구가 아니겠는가?

이제 백제사는 672년까지 한반도에 존속했던 웅진도독부의 역사 뿐 아니라 8세기 중엽 내지는 9세기 초엽까지 중국에서 재건된 內蕃으로서 백제의 존재까지 포괄해야 할 것이다. 700년을 넘는 장구한 내력과 강인한 생명력을 지닌 800년 백제사의 실체를 결코 간과해서는 안 될 것 같다. 새롭게 밝혀진 백제사의 모습인 것이다.

백제는 13세기에 다시금 등장한다. 『元史』 至元 4년(1267) 조에 "춘 정월 … 을사에 백제가 그 신하 양호를 보내어 와서 조공하였다. 비단을 차등 있게 내려 주었다(春正月 … 乙巳 百濟遣其臣梁浩來朝 賜以錦繡有差)"라고 하여 보인다. 백제 사신이 직접 元에 찾아 왔기에 남겨진 정사의 기록인지라 백제의 존재를 부인하기는 어렵다. 원에 사신을 보내 온 백제의 소재지와 梁浩라는 사신은 한국측 문헌을 통해서도 확인되었다. 탐라의 한 세력이 백제 국호를 거양했던 것이다. 백제의 3왕자가 도망 와서 피난한 곳이 흑산도라는 島嶼인 데서부터 찾을 수 있다.[518] 이 점에 근거할 때 도서 지역에 백제 세력이 거점을 두었을 가능성이다. 곧 이들은 해적의 형태로 존재하였을 것이다. 후백제가 멸망한 후에는 이들이 제주도 一角에 거점을 확보하며 존속했을 가능성도 상정된다. 뭍에서는 응당 이들이 거점을 두고 있는 제주도를 탐라로 일컬었겠지만, 이들은 내부적으로는 백제를 칭했을 수 있다. 그렇지 않더라도 탐라 사신이 원에 갔을 때는 고구려를 승계한 고려 조정과 대등한 무게로 인정받고자 하여 백제를 칭했을 가능성이다. 당시 탐라는 江都 정부였던 고려의 입지 정황과 동일하다고 보았을 수 있다. 이러한 맥락에서 탐라는 대외적인 인지도는 물론이고 유서가 깊을 뿐 아니라 자국이 정치적으로 예속되었던 백제의 후신임을 자처했을 수 있다. 이는 원을 통하여 탐라의 존재를 국제적으로 공인받으려는 의도였다.[519] 그리고 16세기 말에 明人들이 조선을 '三韓百濟'라고 하였다.[520] 백제가 지닌 대표성 내지는 영원함을 상징하는 증좌인 것이다.

8) 백제의 해양활동사

(1) '해양강국' 평가

백제는 주변 지역들과 활발하게 교류를 가졌다. 그랬기에 '교류왕국'이라는 이름을 부여받기도 하였다. 그런데 알고 보면 백제가 교류한 대상은 중국와 일본열도에 국한된다는 것이다. 이 정도를 가지고 '교류왕국'이라는 권위 있는 호칭을 부여받을 수는 없을 것이다. 더구나 '글로벌 백제'는 상상할 수도 없게 된다. 그러나 백제는 동남아시아 지역과 활발한 교류를 가졌고, 또 그러한 사실이 문헌이나 물증을 통해서 확인되고 있다. 최근에 밝혀진 일례만 든다면 黑齒國이 소재한 필리핀에서는 우리나라 삼국시대의 토기들이 출토되었다. 익산 미륵사지 서탑 사리공과 청동합에서 발견된 진주의 존재는 동남아시아와의 직접 교류 가능성을 보여주고 있다. 이러한 물증들은 결코 우연한 일이 아

518_ 圓仁 著 · 신복룡 번역 · 주해, 『入唐求法巡禮行記』, 정신세계사, 1991, 307쪽.
519_ 李道學, 『백제사비성시대연구』, 一志社, 2010, 510~514쪽.
520_ 李道學, 『꿈이 담긴 한국고대사 노트 (하)』, 一志社, 1996, 123~127쪽.; 『새로 쓰는 백제사』, 푸른역사, 1997, 584~587쪽.; 「사라진 백제를 찾아서—미스터리의 백제」『圓大新聞』 원광대학교 신문사, 1998, 11.23).

니라 당연한 결과라고 하겠다. 다만 각자의 마음 속에 만리장성의 벽을 높게 축조하여 감히 넘을 수 없게 한 관계로 있는 자료마저도 사장시켰을 뿐이었다. 단재 신채호의 표현대로 한다면 싸워 보지도 않고 붓끝으로 우리의 활동 영역을 한반도 안으로 축소시킨 격이 된다.

해양강국은 해상에 대한 경제·군사적 지배권의 비중이 주변 국가들 보다 지대해야만 할 뿐 아니라 해상으로부터 얻은 有·無形의 收益이 財政과 군사력의 일정 부분에 충당되어야 한다. 바로 이 점을 확인하기 위한 전제로서 관련 사료에 대한 분석과 검증을 시도하고자 했다. 삼국 가운데 백제의 海運業이 가장 성행했다는 평가를 얻고 있다.[521] 백제는 기본 생산력의 근원이 농업이었다. 그럼에도 백제는 주변의 고구려나 신라 그리고 중국이나 倭 보다 항해 구간이 광활하였고, 해상활동도 훨씬 활발하였다. 게다가 백제는 동남아시아와도 교류한 사실이 문헌과 물증으로도 확인된다.

⑵ 백제 왕성의 공통된 입지 조건

백제가 삼국 가운데 해상 활동이 가장 활발했다고 평가하는 근거로는 지형적 조건을 꼽게 된다. 백제가 자리잡은 한반도 서남부 지역은 해상 활동하기에 유리한 굴곡이 많은 리아스식 해안을 끼고 있어서 도처에 항만이 발달하였다. 이는 만주 내륙에서 출원한 고구려가 압록강 하구의 서안평(랴오닝성 단둥) 장악을 시도하다가 번번이 중국과 충돌하면서 제동이 걸렸던 사례와 비교된다. 고구려는 311년에야 서안평을 점령한 결과 지린성 지안에 소재한 수도 국내성에서 출항한 선박이 압록강 하구를 빠져나와 서해로 항진하는 게 가능해졌다. 고구려는 4세기대에 와서야 내륙수로를 이용하여 훗날 고려시대의 수도 개경이나 조선시대의 수도 한양과 마찬 가지로 수도와 바다가 원스톱으로 연결되는 게 가능해졌다. 신라의 수도인 경주는 동해와 비교적 가깝기는 하지만 수도와 바다를 이어주는 내륙수로가 존재하지 않았다. 게다가 신라는 동해변이 지닌 지형적 특성상 좋은 항구를 갖추지 못하였다.

그런데 반해 백제의 경우 건국설화에 등장하는 인천의 미추홀은 물론이고 한성은 한강 수계를 이용하여 바다를 만나는 게 용이했다. 그 이후 백제의 수도였던 웅진성(공주)이나 사비성(부여) 역시 수도와 바다가 곧장 연결된 체제였다. 이러니 백제가 설령 해상활동을 염두에 두고 수도를 정하지 않았다고 하더라도, 수도 자체가 해상 활동이 용이한 입지 조건을 지녔음은 부인할 수 없다. 이 점은

521_ 孫晉泰,『國史大要』, 乙酉文化社, 1949, 36쪽.

단순한 우연이라고 간주하기는 어려울 것 같다. 어떤 기획성과 일관된 관념에서 비롯되었다고 보아야 한다. 일단 백제 왕성 3곳은 강변에 소재하였다는 공통점을 지녔다. 소통과 유통, 그리고 교류의 수단인 하천변에 입지한 관계로 水路의 管掌에 유리하였다. 경제는 물론이고 군사적으로도 기민하게 대처할 수 있는 이점이 분명 존재한 것이다. 바로 이러한 강점으로 인해 풍납동토성과 공산성이나 부소산성 일원의 왕성은 강변에 조성되었음을 알 수 있다.

백제 건국기의 국도 선정설화는 백제인들의 도성 입지에 대한 안목과 기준을 제시해 준다. 이러한 기준은 백제인들이 기습적인 한성 함락으로 경황이 없었을 것 같지만, 새 국도를 물색할 때도 예외가 되지는 않았다. 웅진성은 북쪽으로 금강이 접해 있는 관계로 시급한 고구려의 침공을 막는 천연해자 기능을 중시한 게 새 국도 선정 이유인 것처럼 운위되었다. 그러나 금강 水系를 이용한 전라북도 오지에 이르는 내륙 지역에 대한 영향력의 행사와 더불어, 어느 때 보다도 긴요한 대중국·대왜 관계를 염두에 둔 입지 선정이었다.

(3) 백제의 해상활동 영역

① 마한에서 백제로

백제의 해양활동사는 크게 중국과 일본열도 그리고 동남아시아로 나누어서 살필 수 있다. 먼저 백제와 중국과의 교류는 조공외교에서 출발하였다. 3세기대 마한의 제국들은 '조공'이나 '朝獻'이라는 이름으로 중국과 교류한 사실이 확인된다. 아마도 이들 제국은 자력으로는 항해가 어렵기 때문에 여러 소국들이 연합하여 선단을 이루어 중국에 도착한 것으로 보인다. 중국 사서에서 마한 소국 20여 국들이 조헌한 기록은 이들 소국이 함께 찾아왔기 때문일 것이다. 마한 제국들이 이용한 항로는 해안을 따라 항진하는 연안 항해였을 것으로 보인다. 백제의 경우도 이러한 마한 제국 가운데 1개 국으로 간주하는 경향이 지배적이다. 이와 관련해 백제 건국 세력의 기원은 『삼국사기』에서 고구려계의 온조 기사와 부여계의 비류 설화로 나뉘어지고 있지만, 현재 백제 건국 집단은 부여계로 밝혀졌다. 부여계인 비류 설화에 따른다면 백제 건국 집단은 패수(예성강)와 대수(임진강)를 건너 미추홀(인천)에 정착했다고 한다. 여기서는 온조 기사에서 처럼 비류가 염분이 많은 미추홀에 도읍한 것을 후회하고 죽었다는 이야기는 없다.

미추홀 세력권인 김포 운양동 수장급 고분에서는 부여 지역인 지린성 위수시 라오허선 고분 등지에서 출토된 금제 귀고리와 동일한 유물이 출토되었다. 이러한 물증은 부여계 세력의 미추홀 정착과 백제 건국 사실을 뒷받침하는 역할을 한다.[522] 물론 이들 집단은 지금의 서울 지역인 위례로 진출하여 한강을 내륙수계로 하는 국가로서 위상을 점하게 된다. 어쨌든 백제 건국세력의 초기 기반이 인천 일원이었다는 사실은 소금의 확보와 대외교류에 유리한 거점을 1차적인 근거지로 삼았기 때문이었다.

백제는 해변을 끼고 있었기에 생필품인 소금의 산지에 대한 독점적 장악과 공급이 가능하였다. 그리고 백제는 활발한 해상활동을 통해 교역이 주는 경제적 이점의 장악 뿐 아니라 정치적 위상도 높일 수 있었다. 그랬기에 백제는 마한 제국의 중국에 대한 집단적 조공에서 벗어나 독점적 교섭을 확보할 수 있었다. 이때 백제 왕은 확보한 중국제 선진 문물을 중앙의 귀족은 물론이고 지방의 호족들에게 분여함으로써 왕권 강화는 물론이고 권력 범위를 확대시키는 기제로 삼았을 것이다.

② 북중국과의 교류 및 진출—요서경략에 이르기까지

백제의 해양력은 북중국을 석권하고 있던 선비족이 세운 후연과의 교류를 통해서도 확인된다. 우선 백제와 후연 간 교류의 산물로서 백제 조정에는 장군호를 지닌 王茂와 張塞 그리고 陳明 등은 漢人이지만, 西河太守에 임명된 馮野夫는 후연 계통이 분명하다.[523] 고고물증으로서는 중국 랴오닝성 베이파오 라마둥Ⅱ M71에서 출토된 것과 동일한 귀고리 양식이 석촌동 4호분 주변과 곡성 석곡 그리고 익산 입점리 1호묘에서 출토되었다. 그리고 원주 법천리 등자와 천안 용원리 108호분 경판비와 두정동 고분에서 출토된 재갈은 선비계 마구 특징을 잘 반영하고 있다고 한다. 이처럼 백제 지역에서 출토된 선비계의 귀고리와 마구류는 백제와 후연 간의 교류를 입증해 주는 물증인 것이다. 이와 더불어 충청북도 청주 지역에서 출토된 鮮卑系 馬鐸과 鐵鍑은 백제의 기원을 암시해 주는 물증인 동시에 양국 간의 긴밀한 연관성을 부정하기 어렵게 한다.[524]

이러한 선상에서 요서경략 기사를 음미해 본다. 『송서』와 「양직공도」 및 『양서』 백제 조의 관련 구절을 인용해 보면 다음과 같다.

522_ 李道學, 「백제 건국세력은 어디서 와서, 어디에 정착했는가?」 『백제, 그 시작을 보다』, 하남역사박물관, 2016. 206~226쪽.

523_ 李道學, 「漢城末 · 熊津時代 百濟 王位繼承과 王權의 性格」 『韓國史硏究』 50 · 51合輯, 1985, 8~9쪽.

524_ 李道學, 「百濟와 前燕 · 後燕 및 北魏와의 關係(百济与前燕 · 後燕及北魏之间的关系)」 『동아시아고대학회 제64회 정기학술대회 및 학술답사』, 중국 河南省 鄭州大學校 학술세미나, 2016. 12.27.

* 백제국은 본래 高驪와 함께 요동의 동쪽 천여 리에 있었는데, 그 후 고려가 요동을 차지 하자, 백제는 요서를 차지했다. 백제가 다스리는 곳을 진평군 진평현이라고 하였다(『宋 書』)
* 백제는 옛날의 來夷로 마한의 무리이다. 晋末에 고구려가 요동의 樂浪을 치자, (백제) 역시 요서의 晋平縣을 쳤다. (「梁職貢圖」)
* 그 나라는 본래 句驪와 더불어 요동의 동쪽에 있었다. 晋世에 구려가 이미 요동을 차지 하자 백제 역시 요서와 진평 2군에 거처하였다. 스스로 백제군을 두었다(『梁書』)

백제의 요서경략 기사는 기록의 명료함에도 불구하고 그간 진출 동기가 구체적으로 적혀 있지 않았던 관계로 雜想의 요인이 되었다. 백제가 고구려를 견제하기 위해 출병한 것처럼 적혀 있지만 구태여 그 먼 곳까지 바다를 건너가 고구려와 대결을 벌여야하는 당위성이 부족했다. 그렇지만 사료를 분석하는 과정에 '晋末'이 東晋末인 420년을 하한으로 한다는 점에서 後燕과 백제와의 연계성을 찾을 수 있다. 후연은 고구려가 400년에 낙동강유역으로 진출한 틈을 타고 기습적으로 그 후방의 700여 리의 땅을 약취하는 데 성공하였다. 그러나 후연은 고구려의 반격을 받아 다링하 일대까지 빼앗기는 위기적인 상황에 봉착했다. 이때 후연은 백제에 지원을 요청했던 것이다. 백제군은 즉각 요서 지역에 진출하였지만 곧 北燕 정권이 등장하여 고구려와 우호 관계를 열었다. 이때 상황이 애매해진 遼西 주둔 백제군은 주둔지를 실효지배했다. 곧 진평군의 설치인 것이다. 훗날 488년~490년에 발생한 백제와 북위와의 격돌은 진평군의 존속과 무관하지 않다고 본다.

이와 관련해 「양직공도」 백제사 題記에 보이는 '래이'와 관련한 『尙書』 주석을 보자. 이에 의하면 래이의 기원을 지금의 산둥성 靑州 以東에서부터 膠東半島에 이르는 곳을 우이라고 했다. 「양직공도」에서 백제가 옛적의 래이였음은 우이의 거주지였던 산둥 지역에 대한 연고권을 내 세운 것이다. 이에 맞춰 중국은 래이의 본거지인 산둥성 지역인 동청주를 백제 왕의 관할 구역이자 연고지임을 공표하였다. 571년에 北齊에서 위덕왕을 '持節都督東靑州諸軍事東靑州刺史'로 책봉했기 때문이다. 이 직함의 '동청주'는 옛적에 우이의 거주지에 속한다.[525]

525_ 李道學,「'梁職貢圖'의 百濟 使臣圖와 題記」『백제 문화 해외 조사보고서』 6, 국립공주박물관, 2008 ; 『백제 한성 · 웅진성시대연구』, 一志社, 2010, 458~460쪽.

③ 北魏와의 전쟁

백제가 북위와 전쟁한 기사는 화북 진출이나 요서경략과 관련해 일찍부터 주목을 받아 왔다. 관련 기사는 다음과 같다.

* 魏에서 군대를 보내어 와서 정벌하였으나 우리에게 패했다.[526)]
* 魏가 군대를 보내어 백제를 쳤으나 백제에게 패하였다.[527)]
* 이 해에 魏虜가 또 騎兵 수십만을 동원하여 백제를 공격하여 그 境界에 들어가니 牟大가 장군 沙法名·贊首流·解禮昆·木干那를 파견하여 무리를 거느리고 虜軍을 기습 공격하여 그들을 크게 무찔렀다. 建武 2년(495년 ; 동성왕 17)에 모대가 사신을 보내어 표문을 올려 말하기를 "지난 庚午年(490년)에 獫狁이 잘못을 뉘우치지 않고 군사를 일으켜 깊숙히 쳐들어 왔습니다. 臣이 沙法 名 등을 파견하여 군사를 거느리고 역습케 하여 밤에 번개처럼 기습 공격하니, 匈梨가 당황하여 마치 바닷물이 들끓듯 붕괴되었습니다. 이 기회를 타서 좇아가 베니 시체가 들을 붉게 했습니다. 이로 말미암아 그 예리한 기세가 꺾이어 고래처럼 사납던 것이 그 흉포함을 감추었습니다. 지금 천하가 조용해진 것은 실상 사법명 등의 꾀이오니 그 공훈을 찾아 마땅히 표창해 주어야 할 것입니다. 이제 사법명을 임시로 征虜將軍 邁羅王으로, 贊首流를 임시로 安國將軍 辟中王으로, 解禮昆을 임시로 武威將軍 弗中侯로 삼고, 木干那는 과거에 軍功이 있는 데다가 또 臺와 舫을 때려 부수었으므로 임시로 廣威將軍 面中侯로 삼았습니다. 엎드려 바라옵건대 天恩을 베푸시어 특별 히 관작을 제수하여 주십시오"라고 하였다.[528)]

위의 기록과는 달리 백제가 해상 진출할 수 없다는 전제하에서 『남제서』에 수록된 동성왕대 北魏와의 전쟁 기사를 고구려와의 전쟁으로 단정하는 이들이 많았다. 이러한 주장은 일본 학자 오카다 히데히로(岡田英弘)가 처음 제기하였다. 즉 그는 동성왕이 남제에 보낸 국서에 등장하는 '獫狁'과 '匈梨'를 고구려로 간주하면서 고구려의 남진을 저지하는 전쟁으로 언급했다. 여기서 한 걸음 나아가 '匈梨'를 '句梨'의 誤寫로 간주하여 고구려로 지목한다. 그렇지만 匈梨와 동일한 대상인 '獫狁'이나

526_ 『三國史記』 권26, 동성왕 10년 조.
527_ 『資治通鑑』 권136, 永明 6년 조.
528_ 『南齊書』 권58, 동이전 백제 조.

'魏虜'는 北魏를 가리키고 있지 않은가? 그러한 '험윤'과 '흉리'는 북위를 구성하는 지배 종족인 鮮卑와 연관 짓는 흉노를 가리킨다. 따라서 백제는 북위와 전쟁을 한 것이다.

백제와 북위와의 전쟁은 "이 해에 魏虜가 또 騎兵 수십만을 동원하여"라고 한 구절의 '又'에서 알 수 있듯이 490년 이전에 이미 있었던 것이다. 이는 바로 위에서 인용한 동성왕 10년 조와 永明 6년(488)에 있었던 전쟁을 가리킨다고 보면 지극히 자연스럽다. 그런데 '騎兵 수십만'의 동원과 경오년(490)에는 "시체가 들을 붉게 하였습니다"라고 한 만큼 육상전으로 보일 수 있다. 그런데 백제군 장수들의 전공에 "舫을 때려 부수었다"고 하였다. 그러므로 육상전과 해상전의 배합을 헤아릴수 있다. 이와 관련해 백제군이 때려부순 '臺'는 영토안의 접경 지역이나 해안 지역의 감시가 쉬운 곳에 마련한 초소라는 점과 舫의 파괴와 연계되어 있다. 이러한 점에 비추어 볼 때 백제는 육상에서 북위군의 공격을 받았지만, 臺와 舫을 때려부술 정도로 역습에 성공했다고 한다. 따라서 戰場은 북위 연안에서의 상륙전을 가리킬 수 있다. 그렇다고 한다면 여기서 북위군 '騎兵 수십만'이 당초 침공해 온 백제 영역은 북위와 육속된 요서 지역으로 지목하는 게 자연스럽다.

④ 백제의 남중국 진출

백제는 중국 최남단의 광시 좡족자치구(廣西壯族自治區)나 福州 등지에 교역망을 확보하고 있었다. 광시 좡족자치구 난닝시(南寧市) 邕寧區 百濟鄕에 속한 '百濟墟'의 존재가 그것이다.[529] 그리고 최치원의 「上太師侍中狀」에서 "고구려와 백제의 전성 시절에는 强兵이 백만이나 되어 남으로는 吳越을 침범하였고, 북으로는 幽·燕·齊·魯 地域을 흔들어서 중국의 큰 좀[蠹]이 되었다"라고 했다. 여기서 오월은 『구당서』에서 백제의 西界를 "서쪽으로는 바다를 건너 越州에 이르렀다"고 하여, 지금의 저장성 사오싱시(紹興市) 부근이라고 한 기록과 연결되어진다. 물론 『구당서』에서 바다를 건너 백제가 고구려·왜와 각각 경계를 이루고 있는 문구를 거론하며 지배 영역과는 무관한 구절로 해석할 수도 있다. 그러나 이 구절은 백제 國界를 고구려·왜라는 국호가 아니라 중국 내의 越州라는 특정 지명을 거론했다. 따라서 월주는 백제의 영향력이 미친 공간이라는 추정이 가능해진다.

이와 관련해 최근 장쑤성 롄윈강(連雲港) 주변에서 확인된 무려 789기에 달하는 石室墳의 성격이 주목된다. 지금까지의 연구에 따르면 롄윈강 지구의 석실분은 고대 한국인의 분묘일 가능성이 한·

529_ 李道學, 「中國 廣西壯族自治區의 百濟墟 探索」『위례문화』13, 하남문화원, 2010. 27~32쪽.

그림 29 | 롄윈강의 석실분 내부

중 양국에서 유력하게 제기되었다. 즉 신라인의 분묘 내지는 백제 멸망 직후 당으로 압송된 백제인들의 분묘라는 견해이다. 그런데, 이곳에 백제 유민들이 거주했다는 기록은 없다. 롄윈강을 백제 유민들이 이주당한 공간이라고 하자. 그러면 고국인 백제로의 해외탈출이 용이한 해변 지역에 사민시킬 이유가 없다. 더구나 연고지와 격절시킨다는 사민의 통상 원칙과도 맞지 않다. 실제 롄윈강 지구는 '백제 유민들의 흔적이 확인된 지역'과도 관련이 없다. 오히려 백제인들이 진출하기에 용이한 항구도시 롄윈강에 백제 석실분이 소재하였다. 더구나 롄윈강의 석실분은 사비성 도읍기 백제 묘제와 부합하는 면이 많다고 한다.

그렇다면 롄윈강의 석실분은 백제 멸망 이후가 아니라 백제 당시, 백제인의 분묘일 가능성은 없는 것일까? 이와 관련해 후당에서 고려 태조를 책봉한 詔에서 "卿은 長淮의 茂族이며 漲海의 雄蕃이다"라는 구절이 주목된다. 여기서 태조를 가리켜 '長淮의 茂族'이라고 했다. 이와 더불어 『고려사』성종 4년(984) 5월 조에 보면 宋 皇帝가 고려 성종을 책봉하고 내린 조서에 "항상 백제의 백성을 편안하게 하고, 영원히 長·淮의 族屬을 茂盛하게 하라(常安百濟之民 永茂長淮之族)"는 구절이 상기된다. 여기서 '長淮'는 揚子江과 淮水를 가리킨다. 이 곳과 '百濟之民'은 관련이 있다고 본 것이다. 곧 이들은 중국대륙의 백제 백성들을 가리키는 게 분명하다. 또 이들의 정치적 귀속성은 고려와 연결됨을 암시하고 있다. 그렇지 않았다면 詔書에서 언급할 하등의 이유가 없기 때문이다.[530] 더욱이 중국 학자들도 소개했듯이 롄윈강 주변의 쫑윈타이산(中雲臺山) 석실분은 논산 표정리 백제 석실분과 구조적으로 연결된다.[531] 그 뿐 아니라 롄윈강의 소재지인 淮河는 백제인들이 거주했던 '長淮' 가운데 淮水와 연결되고 있다. 따라서 롄윈강 석실분을 백제와 연관 짓는 게 가능해진다. 그리고 고분군의 규모가 크다는 점에서 오랜 기간에 걸쳐 조성되었음을 알 수 있다. 동시에 이 곳이 백제인들의 대단위 상주 거점이었음을 암시해준다. 나아가 사서에 적힌 백제의 중국 진출 기록이 결코 虛辭가 아니었

530_ 李道學, 「해상왕국 대백제와 백제 왕도 부여」『백제문화 세계화와 백제고도 부여』, 대전일보사, 2009; 『백제 사비성시대 연구』, 一志社, 2010, 509쪽.

531_ 張學鋒, 「江蘇連雲港'土墩石室'遺存性質芻議」『東南文化』 2011-4, 110~114쪽.

음을 입증해 주는 부동의 물증이 된다.[532]

⑤ 일본열도와의 교류

백제의 동방쪽의 해외경영지로서 일본열도를 지목할 수 있다. 엄밀히 말해 활처럼 휘어져 있는 일본열도는 백제 중심지를 기준으로 할 때 남방 혹은 동남방에 해당된다. 그럼에도 불구하고 동방이라는 범주에 포함시킨 것은 백제의 좌·우현왕제에 연유를 두었다. 458년(개로왕 4년)의 시점에서 확인된 바에 의하면 백제는 대왕인 개로왕을 축으로 그 좌우에 흉노와 같은 유목국가에서처럼 좌현왕과 우현왕이 포진하고 있었다. 여기서 좌현왕은 백제 '大王'이 통치하는 본국 바깥의 동방인 일본열도를, 우현왕은 그 서방인 중국대륙의 특정한 지역을 관장하였던 것으로 보인다. 이러한 추정은 '좌현왕'이었던 昆支가 일본열도에 세력 기반을 가지고 있었던 점에서 뒷받침 된다. 곤지는 지금의 하비키노 市 일대인 가와치 아스카에 경제적 기반을 확보하였다.[533]

백제의 일본열도 경영은 오랜 연원을 가지고 있었기에 지금도 열도의 곳곳에는 백제 관련 지명이 무수히 전한다. 이 가운데 비중이 큰 지역은 백제 본토와 북규슈를 연결하는 寄港地였던 마쓰우라 반도(松浦半島)와 후쿠오카현(福岡縣) 북쪽 해안이 된다. 이 가운데 마쓰우라 반도에서는 백제 특유의 삼족토기가 출토된 바 있다. 이 점은 확실히 유의할 바라고 본다. 그리고 백제계 주민들이 대거 거주했던 河內飛鳥와 인접하면서 韓式土器가 다량으로 출토된 오사카시(大阪市) 시로야마고분(城山古墳) 일대, 백제계 조족문 토기가 출토되는 호시즈카고분(星塚古墳)이 소재한 나라현(奈良縣) 덴리시(天理市) 일대, 무녕왕의 아버지임이 분명한 곤지를 제사지내는 아스카베신사(飛鳥戶神社)와 간논즈카(觀音塚) 고분이 소재한 하비키노시 일대는 무녕왕의 후손들이 世住하였고 天皇妃까지 배출되었던 곳이다. 북규슈 연안 지역과, 가와치 아스카 일대인 하비키노 일대는 백제의 동방 거점으로서 그 격이 가장 높았다.

『일본서기』를 보면 '百濟'라는 국호가 일본열도에서의 핵심 지역인 왕도, 그것도 왕궁과 관련해 지속적으로 확인되고 있다. 왜왕의 거처 공간 백제궁, 빈전 이름인 백제대빈, 왕궁과 엮어진 사찰 백제대사 그리고 이 무렵 백제궁에 거처한 왜왕은 '百濟王'으로 일컬어졌다. 왜왕이 백제왕을 자처한 사

532_ 이상의 서술은 李道學, 「윤명철, '해양사연구방법론'(학연문화사, 2012)에 대한 서평」『고조선단군학』 28, 2013, 420~423쪽에 근거하였다.

533_ 李道學, 「漢城末·熊津時代 百濟 王位繼承과 王權의 性格」『韓國史硏究』 50·51合輯, 1985, 13~14쪽.

실은 왜국 안의 백제 재현을 뜻한다. 다음의 기사를 본다.

* 이 달, 百濟大井에 宮을 지었다(敏達 1; 572년)
* 詔하여 "금년에 大宮 및 大寺를 만들겠다"고 하였다. 百濟川 곁을 궁이 들어 설 장소로 정했다. 서쪽의 백성은 궁을 짓고, 동쪽의 백성은 절을 지었다(舒明 11; 639년).
* 이 달에 百濟川 곁에 구층 탑을 세웠다(舒明 11; 639년).
* 이 달에 百濟宮으로 옮겼다(舒明 12; 640년).
* 천황이 百濟宮에서 돌아가셨다. 병오에 宮 북쪽에 殯을 설치하였다. 이것을 百濟大殯이라고 하였다(舒明 13; 641년).

위의 기사를 놓고 볼 때 572년에 왕궁 지을 장소가 '百濟大井'임을 알 수 있다. 이 곳은 지금의 나라현 고우료정(廣陵町) 구다라(百濟)로 지목하는 게 통설이다. 백제라는 국호가 '大井' 앞에 붙은 것을 볼 때 백제인들의 연고지로 짐작된다. 왜 조정의 권력 핵심부에 '백제'라는 국호를 접두어로 하는 지명이 이미 등장한 것이다.

이와 더불어 일본 왕실과 중앙 귀족의 족보집인 『신찬성씨록』 左京皇別 條에서 "大原眞人은 敏達天皇의 孫인 백제왕에서 나왔다. 『속일본기』의 내용과 부합한다"라는 문구를 간과할 수 없다. 百濟大井에 宮을 지었던 敏達天皇의 계보가 백제와 연결됨을 말하기 때문이다. 이는 결코 우연한 기록으로 간주하기는 어렵게 한다. 『신찬성씨록』 未定雜姓 左京 條의 池上椋人도 "敏達天皇의 손자 百濟王의 후손이다"고 하였다. 물론 『고사기』·『일본서기』에는 비다쓰 천황의 손자 이름 중에 百濟王이 보이지 않는다. 그렇지만 『고사기』 敏達天皇 段에 보이는 多良王[쿠다라노오우]의 '多' 字 앞에 '久' 字가 있었던 것이 轉寫 과정에서 탈락하였을 가능성이 제기되었다.[534] 그리고 敏達天皇의 손자인 百濟王은 죠메이 천황(舒明天皇)의 동생이 된다. 죠메이 천황은 百濟川邊에 百濟宮을 짓고 살았으므로 百濟大王으로 불리웠을 가능성과 그의 동생도 백제 왕으로 불리웠을 가능성이 있다.[535] 긴메이(欽明)나 덴지(天智)의 용례에 따른다면 죠메이는 '百濟宮御宇天皇'으로 일컬어졌다고 한다. 그리고 『萬

534_ 佐伯有淸, 『新撰姓氏錄の硏究(考證篇 第1)』, 吉川弘文館, 1981, 204쪽.
535_ 충청남도역사문화연구원, 『百濟史資料譯註集(日本篇)』 2008, 441쪽.

葉集』의 표기법을 취한다면 죠메이는 '百濟天皇'이라고 했을 것이다.[536]

⑥ 동남아시아와의 교류

선사시대 이래로 한반도 지역은 오키나와를 매개로 동남아시아 세계와 직·간접으로 교류하였다. 5세기 후반 경에 접어들어 백제는 탐라 즉 제주도를 정치적으로 복속시킨 후에 북규슈와 오키나와 및 남중국의 푸저우(福州)를 잇는 항로를 확보하였다. 백제는 탐라를 장악함에 따라 그간 고구려가 장악하여 북위에 조공품으로 보냈던 珂를 확보했다. 이 무렵 한반도의 서남해안 항로에 대한 지배권을 둘러싼 경쟁에서 백제가 고구려를 제꼈던 것이다.

백제는 항로를 동남아시아 세계로 연장하였다. 6세기대에 접어들어 승려 겸익이 중인도 즉 중천축까지 항해하여 梵本의 불경을 가져 왔다. 이러한 대항해는 단순한 구도의 열정만 가지고 되는 일은 아니었다. 백제로부터 인도와 인도차이나반도에 이르는 거대한 바닷길이 열려 있고, 조선술이 뒷받침되었기에 가능했다.

백제가 동남아시아 제국과 교류한 사실은 물증을 통해서도 밝혀졌다. 의자왕이 왜의 권신에게 선물한 木畵紫檀碁局의 자단목은 원산지가 스리랑카이며, 바둑돌은 상아였다. 그리고 백제금동대향로의 코끼리像은 아프리카産이 아니라 동남아시아산 코끼리로 밝혀졌다. 백제금동대향로의 코끼리는 상상의 작품이 아니라 實景 재현이었다. 이러한 맥락에서 볼 때 백제금동대향로에 보이는 鰐魚像의 존재도 백제인들의 활동 반경과 무관하지 않다.

그리고 백제는 '使人'이라는 공식 사절을 동남아시아 제국의 일원인 곤륜과 접촉시킨 사실이 포착되었다.[537] 이렇듯 백제는 필리핀 군도를 통과해 그 보다 훨씬 원거리에 소재한 인도차이나반도 제국들과 교류하였다.[538] 백제가 동남아시아 제국과 교류한 사실은 물증을 통해서도 밝혀진다. 가령 무녕왕릉에서 출토된 황색의 유리 구슬을 인도-퍼시픽 유리라고 한다. 이 유리의 납 성분은 현지 조사 결과 태국 송토 납광산이 원산지로 밝혀졌다. 그리고 무녕왕릉에서 출토된 소다 유리는 인도나 스마투라를 비롯한 동남아시아 지역에서 확인된다고 한다.[539] 이와 더불어 익산 미륵사지 서탑에

536_ 佐伯有淸,『新撰姓氏錄の硏究(考證篇 第1)』, 吉川弘文館, 1981, 204~205쪽.
537_ 『日本書紀』 권24, 皇極 원년 2월 조.
538_ 이와 관련해 TJB TV 백제기획에서 푸켓박물관 타와치이 학예관이 "비록 작은 수이지만 태국 일부 지역에서는 한국식 도자기가 발견되고 있습니다(2012. 11.12. 오후 8시 뉴스)"라는 증언이 중요한 참고 자료가 된다.
539_ MBC, 「네트워크 특선, 무령왕의 꿈 갱위강국」 2011. 12.30(오후 2시 5분~3시).

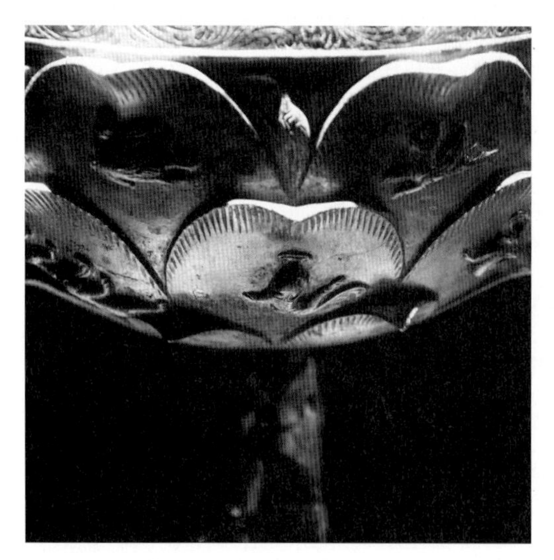

그림 30 | 백제금동대향로의 악어상과 실제 악어

부장되었던 진주의 존재도 오키나와 이남 동남아시아 지역과의 교류를 암시해준다.

아울러 백제가 남방 조류인 鸚鵡를 왜에 선물한 바 있다. 혹자는 앵무는 중국을 통해 백제로 전해진 것으로 추측하기도 한다. 그러나 세계 최대의 영역을 자랑하는 元帝國의 관리가 14세기 전반에 작성한 견문에서도 "새 가운데 공작과 비취새와 앵무새는 중국에 없는 것이다"고 단언했다. 그러니 6~7세기 상황에서 백제가 중국을 통해서 앵무를 얻었을 가능성은 없다. 貞元 연간(785~805)에 신라가 당에 孔雀을 바치자 德宗이 邊鸞으로 하여금 그리게 하였다. 중국인들이 궁중에서라도 공작을 접하는 일이 있었다면 신라가 조공하지 않았을 것이다. 세계국가의 수장인 唐帝도 명화가를 동원해 공작을 그리게까지 하지는 않았을 게 분명하다. 따라서 신라의 조공품인 공작은 중국에서 수입한 게 아니었다. 이는 독자적 교역의 산물이라는 사실이 명백해진다. 백제의 남방산 물자의 소지도 중국과는 무관한 경로를 통해 입수했음을 뜻한다. 의자왕이 후지와라노 가마다리에게 선물한 廚子에 들어있는 무소의 뿔[犀角]도 동일한 맥락에서 살필 수 있다. 게다가 백제금동대향로에 보이는 猩猩은 적은 숫자이지만 캄보디아에 서식하였다. 캄보디아를 비롯한 동남아시아에서는 백제금동대향로에 보이는 鰐魚의 서식지였다. 캄보디아의 끄발 스피언(Kbal Spean)에 소재한 조각상 중에는 악어상도 있다.[540]

540_ Marila Albanese, 『THE TREASURES OF ANGKOR』 White Star, 2011, 130쪽.

그리고 '정림사지'에서 출토된 陶俑 가운데 2개의 곱슬머리 頭像이 주목된다. 물론 이러한 도용은 북위 뤄양 영녕사지에서도 출토된 바 있다. 그랬기에 북위나 남조 梁의 기술자가 백제에 와서 제작해 준 것으로 추측하기도 한다. 그러나 가칭 정림사지의 조성 연대는 考古地磁氣 측정 결과 7세기대로 드러났다.[541] 따라서 북위나 양의 기술자와 연계시켜서 陶俑의 제작 배경을 운위할 수 없게 된다. 더구나 영녕사지 등에서 곱슬머리 頭像 陶俑이 출토된 사례가 있던가?「梁職貢圖」에 등장하는 使臣圖와 맞추어 볼 때 곱슬머리 두상의 주인공은 서역인이기 보다는 동남아시아인이 분명하다. 특히「王會圖」에서 지금의 인도인을 가리키는 中天竺人과 北天竺人은 도용처럼 곱슬머리에 수염도 없다. 『구당서』 남만전에서도 "林邑 以南부터는 모두 곱슬 머리에 신체는 새카만데"라고 하였다. 바로 백제 사찰터에서 확인된 도용인 것이다. 그리고 백제가 불경을 얻어 왔던 불교 발상지가 天竺이 아닌가? 그러니 가칭 정림사지 출토 곱슬머리 두상은 백제와 동남아시아 지역 간 교류의 산물일 수 있다.[542]

이와 더불어 백제는 곤륜과의 교류를 통해 綿種을 입수했을 가능성이 농후해졌다. 부여 능산리 절터에서 확인된 면직물의 유입로는 중국이나 중앙아시아가 아닌 동남아시아로 지목할 수 있게 되었다. 일본열도에서는 800년에 곤륜을 통해 면종을 수입한 사례가 있었다. 그러한 면종을 확보한 곤륜이나 목면의 원산지인 인도와도 백제는 교류하였다. 그뿐 아니라 더욱이 능산리 절터에서 면직물까지 확인된 것을 볼 때 그 기원은 명백해진다.

그 밖에 무녕왕릉에서 출토된 方格規矩神獸文鏡은 베트남과 같은 남방제일 가능성이 제기되었다[543]. 백제의 영향권이었던 대가라의 고령 지산동 44호분에서 출토된 국자의 재료인 夜光貝는 奄美大島 이남의 열대 인도양과 태평양에 분포하는 암초에 서식한다. 이러한 추세에 비추어 볼 때 야광패는 가라와 왜의 교류 보다는 역시 백제와 동남아시아 제국 간 교류의 산물로 보인다. 요컨대 이 같은 물품들을 통해서도 백제와 동남아시아 제국 간의 교류를 확인할 수 있다.

그리고 부여군 구아리에서 출토된 백제 때 塑造 獅子像의 존재가 주목된다.[544] 이 밖에 5세기 말경에 조성된 신라 고분에서 출토된 土偶의 경우 신라인들도 머나먼 세계에 대한 체험을 알려준다.

541_ 國立扶餘文化財硏究所,『扶餘 官北里 遺蹟發掘報告Ⅴ-2001~2007년 調査區域 統一新羅時代以後遺蹟篇-』2011, 321쪽.

542_ 백제와 동남아시아와의 교류에 대한 전반적인 골자는 李道學,「百濟의 海上실크로드 探究」『東亞海洋文化國際學術會議 論文集』浙江大學, 2013. 8.20, 173~192쪽에 의하였다.

543_ 尹武炳,「百濟武寧王陵と藤ノ木古墳」『古代史國際シンポジウム硏究報告集』6쪽.

544_ 梁銀景,「百濟 扶蘇山寺址 出土品의 再檢討와 寺刹의 性格」『대백제/ 백제의 숨결을 찾아서』, 동아시아국제학술포럼, 2009, 371쪽.

즉 개미핥기나 물소 토우 외에 역시 한반도에서 서식하지 않는 원숭이나 앵무새와 駝鳥까지 묘사되었다.[545] 구세계원숭이는 열대성 삼림에서 수상 생활을 한다. 신라인들이 5세기 말에 이미 체험한 동남아시아 세계는 백제인들에게도 결단코 신기할 수 없음을 반증해 준다. 요컨대 삼국 중 지형적으로 볼 때 해외 체험이 가장 활발했을 백제의 항해 반경은 넉넉히 짐작이 가는 것이다.

사비도성은 금강이라는 내륙 수로를 끼고 있을 뿐 아니라 바닷배가 드나들 수 있다. 사비도성은 해외 진출에도 유리한 입지에 조성되었다. 백제 왕족인 黑齒常之의 祖先들이 黑齒에 분봉될 수 있는 토대가 구축되었던 것이다. 黑齒의 위치는 명백히 지금의 필리핀 군도임은 숱한 문헌 자료를 통해 입증된다. 필리핀 북부 지역에서 확인된 몽골반점의 존재가 무엇을 말하겠는가?[546] 그럼에도 黑齒의 소재지를 필리핀으로 지목하는 견해에 반대하는 주장이 있다. 즉 黑齒의 소재지를 禮山으로 지목한 견해가 있지만 고증상의 문제점은 너무도 많았다.[547] 흑치=예산설의 핵심 근거는 지금의 예산군 예산읍을 백제 때 烏山이라고 한 사실에 두고 있다. 즉 烏山은 '검은山'이므로 黑齒와 연관이 있다는 것이다. 이 문제를 보완해서 검증해 본다. 백제 때 烏山은 통일신라 경덕왕대를 전후해서 孤山으로 지명이 바뀌었다. 그리고 고려 초에는 현재의 禮山 지명이 생겨났다. 여기서 경덕왕대를 전후해서 행정지명을 바꿀 때는 종전에 사용한 지명의 音을 漢譯하는 형식이 많다. 그러니 '烏山'을 '외山'으로 읽었기에 '외로울' '孤' 字를 넣어서 孤山으로 지명을 바꾼 것임을 알 수 있다. 혹자의 주장처럼 결코 烏山을 '검은 山'과 관련 짓지 않았음을 알게 된다. 烏山을 '검은 山'과 관련지었다면 '黑山'으로 고쳤어야 마땅하다.[548] 실제 경상북도 안동의 군자 마을에 소재한 烏川을 '검은 내'가 아니라 '외내'로 읽고 있다. 이것만 보더라도 烏山은 '외山'으로 읽었기에 孤山으로 바뀐 사실이 다시금 확인된다. 따라서 烏山=黑山이라는 심증에 근거한 막연한 黑齒=禮山說은 근거를 완전히 상실했다. 그랬기에 앞으로는 이 건을 재론해서는 안될 것 같다.

그리고 『일본서기』에 따르면 백제가 543년(성왕 21)에 지금의 캄보디아인 푸난국(扶南國)과 교역한 사실이 확인된다. 즉 "가을 9월에 백제 성명왕이 전부 나솔 진모귀문과 호덕 기주기루와 더불어 물부 시덕 마기모 등을 보내어 와서 扶南 財物과 奴 2口를 바쳤다"[549]라고 하였다. 혹자는 백제가

545_ 국립경주박물관, 『신라토우』, 1997, 73쪽. 84쪽. 125쪽.
546_ 2012년 11월 6일에 서울에서 만난 필리핀 Santo Tomas 대학 교수 박정현이 그러한 사실을 제보해 주었다.
547_ 이에 대해서는 李道學, 『백제 사비성시대 연구』, 一志社, 2010, 274~275쪽에서 詳論하였다.
548_ 李道學, 『백제 사비성시대 연구』, 一志社, 2010, 274쪽.
549_ 『日本書紀』 권19, 欽明 4년 조. "秋九月 百濟聖明王遣前部奈率眞牟貴文・護德己州己婁 與物部施德麻奇牟等 來

543년에 왜에 보낸 푸난의 재물은 중국의 梁을 통해서 입수했을 것으로 추측하였다. 그러나 푸난국이 梁에 마지막으로 조공한 시점이 539년이었다. 백제는 534년과 541년에 梁에 조공하였다. 이때 양은 백제측이 요구한 『열반경』을 비롯한 불교 경전과 毛詩博士 및 工匠과 畵工 등을 보내주었다. 그렇지만 백제가 푸난의 재물이라고 할 수 있는 물품을 梁에서 얻었다는 증거는 없다. 또 그러한 물품이나 奴를 백제가 梁에 요구하지도 않았다. 혹자의 주장대로라면 푸난국이 梁에 마지막으로 조공한 539년부터 2년 후인 541년에 백제가 梁에 조공하면서 2년 전에 扶南으로부터 받은 물품을 재분배받아야 한다. 그리고 다시금 2년 후인 543년에 백제로부터 왜에 분배되는 삼중분배 형식이라야 된다. 그러나 539년부터 543년까지의 4년이라는 시간적 경과와 더불어, 푸난→양→백제→왜라는 3단계의 복잡한 분배 과정을 거치면서 전달될 수 있었을지는 지극히 회의적이다. 푸난에서 양에 조공한 시점으로부터 2년이 경과했음에도 상당한 잉여품이 중국 황실에 존재했어야한다는 전제가 뒤따라야만 한다. 게다가 그것을 백제가 요구했고 또 받았다면 앞서 언급한 경전 등에 관한 기록처럼 사서에 보여야 하지만 보이지 않는다. 따라서 푸난의 재물과 奴는 백제인들이 푸난국을 직접 찾았을 때 확보 가능한 자산임이 분명해진다.[550]

⑦ 항로와 조선술

백제는 5세기 후반에는 쌍배인 舫이라는 선박을 운용하여 중국 대륙에 사신을 파견했다. 그리고 왜에서 2척의 선박을 건조하였다. 이것을 일러 '百濟船'라고 했을 정도로,[551] 백제 선박은 크고 성능 좋은 선박의 대명사가 되었다. 백제에서 중국 대륙에 이르는 항로는 서해 연안을 끼고 항진하는 연안 항로와, 산둥반도의 떵조우까지 도달하는 최단 거리인 사단항로, 흑산도 방면을 지나 남중국의 닝보(寧波)로 가는 항로 등이 있었다. 또 대표적인 항구로서 인천·화성·부안·영암 등을 꼽을 수 있다. 이와 관련해 백제 수군 창고가 있었던 충청남도 당진의 石頭城(당진시 송악읍 한진리)도 중요한 역할을 했을 것이다. 이 곳은 조선소·물류창고·선박 수리 등을 맡은 후방 기지로 보인다.

그러면 백제에서 인도에 이르는 항로와 조선술은 뒷받침되었을까? 백제가 중국 선박을 이용하여 中天竺과 왕래했으리라는 견해가 제기될 수 있다. 또 백제는 중국에서 진귀한 물산을 수입한 후 왜

獻扶南財物與奴二口"

550_ 李道學, 『백제 사비성시대 연구』, 一志社, 2010, 546~547쪽.

551_ 李道學, 『새로 쓰는 백제사』, 푸른역사, 1997, 62쪽. 577쪽.

에 선물했으리라는 막연한 선입견에 기댄 주장도 나온다. 백제의 동남아시아 물산 확보의 매개자로서 중국의 존재를 설정하는 것이다. 백제 교류의 독자성을 부인하고 있다. 그러나 백제는 중국을 거치지 않고 이미 푸난국(扶南國)이나 곤륜과 직접 교류하였다.[552] 그랬기에 "동서 교역의 중심지이며 불교가 발전했고 중국 남쪽에 있던 왕조들과 꾸준히 교류했던 푸난(인)이 한국(인), 특히 백제(인)와 직간접적인 접촉이 있었을 가능성은 높다. 백제사 연구자 이도학은 『일본서기』의 내용(543)을 근거로 하여 백제가 6세기 중엽 푸난과 교역했음을 주장하고 있는데, 당시 정황으로 보아 충분히 있을 수 있는 일이다"[553]고 평가했다. 실제 백제는 푸난국을 비롯한 남방 교역을 통해 막대한 재부를 축적했고, 정치적으로는 對倭 관계에서 주도권을 유지하는 기제로 활용했다. 알렉산더 대왕시절부터 권력자들은 다른 나라의 동물을 주민들에게 보이며 과시했다고 한다. 백제 왕의 경우도 교역 창구의 다변화를 통해 자신이 지닌 힘의 범위를 보여주고자 한 것이다. 따라서 백제와 동남아시아 제국 사이에 '중국'을 설정한 견해는 결코 타당하지 않다.

이와 관련해 663년 9월의 백강 패전 8년 후인 671년 10월에 일본의 덴지(天智) 천황이 法興寺 佛前에 올린 珍財 가운데 象牙와 沈水香・栴檀香과 같은 남방 산물이 주목된다.[554] 여기서 香이 있는 旃檀은 동인도와 오스트레일리아가 원산인 白檀을 가리킨다.[555] 아울러 676년 정월에 "大學寮 諸學生・陰陽寮・外藥寮 및 舍衛國女・墮羅의 女・백제왕 善光・신라 仕丁 등이 捧藥 및 珍異한 물건을 진상하였다"[556]는 기사가 뒤따른다.

정월 초하루에 천황의 무병장수를 기원하는 행사에 등장하는 舍衛國은 인도의 갠지즈강 중류에 소재한 舍衛城 일대에 소재했다. 墮羅는 태국 메남강 하류의 왕국으로 지목된다.[557] 이들 지역 주민이 일본열도에 표착한 적은 더러 있었지만 진상은 676년이 처음이었다.

그러면 676년에 인도와 태국 주민이 왜 조정에 진상한 일은 어떻게 가능하였을까? 이들은 그 이전에 일본열도에 표착한 이들로 보인다. 『일본서기』에 따르면 654년(白雉 5)과 657년(齊明 3)에 이들의 표착과 659년(齊明 6)에 일본열도 거주가 확인되기 때문이다. 이러한 倭와는 달리 백제는 인도를

552_ 李道學, 『백제 사비성시대 연구』, 一志社, 2010, 546~547쪽.
553_ 최병욱, 『(개정판) 동남아시아사-전통시대』, 산인, 2018, 54쪽.
554_ 『日本書紀』 권27, 天智 10年 10月 庚午 條.
555_ 坂本太郎 等 校注, 『岩波文庫-日本書紀(五)』岩波書店, 1995, 61쪽, 註 4.
556_ 『日本書紀』 권29, 天武 4年 正月 丙午朔 條.
557_ 坂本太郎 等 校注, 『岩波文庫-日本書紀(四)』, 岩波書店, 1995, 423~425쪽.

비롯한 동남아시아 제국과 직접 교류한 기록과 물증이 적지 않게 적출되었다.[558] 그리고 676년에 백제왕 善光의 진상품 역시 '珍異한 물건'으로 보여진다. 그렇다면 이러한 珍異物의 공급처는 異國으로 돌릴 수밖에 없다. 백제와 관련 깊은 대가라의 고령 지산동 고분에서 출토된 奄美大島產 夜光貝로 만든 국자는 琉球와 교류한 징표였다.

이러한 교역체계는 백제 멸망 후 왜로 넘어 간 것으로 보인다. 따라서 백제가 중국을 통해 남방 문물을 흡수했으리라는 견해는 막연한 추측에 불과했다는 사실이 다시금 드러났다.[559]

그러면 백제의 동남아시아 제국에 이르는 항로는 어떻게 설정할 수 있을까? 금강에서부터 서해연안을 돌아 제주도 내지는 北九州→오키나와(琉球)를 중간 기항지로 하면서 타이완 해협을 통과하여, 중국 남부 연안의 푸저우나 필리핀 군도에서 인도차이나반도를 통과하여 인도에 이르는 거대한 해상실크로드였다. 혹은 남인도→동남아시아→중국 산둥성으로 이어지는 남방 해로 가운데 '青州 루트'는 한반도까지 연결된다고 한다.[560] 바로 이 항로를 이용해서 백제가 동남아시아와 직접 교류했을 가능성도 모색될 수 있다. 백제는 금강에서 남중국 연안→푸저우→타이완 해협→필리핀 군도→인도차이나반도→인도로 이어지는 대항로를 개척했을 가능성이다. 이와 더불어 7세기대 신라 불상을 놓고 볼 때 해로를 통해 인도 불상 양식이 직접 전해진 것으로 추정하기도 한다.[561]

백제는 동남아시아 제국 뿐 아니라 사막 건조 지대인 몽골과도 교류했을 정도로 그 활동 반경과 무대는 가위 현대인의 상상을 뛰어 넘었다. 이것이야 말로 국제화된 백제의 활동 공간이요, 또 그러한 풍토 속에서 국제적인 문화가 조성된 것이다. 다양한 외국인들이 거주하였고, 동아시아 세계 물류의 결집처로서 대국 백제의 위용은 이렇게 하여 갖추어졌다.

558_ 李道學, 「百濟의 海外活動 記事에 대한 檢證」『한국과 동부유라시아 교류사』, 학연문화사, 2015, 187~208쪽.
559_ 李道學, 「百濟의 對倭交易의 展開 樣相」『민족발전연구』 제13-14호, 중앙대학교 민족발전연구소, 2006, 110쪽.
560_ 金春實, 「中國 山東省 佛像과 三國時代 佛像」『美術史論壇』 19, 한국미술연구소, 2004, 27쪽.
561_ 金春實, 「中國 山東省 佛像과 三國時代 佛像」『美術史論壇』 19, 한국미술연구소, 2004, 37쪽.

제5장

弁韓과 辰韓에서 성립한 국가

제1절 加羅와 任那 諸國

1. 국호의 유래와 '加羅'의 성립

加羅 국호는 김해의 狗邪國에서 비롯하였다. 加羅는 구야국이 고령 세력과 연맹 관계를 결성함에 따라 兩國을 통칭하게 되었다. 여기서 加羅는 '더하여 網羅한다'는 의미를 지녔다. 이는 김해와 고령 세력의 연맹 결성과 관련한 의미 심장한 국호였다. 『남제서』나 『일본서기』에서 표기한 加羅가 당시 加羅人들 스스로가 표방했던 국호인 것이다. 「광개토왕릉비문」에도 '任那加羅'의 '加羅'가 보인다. 반면 『삼국사기』 등에 보이는 加耶나 加良 혹은 駕洛은 어디까지나 加羅를 멸망시킨 신라인들이나 그 후대 표기에 불과하다. 특히 『삼국사기』에서 용례가 가장 많은 국호가 '加耶'였다. 그런데 '耶'는 의문을 나타내는 助辭였다. 그런 만큼 자칭인 '加羅'와는 달리 타칭인 '加耶'는 '더했다고?'하며 비꼬는 의미이다.[1] 따라서 당대의 자호인 加羅 표기가 온당하다. 加羅는 낙동강과 남강유역 전체를 포괄하는 연맹 이름으로 부적합한 것이다.[2]

加耶 즉 加羅라고 하면 넓은 범위를 포괄하는 단일 聯盟을 연상한다. 가야연맹의 공간적 범위를 지금의 경상북도 서북부 일부와 경상남도 일원 전체를 가리키는 것으로 생각하게 된다. 이러한 인

1_ 李道學, 「任那 諸國內 加羅聯盟의 勢力 變遷과 對外關係」『白山學報』86, 2010, 91~118쪽.

2_ 변한의 호칭 기원과 관련해 『해동역사』에 수록된 한진서의 주석을 인용했다. "또 살펴보건대, 일설에 의하면, "弁은 駕洛이고, 가락은 伽倻이다. 우리나라의 풍속에 꼭대기 부분이 뾰족한 모자를 통틀어서 弁이라고 하며, 또한 駕那라고도 한다. 지금도 義禁府의 皁隷들이나 郡縣의 侍奴들이 꼭대기 부분이 뾰족한 모자를 쓰면서 그것을 駕那라고 부르며, 또한 金駕那라고도 하는데, 方言이 흘러 전해 내려온 것이 반드시 그 근원이 있을 것이다. 신라 시대에 가락국이 지금의 김해부에 있었는데, 혹 加羅라고 칭하기도 하고 혹 伽倻라고 칭하기도 하였다. 이것이 바로 弁辰을 총괄해 다스리는 왕으로, 반드시 모자의 끝 부분이 뾰족한 모양새의 모자를 만들어 썼을 것이다. 그러므로 가라국이라고 호칭하였던 것인데, 중국 사람들이 이를 글자로 표기하면서 弁辰이라고 한 것이다. 가야의 마지막 왕인 仇亥가 신라에 투항한 뒤로는 그 나라를 이름하여 金官이라고 하였는데, 金官은 金冠이고, 金冠은 金駕那이다. 그러니 가나가 변진으로 변한 것을 어찌 의심하겠는가"고 하였다. 이 일설은 전 시대의 사람들이 미처 생각해 내지 못한 것이라고 할 수 있는데, 이치상 참으로 그럴듯하다. 대개 변진은 바로 가야이며, 가야는 바로 변진이다. 변진과 가야는 결단코 전후로 있었던 별개의 두 나라 호칭이 아니다(『海東繹史續集』 제3권, 地理考3, 三韓 疆域總論)."

식은『삼국유사』에 인용된「駕洛國記」의 "동은 黃山江, 서남은 滄海, 서북은 地理山, 동북은 伽耶山, 남은 나라의 끝이었다"[3]는 6가야 영역 기록에서 연유했다. 이 기사에 따른다면 하나의 연맹 속에 낙동강유역이나 남강유역의 제국이 결속된 듯한 인상을 준다. 이러한 인상을 심어준 데는 다음과 같은 5가야·6가야에 대한『삼국유사』기록이 좌우했다.

> 五伽耶.「駕洛記」를 살펴 보면 贊에 이르기를 "하나의 자주색 끈이 드리워져 여섯 개의 둥근 알이 내려 왔다. 다섯 개는 각 邑으로 돌아가고, 한 개는 이 城에 있다"고 한 즉, 한 개가 首露王이 되고 나머지 다섯 개는 각각 5가야의 임금이 되었다. 金官이 다섯의 數에 들어가지 않은 것은 당연하다. 그러. 「本朝史略」에서 金官까지 그 數에 넣고 昌寧을 더 기록한 것은 잘못이다].
> 阿羅[혹은 耶]伽耶[지금 咸安]·古寧伽耶[지금 咸寧]·大伽耶[지금 高靈]·星山伽耶[지금 京山 혹은 碧珍]·小伽耶[지금 固城]라고도 한다.「본조사략」에는 태조 天福 5년 庚子에 5가야의 이름을 고쳤으니, 첫째는 금관[金海府가 되었다]이다. 둘째는 고령[加利縣이 되었다]이다. 셋째는 非火[지금 창녕이니, 아마 高靈의 그릇된 것인 듯하다]이다. 나머지 둘은 아라와 성산[앞에서와 같다. 星山은 혹은 碧珍伽倻라고도 한다]이라고 하였다.[4]

「駕洛國記」와「本朝史略」에 5가야·6가야가 수록되어 있다. 후자에 따르면 940년인 천복 5년 경자에 5가야의 존재가 등장한다. 가야를 칭한 國은 아라가야·고녕가야·대가야·성산가야·소가야·금관가야의 6가야로 정리된다. 혹자는 함녕 즉 경상북도 함창에 소재했다는 古寧伽耶의 위치를 晋州로 비정했다. 즉 "나로서는 晋州의 古名인 '居列'과 古寧이 音近할뿐더러, 지리적 중요성(雄州巨牧)에 비추어 보아 진주에 비정하고 싶다"[5]고 했다. 그러나 居列은 居昌의 고지명일 뿐 진주와는 관련이 없다. 더욱이『삼국사기』지리지(권34)에서는 "고녕군은 본래 고녕가야국인데, 신라가 이곳을 취하여 고동람군을 삼았다[혹은 고릉현이라고도 한다](古寧郡 本古寧加耶國 新羅取之爲古冬攬郡[一云古陵縣])"고 했다. 여기서 고녕군은 고려 때 咸寧郡이고, 지금은 상주시 함창읍이다.『삼국유사』와『삼국사기』모두 함창을 고녕가야 故地로 적어놓았다. 따라서 혹자의 진주=고녕가야설은 터무니 없음

3_ 『三國遺事』권2, 紀異, 駕洛國記. "東以黃山江 西南以滄海 西北以地理山 東北以伽耶山 南而為國尾"
4_ 『三國遺事』권2, 紀異, 五伽耶 條.
5_ 李丙燾.「近肖古王 拓境考」『韓國古代史硏究』, 博英社, 1976, 313쪽.

을 알 수 있다.[6]

그런데 상기한 5가야・6가야는 당시의 국호가 아니라 신라 말 고려 초에 이들 지역을 기반으로 등장한 호족들이 자신들이 신라로부터 독립할 수 있는 정체성을 찾는 과정에서 생성되었다고 한다.[7] 백제와 고구려가 재건되었고, 후백제와 고려가 영남으로 진출하는 현실이었다. 영남의 남부 지역 호족들은 신라가 자신들을 지켜주지 못하는 현실에서 김해를 중심으로 호족 연합체를 결성하여 공동 대응하려 했던 것 같다. 신라로부터 독립하고, 백제・고구려와 더불어 병존했던 관계로 재건과 존립의 명분을 확보할 수 있었던 역사적 실체가 加羅 곧 가야였다. 더욱이 이들은 의령 지역을 기반으로 세력을 꾸준히 확대하는 왕봉규에 대한 대응이기도 했던 것 같다. 기록에는 남아 있지 않지만 後唐으로부터 책봉받은 왕봉규 역시 과거의 국가 재건을 표방할 수 있었다.

당시의 정치 상황과 시대상을 생생하게 전하는 『일본서기』나 「양직공도」 등 어떤 문헌이나 금석문에도 '△△伽耶'라고 하여 伽耶를 접미어로 한 5가야나 6가야의 존재는 보이지 않는다. 실제는 이들 지역에 5가야나 6가야를 넘어 그 보다 훨씬 많은 소국들이 병존한 양상이었다. 당시 소국들의 실태와 존재 양상을 전해주는 『일본서기』에 따르면 상호 간에 정치적 이해를 공유하는 측면이 없는 것은 아니었다. 그렇지만 생각보다 많은 소국들이 병립해 있었다. 가령 변한에서만 弁辰彌離彌凍國・難彌離彌凍國・弁辰古資彌凍國라고 하듯이 '彌凍' 즉 '물뚝'인 農水路 공동체, 蒲上八國처럼 浦口를 거점으로 한 海上交易 연합체 등이 보인다. 이들 諸國 간에는 혜택을 공유하는 바가 있었을 것이다. 그러나 6가야의 경우는 실체나 성격이 분명하지 않았다. 6가야의 탄생 배경도 어디까지나 막연한 추측일 뿐 실체가 뒷받침되는 것은 아니었다.

문제는 이들 세력이 적어도 加羅를 정치적 공통분모로 한 연맹체는 아니었다.[8] 여러 정치 집단 간의 우열이 드러난 상황에서 수평적 개념의 연맹은 상정하기 힘들다. 6가야 시조설화에 보이는 형제 관계는 동질성과 정치적 대등성을 전제하였다. 그러나 변한의 경우는 諸國 간의 규모나 인구, 물산의 집중도 등에서 차이가 드러나고 있다. 이해를 공유하는 몇몇 제국 간의 연맹은 어렵지 않다. 그러나 변한 제국 전체를 하나의 연맹으로 설정하는 것은 세부적인 검토가 많이 필요해진다. 사실 5

6_ 진주시청 홈페이지에는 연혁을 "가야시대에 고령가야의 고도로, 삼국시대에는 백제의 거열성으로…진주목이 되었다"고 告示했다. 반면 상주시청 홈페이지에는 "또한 B.C 1세기경 함창 지역에 고령가야가 있었다고 추정하고 있다"고 했다.

7_ 金泰植, 「加耶의 社會發展段階」『한국 고대국가의 형성』, 민음사, 1990, 55~56쪽.

8_ 이에 대한 학설사적인 정리는 白承玉, 『加耶各國史硏究』, 혜안, 2003, 15~35쪽에 보인다.

세기 후반 대가라 왕과 諸國 旱岐들은 비교할 수 없는 차이였기 때문이다.[9)]

6가야 시조설화에는 하늘에서 자주색 끈이 하늘에서 드리워져서 땅에 닿았고, 붉은 보자기에 싸인 금합 안에 황금 같은 6개의 둥근 알이 들어 있었다고 한다.[10)] 587년(진평왕 9)에 사방여래가 새겨진 큰 돌이 붉은 비단에 감싸여 하늘로부터 사불산 정상에 떨어졌다.[11)] 여기서 양자의 모티브는 거의 동일하다. 후자의 불상은 6세기대가 아니라 통일신라시대로 지목되고 있다. 통일신라시대 조성된 불상의 기원을 소급하여 6세기 후반대로 만든 것이다. 6가야 시조설화도 통일신라 말기에 생성되었을 가능성을 열어두어야 한다.

분명한 것은 「駕洛國記」와 「本朝史略」의 지리 공간 속에 산재한 숱한 소국 가운데 단 2個 國만 加羅 혹은 南加羅라는 국명으로 모습을 드러내었다. 이들 세력 전체를 포괄하는 국호는 加羅가 아니라 任那였다. 즉 "임나가 멸망했다. 통털어서 임나라고 하는데, 개별적으로는 加羅國·安羅國·斯二岐國·多羅國·卒麻國·古嵯國·子他國·散半下國·乞飡國·稔禮國 합해서 10國이다"[12)]라는 기사가 보인다. 여기서 任那는 낙동강유역이나 남강유역 諸國에 대한 총칭으로 사용되었다. 즉 任那 국호의 이동과 광역화가 확인되는 것이다. 실제 『일본서기』에 보이는 '任那四縣'이나 '任那의 下韓'도 그러한 인식을 반영하고 있다. 따라서 낙동강유역과 남강유역 소국 연맹체를 가리키는 범칭으로서 '加耶諸國'은 적절하지 않다. 오히려 대안으로 '任那日本府'를 비롯한 말끔하지 않은 이미지가 연상되기는 하지만 당시 상황을 전하는 사료의 기록을 주목하는 것도 한 방법 같아 보인다. 이 지역 정치세력에 대한 總稱으로 일컬어진 '任那 諸國'[13)]은 역사적 용어인 만큼, 차라리 '가야제국'이나 '가야연맹' 보다는 적합한 용어임은 분명하다. 실제 '任那 諸國'은 唐代에 편찬된 『通典』에서도 加羅와 구분지어 "(新羅)…遂致强盛 因襲加羅·任那 諸國滅之"[14)]라고 하여 보인다. 물론 여기서는 가라와 임나는 별개의 세력으로 구분되었다. 그러나 欽明 23년 조에서 보듯이 임나 제국은 '가라연맹'이 해체된 후에는 이들 세력까지 포괄한 總稱으로 사용되었기 때문이다.

9_ 金世基, 「대가야고대국가론」『가야사연구의 현황과 전망』, 주류성, 2018, 139쪽.

10_ 『三國遺事』 권2, 紀異, 駕洛國記.

11_ 『三國遺事』 권3, 塔像, 四佛山.
『삼국유사』 보다 이전인 1244년(고종 31)에 天頙이 지은 「遊四佛山記」(『湖山錄』 권4; 大興寺本)에 따르면 『신라고기』를 인용하여 진평왕 建元 5년 隋 開皇 8년 戊申(588)에 사방불이 하늘에서 내려왔다고 했다. 법흥왕 23년(536)의 '始稱年號'했을 때 建元이었다. 그러므로 『호산록』의 建元은 建福의 誤記가 분명하다.

12_ 『日本書紀』 권19, 欽明 23년 조.

13_ 『日本書紀』 권19, 欽明 15년 12월 조.

14_ 『通典』 권185, 邊防1, 新羅.

범칭으로서의 任那는 후대 인식의 소급 · 적용일 가능성도 있다. 그러나 「광개토왕릉비문」에는 400년 당시 고구려군의 南征 속에서 任那加羅가 보인다. 任那加羅를 任那와 加羅의 조합, 즉 2개 국가 연합체로 지목할 수도 있다. 任那와 加羅가 서로 별개의 국가인 듯한 해법도 보인다. 왜왕의 군사권 관할 지역에 보이는 任那와 加羅가 별개의 국가로 간주되었기 때문이다. 그러나 더 이상 尙存하지도 않는 辰韓과 馬韓에 대한 오인 가능성마저 비치는 慕韓을 언급하고 있다. 이 것을 보면 왜왕의 작호에 등장하는 任那와 加羅는 실체가 분명한, 서로 구분되는 국가로 간주하기는 어렵다.

414년에 세워진 광개토왕릉비에 보이는 '任那加羅' 자체는 후대 어떤 기록과도 비교할 수 없다. 이 기록을 기준으로 하고, 후대 기사이지만 諸國聯合體로서 '任那'를 조합해 본다. 그렇다면 '任那加羅'는 '임나 공동체 속의 가라'라는 의미가 된다. 强首가 자신의 출신을 운위한 '任那加良'과 '任那加羅'는 동일한 대상이다. 이렇게 해석한다면, 적어도 400년 이전에 任那라는 공동체가 등장한 것이다. 이러한 임나 공동체가 후대 기사에 등장하는 바처럼 광범한 지역을 포괄하는 지는 알 수 없다. 여기서 정리할 수 있는 것은, 『일본서기』 신공 49년 조에서 '加羅'와 '南加羅'가 함께 등장한다는 점에서 착안할 수 있다. 369년의 시점에서 2개의 가라가 병존하고 있었다. 이 때도 서로를 구분하기 위해 '南'이라는 방위명을 붙였다. 이와 마찬 가지로 '任那加羅'도 또 하나의 加羅를 의식하여 구분하기 위한 호칭일 수 있다. 일본에서 任那의 音價인 '미마나'는 '밑의 那' 즉 남가라에 대한 호칭일 수 있다. 그렇다면 이 때의 '任那加羅'는 남가라 즉 김해만을 가리키는 협의로 사용된 것이다. 그러나 임나가 지닌 상징성이 지대하였기에 공동체인 '임나 속의 가라' 의미로 해석해 본다.

400년에 등장하는 '任那加羅'는 '임나 속의 가라'라는 의미로 해석된다. 그러면 임나는 어떠한 성격의 정치 연합체일까? 임나 안에 加羅나 蒲上八國 같은 소연맹의 존재는 변한연맹의 해체 · 분열 상황을 보여준다. 따라서 임나는 연맹체보다는 공동체 이름으로 간주해야 적합하다. 그런데 6세기 전반에 남가라가 신라에 병합되자 임나 제국들은 위기감이 극대화되었다. 이것을 타개하기 위해 임나 제국들이 신라에 공동 대응하는 과정에서 임나연맹이 결성된 것으로 보인다.

그러면 「駕洛國記」 「本朝史略」에 등장하는 6가야는 어떤 배경에서 태동했을까? 『제왕운기』를 보면 "먼저 扶餘와 沸流를 들었고, 다음으로는 尸羅와 高禮 · 南北沃沮 · 穢 · 貊 · 膺이 있었다. 이들 여러 임금이 누구의 후손인가를 묻는다면 世系는 역시 단군에서부터 이어져 왔으니…" 라고 했다. 여기서 단군의 후손으로 부여와 신라(尸羅), 고구려(高禮), 백제(膺)를 포함해 옥저까지 망라했다. 문제는 加羅가 포함되지 않았다는 사실을 주목해야 한다. 『제왕운기』의 이러한 서술은 『구삼국사』를 저본으로 한 것이다. 『구삼국사』에서는 단군을 정점으로 하는 의제적 대가족관계가 설정되었다. 고려 조정이 후삼국 통일 직후에 분열을 상쇄하고 동질성 확보로써 대통합을 이루려는 정치적 목적에서였다.[15] 그러한 의제적 대가족관계 설정이라는 역사 만들기에 가라는 누락되어 있었다.[16] 이 사실을 포착한 이가 김해 지역에 부임한 고려 문종대인 太康 연간(1075~1084)에 「駕洛國記」를 저술한 金官知州事 文人이었다. 「本朝史略」의 저자 역시 加羅의 존재를 부각시킬 목적으로 6가야 연맹설화를 수록한 것으로 보인다. 이는 가라의 공간적 범위를 확대시켜 존재감을 높임으로써 한국사 속에서 위상을 높이려는 의도였다. 실제로 「가락국기」에서는 가라의 영역을 "동은 黃山江, 서남은 滄海, 서북은 地理山, 동북은 伽耶山, 남은 나라의 끝이었다"[17]고 했다. 이와 연계하여 독자적인 6가야 건국설화를 탄생시킨 것으로 보인다.

현재 가야로 운위하고 있는 임나의 범위는 동으로는 낙동강 하류인 지금의 양산과 김해를 지나는 황산강을 접했다. 서로는 전라북도 장수와 진안·임실 그리고 전라남도 순천 일원에 이르렀다. 6가야 건국설화는 남가라를 축으로 한 만들어진 역사에 불과했다. 이렇게 하여 낙동강 서부와 남강유역에 산재한 정체 세력들은 '가야'라는 이름으로 포괄되었다. 그럼으로써 금관가야의 실체와 실재가 존재감을 더하게 된 것이다.

15_ 李道學, 「檀君 國祖 意識과 境域 認識의 變遷 -『舊三國史』와 관련하여-」『韓國思想史學』 40, 2012, 377~410쪽.

16_ 그 이유는 정확히 알 수는 없지만 『구삼국사』 찬자가 加羅 2개 國을 동예나 옥저보다도 비중을 작게 보았는지도 모른다. 그러나 이 보다는 金州로 불리었던 김해의 소율희 등 호족세력은 후백제와 제휴하여 고려에 맞설 수 있었다. 실제 후백제는 김해에 진출하였기 때문이다. 혹은 후백제의 가야 진출을 신라에 대한 적대 행위로 부각시킬 의도에서 가라의 존재를 없앴을 수도 있다. 이로 인해 『구삼국사』에서는 남가라의 존재를 지웠던 것 같다.

17_ 『三國遺事』 권2, 紀異, 駕洛國記.

2. 加羅 연맹의 결성

加羅하면 변한 지역 전체를 포괄하는 연맹 이름으로 운위한다. 그러나 6세기 대에도 여전히 소국 分立 상태가 지속되었다. 이를 반증하는 물증이 토기이다. 가야토기는 경주를 중심으로 양식적 통일성이 강한 신라토기와는 달리 전체를 하나의 양식으로 묶을 수 없을 정도로 지역색이 강했다. 즉 함안 양식, 진주-고성 양식, 고령 양식으로 나뉘어져 있다.[18] 그러니 加羅나 加耶라는 이름으로 낙동강 서부와 남강유역을 포괄하는 연맹체는 태동하지 않았다고 보아야 한다. 실제로 6가야 誕降說話에서의 가야는 후대에 소급된 호칭에 불과하였다. 加羅는 2개 國에 불과했다. 즉『일본서기』신공 49년 조를 보면 다음과 같이 加羅와 南加羅가 등장한다.

> …… 그리고 比自炑·南加羅·㖨國·安羅·多羅·卓淳·加羅의 7國을 평정하였다. 이에 군대를 옮겨 서쪽으로 돌아 古奚津에 이르러 南蠻의 忱彌多禮를 屠戮하여 백제에 賜하였다. ……[19]

위의 인용에 보이는 加羅는 고령 세력, 南加羅는 김해 세력을 가리킨다. 김해 세력을 남가라로 일컬었음은 다음에 보인다.

* 庾信의 碑에도 "軒轅의 후예요 소호의 자손이다"고 하였으니, 南加耶의 시조 수로와 신라는 같은 성씨였다.[20]
* 近江毛野臣이 군사 6만을 이끌고 임나에 가서 신라에게 멸망당한 南加羅·喙己呑을 다시 세워 임나에 합치고자 하였다.[21]
* 남가라는 땅이 협소하여 불의의 습격에 방비할 수 없었고 의지할 바도 알지 못하여 이로 인하여 망하였다.[22]

18_ 한국고고학회,『한국고고학강의(개정판 3쇄)』, 사회평론, 2012, 411쪽.
19_『日本書紀』권9, 神功 49년 조.
20_『三國史記』권41, 金庾信傳.
21_『日本書紀』권17, 繼體 21년 조.
22_『日本書紀』권19, 欽明 2년 4월 조.

* 신라에게 빼앗긴 나라인 남가라와 㖨己呑 등을 취하여 본래대로 돌이켜 임나에 옮기고 … 천황이 조칙을 내려 남가라·㖨己呑을 세우라고 권한 것은 … [23]

여기서 확인된 사실은 369년의 시점에서 고령과 김해 세력은 '加羅'를 공유하는 관계라는 것이다. 이 사실은 양자가 연맹관계였음을 웅변해 준다. 이는 김해 세력을 멸망 후에도 여전히 '가라'로 일컬은 점에서도 뒷받침된다. 즉 "무릇 㖨國의 멸망은 函跛旱岐가 가라국에 두 마음을 품어 신라에 내응하고 加羅는 밖에서 싸움으로써 이로 말미암아 망한 것이다"[24]라고 하여 544년의 시점에서 망한 加羅는 김해 세력이 분명하기 때문이다. 그러면 해변의 김해 세력이 내륙의 고령 세력과 연맹을 결성하게 된 동기는 무엇이었을까? 양국은 일단 지리적으로 격절된 것처럼 보인다. 그럼에도 연맹을 결성했을 때는 공유하는 이익이 전제되었기 때문일 것이다. 우선 양국은 지리적으로 격절된 것 처럼 보이지만, 낙동강을 매개로 연결되었다. 낙동강 하구의 김해 세력과 낙동강 중류의 고령 세력은 낙동강을 水路로 하는 經濟圈을 공유하였다.[25]

그러면 교역 중개지로서 김해 세력의 비중과 결부지어 고대 해상교통로를 상기해 본다. 고조선이 멸망하고 중국군현이 설치된 후 서해 연안에서 한반도의 서남해안으로, 그리고 일본열도로 다시금 이어지는 線으로 하여 항로가 본격적으로 개척되면서 교섭도 일층 활기를 띠었다. 3세기 후반에 쓰여진 『삼국지』에 의하면 황해도에 설치된 대방군에서 왜에 이르기까지의 里程 기록을 "郡에서 倭에 이르기까지는 해안을 돌아 水行하여 韓國을 지난다"[26]고 하였다. 그러면서 교역선들이 해안선을 따라 연안항해를 하는 구절에 "그 북쪽 물가 언덕에 있는 구야한국에 이른다(到其北岸狗邪韓國)"는 문구를 덧붙여 중간 寄航地로서 김해 지역에 자리잡은 구야한국의 존재를 특기하고 있다. 이러한 사실은 해상교통의 요지에 자리잡은 구야한국이 중개 무역지로서 번성했음을 가리킨다.[27] 구야국은

23_ 『日本書紀』 권19, 欽明 2년 7월 조.

24_ 『日本書紀』 권19, 欽明 5년 조.

25_ 권주현, 「'樂師 于勒과 宜寧地域의 加耶史' 종합 토론」 『악사 우륵과 의령 지역의 가야사』 2009, 393쪽. "낙동강의 상류와 하류를 중심으로 상하가라를 칭할 수 있고, 강을 중심으로 한 수로 교통을 두고 보면 그렇게 멀리 있는 지역이 아니라고 봅니다. 또 대가야 건국신화에 형제 관념이 나오는 것을 볼 때, 물론 신화 속의 내용이기는 하지만, 두 가라가 상당히 긴밀하게 엮여 있던 시기를 배경으로 신화가 만들어졌을 가능성이 있기 때문에 下加羅都는 김해로 봐야 한다고 생각합니다"고 했다. 그런데 이러한 주장은 李道學, 「加羅聯盟과 高句麗」 『가야와 광개토대왕』, 제9회 가야사 국제학술회의, 2003.; 『고구려 광개토왕릉비문 연구』, 서경문화사, 2006, 436~442쪽에 이미 보인다.

26_ 『三國志』 권30, 동이전, 倭人 條. "從郡至倭 循海岸水行 歷韓國"

27_ 李道學, 「百濟의 交易網과 그 體系의 變遷」 『韓國學報』 63, 1991, 70쪽.

배가 머무는 기항지라는 이점을 이용하여 통행세를 징수했을 수 있다. 구야국이 소재한 김해 지역은 寄港하는 선박들을 위한 물자의 저장과 공급 기지가 되었을 것이다. 따라서 구야국은 해상 운송업의 주도권을 장악했을 것으로 보인다. 경작지가 협소했던 구야국 富의 원천은 해운업과 상업, 그리고 통행세 징수였을 것이다. 그런데 중국군현들의 퇴출로 인한 중국 창구의 붕괴는, 이를 기반으로 성장한 구야국의 입지를 크게 약화시켰다.

구야국은 게다가 4세기 중후반 경에 해변인 창원 지역에 소재한 卓淳國[28]의 대두로 對倭 교역로가 위협을 받게 되었다. 탁순국과 왜와의 교역 조짐이 포착되었기 때문이다. 그러한 탁순국을 매개로 백제가 개입하여 일본열도로 이어지는 교역체계를 장악하려는 움직임마저 나타났다.[29] 364년에 백제는 일본열도와의 교섭을 시도할 목적으로 지금의 경상남도 남해안까지 사신을 파견했다. 그 결과 366년에 왜와 교섭하고 있던 탁순국에 파견된 倭使를 백제로 초청하여 五色綵絹 각 1필과 角弓箭 그리고 鐵鋌 40매를 선물하였다. 이 때 백제는 "우리나라에는 진귀한 보물이 많다. 귀국에 貢上하려 생각하고 있으나 도로를 몰라 마음만 있을 뿐 실현하지 못하고 있다. 그러나 다시 이번 사자에 부탁하고 계속하여 貢物을 바치겠다"[30]고 하여, 왜측의 강한 구매욕구를 촉발시켰다. 이 문구는 물론 과장되고 윤색된『일본서기』의 기록이지만, 당시 양국 간 교섭의 성격을 이해하는데 도움을 준다. 우선 백제가 왜 사신에게 내린 물품 가운데 견직물인 채견은 왜 지배세력의 호사품이었을 것이다. 그리고 기마전 무기인 角弓箭, 무력기반의 확대와 생산력 증대를 위한 철소재인 동시에 유통 수단이기도 하였던 鐵鋌 등은 왜측의 관심을 끌었을 것이다. 고고학적으로도 입증되고 있듯이 왜는 4세기대 이래로 중국과의 교섭이 두절된 상황이었다.[31] 그러므로 왜가 중국을 대신하여 교역 중심지로 부상한 백제와의 교역을 열망하였음은 헤아리기 어렵지 않다. 때문에 양국 간의 교역로 개척은 어렵지 않게 진행된 것으로 보인다.[32]

백제의 개입은 기존의 김해 세력 중심의 교역체계를 붕괴시킬 수 있었다. 김해 세력의 타격은 그에 의존하고 있던 내륙의 고령 세력 등에 연쇄적인 타격으로 이어지게 된다. 더구나 김해 세력의 입

28_ 今西龍,『朝鮮古史の硏究』, 近澤書店, 1937, 351쪽.
29_ 이에 관한 논의는 李賢惠,「加耶의 交易과 經濟」『한국 고대사 속의 가야』, 혜안, 2001, 332~334쪽이 참고된다.
30_ 『日本書紀』 권9, 神功 46년 조. "仍以五色綵絹各一匹 及角弓箭 幷鐵鋌四十枚 幣爾波移 便復開寶藏 以示諸珍異曰 吾國多有是珍寶 欲貢貴國 不知道路 有志無從 然猶今付使者 尋貢獻耳"
31_ 今井堯,「古墳の樣相とその變遷」『日本考古學 (1)』, 有裴閣,1978, 248~251쪽.
32_ 李道學,「百濟의 交易網과 그 體系의 變遷」『韓國學報』63, 1991, 75~76쪽.

장에서 볼 때 백제가 내륙으로 낙동강유역에 진출하는 것을 저지하기 위해서는 소백산맥 西→東으로 이어지는 육로상의 요지에 위치한 고령 세력의 도움이 필요하였다. 이러한 위기 의식이 양국 간 연맹 결성의 동기였다.[33]

고령 세력은 자국의 호칭을 버리고 김해 세력의 국호 속에 포함된 것이다. 이는 양자 가운데 김해 세력이 주도권을 쥐었음을 뜻한다. 물론 신공 49년 조에는 加羅와 南加羅로 표기되어 고령 세력의 우위를 가리키는 듯하다. 그러나 이것은 어디까지나 『일본서기』 찬술 당시의 인식과 양국의 바뀐 위상에 기인한 것일 뿐이다. 여기서 요체는 김해의 狗邪國에서 기인한 加羅 국호를[34] 사용한 고령 세력의 등장이다. 문제는 구야국에서 가라국으로의 국호 개변이 의미하는 바가 되겠다. 신라의 경우는 국가의 내적·외적 성장에 따라 斯羅·斯盧 등으로 일컬었던 국호를 '新羅'로 확정한다. 그러면서 신라 국호가 지닌 의미를 "德業日新 網羅四方"에서 찾았다. 마찬 가지로 김해 세력은 狗邪와 音이 닮은 加耶를 비롯한 여러 표기 가운데 加羅로 국호를 확정지었다. 여기에는 필시 어떤 이유가 따랐을 것으로 본다. '加羅'는 문자 그대로 '더하여 網羅한다'는 뜻이다. 곧 "두 세력이 연합하여 세상을 망라한다"는 의미였다. 김해 세력이 고령 세력과 연맹을 결성하면서 국세 팽창을 기약하는 국호였다.

加羅는 낙동강과 남강유역에 산재한 諸國들을 포괄하는 연맹은 아니었다. 어디까지나 加羅는 2國 연맹에서 출발했다. 양자 중 어느 國이 주도권을 쥐었는지에 따라 상대적 표현이자 冠稱인 '大'는 이동했다. 김해가 주도권을 쥐었을 때는 '大駕洛'이었다. 그러면 532년 신라에 병합된 남가라 보다 꼭 30년을 더 존속했던 가라 즉 대가야의 발전 단계는 어디까지 왔을까? 이와 관련해 충남대학교 소장 有蓋長頸壺의 '大王' 銘 대가야계 토기 등을 제시하고는 한다. 그러나 '大王'은 창녕 계성고분군 출토 토기의 '大夫' 銘과 별반 차이가 없다. 이는 언양읍성 해자에서 출토된 조선시대 '王' 銘 平瓦(울산문화재연구원)와 동질하다고 본다. 평안남도 평원군 석암리 212호 목곽묘에 부장된 漆로 쓴 漢代 토기에도 '大王'이 보인다. 따라서 '大王'·'大夫'·'王' 銘은 국가 최고통수권자 호칭과는 아무런 관련이 없다.

33_ 이상의 서술은 李道學, 「加羅聯盟과 高句麗」『가야와 광개토대왕』, 제9회 가야사 국제학술회의, 2003. ; 『고구려 광개토왕릉비문 연구』, 서경문화사, 2006, 441~442쪽에 의하였다.

34_ "'駕洛' 혹은 '狗邪'라 썼으니, 兩者가 다 '가라'의 吏讀文인 즉"라고 하여 狗邪와 加羅를 일치시켜 해석했다(丹齋申采浩先生紀念事業會, 『改訂版 丹齋申采浩全集(上)』, 螢雪出版社, 1987, 143쪽).
金廷鶴, 「任那日本府에 대하여」『韓國上古史研究』, 범우사, 1992, 382쪽.
李道學, 「高句麗의 洛東江流域 進出과 新羅·伽倻經營」『國學研究』2, 1988, 104~105쪽.

그렇지만 대가라의 영역국가로의 발전 가능성은 열어두어야 한다. 522년에 신라 왕녀가 加羅로 시집올 때 따라왔던 종자 100여 명을 여러 縣에 흩어 두었다(『일본서기』 계체 23년 3월 조)는 구절에 보이는 '諸縣'이라는 문구, 于勒의 출신지가 省熱縣으로 적혀 있다는 것, 대가야 양식 토기의 확산, 합천 저포리에서 출토된 토기의 '下部舍利利' 명에 보이는 '下部'를 제시한다. 그러나 가라에서 파견한 使臣들에게는 백제와 달리 '部名' 표시가 단 한 건도 발견되지 않았다. 그렇지만 加羅가 高靈을 넘어선 범위에 영향력을 미쳤을 가능성은 농후하다. 직전에 언급한 대가야 양식 토기의 확산, 행정 단위로서 縣의 존재, 하동 다사진에 대한 지배권 장악 기도 등을 제시할 수 있다. 대가야 토기는 순천 덕암동・용당동・왕지동 고분군에서도 확인된다. 따라서 加羅를 신라에 견준다면 연맹단계를 넘어 영역국가로 발전한 것은 분명하다.

사서에서 稱王이 확인된 남가라・가라・안라는 최소한 국가 단계는 넘어섰다. 특히 가라와 안라는 영향력이 미치는 영역국가 단계로 발전한 것은 분명하였다. 대가야 토기와 함안 양식 토기의 확산을 통해서 읽을 수 있다.

3. 伴跛國과 加羅의 동일 문제

1) 伴跛國과 加羅의 동일 근거 검증

6세기를 시간으로 하는 『일본서기』 계체기에 짧게 등장하는 세력이 伴跛國이었다. 己汶에 대한 지배권과 관련한 갈등 속에서 伴跛가 등장하였다. 伴跛는 백제와 대결하였고, 또 그러한 선상에서 왜와 더불어 신라까지 연루된 국제 분쟁의 주체이기도 했다.

지금까지의 연구에서는 伴跛의 정체를 加羅 즉 대가라로 지목해 왔다. 그렇게 본 근거는 계체기 7년~9년 조까지의 기사가 계체 23년 조에 가라가 등장하는 기사와 동일한 사건이라는 데 착안하였다. 세부적인 근거로서는 양쪽 기사에 등장하는 인물들의 연관성을 제시했다. 그리고 伴跛는 「양직공도」에서 백제의 '旁小國'으로 등장하는 9국의 한 곳인 '叛波'와 동일다고 보았다. 伴跛와 叛波는 모두 加羅에 대한 폄칭이라는 것이다.

伴跛가 등장하는 『일본서기』 계체 7년・8년・9년 조의 기사는, 伴跛 대신 加羅가 보이는 계체 23년 조와의 관련성이 언급되어 왔다.[35] 그러므로 반파와 가라와의 동일 여부를 검증해 보고자 한다. 6세기 초를 배경으로 史書에 불쑥 등장하는 伴跛의 성격을 분석하기 위해서는 다음과 같은 『일본서기』의 관련 기사를 놓고 살펴 보아야 한다. 이때 반파는 백제와 영역을 놓고 갈등한 사실이 다음에 보인다.

x-1. (백제가) 별도로 아뢰기를 "伴跛國이 臣의 나라 己汶의 땅을 약탈했습니다. 엎드려 청하오니 天恩으로 판정하 여 본국에 속하게 돌아오도록 해 주십시오"(계체 7년 6월 조).[36]

x-2. 冬 11월 辛亥朔 乙卯에 조정에서 백제의 姐彌文貴 將軍, 斯羅의 汶得至, 安羅의 辛已奚 및 賁巴委佐, 伴跛의 旣展奚 및 竹汶至 등을 나란히 세우고 恩勅을 奉宣했다. 그리고 己汶・滯沙를 백제국에 내려주었다. 이 달에 伴跛國이 戢支를 보내 珍寶를 바치고, 己汶의 땅을 애걸하였다. 그러나 끝내 주지 않았다(계체 7년 11월 조).[37]

35_ 이러한 重出論은 平野邦雄, 『大和前代政治過程の研究』, 吉川弘文館, 1985, 198쪽에서도 언급되었다.
36_ 『日本書紀』 권17, 繼體 7년 조. "別奏云 伴跛國略奪臣國己汶之地 伏請 天恩判還本屬"
37_ 『日本書紀』 권17, 繼體 7년 조. "冬十一月辛亥朔乙卯 於朝庭引列百濟姐彌文貴將軍 斯羅汶得至 安羅辛已奚及賁

x-3. 3월에 伴跛가 子呑・帶沙에 성을 쌓아 滿奚에 연결하였다. 烽候와 邸閣을 두어 일본에 대비했다. 또 爾列比・麻須比에 성을 쌓고, 麻且奚・推封에 연결하였다. 사졸과 무기를 모아 신라를 핍박했다. 자녀를 몰아내 약탈하 고, 村邑을 무자비하게 노략했다. 흉악한 기세가 가해지는 곳에 남는 게 드물었다. 대저 포학 사치하고, 괴롭히 고 해치며, 침노하고 업신여기니, 베어죽인 게 너무 많아서 상세히 기재할 수가 없었다(계체 8년 3월 조).[38]

x-4. 春 2월 甲戌朔 丁丑에 百濟가 使者 文貴 將軍 등이 귀국하려고 청했다. 이에 勅하여 그 아래 物部連〈闕名〉 을 딸려서 돌아가도록 보냈다[百濟本記에서는 物部至至連라고 한다]. 이 달[2월]에 沙都島에 이르러, 전하는 바를 들으니 伴跛人이 (倭에) 원한을 품고 毒을 부리는데, 강한 것을 믿고 포악한 일을 자행한 까닭에, 物部 連이 수군 500을 거느리고 곧바로 帶沙江에 들어왔다. 文貴 將軍은 신라에서 돌아갔다. 夏 4월에 物部連이 帶 沙江에 6일간 머물렀는데, 伴跛가 군대를 일으켜 가서 정벌했다. 들이닥쳐서 옷을 벗기고, 가진 물건을 강제로 빼앗고, 帷幕을 모두 불질렀다. 物部連 등은 두려워하며 달아났다. 겨우 목숨만 보존하여 汶慕羅[문모라는 섬 이름이다]에 배를 대었다(계체 9년 조).[39]

x-5. 夏 5월에 백제가 前部 木劦不麻甲背를 보내 己汶에서 物部連 등을 맞이해 위로하며 引導해서 入國했다. 群臣이 각각 衣裳·斧鐵·帛布를 내어놓고, 國物을 보태 넣어서, 朝庭에 쌓아두고, 慇懃하게 慰問했다. 賞과 祿이 보통보다 많았다. 秋 9월에 백제가 州利卽次 將軍과 그 아래인 物 部連을 보내와서 己汶의 땅을 내려준 데 대해 사례했다(계체 10년 조).[40]

x-6. 3월에 백제왕이 下哆唎國守 穗積押山臣에게 말하기를 "대저 조공하는 사자들이 항상 섬의 돌출부를 피할 때 마다[바다 가운데 섬의 굽은 물가를 말한다. 세속에서는 美佐祁라고 한다] 風波에 고달픕니다. 이로 인하여 가지고 온 것을 적시고 모두 파괴하여 버리게 합니다. 그러니

巴委佐 伴跛既殿奚及竹汶至等 奉宣恩勅 以己汶滯沙賜百濟國 是月 伴跛國遣戢支 獻珍寶 乞己汶之地 而終不賜"

38_ 『日本書紀』 권17, 繼體 8년 조. "三月 伴跛築城於子呑帶沙 而連滿奚 置烽候邸閣 以備日本 得築城於爾列比 麻須比 而絙麻且奚・推封 聚士卒兵器以逼新羅 駈略子女剝掠村邑 凶勢所加 罕有遺類 夫暴虐奢侈 惱害侵淩 誅殺尤多 不可詳載"

39_ 『日本書紀』 권17, 繼體 9년 조. "春二月甲戌朔丁丑 百濟使者文貴將軍等請罷 仍勅副物部連〈闕名〉 遣罷歸之[百濟本記云 物部至至連] 是月 到于沙都嶋 傳聞 伴跛人懷恨御毒 恃强縱虐 故物部連率舟師五百 直詣帶沙江 文貴將軍自新羅去 夏四月 物部連於帶沙江停住六日 伴跛興師往伐 逼脫衣裳劫掠所齎 盡燒帷幕 物部連等怖畏逃遁 僅存身命泊汶慕羅[汶慕羅 嶋名也]"

40_ 『日本書紀』 권17, 繼體 10년 조. "夏五月 百濟遣前部 木劦不麻甲背 迎勞物部連等於己汶 而引導入國 群臣各出衣裳斧鐵帛布 助加國物 積置朝庭 慰問慇懃 賞祿優節 秋九月 百濟遣州利卽次將軍 副物部連來 謝賜己汶之地"

加羅 多沙津을 臣이 조공하는 津路로 삼기를 요청합니다"고 하였다. 그러자 押山臣이 듣고 아뢰기를 청했다. 이 달 物部伊勢連父根과 吉士老 등을 보내 나 루를 백제왕에게 내렸다. 이에 가라 왕이 勅使에게 이르기를 "이 나루는 官家를 둔 이래, 臣이 조공하는 나루 입니다. 어찌 쉽게 바꿔서 이웃나라에 주십니까? 원래 지역을 한정해, 封해준 것을 어기는 것입니다"고 말하 였다. 勅使 父根 등이 이로 인하여 앞에서 (다사진을) 주기가 어려워, 물러나 大島로 돌아왔다. 별도로 錄史를 보내 扶余에게 주었다. 이 때문에 加羅가 신라와 結儻해 일본을 원망했다(계체 23년 조).[41]

위의 기사를 통해 伴跛에 관한 몇 가지 정리가 가능해진다. 즉 伴跛는 시점상으로는 무녕왕대(501~523)인 계체 7년(513)~9년(515)에서만 보인다. 그리고 반파는 己汶의 땅을 놓고 백제와 대립하였다. 기문은 백제의 동편이며 반파와의 接界에 소재했다. 이러한 기문은 대체로 섬진강 중류~하류 지역이나[42] 南原으로[43] 비정되고 있다. 그리고 반파가 성을 쌓은 대사는 하동이며, 帶沙江은 섬진강을 가리킨다.[44] 이러한 섬진강유역 영유권 분쟁에 개입한 왜는 반파 대신 백제편을 들어주었다. 백제 입장에서는 충돌했던 반파는 적개감을 가질 수 있는 대상이었다. 백제편을 들어주었다는 왜의 경우도 이와 동일한 정서에 속할 수 있다.

왜의 개입으로 기문은 백제로 반환되었다. 이에 대항하여 반파는 축성과 烽候와 邸閣을 두어 왜와 결전을 준비했다. 동시에 반파는 신라를 공격하여 약탈을 했다(x-3). 그리고 반파는 帶沙江인 섬진강에 정박하고 있던 왜군을 기습하여 격퇴시켰다(x-4). 이러한 반파는 계체 9년 조인 515년까지 등장하였다. 그로부터 14년 후인 529년, 즉 계체 23년 조의 새로운 국면 속에서 多沙津 지배권 쟁탈이 현안이 되었다. 백제가 기문을 확보한 516년(계체 10)부터 529년(계체 23) 사이에 이 지역에서 어떤 상황이 벌어졌는지는 알 수 없다. 그러나 계체 23년 조의 기록을 통해 그 사이의 상황을 유추해

41_ 『日本書紀』 권17, 繼體 23년 조. "春三月 百濟王謂下哆唎國守穗積押山臣曰 夫朝貢使者恒避嶋曲[謂海中嶋曲碕岸也 俗云美佐祁] 每苦風波 因茲濕所齎 全壞無色 請以加羅多沙津爲臣朝貢津路 是以 押山臣爲請聞奏 是月 遣物部伊勢連父根 吉士老等 以津賜百濟王 於是 加羅王謂勅使云 此津從置官家以來 爲臣朝貢津涉 安得輒改賜隣國 違元所封限地 勅使父根等因斯難以面賜 却還大嶋 別遣錄史 果賜扶余 由是 加羅結儻新羅 生怨日本"

42_ 末松保和, 『任那興亡史』, 吉川弘文館, 1956, 126쪽.

43_ 今西龍, 『朝鮮古史の硏究』, 近澤書店, 1937, 397쪽.
三品彰英, 『日本書紀朝鮮關係記事考證(下)』, 吉川弘文館, 1962; 天山社, 2002, 188쪽.

44_ 末松保和, 『任那興亡史』, 吉川弘文館, 1956, 126쪽.

볼 수 있다. 우선 '백제왕'으로 등장한 성왕이 왜와의 교섭로인 '加羅 多沙津'에 대한 지배권을 요청했다(x-6). 多沙津(帶沙)은 섬진강 하구의 要港이었다.[45] 그러자 가라 왕이 항의했다는 것이다. 그럼에도 다사진은 왜가 지원한 백제의 영역으로 귀속되었다. 이러한 왜에 대응하여 가라는 신라와 結儻했다고 한다(x-6).

516년~529년 사이에 다사진에 대한 지배권을 둘러싸고 반파와 신라 및 백제와 왜가 갈등했음을 짐작할 수 있다. 그러한 갈등은 529년에 백제의 완승으로 결론이 났다. 그런데 이와 관련해 반파 대신 가라가 529년에 등장하였다. 여기서 반파와 가라의 관계가 궁금해진다. 즉 반파가 등장하는 계체 7년~9년 조와 가라가 등장하는 23년 조 간의 동일한 사건 여부이다. 물론 양자를 동일한 사건에 대한 기사로 간주하는 견해가 대세를 이루었다. 그랬기에 伴跛와 加羅를 동일한 국가로 간주한 것이다.

김태식은 "가야측에서는 스스로를 '加羅王'이라 하고 백제를 '扶余'라고 부르는 데 비하여, 백제측에서는 상대를 '伴跛國'이라고 언급하고 있다. 그러므로 그 중에서 백제와 부여가 동일한 것임과 마찬 가지로 가라와 반파도 그 지칭하는 바가 서로 같다고 할 수 있다"[46]고 했다. 그러나 가야가 스스로 가라 왕이라고 일컫지 않았다. 왜가 '가라 왕'으로 일컬었다. 그리고 백제 왕의 발언에서 '加羅'라고 하였다(x-6). 게다가 가야가 백제를 '부여'로 일컫지도 않았다. 왜에서 백제를 부여라고 일컬었다. 따라서 伴跛=加羅라는 전제가 무너졌다. 이와 연동하여 백제에서 일컬은 '伴跛國'은 더 이상 비교 대상이 되지 못한다.

伴跛와 加羅가 동일한 국가일 가능성에 대한 문제를 검토해 본다. 『일본서기』 撰者의 성향이나 당시의 제반 환경에 따라 얼마든지 다른 표기가 나올 가능성은 고려할 수 있다. 따라서 반파가 가라의 멸칭일 가능성은 상정할 수는 있다. 백제의 입장에서 볼 때 영토 분쟁과 관련해 가라는 적개감을 가질 수 있는 대상이었다. 이는 백제편을 들어주었다는 왜의 경우도 마찬 가지 입장에 속한다. 실제 계체 8년 3월 조(y-3)에는 만행을 저질렀다는 반파에 대한 왜측의 악감정이 고스란히 남아 있기 때문이다. 惡感이나 적개감은 흔히 국호에 대한 비칭이나 멸칭으로 표출되고는 한다. 가령 「광개토왕릉비문」에서 고구려가 백제를 '百殘'으로 일컬은 게 저례이다. 백제가 왜에 보낸 글에서 고구려를 '狛'으로 일컬은 것도 동일한 사례에 속한다.[47] 이와 관련해 「양직공도」에서 '百濟旁小國' 명단에 보

45_ 三品彰英, 『日本書紀朝鮮關係記事考證(下)』, 吉川弘文館, 1962; 天山社, 2002, 190쪽.
46_ 金泰植, 『加耶聯盟史』, 一潮閣, 1993, 102쪽.
47_ 『日本書紀』 권19, 欽明 15년 12월 조.

이는 '叛波'가 주목된다. 이 叛波가 伴跛를 가리킴은 그 시점이 무녕왕대로 동일하고, 백제가 적개감을 가질 수 있는 대상일 뿐 아니라 국호가 음상사하다는 데 있다. 이로 볼 때 伴跛와 叛波는 분명히 비칭이요 멸칭이다. 그렇지만 『일본서기』 찬자가 돌연히 가라를 비칭으로 표기해야할 당위성은 없다. 반파가 만행을 저질렀다는 대상은 백제나 왜가 아닌 신라의 민간인이었다(x-3). 더욱이 원전 인용도 아니므로 사료 계통의 차이를 논급할 수도 없다. 따라서 서술 체재의 일관성을 잃게 하는 돌연한 반파라는 비칭 표기 가능성은 수긍이 어렵다.[48] 더구나 x-6의 '扶余' 국호는 529년의 시점이다. 이때는 백제가 부여로 改號한 538년에서[49] 9년 전의 일이 된다. 그러므로 '扶余'는 그 당시의 현장성을 지닌 표기가 아님을 알 수 있다. 어디까지나 소급시킨 표기에 불과하였다. 따라서 갈등 상황에서 빚어진 時點的 가치를 지닌 멸칭으로서 '반파' 가능성은 희박해졌다. 덧 붙인다면 당대의 멸칭이라면 四夷나 종족명 멸칭만 제외하고는, 알아 들을 수 있는 국호를 변형시켜 일컬었다. 가령 駒麗나 句驪·百殘이 대표적이다. 전혀 音과 뜻이 다른 국호로 변개시키지는 않았다. 따라서 당시 加羅를 전혀 인지할 수 없는 伴跛(叛波)로 변개했다면 멸칭 효과를 기대할 수도 없다. 伴跛(叛波)는 충돌했던 왜와 백제에서의 표기였다. 당연히 이는 타칭이요 멸칭이었다고 본다. 伴跛(叛波)는 절대 自號는 아니었다.

그런데 x-1~4를 보면 백제나 왜 모두 伴跛로 일컬었던 대상이 x-6에서 돌연히 '加羅'로 바뀐 게 된다. 그러면 이때부터는 백제·왜와 加羅가 우호 관계를 유지했기에 멸칭을 사용하지 않은 것인가? x-2는 己汶에 대한 지배권을 놓고 반파와 백제가 대립하면서 倭를 자국편으로 당기려고 했다. x-6은 다사진에 대한 영유권 다툼과 관련해 가라와 백제가 왜를 자국편으로 당기려는 양상이다. x-2와 x-6은 본질적으로 아무런 차이가 없었다. '加羅'가 등장한 x-6을 보면 "이 때문에 加羅가 신라와 結儻해 일본을 원망했다"고 했다. 이 역시 x-3에서 "3월에 伴跛가 子呑·帶沙에 성을 쌓아 滿奚에 연결하였다. 烽候와 邸閣을 두어 일본에 대비했다"는 정서와 크게 달라진 게 없다. 이렇듯 주변 상황의 근본적인 변화가 없는데도 불구하고, 멸칭을 사용하다가 원래 국호로 환원했다는 주장은 설득력이 없다.

48_ 『日本書紀』 底本에 등장하는 비칭은 "百濟記云 蓋鹵王乙卯年冬 狛大軍來(雄略 20년 조)"라는 한성 함락 구절에서 백제가 고구려를 '狛'이라는 비칭으로 일컫고 있다. 백제에서 왜에 보낸 글에도 고구려를 '狛國'이라고 했다(『일본서기』 권19, 欽明 14년 8월 조). 혹은 왜왕의 발언에서도 고구려를 '狛賊'으로 일컫은 바 있다(『일본서기』 권19, 欽明 9년 6월 조). 이렇듯 비칭은 원전 인용이나 당시 발언을 직접 인용한 데서 주로 보인다.

49_ 『三國史記』 권26, 성왕 16년 조. "十六年 春 移都於泗沘[一名所夫里] 國號南扶餘"

2) 伴跛國과 加羅가 동일하지 않은 근거

반파와 가라를 동일한 세력으로 일치시킨 견해가 정설이었다. 그러나 지금까지 꼼꼼이 살펴 본 바에 따르면 수긍하기 어려운 점이 많았다. 이와 더불어 반파가 加羅와 관련이 없음을 분명히 해주는 관건을 제기해 본다. 다음 기사에 보이는 '烽候'의 소재지이다.

> 3월에 伴跛가 子呑·帶沙에 성을 쌓아 滿奚에 연결하였다. 烽候와 邸閣을 두어 일본에 대비했다. 또 爾列比·麻須比에 성을 쌓고, 麻且奚·推封에 연결하였다(계체 8년 3월 조).

위의 기사에서 봉화를 올리는 '烽候'의 존재가 주목된다. 烽候 곧 봉화대는 고령을 비롯한 加羅 일원에서는 확인되지 않았다. 반면 전라북도 장수를 비롯하여 전라북도 동부 지역에서 일정한 간격을 유지하면서 80여 개소가 배치되었다. 특히 120여 基의 가야계 古塚이 밀집된 진안고원의 장수권에 집중적으로 밀집되었고, 또 그곳을 방사상으로 에워싸고 있다. 따라서 전라북도 동부 지역 봉수의 설립 주체는 장수 지역 가야와의 관련성 뿐 아니라 독자성을 대변해준다. 이 사실은 왜에 대비하여 봉화대를 축조한 伴跛가 고령의 加羅가 될 수 없다는 결정적인 근거였다.[50]

그렇다면 반파는 섬진강을 장악할 필요가 있는 인접 세력일 가능성과 水路 이용에 死活을 걸었을 만한 요인이 발견되어야 한다. 이와 관련해 천관우가 半路國의 위치를 '합천-진주-咸陽 방면?'이나 '아마도 합천(大良. 多羅國)'[51]라고 감지한 것은 주목할만 하다. 그러한 선상에서 반파를 함양-운봉 일대로 비정해야 한다는 견해가 제기되었다. 이 견해는 고고학적 자료를 토대로 제기된 것이다. 즉 남원 월산리 고분군의 묘제를 제1형 석관묘, 제2형 석곽묘, 제3형 석실분으로 구분하였다. 여기서 제1형과 제2형의 묘제를 조성한 월산리 세력이 반파이며, 제3형 묘제인 석실분을 조성한 고령 대가야에게 정복당했다는 것이다. 그리고 계체 7년~9년 조의 기사와 계체 23년 조의 기사는 동일한 사건에 대한 서술이 아닌 별개의 사건으로 간주했다. 전자의 반파가 후자의 加羅로 바뀐 것은 515년

50_ 郭長根, 「전북지역 백제와 가야의 교통로 연구」『한국고대사연구』63, 2011, 95쪽.
조명일, 「금강 상류지역 산성 및 봉수의 분포 양상과 성격」『호남고고학보』41, 2012, 82~84쪽.
郭長根, 「장수군 제철유적의 분포양상과 그 의미」『湖南考古學報』57, 2017, 17쪽.
조명일, 「全北 東部地域 烽燧에 관한 一考察」『湖南考古學報』59, 2018, 104쪽.

51_ 千寬宇, 『加耶史研究』, 一潮閣, 1991, 13쪽. 97쪽.

~529년 사이에 반파가 가라에 병합되었기 때문으로 고찰했다.[52] 이러한 견해는 반파를 진안고원의 장수 가야로 비정한 근래의 성과와도 연결점이 보인다.

반파와 엮어진 세력이 기문이었다. 고령 지산동과 합천 옥전에서 출토된 금동관을 제외한 모든 가야계 위세품이 운봉고원에서 출토되었다 우리나라 임나계 고총에서 최초로 계수호와 철제초두가 남원 월산리에서 금동신발과 청동거울이 남원 두락리에서 그 모습을 드러냄으로써 운봉고원의 역동성과 함께 그 위상을 더욱 높다 아마도 우리나라 최대 규모의 철 산지이자 문물교류의 관문으로써 백제가 운봉고원을 얼마나 중요시했는지를 엿볼 수 있다. 이에 근거를 두고 운봉고원에 지역적인 기반을 두고 임나계 소국으로까지 발전했던 임나 세력을 기문국으로 비정한 것이다.[53] 이는 기문을 남원으로 비정한 연구와도 부합한다.[54] 운봉고원은 대규모 철 산지이자 철의 왕국으로 20여 개소의 제철유적이 무리지어 있는데, 우리나라의 단일지역에서 그 밀집도가 상당히 높다.[55]

이를 배경으로 장수 동촌리 말무덤이 계기적인 발전과정을 거쳐 200여 기의 임나계 중대형 고총이 진안고원의 장수군에만 조영되었다. 장수 동촌리 임나계 고총에서 처음으로 말발굽을 보호한 鞭子가 출토되어, 장수가야가 철의 생산부터 주조기술까지 응축된 당시에 철의 테크노밸리였음이 입증되었다. 금강 상류 지역에서 임나문화를 화려하게 꽃피웠던 장수가야는 한마디로 70여 개소의 제철유적을 남긴 철의 왕국이자 80여 개소의 봉수로 상징되는 봉수왕국이다. 우리나라에서 삼국시대 봉수가 장수군을 중심으로 진안고원에서만 발견되고 있다. 장수군에서 그 존재를 드러낸 80여 개소의 봉수는 줄곧 백제와 등을 맞댄 장수가야가 그 생존을 위해 국가 차원에서 운영했던 임나계 문화유산의 백미이다. 더욱이 장수군 제철유적을 사방에서 감시하듯이 봉수가 배치되었다. 봉수는 장수가야 제철유적의 방비와 관련이 있는 것으로 유추되었다.[56]

52_ 全榮來,『南原月山里古墳群發掘調査報告』, 圓光大學校 馬韓百濟文化硏究所, 1983, 73~79쪽.
53_ 郭長根,「전북 동부 지역 가야와 백제의 역학관계」『百濟文化』 43, 2010, 26쪽.
54_ 今西龍,『朝鮮古史の硏究』, 近澤書店, 1937, 396쪽.
55_ 郭長根,「운봉고원의 철과 그 역동성」『百濟文化』 52, 2013, 229쪽. 239쪽.
56_ 郭長根,「장수군 제철유적의 분포양상과 그 의미」『湖南考古學報』 57, 2017, 22쪽.

3) 伴跛國=加羅說의 핵심 근거 검증

반파=가라설의 핵심은『일본서기』계체기 7・8・9・10년 조 기사(x-1~5)와 계체기 23년 조(x-6)를 동일한 사건으로 간주한데서 기인했다. 그 근거로 등장 인물이 동일하다는 점(穗積臣押山, 物部連=物部伊勢連父根)과 x-2와 x-4에 등장하는 滯沙(帶沙江)와 x-6에 보이는 多沙津을 동일한 곳으로 이해하는 시각(金泰植,『加耶聯盟史』, 일조각, 1993, 95~105쪽)에서 비롯되었다. 그런데 위의 기사들을 잘 살펴보면, 계체기 7~10년 조에 백제와 반파가 서로 점유하려던 핵심 지역은 대사가 아닌 기문이었다. 그럼에도 계체기 23년 조의 기사에는 기문과 관련된 내용은 전혀 언급이 되지 않았다. 따라서 계체기 7~10년 조와 23년 조는 동일 사건을 기록한 것이 아닌 별개의 사건일 수도 있다. 물론 두 사건 에 등장하는 인물이 동일하다는 것은 부정할 수 없지만, 이들은 모두 일본측 인물이기 때문에 13년이 지난 시점에 다시 등장한다고 해서 크게 이상할 것이 없어 보인다. 결국 대사와 다사, 반파와 가라는 서로 다른 지역과 정치체일 가능성도 배제할 수 없다.[57]

실제 미세한 차이기는 하지만, 滯沙(x-2)와 帶沙江(x-4)은 '滯'와 '帶'로서 字形은 닮았지만 相異한 글자이다. 그리고 滯沙(x-2)는 백제 영역이 되었다. 그런데 반파가 축성한 帶沙(x-3)는 자국 영역이 분명하다. 그러므로 앞의 滯沙와 뒤의 帶沙는 서로 다른 곳으로 보아야 맞다. 게다가 계체 8년 3월 조에서 帶沙와 함께 기재된 子呑은 欽明 2년(541) 4월 조・23년(562) 정월 조의 子他와 동일한 곳이라고 볼 때[58] 더욱 그러한 생각이 든다. 이와 더불어 x-2에 보이는 '伴跛 既展奚(계체 7년 11월 조)'가 '加羅 古展奚'(欽明 2년 4월 조)와 동일 인물이라는 것이다.[59] 양자 간의 시간은 513년과 541년으로 時差가 무려 28년이나 된다. 그럼에도 既展奚와 古展奚 모두 'こでんけい'로 읽혀지므로 동일하다는 데 착안했다. 이러한 전제하에서 이들의 국적인 伴跛나 加羅는 기실 동일한 국가라는 것이다. 그러나 이는 속단하기 어려운 속성을 지녔다. 계체 9년인 515년 이후에 伴跛는 기록에 보이지 않기 때문이다. 「양직공도」에 보이는 '叛跛'는 피동체이므로 이와는 성격을 달리한다.

그러면 28년 전의 인물과 그 이후 인물이 동일한 인물이라는 전제하에, 앞의 국적과 뒤의 국적이 동일하다는 주장을 검증해 본다. 양자가 설령 동일 인물이라고 하더라도 加羅가 伴跛를 병합했다면

57_ 조명일,「全北 東部地域 烽燧에 관한 一考察」『湖南考古學報』59, 2018, 102쪽.
58_ 金泰植,『加耶聯盟史』, 一潮閣, 1993,126~127쪽.
59_ 井上光貞 外 校注,『日本書紀(三)』, 岩波書店, 1994, 183쪽 註4.

국적이 달라지게 된다. 일본에 병합된 조선인들의 상황을 연상할 수도 있다. 이와 동일한 사례로 발해인 裴璆는 907년과 919년에 2회나 일본에 사신으로 온 바 있었다. 발해가 멸망한 뒤인 929년에 그는 東丹國 사신으로 일본에 왔다. 이 때 그는 “발해가 이미 멸망하여 東丹國의 신하가 되었다”고 했다.[60] 이 같은 국적 변동 변수 요인도 작용하므로, 伴跛와 加羅를 동일한 국가로 단정하는 일은 속단하지 말아야 한다. 그리고 y-3 기사에서 보듯이 반파가 신라를 공격했다는 것이다. 물론 이 기사의 사실성은 인정하기 어려운 부분이 많다. 그렇더라도 지리적 형세로 본다면 신라 공격의 주체는 고령의 가라가 온당할 수 있다. 그러나 이 경우도 반파가 대가라와 더불어 연맹의 일원이라면, 신라 원정도 의지만 있다면 가능한 일이었다. 영역국가로 발전한 가라 즉 대가야는 강성한 반파가 백제·왜와 대결하여 국력이 소진된 틈을 타서 접수했을 가능성이 있다.

4) 국호 폄칭 문제

국호 폄칭은 본디의 국호를 비틀어서 사용하거나 종족 명에서 비롯한 경우들이 일반적이었다. 그러면 가라를 하필 伴跛와 叛波로 폄칭한 근거와 이유는 무엇일까? 이에 대해 『삼국지』 동이전 한 조에 적힌 半路國과 연관 짓고 있었다. 半路國은 본디 이름이 伴跛國이었으리라는 추측이다. 만약 그렇다면 반파국은 星州와의 연관성은 보이지만 고령과의 연관성은 地理志 그 어디에서도 찾아지지 않는다. 여기서 분명히 장담할 수 있는 게 있다. 반파국을 고령으로 지목할 수 있는 근거는 없다는 것이다. 물론 『일본서기』 계체기에 등장하는 伴跛 국적 인물이 그로부터 28년 후에 加羅 국적으로 등장하기 때문에 반파=가라일 수 있다. 그러나 이 경우는 반파가 가라에 병합되었을 때도 가능한 상황이다. 반파는 기문과 대사라는 특정 지역에 대한 지배권 쟁탈 과정에서 우연히 등장하였다. 그러한 반파가 기록에서 소멸된 것은 폄칭의 환원만으로는 설명되지 않았다.

보다 중요한 사실은 계체 8년 조에서 반파가 왜에 대적하여 봉수와 산성을 축조했다는 것이다. 여기서 봉수 체계가 장수 일원을 중심으로 포착되었다. 반면 고령의 가라 지역에서는 이러한 봉수 자체가 확인되지 않았다. 이로써도 계체기에 보이는 봉수 관련 기사의 주체는 장수 지역 세력을 가리킬 가능성을 높여준다. 실제 이곳에서는 고총 고분과 막대한 양의 제철단지가 확인되었다. 고대국

60_ 宋基豪, 『渤海政治史研究』, 一潮閣, 1995, 232쪽.

가의 잠재적 국력의 척도가 철산업이라고 할 때 이곳 정치 집단의 힘은 가위 위협적일 수 있었다. 반파를 일러 "강한 것을 믿고"라고 한 표현은 여기서 연유했을 것이다. 백제를 상대하고 왜군을 격파할 정도의 군사력은 이러한 경제력을 기반으로 했다고 본다.

『일본서기』의 '伴跛' 「양직공도」의 '叛波'는 字義上 모두 어감이 좋지 않다. 반파는 백제와 대결할 정도의 세력이었다. 그로 인해 백제는 加羅의 국호를 폄칭한 것으로 단정했다. 게다가 彌烏邪馬國이 고령에 소재하지 않았다는 전제하에 반파의 위치를 고령으로 지목하였다.[61] 그러나 이러한 정황들은 伴跛를 加羅로 지목할 수 있는 직접적인 증거가 되지 않는다. 그러. 「양직공도」의 다음 '旁小國' 명단을 음미해 본다.

旁小國有叛波・卓・多羅・前羅・斯羅・止迷・麻連・上己文・下枕羅等附之

梁 元帝가 형주자사 在任 時인 526년~539년 사이에 제작되었다고 한다. 「양직공도」를 보면 백제 곁의 小國으로 9개 국이 열거되었다. 이들 소국은 형식상 일종의 백제 위성국가를 말한다. 여기서 '반파'가 보인다. 그리고 '탁'은 『일본서기』의 卓淳國으로서 경상남도 창원에 소재하였다. '다라'는 경상남도 합천에 소재했다. '전라'는 그 위치를 押督國이 소재한 경상북도 경산이나 함안의 安羅로 비정하지만 분명하지 않다. '사라'는 신라를 가리킨다. 이 점 『梁書』 신라 조에서 "혹은 斯羅라고 한다"고 한 기사에서 당시 '사라' 표기를 확인할 수 있다. '지미'는 『신찬성씨록』 河内國皇別 條에 보면 백제에 파견된 왜장이 '止美'의 吳女를 취한 기사가 있다. 止迷는 곧 이 '止美'로 보인다. '지미'는 369년에 백제 근초고왕이 경략한 忱彌多禮의 '침미'와 음이 닮았다. 그렇다고 한다면 지미는 전라남도 해남으로 비정된다. '마련'은 소재지를 알 수 없지만 『삼국지』 변진 항에서 변한 소국의 하나인 馬延國과 음이 닮았다. 이곳을 경상남도 밀양으로 비정하기도 한다. '상기문'은 전라북도 임실 일대로 비정되고 있다. '하침라'는 전라남도 강진으로 지목하지만 명확하지 않다.[62]

'旁小國' 명단에서 단연 주목을 끄는 대상은 叛波와 斯羅이다. 사라는 주지하듯이 신라를 가리킨다. 문제는 논의의 중심인 叛波이다. 叛波는 伴跛가 분명하지만 加羅인지 여부가 쟁점이 된다. 이와

61_ 金泰植, 『加耶聯盟史』, 一潮閣, 1993, 103쪽.
62_ 이상의 서술은 李鎔賢, 『가야제국과 동아시아』, 통천문화사, 2007, 184쪽.

관련해 '백제 곁의 소국'으로 신라가 소개되었을 때는 어떤 기준이 있었다고 본다. 신라는 당시 백제 곁의 소국이라고 할 수는 없었다. 우선 신라는 백제와 동맹을 맺은 대등한 관계였다. 그러한 선상에서 동성왕은 신라 이찬 비지의 딸과 혼인하였다. 비록 521년에 신라는 백제 사신을 따라 梁에 조공했다.[63] 그렇지만 1년 전인 520년에 신라는 율령을 반포하고 公服을 제정하였다. 국가체제가 정비된 것이다. 이러한 신라는 주변의 소국들과는 위상이 현저히 달랐다. 백제 곁의 소국인 이들 제국과는 동렬에 설 수 없는 높은 위상을 지녔다. 그럼에도 '소국' 반열에 든 것은 중국을 기준해서 볼 때 책봉받지 않았기 때문일 것이다. 신라는 565년(진흥왕 26)에 와서야 처음으로 중국의 北齊로부터 '使持節·東夷校尉·樂浪郡公·新羅王'에 책봉되었다.[64] 바로 그 시점으로부터 무려 40여년 전에 신라 사신이 백제 사신을 따라 양에 조공한 것이다. 이 때 신라 사신의 모습은 "하는 말은 백제가 도와준 후에야 통했다"[65]고 하였다. 백제 사신의 통역을 통해야만 신라 사신의 의사가 전달될 수 있었다고 한다. 신라는 381년(나물니사금 26)에 衛頭를 前秦에 보내 苻堅王에게 조공한 바 있었다.[66] 이 때 신라의 국호 변천을 비롯한 최소한의 기본 정보가 남겨져 『양서』에 수록되었을 것이다. 그러나 『양서』는 521년 시점에서 무려 1백여 년이 지난 629년에야 편찬이 시작되었다. 신라에 대한 정보가 梁朝에 전해지지 못한 연유이다.

당시까지 신라는 중국 역대 왕조로부터 책봉된 적이 없었다. 책봉은 황제권을 위임받아 관할 지역을 통치하는 형식이었다. 그러나 신라는 책봉받은 바가 없었기에, 황제로부터 위임 받은 게 없었다. 그랬기에 백제로서는 중국 왕조로부터 책봉되지 않은 신라를 자국 곁의 '소국'으로 취급한 것이다. '旁'에는 '의지함'의 뜻도 담겨 있다. 그러므로 '旁小國'은 '백제에 의존하는 소국' 즉 위성국이라는 의미였다. 실제 '附之'라고 하여 백제의 부용국임을 선언했다. 이와 관련해 삼국시대 백제와 신라의 책봉 사실을 다음과 같이 비교해 보았다.

63_ 『南史』 권79, 동이전, 신라 조. "魏時曰新盧 宋時曰新羅 或曰斯羅 隨百濟奉獻方物"
64_ 『三國史記』 권4, 진흥왕 26년 조. "春二月 北齊 武成皇帝詔 以王爲使持節·東夷校尉·樂浪郡公·新羅王"
65_ 『梁書』 권54, 동이전, 신라 조. "語言待百濟而後通焉"
66_ 『三國史記』 권3, 나물니사금 26년 조. 『太平御覽』 권781, 동이전, 신라 조.

표 6 | 백제

연대	왕/ 중국 왕조	관위
372년	근초고왕 27년. 동진	鎭東將軍·領樂浪太守
416년	전지왕 12년. 동진	使持節·都督百濟諸軍事·鎭東將軍·百濟王
425년	구이신왕 6년. 유송	使持節·都督·百濟諸軍事·鎭東大將軍·百濟王
430년	비유왕 4년. 유송	使持節·都督百濟諸軍事·鎭東將軍·百濟王
457년	개로왕 3년. 유송	鎭東大將軍
490년	동성왕 12년. 남제	鎭東大將軍·百濟王
521년	무녕왕 21년. 양	使持節·都督百濟諸軍事·寧東大將軍
524년	성왕 2년. 양	使持節·都督百濟諸軍事·綏東將軍·百濟王
570년	위덕왕 17년. 북제	使持節·侍中·車騎大將軍·帶方郡公·百濟王
571년	위덕왕 18년. 북제	使持節·都督東青州諸軍事·東青州刺史
581년	위덕왕 28년. 수	上開府儀同三司·帶方郡公
624년	무왕 25년. 당	遣使就册爲帶方郡王·百濟王
641년	의자왕 1년. 당	柱國·帶方郡王·百濟王

표 7 | 신라

연대	왕/ 중국 왕조	관위
562년	진흥왕 26년. 북제	使持節·東夷校尉·樂浪郡公·新羅王
594년	진평왕 16년. 수	上開府·樂浪郡公·新羅王
624년	진평왕 46년. 당	柱國·樂浪郡公·新羅王
635년	선덕왕 4년. 당	柱國·樂浪郡公·新羅王
647년	진덕왕 1년. 당	柱國·樂浪郡王
654년	태종 무열왕 1년. 당	開府儀同三司·新羅王
662년	문무왕 2년. 당	開府儀同三司·上柱國·樂浪郡王·新羅王

여기서 중요한 사실은 백제 '旁小國'의 '叛波'가 加羅와 동일한 대상이라면 책봉된 적이 없어야 한다. 물론 백제가 의도적으로 加羅를 貶稱하여 '叛波'로 표기할 수는 있다. 만약 그렇다면 加羅라는 국가를 거느린 백제의 국제적 위상은 반감되는 것이다. 가라의 존재는 梁에서 인지하여 백제의 위상을 오히려 과시할 수 있는 기제였다. 당시 백제는 기실 자국과 국력이 비등한 신라 사신을 대동하여 梁에 조공했다. 그럼으로써 백제는 자국의 위상을 梁에 전달하고, 또 무녕왕의 관작을 상향시키는 기제로 활용하였다. 이 때 백제는 "여러 차례 고구려를 격파했다"고 호언했다. 그 결과 백제가 "다

시금 강국이 되었다"는 평가를 梁으로부터 받았다. 백제는 복구된 국가적 위상을 양에 보여 주고자 노력하였다. 그러한 차원에서 '百濟旁小國'을 등장시켰던 것 같다. 이 가운데 가장 강대한 신라의 사신을 대동함으로써 백제 자국의 위상을 높이고자 하였다. 특히 약소국이 아닌 신라의 사신을 데리고 옴으로써 8개 소국도 그에 준하는 국가 쯤으로 인식하게 하여 백제의 위상을 높이려는 정치적 의도가 깔린 것이다. 이러한 맥락에서 볼 때 백제는 加羅를 고의로 폄훼시켜 전혀 인지할 수 없는 국호인 '叛波'로 표기했을 가능성은 없었다고 본다. 따라서 叛波는 가라 즉 대가라일 가능성은 없다.

加羅는 신라보다 훨씬 이전인 479년에 加羅王 荷知가 남제로부터 '輔國將軍・本國王'에 책봉되었다.[67] 加羅는 웅진성 천도 후 백제 정정의 혼란을 틈타 백제 영향권에서 이탈하여 남제와 직접 통교한 것이다.[68] 가라는 신라보다 무려 86년이나 일찍 책봉을 받았다. 중국 역대 왕조로부터 책봉된 국가를 백제가 '소국'으로 梁에 거론할 수는 없었을 것이다. 더구나 梁은 南齊를 계승한 국가였다. 그러한 남제로부터 가라 왕은 책봉되었다. 책봉은 백제 왕이 중국 황제에 臣屬된다는 의미를 담고 있었다. 황제에 신속된 가라가 백제의 부용국으로, 그것도 중국에 공적으로 알려질 수는 없는 문제였다. 더구나 폄칭을 사용한 국호로 등장한다는 것은 상상하기조차 어렵다. 요컨대 남제로부터 책봉된 가라는 중국의 신속국이 될 수는 있었다. 이러한 사례로는 倭王 武가 유송에 '使持節都督倭百濟新羅任那加羅秦韓慕韓七國諸軍事安東大將軍倭國王'을 자칭하며 제수를 요청한 건을 제시할 수 있다. 그러나 武는 478년에 '使持節都督倭新羅任那加羅秦韓慕韓六國諸軍事安東大將軍倭王'에 제수되었다.[69] 武가 요청한 '七國諸軍事'는 '六國諸軍事'로 바뀌었고 백제가 삭제되었다. 劉宋은 倭가 요구한 백제의 軍政權을 인정해주지 않았다는 것이다.[70]

왜의 한반도 남부에 대한 영향력 행사라는 전제하에서 제기된 이러한 주장에 앞서 확인할 부분이 있다. 백제는 478년에서 각각 21년 전과 48년 전인 457년과 430년에, 이미 劉宋으로부터 책봉된 바 있었다. 당연히 유송으로서는 왜왕 武의 관할 국가라는 백제를 인정할 수 없었다. 이와 마찬 가지로 梁이 加羅를 백제의 소국, 즉 부용국으로 인정할 수 없었을 것이다. 실제 백제의 '旁小國' 가운데 국

67_ 『南齊書』권58, 東南夷傳, 加羅國. "加羅國 三韓種也 建元元年 國王荷知 使來獻 詔曰 量廣始登 遠夷洽化 加羅王荷知款關海外 奉贄東遐 可授輔國將軍・本國王"

68_ 李道學,「漢城末・熊津時代 百濟 王位繼承과 王權의 性格」『韓國史研究』50・51合輯,1985;『백제한성・웅진성시대연구』, 一志社, 2010, 307쪽.

69_ 『宋書』권97, 동이전, 왜국 조.

70_ 川崎晃,「倭王武の上表文」『東アジア世界の成立』, 吉川弘文館, 2010, 324쪽.

왕이 중국에 책봉된 경우는 없었다.

물론 그렇기 때문에 가라를 반파로 폄칭했다고 주장할 수도 있다. 만약 그렇다면 가라가 지닌 위상을 반영할 수가 없다. 그리고 가라를 굳이 백제의 부용국으로 명시할 이유가 없게 된다. 이와 더불어 신라를 '斯羅'로 표기한 것을 보면, 가라도 반파로 폄칭될 수 있다는 주장이 제기될 수 있다. 그러나『南史』를 보면 劉宋 때 신라를 '斯羅'로도 일컬었다고 했다. 중국에서는 사라를 異稱으로 인식했을 뿐 폄칭으로 간주하지 않았다. 실제『삼국사기』에서도 斯羅는 신라의 이칭으로만 등장한다. 즉 "시조가 創業한 이래 국명을 정하지 않아 혹은 斯羅로 일컫거나, 혹은 斯盧로 일컬었고, 혹은 新羅라고 말했다"[71]고 했다. 영일냉수리신라비에서도 신라인들 스스로 분명히 '斯羅'라고 하였다. 따라서 신라의 이칭이 분명한 사라와, 폄칭이 명백한 반파를 동일선상에서 해석할 수는 없다. 백제가 가라 국호 대신 굳이 폄칭을 사용했어야할 이유가 없었기 때문이다. 결국 叛波는 가라가 될 수 없으므로 가라가 아닌 제3의 대상에서 찾아야 마땅하다.

반파는 섬진강을 운송로로 한 강력하고도 막대한 제철 산업을 기반으로 한 독자적인 세력으로 간주할 수밖에 없었다. 이들의 입장에서 본다면 기문과 대사 즉 섬진강유역의 지배권은 사활이 걸린 문제였다. 그러나 결과적으로 반파는 이곳을 상실하였다. 이와 연동하여 반파는 西進을 거듭한 가라에 의해 소멸된 것으로 보였다. 그러자 이제는 加羅가 다사진의 지배권을 놓고 백제와 갈등을 빚었다.

71_ 『三國史記』 권4, 지증마립간 4년 조.

4. 任那加羅聯盟

「광개토왕릉비문」을 비롯하여 『宋書』나 『삼국사기』 및 『일본서기』 등에 보면 임나가라의 존재가 보인다. 이러한 임나가라는 임나+가라의 합성어인지 아니면 단일 국호인지 확인이 필요하다. 우선 5세기대를 시간적 배경으로 해서 任那加羅의 존재가 다음과 같이 등장한다.

* [400년] "十年庚子 教遣步騎五萬 往救新羅 從男居城 至新羅城 倭滿其中 官軍方至 倭賊退△△背急追至任那加羅從拔城 城卽歸服 安羅人戍兵"[72)]
* [438년(元嘉 15)] "自稱 使持節・都督・倭・百濟・新羅・任那・秦韓・慕韓六國諸軍事・安東大將軍・倭國王"[73)]
* [451년(元嘉 28)] "使持節・都督・倭・新羅・任那・加羅・秦韓・慕韓六國諸軍事・安東大將軍"[74)]
* [478년(昇明 2)] "使持節・都督・倭・新羅・任那・加羅・秦韓・慕韓六國諸軍事・安東大將軍・倭王"[75)]
* [479년(建元 1)] "加羅王荷知款關海外 奉贄東遐 可授輔國將軍 本國王"[76)]
* [654~661년(신라 태종 무열왕 재위)] "臣本任那加良人"[77)]
* [924년(경명왕 8)] "任那王族"[78)]

「광개토왕릉비문」에서 400년 당시 任那加羅는 1개 國을 가리키는 것처럼 보인다. 그러나 倭王이 劉宋에 보낸 상표에서 任那加羅는 분명히 2개 國을 가리키고 있다. 즉 "倭・新羅・任那・加羅・秦韓・慕韓六國諸軍事"라고 하여 왜왕이 지닌 국명을 놓고 볼 때 6國의 숫자와 부합되기 때문이다. 사실

72_ 「광개토왕릉비문」 영락 10년 조.
73_ 『宋書』 권 97, 동이전,倭國 조.
74_ 『宋書』 권97, 동이전, 倭國 조.
75_ 『宋書』 권97, 동이전, 倭國 조.
76_ 『南齊書』 권58, 동이전, 가라국 조.
77_ 『三國史記』 권46, 强首傳.
78_ 「眞鏡大師碑文」

任那加羅의 '那'와 '羅'는 '國'과 관련한 각각의 고유지명이나 국호에 붙는 접미어로서 합당하다. 그런 만큼, 「광개토왕릉비문」의 任那加羅는 2개 국의 합칭으로 볼 수 있다. 여기서 加羅 국호는 狗邪國인 김해 세력에서 기인하였다. 그렇지만 任那를 관칭한 任那加羅의 '加羅' 역시 김해 세력만을 가리키는지는 검토가 요망된다. 신공 49년 조에 보면 고령 세력도 '가라'를 호칭하였기 때문이다.

그러면 任那는 어떤 세력을 가리키는 것일까? 「진경대사비문」 등에서 보듯이 任那는 南加羅 즉 김해 세력을 가리키는 것으로 간주하는 게 대세이다.[79] 그리고 임나가라의 임나는 『일본서기』 훈독에 따르면 '미마나'로 읽게 된다. 이것을 '밑' 즉 '下'와 '마ㅅ' 즉 '上'의 뜻으로 해석해 보자. 그러면 '밑의 가라'와 '위의 가라,' 바꿔 말하면 '下 · 上加羅' 곧 '아래 · 위 가라'라는 2개 가라의 의미를 내재한 게 된다. 우륵 12曲 속의 上加羅都와 下加羅都 역시 이러한 추정을 뒷받침해 준다. 그런데 이러한 해석의 타당성 여부를 떠나 '임나가라' 국호 자체에 2개의 가라라는 의미가 내포되었기에 왜왕 武의 상표에서 2개 국으로 인식했음은 분명하다. 고령(加羅)+김해(任那) 2개 國은 공히 '임나가라'라는 연맹 이름에 포괄되는 존재였다. 물론 「광개토왕릉비문」에 보이는 任那加羅는 외형상으로는 2개 국을 포괄한다. 그렇지만 400년 고구려군의 南征과 관련한 戰場으로서 任那加羅는 김해 세력이 해당된다.

『통전』과 『한원』에서도 임나와 가라를 구분하여 2개의 세력으로 인식했다. 가령 『通典』에서 "(新羅)…遂致强盛 因襲加羅 · 任那 諸國滅之"[80]라고 하였다. 『한원』에서도 "今訊新羅耆老云 加羅 · 任那 昔爲新羅所滅"라고 했다.[81] 그러나 「광개토왕릉비문」에 따르면 400년에는 임나와 가라를 연칭하고 있다. 김해와 고령 세력의 연합체를 임나가라라고 한 것이다. 곧 2개 소국 중심의 임나가라연맹 다시 말해 上 · 下加羅聯盟의 결성을 알려준다. 그런데 438년 왜왕의 작호에는 任那만 보인다. 그러다가 왜에서는 451년에 와서야 개별 소국으로서 '任那 · 加羅'를 각각 운위하고 있다. 이 점은 홀시할 수도 있겠지만 의미를 부여한다면 얼마든지 가능하다. 즉 400년에 聯稱인 任那加羅부터 438년에는 任那만 보이다가 분리된 정치세력으로서 '任那 · 加羅'가 재등장하는 451년 사이에 어떤 정치적인 변화가 야기되었을 가능성이다.

79_ 『三國史記』 권41, 金庾信傳(上). "開國 號曰加耶 後改爲金官國"라고 하였듯이 김해 지역의 국호인 가야를 금관국으로 고쳤다고 한다. 그러나 그 시점은 멸망 후 신라가 小京을 설치할 때 생겨난 것이라고 본다(李鎔賢, 『가야제국과 동아시아』, 통천문화사, 2007, 148쪽).

80_ 『通典』 권185, 邊防1, 新羅.

81_ 여기서 加羅와 任那는 별개의 세력으로 구분되었다. 따라서 왜왕의 소위 관할권과 관련하여 숫자를 맞추기 위해 '任那加羅'를 '任那'와 '加羅' 2개 국으로 구분했다는 주장은 성립되지 않는다.

그 변화 시점은 말할 나위없이 400년 고구려군의 낙동강유역 출병에서 찾았다. 그러면 이 문제를 검증해 보도록 한다. 물론 이에 관해서는 그간 많은 연구가 다각적으로 전개되어 왔다. 문헌사와 고고학이 손을 잡고 가야사 연구의 획기로 설정한 시점이 400년이었다. 그러나 차분한 검토가 필요해졌다. 우선 고구려군 步騎 5만은 400년에 출병하였다. 그 시점은 알려진 바 없다. 그러나 400년 2월에 후연의 군대가 고구려 후방을 급습함에 따라 낙동강유역에 출병했던 고구려군 주력은 회군하였다. 400년 1월에 평양성에서 출발했다고 하더라도 1차적으로 경주에 이른 후 왜군을 추격하여 임나가라까지 도달한 것이다. 이러한 동선을 놓고 볼 때 고구려군이 임나가라에 체류한 기간은 數日에 불과했다고 보아야 한다. 짧은 기간에 임나가라 정권을 전복할 수는 없었을 것이다. 만약 전복시켰다면 戰果로, 「광개토왕릉비문」에 顯顯하게 적시되지 않았을 리 없다. 금방 회군했기 때문에 고구려가 정치적으로 이곳에 영향력을 행사할 상황이 되지는 못했다. 지속적인 충격에 따른 와해나 파괴 효과는 없었다고 본다. 그랬기에 「광개토왕릉비문」에서 임나가라를 통한 전과 기록이 없었던 것 같다.

그리고 「광개토왕릉비문」의 "至任那加羅從拔城 城卽歸服 安羅人戍兵"라는 문구를 통해서도 엿볼 수 있다. 여기서 羅人의 '羅'는, 그 앞에 적혀 있는 '任那加羅'를 생략하여 끝 자로 표기했다. 즉 "任那加羅人 戍兵을 배치했다"는 뜻이다. 그렇지 않다면 제삼자가 분별할 수도 없는 약칭을 사용할 이유가 없다. 더욱이 영락 10년 조에는 고구려군이 임나가라군과 교전한 내용이 일체 보이지 않는다. 고구려군이 임나가라를 격파하지 않았음을 반증한다.

고구려군은 임나가라로 퇴각한 왜군을 추격해서 격파했을 뿐이다. 더구나 「광개토왕릉비문」에서는 임나가라에 대한 멸칭이나 적대적인 표현이 일체 보이지 않는다. 임나가라가 고구려의 타멸 대상이 아님을 뜻한다. 따라서 영락 10년 조는 고구려군이 신라와 임나가라 영토 내의 왜군을 격파하고, 任那加羅人 戍兵을 배치하여 왜군으로 인해 戰禍를 입은 임나가라를 복구한 내용으로 해석된다. 즉 「광개토왕릉비문」은 고구려가 신라뿐 아니라 임나가라까지 구했다는 메시지를 전하고 있다.[82] 물론 이러한 메시지는 사실과는 거리가 크다. 「광개토왕릉비문」은 정치선전문인 관계로 액면 그대로 모두 믿을 수는 없다. 다만 고구려의 南征이 성과 없었기에 이것을 호도하는 문구 정도로 간파된다.

82_ 李道學, 「加羅聯盟과 高句麗」『광개토대왕, 제9회 가야사 국제학술회의』, 김해시, 2003, 1~15쪽.

게다가 "옛적에 신라가 고려에 도움을 청하여서, 임나와 백제를 공격했으나 오히려 이들을 이기지 못했다. 신라가 어찌 혼자서 임나를 멸망시킬 수 있겠는가?"[83)]라는 기사가 있다. 이 기사는 「광개토왕릉비문」에 적혀 있듯이 400년 고구려군의 출병을 가리킨다. 이 때 고구려가 임나가라를 제압하지 못했음을 말해준다. 물론 戰場이었던 김해 지역의 피폐로 인해 연맹의 주도권이 넘어갔다는 게 정설이었다. 그러나 소위 가야연맹을 前・後期로 나누어 그 획기로 여겼던 400년은 과대 설정한 감이 없이 않았다. 실제 남가라 지배 집단의 거처인 김해 봉황동 유적은 5세기 이후에도 존속하여 6세기 전반까지 지속했다. 게다가 남가라 왕릉군인 대성동 고분군도 지속적으로 조영되었다.[84)]

400년 고구려군의 출병은 파괴력이나 餘波가 지대하지는 않았다. 오히려 다른 요인으로 인한 국력의 비대칭성이 발생했던 것 같다. 결국 김해 세력은 고령 세력의 이탈을 막지 못한 관계로 양자는 각각 分立의 길을 걸었을 가능성이다. 곧 연맹관계의 해체가 시작된 것으로 보겠다.

또 하나의 사건은 442년(신공 62)에 왜장 沙至比跪의 가라 토벌 기사는 신빙성이 의심되는 부분이 적지 않다. 그렇지만 이 기사의 요체는 이 무렵 대외관계에서 백제에 대한 가라의 의존도가 높아졌음을 뜻한다.[85)] 바꿔 말해 이 사건은 가라 성장의 외적 배경이 되었을 것으로 보인다. 이와 더불어 고령에서 출토된 鐎斗의 경우는 백제에서 증여한 것으로 추정된다.[86)] 곧 백제가 고령 세력을 지원했음을 뜻한다. 결국 백제의 지원으로 고령 세력의 성장이 가능했음을 암시해 준다.

고령 세력이 주변 제국들 사이에서 주도권을 쥘 수 있었던 배경은 백제의 지원 뿐 아니라 주변 정세에 말미암은 바 크다고 하겠다. 427년에 고구려는 평양성으로 천도를 단행했다. 고구려의 중심축이 남하함에 따라 한반도 남부 제국에 위협이 되었음은 말할 나위 없다. 이에 대한 대응으로 433년에 백제와 신라는 나제동맹을 체결하였다. 이러한 위기 의식 속에서 상대적으로 고구려의 위협에 대한 체감도가 높을 수밖에 없는 任那 北部諸國 사이에서 고령의 加羅가 대두된 것으로 보인다. 가라는 지리적으로 백제나 신라에 비해 고구려와 공간적으로 격절되어 있다. 그러나 400년 고구려군의 남정에 따라 그 위협을 누구 보다 체감했던 세력이 김해와 더불어 고령 세력이었다. 더구나 고구려는 소백산맥 이남으로까지 세력을 확대하고 있었다. 낙동강 상류인 안동의 임하 지역을 비롯한

83_ 『日本書紀』 권19, 欽明 2년 4월 조.
84_ 李東熙, 「후기가야 고고학 연구의 성과와 과제」『가야사연구의 현황과 전망』, 주류성, 2018, 110쪽.
85_ 井上直樹, 「고구려의 남진과 백제와 가야제국」『5~6세기 동아시아의 국제정세와 대가야』, 고령군 대가야박물관, 2007, 314~315쪽.
86_ 李道學, 『백제고대국가연구』, 一志社, 1996, 193~194쪽.

그 동남부 일대가 고구려 영역이 되었다.[87] 이러한 흐름에 편승한 위기 의식 속에서 주변 제국들을 엮어서 세력을 확대시킨 加羅는 倭의 눈에 선명하게 浮刻되었을 정도로 괄목할만한 성장을 이루었다. 그런 관계로 加羅의 존재는 451년에는 기존의 任那와 어깨를 나란히 할 정도로 倭 정권으로부터 인정받았던 것 같다. 그러나 가라의 실제적인 세력 규모는 임나를 훨씬 능가하고 있었다.

加羅의 성장 분기점은 고구려의 强襲으로 백제의 한성이 함락되는 475년말 이후라고 할 수 있다. 전란과 내분을 피한 백제 주민들의 집단 이주와 더불어 백제 중앙권력의 지방에 대한 통제 이완을 기화로 가라는 성장의 旗幟를 올렸다. 그러한 가라 성장의 결정체가 479년 南齊에 사신을 보내 보국장군 본국왕으로의 책봉을 받은 일이었다. 이후 백제는 격화된 내분 선상에서 문주왕이 피살되었다. 고구려의 군사적 압박과 내분으로 인해 백제가 주변 제국에 대한 통제력을 상실한 틈을 타고 가라의 성장은 더욱 촉진되었다.[88] 남제로부터의 책봉은 가라 왕 하지의 지위가 국제적으로 공인되었음과 더불어 백제의 영향력에서 벗어났음을 대내외에 선포한 일대 사건이었다. 바꿔 말해 가라가 백제의 東進을 저지하고 任那 諸國의 맹주로 인정될 수 있는 위상을 확보한 것이다. 그랬기에 대가야연맹설이 제기되었지만, 결속을 높이는 계기에 불과하다는 평가도 제기되었다.[89] 어쨌든 임나가라연맹을 깨고 독자노선을 택한 가라의 위상은 주변 지역으로 확산되어 나갔다. 이는 대가야식 묘제 및 토기의 확산과 맞물려서 드러나고 있다.[90] 이러한 가운데 가라는 백제와 대등하게 공동의 敵으로 인식한 고구려에 대처하였다. 481년에 고구려와 말갈이 신라의 미질부로 진군하자 가야 곧 가라가 백제와 함께 원군을 파견하여 막은데서 잘 드러난다.[91] 가라와 백제는 고구려에 공동 대처하는 상황 속에서 신라를 자국편으로 끌어들이기 위한 노력을 경주했을 법하다.[92] 실제 그러한 정황이 포착된다.

493년에 백제 동성왕은 신라에 사신을 파견하여 婚意를 전달했다. 그러자 신라 소지왕이 이찬 비

87_ 李道學, 「高句麗의 洛東江流域 進出과 新羅 · 伽倻 經營」『國學硏究』 2, 1988 ; 李道學, 『고구려 광개토왕릉비문연구』, 서경문화사, 2006, 409쪽.

88_ 李道學, 「漢城末 · 熊津時代 百濟王位繼承과 王權의 性格」『韓國史硏究』 50 · 51合集, 1985, 22쪽.

89_ 井上直樹. 「고구려의 남진과 백제와 가야제국」『5~6세기 동아시아의 국제정세와 대가야』, 고령군 대가야박물관, 2007, 320쪽.

90_ 이에 대해서는 이형기, 「제3장 대가야시대의 고령」『고령문화사대계 1-역사편』, 역락, 2008, 105쪽 참조.

91_ 『三國史記』 권3, 炤知麻立干 3년 조.

92_ 이에 대해서는 梁起錫, 「5世紀初 韓半島 情勢와 大加耶」『5~6세기 동아시아 국제정세와 대가야』, 고령군 대가야박물관, 2007, 42~62쪽이 크게 참고된다.

지의 딸을 동성왕에게 시집보냈다.[93] 이러한 혼인동맹의 결과 494년에 백제는 살수원 전투에서 패한 신라군을 지원하여 고구려군을 격퇴시킬 수 있었다.[94] 495년에는 신라가 구원군을 파견하여 백제의 치양성을 포위하고 있던 고구려군을 격퇴시켰다.[95] 혼인동맹을 매개로 한 백제와 신라의 유착관계를 읽을 수 있다. 이러한 배경과 맞물려 496년에는 가라국왕이 꼬리가 5척이나 되는 흰꿩을 신라에 보낸 것은[96] 분명 의미 있는 제의였다. 백제와 신라의 유착은 자칫 가라의 고립 내지는 신라의 묵인 하에 백제의 가라에 대한 군사적 압박은 물론이고 영역 지배로까지 발전할 소지가 있었다. 바로 이 점을 간파한 가라국왕은 신라에 흰꿩을 선물함으로써 신라와 돈독한 유대관계를 구축하여 백제에 대한 견제 세력으로 활용하고자 했다.

고구려의 군사적 압박에 대한 공동 대처를 위해 백제와 신라가 共助하는 이면에는 가라의 성장과 독자성을 막으려는 백제의 企圖까지 포착된다. 이에 대응하는 차원에서 가라는 신라와의 우호관계를 통한 적극적인 자구책 모색에 나섰다. 결국 다음의 기사에서 보듯이 522년에는 가라가 신라와 國婚을 맺는데 성공하였다.

* 봄 3월에 가야국 왕이 사신을 보내 혼인을 청하였으므로, 왕이 이찬 比助夫의 누이를 그에게 보냈다.[97]
* 대가야국 월광태자는 正見의 10세손이다. 아버지는 異腦王인데, 신라에 구혼하여 이찬 比枝輩의 딸을 맞아 태자를 낳았다.[98]

위의 2 기사는 동일한 사건을 가리키는 것으로 간주하는 데 이견이 없다.[99] 가라와 백제는 모두

93_ 『三國史記』 권3, 炤知麻立干 15년 조.
94_ 『三國史記』 권3, 炤知麻立干 16년 조.
95_ 『三國史記』 권3, 炤知麻立干 17년 조.
96_ 『三國史記』 권3, 炤知麻立干 18년 조.
97_ 『三國史記』 권4, 法興王 9년 조.
98_ 『新增東國輿地勝覽』 권29, 고령군, 건치연혁 조.
99_ 이와 관련해 가실왕과 이뇌왕을 동일 인물로 간주하기도 한다. 가야와 신라와의 국혼을 한 가야왕을 이뇌왕으로 간주한다면, 이뇌왕은 522년 전후한 시기에 재위했던 인물이다. 가실왕은 540년대의 인물이다. 마지막 도설지왕은 562년까지 재위했던 왕이다. 이러한 시점 관계가 명료하게 밝혀져야만 공감을 얻을 것으로 본다. 특히 異腦王의 등장은 주목을 요한다고 하겠다. 異腦王의 '異腦'는 '골이 다르다'는 뜻인데, 가라 왕계상 다른 骨系의 등장을 시사하는 왕명인지도 모르겠다. 물론 단순한 音借로 간주할 수도 있겠지만, 이뇌왕의 '腦'는 복잡한 글자인 만큼 그 새김에 의미를 두어야 할 것 같다.

신라와 국혼을 하게 된 것이다. 이로 인해 가라의 국격은 외형상 백제 · 신라와 동격이 된 셈이었다. 그럼에 따라 백제와 가라가 공히 신라와 국혼을 맺는 사이가 되었다. 백제가 신라와 국혼을 맺은 493년부터 29년 후 곧 1세대가 지나 가라는 백제와 대등하게 신라와 국혼을 맺는 사이로 발전하였다. 이러한 정치적 배경에 힘 입어 加羅는 '大加羅'를 칭한 것으로 보인다. 加羅가 실제 大加羅를 칭했음은 다음의 기사를 통해 뒷받침된다.[100]

* 高靈郡은 본래 大加耶國이었는데, 시조 伊珍阿豉王[또는 內珍朱智라고도 하였다]으로부터 道設智王까지 모두 16세 520년이었다. 眞興大王이 침공하여 멸망시키고 그 땅을 大加耶郡으로 삼았다.[101]
* 대가야국 월광태자는 正見의 10세손이다.[102]

전자는 진흥왕이 562년에 가라를 점령한 후 대가야군으로 행정 편제했다는 것이다. 후자의 기사는 최치원이 지은『釋順應傳』에 수록되었다. 그러므로 '대가야' 국호는 가라국 당시의 어느 시점에서 사용한 국호로 보아야 할 것 같다. 그 시점을 가라 왕이 남제로부터 책봉된 479년으로 지목하는 견해가 많다. 그러나 이때는 가라가 백제의 영향력에서 벗어나 독자적인 행보를 시작했을 때였다. 이와 관련해 대가야 양식 토기의 분포 과정을 주목하지 않을 수 없다. 4세기경에 조성된 대가야 양식 토기는 5세기 초에 완성되어 합천 · 남원 지역을 필두로, 5세기 중반에는 합천의 황강 상류, 5세기 말에는 거창 · 함양, 6세기 초에는 진주 · 고성, 6세기 중반에는 남해안과 마산 · 창원 등지로 확산되었다고 한다. 이를 통해 가라 세력의 확산을 감지할 수 있는 것이다.[103] 이 과정에서 가라는 하동 다사진을 놓고 백제와의 경쟁에서 패하고 말았다. 그렇지만 7년 전에 이미 가라는 신라에 접근하여 백제를 견제할 수 있는 확고한 정치적 장치로서 국혼을 성사시켰다. 이 사실은 가라 왕의 권위를 고양시켜 주고도 남았다. 이러한 분위기를 배경으로 백제 · 신라와 대등한 존재로서 대가라를 일컬은 것

100_ 후술하겠지만 '大加耶'는 어디까지나 신라인의 표기라고 하겠다. 加羅人 스스로의 표기는 '大加羅'였을 것이다.
101_ 『三國史記』 권34, 地理 1, 康州 條.
102_ 『新增東國輿地勝覽』 권29, 고령군 건치연혁 조.
103_ 고령 양식 토기의 확산 과정은 김세기, 「대가야연맹에서 고대국가 대가야국으로」『5~6세기 동아시아의 국제 정세와 대가야』, 서울기획, 2007, 75~79쪽에 잘 보인다. 그 밖에 白承玉,『加耶各國史』, 혜안, 2003, 165쪽에서도 언급되었다.

으로 보인다. 부연한다면 가라는 479년에 책봉을 통해 백제의 영향력에서 벗어나 독자적인 행보를 시작하였다. 이와 맞물려 가라는 꾸준히 세력을 확장시켜 급기야는 섬진강 하구의 지배권을 놓고 백제와 다툴 정도로 성장을 거듭했던 것이다. 요컨대 479~522년까지가 가라의 전성기로서 명실상부한 '대가야'였다.

522년에 가라는 백제에 대한 힘의 불균형 즉 비대칭 관계를 만회하기 위해 적극적으로 신라와의 국혼을 서둘렀다. 524년에 "11년 가을 9월에 왕이 남쪽 변방의 새로 넓힌 지역을 두루 돌아보았는데, 이때 가야국왕이 찾아왔으므로 만났다"[104]라고 한 가야국이 대가라라면 양국 간의 우호 관계를 엿볼 수 있다. 529년에 왜가 다사진 분쟁에서 백제편을 들어주자 가라는 신라와 結儻했다고 하였을 정도로[105] 양국의 결속은 한층 강화되는 듯했다. 그러나 그 직후 발생한 가라와 신라의 국혼과 연계된 變服 사건으로 인해 양국 간의 관계가 군사적 대립으로 치닫는 등 험악했다. 즉 가라는 신라의 공격으로 인해 3城과 北境5城을 빼앗기고 말았다.[106] 임나 제국은 자력으로 타개하기 어려운 난관에 봉착하여서는 外勢를 빌릴 수 밖에 없다. 가라 뿐 아니라 임나 제국 전체의 문제로 결부시킨 대책회의에서 정국의 주도권을 새롭게 장악한 세력이 安羅였다. 이는 529년에 남가라와 탁기탄을 다시 세우기 위해 안라가 개최한 高堂會議에서 신라는 大人을 보내지 않았고, 백제 사신은 고당에 오르지도 못하였다.[107] 이처럼 안라가 高堂을 새로 지어 새로운 정치 합의체의 맹주로서의 면모를 보였다는 사실이다. 곧 안라의 새로운 대두를 뜻하는 사건이었다.[108] 이 후 백제는 임나 제국에 진출하여 乞乇城을 지었고, 구례모라성을 축조하는 등 이 곳에 깊숙이 영향력을 미치면서 신라의 西進에 대처하였다.[109]

한편 가라의 마지막 왕인 道設智王이 신라 비문에서 '沙喙部 導設智 及干支(단양신라적성비)'나 '沙喙 都設智 沙尺干(창녕비)'라고 등장하는 인물과 동일한 대상으로 지목하기도 한다. 그러나 수긍하기 어려운 점이 있다. 첫째, 시점이 맞지 않다. 단양신라적성비는 550년이나 그 이전에 건립되었다. 단양신라적성비는 가라가 멸망하는 562년 이전에 세워졌다. 따라서 가라 왕족의 신라 귀부를 운위

104_ 『三國史記』 권4, 法興王 11년 조.
105_ 『日本書紀』 권17, 繼體 23년 3월 조.
106_ 『日本書紀』 권17, 繼體 23년 3월 조.
107_ 『日本書紀』 권17, 繼體 23년 3월 조.
108_ 金泰植, 『加耶聯盟史』, 一潮閣, 1993, 202쪽.
남재우, 「文獻으로 본 安羅國史」 『가야 각국사의 재구성』, 혜안, 2000, 189쪽.
109_ 李永植, 「6世紀 安羅國史硏究」 『國史館論叢』 62, 1995, 119쪽.

하기는 어렵다. 둘째, 관등이 너무 낮다는 것이다. 단양신라적성비에 적힌 도설지의 관등은 신라 17관등 중에서 9등급에 불과하다. 가라의 왕이 신라로부터 받은 관등치고는 너무 낮다. 진골 신분으로 대우받은 남가라 왕족들과는 달리 6두품에 편제된 것이다. 셋째, 同名異人 가능성을 고려해야 한다. 창녕비에 보이는 '沙喙 心麥夫智 及尺干'의 '心麥夫'는 『삼국사기』에 적힌 진흥왕의 이름 '深麥夫'와 동일하다. 그러나 양자는 별개의 인물이다. 넷째, 강원도 동해시 추암동 고분군과 갈야산 고분군에서 500년 중・후반의 대가야 토기들이 출토되었다. 이 사실은 신라가 가라의 지배 세력을 격절된 곳으로 徙民시켰음을 뜻한다. 신라의 가라 지배층에 대한 의식을 반영해준다.

5. 任那聯盟의 성립

532년에 김해의 남가라가 신라에 복속되고 말았다. 이로 인해 任那 諸國은 위기감이 고조되었다. 任那 諸國들은 당초의 任那 곧 김해 세력의 회복이 절체절명의 명제였다. 임나가 지닌 상징성과 대표성 뿐 아니라 당장 諸國들의 절박한 생존 문제였기 때문이다. 그 회복과 관련해 任那는 망하지 않고 살아 있다는 의식을 공유하고자 했다. 6세기 전반에 제작된 우륵 12曲의 탄생 배경도 이와 무관하지 않을 것 같다. 가실왕은 “여러 나라의 방언이 각기 다르니 음악이 어찌 한결같을 수 있으랴?”[110] 고 탄식한 후 이를 극복하기 위해 12곡을 제작시켰다는 것이다. 그렇다고 할 때 거의 몰락하다시피 한 남가라 세력은 포함되지 않은 것으로 간주하기도 했다.

그러나 널리 알려져 있듯이 우륵 12곡 제작의 요체는 신라의 군사적 압박 속에서 가라 중심의 통일을 희구하는 여망과 염원에서 비롯되었다는 점이다. 이러한 맥락에서 볼 때 우륵 12곡과 관련해 대가라가 가장 세력이 왕성했고 영광스러웠던 시점을 상기하지 않을 수 없다. 또 그렇다고 할 때 응당 김해가 포함되지 않을 리 없는 것이다. 신라에 넘어가고 있는 김해 즉 임나는 명실상부한 가라연맹의 원조이기도 했다. 이는 곧 ‘가라’와 ‘남가라’에서 암시받을 수 있는 것이다. 여기서 ‘가라’라는 공통분모 線上에서 볼 때 ‘상가라도(고령)’에 대응하는 짝인 ‘하가라도’는 김해(임나)일 수밖에 없다. 또 그러한 해석이 지극히 자연스럽지 않을까 싶다.

대가라의 가실왕이 우륵을 시켜 제작한 가야금 12줄에도 小國名이 섞여 있다. 그런 관계로 12줄의 의미를 분석한 지견들이 제기되었다. 2줄로만 구성된 몽골의 민속악기인 馬頭琴은 전세계의 모든 소리를 담고 있다고 한다. 가야금 12줄도 대가라를 중심으로 한 예하 소국들 간의 화합과 번영 나아가 ‘통합’의 의미가 담긴 것으로 보인다. 대가라가 분열되는 상황에서 제작된 가야금은 정치적 현안을 타개하려는 절박한 정서가 묻어 있었다.

절박한 상황의 임나 제국으로서는 任那를 회복한다고 출병하여 영토 야심을 드러낸 백제 보다는 倭 세력과 연동하는 게 현실적일 수 있었다. 임나 제국의 손익계산 속에서 결국 544년경에 安羅를 軸

110_ 『三國史記』 권32, 雜志, 樂志.

으로 하는 親倭的인 임나연맹이 결성되었다.[111] 이러한 추정은 다음의 기사를 토대로 유추할 수 있다.

> 임나는 安羅를 兄으로 삼아 오직 그 뜻을 좇고, 安羅人들은 日本府를 하늘로 삼아 오직 그 뜻을 따를 뿐입니다[百濟本記에는 安羅를 아버지로 삼고 일본부로써 근본을 삼았다고 하였다].[112]

그리고 "이에 조칙을 내려 '지금 백제 왕 · 안라 왕 · 가라 왕이 일본부의 신하들과 함께 사신을 보내 아뢴 것은 다 들었다'"[113]고 한 구절에서 가라 뿐 아니라 안라에도 王이 존재한 사실이 포착된다. 이 사실 역시 안라가 가라와 대등한 입장에서 독자적인 연맹을 결성한 증좌로 해석할 수 있다. 그러면 안라는 대외적으로 어떤 세력을 끼고 있었을까? 이는 "신라와 狛國이 通謀하여 이르기를 '백제와 임나가 자주 일본에 나아가니 이는 軍兵을 구걸하여 우리나라를 정벌하고자 말하려는 뜻입니다. … 일본의 군대가 떠나기 전에 안라를 공격해서 빼앗아 日本路를 끊자'고 합니다 … "[114]라고 했듯이 안라와 왜가 연결된 사실에서 실마리를 찾을 수 있다. 곧 안라와 왜를 분리시키면 신라의 임나 석권이 가능하다는 것이다. 이러한 주장은 사실 여부를 떠나 안라 중심 임나연맹 결성 배경으로 작용했다는 사실이다. 임나 제국은 신라가 김해 일원을 장악하는 등 그 西進에 위기감을 느껴 공동 대응할 필요에서였다. 그렇다고 임나 제국이 이 상황을 호기로 삼아 임나의 下韓에 군령과 성주를 파견한 백제에 의존할 수는 없었다. 결국 임나연맹은 신라와 백제에게 동 · 서로 계속 침탈되고 있었다. 임나연맹은 상실한 권역의 회복을 위해서는 왜와 적극 제휴해서 그 세력을 끌어들이는 게 효과적이라는 판단을 했다.

결국 임나일본부는 이때 임나연맹에 개입했던 왜 세력의 존재를 확대 · 소급시킨 所以라고 할 수 있다. 더불어 안라는 東進을 개시하는 백제를 막기 위해서는 현실적으로 백제에 힘을 행사할 수 있는 고구려와 손을 잡는 게 필요했다. 이러한 선상에서 548년에 안라의 요청으로 고구려가 백제의 馬津城을 포위하기도 했다.[115] 안라는 백제를 견제하기 위해 고구려와 밀통하여 양국 간에 전쟁을 벌

111_ 남재우, 「文獻으로 본 安羅國史」『가야 각국사의 재구성』, 혜안, 2000, 193쪽.
112_ 『日本書紀』 권19, 欽明 5년 3월 조.
113_ 『日本書紀』 권19, 欽明 13년 5월 조.
114_ 『日本書紀』 권19, 欽明 14년 8월 조.
115_ 『日本書紀』 권19, 欽明 9년 4월 조.

이게 하였다.[116] 안라는 백제의 영향권에서 벗어나기 위해 신라와도 접촉했다. 이는 다음의 기사에서 확인할 수 있다.

> 백제는 안라의 일본부가 신라와 더불어 通謀한다는 말들 듣고 … 안라 일본부의 河內直인 신라와 공모한 것을 심하게 꾸짖었다.[117]

이와 관련해 우륵이 신라에 투항한 동기인 "그 國亂에 미쳐"는 가라와 안라의 갈등을 비롯한 임나 제국의 세력 분열을 암시해준다. 게다가 임나 제국에 대한 가라의 주도권 상실을 의미하는 현상으로 해석된다. 이와 관련해 대가라의 코밑에 소재한 多羅의 경우 옥전고분에서 墓制 뿐 아니라 出字型立飾 금동관이 출토되는 등 신라화 양상을 보인다.[118] 이는 곧 가라 중심 세력권의 와해와 이탈을 암시하는 현상으로 받아들여진다.

강수는 신라 태종 무열왕(재위: 654~661) 앞에서 자신의 정체성을 '任那加良'에서 찾았다. 가라가 멸망한 지 거의 100년이 된 때였다. 여기서 任那와 加羅는 기실은 同種이었을 뿐 아니라, 양자의 통합 의지에 따라 任那加羅國은 가장 번성했던 시점을 상징하는 국가 이름으로 간주되었던 것 같다. 그랬기에 그 유민들에게는 긍지의 源泉으로서 임나가라연맹은 회자되었던 것으로 보인다. 한편『삼국사기』에서 加羅를 加耶 혹은 加良 등으로 표기하였다. 加羅의 異表記인 駕洛이나 加耶·加良은 어디까지나 신라인들의 호칭에 불과하였다.『삼국사기』奈解 이사금 14년 7월 조의 '加羅' 표기는 원래의 표기를 고치는 과정에서 누락된 당초의 표기일 뿐이었다. 이를 통해 '加羅'가 오히려 당대의 표기임을 다시금 뒷받침할 수 있다.

116_ 金泰植,『加耶聯盟史』, 一潮閣, 1993, 288쪽.
117_ 『日本書紀』권19, 欽明 2년 7월 조.
118_ 조영제 外,『합천 옥전고분군5-M4·M6·M7호분』, 경상대학교박물관, 1993, 84~89쪽. 173쪽.

6. 加羅의 범위와 해체 · 멸망 과정

1) 加羅의 국호 범위

흔히 가야연맹이나 가야제국이라고 하면 현재의 경상북도 서북부 일원과 경상남도 일원이 가야라는 이름의 연맹이나 가야를 공통분모로 하는 동질적인 정치 집단으로 간주되기 십상이다. 그러나 기실 加耶 즉 加羅로 일컬어진 세력은 김해와 고령 세력에 불과하였다. 여타의 낙동강유역과 남강유역의 諸小國들은 安羅를 비롯한 독자적인 국호를 지니고 있었다. 결국 '加羅'로 포괄할 수 있는 소국은 김해와 고령 兩大 세력에 불과하였다. 비록 兩大 세력이 이들 지역에서 정치적으로나 문화적으로 지대한 비중을 지녔다고 하더라도 죄다 加羅나 加耶로써 담겨질 수는 없었다. 그러므로 굳이 그 代案을 제시한다면 문제가 전혀 없는 것은 아니지만 차라리 『일본서기』나 『通典』에서처럼 總稱으로서의 사용이다. 즉 任那를 공통분모로 하는 '任那 諸國'으로 호칭하는 게 온당하지 않을까 싶다.

김해의 狗邪國에서 비롯된 加羅 국호는 고령의 반파국과 연맹 관계를 결성함에 따라 兩國을 통칭하게 되었다. 양국이 연맹을 결성하게 된 前提는 낙동강 水路로 연결될 수 있을 뿐 아니라 백제의 세력 확대에 따른 교역권에 대한 위협이 고령 세력과 연결되는 직접적인 계기였던 것이다. 여기서 加羅는 '더하여 網羅한다'는 의미를 지녔는데, 김해와 고령 세력의 연맹 결성과 관련한 의미 심장한 국호였다. 『남제서』나 『일본서기』에서 표기한 加羅가 당시 加羅人들 스스로가 표방했던 국호임이 분명하다. 반면 『삼국사기』 등에 보이는 加耶나 加良 혹은 駕洛은 어디까지나 加羅를 멸망시킨 신라인들의 표기에 불과하였다. 특히 『삼국사기』에서 그 용례가 가장 많은 국호가 '加耶'였다. 그런데 '耶'는 의문을 나타내는 助辭였다. 그런 만큼 自稱인 加羅와는 달리 他稱'인 加耶'는 '더했다고?'하며 비꼬는 의미이다.

2) 加羅의 해체 과정

남가라에는 3세기 말을 기점으로 그간의 漢代 · 樂浪的 문화 색채에서 비중국적, 북방유목민족적 문화의 색채로 급격히 전환하였다. 이처럼 '폭발적이라할 만큼 북방계 유물의 대규모 유입'은 단순한 문화변동에만 한정시켜 보기 어려운 측면이 많다. 그 가운데 북방계 목곽분들에 의한 선행 분묘 파괴는 기존의 체제를 부정하는 것으로 해석되었다. 그렇다고 할 때 부장품이 말하는 바처럼 기마전을 구사하는 부여계 주민의 유입을 상정할 수 있다. 정복국가의 출현을 배제할 수만도 없게 한다. 그럼에도 대성동 목곽분의 계통을 한반도 서북 지역과 관련 짓는 견해가 제기되었다. 그러나 편년과 계통이 보다 확실하게 담보될 때, 문헌자료와 연관지어 그 성격을 논할 수 있을 것 같다.[119]

김해와 고령 세력 연합체인 加羅聯盟 곧 任那加羅聯盟은 400년 고구려군의 南征으로 인해 戰場이 된 김해 세력이 타격을 입었다. 이로 인한 힘의 비대칭성이 드러났다. 결국 백제의 고령 세력 지원이라는 형태의 개입으로 인해 양국 간의 연맹은 해체되고 말았다. 반면 꾸준히 세력 확대를 도모하던 고령 加羅의 존재는 451년 倭王의 작호에까지 등장하였다. 가라 왕은 급기야 백제가 한성 함락과 웅진성 천도 이후 내분에 휩싸인 틈을 이용해 남제로부터 책봉을 받았다. 이로 인해 가라의 존재가 크게 부각되고 입지가 확대되는 일대 전기가 구축되었다. 이후 522년에 가라는 신라 왕실과의 國婚에 성공하였다. 이 사건은 신라와 국혼을 맺은 백제에 뒤떨어지지 않는 권위와 국가적 위상을 가라에 안겨 주었다. 479년~522년 무렵 가라는 大加羅를 표방했던 것으로 보인다. '大加羅'는 加羅의 元祖인 김해 세력과의 차별화와 우월성을 과시하는 의미가 담겨 있었다. 가라의 성장은 6세기 초 다사진 장악과 관련해 백제와 충돌한 데서도 읽을 수 있다.

그런데 532년에 김해의 남가라가 신라에 복속되고 말았다. 본시 任那로 일컬어졌던 남가라의 멸망은 임나 제국에 크나 큰 위기 의식을 가져 왔다. 이러한 위기감 속에서 멸망한 任那의 이름을 낙동강유역과 남강유역 諸國이 共히 사용하면서 결속을 다지는 기제로 삼았다. 임나의 멸망을 인정하고 싶지 않은 정치적 의도에서 이들 諸國 전체의 이름으로 임나를 확대한 것이다. 임나 제국은 신라의 西進과 이를 빌미로 임나의 下韓에 진출하고 있는 백제를 함께 견제하기 위해서는 親倭 세력의 힘이 필요했다. 부장품을 놓고 볼 때 대가라에는 백제가, 그 밑의 합천 多羅에는 신라가 침투해 있었다. 이러한 분열을 틈타 안라가 임나 제국에 대한 주도권을 장악함으로서 임나연맹이 탄생했다.

지금까지 살펴 본 바에 따르면 임나 제국의 흥쇠는 첫째 김해 구야국의 성장, 둘째 김해와 고령 세력 연합체인 (임나)가라연맹의 결성, 셋째 가라의 독자 성장과 대가라의 표방, 넷째 안라의 대두와 임나연맹의 결성으로 요약할 수 있다. 그런데 554년 백제와 가라 연합군이 관산성 전투에서 대패함에 따라 그로부터 8년 후 가라 뿐 아니라 임나연맹은 신라에 복속되고 말았다.

119_ 李道學, 「4세기 정복국가론에 대한 검토」『韓國古代史論叢』6, 韓國古代社會硏究所, 1994, 245~278쪽.

가라의 멸망은 결산이 동일하지 않았다. 남가라의 경우는 532년에 구형왕이 나라를 들어 신라에 귀부했다. 남가라의 신라 귀부는 임나 제국에 엄청난 동요와 파장을 야기하였다. 귀부에 대한 功으로써 구형왕과 그 후손인 무력과 김유신은 진골 귀족으로 대우를 받았다. 남가라와는 달리 가라는 신라의 공격을 받아 멸망했다. 사다함이 선봉에서 가라를 공격할 때 명분으로 '加耶叛'을 언급했다.[120] 가라가 진흥왕이 설정한 帝王 秩序에서 이탈했음을 뜻한다. 강원도 동해시 추암동 고분군과 갈야산 고분군에서 500년 중・후반의 대가야 토기들이 출토되었다. 이 사실은 신라가 가라의 지배 세력을 격절된 곳으로 徙民되음을 뜻한다.[121] 그런데 토기가 전세품이라는 점을 고려하면, 이들 역시 우륵처럼 가라 멸망 이전에 신라에 귀화했을 가능성이다. 이와 더불어 합천 저포리 고분군과 울진 덕천리 고분군의 사례도 사민과 결부 지어 제시할 수 있다.[122] 강릉 초당동 A-1호묘는 주곽의 중앙에 소형 석곽을 마련하고 그 위에 판석을 덮은 구조인데, 고령 지산동 30호분과 유사하다.[123] 이 역시 가라 주민의 강릉으로의 사민과 결부 지어 볼 수 있다.

그런데 신라 진흥왕이 551년에 낭성(충주 탄금대토성)에서 가라의 악사 于勒을 만나고 있다. 그리고 任那加良人 출신의 强首가 中原京 沙梁人이었다. 이 사실은 가라인들이 562년의 멸망 이전에 신라로 망명하여 국원성에 사민되었음을 알려준다. 가라는 멸망보다 앞선 551년 이전에 이미 해체의 길을 걸었음을 뜻한다. 우륵의 귀부 배경도 "그 나라가 장차 어지러워지려고 하여"라고 했다. 그렇지만 가라는 551년에 백제와 함께 한강유역 회복전에 참전하였다. 554년에도 가라는 백제와 함께 관산성 전투에 참여했다. 그런데 551년 이전에 가라는 내부적으로 분열되어 있었다. 그럴 때일수록 가라의 백제에 대한 의존도는 높아졌기에 551년과 554년에는 백제의 지원 세력으로 참전한 것으로 보인다. 562년에 신라가 대가라를 공격하여 멸망시킨 사건을 '加耶叛'이라고 했다. 가라는 562년 9월에 '叛'이 일어나기 전에 가라의 주요 지배 세력은 신라로 흡수되었고, '叛'을 계기로 신라에 완전히 편입되어 멸망한 것으로 판단된다.[124] 554년의 관산성 전투에서 신라는 백제군을 궤멸시키고 가라를 접수했던 것 같다. 561년에 진흥왕은 창녕에 행차하여 각 방면의 군사령관들을 불러 집결시

120_ 『三國史記』 권4, 진흥왕 23년 조.
121_ 박천수, 『가야 토기-가야의 역사와 문화-』, 진인진, 2010; 한국고고학회, 『한국고고학 강의-개정신판-』, 사회평론, 2011.
122_ 李東熙, 「후기가야 고고학 연구의 성과와 과제」 『가야사연구의 현황과 전망』, 주류성, 2018, 117쪽.
123_ 최종래, 「江陵 草堂洞古墳群의 造營集團에 대해서」 『영남고고학』 42, 2007, 5~34쪽.
124_ 신가영, 「대가야 멸망과정에 대한 새로운 이해」 『가야사연구의 현황과 과제』, 주류성, 2018, 311쪽.

켰다. 그리고 순수비를 건립했다. 이는 영역화에 반발하는 가라에 대한 무력 시위였다. 562년에 신라는 자국의 조치에 반발하는 가라를 '叛'으로 간주하여 무력으로써 통합했다. 이와 관련해 550년 전후하여 세워진 단양신라적성비에 등장하는 '沙喙部 導設智 及干支'의 '導設智'가 가라의 마지막 왕과 동일 인물이라는 견해가 있다. 이 견해의 타당성 여부를 떠나 551년 이전에 가라의 지배 세력이 신라에 귀부했음은 분명하다. 그러나 국가 자체의 신라 귀속을 가라가 거부했기에, 562년에 신라가 정벌을 단행한 것이었다.

그림 31 | 산청의 전 구형왕릉 부근 재실에 보존되었던 구형왕과 계화 왕비 영정

7. 加羅의 사서

김해 駕洛國 연구에서 빼놓을 수 없는 문헌이『삼국유사』에 인용된「開皇錄」혹은「開皇曆」이다. 兩者는 동일한 문헌을 異記한 것이 분명하다. 당초『駕洛國記』에 轉載되었다.「開皇錄(曆)」은『삼국유사』에 다음과 같이 인용되어 있다.

* 首露王壬寅二月卵生 是月即位 理一百五十八年 因金卵而生 故姓金氏 開皇曆載(王曆)
* 開皇曆云 姓金氏 盖國 世祖從金卵而生 故以金爲姓尓(居登王)
* 開皇録云 梁中大通四年壬子降于新羅(仇衡王)

「開皇錄(曆)」의 편찬 시기에 대해 書名인 '開皇'은 隋 文帝代의 연호(581~600)와 부합한다는데 유의했다. 그 결과「開皇錄(曆)」을 신라 진평왕대(579년~632)에 편찬한 서적으로 지목하였다.[125] 그런데「開皇錄(曆)」이 '開皇' 연간에 편찬되었다는 근거는 어디에도 없다. 이 때는 가락국이 신라에 합병된지 50년이 지난 시점이다. 게다가 開皇 연간에 신라에서는 鴻濟(572~584)와 建福(584~632)이라는 독자 연호를 각각 사용하고 있었다. 그럼에도 가락국 왕족들이 굳이 隋 연호에서 취하여 駕洛國 왕실의 역사나 國家史를 편찬했다는 것은 어색하다. 비록 개황 연간이 아니라 그 보다 후대에 편찬되었다고 하자. 그렇다고 하더라도 가락국 왕족들이 隋 연호로써 書籍 名을 붙여야할 당위성은 어디에도 없다. 가락국 왕족들이 신라에서 重用되고 있었기에 더욱 그러한 생각이 든다. 따라서 기존의 견해와는 다른 시각에서「開皇錄(曆)」書名이 지닌 의미를 탐색해야 할 것 같다.[126]

「開皇錄(曆)」의 '皇'에는 "惟皇上帝(『書經』)"에서처럼 '大'의 뜻이 담겼다. 그렇다면 '開皇'은 '크게 열었다'는 뜻이 된다. 이에 의하.「開皇錄(曆)」은 가락국 開國부터 멸망할 때까지의 全史를 기록한 史書일 수 있다. 혹은 皇은 "信上皇而質正(『楚辭』)" 즉 天帝나 萬物의 主宰者라는 의미로도 사용되었다. 이에 의한다면「開皇錄(曆)」은 "천제께서 열으셨던 기록"・"천제께서 펴신 기록"・"천제께서 다스리

125_ 三品彰英.「三國遺事考證・駕洛國記(二)」『朝鮮學報』30, 1964;『三國遺事考證(中)』, 塙書房, 1979, 369~370쪽.

126_ 이와 관련해 鄭仲煥,『加羅史硏究』, 혜안, 2000, 362쪽에서 "…'開皇'이란 말은 '皇國을 개창하였다'라는 뜻에서 나온 것이라 할 것이다"라고 하여 이미 비슷한 견해가 제기되었음을 발견했다. 이로써 본 논지는 힘을 얻게 되었다.

신 기록"・"천제께서 다스리신 해" 등의 해석이 가능해진다. 이 중 「開皇錄(曆)」을 "천제께서 열으셨던 기록"이라고 한 해석은 "皇天이 나에게 명하기를 이곳에 가서 나라를 새로 세우고 임금이 되라고 하여 이런 이유로 여기에 내려왔으니"[127]라는 『駕洛國記』 首露王 天降 설화와 어긋나지 않는다.

127_ 『三國遺事』 권2, 紀異, 駕洛國記. "皇天所以命我者御是處惟新家邦為君后 為玆故降矣"

8. 임나일본부설의 배경

임나일본부설의 근거는 『일본서기』에 적힌 진고황후(神功皇后)의 신라 정벌에서 출발하였다. 물론 진고황후의 신라정벌설은 사실로 받아들여지지 않는다. 다만 그 배경에 대해서는 백강 패전에 대한 보상 심리 차원에서 지어낸 허구로 간주하기도 한다. 이렇게 간주하면 간단하지만, 이와 엮어진 모든 기록들이 외형상 일관성을 지니고 있다. 그러므로 한 마디로 부정하기 어려운 복합적인 측면이 보인다. 과거 일본 학계에서는 6세기가 되어도 변한 지역이 소국 분립 상태가 계속된 이유로써 4세기 후반에 임나일본부가 설치된 데서 찾았다. 이러한 추측은 현상에 대한 원인론으로써 임나일본부를 들씌운 것에 불과하다. 변한 지역에서 소국 분립이 장기화된 이유를, 산맥에 의한 분단과 낙동강과 남강이라는 하천과 같은 지리적 조건에서 찾기도 한다. 낙동강은 개개의 소국을 분단할 뿐 아니라, 그 西岸과 東岸은 변한과 진한으로 나누어진다.[128] 이처럼 산맥 뿐 아니라 水路 역시 통합을 장애하는 구분 요인이 되었다는 것이다.

그러면 우선 진고황후 신라정벌설과 관련해 倭가 신라를 가리켜 눈부신 金銀이 나라에 많다고[129] 했다는 사실을 주목해 본다. 이 기록은 왜가 신라를 침공한 동기였을 수 있다. 신라는 왜 뿐 아니라 마한과 동예, 그리고 중국 군현에도 철을 수출하였다. 그런데 신라는 성장해 가는 왜 세력에 대한 경계심을 품게 되었다. 결국 신라는 유수한 제철산지인 달천철장을 전략화하여 왜에 대해서는 금수했던 것 같다.

왜로서는 신라로부터의 철 수입이 차단된 데 따른 불만이 고조되었다. 왜는 신라를 침공하여 제철을 확보하고자 했다. 실제 왜가 신라를 끈질기게 침공해 왔던 요인을 "후세 신라와 일본 사이에 일어난 부단한 투쟁의 중대한 원인의 하나도 이 鐵의 쟁탈에 있었을 것이다"[130]고 단언했다. 「광개토왕릉비문」에 보이는 왜군의 신라 침공도 이러한 선상에서의 해석도 일부 가능해진다. 진고황후의 신라정벌설에 따르면 신라를 정복해서 항복을 받아냈다고 했다. 그러나 기록상 정작 일본부가 설치된 곳은 任那 지역이었다. 서로 모순되는 것이다.

128_ 井上秀雄, 『古代朝鮮』, 日本放送出版協會, 1972, 62쪽.
129_ 『日本書紀』 권8, 仲哀 8년 8월 조.
130_ 孫晉泰, 『朝鮮民族史槪論(上)』, 乙酉文化社, 1948, 78쪽.

왜는 그간의 제철 수입 창구였던 신라로부터의 경로가 차단되었다. 그러자 왜는 불가피하게 가라로부터 제철을 구입했던 것 같다. 왜와 해변에 소재한 탁순국(창원)과의 교류도 買鐵 차원에서 해석된다. 그런데 366년에 백제가 왜의 매철에 개입하게 된다. 그럼에 따라 백제와 왜는 철을 매개로 새로운 교역 관계를 트게 되었다. 이로써 양자가 정치적 동반자 관계로까지 발전하는 계기가 되었던 것이다.

당초 上·下加羅聯盟을 가리키는 任那加羅였다. 그런데 任那는 下加羅인 김해 세력의 쇠퇴 이후 弁辰諸國을 가리키는 범칭이 되었다. 任那에는 지역연맹체들이 할거하는 상황이었다. 분립되었던 변진제국의 소연맹체들은 신라의 경략을 받아 해체와 흡수의 과정을 밟고 있었다. 이에 대한 공동 대응 목적으로 安羅 중심의 임나연맹이 구축된 것이다. 이때 안라와 왜와의 연락소가 임나연맹 안의 倭府였다. 『일본서기』에는 倭府를 임나일본부로 기록했다고 한다.

그러한 倭府의 '府'를 '將軍府'로 간주하는 견해가 제기되었다. "즉 軍團의 사령부이기도 하고, 사령관에 직속된 부대이기도 하고, 또 그 병사들이 생활하는 屯田의 조직이기도 하다"고 하였다. 391년 이래 왜국이 한반도에 개입한 이래 백제와 왜국을 맺어주는 교통로는 낙동강 계곡을 통한 오래된 街道였다. 왜국의 병참기지가 이 沿道에서 발달하는 것은 당연한 일이었다. 이와 더불어 임나 諸國 사이에서는 왜인들의 屯田 부락이 성장하게 되었고, 이것을 일러 '임나의 官家' 혹은 '임나의 縣邑'이라고 하였다. 509년의 시점에서 왜국에서 건너와 임나의 일본 縣邑에 거주하는 백제인의 망명자를 3대와 4대 자손에 이르고 있으니, 최소한 100년의 역사를 지니게 되었다고 했다. 391년은 이보다 약 120년 전이니까, 왜국이 한반도에 왜인의 정착지를 설치한 것은 그 때일 것이다는 주장이다.[131] 이 견해는 「광개토왕릉비문」에서 왜가 한반도에 건너왔다는 辛卯年인 391년을, 왜군의 진출 시점으로 설정했다. 왜군의 주둔과 관련한 병참 즉 屯倉에서 소위 임나일본부설의 기원을 찾았다. 그러나 「광개토왕릉비문」에서 신묘년 이래로 건너왔다는 왜는 백제와 연계되어 있다. 그러므로 낙동강유역에 설정했다는 왜인들의 둔전과는 결부 지을 수 없다. 왜군이 진출했다면 백제를 통한 兵站이 가능하기 때문이다. 그리고 岡田英弘은 임나일본부의 당초 이름인 '倭府'는 '將軍府' 즉 군단 사령부를 가리킨다고 했다. 여기서 한 걸음 나가 임나일본부=군사령부설은 백제군 사령부설로 발전하였다. 백제군 사령부설은 주체를 왜에서 백제로 전환한 데 불과했다.

131_ 岡田英弘, 『倭國』, 中央公論社, 1977, 142~143쪽.

9. 가라와 倭의 연결 고리?, 기마민족 정복왕조설

일본이 태평양전쟁에서 패전한 후인 1948년 좌담회 석상에서였다. 당시 도쿄대학 교수였던 에가미 나미오(江上波夫, 1906~2002)는 '騎馬民族說'이라는 가위 폭탄적인 신설을 제기하였다. 씨에 의하면 놀랄만한 기동성을 생명으로 하는 기마민족이 만주 지역에서 한반도를 경유한 후 일본열도로 진입하여 통일국가를 실현했다는 것이다. 그는 일본 천황가의 기원을 여기에서 찾고는, 自說을 '기마민족 정복왕조설'로 명명했다. 이 학설은 戰前에는 감히 입도 뗄 수 없었던 일종의 터부를 건드린 것으로서 쇼킹 그 자체였다.

에가미에 의하면 유목민족에서 기마민족으로 급변하게 된 계기는 기동성을 담보받는 기마전술의 도입이었다고 한다. 광대한 풀밭과 많은 말들을 사육하는 기마민족에 비해 농경민족은 그 정반대 조건에 놓여 있었다. 도시를 비롯한 고정된 취락에서 살던 농경민족이 아무리 튼튼한 방어 시설을 구축했다고 하더라도 보통 그 허술한 곳을 틈타 기습하는 기마민족을 상대할 수 없었다. 그랬기에 중국 漢의 1개 郡 밖에 되지 않는 적은 인구의 흉노에게 漢帝國 전체가 오랜 기간에 걸쳐 몰리게 되었던 것이다. 그런데 이 학설의 주체인 기마민족은 스키타이계의 기마민족 문화와는 다른 3~5세기 무렵의 중국화된 胡族 문화의 주인공인 흉노·선비·오환·부여·고구려를 가리킨다. 이들은 말타고 활 쏘는 騎射에 적합한 馬具·刀劍·弓矢·服裝·甲冑 등에서 강렬한 특색을 보이고 있다.

실제 부여나 고구려의 시조는 물론이고 고구려 왕들은 활을 잘 쏜다거나 기마에 능했고, 말을 잘 감별하는 능력을 갖추었다. 이와 관련해 고구려는 49년에 중국의 베이징 근방인 北平·漁陽·上谷·太原 등지를 급습하였다. 이 때 고구려 군대가 국경에서 출발했다고 하더라도 무려 왕복 7,000리~8,000리에 이른다. 이러한 대원정은 빼어난 기마술이 전제되지 않고서는 상상하기 어렵다.

에가미가 주창한 기마민족 정복왕조설의 요지는 부여·고구려 계통의 기마민족이 남하한 후 한반도 남단의 금관가야를 발판으로 북규슈로 진출했다는 것이다. 이곳에서 다시 기나이 지역에 진출하여 일본열도 최초의 통일국가를 실현했다고 한다. 이 학설은 문헌자료 외에 고고학·민족학·언어학적 방법론을 폭넓게 적용하여 체계화시킨 것이다. 이러한 기마민족설은 한반도의 천손강림설화가 일본의 그것과 일치한다는 점에 착목하였다. 즉『삼국유사』6가야건국설화가『고사기』와『일본서기』에 등장하는 천손 니니기노미코도의 天降神話와 연결된다는 것이다. 가령 지배자가 모두 천손의 명을 받아 천강하였고, 하늘에서 布 같은 것에 싸여 내려 오고, 천강 지점이 '구지'와 '쿠지후루' 峰

으로 음이 서로 같았다. 그리고 시조인 神武天皇의 東征說話는 바다를 건너 새로운 땅에 건국했으며, 바다에서는 거북의 도움으로 무사히 건널수 있었고, 시조의 아버지는 하늘이고, 그 어머니는 海神의 딸이라고 했다. 이는 江과 연계된 동명왕의 남하건국설화와 대강의 줄거리가 일치하고 있다. 이처럼 일본 건국신화에 부여와 가라계 설화가 공존하고 있다는 사실은 곧, 부여 계통의 기마민족이 남하 도중 일시 가라 지역에 정착하여 연고를 맺었기 때문이라고 했다. 이러한 가설은 고고학적으로 어느 정도 뒷받침된다는 게 강점이다.

가령 고고학적으로 볼 때 일본에 통일정권이 형성된 시기는 후기고분시대(5세기 말~7세기 말)에 해당된다고 한다. 이 시기 고분들에는 한반도계의 무기·마구·호사한 장식품 등이 잔뜩 부장되어 있다. 이는 전기고분(3세기 말·4세기 초~5세기 말)의 부장품이 寶器的이고 주술적인 것과는 커다란 차이를 보인다. 이러한 현상은 곧 동북아시아의 기마민족문화가 금관가야를 경유하여 일본열도로 진출한 증거라는 것이다. 에가미는 1992년에 45년간에 걸친 자설을 완료하면서 김해 대성동 고분군을 부여계 기마민족의 능묘로 간주하였다. 그리고 이곳에서 한꺼번에 확인된 목곽묘·순장 습속·호랑이 모양 띠고리·오르도스형 청동솥의 존재가 그것을 명료하게 입증해 준다고 결론지었다.

에가미에 의하면 금관가야(임나)에 정착했던 기마민족은 4세기 전반기에 북규슈로 진출하게 된다. 이 때의 영도자는『일본서기』에서 제10대로 기록된 슈진 천황(崇神天皇)이며, 앞서의 천손강림신화는 이 단계의 이동을 반영한다고 했다. 슈진 천황을 任那(미마나)의 궁성에 거주한 천황이라는 뜻의 '미마키[御間城] 天皇'으로 호칭하고 있다. 그런데『일본서기』에서 임나의 어원이 슈진 천황 이름에서 유래했다고 한 것은, 그가 영도하는 기마민족이 임나에서 출원했음을 시사해 준다고 했다. 이러한 슈진 천황을『일본서기』에서 '御肇國 天皇'이라고도 하였다. 이는 문자 그대로 '일본국을 시작한 천황'이라는 의미이므로 실질적인 야마토 정권의 창시자임을 뜻한다고 보았다. 이 슈진 천황이 영도하는 북규슈의 기마집단은 바다 건너 임나에 걸친 倭·韓 연합왕국을 건설하였다. 그리고 4세기 말에서 5세기 초에는 고구려에 대항하는 한반도 남부 여러 세력의 작전권을 주도할 정도로 성장했다는 것이다. 이들 집단의 영도자로서 제15대로 기록된 오우진(應神) 천황은 기마집단을 이끌고 북규슈에서 오사카 지역으로 진출하여 일본의 통일국가를 완성했다고 한다.

그림 32 | 김해 대성동 고분에서 출토된 선비-부여계 유물들

이와 관련한 오사카 지역의 대형 전방후원분인 오우진 천황릉과 닌도쿠 천황릉(仁德天皇陵) 등은 규모에서 피라밋에 필적하는 대규모 건조물이다. 이는 절대 권력을 과시한 야마토 정권의 엄연한 존재와 통일국가의 기초 확립을 명시한다고 보았다. 대체로 이같은 요지의 웅장한 스케일과 박진감 넘치는 기마민족설은 대세론적인 입장에서 크게 주목을 요하는 획기적인 학설임에 틀림없다.

한편 와세다대학 교수였던 미즈노 유우(水野祐, 1918~2000)가 1966년에 'Neo 기마민족설'을 제기하였다. 이 학설은 한반도계의 정복왕조가 남규슈에 세운 狗奴國이, 북규슈에 있던 邪馬臺國을 정복하고, 4세기 중엽에는 기나이 서쪽인 혼슈 서반부를 통일한 原야마토(大和)國을 타도했다는 것이다. 그 결과 구노국은 명실공히 서일본의 통일국가가 되었지만, 기나이 지역으로 천도하지 않고 규슈에 거점을 두었다고 한다. 그것은 4세기 말부터 백제와 더불어 고구려의 남진에 대항하기 위한 전략적 필요에 따른 것이었다. 그러나 고구려와의 싸움에서 패한 구노국은 규슈 지역과 연락이 편리한 세도나이카이灣에 위치한 기나이의 야마토 지역으로 천도하게 된다. 이 때가 오우진 천황을 이은 닌도쿠 천황 때에 해당된다는 것이다. 그러한 근거로서 기나이 지역의 후기 고분(5세기 말~7세기 말) 출토품이 전기와는 달리 그 성격이 급변하게 된 이유를, 닌도쿠 천황이 東征해 온 외래 집단인

데서 찾았다.

가라사에서의 기마민족 정복국가설은 申敬澈이 제기하였다. 씨는 자신이 발굴한 김해 대성동 29호분의 성과를 기반으로 3세기 말에 순장이나 厚葬과 같은 정신 문화와 더불어 금공품과 도질토기·오르도스형 청동솥·굽은 칼[曲刀]과 장례 후 목곽을 불에 그슬리는 습속·步搖가 달려 있는 북방 유목민족 계통 冠·마구와 갑주 등에 주목했다. 이 같은 '3세기 말 대변혁'의 배경을 285년 모용선비의 공격으로 파국을 맞아 동만주로 이동해 간 부여계 일파가 동해를 이용하여 김해 지역에 등장했고, 이것이 곧 금관가야 즉 남가라의 성립으로 이어졌다고 한다.

지금까지 소개한 기마민족 정복국가설은 스케일의 웅장함과 더불어, 논리 전개의 역동성을 뒷받침해 주는 고고학적 물증과 문헌고증까지 수반되었다. 그러므로 일각의 냉소적인 시각에도 불구하고 한국사의 폭과 무대를 크게 확대시켜 준 만큼, 신선한 자극제가 될 것임은 분명하다.

기마민족 정복왕조설의 냉소적 시각과 관련해, 기마민족은 말을 제물로 사용하는 게 공통적인 습속인데, 기마민족이 건국했다는 일본은 국가제사에서, 그리고 백제에서는 말을 제물로 희생한 흔적은 발견되지 않는다고 했다.[132] 그러나 풍납동토성 경당 지구 9號遺蹟에서는 9체분 馬頭와 1체분 牛頭 모두 10개의 獸頭가 출토되었다. 이러한 짐승뼈는 모종의 제의와 연관 짓게 하였다.[133] 실제 풍납동토성 197번지 일대의 나-10호 주거지에서는 말의 견갑골을 이용한 卜骨이 확인되었다.[134] 따라서 馬頭坑은 祭儀 유구일 가능성을 높여주었다. 그러한 마두갱은 중국 지린성 위수시 라오허선에서도 확인되었다. 이러한 마두 제의 유구는 고구려 영역에서는 명확하게 알려진 바 없다. 오히려 풍납동토성에 거주했던 백제 건국세력의 계통은 "其國善養牲"[135], 즉 제사 때 제물로 바치는 가축인 희생을[136] 잘 길렀다는 부여와 연관될 가능성을 높여주었다.[137] 따라서 니시지마 사다오(西嶋定生, 1919~1998)의 주장은 기마민족 정복왕조설을 부정하기 위한 억지로 드러났다.

132_ 西嶋定生,『古代東アジア世界と日本』, 岩波書店, 2000, 157쪽.
133_ 한신대학교 박물관,『風納土城Ⅳ(本文·圖面)』2004, 319~322쪽.
134_ 국립문화재연구소,『풍납토성 XⅣ』2012, 518~519쪽.
135_ 『三國志』권30, 동이전, 夫餘 條.
136_ 韓國精神文化研究院,『譯註 經國大典 註釋篇』1986, 120쪽.
137_ 나주 복암리 3호분 1호 석실묘의 말뼈와 복암리 2호분 주구에서도 추정 馬齒가 출토된 바 있다. 그러나 이것의 성격은 犧牲보다는 순장 가능성이 더 높게 제기되었다(박중환.「백제권역 동물희생 관련 考古자료의 성격」『百濟文化』2012, 47, 188~191쪽).

제2절 新羅

1. 국호의 유래와 건국 문제

1) 신라사의 시대 구분

『삼국사기』와 『삼국유사』에서 신라 천년의 역사를 上代(기원전 57~654) · 中代(654~780) · 下代(780~935) 혹은 上古(기원전 57~514) · 中古(514~654) · 下古(654~935)의 3시기로 각각 나누었다. 시대구분의 기준은 서로 달랐지만, 이러한 3시기 구분법은 모두 신라 당시의 시대구분 인식을 반영하고 있음은 분명하다. 『삼국사기』는 국왕의 혈통의 변화과정을 기준으로한데 반해, 『삼국유사』는 국가의 발전을 근거로 한 것이다. 이러한 시대구분은 신라 말기 사람들의 역사인식에서 유래하였다. 진성여왕 때 향가집 이름을 『三代目』이라고 한 것은 '전 시대에 걸친 노래집'이라는 의미를 담고 있다.

『삼국사기』와 『삼국유사』의 시대구분을 모두 존중하고, 514년 이전을 나물 마립간대를 경계로 2시기로 나누고, 780년 이후를 진성여왕대를 경계로하여 역시 2시기로 나누게 되면 모두 6시기가 된다. 여기서 통일 이전의 신라사를 세분화하여 國~연맹국가, 맹주국가~왕조국가, 준집권국가~집권국가 단계로 나누었다. 경계선이 애매하여 '~'이라는 기간으로써 단계를 설정했다.

2) 국호의 유래

신라의 국호는 徐羅伐 · 徐伐 · 斯盧國 · 斯羅 등으로 표기되었으나, 6세기 초에 "德業日新 網羅四方"의 뜻을 취하여 것으로 그 의미를 확정지어 新羅로 공식화했다. '신라' 이전 '서라벌'이라는 국호의 의미에 관해서는 수릿골 · 東方 · 鐵國 · 東國 · 새나라 등의 해석이 있어 왔다.

『海東繹史』에서는 "우리 말에서 '新'을 '새', 國을 '라'라고 했다(東語新曰 斯伊 國曰羅)"라고하여 '새나라'의 뜻으로 간주하였다. 양주동은 東方·東土·東京을 '셔불'로 읽고 있으므로, 徐伐은 곧 東京이나 동쪽 나라의 뜻으로 보았다. 이병도는 徐那伐·蘇伐은 백제의 所夫里, 으뜸 가는 城邑의 뜻을 지닌 '고구려'와 마찬 가지로 '수릿골' 곧 Capital의 뜻으로 풀이했다. 그리고 末松保和나 三品彰英·今西龍은 셔불=金國=鐵國으로 풀이하였다. 황금이나 철의 고귀함에서 비롯되어 나아가 光明의 뜻으로 발전한 것으로 추리했다. 그 밖에 국호의 유래를 북방계 철기문화를 소유한 알타이계 기마민족이 경주분지에 정착하여 고대국가로 발전하면서 그 읍락 호칭이 국호로까지 승화되어 '싀블'로 되었거니와 王姓 또한 金氏로 고정된 것으로 추리하였다. 이렇듯 신라의 국호였던 斯盧·徐羅·徐那도 '金國'의 뜻을 지녔다고 한다.[138] 脫解의 冶匠說話 뿐 아니라, 鐵을 수입했던 倭가 신라를 가리켜 눈부신 金銀이 나라에 많다고[139] 했다. 모두 철과의 연관성을 암시해 주고 있다.

참고로 삼국 왕실의 氏는 국호에서 기원했다는 것이다. 고구려의 경우 국호의 첫 字에서 國姓인 高氏가, 백제는 국호인 夫餘에서 부여씨, 신라는 처음 국호인 斯盧 즉 서라벌의 쇠벌에서 국성인 金氏가 유래하였다. 물론 백제 왕실의 성씨는 국호를 고스란히 옮긴 '부여씨'였지만, 對中 외교상으로는 餘氏로만 표기하였다. 複姓은 북방민족의 특징이었다. 그런 관계로 백제는 南朝 東晋과의 교류 이래 中華的 정서에 맞추고자 單姓 표기가 많았다.

國號와 建國者 성씨와의 관계는 중국에서 梁을 계승한 陳의 사례에서도 확인된다. 국호 陳은 건국자인 "陳霸先이 梁에서 禪讓받아 皇帝位에 즉위함으로써 姓으로 국호를 삼았다(『제왕운기』)"고 했다. 이 경우는 건국자의 姓이 국호가 된 사례이다. 당초 姓이 없던 삼국의 건국자들은 국호를 취하여 姓을 삼았다.

신라 국호의 기원과 관련해 『金史』에서 "金만은 변하거나 손상되지 않는다. 금색은 흰색이고, 完顏部는 色으로는 흰색을 숭상한다"는 金國 국호 기원설이다. 金城을 왕성으로 한 신라에서도 흰색을 숭상한 바 있다. 즉 "복색은 흰색을 숭상한다"[140]고 했다. 그러니 양자 간의 연관성은 흥미 있어 보인다.

138_ 末松保和, 『任那興亡史』, 吉川弘文館, 1956, 138쪽. 236쪽.
139_ 『日本書紀』 권8, 仲哀 8년 9월 조. "眼炎之金銀彩色 多在其國 是謂栲衾新羅國焉"
140_ 『隋書』 권81, 동이전, 신라 조. "服色尙素"

3) 건국 연대

『삼국사기』에 의하면 신라는 기원전 57년에 건국한 것으로 적혀 있다. 그러나 이 해의 간지는 참위설상 혁명의 해로 중시하는 甲子年일 뿐 아니라, 고구려의 건국연대인 기원전 37년이 속해 있는 간지 60년의 첫 해를 건국연대로 잡은 것이다. 즉 기원전 57년은 신라 중심사관에서 비롯된 紀年이므로 전혀 참고되지 못하는 가공의 연대라고 한다.[141)]

신라의 형성은 격동적인 주민 이동의 물결 속에서 경주 분지를 터전으로 이루어졌다. 주민 이동은 첫째 기원전 2세기 초 준왕이 위만에게 나라를 빼앗긴 후, 둘째 대왕조선 멸망 직전 歷谿卿이 이끈 2천 여 戶 남하, 셋째 낙랑군 퇴출 직후인 2세기대 토착세력의 남하, 넷째 4세기 전반 유목민족들이 대거 長城 이남으로 진출하여 동아시아 전체가 격동 속에 빠져 있을 때였다. 이러한 주민 이동의 파장은 신라에도 일정한 영향을 미쳤기에 朴→昔→金으로의 왕실 교체가 이루어졌다고 본다.

4) 신라의 기원과 정복국가론

신라의 기원과 관련된 정복국가론의 출현 배경은 크게 다음과 같은 3가지 사실 가운데 하나이거나 그 모두를 염두에 두고서 제기 된 것으로 생각된다. 첫째, 주지하듯이『삼국사기』신라본기에 적혀 있는 신라의 개국연대인 기원전 57년(甲子年)은 신빙성이 의심되는 架空의 연대라는 점이다. 그러므로『삼국사기』의 기년과 내용에 굳이 얽매이지 않고 어느 정도 탄력적인 해석의 여지를 제공해 준다. 둘째, 신라는 두 차례에 걸쳐 왕실이 교체 되어 역사상 유례가 드문 3개의 왕실이 등장한 왕조였다. 셋째, 동아시아에서는 특이한 묘제인 積石木槨墳이 묘제의 확산 없이 한반도에서도 주로 경주와 그 주변부에만 집중・분포하였다.

신라사에서의 정복국가론은 문헌자료에서 먼저 실마리를 찾는다면, 고조선의 유민들이 이주와 연관지을 수 있다.『삼국사기』에는 "그때에 앞서 朝鮮 遺民들이 山谷의 間에 分居하면서 六村을 이루었다(박혁거세 즉위년 조)"고 했다. 그러나 이 기사는 유이민 파동의 한 범주에 들기는 하지만 정복과는 거리가 멀다. 때문에 논의의 대상이 되기는 어렵다. 물론 유이민의 신라 來住는 토착 세력에

141_ 今西龍,『新羅史硏究』, 近澤書店, 1933, 8~10쪽.

대한 제압의 형태로 나타날 수도 있다. 그러한 만큼 신라 왕실이 朴→昔→金의 姓氏로 교체되었던 점과 王號의 변천은 어떠한 형태로든 간에 무관하지만은 않아 보인다.

신라사에서의 정복국가론은 문헌자료를 토대로 제기된 바 있다. 文暻鉉은 '新羅' 국호의 유래를 북방계 철기문화를 소유한 알타이系 기마민족의 남하와 연관지었다. 鍛冶族이 경주분지에 정착하여 고대국가로 발전하면서 그 읍락 호칭이 국호로까지 승화되어 '신라(식불)'로 되었거니와 王姓 또한 金氏로 고정된 것으로 추리하였다. 요컨대 氏는 신라 지배세력의 성격을 방대한 자료로써 '鐵'과 연관지어 추구하였거니와, 나아가 그 흥성의 비결 또한 이것에서 찾았다. 다만 철기문화와 기마전을 겸비한 유이민 세력의 경주분지로의 정착은, 고고학적인 측면과 서로 연결된다는 점에서 '힘'은 지녔다.

언어학적 분석 결과 몽골의 영웅서사시 『게세르』에 등장하는 Keser qan이 신라 건국자인 赫居世와 연관 있다는 견해가 제기되었다.[142] 즉 신라의 居西干의 '거서'와 Keser 사이의 音聲的 구조와 함께 이들의 앞뒤에 나타나는 형용사적 호칭이 동일하다는 것이다. 가령 赫居世의 '赫'이 '빛나다 · 밝다'의 뜻이듯이, Keser의 'ULAGAN saqigulsun'의 'ULAGAN'은 '붉은'의 의미라고 한다. 양자의 언어적 유사점은 기원전 58년에 東匈奴의 姑夕(Kuseki)이 大軍을 이끌고 반란을 일으킨 후 중앙아시아에서 자취를 감추었으나, 1년 후인 기원전 57년에 赫居世 居西干이 신라를 건국한 사실과 연결될 수 있다는 점에서, 언어 비교 이상의 의미가 있다고 해석했다. 그리고 '신라'라는 국호와 관직명에서 중앙아시아적인 요소가 발견되는 점도 언급하였다. 게다가 몽골어와 관련한 독특한 신라어 해석을 제기했다. 가령 '赫'의 訓讀이 분명한 '弗矩內'를 몽골어에서 '전체의'라는 뜻으로 쓰인다는 것이다. 그 결과 '弗矩內王'을 '전체의 왕' 곧 '왕 중의 왕' 뜻으로 풀이하였다. 그리고 신라 極上의 관등인 '太大角干'의 '太大(DEEDE)'는 '가장 높은'의 의미라고 한다. 이러한 발란도르지 수미야바타르(Baldandorj Sumiyabaatar)의 견해는 기존의 언어 이해 체계와는 크게 동떨어진데서 출발하였다. 물론 신라 건국 기년을 비롯한 역사적 사실과의 연관은 무리가 보이기도 하지만, 언어학적인 새로운 접근이라는 차원에서 확실히 주목을 요한다.[143]

한편 거란 황족의 일족인 耶律大石은 거란이 멸망하자 일족을 이끌고 중앙아시아로 가서 거란제

142_ 수미야 바타르, 「우리 세대가 풀어야 할 한몽관계 문제들」『제10회 한민족학 학술발표회 발표요지』, 서울 단국대학교, 1993, 12~14쪽.

143_ 李道學, 「4세기 정복국가론에 대한 검토」『韓國古代史論叢』 6, 韓國古代社會研究所, 1994, 270~271쪽.

그림 33 | 문무왕릉비편

국을 재건하고 스스로 구르칸[葛兒罕]으로 칭했다.[144] 여기서 구르칸은 거서간의 '것간'과 연결될 수 있다. 그렇다고 한다면 신라 최초의 왕호 거서간은 중앙아시아 내지는 북아시아 몽골과의 연관성을 시사해 준다.

그런데 이 보다 중요한 문자 자료가 있다. 신라 김씨 왕실의 기원을 흉노와 관련 짓는 금석문이 보인다. 「문무왕릉비문」에서 보듯이 신라 김씨 王家 스스로 흉노에서 기원을 찾았다. 즉 "秺侯祭天之胤이 7대를 전하여 … 하였다(秺侯祭天之胤傳七葉以焉)"라는 글귀이다. 漢 武帝의 총애를 받았던 金日磾(기원전 134~86)는 匈奴 休屠王의 태자로서 霍去病의 흉노 토벌시 포로가 되었다. 그 뒤 馬監과 侍中駙馬都尉光祿大夫 등을 거치고, 莽何羅의 亂 때 武帝를 구한 공으로 '秺侯'에 봉해졌다. 金日磾는 休屠王이 金人을 만들어 祭天했다는 고사에 따라 漢 武帝로부터 '金' 姓을 하사받았고, 그 자손 7대가 內侍로 혁혁한 번영을 전승하였다고 한다. 그리고 "秺侯祭天之胤이 7대를 전하여"는 文武王 先代의 7대 전승을 의미하는 것으로 보인다.[145]

144_ 윤영인. 「거란 遼 연구」 『중국학계의 북방민족 국가연구』, 동북아역사재단, 2008, 282쪽.
145_ 韓國古代社會研究所, 『譯註 韓國 古代金石文 II』 1992, 131쪽.

그리고 西安碑林博物館에 소장된, 864년에 만들어진 「京兆金氏墓誌銘」에서는 김씨 성의 기원을 少昊氏金天에서 비롯되었다고 하였고, 한 무제에게 귀의하여 벼슬을 지냈던 흉노족 출신의 金日磾를 墓主의 遠祖라고 하였다. 이후 漢의 덕이 쇠하여 난리로 괴로움을 겪게 되자, 후손들이 곡식을 싸 들고 난을 피해 '遼東'에서 살게 되었다고 한다. 이들이 신라에 정착한 계기를 비교적 자세히 설명하고 있다.[146]

묘지명의 이러한 서술은 문무왕릉비에서 少昊金天氏→金日磾→신라 왕족 김씨로 이어지는 시조 관념을 구체적으로 묘사했다는 점에서 주목할 만하다. 또한 묘주 김씨 부인 일족을 비롯한 신라 무열왕 계통의 왕족들이 위와 같은 시조관념을 공유했을 가능성도 생각해볼 필요가 있다. 물론 "신라 왕실이 소호금천씨와 김일제를 통해 성씨의 유래를 서술한 것은 사실로 보기 어려우며, 다분히 관념적인 시조 의식의 소산이라고 보는 것이 일반적이다"는 주장도 있다. 그러나 문무왕릉비가 세워지는 7세기 후반 당시 신라 왕실은, 墓制를 비롯하여 唐으로 상징되는 중국 문물의 세례를 격렬하게 받고 있는 상황이었다. 그러한 상황에서 신라 왕실이 그들의 연원을 굳이 창작하여 흉노 태자에게서 찾은 이유가 있었을까? 여기서 확인이 가능한 내용은 신라 김씨 왕실의 연원은 흉노 계통이라는 사실이다. 김씨 왕실은 야만으로 상징되는 흉노와의 단절을 위해 漢에서 현달한 김일제를 내세운 것으로 보인다. 신라 김씨 왕실과 김일제와의 혈통상 관련은 사실이 아닌 것으로 판단된다. 그렇지만 마립간・서불한 등에서 알 수 있듯이 '干'과 '邯'과 같은 신라의 王號와 官職名에는 흉노와 같은 유목사회적 요소가 포착된다. 그리고 중앙아시아와의 연관성을 짐작하게 하는 적석목곽분의 등장도 외지에서 폭발력을 지니고 등장한 김씨 세력의 위상을 엿 보여준다. 신라 적석목곽분은 비록 시간과 공간의 공백은 크지만 흉노 고분과의 관련성은 인정되기 때문이다.[147]

「京兆金氏墓誌銘」에서 그 조상들이 '요동'에서 살았다는 기록 역시 남하와 관련한 중간 기착지를 뜻하는 것으로 해석된다. 백제 유민 관련 「難元慶墓誌銘」에서 "高祖가 遼에서 벼슬하여 달솔이 되었다(高祖珇 仕遼爲達率官)"고 했다. 물론 "'遼'는 唐代의 고구려・백제유민 묘지명에서 대체로 고구려・

146_ 곽승훈 외. 「京兆金氏夫人墓誌」『중국소재 한국고대금석문』, 한국학중앙연구원출판부, 2015, 653-657쪽. "號少昊氏金天 卽吾宗受氏世祖 厥後派疏枝分 有昌有徽 蔓衍四天下 亦已多已衆 遠祖諱日磾 自龍廷歸命西漢 仕武帝愼名節 陟拜侍中常侍 封秺亭侯 自秺亭已降七葉 軒紱熾煌 繇是望係京兆郡 史籍敍載 莫之與京 必世後仁 徵驗斯在 及漢不見德 亂離瘼矣 握粟去國 避時屆遠 故吾宗違異於遼東 文宣王立言 言忠信 行篤敬 雖之蠻貊 其道亦行 今復昌熾吾宗於遼東"

147_ 윤형원. 「匈奴고고학의 발굴 성과」『몽골의 역사와 문화』, 서경문화사, 2006, 75쪽.

백제 혹은 한반도 지역의 대칭으로 사용된 사례가 다수이다"고 논단했다. 그렇지만 이 역시 김씨 성의 기원과 관련해 등장한 '요동'과 결부 지을 수 있는 소지도 보인다. 어쨌든 흉노의 일파가 요동을 경유하여 한반도 동남부로 진입했을 가능성은 여러 주변 요인과 관련지어 고려해 볼만하다.

그러면 신라 김씨 왕실의 등장 문제를 고고학적인 측면에서 검토해 보고자 한다. 한국의 청동기문화가 스키타이계의 영향을 받았음은 너무 잘 알려진 사실이다. 낙동강유역에서 그 전형인 동물양식 帶鉤 등이 출토되어 북방계 주민의 남하를 짐작하게 한다. 이러한 배경을 깔고서 볼 때 고구려 적석총의 기원을 북아시아 Kurgan과의 교섭의 산물로 이해하는 시각 보다는, 오히려 신라의 적석목곽분과 그 지역 고분 구조와의 관련을 가깝게 한다. 이 자체는 정복국가론의 핵심적인 근거로서 이용될 수 있다. 즉 신라 적석목곽분의 북아시아 지역 그것과의 연결은, 내부발생 가능성보다는 외부에서의 유입을 크게 시사해주었다. 이러한 맥락에서 金元龍은 흑해 북안에서 일어난 목곽분 문화가 시베리아 지역으로 전파되어 前漢과 樂浪에도 미치게 되었는데, 경주의 적석목곽분은 그 마지막 형식이라는 것이다. 그 밖에 이와 동일한 관점에서 신라 적석목곽분의 계통을 찾으려는 견해들이 제기되었다. 이 가운데 金秉模는 적석목곽분의 계통을 알타이 지역의 파지릭 고분군과, 그리고 신라 금관의 계통을 중앙아시아 지역의 冠帽와 연관지어 생각하였다. 이 같은 지견은 고고학적 자료를 가지고서 신라의 정복국가론을 설정하는 이후의 견해에 커다란 시사를 주었음은 두말할 나위 없다.

李鍾宣은 시베리아 동쪽의 오르도스 철기문화가 한국과 직결된다는 고고학적인 입장에서 정복국가론을 제기하였다. 즉 오르도스 철기문화의 주인공들은 漢의 팽창으로 일파는 서쪽으로 이동하여 헝가리 즉 훈족의 나라를 세웠고, 동쪽으로 이동한 일파는 한반도로 진출하였거니와 일본열도에까지 상륙했다고 한다. 신라 적석목곽분의 주인공들은 한반도 서북부지역을 거쳐 東南進한 시베리아계 주민의 후예로서, 시베리아-오르도스系의 대형 적석목곽분과 철기·繩席文土器·金細工技術을 가지고 남하한 것으로 보았다. 이러한 추정은 오르도스문화의 전형과 신라의 주된 묘제인 적석목곽분뿐 아니라 그 곳에서 출토된 유물상이 서로 일치될 수 있는 점을 주목한 결과였다. 그 밖에 環頭大刀·말재갈鏡板 등 마구류·숫돌·漆器 등의 유물에서도 시베리아의 전통이 충실히 담겨 있다고 한다.

李鍾宣의 견해처럼 오르도스문화가 신라지역에 전파되었다면, 단순한 문화의 이동에 국한된다기 보다는 그것을 운용하는 주민의 유입을 뜻하고 있다. 왜냐하면 오르도스문화가 기동성을 띤 초원의 기마문화적인 속성을 지니고 있거니와, 그러한 주민의 유입은 우수한 철기문화와 마구류의 공반을 의미하는 만큼, 기존의 토착세력에 대한 제압을 넉넉히 짐작하게 한다. 이러한 맥락에서 볼 때, 경주분지에 거대한 적석목곽분이 출현하는 시점은 주묘제 교체 이상의 의미가 있다고 하겠다. 氏는 이러한 고분의 등장 루트를 시베리아系 주민이 동일한 문화 양상을 남겼다는 한반도 서북부(고조선) 지역을 통과하여 경주분지에 진입한 것으로 보았다. 즉 고조선 지역과 신라의 적석목곽분을 계통상 관련 지었다. 이 견해는 한반도 서북부 지역의 적석목곽분이 비중국계임을 입증하는 게 선행되어야 할 것 같다.

崔秉鉉 또한 고고학적 입장에서 신라의 수도인 경주에서 주묘제의 교체를, 그 최고 지배세력의 변동 내지는 지배구조 변화의 산물로 간주하였다. 씨는 신라 고분의 축조 시기를 토광묘 축조기→적석목곽분 축조기→횡혈식석실분 축조기로 나누었다. 그러면서 씨는 '高大封土'인 적석목곽분의 내부발생설을 비판하면서, 그 기원을 흑해 북안의 스키타이 지역에서 비롯하여 그와 기본 구조가 동일한 북방아시아 초원지대의 목곽분 문화에서 찾으며 그러한 기동력을 갖춘 기마민족의 문화가 신라에 미쳤다는 것이다. 동아시아의 민족 대이동기에 적석목곽분을 묘제로 하는 기마민족의 일파가 4세기 전반기에 경주에 도달한 결과 신라에서 김씨 왕조가 성립되고 마립간이 등장한 것으로 판단하였다. 이러한 추론은 신라 적석목곽분의 구조가 발전과정을 보이고 있는 것이 아니라 완성형으로 나타나고 있고, 부장된 유물의 친연관계, 4세기 중엽 이후 신라의 급격한 영토팽창 등에 근거하였다.

최병현의 견해는 고신라의 주묘제인 적석목곽분의 기원을 찾는 과정에서 나왔다. 이종선의 견해와 계통은 달리 하지만 기본 시각은 동일하다고 하겠다. 그런데 씨가 제기한 기마민족의 신라 지역으로의 진출설은 최근 동구권과의 문화 교류를 통하여, 신라 유물과 북방 문화요소와의 깊은 연관이 드러나고 있으므로 일층 강화된 느낌을 준다. 그러나 씨 스스로가 "이 글은 현재의 학계 분위기와는 관계없이 필자가 판단하고 있는 신라 고분문화의 체계에 입각하여 씌어진 것"이라고 하였듯이 현재의 지견과는 너무도 동떨어져 있거니와 해결해야 될 몇 가지 문제가 가로놓여 있다. 가령 현재까지 가장 오래된 적석목곽분이 황남동 109호분 3·4곽이고 그것의 내부 구조가 재래의 토광목곽묘와 본격적인 대형 적석목곽분인 황남대총의 과도기적인 형태를 보인다는 지적이 있다. 그러므로 이러한 비판을 불식시키기 위해서는 이보다 앞서는 완전한 북방 외래계 대형 적석목곽분의 존재가 입증되어야 한다. 그렇다고 씨의 표현대로 '신라 고분문화의 체계 가운데 어느 것 하나 아직 학계에서 정립된 정설이 없는 상황'에서는 간단하게 무시할 수 없다는 데, 이 설의 강점인 동시에 특징이라

고 하겠다.[148)]

지금까지 소개한 논의와 관련해 『隋書』 신라 조에서 "魏將 관구검이 고구려를 격파하자, 옥저로 달아 났다가 그 후 다시 故國으로 돌아 왔는데 남아 있던 자들이 마침내 신라가 되었다"라는 기록이 눈길을 끈다. 물론 이 기사는 한 때 고구려의 영향력이 신라에 절대적으로 행사되었던 사실이나 진흥왕대 신라의 舊東沃沮 지역에 대한 지배를 꼬투리로 하여 부회시켜 생겨났을 수 있다. 아니면 신라에 대한 공세를 강화하던 무왕대의 백제가 隋와 적대관계였던 고구려와 신라를 연결시켜, 隋와 신라를 이간시키는 한편 그 공세의 빌미로 이용하려는 말에서 비롯되었을 가능성도 있다. 그러므로 전적으로 신뢰하기 어려운 점도 보인다. 그렇더라도 옥저로 달아났다가 귀환하지 않은 고구려의 잔류민들이 3세기 중반 이후 신라를 건국한 것이 된다. 이는 김씨 미추왕계의 등장과 결부지어 생각해 볼 여지도 있다.

그런데 고구려 주민의 일부가 귀환하지 않고 옥저 지역에 계속 잔류하고 있었던 데는 이유가 있었을 것 같다. 아마도 이들은 관구검의 침공 문제와 관련하여 선뜻 환국할 수 없는 입장에 있지 않았을까 추리된다. 그렇다면 이들은 옥저 지역에서 한동안 본국의 정세를 관망하다가 귀환을 단념하고 동해변을 따라 남하하여 신라 지역으로 진입한 것으로 짐작된다. 그 진입 시기는 정확히 꼬집을 수야 없겠지만, 경주 지역내 적석목곽분의 계통을 고구려의 적석총과 연결 짓고 그것의 가장 이른 출현 시기가 4세기 전반기 중엽이라는 견해를 함께 취한다면, 김씨세습 왕권이 시작되는 나물왕대(356~402)의 출현 배경과 연결 지을 수 있지 않을까 한다. 그러나 이도학 역시 신라 적석목곽분의 내부 발생설을 비판하는 견해에 동의하므로, 옥저 지역 잔류 고구려 주민의 신라로의 유입은 차라리 북방적인 冶匠설화를 지닌 昔脫解 세력과 연관 짓는 게 보다 설득력 있지 않을까 한다. 한편 이와는 별도로 옥저 지역은 魏에서 격파되어 쫓겨온 고구려 주민뿐 아니라 285년에는 모용선비에 격파된 부여 왕족의 망명처로서 이용된 점은 주목된다. 옥저 내에 고구려계와 부여계 주민이 일종의 혼거하였다면 향후 옥저 사회 내부가 매우 복잡하게 전개 되었으리라고 짐작된다.

지금까지 검토해 본 신라사에서의 정복국가론은, 현재까지의 문헌적인 연구 성과와 접목시켜 볼 때 철기문화와 기마전을 겸비한 알타이계 주민의 이동 결과라는 것이다. 이는 신라 적석목곽분의

148_ 신라와 가라에서의 정복국가론자들 견해의 출전은 李道學, 「4세기 정복국가론에 대한 검토」 『한국고대사논총』 6, 한국고대사회연구소, 1994, 269~276쪽을 참조하기 바란다.

기원을 북아시아 지역과 연결 짓는 고고학적 견해와 공교로울 만치 연결이 가능함을 발견하게 된다. 물론 이 학설은 현행 학계의 지견과는 너무도 동떨어져 있다. 그렇지만 이는 고고학적 연구성과의 불완전성과도 표리를 이루고 있다고 판단된다. 그러므로 하나의 가설로서 그 힘은 유효하면서 고고학적 안목의 확대와 연구 성과의 축적에 따라 위상이 강화될 수도 있다는 전망을 해 본다.[149)]

이와 관련해 최근의 경향을 소개해 본다. 알타이 파지릭 문화는 기원전 7~2세기대에 이루어졌다. 반면 신라의 적석목곽분은 4세기대였다. 적어도 500년의 공백, 그리고 수천 km의 지리적 거리는 양자의 교류를 상정하기 어렵다. 그렇지만 출토 유물과 적석목곽분이라는 묘제를 놓고 볼 때 자생적이라고 단정하기만은 어렵다.[150)] 물론 이러한 현상을 문화 교류로 간주하는 선에서 마무리 짓고는 한다. 그러나 스키타이 계통의 동물 문양과 더불어 북방문화적 현상은 공간적으로는 현재의 경상북도 지역에 국한되었다. 시기적으로는 영천의 어은동 유적에서 보듯이 초기철기시대 이래 4세기대까지 스키타이 유물이 대두하고 있다. 이러한 점에 비추어 볼 때 고구려나 백제라는 공간을 뛰어 넘은 신라만의 문화 교류 현상으로 단정하기는 어렵다. 더욱. 「문무왕릉비문」에서 보듯이 신라 김씨 왕가 스스로 흉노에서 기원을 찾았다. 그러한 신라는 3개의 왕실이 등장한 바 있다. 이는 지속적으로 북방으로부터 유이민들의 정착과 결부 짓게 한다. 결국 주민 이동의 파장과 결부 지어 볼 때 신라 일원의 북방적 문화 현상은 교류 차원에서만 논하기 어렵다. 그러한 문화를 지닌 주민 이동의 산물로서 적석목곽분의 등장과 관련 부장품의 성격을 논하는 게 자연스럽다. 더욱이 파지리크 등지의 4~5세기 쿠르간에서 신라 적석목곽분과 유사한 유물이 출토된 사례도 있어 좀더 자세한 조사가 필요하다고 한다.[151)]

그림 34 | 경주 계림로 14호분에서 출토된 寶劍

이와 더불어 경주 계림로 14호분에서 출토된 寶劍이 지닌 의미를 새겨 볼 필요가 있다. 보석과 유리로 화려하게 장식된 계림로 황금 보검은 카자흐스탄 보로로에 출토 검 장식, 중국 신장 키질 석굴 제69굴 벽화, 우즈베키스탄 사마르칸트 아프로시압 벽화 등에서 유사한 형태가 확인된다. 한

149_ 李道學, 「4세기 정복국가론에 대한 검토」『韓國古代史論叢』6, 한국고대사회연구소, 1994, 245~278쪽.
150_ 강인욱. 「북방의 초원과 스키타이 세계」『스키타이 황금문명』, 예술의 전당, 2011, 51쪽.
151_ 노태돈, 『한국고대사』, 경세원, 2014, 90쪽.

국에서 유일하게 석류석을 사용한 유물이 계림로 보검이다. 그러한 계림로 보검은 신라 금제품과는 차이가 난다. 4~6세기대 천마총 · 금관총 · 교동 출토 금관의 구리 함량은 모두 1% 미만인 반면에, 계림로 보검은 구리 함량이 3.0~3.3%로 나타났다. 이는 2~7세기 우크라이나 크림반도와 헝가리 출토 금제품의 구리 함량과 유사하다. 초원길을 따라 신라로 전해진 동서 문물교류의 대표적 사례로 운위되었다.[152] 그러나 이 경우도 遼東을 비롯하여 신라보다 지리적으로 초원길과 근접한 지역에서는 왜 서역 계통의 유물이 나타나지 않는 지? 이에 대한 납득할만한 해명이 없다. 오히려 신라는 해양 실크로드를 통해 서역과 교류가 이루어진 것으로 보인다. 경주의 5세기대 신라 고분에서 출토된 타조 · 개미핥기 · 물소 토우 등은 해상 교류의 범위가 원대했음을 반증한다.

5) 신라의 힘의 원천

고구려 · 백제 · 신라 삼국 가운데 가장 국력이 열세에 놓여 있던 나라는 말할 나위없이 신라였다. 그렇지만 신라는 역설적으로 이 두 나라를 정복하는데 성공했다. 손진태는 이러한 사실을 가리켜 "신라의 弱小는 실로 신라를 강대하게 한 요소가 되었던 것이다"[153]고 설파했다. 물론 신라는 삼국의 영토를 온전히 장악하지는 못했다. 그러나 통일을 이루어 한국 역사의 한 획을 긋는 실로 장엄한 역할을 수행한 것은 분명하다. 삼국통일의 위업을 달성하는 과정에서 신라는 세계 최강의 唐을 한반도에서 말끔히 축출했을 정도로 가위 폭발적인 에너지를 유감없이 발산했다.

물론 신라가 한반도의 주인공이 되기까지의 과정은 순탄하지만은 않았다. 경주분지에서 국가를 형성한 신라는 진한 연맹의 동료 國들을 차례 차례 쓰러뜨렸다. 그 후 신라는 낙동강 유역에 포진하고 있던 임나 제국들은 물론이고 한강유역까지 송두리째 정복해서 한반도의 중심부를 장악하였다. 그와 동시에 신라는 꼬박 100년 이상에 걸쳐 백제 · 고구려와 死鬪를 벌였다. 그 결과 신라는 두 나라에는 커다란 압박 변수로 작용했다.

그러면 이처럼 급성장해 간 신라의 힘은 어디서 나온 것일까? 몇 가지 요인을 꼽아 보면 다음과 같다.

152_ 국립중앙박물관, 『황금 인간의 땅, 카자흐스탄』 2018, 32쪽.
153_ 孫晉泰, 『朝鮮民族史概論(上)』, 乙酉文化社, 1948, 124쪽.

첫째, 고대국가에서 잠재적 국력의 척도인 양질의 철광을 확보하고 있었다. 신라의 국호였던 '사로'·'서라벌'의 뜻을 '쇠나라[鐵國]'와 연결짓기도 한다. 그리고 왕실의 성씨가 金氏요, 王城의 이름이 金城이었을 정도로 국가 자체가 '쇠[金]'와 너무나 친숙하였다. 이것을 뒷받침해 주는 게 신라와 직접 연관된 철광인 경주 감은포[八助浦]의 沙鐵과 울산 달천의 水鐵이었다. 달천은 한말까지만 해도 한반도 제일의 수철광이었다고 한다. 경주 황성동 유적의 제련철은 달천에서 조달받은 것으로 드러났다. 신라는 양질의 철광에서 산출되는 철로 농기구와 무기를 제작함으로써 농업생산력과 무력기반의 획기적인 증대와 강화를 이룰 수 있었다. 게다가 잉여생산물인 철의 수출을 통해 財富의 집중을 가져왔다. 이처럼 신라의 국가 발전에서 점하는 철의 비중이 지대했다. 그랬기에 신라를 동방의 힛타이트족으로 간주하는 견해까지 제기되었다.

둘째, 국가를 위해 생명을 새털처럼 가볍게 던진 무사정신을 꼽을 수 있다. 민족주의 사학자인 단재 신채호의『조선상고사』에 인용된「소재만필」이라는 조선시대 문헌을 보면 화랑의 설에 전사하게 되면 죽을 당시의 모습으로 환생하여 천당의 윗자리를 차지하며 영생을 누린다고 하였기에 소년들이 다투어 전장에서 초개와 같이 목숨을 던졌다고 했다. 국가를 위해 싸우다 죽게 되면 영원한 내세를 얻을 수 있다는 기만적인 선전의 희생물들이었을까? 그렇지는 않았을 것이다.

신라 군대의 전투 양상은 전력의 열세에 놓여 있을 때 일종의 돌파구로서 흔히 취하는 방식이 있다. 大를 위해서 小를 희생하는 것이다. 화랑이나 귀족 출신 무사를 일종의 소모품으로 투입시켰다. 대표적인 예가 황산전투에서의 화랑 관창과,『오륜행실도』에 수록될 정도로 유명한 비녕자, 낭비성 전투에서 單騎로 고구려군 진영에 뛰어들어 적장을 베어 전세를 반전시킨 김유신이다. 돌파해야 하는 절박한 상황에서, 또 전선이 정체되었을 때 적군 진영에서 장렬하게 전사함으로써 그것을 바라보고 있던 병사들의 마음을 '욱'하고 격발시켜 승기를 잡는 일을 다반사로 하였다. 신라 군대의 승인은 전력의 우세 보다는 벼랑 끝의 위기 속으로 몰고 가서 군심을 일치시킨 데서 힘입은 바 적지 않았다.

셋째, 신라 국왕은 정치적 군장과 종교적 수장으로서의 권능과 권위를 함께 지니고 있었기에 힘의 일원적인 집중을 가져올 수 있었다. 즉 신라 왕실이 석가와 마찬 가지로 刹帝利種(인도의 王種)이라고 하여 불법과 왕법을 일치시켰다. 그랬기에 "왕이 곧 부처이다"라는 사상을 弘布하면서 신라 국왕을 석가에 비겼다. 석가의 권위를 빌어 왕권을 강화시켰던 것이다. 나아가 호국을 위한 전쟁이 護法을 위한 전쟁이라고 하여 정복전쟁을 정당화시켰다. 정치 권력과 종교적 이데올로기가 결합됨에 따라 신라 국왕은 강력한 권위와 힘을 함께 가지니게 되었다. 이것은 많은 노동력을 일사불란하게 투입시키는 대규모 토목공사를 가능하게 한 힘의 원천이었다. 그 대표적 상징물이 무려 80m 높이에 이르는 황룡사 목조구층탑이었다.

넷째, 신라는 지배세력의 거듭된 교체와 다양한 세력의 포용으로써 활력을 얻었다. 종족 구성의 다양함을 거론하지 않을 수 없다. 『삼국지』에 적혀 있듯이 중국계 유이민의 유입을 상정할 수 있다. 이와 관련해 진시황릉 동쪽에 위치한 兵馬俑坑에서 출토된 "相邦呂不韋造" 명문이 새겨진 戈를 주목해 본다. 여불위의 직함인 '相邦'을 『사기』에서는 '相國'으로 기재했다. 그러나 '相邦呂不韋'가 맞다. 『사기』가 집필된 한대에는 고조 劉邦의 피휘 때문에 상방을 상국으로 고친 것이다.[154] 그러면 다음 『삼국지』 동이전 진한 항을 본다.

> 진한은 마한의 동쪽에 있다. 그 기로들이 대대로 들은 바에 따르면 스스로 옛 적의 유망인인데 진역을 피해서 한국에 왔는데, 마한이 그 동쪽 경계 땅을 떼어서 그들에게 주었다. 성책이 있는데 그 언어는 마한과 같지 않다. 國을 邦이라고 하고, 弓을 弧라고 한다. 賊을 寇라고 하고, 行酒를 行觴이라고 한다. 서로 모두를 부를 때 徒라고 하는 것은 秦人을 닮았다. 다만 燕齊의 名物만은 아니다. 낙랑인을 일러 아잔이라고 했다. 동방인은 我를 일러 阿라고 했다. 낙랑인은 본래 그 잔여인을 말하는 것이다. 지금도 이들을 일러 秦韓이라고 하는 자들이 있다.[155]

위에서 '國을 邦이라'고 한 사실이 진시황릉 동쪽 병마용갱 출토 戈가 입증해 준다. 즉 '邦'은 秦帝國의 용어였던 것이다. 그리고 이는 秦 유민의 韓國 유입을 입증해주는 구체적인 징표였다. 영천 용전리 목관묘에서 기원전 1세기 경 弩機가 출토되었다. 중국계 유이민의 정착과 관련 지을 수 있다. 청도군 청도읍 송읍리 고분군에서 출토된 중국제로 추정되는 鳥形帶鉤의 경우도 중국계 유이민의 이동과 정착을 반영하는 듯하다. 그리고 "이에 앞서 朝鮮의 유민들이 山谷의 사이에 나눠 거주하여 六村이 되었다"[156]는 기사와도 연결된다. 주거와 관련해 마한에서는 움집이었던데 반해 진한에서는 귀틀집이었다. 귀틀집은 본래 바이칼湖의 서부와 알타이 지방 및 애니세이江유역에 분포하였다. 그

154_ 쓰루마 가즈유키 著 · 김경호 譯, 『인간 시황제』, AK, 2017, 52~53쪽.

155_ 『三國志』 권30, 동이전, 한 조, 진한 항. "辰韓在馬韓之東 其耆老傳世 自言古之亡人避秦役 來適韓國 馬韓割其東界地與之 有城柵其言語不與馬韓同 名國爲邦 弓爲弧 賊爲寇 行酒爲行觴 相呼皆爲徒 有似秦人 非但燕齊之名物也 名樂浪人爲阿殘 東方人名我爲阿 謂樂浪人本其殘餘人 今有名之爲秦韓者"

156_ 『三國史記』 권1, 혁거세 거서간, 원년 조.

러므로 북아시아 주민의 유입과 밀접하게 관련되어 출현한 주거 문화로 해석할 수 있다.[157] 이러한 사실들은 신라의 전신인 진한 주민 구성의 복합성을 뜻한다.

신라는 유례없이 왕실교체가 많았다. 朴氏→昔氏→金氏로의 왕실교체와 유이민의 경주분지 정착이라는 外的 輸血은 끊임없는 경쟁원리의 작동과 더불어 그것이 예비되고 있었음을 웅변해 준다. 즉 고조선 유민들이 경주분지에 정착하여 6촌을 형성한데다가 3개 왕실의 등장 설화가 유이민 설화인데서 짐작되듯이 지속적으로 북방에서 이주해 온 세력으로부터 수혈을 받고 있는 상황이었다. 그랬기에 참신한 기풍을 유지할 수 있었다. 조선왕조가 5백년이나 지속됨에 따라 활력을 잃었다. 이와는 달리 신라는 신흥 왕실이 뿜어내는 뜨거운 에너지에 힘입어 시대의 난관을 용약 뚫고자 했다.

이와 관련해 신라는 혁거세 재위 기간 중에 大輔라는 재상의 직책에 있으면서 군국정사를 담당했던 瓠公의 경우를 예를 들어 본다. 호공은 "본래 왜인으로서 처음에는 표주박을 허리에 차고 바다를 건너온 까닭에 호공이라 이름하였다"고 하였다. 즉 그는 기반이 전혀 없는 인물이었지만 요직에서 활약하였다. 신라는 병합시킨 남가라 왕족들을 중용하여 결국 그 후손인 김유신이 삼국통일의 으뜸가는 공신이 되게 했다. 이렇듯 신라는 흡수한 이방인이나 피정복민을 배타적으로 대하지 않고 포용하였다. 잡종강세를 연상시키듯 신라는 단일 종족에 의해 구성되고 발전된 국가는 아니었다. 다양한 세력을 포용하고 스스럼없이 수혈했다. 그랬기에 보다 강력한 힘과 생명력을 지닐 수 있었던 것 같다.

다섯째, 끝없는 위기 상황과 긴장감이 신라를 강하게 만든 요인이었다. 신라는 건국 이래로 왜구의 침공에 시달렸다. 삼국을 통일한 문무왕이 호국용이 되어 왜구의 침략을 막겠다는 유언에 그것이 잘 응결되어 있다. 신라는 이처럼 간단없는 外患에 저항하면서 강인한 면역력을 길렀다. 자고로 "적국과 우환이 없으면 나라가 망한다"는 말이 있듯이 신라는 건국 이래 시달려온 왜구의 침공을 통해 면역력을 배양하게 되었다. 그렇지만 신라는 이후 백제와 고구려의 강대한 군사력 앞에 몰리는 상황이 거듭되기도 했다. 그러나 이러한 위기 상황은 내부적으로는 지배층 간의 운명 공동체적인 강한 응집력을 조성시켜 세력 통합의 요인으로 작용했다. 아울러 지배층이나 일반 주민 모두 외침과 그 위협에 대한 간단없는 긴장으로 인해 현실에 안주하는 삶은 생각할 수도 없었다.

157_ 孫晉泰,『朝鮮民族史槪論(上)』, 乙酉文化社, 1948, 75쪽.; 孫晉泰.「韓國上古文化의 硏究(2)—韓國家屋形式의 人類學的 · 土俗學的 硏究」『孫晋泰先生全集 6』, 太學社, 1981, 71~74쪽.

삼국 가운데 후발주자였던 신라의 힘은 철광의 확보라는 경제·군사적 배경과 더불어 정치권력과 종교의 결합 그리고 끝없는 위기 상황이 조성해 준 정신력의 산물이었다. 게다가 다양한 세력의 포용과 잦은 왕실 교체가 사회기풍에 활력을 불어 넣어 주었다. 이와 더불어 간과할 수 없는 요인이 신라가 바다를 잘 활용했다는 점이다. 신라는 육로로는 백제나 고구려로 인해 대외교섭이 어려운 상황이었다. 이러한 자연적 난점을 극복할 수 있는 방안은 해상 활동에 기댈 수밖에 없었다. 신라의 船府 설치, 파진찬 곧 '바다 干[海干]' 관등에서 보듯이 바다에 비중을 실었다. 그 이유는 환경적 난점에서 벗어나고자 한 적극적 의지의 표출이었다. 신라인들의 자석을 이용한 나침반의 활용과 이사부의 우산국 정벌은 모두 이러한 맥락에서 살필 수 있다.

6) 신라와 철

(1) 『삼국지』 기사의 분석

일반적으로 『삼국지』 魏書, 동이전 한 조에 기록된 "國出鐵 韓·濊·倭 皆從取之 諸市買皆用鐵 如中國用錢 又以供給二郡"라는 기사를 변진 즉 변한과 결부 지었다. 국사편찬위원회 간행 『중국정사조선전』에서도 이와 같이 간주했다. 그러한 관계로 모든 교과서에서는 鐵의 왕국=변한=가야라는 인식을 설정하게 되었다. 삼국에 치여 가뜩이나 존재감이 약하던 가야를 띄울 수 있는 소재로서는 이 만한 사료가 없었다. 이 기사를 적극적으로 홍보한 관계로 하나의 고정된 이미지로 굳어졌다.

그러나 이것은 사실이 아니었다. 『삼국지』 魏書 동이전 한 조의 製鐵 관련 기사는 내용을 분석해 볼 때 진한에 해당되었다. 실제 중국의 후속 문헌들인 『후한서』나 『通典』에 따르면 모두 진한과 관련 지었다. 조선 후기의 실학자들 역시 진한과 결부 지어 해석했다. 이 점은 20세기 연구자들의 인식에 앞서 존중했어야할 부분이었다. 그러나 대부분 간과하고 말았다. 이와 엮어진 중요한 사실은 3세기 중반 이전 시기의 대규모 鐵場이 김해 일대에서는 확인된 바 없다는 것이다. 반면 울산의 달천철장 사용 시기는 '기원전 1세기 중엽 이전~기원후 3세기까지'이므로 『삼국지』의 서술 下限과도 부합한다. 게다가 이곳은 유통에 유리한 良港을 끼고 있다. 그리고 중국 郡縣이나 倭와 관계된 유물도 출토되었다. 이 사실은 달천철광의 鐵을 馬韓·濊·倭 뿐 아니라 낙랑군이나 대방군에 수출한 사실과도 정확히 부합한다. 따라서 거의 고정관념화된 '鐵의 王國 加耶' 論은 차분하게 재검토되어야 마땅하다.

다만 남가라 즉 구야국은 철의 활발한 소비처였기에 須奈羅·素奈羅·金官·金海 등과 같은 이름이 부여되었을 것이다. 김해 지역에서 외래 유물의 밀집도가 높은 현상을 이렇게 설명할 수 있다. 『삼국지』에 적혀 있듯이 김해 구야국은 유수한 寄港地였다. 대외교역의 중심지가 김해라는 지금까지의 연구성과와도 이는 배치되지 않았다. 따라서 김해 지역은 철 유통처일 수는 있다. 그러나 울산 鐵場에서는 중국과 일본 유물이 각각 출토되었다. 良港을 끼고 있는 울산에서는 鐵 교역이 직접 이루어졌다. 반면 김해 철장에서는 대외교역 관련 유물이 보이지 않았다. 鐵產地에서 외래유물이 출토된 울산과는 이 점에서 명백히 구분되었다. 요컨대 '國出鐵'은 外來人들의 產地 접근과 直輸 사실을 가리키는 증좌였다. 김해를 통한 鐵 교역 가능성도 있지만, 이는 어디까지나 추측에 불과하다. 이와는 달리 直交易의 명백한 증거가 울산에서 확인되었기 때문이다. 그렇다고 할 때 '國出鐵'은 김해보다는 울산을 가리키는 지표로서 훨씬 유효하다.

울산 달천광산에서는 기원전부터 철광석을 채굴했던 흔적이 확인되었다.[158] 경주 황성동 유적의 시료를 분석한 결과 자철광이 원료로 사용되었고 철에 砒素가 다량 함유된 사실이 밝혀졌다. 우리나라 철광산 중 비소의 함량이 높은 곳은 울산 달천광산이었다. 결국 황성동 제철 단지에서 사용한 철광석 산지가 울산에 소재했음을 알게 되었다.[159] 아울러 울산 창평동 목곽묘에서 출토된 漢鏡 2枚[160]와 3세기대의 울주군 다대리 하대 목곽묘에서 출토된 銅鼎[161]도 대외교류의 편린을 보여준다. 모두 달천철장을 기반으로 하였을 가능성이 높다.[162] 실제 鐵을 매개로 한 한반도와 일본열도 출토 鐵鋌의 분포를 비교하면 김해보다는 울산 쪽이 많다.[163] 이는 4세기 후반~5세기에 걸친 鐵鋌의 분포를 볼 때 일본열도에서는 大阪 일대가, 한반도에서는 울산 쪽이 김해보다 압도적으로 많다.[164] 이로써도 倭人들이 구매했던 '國出鐵'의 '國'은 弁辰이 아니고 辰韓일 가능성을 높여준다.

158_ 국립중앙박물관, 『쇠·철·강—철의 문화사』 2017, 44쪽.

159_ 孫明助, 『韓國古代鐵器文化研究』, 진인진, 2012, 187쪽. 198쪽.
울산박물관, 『개관기념도록(개정판) 울산박물관』, 2014, 66쪽.
차순철, 「경주·울산지역 삼국시대 철생산유적과 백탄요 분포현황 검토」 『제12회 한국철문화연구회·한림고고학연구소 학술세미나』, 한국철문화연구회·한림고고학연구소, 2018, 146쪽.

160_ 울산박물관, 『개관기념도록(개정판) 울산박물관』, 2014, 55쪽.

161_ 울산박물관, 『개관기념도록(개정판) 울산박물관』, 2014, 59쪽.

162_ 울산의 제철 관련 유적과 유물은 자료정리가 되었지만 다른 지역은 미흡하므로 서로 비교하면 안된다는 주장도 있다. 그러나 담보하기 어려운 미래의 발굴 성과를 상정하면서 현재 드러난 실상을 묵힐 이유는 없다.

163_ 白石太一郎, 『考古學からみた倭國』, 青木書店, 2009, 208쪽.

164_ 都出比呂志, 『古代國家はいつ成立したか』, 岩波書店, 2011, 87쪽.

(2) 일본이 설정한 고대 한일관계상의 붕괴

倭가 신라 건국 초부터 끈질기게 침공해 왔던 요인을 손진태는 "후세 신라와 일본 사이에 일어난 不斷한 鬪爭의 중대한 원인의 하나도 이 鐵의 쟁탈에 있었을 것이다"[165] 고 단언했다. 「광개토왕릉비문」에 보이는 왜군의 신라 침공도 이러한 선상에서의 해석도 일부 가능해진다.

그런데 이병도의 創案인 任那日本府가 商館에서 비롯되었다는 설은 弁辰='國出鐵'에 기반하였다. 이러한 주장은 일본 연구자들에게 영향을 미쳤다. 그랬기에 일본 고등학교 교과서에서 倭의 大和朝廷이 鐵과 선진기술 그리고 기술노예의 확보를 위해 한반도 남부에 진출했다는 서술이 등장한다. 이때 왜가 확보하고자 했던 제철산지는 구야국을 가리킨다. 왜의 제철산지 확보 욕구가 임나일본부설로 발현된 것처럼 포장되기도 했다. 『삼국지』 魏書, 동이전 한 조의 제철 관련 기사의 주체를 변한으로 지목한 오류는 엉뚱한 내용으로 확대 · 재생산되었다. 이러한 점에서도 史料의 세밀한 분석이라는 실증의 중요성을 재삼 깨닫게 된다. 결국 지금까지 구축한 韓日 고대사상의 일각은 새로 짜야 한다.[166]

165_ 孫晋泰, 『朝鮮民族史概論(上)』, 乙酉文化社, 1948, 78쪽.
166_ 李道學, 『가야는 철의 왕국인가? 가야 · 신라 · 백제의 鐵』, 학연문화사, 2019, 1~208쪽.

2. 전개 과정

1) 國~연맹국가 단계(기원전 57~356: 혁거세 거서간~흘해 니사금)

신라는 경주분지를 중심으로 다수의 村을 묶은 회의체 읍락사회에서 출발하여 國을 성립시켰다. 그러한 신라가 진한 연맹의 일원으로 자리 잡았던 시기의 王號는 거서간·차차웅·니사금이었다. 이 시기의 왕호 가운데 次次雄(慈充)은 무당의 뜻에서 비롯되었다고 한다. 즉 "김대문이 이르기를 '方言에서 巫를 가리킨다. 세상 사람들은 巫가 귀신을 섬기고, 제사를 받들기 때문에 그를 두려워하고 공경하였다. 드디어 尊長者를 일컬어 慈充이라고 했다'"[167]는 것이다. 불교의 승려를 우리 말에서 '중'이라고 일컫는다. 이러한 '중'의 어원은 차차웅·자충과 같은 巫의 뜻에서 기원했다고 한다. 이 시기 지배자 성격의 일면을 잘 대변해준다. 그리고 尼師今은 김대문이 이르기를 "니사금은 방언이다. 잇금을 말한다"[168]고 했다. 왕을 추대할 때 "성스럽고 지혜로운(聖智) 사람은 이[齒]가 많다"는 데서 연유했다. 신망을 받는 지혜로운 이가 다스리는 長老 정치의 산물로 보인다. 실제 그랬기에 추대와 양보가 있었던 것이다. 6촌장 회의처럼 회의체 단계 수장의 선출 과정에서 비롯한 왕호로 보인다.

신라 건국의 계통은 고조선 유민계를 비롯한 유이민 설화와 3姓의 등장 설화를 통해 다양했음을 알 수 있다. 연맹국가 단계는 신라의 전신인 사로국이 진한연맹의 소속 국가들을 병합해 나가는 4세기 중반까지가 되겠다. 사로국의 기원은 경주 분지 안의 6촌에서 비롯되었다. 즉 及梁·沙梁·本彼·牟梁·漢祇·習比의 6촌은 경주평야 주변의 산이나 구릉에서 취락 생활을 하였다. 그러다가 이들은 점차 평야 지대로 생활권이 옮겨가는 경향을 보이고 있다. 신라 시조인 혁거세는 及梁 출신으로서, 최초의 지배자는 급량에서 출현했음을 알려준다. 혁거세의 妃인 閼英은 沙梁 출신이었다. 급량과 사량, 이 2村의 세력 연맹을 읽을 수 있다. 혁거세의 근거지인 金城은 남산 서북쪽에 위치한 창림사터가 된다. 박씨 왕실의 통치와 관련한 거점은 알영정에서 동편으로 700m 지점에 소재한 都堂山土城으로 추정된다. 都堂은 회의처인 南堂과 연관 있기 때문이다.[169]

고구려의 경우는 1세기 후반 太祖王 무렵 고구려족 전체를 포괄하는 강력한 연맹체가 확립되었

167_ 『三國史記』 권1, 남해 차차웅 즉위년 조.
168_ 『三國史記』 권1, 유리 니사금 즉위년 조.
169_ 朴方龍, 『新羅都城』, 학연문화사, 2013, 51~52쪽.

다. 대내적으로 볼 때 왕실의 出身部인 계루부가 나머지 4部를 강력히 통제하게 되었다. 各部가 자체적으로 임명한 官人의 명단을 王에게 보고하도록 했다. 各部 내의 동향까지 왕실에서 통제하는 단계로까지 진전되었다. 신라의 경우도 고구려와 마찬 가지로 6部에도 이찬을 비롯한 독자적인 관인들이 존재하였다. 그러나 금관국 수로왕이 특정 部主의 접대에 불만을 폭발시킨 사건은, 신라 왕이 6부를 장악하지 못한 데 원인이 있었다.[170]

이 무렵은 신라의 전신인 사로국이 진한연맹의 일원으로 자리잡았다. 그리고 朴→昔→金으로 왕실이 교대되었다. 왕위는 특정한 가계의 부자상속에서 사위에게 계승되기도 했다. 이는 사전에 왕위에 대한 추대와 추인 형식을 받았을 것이므로 타협과 조정 없이는 생각할 수 없다. 혁거세에 대한 추대 이래 회의체 운영은 사로국 단계 뿐 아니라 연맹 전체로도 확대되었다. 이 시기의 묘제로는 경주 조양동과 사라리의 토광묘와 구정동 토광목곽묘가 대표적이다.

2) 맹주국가~왕조국가 단계(356~458: 나물 마립간~눌지 마립간)

신라는 내부적으로 김씨 세습 왕위제를 확립했다. 신라는 대외적으로는 진한연맹체의 맹주로서 연맹국가 단계에 머물렀다. 이 기간 동안 신라는 양자의 요소를 함께 지녔다. 겹치는 부분이 많아 양자 간의 구분이 어렵다. 이러한 신라가 진한연맹의 맹주국으로 발전하는 시기의 왕호는 '麻立干'이다. 마립간의 어원에 대해 "김대문이 이르기를, 麻立은 방언에서 말뚝[橛]이라고 일컫는다.[171] 말뚝은 諴操라고 일컫는다. 직위에 따라 놓은 것인 즉 왕의 말뚝을 중심에 두고 신하 말뚝은 아래에 벌여 놓았다. 인하여 이를 이름으로 삼았다"[172]고 했다. 정청에서 왕좌에 세워둔 말뚝에서 마립간이 유래했다는 것이다. 여러 말뚝 가운데 왕의 말뚝을 마립으로 일컬었다고 해석된다. 김대문의 해석대로라면 회의체 국가인 신라왕의 좌석 호칭에서 유래를 찾은 것이다. 그런데 '마립'은 宗의 훈독인 '마루'와 연결된다. 따라서 '으뜸'의 뜻으로 해석하는 게 타당해진다. 조선 말기까지 내려온 '抹摟下' 호칭도[173] 마립간 즉 '마리칸'에서 연원을 찾을 수 있다. 신라가 진한 연맹에서 맹주국의 우월한 위치

170_ 『三國史記』 권1, 파사니사금 23년 조.
171_ 橛을 『삼국유사』에서는 標(말뚝: 표)라고 하였다(南解王 條).
172_ 『三國史記』 권3, 눌지 마립간 즉위년 조. "金大問云 麻立者 方言謂橛也 橛謂諴操 准位而置 則王橛爲主 臣橛列於下 因以名之"
173_ 抹樓下가 왕세손 즉 東宮을 가리키는 용어로도 사용되었다(『영조실록』 51년 乙未, 11월 30일 癸卯 조). 혹은 왕

를 확보한 시기였다. 신라는 그간 축적한 유수한 제철산업을 기반으로 연맹내 제국들을 흡수·병합하여 통합을 완료했다.

현재 경주시내에 산재한 수백 기의 거대 봉분을 지닌 고분들은 마립간 시기에 조영되었다. 이 시기의 왕권을 상징하는 거대 고분의 등장은, 국력의 통합과 강력해진 王者의 존재를 암시해준다. 가령 두 개의 봉분이 연결된 표형분인 황남대총을 보자. 황남대총은 남북 길이 120m, 동서 길이 80m, 높이 약 23m에 이른다. 유물은 북분에서 3만 5천여 점, 남분에서 2만 2천여 점이나 출토되었다.

나물 마립간은 金氏 초대 왕인 미추 니사금의 조카·사위, 혹은 동생으로 기록되어 있다. 이러한 기록은 擬制에 불과한 것이지만, 미추왕과 연결된 것은 사실로 보는 견해가 많다. 결국 나물 마립간의 즉위로서 3姓 교립은 종식을 고하였다. 김씨 왕위 독점 세습이 확립되었다. 신라는 377년과 382년에 고구려 사신을 따라 前秦에 사신을 파견하였다. 382년에 전진 왕 苻堅은 신라 사신 衛頭에게 "卿이 말한 해동의 일이 예전과 같지 않다니 무슨 말인가?"라고 묻자, 위두는 "중국에서 시대가 달라지고 名號가 바뀌는 것과 같으니 지금 어찌 같을 수 있으리요"라고 답했다. 신라 사회에 급진적인 변화가 발생했음을 암시해준다.

이 때는 신라가 주변의 연맹 안의 소국들을 통합해 나간 시기이기도 하였다. 가령 읍즙벌국(안강)·우시산국(울산)·거칠산국(양산)·압독국(경산)·이서국(청도)·골벌국(영천)·감문국(김천)·사벌국(상주)·조문국(의성)·다벌국(대구) 등을 통합했다. 512년(지증왕 13)에는 우산국을 복속시켰다.

진한연맹에 속했던 제국 수장들은 出字 型 금동관을 착용했다. 이러한 금동관은 소백산맥 너머의 단양(영춘면 하리)과 동해안의 강릉(초당동), 그리고 동해(북평동)에서도 출토되었다. 그런데 동일한 금동관은 한 점도 확인되지 않았다. 이로 볼 때 금동관은 맹주인 신라 왕의 하사품은 아니었다. 금동관은 진한 연맹을 상징하는 위세품이었다. 각국의 수장이나 친족들이 착용하여 진한연맹의 일원임을 내세운 표지였다. 출자 형 금동관은 공통성은 있지만 획일성이나 균일성은 보이지 않았다. 정치적 공동체의 표방일 뿐 사여품은 아니라는 증거였다.

진한연맹의 제국이 소재한 곳에는 어김없이 대형 고분이 산재하였다. 거대 봉분을 지닌 분묘는

이 자신을 일컬을 때 쓰는 '大殿'을 가리키기도 했다(『경종실록』 2년 5월 20일 甲辰 조). 아울러 中殿을 가리키는 호칭으로도 사용되었다(『숙종실록』 27년 10월 2일 乙卯 조). 그리고 醴泉縣『官上下記册』에 따르면 '室內末摟下主(己亥 10월 30일 조)'·'淑夫人末摟下主(庚子 정월 15일. 정월 20일. 辛丑 3월 12일 조)'·'貞夫人末摟下主(己亥 11월 22일 조. 辛丑 2월 10일 조)' 등에서 확인된다. 숙부인과 정부인은 모두 정2품과 정3품 고관의 처를 각각 가리키는 호칭이었다. 말루하는 고관 부인의 호칭으로도 사용되기도 했다.

지배자의 권력과 그 범위를 나타내는 가시적인 물증이었다. 비록 문헌에서 소국 이름은 누락되었지만, 구미시 해평면 낙산리에 소재한 낙산리 고분군은 강대한 세력의 존재를 암시해준다. 고분 자체의 규모와 고분군의 범위가 존재감을 엄연히 나타내고 있다.

경주의 서북 방향인 의성에는 금성면과 다인면 그리고 안계면을 비롯한 몇몇 지역에 대형 봉토고분이 소재하였다. 의성 지역의 정치적 성장을 뜻하는 召文國의 거점은 고분군의 분포와 규모를 기준으로 할 때 금성면에 소재한 것으로 보인다. 문헌 기록이 절대 부족한 조문국의 성격은 考古資料를 놓고 살필 수밖에 없다. 5~6세기 경에 조성된 금성산 고분군은 경주를 제외하고는 적석목곽분이 제일 많다. 이 사실은 어떤 형태로든 신라와의 관계가 긴밀했음을 뜻한다. 실제 대리리 2호분 출토 出字 型 금동관은 신라와의 관계를 말해주고 있다. 그럼에도 금성산 고분군에서는 외래적인 요소가 확인된다.

가령 의성 대리리 3호분은 처음에 적석목곽과 목곽을 주곽과 부곽으로 하는 2槨 구조로 축조하였다. 고분이 조영된 이후 분구 내에 추가로 변형적석목곽 1기가 추가장한 구조이다. 이러한 구조는 백제 영역인 서울의 가락동이나 영산강유역 집단 옹관묘에서 확인된다. 그리고 대리리 2호분에 부수된 상태로 길이 115m, 구경 58cm에 이르는 대형 옹관 1기가 출토되었다. 금성산 고분 출토 금동관모에는 백제 요소가 가미되어 있었다. 탑리 출토 금동관은 고구려 관모와 연결되고 있다. 이러한 요소들은 교통로에 소재한 조문국이 백제나 고구려와 교류하였음을 뜻한다. 이는 조문국에만 한정되지 않는 현상으로 보인다. 가령 "沾解王이 재위하자 沙梁伐國이 옛적에 우리에게 속했는데 홀연히 배반하고 백제에 귀부했다. 于老가 군대를 거느리고 가서 이곳을 토벌하여 멸망시켰다"[174]고 했다. 조문국 북쪽에 소재한 사량벌국 즉 사벌국이 백제에 붙은 사실이 포착된다. 그리고 "奈靈郡은 본래 백제 奈巳郡이었는데 파사왕이 이곳을 취했다. 경덕왕이 개명하였다. 지금 剛州이며 領縣은 2곳이다"[175]고 했다. 나령군은 지금의 경상북도 榮州 지역이지만 백제 영역이었음을 밝히고 있다. 이러한 맥락에서 볼 때 진한의 북부와 서부 등의 외곽 지역은 백제의 힘을 빌어 자국의 독립을 유지하고자 한 것이었다. 奈靈郡 領縣 2곳에는 고구려의 행정지명이 나타나고 있다. 고구려 영역이 된 적이 있었던 것이다. 이로써 고구려 문화가 유입되었음을 시사해준다. 이렇듯 진한 연맹의 외곽에 소

174_ 『三國史記』 권45, 昔于老傳. "沾解王在位 沙梁伐國舊屬我 忽背而歸百濟 于老將兵 往討滅之"
175_ 『三國史記』 권35, 地理2, 奈靈郡. "奈靈郡 本百濟奈巳郡 婆娑王取之 景德王改名 今剛州 領縣二"

재한 제국들의 동향과 그로 인한 문화적 특질을 살필 수 있다.

이 시기의 신라는 동으로는 왜, 서로는 백제, 남으로는 가라에 포위된 형국이었다. 동맹관계로 연계되어 있는 3국의 포위 타개를 위해 신라는 북의 고구려에 줄을 넣었다. 377년에 신라는 고구려를 통해 북중국의 前秦에 사신을 보낼 수 있었다. 백제와 쟁패하고 있던 고구려로서는 신라와 손잡음으로써 백제 견제가 용이해졌다. 남진정책을 추진하고 있던 고구려로서는 놓칠 수 없는 기회가 찾아 왔다. 왜의 침공에 직면한 신라의 구원 요청으로 400년에 고구려군 5만 명이 출병하였다. 그럼으로써 고구려군은 신라에 주둔하였고, 왕위계승에도 영향력을 행사했다. 아울러 고구려 문화도 밀려들어 왔다. 가령 호우총에서 출토된 호우, 서봉총에서 출토된 '延壽' 명 銀盒, 금관총에서 출토된 청동 四耳壺가 대표적이다. 이와 더불어 신라 왕호인 麻立干 칭호는 고구려의 莫離支에서 차용했으리라는[176] 견해는 그 타당성 여부를 떠나 고구려가 신라에 끼친 영향력을 짐작하게 한다. 그렇지만 충주고구려비가 세워지는 5세기 중엽 무렵에 신라는 자국 영역에 잔류하고 있던 고구려군을 소백산맥 이북으로 축출하였다.

3) 준집권국가 단계(458~514: 자비 마립간~지증 마립간)

신라는 백제와의 동맹을 적절하게 이용하여 5세기 중엽 경에는 자국에 영향력을 행사하던 고구려 세력을 축출하였다. 이를 기반으로 신라는 5세기 후반에 전국적인 산성 축조를 통한 지방에 대한 통치 거점의 확보와 더불어 505년에 州郡制를 실시했다. 이는 점령지 확보책이었다. 그리고 矢堤와 같은 제방의 대대적인 축조와 더불어 농업 노동력의 확보를 위한 牛耕制의 실시와 순장제를 폐지하였다. 우선『삼국사기』에 보이는 다음과 같은 신라의 邊境 지역 築城 기사가 주목된다.

* 가을 9월에 何瑟羅人 중 15세 이상인 자를 징발해 泥河에 성을 쌓았다[泥河는 일명 泥川이라고도 하였다](자비마립간 11년 9월 조).
* 三年山城을 쌓았다[3年이라 한 것은 役事를 시작한 지 三年에 功을 마치었으므로 그렇게 이름한 것이다](자비마립간 13년 조).

176_ 末松保和,『新羅史の諸問題』, 東洋文庫, 1954, 161쪽.

* 芼老城을 쌓았다(자비마립간 14년 춘2월 조).

* 一牟·沙戶·廣石·沓達·仇禮·坐羅 등의 城을 쌓았다(자비마립간 17년 조).

* 仇伐城을 쌓았다(조지마립간 7年 춘2월 조).

* 一善界의 丁夫 3천을 징발하여 三年·屈山 등 2城을 改築하였다(조지마립간 8년 춘정월 조).

* 刀那城을 쌓았다(조지마립간 10年 추7월 조).

* 鄙羅城을 重築하였다(조지마립간 12년 춘2월 조)

위의 기사 가운데 468년~490년에 걸쳐 신라의 대규모 산성 축조와 개축이 있던 지역 중, 沙戶·鑛石·仇禮·坐羅城의 소재지는 명확하지 않다. 그렇지만 그 나머지 城들의 위치는 다음과 같이 밝혀지고 있다.[177]

泥河城 : 江陵/ 三年山城 : 報恩/ 芼老城 : 軍威郡 孝令面/ 一牟山城 : 燕岐郡/ 沓達城 : 尙州市 化寧面/ 仇伐城 : 義城郡 北쪽/ 屈山城 : 沃川郡 青山面/ 刀那城 : 尙州市 牟西·牟東面/

위의 지명 비정을 통해, 이 무렵 신라의 築城·改築 지역이 대체로 신라의 서북 변경 지역이라는 사실을 발견할 수 있다. 그런데 이 지역은 고구려가 지배한 바 있는 신라의 동북(竹嶺 東南) 지역과 대칭되고 있다. 이 사실은 늦어도 5세기 중반 후엽경에는 고구려 세력이 죽령의 동남 지역에서 퇴축되었음을 뜻한다. 왜냐하면 고구려가 죽령의 동남 지역을 여전히 지배하고 있는 상황이라면, 그 반대편 지역에 신라의 대규모 축성과 개축작업이 진행될 수 없기 때문이다. 괴산군 청천면의 薩水原戰鬪[178]에서 알 수 있듯이, 오히려 이는 竹嶺 以北으로 후퇴한 고구려군의 주공격 방향이 신라의 서북 변경으로 전환된데 따른 방비책으로 보아야 할 것 같다.

한편 강인한 토착세력의 존재를 반영하는 금동관과 같은 호화로운 부장품을 갖춘 대형봉토분이 소멸되는 5세기 중반 이후[179]에 일련의 산성 축조가 신라의 서북 변경 지역까지 확대되었다는 사실

177_ 浜田耕策, 「新羅の城村設置と州郡制の施行」『朝鮮學報』84, 1977, 3~5쪽에 의함.

178_ 『三國史記』권3, 照知麻立干 16年 條.

179_ 신라 영역권 내 舊小國에 소재한 대표적인 古墳의 編年은 다음과 같다.
義城塔里 고분은 5세기 전후, 안동 造塔洞 고분은 5세기 후반, 대구 飛山洞 34號墳과 內唐洞 62號墳은 5세기 전반으로 편년되고 있다(李殷昌, 「伽倻古墳의 編年硏究」『韓國考古學報』12, 1982, 188~195쪽).

은 기존 舊小國의 편제와 관련지을 수 있다. 왜냐하면 일사불란한 대규모 노동력이 동원되는 신라 중앙정부 주도 하의 산성 축조를 통해, 土城 중심의 단위 사회를 형성하고 있던 삼한 이래 구소국 중심의 지배 질서는 전면적으로 해체했다고 보여지기 때문이다. 이렇듯 강력한 중앙집권화를 목적으로 한 군관구적인 성격의 산성 중심의 지방 행정조직이 변경까지 확대될 수 있었던 배경은 고구려 세력의 축출과 무관하지 않다.

4) 집권국가 단계(514~654: 법흥왕~진덕여왕)

(1) 불교 이념과 신분제의 결합

신라가 집권국가 단계로 발전하던 시기부터는 '王' 號를 사용하여 '太王' 號로 발전했다. 그리고 520년(법흥왕 7)에 신라는 律令을 반포함으로써 국가제도 전반을 조직화하여 중앙집권국가를 완성시켰다. 이와 맞물려 정연한 신분체계로서 骨品制가 확립되었다. 여기서 지방민은 골품제에 편제되지 못한 탈락 계층이었다. 이는 왕경인을 지방민들 위에 군림하는 지배자 공동체와 이것을 합리화시키기 위한 배타적 신분제가 골품제였다. 이와 더불어 화랑제도가 제정되었다. 화랑제도는 본디 중앙집권화를 위한 국가적 제의 집단으로서 국가적 이념기반의 통제와 확대라는 소임을 가졌으나, 6세기 중반에 전사단으로 개편되었다. 536년에는 建元이라는 연호를 최초로 사용하면서 자주국으로서의 가시적인 긍지를 확보할 수 있었다.

그리고 골품체제적인 국가권력을 합리화하는 국가 이데올로기로서 불교가 공인되었다. 불교의 교리 가운데 인간은 業報에 따라 태어나서는 죽고 또 태어나서는 죽는 것이 무한히 계속된다는 輪廻轉生思想은 골품제라는 엄격한 신분제 사회에서 자신들의 특권을 옹호해주는 이론적 근거를 마련해 준다고 믿어 크게 환영하였다. 불교의 속성을 사회적으로 어떻게 이용했는지에 대해서는 "… 因果應報說 · 輪回說 같은 宿命思想이 있어, 現實生活이 貧賤한 것은 前世의 罪惡에 對한 갚음(報)이라는 治者階級에게 極히 유리한 說도 있다. 그래서 貴族들은 다투어 華麗한 절을 짓고, 土地를 寄附하고, 奴隸까지도 주어 중들의 生活을 保護하고 貴族 出身의 중들을 높은 地位에 앉히었으므로 그들은 治者階級에게는 不利한 說은 버리고, 오직 支配階級에 유리한 思想만을 宣傳하였다"[180]고

180_ 孫晉泰,『國史大要』, 乙酉文化社, 1949, 28쪽.

간파하였다.

신라 불교는 왕권과 귀족권의 조화 위에서 성장하였는데, 석가불은 왕권의 상징이요, 미륵보살은 귀족의 꽃과 같은 화랑의 상징으로 비견되었다. 따라서 불교는 국왕을 중심한 중앙집권적 귀족국가의 사상체계로 받아들여졌다. 그런 만큼 호국적 성격이 강하여 개개인의 영혼 구제보다는 국가의 발전을 비는 호국신앙적 성격이 강하였다.

百座講會니 八關會니 하는 불교의식이 그러한 산물이라고 보겠다. 백좌강회는 국가의 평안을 비는 의식으로서, 국토가 어지러워지려하여 여러 災難과 외적의 침입이 있게 된다면 道場을 장엄하게 하여 백개의 불상과 백개의 보살상, 백개의 나한상을 모시고 100 명의 승려를 청하여『仁王經』을 들으면 각종의 재난이 사라진다는 의식이다. 또 대외적인 전쟁에 있어서의 승리라든지 반란의 진압, 국왕의 병환 치료와 같은 호국적인 의미로 설치된 의식이었다.[181)]

八關會는 본시 八戒를 받는 法會로서 종교적 · 금욕적 · 修行的 의미를 갖는 것이었으나 護國的 성격의 것으로 바뀌었다. 572년(진흥왕 33)에는 전사한 士卒을 위해 7일 동안 팔관회를 베푼적이 있었다. 그리고 慈藏의 건의에 따라 80m 높이의 황룡사 9층탑이 건립되었다. 이와 더불어 신라 왕실이 석가와 마찬 가지로 刹帝利種이라고하여 佛法과 王法을 일치시키는데 기여하였다. 나아가서 護國을 위한 전쟁이 동시에 護法을 위한 싸움이라고하여 정복전쟁을 정당화 · 합리화시켰던 것이다.[182)]

신라 지배층들은 불교를 절묘하게 통치에 이용하였다. 신라의 국왕을 석가에 비기어 보려고 했다. 석가불은 비록 과거불이기는 하지만 가장 가까운 시대에 지상에 와서 설법을 한 如來였다. 결국 석가의 권위를 빌어서 왕권의 강화에 이바지하려고 한 것이다. '왕이 곧 부처이다'라고 하는 북방불교의 영향이었다. 그에 앞서서는 轉輪聖王으로 상징되었다. 전륜성왕은 須彌四洲의 세계를 통솔하는 왕이었다. 寶輪을 굴리면서 사방을 위엄으로 굴복시키기 때문에 전륜성왕이라 일컬어졌다. 그가 굴리는 寶輪에는 넷이 있는데, 그것이 金輪 · 銀輪 · 銅輪 · 鐵輪인데, 진흥왕의 아들 이름이 銅輪과 金輪이었다. 이와 같은 사실에다가 진흥왕이 위대한 정복군주로서 신라의 국토를 크게 확장시켰다는 점을 고려해서 진흥왕이 전륜성왕에 비기어졌을 것으로 보인다.[183)]

181_ 李基白 · 李基東,『韓國史講座 古代篇』, 一潮閣, 1982, 251쪽.
182_ 李基白 · 李基東,『韓國史講座 古代篇』, 一潮閣, 1982, 252쪽.
183_ 李基白 · 李基東,『韓國史講座 古代篇』, 一潮閣, 1982, 80~83쪽.

진평왕대에는 석가불로 비기어지는 변화가 따른다. 국왕과 왕비의 이름에 白淨과 摩耶夫人이, 진평왕의 아우 이름인 伯飯과 國飯은 석가의 숙부 이름 그대로 인것이다. 이러한 논리에 따른다면 진평왕과 왕비인 마야부인 사이에서 태어난 아들은 바로 석가에 해당된다. 그런데 진평왕에게는 딸만 있었으므로, 석가에 비길 수는 없게 되었지만, 선덕여왕이 왕위에 오르게 되는 이유는 이러한 관념과 인연이 작용한 것으로 보겠다.[184)]

(2) 진흥왕대의 순수

신라는 이 무렵 대외 정복활동을 활발하게 추진했다. 이와 관련해 522년에는 대가라의 혼인 요청을 받아들여 이찬 비조부의 여동생을 시집 보냈다. 532년에 남가라 병합, 551년에는 한강 상류를 장악했고, 553년에는 백제군을 축출하고 한강 하류 지역을 석권했고, 이곳에 新州를 설치했다. 554년에는 백제와 대가라 연합군을 관산성에서 완파하고 그 여세를 몰아 西進을 거듭했다. 그 결과 555년(진흥왕 16)에 진흥왕은 북한산에 순행하였고, 561년에 창녕비 건립, 568년에 황초령과 마운령비에 순수비를 각각 건립하였다. 여기서 진흥왕이 한강 하류와 저 멀리 함경남도 방면까지 몸소 巡狩했음을 알 수 있다. 진흥왕은 巡狩를 통해 새로 개척한 지역의 세력을 국왕인 자신과 직접 연결시킴으로써 자신에게 의존하게 하려는 것이었다. 진흥왕은 국가 조직을 통한 지방 세력과의 간접적인 연결을 지양했다. 그 보다는 직접 접촉을 통해 국왕인 자신에 대한 심정적 의존도를 높이는 한편 충성을 유도하고자 하였다. 최근에 진흥왕이 울진 성류굴에 행차한 사실이 밝혀졌다. 유람의 속성을 지녔지만, 이 역시 管境이라는 측면과 국토 순례라는 복합성을 지녔다고 본다.

진흥왕의 눈부신 영토 확장 사업의 성과는 마운령과 황초령, 그리고 북한산과 창녕에 세운 순수비를 통해서도 기억되었다. 진흥왕은 6국을 통합한 진시황처럼 정복한 지역을 몸소 순행하여 비를 세웠다. 여기서 568년 경에 주로 건립된 3개의 비석에는 '巡狩'라는 문구가 적혀 있다. 그러나 561년에 건립된 창녕비에는 '巡狩' 문구가 없다는 이유로 '拓境碑'로 명명했다. 그렇지만 창녕비를 살펴 보면 정작 '拓境' 내용이 없다. 지방민과 관련한 敎도 보이지 않는다. 오히려 단양신라적성비는 '拓境碑'로 간주해야 맞다. 창녕비는 "亲巳年二月一日立 寡人幼年承基政委輔弼依智"라고 적혀 있듯이 建碑 연대에 이어 진흥왕 자신의 술회부터 시작했다. 이는 마운령비에서 "朕歷數當躬仰紹太祖之基纂

184_ 李基白,『新羅思想史硏究』, 一潮閣, 1986, 119~120쪽.

承王位競"라고 한 구절과 성격이 동일하다.

창녕비 첫째 부분은 제1행 제1자에서 제8자까지로 題記部分에 해당되고, 둘째 부분은 제1행 제11자에서 제11행 제1자까지로 紀事部分이며, 세째 부분은 제11행 제3자에서 제27행 마지막자까지로 隨駕人名部分이다. 비문의 절반 이상이 隨駕人名으로 채워져 있다. 제1단락(제1행 제10자에서 제3행 제14자까지)은 建立 背景을, 제2단락(제3행 제15자에서 제5행 제18자까지)은 土地 등 경제관련 업무 담당체계의 수립을, 제3단락(제5행 제19자에서 제8행 제26자까지)은 경제관련 범죄의 처벌규정을, 제4단락(제9행 제1자에서 제11행 제1자까지)은 경제관련 범죄에 대한 처벌의 처리체계 및 監督權의 所在를 기록한 것으로 보는 견해도 있다.[185] 어쨌든 창녕비에는 '拓境' 관련 내용이 없음은 분명하다.

단양신라적성비는 맨 앞에 伊史夫를 비롯한 高官들의 명단이 열거되어 있다. 이와는 달리 진흥왕 3순수비와 창녕비는 고관 명단이 맨 나중에 적혀 있는 등 양자는 체재가 동일하다. 단양신라적성비는 진흥왕이 현장에 오지 않았기에, 비문의 주체는 맨 앞에 등장하는 고관들이었고, 또 '敎'가 나온 것이다. 여기서 가장 중요한 사실을 간과하면 안 될 것 같다. 왕이 몸소 지방을 시찰한 사실 자체가 巡狩였고, 이 때 건립한 비라면 순수비라는 것이다. 비문에 '巡狩'가 적혀 있는 지 여부가 중요한 게 아니다. 왕이 순수하여 세운 비라면 '巡狩碑'로 일컫는 게 합당하다. 물론 진흥왕3순수비와는 달리 창녕비에는 진흥왕이 자신을 '朕'이 아니라 '寡人'이라고 했다. 그리고 창녕비에는 연호도 기재되지 않았다. 그러나 창녕비가 건립되는 561년 당시 신라는 '開國'이라는 연호를 사용하였다. 연호를 사용한 황제격인 대왕의 행차였다. 따라서 진흥왕이 창녕에 행차하여 세운 비는 창녕 진흥왕순수비로 일컬을 수 있다. 그럼에도 진흥왕3순수비와는 달리 '巡狩'와 年號가 적혀 있지 않았고, '寡人'이라고 하였다. 그러므로 '순수비'로 일컫는 것은 부적절하다고 할 수도 있다. 그렇더라도 '척경비'는 아닌 것이다. 차라리 '昌寧眞興王巡幸碑'라고 할 수는 있다.

더욱이 창녕비 그 어디에도 영역 개척 즉 척경 관련 문구는 없다. 척경 유공자에 대한 포상이나 지방민에 대한 敎 시달도 보이지 않는다. 창녕비의 건립 연대가 대가라 멸망 불과 1년 전이라는 시점과 사방군주를 비롯한 전군 주요 지휘관들이 집결되었다는 점에서 영토 개척비로 인식된 것 같다. 진흥왕은 四方軍主가 있던 比子伐·漢城·碑利城·甘文의 4곳 가운데 比子伐을 가장 먼저 순수했던 것으로 보인다. 여타 순수비에 보면 진흥왕이 한성이나 비리성을 통과한 게 확인되기 때문

185_ 한국고대사회연구소, 『譯註 韓國古代金石文 II』 1992, 53쪽.

그림 35 | 북한산 진흥왕순수비가 세워졌던 비봉과 국립중앙박물관에 전시된 순수비

이다. 이러한 사방군주의 四方은 新羅 국호의 유래를 "德業日新 網羅四方"라고 한 데서도 확인된다. 진흥왕의 사방 순수에 따라 제일 먼저 순행한 곳이 비자벌 창녕이었다. 그 1년 후인 562년에는 대가라 정벌과 뒷 수습이 따랐다. 그로부터 6년 후인 568년에 행차한 곳에 세운 비석에는 '巡狩'를 기재했다. 비석의 형태도 3개는 동일하지만, 이들 중 제일 먼저 건립된 창녕비는 단양신라적성비의 형태에서 벗어나지 못하였다. 그러나 중요한 사실은 진흥왕의 사방 영토 순행 계획에 따른 것일 수 있다. 그렇다면 진흥왕이 제일 먼저 행차한 창녕에 세운 비석 역시 순수비로 일컫는 게 합당하다.

북한산순수비의 건립 연대를 555년으로 지목하는 견해가 있었다. 555년 10월에 진흥왕이 북한산에 巡幸하여 封疆을 拓定한 『삼국사기』 기사와 연결 짓기 때문이다. 그러나 북한산순수비에는 568년 10월에 설치된 南川州의 南川軍主가 등장한다. 이로 인해 북한산순수비의 건립 시기를 568년 이후로 지목하는 견해가 제기되었다.[186] 실제 555년에 북한산순수비가 건립되었다면 이 보다 후대인

186_ 『阮堂先生全集』 권1, 攷, 眞興二碑攷."亦黃草碑之所有也 則二碑其同時歟"
여기서 '二碑'는 황초령비와 북한산비를 가리킨다. 이 2 碑가 동일한 시기에 건립되었다는 것이다.

561년 건립의 창녕비와는 형태가 연결되지 않는다. 창녕비는 6세기 중엽에 세워진 단양적성비 계통이다. 그런데 반해 북한산순수비는 오히려 568년에 세워진 마운령비나 황초령비와 동일한 형태에 속한다. 비석의 형태 발전선상에서 볼 때 북한산순수비는 561년 이후 어느 때 건립된 게 분명하다. 따라서 555년 건립설은 이 점에서도 취하기 어렵다.[187] 게다가 題記에서도 창녕비는 '辛巳年二月一日立'라고 한 데 반해, 북한산순수비는 '眞興太王及衆臣等巡狩△△之時記'라고 하였다. 북한산순수비의 제기는 마운령순수비 제기의 '△興太王巡狩△△刊石銘記也'라는 구절과 연결된다. 비문의 체재를 놓고 보더라도 북한산순수비는 555년 보다는 568년 건립에 근사하다.

물론 순수비에 등장하는 內夫智의 관등이 북한산비에는 一尺干으로, 마운령비에는 伊干으로 적혀 있다. 일척간과 이간이 동일한 관등이기는 하지만, 시기적으로 일척간이 이간보다 앞서 쓰여졌을 가능성이다. 居柒夫의 관등이 561년에 세워진 창녕비에는 일척간, 568년에 세워진 마운령비에는 이간으로 적혀 있다. 그러므로 일척간이 이간보다 앞서 사용된 관등명이라고 보아야 맞다. 결국 북한산비는 568년 이전인 555년 건립이 타당하다는 것이다.[188] 그러나 伊干은 550년 전후한 시기에 건립된 단양신라적성비에서 '伊史夫智 伊干'이라고 하여 보인다. 그러므로 伊干이 一尺干보다 앞서 사용되었다는 준거가 되기 어렵다. 나아가 북한산비가 황초령이나 마운령비보다 앞서 세워졌다는 근거가 될 수 없다. 황초령비와 마운령비는 비문의 내용이 거의 동일하지만 북한산비는 이와는 다르다. 그런 관계로 內夫智의 관등 표기가 부합되지 않았을 수 있다. 좀더 정밀하게 본다면 비문의 서체도 달랐기에 書者의 차이로 인한 동급 관등에 대한 異記가 나왔을 가능성이다.

568년 10월에 진흥왕이 비열홀주(안변)를 폐지하고 달홀주(고성)를 설치했고, 북한산주를 폐하고 남천주(이천)를 설치했다. 568년 8월 21일 마운령에 순수비를 세운 진흥왕은 10월 2일에 수레를 돌렸다. 이와 맞물려서 그해 10월에 동북변과 서북변의 州治를 모두 남쪽으로 이동하여 설치했다. 이는 순수비를 세운 후 진흥왕 御駕의 南下 軌跡과 무관하지 않은 것 같다. 동북변을 管境한 진흥왕은 御駕를 서북변 북한산으로 돌렸다. 원산과 서울을 잇는 교통로인 추가령 구조곡을 따라 진흥왕은 이르렀던 것 같다. 이 때 진흥왕은 그해 10월에 새로 임명한 남천주의 군주를 대동하고 북한산 비봉에 올랐다고 본다. 진흥왕으로서는 2회에 이르는 북한산 등정이었다. 이렇게 하여 마운령과 황초령

187_ 李道學, 『新羅 加羅史硏究』, 서경문화사, 2017, 210~211쪽.
188_ 盧鏞弼, 『新羅眞興王巡狩碑硏究』, 一潮閣, 1996, 24쪽.

에 세워졌던 순수비가 북한산에도 건립된 것이다. 북한산순수비는 8월에 건립된 앞의 2개 비석보다는 조금 늦은 10월 이후에 세워졌다. 여기서 분명한 사실은 북한산순수비도 568년에 건립된 것은 분명하다.

영토 확장이라는 찬연한 위업을 세운 진흥왕의 업적은 비석 뿐 아니라 회화를 통해서도 보다 구체적인 장면으로 기억되었던 것 같다. 즉 率居가 그린「眞興王北巡大獵圖」의 존재이다. 名畫를 많이 소장했던 고려 후기의 柳淸臣(?~1329)이 지녔다가 6~700년이 흐른 후 安鍾和(1860~1924)에 이어졌다. 안종화로부터 이 그림을 접한 金允植은 1910년에 다음과 같은 감상평을 남겼다.

> 그림은 모두 8폭으로 당시 표구를 해서 병풍으로 만들었는데, 세월이 오래되어 때가 묻고 낡아 손만 닿으면 찢어지고 부서졌다. 그러나 색채는 변하지 않았고 정신이 살아있어 산천과 수목과 인물의 형상은 약동하는 같았으니 거의 神의 솜씨였다. 진흥왕은 여러 대의 功業을 계승하여 豐亨豫大의 업적을 차지하였다. '六軍을 크게 펼쳐서' 사냥하는 禮를 시행하였는데, 기치가 바르고 엄숙하였고 의관은 모두 바르고, 군사와 말은 精銳롭고 강하며 투구와 갑옷이 선명하여, 四海를 평정하고 삼킬 만한 기개가 있었다. 임금과 신하가 서로 즐거워하며, 먹고 마시며 잔치를 즐기는데, 휘장과 장막, 술통과 쟁반 등의 물건은 精緻하면서도 예스럽고 아름답지 않은 것이 없었다. 알려지고 유명하지 않거나 큰 주방이 가득차지 않음이 없었으니 文物의 번성함이 찬란하고 대국의 기풍이 넘쳐흘러, 예나 지금이나 이 그림을 살펴보면 감개하여 눈물이 흐르는 것을 막을 수가 없다.[189]

「眞興王北巡大獵圖」에는 率居 작품으로 적혀 있었던 것 같다. 솔거는 통일신라 때 화가이다. 이 대렵도가 솔거 작품이 맞다면 상상화가 된다. 그런데 대렵도 주제처럼 巡狩 후 田獵을 한 사례는「광개토왕릉비문」에도 보인다. 즉 영락 5년 조에 "遊觀土境 田獵而還"라고 했다. 진흥왕도 北巡하며 田獵한 기록이 있었던 것 같다. 이를 토대로 솔거가 그린 상상화로 보인다. 진흥왕의 순수와 田獵이라는 새로운 사실을 확인할 수 있다.

그런데 마운령비와 황초령비가 세워진 지역까지를 신라의 北界로 단정하는 경향이 있다. 즉 진흥

189_ 『雲陽集』권12, 書後, 題新羅眞興王北狩大獵圖 庚戌.

왕 3巡狩碑를 國境碑로 여긴다는 것이다. 巡狩碑는 문자 그대로 국왕이 자신의 안정적인 영역에서 순수한 사실을 공표한 기념비일 뿐 邊境碑는 아니었다. 진흥왕순수비는 境域 가늠의 지표는 될 수 있다. 그렇다고 순수비 자체가 변동과 부침이 심한 국경 지역 행차를 가리키지는 않는다. 이를 착각하는 경우가 적지 않다. 가령 신라는 553년에 서울 이북을 점령했다. 그렇지만 북한산순수비는 그보다 15년 후인 568년 이후에 건립되었다.[190] 따라서 568년 당시 신라의 북계는 서북으로는 북한산 이북, 동북으로는 마운령 이북으로 상정해야 맞다. 황초령과 마운령은 적어도 568년 이전에 신라 영역이 되었던 것이다.

진흥왕은 568년 8월에 경주를 출발하여 황초령과 마운령에 각각 올라 거의 동일한 내용의 비석을 8월 21일 付로 세웠다. 이와 관련해 1827년에 정6품 무관 벼슬인 北評事에 제수된 朴來謙의 일기가 주목된다. 그는 7월 26일에 한양도성을 출발하여 8월 1일에 鐵嶺에 이르렀다. 그는 8월 10일에 마운령을 넘었다. 철령에서 마운령까지의 소요 기일이 대략 10일임을 헤아릴 수 있다. 박래겸이 마운령을 넘을 때의 소회는 "저녁에 摩雲嶺을 넘었는데, 危險하고 높고 가파르기[高峻]는, 또 咸關嶺보다 갑절이었다. 그리고 겹겹의 뾰족한 산들이 포개져서 높고 험한 산들이 마치 하늘의 끝에 있는 것 같았다. 摩雲이라는 이름을 얻게 된 것도 허망하지 않음을 믿게 되었다. 밤에 端川府에서 잤다"[191]라는 글귀에서 잘 보인다. 마운령의 험절함은 1812년(순조 13) 9월에 함경도 암행어사로 임무를 수행한 具康의 일기에서도 확인된다. 마운령의 高險함은 마천령과 더불어 서로 拮抗하고 있다. 낭떠러지 절벽을 따라난 길은 만길이나 되니 한 발자욱이라도 헛딛게 되면 몸을 보전할 수 없을 정도로 온 신경이 놀라게 된다고 했다.[192] 그 밖에 酷寒은 물론이고 범 · 표범 · 곰과 같은 맹수가 대낮에도 출몰하는 상황도 적었다.

박래겸의 일기를 보면 8월 29일에 大紅端(함경북도 무산)에서 野營하는데 혹한이라 눈을 붙이지 못했다고 한다. 9월 21일에 그가 城津에 체류할 때는 새벽부터 눈이 내려 종일 그치지 않았다. 高嶺에 체류할 때인 9월 25일에는 "大雪이 數尺 남짓 내렸다. 9월의 대설은 이미 두 번째이다. 북방의 추위를 알만하다"고 적었다.

진흥왕은 8월 초에 경주를 출발하여 8월 20일 경에는 황초령과 마운령에 각각 도달했던 것 같다.

190_ 한국고대사회연구소, 『譯註 韓國古代金石文 Ⅱ』 1992, 68쪽.
191_ 『北幕日記』 丁亥 八月 初十日 條.
192_ 『休休子自註行路編日記』 12월 1일.

그리고 마운령순수비에서 "引駕日行至十月二日癸亥向涉是達非里△廣△因諭邊堺矣"라고 하였다. 10월 2일에 진흥왕은 東北邊堺에서 御駕를 돌렸음을 알 수 있다. 진흥왕은 북한산 비봉에 세 번째 순수비를 세우고 경주로 돌아갔던 것으로 보인다.

진흥왕의 路程은 구강이나 박래겸의 체험 이상으로 험난했을 것으로 상상된다. 그럼에도 혹한과 大雪을 뚫고 진흥왕은 우뚝한 山頂에 자신의 위업을 담은 순수비를 세웠다. 마운령비(利原 雲施山城)·황초령비(함흥 황초령)·북한산비(북한산 비봉)가 세워진 3곳은 접근성이 아주 나빴다. 그랬기에 순수비가 후대까지 보전될 수 있었다고 본다. 비록 현지의 주민들은 정작 순수비를 읽기는 어려웠겠지만, 隨駕하여 현장을 目睹한 臣僚들에게 建碑 순간은 강한 인상을 주고도 남았을 것이다. 진흥왕의 순수비는 정복 지역 주민보다는 기실 隨駕한 중앙의 臣僚들을 겨냥했다고 본다.

그런데 진흥왕은 순수 직후인 568년 10월에 "北漢山州를 廢하고 南川州를 두었다. 또 比列忽州를 폐하고 達忽州를 두었다"[193]라고 했다. 북한산성에서 이천으로, 함경남도 安邊에서 강원도 高城으로라는 州治의 전면적인 南下 移動이 따랐다. 그랬기에 신라가 마운령과 황초령 일대를 상실한 것으로 단정하기도 한다. 그러나 진흥왕이 몸소 巡狩하여 立碑할 정도라면 안정적인 신라 영역임을 뜻한다. 그럼에도 국왕이 순수하여 立碑한 즉시 영토를 대거 상실했다는 것도 사리에 맞지 않다. 진흥왕은 몸소 밟아 본 현지에서의 체험을 기반으로 단행한 전략적 결단이 州治의 남하였다.

(3)『국사』의 편찬

이사부는『국사』편찬의 목적을 君臣의 善惡과 褒貶을 만대에 알리는 것이라고 했다. 그런데『국사』편찬은 진흥왕대의 정복전쟁의 승리와 엮어져 흔히들 배경을 말하고 있다. 즉 삼국의 역사 편찬을 거론하면서 "주로 왕의 정복전쟁에 대한 기사가 주요 내용이었을 것이다. 왜냐하면, 당시 왕권의 신장과 영토의 확장은 시대적인 중요한 과제였기 때문이다"[194]고 했다. 여기서 삼국의 역사 편찬의 준거로 삼은 대상은 진흥왕대의 국사 편찬이었다. 그런데 고구려의 경우 '留記'를 删修하여『新集』을 편찬한 600년 시점은 영토의 확장에 이렇다할 성과가 없었다. 가령 그 2년 전인 598년(영류왕 9)에 영류왕은 말갈의 군사를 이끌고 요서를 침공했었다. 그러나 隋의 반격을 받아 퇴각하고 말았다. 오

193_ 『三國史記』권4, 진흥왕 29년 조. "冬十月 廢北漢山州 置南川州 又廢比列忽州 置達忽州"
194_ 정구복,『한국인의 역사 인식—고대편』, 한국정신문화연구원, 1989, 104쪽

히려 수 문제의 침공을 유발하여 服罪하는 지경에 이르렀다.[195] 『신집』 편찬의 주체인 영류왕 11년(600) 이전에는 유념할 만한 정복사업의 성과는 없었다. 그러므로 사서 편찬의 동인이라고 할 수 있는 영토확장을 기념할 만한 치적은 존재하지 않았다. 백제의 경우는 '書記' 관련 기사가 사서 편찬 그 자체를 가리키지는 않는다. 게다가 사서 편찬은 일반적으로 당대가 아닌 前代까지를 대상으로 했다. 그러므로 진흥왕대의 영역 확장은 『국사』에 포함되지 않았을 가능성이 크다. 그러면 이제는 앞선 논지의 주요 근거인 신라 진흥왕대를 살펴 보도록 한다.

진흥왕이 『국사』 편찬을 지시한 해는 자신의 재위 6년인 545년이다. 이때는 신라가 소백산맥을 넘기 이전이었다. 그리고 진흥왕 6년과 그 이전은 전쟁 기사 자체가 없다. 즉 '왕의 정복전쟁에 대한 기사' 자체가 존재하지 않았다. 그러므로 『국사』 편찬을 정복전쟁의 승리에 대한 기념비적 과시의 산물이라는 인식은 타당하지 않다. 그럼에도 진흥왕이 異斯夫가 奏請한 『국사』 편찬을 승인한 배경은 무엇일까? 진흥왕은 7세에 즉위했다. 이 사실은 「창녕진흥왕순행비문」의 "寡人幼年承基"[196]라는 구절을 통해서도 확인된다. 소년의 진흥왕에게는 시급한 일이 왕권을 강화하고 母太后의 섭정에서 벗어나는 일이었다. 그러기 위해 그는 신하들의 보필을 받았던 것 같다. 이 역시 「창녕진흥왕순행비문」의 "政委輔弼"라는 구절을 통해 확인된다.

『국사』가 편찬되는 진흥왕 6년이면 그는 12세에 불과했다. 『國史』 편찬을 주청한 이사부는 병권을 쥔 兵部令이었다. 그의 懸案은 12세 소년왕의 권위를 세워 왕권을 강화하는 일이었을 것이다. 이사부는 『국사』 편찬에서 '褒貶'의 평가 기준이 되는 덕목을 儒經에서 찾았던 것 같다. 그는 유학에서 "임금은 높고, 신하는 낮다"는 이념을 기반으로 강력한 왕권 구축에 앞장섰을 것으로 보인다. 攝政하는 太后나 骨族들이 감히 넘볼 수 없는 왕의 위상을 확보한 후 이를 기반으로 정복전쟁에 활기를 불어넣었던 것으로 짐작된다. 이와 관련해 『국사』 편찬의 동기인 "국사는 임금과 신하의 선악을 기록하여 포폄을 만대에 보이는 것입니다"라는 구절을 다시금 음미해 본다. 이에 따르면 善惡을 기록하여 포폄을 만대까지 보이기 위한 목적이었다. 임금과 신하에 대한 선악의 기준은 말할 나위 없이 忠孝가 된다. 상향성을 지닌 忠孝는 신하가 지녀야할 절대적인 덕목이었다. 忠孝의 이행 여부에 따라 포폄이 결정되어졌다고 본다. 또 그러한 사실을 『국사』 속에 적시하여 만대에 귀감이 되거나 경계로

195_ 『三國史記』 권20, 영류왕 9년 조.
196_ 한국고대사회연구소, 『譯註 韓國 古代金石文 II』 1992, 55쪽.

삼을 수 있다. 이러한 목적을 지니고 『국사』가 편찬된 것이다. 진흥왕대의 褒貶 가운데 '褒'는 단양신라적성비나 진흥왕순수비에서 확인된다. 이 경우는 褒를 만대까지 현창하기 위한 목적에서였다.

『국사』에 수록될 포폄의 근거는 유학의 도덕윤리였을 것이다. 忠孝에 대한 유학의 윤리를 기준으로 포폄이 결정되었다고 하겠다. 충효 윤리는 仁義의 철학적 영역에서 도출된 가치영역이었다.[197] 그러므로 충효도 仁義 곧 왕도정치와 연결되어 있었다. 이사부가 주청한 '褒貶'·'記·示'는 진흥왕대에 개척한 척경비나 순수비에서 다음과 같이 발견할 수 있다.

* 이 때에 赤城 출신의 也尒次에게 敎하시기를 … 중에 옳은 일을 하는데 힘을 쓰다가 죽게 되었으므로 이 까닭으로 이후 그의 妻인 三… 에게는 … 利를 許하였다. … 별도로 敎하기를 이후로부터 나라 가운데에 也尒次와 같이 … 옳은 일을 하여 힘을 쓰고 남으로 하여금 일하게 한다면…(節教事赤城也尒次△△△△中作善懷懃力使死人是以後其妻三△△△△△△△△△△△許利之…別教自此後國中如也尒次△△△△△△懷懃力使人事).[198] 「단양신라적성비문」
* 勞苦를 위로하고자 한다. 만일 충성과 신의와 정성이 있고 △ … 賞을 더하고(欲勞賚如有忠信精誠△可加<賁?>).[199] 「북한산진흥왕순수비문」
* 만약 충성과 신의와 정성이 있거나, 재주가 뛰어나고 재난의 機微를 살피고, 적에게 용감하고 싸움에 강하며, 나라를 위해 충절을 다한 功이 있는 무리에게는 벼슬과 △을 賞으로 더하여 주고 功勳을 표창하고자 한다(如有忠信精誠才超察厲勇敵强戰爲國盡節有功之徒可加賞爵△以章勳勞).[200] 「마운령진흥왕순수비문」

진흥왕대에 건립된 위의 巡狩碑文을 통해 '忠信'이 현양되고 있다. 忠信은 신라 사회를 縱과 橫으로 연결시켜주는 덕목이었다.[201] 그랬기에 국가를 위해 忠信을 다했던 이들에게 褒賞이 이루어졌다. 특히 신라군이 단양 지역을 접수한 후에 협력했던 현지 주민인 也尒次를 크게 현양하고 있다. 「마운령진흥왕순수비문」에서는 褒賞에 대한 약속을 천명했다. 그리고 「마운령진흥왕순수비문」에서는 '爲

197_ 서욱수, 「『論語』의 倫理思想」『論語의 綜合的 考察』, 심산, 2003, 240쪽.
198_ 한국고대사회연구소, 『譯註 韓國 古代金石文Ⅱ』, 1992, 35쪽.
199_ 한국고대사회연구소, 『譯註 韓國 古代金石文Ⅱ』, 1992, 69~72쪽.
200_ 한국고대사회연구소, 『譯註 韓國 古代金石文Ⅱ』, 1992, 87~90쪽.
201_ 李基白, 『新羅思想史研究』, 一潮閣, 1986, 203쪽.

國盡節'이라고 하여 국가를 위한 節義를 내세웠다. 이는『국사』편찬의 동기이기도 한 "선악을 기록하여 褒貶을 萬代에 보이는" 작업과 무관하지 않다. 바로 그 작업을 실제 구현하고 있는 것이다.

지금까지의 검토를 통해 진흥왕대의『국사』편찬은 정복전쟁 직전에 시작되었음을 알 수 있었다. 이 사실은 영토확장의 성공을 담기 위한 목적의『국사』편찬이 아니었음을 알려준다. 여기서 중요한 사실은『국사』편찬의 목적인 "선악을 기록하여 포폄을 만대에 보이는" 작업은 성공적이었다는 것이다. 이는『국사』편찬이 시작되는 545년을 기준으로 할 때 그 이전과 이후는 상황이 다르기 때문이다. 이는 몇 가지로 나누어서 살펴볼 수 있다.

첫째, 전쟁의 승리와 영토의 확장이다. 이와 엮어져 교육 기능과 더불어 전사단으로서 화랑도의 제정을 꼽을 수 있다.[202] 진흥왕대 승전과 영토 확장 관련 기사는『삼국사기』진흥왕 9년 · 11년 · 12년 · 14년 · 15년 · 16년 · 17년 · 18년 · 19년 · 23년 · 26년 · 29년 조에 보인다. 둘째, 왕권 강화를 가시적으로 보여줄 수 있는 改號나 토목공사가 두드러졌다.『삼국사기』진흥왕 12년 · 14년 · 15년 · 29년 · 33년 조에 보인다. 셋째, 순수비 외에도 기록상 왕의 순행이 포착된다.『삼국사기』진흥왕 12년 · 16년 조에서 확인되고 있다. 넷째, 대중국 교류가 활기를 띠었다. 진흥왕 10년(549)에 梁에 入朝한 것은 동맹국인 백제의 도움에 말미암았다. 진흥왕 25년부터는 이전 시대에서 찾아 볼 수 없을 정도로 중국과의 교류가 활발해졌다. 그 이유로서는 신라의 정치적 입지의 확장에서 찾을 수 있겠지만, 그것을 가능하게 한 주된 요인은 신라의 한강유역 확보였다. 이는『삼국사기』진흥왕 10년 · 25년 · 26년 · 27년 · 28년 · 29년 · 31년 · 32년 · 33년 조에 보인다. 다섯째, 佛事가 활기를 띠었다. 이는 신라와 중국과의 교류가 활발해진 데 따른 결과였다. 그리고 진흥왕순수비에는 法藏과 慧忍이라는 2명의 高僧 이름이 귀족 명단 보다 앞에 적혀 있다. 그 만큼 승려의 위상이 높았다는 것을 반증해준다. 불교의 위상은『삼국사기』진흥왕 14년 · 26년 · 27년 · 33년 · 35년 · 37년 조에서 확인된다. 여섯째, 褒賞 기사가 軍功과 더불어 포착될 정도로 사기 진작에 신경을 썼다. 이는『삼국사기』진흥왕 13년 · 23년 조 기사에서 확인된다.

지금까지 살펴본『삼국사기』진흥왕본기에서는『국사』편찬이 시작되는 545년 이후에는 정복전쟁이 활기를 띠었음을 발견할 수 있다. 그리고 포상이 자주 눈에 띤다. 진흥왕의 巡幸이 두드러질 뿐 아니라 화랑도의 경우도 '山川遊娛'에서 알 수 있듯이 적극적인 국토관이 나타난다. 아울러 忠信

202_ 『三國史記』권4, 진흥왕 37년 조

에 대한 국왕의 적극적인 의지 천명을 읽었기에, 그것이 구현되고 있음을 발견하게 된다. 통치에서 儒經을 근거로 하여 縱橫으로 사회 구성원들을 탄탄하게 엮었고, 불교의 흥륭을 통해 전쟁에 대한 자신감을 고취시켜 주었고, 낙관적인 내세관을 심어 공포심을 희석시켰다. 그리고 祭儀集團인 화랑도를 전사단으로 개편했다.[203] 道義 연마를 통해 이들을 忠信으로 엮을 수 있었다.

신라는 545년 무렵부터 儒經에 의한 통치를 시작했다. 覇道가 아닌 王道를 통해 다스리겠다는 통치 좌표를 설정한 것이다. 그랬기에 「마운령진흥왕순수비문」에서는 '恩施'가 보인다. 은혜를 베푸는 仁義에 기반한 德化君主像을 설정했다. 그리고 '記'라는 개념을 가시적으로 체감하게 하였다. 『국사』 편찬과 짝을 이루며 정복지에 세워진 비석에 그러한 사실을 銘記했다. '記'가 지닌 영속성은 '萬代에 보이는' 작업의 일환이었다. 신라는 忠信에 대한 포상을 통해 주민들을 고무 결집시킬 수 있었다. 아울러 국왕의 권력 행사와 통치의 정당성에 대한 고취가 가능했다. 신라는 그러한 결집된 힘을 토대로 정복전쟁에 승리할 수 있었다. 이에 보태진 호국불교사상도 지대한 공을 끼쳤음은 부인할 수 없다.

(4) 화랑도

① 새롭게 확인된 화랑, '烏郎徒'의 烏郎

祭儀 集團인 源花에서 전사단으로 개편된 화랑도는 통일 이후에는 일정 부분 성격이 변모했을 것이다. 전사단으로서의 기능은 퇴화된 반면, 交遊와 관련한 遊娛的인 기능은 활발해졌다고 본다. 물론 그렇다고 화랑도의 기본 성격이 轉變되지는 않았을 것이다. 우선 화랑은 일정 기간 수행 과정을 거친 것으로 밝혀졌다. 이러한 수행의 내용을 단편적으로 언급하였지만 구체적으로 체계화시켜 구명한 연구는 많지 않았다. 많은 경우 1천 명의 낭도를 거느렸던 화랑은 국가의 미래 棟樑으로서 소임을 맡았다. 『화랑세기』에서 "賢佐忠臣이 이로부터 솟아났고, 良將勇卒이 이로 말미암아 생겨났다"고 했다. 賢佐忠臣과 良將勇卒을 배양하기 위해서는 凡人과 다른 수행 과정이 필요했을 것이다.

그러면 금석문에서 새롭게 확인된 화랑의 존재를 상기해 본다. 제천 점말동굴 刻字에 보이는 '烏郎徒'의 烏郎은 화랑 이름의 끝 글자일 가능성이 높다. 왜냐하면 "安祥은 俊永郎의 낭도라고 하지만

203_ 李道學, 「新羅 花郎徒의 起源과 展開過程」 『정신문화연구』 38, 한국정신문화연구원, 1990, 3~18쪽.

확실하지 않다"[204]라는 기사에서 보듯이 四仙의 한 명인 永郎은 기실 그 이름이 俊永郎이었다. 이 경우 인명의 끝 字로 略記하였다. 화랑 國仙의 효시인 薛原郎을 思內奇物樂을 지은 原郎과 동일 인물로 간주하고 있다.[205] 그렇다면 역시 끝 字로 표기한 것이다. 울주 천전리서석에 2회 등장하는 '官郎' 가운데 인명만 등장하는 표기는 사다함과 死友였던 '武官郎'을 가리키는 것 같다. 요컨대 烏郎은 200여 명에 이르렀다는 신라 '三代花郎' 가운데 한 명이었을 것이다.

烏郎의 실존을 뒷받침해 주는 근거가 月城 垓字 목간의 "大烏知郎足下"에 보이는 '大烏知郎'이라는 人名이다. 여기서 '知'는 단양신라적성비 등에서 보이는 '智'와 마찬 가지로 이름 뒤에 존칭어미로 붙고 있다. 그러므로 大烏郎이 된다. 그런데 앞에서 언급한 바와 동일한 이름 끝자 略記로 인해 '烏郎'으로 표기되었을 가능성이 지극히 높다. 더욱이 월성 해자 목간은 왕궁 관련 기록물로서 대체로 6세기~7세기대의 것이라고 한다.[206] 이 같은 월성 해자 목간의 제작 시점은 점말동굴의 刻字 시점과 무리 없이 연결된다.

② 苦行

화랑의 수행과정에서 빠뜨릴 수 없는 苦行에 대해 "고행은 특히 육체에 혹독한 고통을 주어, 그것을 해냄으로써 종교상 이상으로 된 체험을 얻으려는 것을 말한다"[207]고 했다. 또 고행은 神의 은총과 은혜를 받기 위한 전제라고 한다. 화랑들은 克己를 전제로 한 苦行을 통해 인내심과 책임감을 배양했다. 독충과 맹수가 우글거리는 깊은 산중의 컴컴하고도 비좁은 동굴 속의 수행이 그 전형이었다. 화랑들은 고행을 통한 수행 과정에서 接神하여 守護靈을 만나기도 했다. 실제 북아메리카 동부 삼림문화 영역의 인디언은 혼자 삼림에서 沈思專念한 결과 얻어진 환각에 의해 자기 수호령을 구했다고 한다.[208] 고행 수행을 통해 화랑들은 국가 患亂에 대한 강렬한 극복 의지와 자신감을 배양했다.

구석기 유적으로 알려진 제천 점말의 용굴을 발굴하면서 동굴 바깥 주변에서 刻字가 확인되었다. 이러한 刻字를 분석한 결과 花郎과 郎徒들이 다녀 간 흔적으로 밝혀졌다. 동굴은 예로부터 신성처였다. 그랬기에 화랑들이 동굴에서 神靈을 만난다거나 苦行 修道할 수 있는 장소였다. 이 점은 김유

204_ 『三國遺事』 권3, 塔像, 백률사 조.
205_ 三品彰英, 『新羅花郎の研究』, 平凡社, 1974, 101쪽.
206_ 국립부여박물관 · 국립가야문화재연구소, 『나무 속 암호 목간』, 예맥, 2009, 160쪽.
207_ 小口偉一 · 堀一郎 監修, 『宗教學辭典』, 東京大學出版會, 1973, 359쪽.
208_ 종교학사전 편찬위원회 編, 『종교학대사전』, 한국사전연구사, 1998, 73~74쪽.

신의 사례에서 歷然하게 확인되고 있다. 점말동굴에 화랑 관련 刻字가 남겨지게 된 배경도 이러한 맥락에서 살피는 게 지극히 자연스러워진다.

그런데 고등종교인 불교와의 褶合을 통해 國仙 花郎인 김유신의 기도처에서 처럼 점말동굴에도 庵子形 寺刹이 들어섰다. 고유신앙을 바탕으로 한 전통적인 화랑도의 속성에 불교적인 요소가 습합된 것이다. 김유신의 낭도를 미륵신앙과 관련한 龍華香徒라고 한 것도 이 사실을 반증한다. 점말동굴도 기능적 속성이 이와 같이 변화된 것이다.

신성처이자 화랑의 고행처이기도 했을 점말동굴은 그 동편에 영월의 주천강과 이웃하고 있다. 그 서편에는 승경이 빼어난 의림지와 인접하였다. 이러한 외적 배경으로 인해 점말동굴 일대는 山川을 跋涉했던 화랑도들의 巡禮地요 聖地로 걸맞았다. 刻字에 보이는 '禮府'는 교육과 의례를 관장했던 신라의 禮部를 가리킨다. 나아가 이 禮府가 화랑도의 교육과 儀禮를 맡아 보았음을 시사받을 수 있다. 戰士團으로서 戰場에 투입되기 이전 수련기의 화랑도는 禮府 소관이었음을 생각하게 한다. 화

그림 36 | 제천 점말동굴 근처에 새겨진 '烏郎徒'의 화랑 烏郎

랑도의 遊娛에는 교육과 의례라는 兩者의 속성과 기능이 내포되었기 때문이다. 이 점 새롭게 밝혀진 사실이라고 하겠다. 그 밖에 刻字에 보이는 인물 가운데 '金郞'의 존재가 울주천전리서석에서 확인되었다. 사실 제천 지역은 제비랑이라는 화랑을 비롯한 화랑도에 관한 전승이 유달리 몰려 있었다. 게다가 화랑도와 연관 지을 수 있는 祭儀處인 월악산이나 의림지 같은 遊娛 현장까지 갖추었다. 그러므로 6세기 중반 소백산맥을 넘어 제천 지역을 자국 영토로 복속시킨 신라인들의 기세 속에서 점말동굴의 花郞 刻字가 지닌 역사적 의미에 대한 다양한 조명이 필요하다.[209] 이와 더불어 울진 성류굴 입구와 동굴 안에서 발견된 화랑 관련 명문도 점말동굴과 연결되는 부분이 많다.

③ 遊娛

화랑은 예하의 郞徒들을 거느리고 山川을 跋涉했다. 진흥왕대에 새로 개척한 넓어진 영역에 대한 확인과 더불어 山川과 交感하는 기회로 삼았던 것 같다. 본디 祭儀 집단에서 출발한 화랑도는 山川 遊娛를 통해 국토 守護靈을 발견하게 되었다고 본다. 『삼국사기』 제사지에서 小祀에 속한 강원도 고성의 霜岳이나 雪岳도 이러한 경우로 추정된다.[210] 고행 수행을 통해 화랑 자신이 개인의 수호령을 만났다고 한다면, 산천에 대한 跋涉을 통해 국토 수호령을 발견하거나 交感하는 계기로 삼았던 것 같다.

놀이의 한 형태인 무용과 경기는 신에게의 봉납이었다. 또한 歌樂·詩 봉납도 직접 신과 연결하는 신성한 행위였다. 그렇기에 고대인의 관능에 신비적인 조화를 초래하였다. 그리고 놀이는 신과의 숭고한 융합에 의해 인간의 모든 문제를 해결하고자 하는 고대인의 功利主義觀도 반영한 것이었다. 여기서 보다 더 중요한 것은 호이징하가 지적했듯이 '놀이'는 美術과 騎士道를 낳고 나아가 인간문화 전반을 전개·발전시키는 원천이었다는 점이다.[211]

화랑의 유오지는 "산수에서 즐겁게 놀아 멀리 가보지 아니한 곳이 없었다"고 한 만큼 넓은 반경에 걸쳐 그 흔적이 남겨졌을 것이다. 비록 후대의 자료이지만 王弟인 無月郞이 낭도를 이끌고 산수간에서 놀았다는[212] 전설은 화랑의 행적이 오랜 동안 膾炙되었음을 뜻한다. 許筠은 "나는 바로 述郞의

209_ 李道學, 「堤川 점말동굴 花郞 刻字에 대한 考察」『충북문화재연구』 2호, 충청북도문화재연구원, 2009, 41~62쪽.
210_ 화랑들의 순례지인 금강산과 지리산 가운데 후자는 신라의 祭祀 산악이 되었기 때문이다.
211_ 金鍾璿, 「新羅花郎の性格について -特にその遊びに關して-」『朝鮮學報』 82, 1977; 李東植 譯. 「新羅 花郞의 性格에 대하여 - 특히 그 '놀이'에 관하여 - 」『東아시아古代學』 46, 2017, 469쪽.
212_ 『惺所覆瓿藁』 권7, 文部 4, 鼇淵寺古迹記.

무리로 구려(吾是述郎徒)"라고 읊조린 후 "南袞의 白沙汀記에 '阿郎浦는 곧 옛적에 화랑이 놀던 곳이다. 그래서 阿郎浦가 된 것이다'고 하였다"[213]고 했다. 그리고 "阿郞은 述郎을 말한다. 永郎의 무리였다. 지금 阿郎浦가 있는 즉 그들이 놀던 곳이다"[214]고 했다. 阿郎이라는 화랑 이름에서 황해도 옹진군에 속한 浦口 이름이 유래했음을 밝히고 있다. 阿郎의 존재는 "乙巳年 阿郎徒夫知行"라고 하여 울주 천전리 서석에서도 그 이름이 확인된다.

고려말 李穀「東遊記」에 보면 총석정의 사선봉 · 금란굴 · 삼일포의 석감과 사선정 · 영랑호 · 경포대 · 한송정 · 월송정 등지가 화랑 四仙의 유오지로 전해진다. 이들 지역은 금강산 내지는 해금강으로 불려지는 경승지를 중심으로 남쪽으로 이어지는 지대로서 예로부터 산수가 뛰어나 신선 취미의 시인 묵객이 감탄을 멈추지 못하던 곳이기도 하다. 서거정은 이곳을 가리켜 "내가 생각하건대 우리 東韓 山水의 뛰어남은 關東을 으뜸으로 삼는다"[215]고 칭송했다. 이러한 海東第一의 仙境은 바로 仙人과 나란히 하는 화랑도의 유오지였던 것이다.[216] 그리고 금강산이나 오대산도 화랑도의 유오지로서 유명하다. 그 밖에 화랑도의 유오지였던 울주 천전리 일대의 승경도 빼어나기 이를 데 없다. 시냇물이 U 字形을 이루며 암벽을 따라 흐르고 있으며, 인근에는 盤龜臺라는 절경이 소재하였다.

동굴은 신라 화랑들에게는 神靈들과 交感하는 신성처로서 중요한 의미를 지녔다. 특히 유명한 화랑이 특정 동굴에서 苦行하여 成業했을 때는 聖地가 되었을 것이다. 이러한 동굴은 화랑과 낭도들이 즐겨 찾았던 것으로 보인다. 점말동굴의 刻字는 그러한 사실을 웅변해 주고 있다. 이와 관련해 "國仙 邀元郎 · 譽昕郎 · 桂元 · 叔宗郎 등이 金蘭을 유람할 때"[217]라는 기사를 통해서도 순례지로서 금란굴을 지목할 수 있다. 실제 점말동굴 刻字 가운데 A를 "癸亥年 5월 3일에 받들어 절하고 갔다. 나아가 기쁘게 보고 갔다"라고 해석된다면 巡禮地요 聖地에 관한 기록으로서는 적격인 것이다.

화랑도는 집단 생활과 山川에서의 遊娛를 통해 공동체에 걸맞는 인성을 배양했다. 山川에서의 遊娛와 '먼곳이라도 이르지 않은 곳이 없었다(無遠不至)'는 화랑도의 수행은 1901년에 시작된 독일의 청소년 운동인 '철새 운동(반더포겔: wander vogel)'을 연상시킨다. 모험정신과 자율성을 심어준 철새 운동은 먼 지역 사람이나 국토의 곳곳과 접촉하여 민요를 재발견하면서 자기 문화를 배우고 애국심

213_ 『惺所覆瓿藁』 권1, 詩部 1, 白沙汀.
214_ 『芝峰類說』 권13, 文章部 6, 東詩. "阿郎謂述郎 永郎之徒 今有阿郎浦 卽其所遊處也"
215_ 『四佳集』 권1, 江陵府雲錦樓記.
216_ 三品彰英, 『新羅花郎の研究』, 平凡社, 1974, 133쪽.
217_ 『三國遺事』 권2, 紀異, 四十八 景文大王.

을 배양했다. 그리고 게르만 민족의 뿌리를 강조하는 민족주의로 접근했다고 한다. 자기 나라 노래인 향가를 짓고, 儒佛道를 아우른 고유 철학 仙敎를 삶의 기조로 삼았던 집단이 화랑도였다. 그렇기 때문에 화랑도와 철새 운동 간의 유사성은 일찍부터 지목되어왔다. 화랑도와 철새 운동에서의 산천 발섭은 청소년 운동의 근간이요, 출발점임을 알려준다. 따라서 화랑도의 山川 遊娛를 전쟁이 종식된 통일 이후의 현상으로 지목한 견해는 따르기 어렵다. 강원도 철원의 孤石亭이나 울진의 성류굴 등에는 진평왕 혹은 진흥왕이 다녀간 흔적이 남아 있다. 이는 '먼곳이라도 이르지 않은 곳이 없었다'는 화랑도의 원거리 유오와 동일한 맥락에서 해석이 가능하다.

④ 忠信

화랑도는 횡적인 유대를 구축하였다. 화랑과 화랑 사이, 그리고 화랑과 낭도, 낭도와 낭도 사이를 횡적으로 연결시켜 주는 장치가 '信'이었다.[218] 世俗五戒에 보이는 信은 맹서로써 만인에게 공표되었다. 사다함과 무관 사이의 死友 관계도 공표되었다고 본다. 그렇기에 반드시 지킬 수밖에 없었을 것이다.

'信'을 지키는 형식이 맹서였다. 화랑도가 成業했을 때나 세속오계의 경우, 그것을 지키겠다는 맹세가 있었을 것이다. 四靈地와 같은 특정한 장소, 특히 신성처가 맹서처였을 것으로 보인다. 화랑도의 경우 맹세 즉 誓盟으로 맺어진 관계였다. 이는 김유신과 김춘추 간의 맹세 이행에서 잘 드러나고 있다. 백제 성왕을 처단하는 명분으로 신라의 賤奴인 苦都가 "우리나라의 법에는 맹세를 어기면[違背所盟] 비록 국왕이라도 응당 종의 손에 죽습니다"[219]고 한 데서 '맹세를 어겼다'는 구절이 나온다. 이 기록의 사실 여부를 떠나 신라인들의 '盟誓' 관념의 일단을 엿볼 수 있는 귀중한 사례로 여겨진다.

화랑도는 종적으로는 忠과 孝, 횡적으로는 信으로 짜여진 집단이었다. 이들이 귀중하게 여긴 사회윤리가 忠과 信이었다. 이것을 공표하고 이행하기 위한 수단인 맹서 관련 신성공간의 존재를 상정할 수 있다. 맹세는 신라의 사회적 묵계로서 자리잡았던 것이다.

218_ 李基白,『新羅思想史研究』, 一潮閣, 1986, 203~204쪽.
219_ 『日本書紀』권19, 欽明 15년 조.

(5) 영토 확장

신라는 백제와의 동맹을 이용하여 고구려를 밀어올렸다. 551년에 신라는 백제및 가라와 함께 고구려의 좌우를 동시에 협공하였다. 전력이 동서로 분산된 고구려는 적절히 대응하지 못하고 한강유역에서 철수했다. 고구려는 552년에 신라에 통화를 제의하였다. 첫째는 북진하는 신라와 백제 동맹 체제를 이간하여 해체하려는 목적이었다. 둘째는 대규모 국가적 토목공사인 장안성 移都 준비가 차질 없이 진행되기 위해서는 주변 환경이 안정되어야만 했다. 외침을 받지 않아야 하는 것이다. 이러한 두 가지 목적으로 인해 고구려는 통화를 제의했다고 본다. 그 본질은 안정적인 장안성 축조를 위한 전략이었다.[220] 이와 엮어서 나제동맹 해체를 시도한 것이다.[221]

고구려와 신라는 통화를 통해 일종의 느슨한 동맹을 맺었다. 이러한 정황은 양국의 대백제 공동전선에서 엿볼 수 있다. 즉 554년 7월에 신라는 관산성 전투에서 백제 성왕 이하 3만에 가까운 백제군을 몰살시켰다.[222] 그로부터 3개월 후인 554년 10월에 고구려가 크게 군대를 일으켜 즉각 백제 웅천성을 공격하였다. 다음의『삼국사기』기사에 보인다.

* 겨울 10월에 고구려가 크게 군사를 일으켜 웅천성을 공격해 왔으나 패하여 돌아갔다(위덕왕 원년 조).
* 겨울에 백제 웅천성을 공격하였으나 이기지 못했다(양원왕 10년).

위의 기사는 백제가 관산성 전투에서 참패한 틈을 탄 기습 공격일 수 있다. 그러나 전후 정황을 놓고 볼 때 고구려와 신라가 백제를 공동의 적으로 설정하여 공격한 것이 분명하다. 554년 7월과 10월에 신라와 고구려의 백제 공격은 양국 간의 通和가 단순한 結好를 넘어 군사 連帶로까지 발전했음을 반증한다. 그러한 고구려와 신라 간의 통화가 결렬된 것은 다음에 보이는 603년의 북한산성 공격부터였다.

220_ 이와 관련해 "신라와 물밑 접촉을 통해 連和하는 데 성공했다. 이를 바탕으로 고구려는 552년 장안성 축조를 시작함으로써(김진한.「陽原王代 高句麗의 政局動向과 對外關係」『東北亞歷史論叢』17, 2007, 311쪽)"라고 하였다.

221_ 李道學,「高句麗와 倭의 關係 分析」『東아시아古代學會 第66回 定期學術大會 및 國際學術大會와 文化 探訪』, 동아시아고대학회, 2017.7.6, 22쪽.

222_ 『三國史記』권4, 眞興王 15년 조.

가을 8월에 고구려가 北漢山城에 침입하였으므로 왕이 몸소 군사 1만 명을 이끌고 막았다.[223)]

고구려와 신라 간의 通和 결렬은 고구려가 隋와 전쟁할 때였다. 신라 진평왕은 圓光을 통해 隋에 乞師表를 올리기도 했다.[224)] 신라가 隋 편을 들었을 뿐 아니라, 고구려 남부 500리를 약취했다고도 한다. 연개소문이 隋와의 전쟁 때 고구려 남부 500리를 약취당했다는 주장은, 통화를 깬 신라와 수의 연결을 상기시킴으로써, 차제에 발생할 수 있는 신라와 당과의 연결을 차단하려는 의도로 본다. 위에서 인용한 고구려의 북한산성 공격은 그에 따른 보복 조치였다. 아울러 양국 간의 통화는 50년 만에 결렬되었다.

고구려가 통화를 제의한 552년부터 신라의 북한산성을 공격한 603년까지 대략 50년이 통화 기간이었다.[225)] 신라는 통화가 유지되는 동안 황초령과 마운령 일대를 지배했다고 보아야 한다. 이는 신라의 최북단이요 마운령비가 소재한 이원군까지 신라 고분이 분포한데서 확인된다. 특히 마운령과 황초령 사이에 소재한 홍원군 부상리에는 200여 基의 대형 신라 고분이 분포했다. 신라 고분의 조성 시기는 6세기 중엽~후반으로 지목되었다.[226)] 이는 고구려와 신라간에 전쟁이 없었던 50년 간의 通和 기간과 부합한다. 이와 관련해 진흥왕순수비가 건립된 568년에 신라는 比列忽州(安邊)를 폐지하고 達忽州(高城)를 설치했다.

이 기록을 誤譯하면 비석을 세우자마자 마치 신라가 마운령과 황초령에서 철수한 것처럼 비친다. 그러나 同年에 北漢山州(서울 북부)를 폐지하고 南川州(利川)를 설치했다. 그렇다고 신라가 한강 이북을 상실한 것은 아니었다. 따라서 州의 남하가 곧 영토의 상실 표징은 아님을 알 수 있다.[227)] 이는

223_ 『三國史記』 권4, 眞平王 25년 조.

224_ 『三國史記』 권4, 眞平王 30년 조.

225_ 혹자는 고구려와 신라가 50년간 通和를 했다는 증거가 부족하다고 한다. 그러나 이 기간 동안 고구려와 신라간 전쟁이 없었다. 바로 이 사실 자체가 통화의 강력한 증거가 아니고 무엇이랴? 게다가 함경남도 지역에 분포한 수백기의 대형 석실분들의 존재는 신라가 일시적으로 점령했다가 후퇴하지 않았음을 반증한다. 이러한 증거는 『삼국사기』의 한계를 극복해주는 不動의 물증으로 해석되어진다. 그럼에도『삼국사기』에 보이는 州治의 이동만을 놓고서 산성과 古墳이라는 不動의 물증을 외면하는 경우가 많다. 이들의 경우 마운령과 황초령 진흥왕순수비는 지우고 싶어서인지 노상 '함홍평야' 타령만 하는 것 같다. 그렇지만 홍원군 부상리에만 200기가 넘는 대형 신라고분의 존재는 일시적 지배가 아닌 적어도 1세대 이상에 걸친 안정적 지배가 지속되었음을 반증한다. 게다가 2곳의 순수비가 파괴되지 않았다는 사실도 유의해야 하지 않을까. 이는 관구검기공비가 파괴된 사실과는 비교된다.

226_ 박진욱, 「동해안일대의 신라무덤에 대하여」『고고민속』, 사회과학원출판사, 1967-3, 17~19쪽.

227_ 현장을 실견하지도 않았고, 도면이나 사진 자료도 불충분한 상황이다. 그러므로 이들 신라 고분에 대한 편년 설정은 신중해야 하겠지만, 현재로서는 북한의 편년을 취할 수밖에 없다. 이 무렵 신라 고분은 함경남도만 하더라

함경남도 지역에 길게 분포한 신라 고분군과 산성의 존재가 반증하지 않은가?

진평왕대(579~632)에는 초년의 관제 정비에 힘 입어 왕권은 지속적으로 성장하였다. 즉 새로운 官府의 창설 뿐 아니라 각 관청 간의 분업체계 확립과 소속 관원의 조직화를 이루었다. 이러한 기반을 토대로 진평왕은 권력을 강화하였기에 자신의 딸인 선덕여왕을 즉위시킬 수 있었다.[228)]

도 정평군 다호리, 오로군 오로읍, 홍원군 부상리와 삼성리, 북청군 지만리, 이원군 곡창리 등지를 비롯하여 광범한 지역에 소재했다(박진욱, 위의 논문, 12쪽).
박진욱.「동해안일대의 신라무덤에 대하여」『고고민속』, 사회과학원출판사, 1967-3, 19쪽.
참고로 육군본부를 비롯한 삼군본부를 서울에서 남쪽의 계룡시로 이전했다고 하여 북방 영토 상실을 의미하지 않는다. 전략적으로 여러 면을 고려한 결과였다. 마찬 가지로 당시 신라의 州治 남하도 그렇게 보아야 한다는 것이다.

228_ 李基白·李基東,『韓國史講座 古代篇』, 一潮閣, 1982, 186쪽.

제6장

대외관계, 전쟁과 영토 문제

제1절 교통로의 개척

고대국가 성장의 한 요체로서 교통로와 그것의 확대가 지닌 의미는 부인할 수 없다. 險山峻嶺이 많은 만주와 한반도라는 지형에서의 교통로 개척은, 큰 산맥마다 嶺路를 뚫고 도로를 개척하는 것이었다. 그런 만큼 자연을 극복하면서 전개되는 국가적 대규모 토목공사였다. 이러한 공사에서 천연 장애물 가운데 하나가 河川이었다. 육상교통의 장애물인 하천을 건너기 위해서는 나룻배를 이용하기 마련이었다. 그와 더불어 渡津이 곳곳에 생겨나게 되었다. 그런데 나룻배를 이용한다는 것은 운송량에서 일정한 제약을 지닐 수밖에 없었다. 게다가 그 속도마저 육로 운송보다는 더뎌지게 마련다. 이러한 제약을 극복할 목적으로 곳곳에 橋梁이 가설되었다. 498년에 백제의 수도인 웅진성과 금강을 가로질러 그 북쪽을 연결해 주는 熊津橋의 가설이 문헌에 보인다. 이러한 거대 교량은 고구려의 수도인 평양성에도 나타나고 있다. 즉 413년에 平壤州에 大橋가 완공되었다. 실제 대동강의 청호동쪽 기슭에서 고구려 때 木橋 遺構가 발견된 바 있다. 고구려의 별도였던 황해도 재령(현재의 신원군)의 도시 유적에서도 고구려 때의 石造橋梁 유구가 확인되었다. 신라의 왕성인 반월성 앞의 月精橋 유구 또한 발굴된 바 있다.

확보된 광산물의 공급을 위해서는 육로 뿐 아니라 내륙수로에 이은 海路가 개척되었다. 이러한 流通路의 장악과 관련한 충돌이 전쟁 요인인 경우가 많았다. 유리한 교역 거점의 확보를 위한 갈등이 전쟁을 통해 결정되는 일이 비일비재하였다. 다만 문헌 기록상으로는 확인되지 않는 경우가 대다수였다.

고구려는 국경지대로부터 종심 깊은 곳까지, 해안선에서부터 수도에 이르기까지 정연한 체계를 갖추고 烽燧들을 조밀하게 배치하였다. 이는 삼국 모두에 해당되는 사안으로서, 방어상의 목적에서 비롯된 것이었다. 봉수는 교통로의 발전을 촉진시키는 역할을 했던 통신수단이었다.

수레의 보급은 교통로의 발전과 불가분의 관련을 맺고 있었다. 신라의 수레형 토기 뿐 아니라 三年山城 西門址에 남아 있는 중심 거리가 1.66m인 수레바퀴 자국이 시사하고 있다. 게다가 이미 잘 알려져 있듯이 고구려 고분벽화에 보이는 牛馬車 그림은 운송 수단으로서 수레의 보편적인 이용을 의미한다. 동시에 道路 幅을 비롯하여 교통망의 전국적인 정비와 확대를 뜻한다고 보겠다.

고대국가는 당초 연맹의 일원으로서 출발하였다. 연맹 내의 諸國 間에는 이들을 횡적으로 엮어주는 교통로가 상존하였다. 또 이들 제국의 교통로는 縱的으로는 맹주국으로 집중되어 있었다. 이러한 교통로는 정치적인 성격보다는 오히려 교역활동을 위한 통로로써의 의미가 컸다. 그런데 연맹내 諸國 間의 통합운동이 촉진됨에 따라 기왕의 교역기능을 담당했던 교통로는 정복활동의 촉진에 따라 軍事路로 크게 확대되었다. 즉 영토확장을 위한 군대의 이동과 그에 수반되는 물자의 수송을 위해 교통망의 정비와 확대를 가져왔다. 나아가 지방에 대한 효과적인 통치 수단으로서 십분이용되었던 바 집권국가 확립의 요체로 작용하였다. 지방관으로서 道使라는 관직이 고구려와 신라, 그리고 백제에 함께 보이고 있다. 이는 도로망의 개척이 곧 지방에 대한 지배 수단이었음을 의미하는 유력한 증좌였다. 이러한 교통망의 정비는 거대한 분묘나 대규모 석축산성을 축조할 수 있는 강력하고도 집권적인 정치세력의 태동과 불가분의 관련을 맺고 있다.

험준한 산지대를 개척하면서 뻗어가는 도로망과 관련하여 그 교통상의 요충지에는 거점들이 형성되었다. 그러한 거점을 軸으로 한 행정단위들이 조성되어 갔다. 지방통치 거점들은 물류의 수송과 정보교환을 촉진하는 교통망의 집중도에 따라 상·하급 행정단위로 편제된 것이다. 또 이 부근에는 군단이 주둔한 관계로 기왕의 상업적 기반 위에 군사적 중심지로서의 성격마저 띠게 되었다.

교통망의 정비는 전국적인 도로망에 대한 郵驛制의 실시로서 일단의 완결을 보았다. 신라는 487년에 우역제가 실시되었다. 고구려의 경우는 이보다 휠씬 이전에 우역제가 시행되었으리라고 본다. 669년(總章 2)에 唐將 李勣이 勅命을 받들어 작성한 目錄에 의하면 "평양에서 이곳(국내)까지는 17驛이다"라고 한 기록이 있기 때문이다. 비록 불완전한 문구이기는 하지만 이것을 놓고 볼 때, 정비된 교통망의 확보를 짐작하게 하는 우역제의 실시를 상정할 수 있다.

陸上交通路의 확대·정비와 짝하여 造船術의 발전에 따라 水上交通路 또한 크게 확대되어 갔다. 수상교통로의 확대는 교역권의 광역화를 촉진시키는 요인이 되었다. 그럼으로써 중앙으로 집중되어지는 珍物과 財富는 권력의 집권화를 크게 앞당겨 주었다. 이와 관련해 水路를 관장하는 관부가 설치되었다. 신라의 船府와 一名 海干이라고 불리었던 波珍粲이 그러한 비중을 시사해 준다.[1]

1_ 李道學,「古代 國家의 成長과 交通路」『國史館論叢』74, 1997, 141~177쪽.

제2절 삼국의 전쟁과 영토

1. 고구려

1) 요동 지배권과 故國原王像

고조선과 고구려에 대한 고려의 영토 의식의 변천 과정을 주목해 본다. 우선 高麗에서는 추모가 건넌 엄호수 즉 개사수를 당초 압록강의 동북쪽으로 지목한 사실이다. 그러나 고구려 舊疆에서 일어난 遼의 등장과 영토 분쟁 과정에서 국경의 지표가 되는 엄호수를 압록강으로 설정하여 인정받고자 하였다. 아울러 비류국의 소재지를 평안북도 成川으로 지목하는 등 江東6州가 고구려 건국기의 영역이었음을 알리고자 했다. 압록강 以南 현재의 평안북도 지역은 고구려 領域 중에서도 발상지에 속한다는 것이다. 즉 고구려 '최초 영역'임을 선포하여 고려 조정이 지닌 연고권을 강화하고자 하였다. 현실과 엮어진 '역사 만들기'의 실체였다.

한편 遼가 쇠퇴하고 金이 흥기하는 과도기적인 틈을 이용하여 高麗는 고구려의 舊疆인 遼東 지역에 대한 연고권을 내세웠다. 고려는 고구려의 '2차 영토'에 대한 수복을 계획한 것이다. 그러한 연장선상에서 고려 말에 元의 퇴출을 틈타 요동을 수복하려는 계획 하에 동녕부 공격시 단군의 영역으로 요동을 거론했다. 평양=대동강유역을 비롯한 한반도 서북부 지역에 한정된 고조선 강역이 요동으로 확대된 것이다. 고려는 舊疆 지배를 위한 역사적 근거를 제시했다. 고조선과 고구려를 연계시켰던 인식의 연장선상이었다. 이제는 고구려 영역을 고조선의 영역으로 逆投影한 것이다. 곧 역사 기록은 현실의 정치적 이익과 환경에 따라 얼마든지 재구성이 가능하다는 사실을 알려주었다.[2)]

문제는 고구려와 主敵인 백제와의 갈등과 대립의 배경 구명이다. 양국 간의 대립은 제1기

2_ 李道學,「檀君 國祖 意識과 境域 認識의 變遷 —『舊三國史』와 관련하여—」『韓國思想史學報』40, 2012, 377~410쪽.

(369~475), 제2기(476~554), 제3기(555~672)로 나누어서 살필 수 있었다. 그러면 夫餘에서 함께 분파된 고구려와 백제의 대립 동기는 무엇일까? 4세기 중후반 倭와 연계된 백제의 한반도 남부 지역에 대한 영향력 확대로 인한 고구려의 위기감에서 비롯되었다. 백제와의 전쟁은 369년 고구려의 선제 공격으로 시작되었다.

祖孫 間인 고국원왕과 광개토왕은 불가분의 정치관계였다. 단재 신채호는 前燕의 침공으로 국가가 滅亡 直前의 破局에 빠졌던 고국원왕대를 '最衰時代'라고 일컬었다. 즉 고구려 역사상 가장 국력이 피폐하고 쇠잔해진 절망적인 시대로 규정하였다. 그러나 고구려 당대에 작성된 「모두루묘지」에서 시조를 '聖王'으로 일컬었던데 반해 고국원왕을 '聖太王'이라고 호칭하였다. 이는 용맹하게 분전하다가 순국한 고국원왕이 추앙의 대상이었음을 가리킨다. 고국원왕의 순국은 고구려인들로 하여금 백제에 대한 복수 개념을 불태우게 한 동시에 백제 침공의 선연한 명분을 제공해 주었다. 순국한 고국원왕의 능에 대한 조영과 시신 안장은 광개토왕의 정치적 입장을 강화시키는 왕권 강화의 요인이 되고도 남았다.

이러한 고국원왕의 능은 광개토왕릉인 장군총보다 바로 앞 시기에 조영된, 왕릉이 분명한 태왕릉으로 비정할 수 있다. 곧 이런 연유로 고국원왕릉은 그 아들의 능묘인 고국양왕릉보다 후대에 조영될 수밖에 없었다. 그리고 광개토왕릉비가 태왕릉 가까이에 세워진 이유로서는 고국원왕의 복수를 하였다는 점을 선전하면서 고구려 왕실의 오랜 숙분을 풀었음을 선포하기 위한 목적을 배제하기 어렵다. 「광개토왕릉비문」에 보이는 '百殘'이라는 증오감에 가득 찬 멸칭과 주적으로서의 대백제전 위주의 전과는 이러한 배경에서 나온 것이었다.[3]

2) 「광개토왕릉비문」의 전쟁 기사

「광개토왕릉비문」 상의 핵심인 전쟁 기사는 남진경영이 基調를 이룬데다가 主敵으로 설정한 백제와의 兩國間 정치적 역학관계의 재정립을 노리는 정치 선전문이었다. 그러므로 「광개토왕릉비문」의 전쟁 기사를 비판적으로 수용할 때만이 역사적 실체에 한 걸음 가까워질 수 있다.[4] 그러한 광개토왕

3_ 李道學, 「高句麗史에서의 國難과 故國原王像」『高句麗硏究』23, 2006, 9~28쪽.
4_ 李道學, 「廣開土王陵碑文에 보이는 戰爭記事의 分析」『광개토호태왕비연구100년(하)』1996 ; 『廣開土好太王碑硏究 100年』, 학연문화사, 1997.

릉비의 건립 시기인 414년은 평양성 천도가 단행된 427년에서 불과 13년 前이라는 사실을 주목해야 한다. 그리고 「광개토왕릉비문」의 주된 내용인 전쟁 기사를 통해 고구려의 진출 방향이 南方인 것으로 밝혀졌다. 이러한 맥락에서 볼 때 평양성 천도와 관련한 배경 내지는 메시지가 「광개토왕릉비문」에 담겨 있을 가능성이다. 「광개토왕릉비문」의 성격과 능비의 건립 배경을 이같은 점에 주안점을 두고서 검토할 수 있다.[5)]

「광개토왕릉비문」의 지명 비정과 관련해 阿旦城의 소재지 구명은 영락 6년 조의 점령 범위를 말해주는 關鍵으로 파악되었다. 그리고 영락 8년 조의 "帛愼土谷 莫△羅城 加太羅谷"은 지금까지의 통설이었던 肅愼 지역일 가능성은 희박한 것으로 판단하였다. 地下 穴居 생활을 하던 肅愼의 거주 단위는 최소한 고구려와 같은 城·谷體制는 아니었기 때문이다. 오히려 이곳은 고구려와 교류가 깊고 그 영향을 받은 지역일 가능성을 높여주었다. 따라서 帛愼土谷의 소재지를 지금의 강원도 서부 지역과 충청북도를 포함한 구간일 가능성을 제기했다.[6)]

「광개토왕릉비문」에는 오스트레일리아 출신 역사학자 데이비드 데이(David Day, 1949~)가 저술 한 『정복의 법칙』(데이비드 데이 著·이경식 譯, 『정복의 법칙—남의 땅을 빼앗은 자들의 역사 만들기』 human& Books, 2006)에 보이는 '정복의 공식'과 사뭇 부합되는 면이 많았다. 특히 「광개토왕릉비문」에 도덕성의 先占 등과 같은 침공 논리와 명분이 명료하면서도 정교하게 응결되었음을 발견하였다. 나아가 광개토왕을 비롯한 고구려인들의 전쟁 논리와 전쟁 철학, 그리고 지배의 영속성 확립을 위한 지배 논리를 구명해 보았다. 이와 더불어 16세기 明에서 간행된 『投筆膚談』의 도덕적 명분의 先占과 그 효과에 대해 정곡을 찌른 내용을 십분 원용할 수 있었다.[7)]

「광개토왕릉비문」에서 396년에 고구려가 백제로부터 점령했다는 58城의 소재지에 대한 논의이다. 이에 대해서는 임진강~한강 이북으로 간주하는 견해가 통설이었다. 그러나 58城 가운데 31城 5 지역은 남한강 상류 일대로 새롭게 비정하였다. 그리고 이들 지역은 항복한 백제로부터 割壤 받은 것으로 추정했다. 이때 고구려 영역이 된 충주는 國內城 도읍기의 마지막 시점인 427년 이전 어느 때 國原城이라는 행정 지명을 부여받아 別都가 되었음을 밝혔다. 고구려가 충주에 별도를 설치하게

5_ 李道學, 「廣開土王陵碑의 建立 背景」 『白山學報』 65, 2003. 39~66쪽.
6_ 李道學, 「廣開土王碑文에 보이는 地名 比定의 재검토」 『廣開土王碑文의 新硏究』, 서라벌군사연구소, 1999, 175~197쪽.
7_ 李道學, 「'廣開土王陵碑文'에 보이는 征服의 法則」 『東아시아古代學』 20, 2009, 87~117쪽.

된 배경은 이 곳의 정치 · 경제 · 문화 · 지리적 배경이 고려된 결과였다. 고구려는 국원성을 軸으로 해서 신라 지역으로 진출하여 소백산맥 이남 즉, 죽령의 동남 지역을 직접 지배하였다.[8] 고구려는 여기에 만족하지 않고 지금의 경상남도 지역에 거점을 확보하기도 했다.[9]

396년에 백제 왕은 광개토왕에게 항복한 대가로 '男女生口一千人'을 바쳤다. 이들 가운데 일부를 고구려에서는 광개토왕릉 수묘인 연호로 차출했을 가능성과 그 출신지가 '百殘南居韓'을 비롯한 백제 남방을 포함한 그 주변이었을 가능성이다. 그렇다면 豆比鴨岑韓 · 求底韓 · 客賢韓 · 巴奴城韓 역시 이때 백제로부터 받은 生口들의 출신지일 수 있다. 즉 '百殘南居韓'은 영산강유역의 마한 주민들로서, 고구려에 바칠 수 있었다는 것이다. 이 사실은 영산강유역이 백제에 부용되었기에 가능한 일로 보았다. 바꿔 말해 이는 곧 영산강유역 마한의 건재를 방증 해준다. 동시에 고구려의 영향력이 영산강유역 마한까지도 미치고 있음을 과시할 목적으로 生口 출신들을 수묘인 연호로 배정한 것이었다. 요컨대 백제 뿐 아니라 그 부용 세력인 영산강유역 마한계 韓人이라는 적어도 2개 이상의 세력이 수묘인 연호에 포함된 정황을 포착하였다.[10]

그런데 초반의 백제 우위에서 고구려 우위로 勢가 바뀌면서 정국의 주도권은 고구려가 장악하였다. 고구려는 신라를 자국 영향권에 편제시킨 후 백제에 대한 공세를 강화했다. 400년 신라 구원을 명분으로 고구려 步騎 5만의 낙동강유역 출병은, 고구려·신라 對 백제·왜·후연의 연합 세력이 임나가라에서 격돌한 동북아시아 최대의 戰場과 전쟁이었다. 백제와 연계된 왜가 신라를 침공함으로써 신라·가라 지역 진출을 기도하던 고구려를 유인하는 데 성공했던 것이다. 고구려의 대군이 출병한 직후에 후연의 군대가 그 후방을 급습하였다. 그럼으로써 고구려군의 회군을 초래하여 낙동강유역 진출을 무력화시킨 것으로 판단되었다. 선비 계통의 문물이 백제는 물론이고 백제 영향권인 大加羅 지역에서 포착되는 이유를 이 같은 백제의 대고구려 포위 전략과 연계된 대후연 교섭 차원에서 찾을 수 있었다.[11]

「광개토왕릉비문」 문구에 대한 새로운 해석이 가능했다. 영락 10년 조에서는 고구려군의 왜군 격퇴와 관련해 '安羅人戍兵'이라는 문구가 3번이나 나온다. 이 구절의 安羅人을 함안 安羅國人으로 조

8_ 李道學, 「永樂 6年 廣開土王의 南征과 國原城」『孫寶基博士停年紀念韓國史學論叢』 1988, 87-107쪽.
9_ 李道學, 「高句麗의 洛東江流域 進出과 新羅 · 加耶經營」『國學硏究』 2, 1988, 89-114쪽.
10_ 李道學, 「「廣開土王陵碑文」에 보이는 '南方'」『嶺南學』 24, 2013, 21~22쪽.
11_ 李道學, 「高句麗와 百濟의 對立과 東아시아 世界」『高句麗硏究』 21, 2005, 369-395쪽.

직된 수비병으로 해석하는 견해가 통설이었다. 그런데 '安羅人戍兵'에 관한 기왕의 통념을 일거에 뒤엎은 견해는 '羅人'을 신라인으로 간주하여 "신라인을 안치하여 戍兵케 하였다"는 왕건군의 해석이었다. 즉 고구려가 왜군을 토벌하고 빼앗은 성을 신라에게 돌려주어 수비하게 했다는 것이다. 여기서 '羅人戍兵'을 배치했다는 견해 자체는 탁견이라고 본다. '安'의 용례는 능비문 수묘인 연호 조에 두 번이나 보이는데 '安置'의 뜻으로 사용되었다. 그런데 羅人에 대한 해석과 관련해 능비문에는 '羅'로 끝나는 국명이 신라 외에 任那加羅도 보인다. 그러므로 '羅人'만 놓고서는 신라인과 임나가라인 여부가 식별이 되지 않는다.

「광개토왕릉비문」에는 '夫餘城'을 '餘城'(영락 20년 조)으로 略稱하였듯이 국호를 끝 글자로 줄여 기재하는 경우가 있다. 그리고 앞에서 한 번 사용한 명사를 略記하는 경우가 많다. 이러한 맥락에서 "至任那加羅從拔城 城卽歸服 安羅人戍兵"라는 문구를 보자. 여기서 羅人의 '羅'는, 그 앞에 적혀 있는 '任那加羅'를 생략하여 끝 자로 표기했다고 보아야 한다. 즉 "任那加羅人 戍兵을 배치했다"는 뜻이 된다. 그렇지 않다면 제삼자가 분별할 수도 없는 약칭을 사용할 이유가 없다. 더욱이 영락 10년 조에는 고구려군이 임나가라군과 교전한 내용이 일체 보이지 않는다. 이 자체는 고구려군이 임나가라를 격파하지 않았음을 반증한다.

고구려군은 임나가라로 퇴각한 왜군을 추격해서 격파했을 뿐이다. 더구나 「광개토왕릉비문」에서는 임나가라에 대한 멸칭이나 적대적인 표현이 일체 보이지 않는다. 임나가라가 고구려의 타멸 대상이 아님을 뜻한다. 따라서 영락 10년 조는 고구려군이 신라와 임나가라 영토 내의 왜군을 격파하고, 任那加羅人 戍兵을 배치하여 왜군으로 인해 戰禍를 입은 임나가라를 복구한 내용으로 해석된다. 즉 「광개토왕릉비문」은 고구려가 신라뿐 아니라 임나가라까지 구했다는 메시지를 전하고 있다.[12]

3) 고구려의 동해안 장악

고구려는 정복활동을 동해안 방면으로도 미쳤다. 고구려는 대외적으로 영역을 팽창해 가는 과정에서 동옥저와 濊 세력을 장악했다. 이들 세력은 함경도와 강원도를 비롯하여 동해안을 따라 영일

12_ 李道學, 「加羅聯盟과 高句麗」『광개토대왕, 제9회 가야사 국제학술회의』, 김해시, 2003, 1~15쪽.

만 일대까지 미쳐 있는 거대한 漁撈 공동체였다. 고구려는 동해안에 소재한 이들 세력을 장악함에 따라 소금과 해산물 및 곡물을 공납받을 수 있었다. 이와 맞물려 東海岸路의 이용이 본격화되었다. 그와 더불어 고구려는 高城港을 이용한 동해 해상 지배권 확립에 나섰다. 고구려가 이렇듯 동해안로와 동해에 대한 해상 지배권을 장악함에 따라 그 영향력은 자연히 신라에 쏠리게 되었다. 결국 4세기 후반대에 고구려는 신라 사신을 대동하고 중국에 등장하였다.

강원도 삼척에 소재한 실직곡국과 경주 서북에 소재한 음집벌국 간의 '所爭之地'라는 분쟁이 발생했다. 동해안로를 따라 남하하는 실직곡국과 동일한 교통로를 이용하여 북상하는 음집벌국 간의 세력이 만나는 접점에서 야기된 지배권 충돌이었다. 이 분쟁은 넓게 본다면 고구려 영향권 세력의 남하와 신라 영향권 세력이 東海岸路에서 접점을 찾지 못하고 충돌한 사건으로 해석할 수 있다.

동해안과 동해로 진출한 고구려는 이를 기반으로 일본열도와 교류하였다. 그러한 선상에서 고구려는 우산국이 소재한 울릉도의 전략적 중요성을 깨닫게 되었다. 울릉도 고분인 基壇式 積石石室墳에서 고구려 적석총의 흔적이 남아 있는 것은 그 유력한 증좌인 것이다. 『青鶴集』에도 우산국과 고구려와의 연관을 시사하는 기록이 남아 있다. 신라가 우산국을 지배한 동기는 동해의 해상권 장악과 왜구 통제라는 요인이 작용한 것이었다.[13]

4) 고구려의 탐라 장악

고구려는 제주도와도 관계를 맺었다. 475년 고구려의 백제 한성 함락은 양국 간의 역학 관계에 엄청난 변화를 초래했음은 물론이다. 東北아시아 전체의 세력 판도에도 지대한 영향을 미치는 일대 轉機가 되었다. 이와 관련해 지금의 제주도인 涉羅를 고구려가 장악했었다. 涉羅를 臣屬시킨 고구려는 이곳으로부터 珂玉을 확보하여 北魏에 보내는 조공품에 포함시켰다. 이와 더불어 고구려가 北魏에 보내는 조공품 가운데 하나가 백제의 人蔘으로 밝혀졌다. 고구려는 백제를 臣屬시켰고, 그러한 반대급부로 조공받은 人蔘 등을 涉羅의 珂玉과 함께 다시금 對北魏 조공품에 포함시켰던 것이다.

고구려가 백제를 臣屬시킨 시기는 한성 함락 직후로 보인다. 당시 고구려의 기습적인 군사적 공격으로 인해 국왕이 피살되는 등 일대 국가 존망의 기로에 선 백제 조정에서는 생존의 방법을 심각

13_ 李道學, 「高句麗의 東海 및 東海岸路 支配를 둘러싼 諸問題」『高句麗渤海硏究』 44, 2012, 169~198쪽.

하게 모색하였다. 그 결과 「광개토왕릉비문」 영락 6년 조에서처럼 고구려가 무엇보다 가장 탐내는 대상이었던 영토에 대한 할양을 결정하게 되었던 것으로 보인다. 『삼국사기』 지리지를 보면 고구려의 행정지명이 아산만 이북까지 미치고 있다. 그럼에도 고구려와 백제가 이 무렵 국경을 맞대고 상호 공방전을 전개한 기록은 그 어디에서도 찾아 보기 힘들다. 요컨대 이는 고구려가 백제로부터 아산만 이북의 영역을 할양받은 결과로 해석해야만 할 것이다. 그럼으로써 백제는 자국을 거세게 몰아붙이는 고구려의 군사적 압박에서 일단 벗어날 수 있게 되었다.

당시 백제 조정의 현안은 한성 함락 이후 이탈해 간 지방세력의 흡수를 비롯한 귀족 세력의 제압과 신왕도의 건설을 비롯한 현안이 처처에 깔려 있는 상황이었다. 백제 국가 초유의 비상적인 상황에서는 일부 영역을 고구려에 할양해서라도 국가 회복을 모색하는 게 더욱 시급한 과제라고 판단했었기 때문이었다.

백제는 그 이후 비슷한 정치적 상황을 겪었기에 이해가 일치하는 신라와의 결속을 통해 고구려에 대한 신속관계를 완전히 청산할 수 있었다. 493년에 맺어진 백제와 신라 간의 혼인동맹은 고구려에 대한 시위적인 성격마저 지녔던 것이다. 이러한 외적인 기반을 토대로 백제는 자국내의 기존의 영향력 회복에 나선 결과 영산강유역까지 진출하였다. 나아가 백제는 涉羅를 다시금 신속시킬 수 있었다. 이러한 상황에서 친고구려노선을 견지하였던 涉羅 즉 耽羅王과 그 일족들은 위기감을 느꼈기에 결국 고구려로 이주하였다. 반면 고구려의 영향력이 미치던 시기에 섭라로 이주해 왔던 고구려계 지배층은 백제에 귀속되었다. 이러한 고구려의 섭라 즉 제주도 경영은 몇 가지 점에서 근거를 찾을 수 있다. 우선 제주도의 토착 3姓 세력인 高乙那·梁乙那·夫乙那는 고구려의 5部 가운데 3部 名과 연결되었다. 그리고 제주도의 특산으로서 체격이 왜소한 제주마는 고구려의 果下馬와 연결되는 馬種으로 추정되었다. 제주마의 연원을 고구려의 과하마에서 찾았다. 백제가 과하마를 당에 조공할 수 있었던 것은 제주도에 고구려의 과하마가 서식하였기에 가능하였다. 그 밖에 제주도의 혼인풍속이 고구려의 그것과 연결된다는 사실과 더불어, 백제가 倭에 보낸 현재 法隆寺에 봉안된 百濟觀音像의 목재인 녹나무와 경상남도 창녕 송현동 7호분의 관목인 녹나무 역시 제주도에서 공납받은 것으로 추측되었다. 그럼에 따라 백제와 낙동강유역 임나 제국과의 관계를 재점검해 보는 계기가 된 것이다.[14]

14_ 李道學, 「漢城 陷落 以後 高句麗와 百濟의 關係—耽羅와의 關係를 中心으로」 『전통문화논총』 3, 한국전통문화대

2. 백제

1) 근초고왕대 南征 범위

369년 근초고왕의 南征 범위에 대한 문제이다. 이때 확보한 영역에 대해서는 전라남도 해변까지 점령했다는 견해가 많았다. 그러나 369년에 백제가 신영토로 개척한 지역은 신공 49년 조의 기사를 분석해 볼 때 근초고왕의 마한 정복지역은 금강 이남에서 노령산맥 이북으로 그 범위가 제한된다.[15)] 이는 백제의 표지적 토기인 三足土器의 분포가 노령산맥을 한계로 하고 있는 점이라든지 영산강유역의 대형고분의 성장이 4세기 후반까지 계속되고 있는 고고학적 성과와도 부합된다고 하였다.[16)] 이때 백제는 영산강유역에 대해서는 공납적 지배에 머물렀던 것이다.

그러면 이와 맞물려 있는 전라남도 지역 마한 세력의 동향에 대한 구체적인 포착을 했다. 해남반도에 소재한 침미다례와 동일한 정치체인 新彌國은, 목지국의 몰락을 기화로 지역연맹체의 맹주로서의 위상을 확보했다. 新彌國 곧 침미다례는 369년 백제 근초고왕의 南征으로 인해 초토화되고 말았다. 반면 戰禍를 입지 않은 영산강유역의 羅州 반남 세력이 새로운 覇者로 등장하였다. 이 곳은 마한 54개 國 가운데 內卑離國으로 지목할 수 있었다. 신촌리 9호분은 內卑離國의 수장묘로 간주된다. 內卑離國은 良質의 鐵鑛과 海產 자원은 물론이고, 비옥하고도 광활한 농경지에서 축적한 剩餘農產物을 통해 마한의 맹주로서 번성을 謳歌하였다. 5세기 말경 內卑離國은 백제의 外壓을 견디지 못하고 결국 역사의 激浪 속으로 떠밀려 가고 말았다. 백제는 內卑離國의 이름 앞에 절단냈다는 의미로서 '반쪽 낼' '半' 字를 붙였다. '半'內夫里라는 백제 행정 지명은 이렇게 생겨난 것이었다.[17)]

2) 전방후원분 피장자 접근

6세기 중엽경 백제 조정에 등장한 왜계 관인들의 성격에 대한 분석이 필요했다. 왜계 관인들은 백

학교, 2005, 113~134쪽.

15_ 李道學,「漢城後期의 百濟王權과 支配體制의 整備」『百濟論叢』2, 1990, 304~305쪽, 註 101.

16_ 李道學,『백제고대국가연구』, 一志社, 1995, 370쪽.

17_ 李道學,「榮山江流域 馬韓諸國의 推移와 百濟」『百濟文化』49, 2013, 109~128쪽.

제와 왜 두 조정에 속해 있었다. 이러한 兩屬體制의 연원에 대해서는 논의가 분분하다. 그러나 무엇보다도 근초고왕과 倭將 간의 벽지산과 고사산 서맹에서 연원을 찾을 수 있다. 그 즉시 양국은 공조체제를 갖추었는데, 마한 평정 군사작전과 백제에서 왜로의 博士 파견이었다. 전자는 왜에서 백제로 파병된 것이요, 후자는 백제에서 왜로의 학자 파견인 것이다. 이 사실에서부터 양속체제의 실마리를 잡았다. 이후 백제는 오경박사나 와박사와 같은 기술직 박사를 3년 교대로 왜에 파견하였다. 요컨대 근초고왕대 이래 백제와 왜는 우호를 다졌다. 동시에 공동의 이익을 위해 지속적으로 운명을 함께 하는 관계를 구축하였다.

백제도 6세기 중엽에 官人을 왜에 파견한 사실을 확인하였다. 이는 왜계 관인이 백제에서 활약한 사실과 연관 짓게 된다. 6세기 중엽까지 백제는 한수유역을 점유하고 있던 고구려를 몰아내고 고토를 회복하는 일이 숙원이었다. 한성 함락이라는 비상시국과 고토회복이라는 숙원 사업 속에서 백제와 왜는 이해가 일치하였다. 이때 백제와 왜는 고구려의 군사적 위협에 공동 대응하는 상황에서 일종의 양속정권적 비상체제를 강화하였다. 그랬기에 백제와 왜간의 관인들이 상호 왕래하여 상대국 조정에 배치될 수 있었다. 나아가 백제는 지방 지배를 완료하는 소기의 성과를 거두고 方·郡·城制라는 전면적인 지배 방식으로 전환하였다. 이와 맞물려 백제는 분봉했던 왜인들을 중앙 조정의 관인으로 전환시켰다.

문제는 백제와 倭間에 이루어진 양속체제의 배경이다. 여기에는 종래 운위되었던 외교나 협력 관계만으로 설명할 수 없는 부분이 있었다. 왜계 관인이 백제 조정의 관료로 활약한 것과 마찬 가지로 백제에서도 왜 조정에 관인을 파견했기 때문이다. 이와 더불어 왜 조정 핵심 지역에 '百濟' 국호가 大宮과 大殯을 비롯한 상징성이 큰 지역에 자리잡았다. 게다가 왜왕의 혈통에도 백제 왕실과의 관련성이 엿보이고 있다. 그렇다면 백제와 倭 間의 관인 교환은 현상만 놓고 본다면 양속체제일 수 있다. 그러나 유례가 극히 드문 이러한 사례의 본질은 한정된 시기의 연합정권적 성격을 가리키는 증좌로도 해석된다. 이 사안은 차후 심도 있는 분석이 요망된다.[18]

18_ 李道學, 「馬韓 殘餘故地 前方後圓墳의 造成 背景」『東아시아古代學』 28, 2012, 169~203쪽.

3) 요서경략 분석

백제의 해외 경략에 관한 논의를 했다. 중국 사서에 보이는 백제의 요서경략 기사는 요서 진출 동기를 구체적으로 서술하지 않았다. 그랬기 때문에 기록의 교차확인에도 불구하고 시비거리를 제공해 주었다. 고구려를 견제하기 위해 백제가 요서에 출병한 것처럼 적혀 있다. 그러나 구태여 그 먼 곳까지 바다를 건너가 고구려와 대결을 벌여야한다는 당위성이 부족해 보였다. 그렇지만 사료를 분석하는 과정에 '晋末'이 東晋末인 420년을 하한으로 한다는 점에서 후연과 백제와의 연계성을 찾을 수 있다. 후연은 고구려가 400년에 낙동강유역으로 진출한 틈을 타고 기습적으로 그 후방 700여 리의 땅을 약취하는 데 성공하였다. 그러나 곧 고구려의 반격으로 다링하 일대까지 빼앗기는 위기적인 상황에서 후연은 백제에 지원을 요청했던 것이다. 이로 인해 백제군이 발해를 가로질러 요서 지역에 진출하였다. 그렇지만 곧 북연 정권이 등장하여 고구려와 우호 관계를 열었다. 이때 상황이 애매해진 요서 진출 백제군은 주둔지를 실효지배했다. 곧 진평군의 설치인 것이다. 진평군의 존속은 488년~490년에 발생한 백제와 북위와의 군사적 격돌의 단초가 되었다.[19]

그런데 이와는 달리 "백제는 옛날의 來夷로 마한의 무리이다. 晋末에 고구려가 요동의 낙랑을 치자, (백제) 역시 요서의 晋平縣을 쳤다(百濟舊來夷 馬韓之屬 晋末駒麗略有遼東樂浪 亦有遼西晋平縣(「梁職貢圖」)"는 기사를 재해석할 수 있다.[20] 즉 고구려가 요동의 낙랑을 공격한 '晋末'을 西晋(265~316) 末로 간주한다면 313년의 낙랑군 축출과 관련 지을 수 있기 때문이다. 낙랑군은 대동강유역에서 이미 1세기 후반에는 요동으로 이동하였었다.[21]

19_ 李道學, 「百濟의 海外活動 記錄에 관한 檢證」『충청학과 충청문화』 11, 2010, 300~301쪽.

20_ 고구려의 遼東經略 기사에 이어 백제의 진평군 설치 기사가 보인다. 즉 "晋末駒麗略有遼東樂浪 亦有遼西晋平縣"라는 구절을 "고구려가 요동을 경략하자, 낙랑 역시 요서의 진평현을 경략했다"는 해석이 통용되어 왔다. 이러한 해석대로라면 느닷없이 낙랑이 등장하는 것이다. 이러한 부자연스러움을 떨어내기 위해 낙랑과 백제와의 연관성을 찾기도 했다. 그러나 한반도에서 쫓겨나 요동으로 移動한 낙랑은 존재감이 없었다. 그러한 요동의 낙랑이 요서 지역을 경략할 형편은 되지 못했다. 그리고 후자가 경략 대상을 '요서 진평현'이라고 하여 구체적으로 기록한데 반해, 전자인 고구려는 '요동'만 언급하였다. 서술상 兩者의 균형이 맞지 않은 것이다. 더욱이 「양직공도」 백제 조에 적힌 이 구절의 주체는 어디까지나 백제였다. 따라서 이 구절 문장상의 讀法은 김세익, 「중국 료서지방에 있었던 백제의 군에 대하여」『력사과학』 1967-1, 3쪽이 타당하다. 결국 고구려가 요동의 낙랑을 이미 경략하자, 이에 연동하여 요서 진평현을 경략했다고 해석해야 문리와 정황상 자연스럽다.

21_ 李道學, 「樂浪郡의 推移와 嶺西 地域 樂浪」『東아시아古代學』 34, 2014, 3~34쪽.
참고로 이 구절을 "백제는 옛날 동이 마한에 속하던 나라이다"라는 해석도 있지만 타당하지 않다. 즉 '來夷'는 『尙書正義』에 보이는 '萊夷'를 가리킨다. 萊夷는 嵎夷이기도 하다. 그리고 '馬韓之屬'은 '마한에 속한다'는 뜻이 아니다. '屬'에는 '무리'의 뜻이 담겨 있다(李道學, 「梁職貢圖의 百濟 使臣圖와 題記」『百濟文化 海外調查報告書』 6, 국

백제의 요서경략 기사에 대해서는 조선 후기 이래로 논의가 있었다. 그러한 논의에 대해서는 일방적으로 판단하는 경향이 있었다. 가령 한국인으로서 요서경략 기사에 대한 최초의 언급인『해동역사』에서 부정적으로 평가했다는 인식이었다. 그런데 이 부분의 내용은『해동역사』의 속편인 地理考에 적혀 있다. 續篇은 韓致奫의 조카인 韓鎭書가 집필하여 완성한 것이다. 그런데 반해 한치윤이 저술한『해동역사』본편에서는 요서경략을 인정하고 있다. 동일한 저서에서 叔姪間에 서로 다른 해석을 했다. 거듭 말해『해동역사』의 저자인 한치윤은 요서경략 기사에 대한 직접적인 언급은 아니지만, 백제의 요서경략을 사실로 수용하였다. 요서경략 연장선상에서 볼 수 있는 백제의 북위 격파 기록을 최초로 언급한 이는 안정복이었다. 그는 1756년(영조 32)에 간행된『東史綱目』에서 그러한 사실을 언급했지만 백제군이 중국 대륙으로 건너 간 게 아니라 북위군이 백제 본토로 쳐 들어온 것으로 인식했다. 엄밀히 말한다면 안정복은 요서경략을 수용한 것은 아니었다.

요서경략 기사에 대해서는 민족주의 사학자들을 필두로 신민족주의 사학자인 손진태 등 많은 학자들이 수용하였다. 이와 관련해 일본 학자인 이노우에 히데오(井上秀雄, 1924~2008)는 이례적으로 요서경략의 가능성을 제법 소상하게 언급했다. 이 점 주목할 만한 사안임에도 지금까지는 그 누구도 언급한 바 없었다. 중·고등학교 한국사 교과서에 보이는 요서경략은 서울대학교 교수로서 1970년대 교과서를 집필한 김철준이 제기한 이래로 수용되어 왔다. 즉 "백제는 황해를 건너 요서 지역에 식민지를 건설하였고…"[22]라고 했다. 김철준의 소견은 그의 학통을 계승한 강종훈에 의해 구체적으로 피력되었다.

요서경략 기사에 대한 부정론으로는 韓鎭書를 필두로 대다수의 일본 학자들과 한국 학자들이 뒤따랐다. 그러나 이러한 주장은 편견에 따른 바가 컸다. 게다가 요서경략 始點을 근초고왕대로 국한시켜서 인식하는 경우가 많았고, 교과서에 그대로 수용되었다. 그러나 이에 대한 대안으로 기왕에 제기한 이도학의 소견을 제시한다. 일례만 든다면 부정론의 핵심 요소인「양직공도」의 "晋末에 고구려가 요동을 치자 낙랑 또한 요서의 晋平縣을 쳤다"는 구절에 대해 "백제와는 아무런 관련이 없는 것이 된다. 이해하기 곤란한 서술인 것이다"고 실토할 정도였다.「양직공도」백제 題記에서 백제와 무관한 내용이 적혀 있다고 보았기 때문이다. 이에 대한 대안으로 이도학은 "晋末에 고구려가 요동의

립공주박물관, 2008). 만약 '馬韓之屬'을 '마한에 속한다'로 해석하려면, '屬馬韓'으로 표기했어야 한다.

22_ 金哲埈,『韓國古代國家發達史』, 한국일보사, 1975, 88쪽.

낙랑을 치자, (백제) 역시 요서의 晋平縣을 쳤다"고 해석했다.[23] 고구려가 攻伐한 '요동의 낙랑'과 백제가 공벌한 '요서의 진평현'으로 구분이 되는 것이다. 아주 자연스러운 해석이 아닐 수 없다.

이러한 작업을 통해 막연하고도 멀게만 느껴졌던 요서경략을 요서경략설이 아닌 역사적 실체로 자리매김할 수 있다. 요서경략 자체가 교과서에 수록되었다면 그 시점에 대해서는 논의가 다양하다고 언급하면 될 것이다. 요서경략 자체를 부정한다면 굳이 교과서에 수록할 필요는 없다. 중 · 고등학교 한국사 교과서에서 요서경략에 대한 수록이 집필 방침이라면 보다 구체적인 서술로써 수용했으면 하는 바람이다. 그에 대한 대안으로 롄윈강(連雲港)의 석실분을 비롯한 중국내에서의 백제 관련 유적이나 물증을 언급해 보았다. 이도학의 견해를 소개한 것은 입론의 타당성을 제기하려는 의도가 아니다. 기왕에 요서경략을 교과서에 수록했다면 이제는 그 시점이나 동기에 대한 논의로 옮겨가는 게 중·고등학교 한국사 교과서의 심도를 재고하는 계기가 될 것으로 믿기 때문이다.[24]

4) 한강유역 지배권 문제

삼국의 한강유역 지배권 문제에 대해서는 논의가 분분하였다. 논의의 요체는 475년 9월에 고구려가 백제의 왕도인 한성을 함락한 후 이곳의 領有 여부였다. 『삼국사기』에는 웅진성 도읍기 백제가 한성을 비롯한 한강유역을 여전히 확보하고 있었기 때문이다. 웅진성 도읍기 백제와 고구려의 戰場도 한성 도읍기와 마찬 가지로 황해도 배천으로 비정되는 치양성을 비롯한 경기도 북부 일원에 형성되었다. 『삼국사기』 本紀만 본다면 고구려는 한강유역을 지배하지 못했을 뿐 아니라 백제 역시 이곳을 상실하지도 않았다. 그러나 『삼국사기』 지리지에는 고구려 행정지명이 아산만 일원까지 내려와 있다. 고고학적 물증 역시 이와 어긋나지 않았다.

『삼국사기』 본기 가운데 이 무렵 고구려본기는 기사 누락이 극심하였다. 관련된 전쟁 기사는 백제본기 내용을 거의 그대로 전재했다. 즉 『삼국사기』에 보이는 한강유역 관련 기사는 백제측의 일방적인 내용을 담고 있는 백제본기 기사에 불과하였다. 백제측의 목소리만 본기에 담겨 있다고 보아 틀

23_ 이 구절 문장상의 讀法은 이미 김세익, 「중국 료서지방에 있었던 백제의 군에 대하여」 『력사과학』 1967-1, 3쪽에서 제기되었다.

24_ 李道學, 「백제의 요서경략과 중·고등학교 한국사 교과서의 서술」 『한국전통문화연구』 15, 한국전통문화대학교, 2015, 189~221쪽.

림이 없다. 이러한 사료의 기본적 속성을 제대로 이해하지 못한 관계로 백제가 여전히 한강유역을 지배했다는 인식이 제기되었다. 게다가 몹시 중요한 고구려 행정지명과 관련 고고학적 물증에 대해서도 적절한 반론을 제기하지 못했다. 이와 맞물려 있는 지명 이전설의 경우도 논거가 몹시 취약할 뿐 아니라 자의적인 해석임을 드러냈다. 더구나 그 위치를 구체적으로 제시한 주장의 경우는 강변이 심하였다. 백제가 한강유역을 지배했다는 주장이나 지명 이전 주장을 취신하기에는 논거 뿐 아니라 논리적 결함이 모두 컸다. 백제는 웅진성으로 천도한 후 고구려에 臣屬되는 線에서 아산만 이북을 할양함으로써 내부 체제의 안정을 기하고자 하였다. 이는 웅진성 천도 후 대략 7~8년 정도에 해당된다. 물론 백제 내정은 실패로 돌아가고 말았지만 고구려의 한강유역 지배는 엄연한 사실이었음을 입증했다.[25)]

백제인들은 한성 도읍기 마지막 왕인 개로왕과 연결 짓고자 했던 무녕왕계 왕실의 정통성과 관련된 자국의 근거지인 한강유역을 줄곧 확보한 것처럼 기록했다. 역사는 현실인 동시에 현안의 해결이 정권이 처한 초미의 관심이자 과제였다. 성왕대 이후 백제는 신라에 빼앗긴 한강유역 회복이 국가적 현안이었다. 백제는 신라에 대한 보복 공격 뿐 아니라 정치적 압박이라는 양면에서 고토 반환을 요구했을 것이다. 이에 대한 대응으로 신라는 백제가 아닌 고구려 영토인 한강유역을 점유했다는 논리를 내세웠을 법하다. 백제는 이러한 신라의 논리를 차단할 필요가 있었을 것이다. 그러한 차원에서 백제는 한강유역은 건국 이래로 자국 영역이었으나 553년에 신라에 빼앗겼다는 논리로써 대응했던 것 같다. 백제인들은 현실적 숙원과 결부된 한강유역에 대한 오리지널리티를 주장한 것이다. 요컨대 웅진성 도읍기 백제의 한강유역 지배에 대한 지금까지의 논의는 사료의 본질을 파악하면 쉽게 풀릴 수 있는 사안이었다.[26)]

5) 남원소경 설치 배경으로서의 운봉고원

통일신라 5小京은 중원경(충주)·서원경(청주)·북원경(원주)·금관경(김해), 그리고 남원경(남원)인 것이다. 남원경은 백제 故地에 설치된 유일한 소경이었다. 그러면 신라가 전라북도에 소경을 설

25_ 李道學,「漢城 陷落 以後 高句麗와 百濟의 關係-耽羅와의 關係를 中心으로」『전통문화논총』3, 2005, 113~134쪽.
26_ 李道學,「百濟 熊津期 漢江流域 支配 問題와 그에 대한 認識」『鄕土서울』73, 2009, 51~98쪽.

치한 목적은 무엇일까? 이곳은 신라가 6세기대에 백제 지역으로 진출하는 데 필요한 요충지였다. 이곳에서 벌어진 阿莫城 전투는 아주 유명하지 않은가? 신라가 함양을 경유하여 남원 방면으로 진출하려고 한 요인은 여러 측면에서 찾고는 한다. 그러나 본질적인 요인은 군산대학교 교수 곽장근이 여러 해에 걸친 조사와 발굴을 통해 밝혔지만 팔량치에서 전라북도 운봉과 長水로 이어지는 지리산 주변의 막대한 鐵鑛의 확보에 있었다고 보아야 한다.

고대국가의 잠재적 국력의 척도가 철광 산업임은 주지의 사실이다. 내륙 육상교통로는 말할 것도 없고 내륙수로인 섬진강과도 연결되는 이러한 지리적 이점은 경제적으로 유효한 자산이었다. 백제 한성 도읍기에 장악한 谷那 鐵山은 전라남도 谷城이었다.[27] 섬진강 수계와 연결된 지리적 이점이 한몫 한 것이었다. 남원을 중심한 지리산 일대는 철광의 장악과 안정적 공급 체계 확보라는 兩大 조건을 모두 구비하였다. 이러한 남원의 경제 · 군사적 비중을 헤아린 신라가 소경을 설치한 것은 결코 우연이 아니었다.[28]

6) 중국 속의 백제

백제의 중국 진출 기록과 관련해 최근 중국 장쑤성 롄윈강 주변에서 확인된 무려 789기에 달하는 석실분을 주목하였다.[29] 지금까지의 연구에 따르면 이들 분묘는 고대 한국인과 연결 지을 가능성이 한·중 양국 학계에서 유력하게 제기되었다. 그런데 이들 석실분은 일각에서 운위한 바처럼 백제 멸망 이후에 조성된 것은 아니었다. 중일전쟁 때 일본군이 상륙한 바 있는 롄윈강시의 고분군은 백제 당시의 분묘일 가능성이 크다. 後唐에서 고려 태조를 책봉한 詔를 보면 "卿은 長淮의 茂族이며 漲海의 雄蕃이다"고 하였다. 여기서 태조를 가리켜 '장회의 무족'이라고 했다. 『고려사』 성종 4년(984) 5월조에 보면 송 황제가 고려 성종을 책봉하고 내린 조서에 "항상 백제의 백성을 편안하게 하고, 영원히 장·회의 족속을 무성하게 하라(常安百濟之民 永茂長淮之族)"고 했다. 여기서 '長淮'는 양자강과 회수를 가리킨다. 이 곳과 '백제지민'은 관련이 있다고 본 것이다. 곧 이들은 중국대륙의 백제 백성들을 가리키는 동시에 정치적 귀속성은 고려와 연결되고 있다. 그렇지 않다면 조서에서 언급할 하등의 이

27_ 李道學, 「谷那鐵山과 百濟」『東아시아古代學』 25, 2011. 65~102쪽.
28_ 李道學, 「백제사에서 전라북도의 位相」『전라북도 백제를 다시 본다』, 전라일보, 2016.8.10. 27~28쪽.
29_ 李道學 · 송영대 · 이주연, 『육조고도 남경』, 주류성, 2014, 451~461쪽.

유가 없기 때문이다.

더욱이 중국 학자들이 소개했듯이 롄윈강 주변의 쭝윈타이산(中雲臺山) 석실분은 논산 표정리 백제 석실분과 구조적으로 연결된다. 그 뿐 아니라 롄윈강의 소재지인 淮河는 백제인들이 거주했던 '장회' 가운데 회수를 가리킨다. 따라서 롄윈강 석실분을 백제와 연관 짓는 게 가능해진다. 그리고 고분군의 분포 범위가 넓다는 점에서 오랜 기간에 걸쳐 조성된 백제인들의 대단위 상주 거점이었음을 암시해준다. 나아가 사서에 적힌 백제의 중국 진출 기록이 결코 虛辭가 아니었음을 입증해 주는 부동의 물증으로 제시된다.[30]

7) 한국 역사상 대항해의 시대—동남아시아 제국과의 교류

백제는 주변 지역들과 활발하게 교류를 가졌다. 그랬기에 '교류왕국'이라는 이름을 부여받기도 했다. 그런데 알고 보면 백제가 교류한 대상은 중국와 일본열도에 국한된다는 것이다. 이 정도를 가지고 '교류왕국'이라는 권위 있는 호칭을 부여받을 수는 없다. 더구나 '글로벌 백제'는 상상할 수도 없지 않을까? 그러나 백제는 동남아시아 지역과 활발한 교류를 가졌고, 또 그러한 사실이 문헌이나 물증을 통해서 확인되고 있다.[31] 최근에 널리 소개된 광시 좡족자치구(廣西壯族自治區)의 百濟墟의 존재도 이도학이 처음으로 소개한 것이다.[32] 즉 "… 반면 晋平郡은 泰始 4년(468)에 지금의 푸젠성 푸저우시에 설치되었다가 471년에 晋安郡으로 고쳐진 것으로 나타나고 있다(復旦大學歷史地理研究所,

30_ 이상의 서술은 李道學, 「윤명철, '해양사연구방법론'(학연문화사, 2012)에 대한 서평」『고조선단군학』 28, 2013, 420~423쪽에 근거하였다.

31_ 백제와 東南아시아와의 교류에 대해 지금까지 발표한 이도학의 논고는 다음과 같다.
①「百濟의 交易網과 그 體系의 變遷」『韓國學報』 63, 一志社, 1991.
②「百濟와 東南아시아諸國과의 交流」『충청학과 충청문화』 7호, 충청남도역사문화연구원, 2008.
③「백제와 동남아 세계의 만남에 대한 逆比判」『대백제/ 백제의 숨결을 찾아서』, 동아시아국제 학술포럼, 한국전통문화학교 · 부여군문화재보존센터, 2009.
④「百濟의 東南아시아 交流論은 妄想인가?」『慶州史學』 30, 2009.
⑤「百濟의 海外活動 記錄에 관한 檢證」『충청학과 충청문화』 11, 충청남도역사문화연구원, 2010.
⑥「中國 廣西壯族自治區의 百濟墟 探索」『위례문화』 13, 하남문화원, 2010.
⑦「百濟 泗沘都城의 編制와 海外 交流」『동아시아의 고대 도시와 문화』『東아시아古代學』 30, 2013.
⑧「百濟의 海上실크로드 探究」『東亞海洋文化國際學術會議 論文集』, 浙江大學校, 2013.
⑨「백제와 인도 및 동남아시아 제국과의 교류」『한국 인도 문화교류의 역사와 미래』, 동명대학교 인도문화교류연구소/ 동아시아불교문화학회 추계 국제학술대회, 2016.

32_ 李道學, 「4세기 정복국가론에 대한 검토」『韓國古代史論叢』 6, 韓國古代社會硏究所, 1994, 258쪽, 註 32.; 『백제고대국가연구』, 一志社, 1995, 111쪽, 註 197.

『中國歷史地名辭典』 1988, 708쪽). 이러한 기록이 타당하다면 백제가 航路와 관련하여 푸저우 지역에 설치한 晋平郡은, 이것을 둘러싼 劉宋과의 갈등으로 3년만에 폐지 됨에 따라, 이듬해인 472년에 백제는 유송과 대립관계에 있던 북중국의 북위와 교섭을 가진 게 아닌가 생각된다. 그러나 이와는 달리 晋平郡은 "晋平,〔縣名〕晋置 屬廣州鬱林郡 南宋・南齊因之 今闕當在廣西境"(劉鈞仁, 『中國歷史地名大辭典』 2, 1980, 832쪽)이라고하였으므로, 廣西自治區 내의 蒼梧縣 일대가 된다. 그리고 百濟郡은 "百濟,〔地名〕在廣東欽縣西北百八十里 有墟 爲奥桂二省交界處"(앞책, 3, 1396쪽)라고 하였는데, 마찬가지로 광서자치구 내가 된다. 진평군에 관한 어떠한 기록이 맞든 간에 백제군과 더불어 해변이거나 해변과 가까운 이들 지역은, 崔致遠의 上大師侍中狀에서 백제가 침범하였다는 吳越 지방과 관련 있다. 그러므로 백제가 푸저우시(福州市) 방면에 진출하였을 가능성은 짚어 볼만하다"고 했다. 요서 지역의 진평군은 6세기 초 북위에 점령된 후 광시 좡족자치구로 이동한 것으로 해석된다.

백제가 동남아시아 지역과 교류한 물증이 보인다. 가령 黑齒國이 소재한 필리핀에서는 우리나라 삼국시대의 토기들이 출토되었다. 익산 미륵사지 서탑 사리공과 청동합에서 발견된 진주의 존재는 동남아시아와의 직접 교류 가능성을 보여준다. 이러한 물증들은 결코 우연한 일이 아니라 당연한 결과라고 하겠다. 다만 각자의 마음 속에 만리장성의 벽을 높게 축조하여 감히 넘을 수 없게 한 관계로 있는 자료마저도 死藏시켰다. 단재 신채호의 표현대로 한다면 싸워 보지도 않고 붓끝으로 우리의 활동 영역을 한반도 안으로 축소시킨 격이다. 『조선상고사』에서 "도깨비도 떠 옮기지 못한다는 땅을 떠 옮기는 재주를 부려 卒本을 떠다가 成川 혹은 寧邊에 갖다 놓으면…더 크지도 말고 더 작지도 말라고 한 압록강 이내의 이상적 강역을 획정하려 하며…"라고 토로했다.

사실 알고 보면 선사시대 이래로 한반도 지역은 오키나와를 매개로 동남아시아 세계와 직·간접으로 교류하고 있었다. 이 중 백제는 굴곡이 많은 리아시스식 해안이 발달한 지형적 특질을 활용했다. 이와 연동해 조선술과 항해술이 뒷받침되었다. 5세기 후반경에 백제는 탐라 즉 제주도를 정치적으로 복속시킨 후에 북규슈와 오키나와 및 남중국의 푸저우를 잇는 항로를 확보하였다. 백제는 탐라를 장악함에 따라 그간 고구려가 장악하여 북위에 조공품으로 보냈던 珂를 확보했다. 이 무렵 한반도의 서남해안 항로에 대한 지배권을 둘러싼 경쟁에서 백제가 고구려를 제꼈던 것이다.

백제는 항로를 동남아시아 세계로 연장하였다. 6세기대에 접어들어 승려 謙益이 中印度 즉 中天竺까지 항해하여 梵本의 불경을 가져 왔다. 이러한 대항해는 단순한 求道의 열정만 가지고 되는 일이 아니었다. 백제로부터 인도와 인도차이나반도에 이르는 거대한 바닷길이 열려 있고, 조선술이 뒷받침되었기에 가능했다. 왕족인 흑치상지의 祖先들이 지금의 필리핀인 黑齒에 분봉될 수 있는 토대가 구축되었던 것이다.

이렇듯 6~7세기는 한국 역사상 '대항해의 시대'였다. 신라의 경우 505년(지증마립간 6)에 王命으로 "또 舟楫의 이로움을 권하였다"고 하였다. 512년(지증마립간 13)에 신라는 우산국을 복속시켰고, 583년(진평왕 5)에는 선박을 관장하는 船府署를 두었다. 신라 관등 가운데 波珍飡은 '파달찬' 곧 '바다 칸'으로서 바다를 관장했던 직책에서 유래했다. 신라 17 관등 가운데 제4관등인 파진찬은 일명 '海干'이라고도 하였다. 그 명칭으로 미루어 본래 바다와 관계 깊은 관직 이름에서 기인한 것으로 간주하면서 해군 사령관으로 지목하기도 한다. 그리고 678년(문무왕 18)에 신라는 船府令을 두어 船府署를 兵部에서 독립시켰다. 신라는 바다를 관장하는 독립된 官府를 설치한 것이다. 신라 고분에서 출토된 개미핥기와 駝鳥를 비롯한 열대 지역 동물의 형상을 묘사한 土偶의 존재는 이 무렵에 이루어진 대항해의 산물이었다.

대항해는 교류처의 다변화를 가져왔다. 그간의 중국 중심의 朝貢的 성격을 띤 교류에서 교역으로 성격 변화가 따랐다. 교류 목적이 정치 일변도에서 벗어나 경제적 성격으로 전환되거나 양자가 합치되고 있었다. 이때는 '외교통상부'와 마찬 가지로 교류 자체가 외교와 통상이라는 양면성을 지닌 것이다.

백제가 교역품의 다변화를 추구한 데는 목적이 있었다. 그간 중국과의 교류를 통해 확보한 선진 물품 세례로써 왜를 정치적으로 자국 예하에 묶어두려고 하였다. 그런데 이러한 백제의 의도는 한계에 봉착했다. 백제는 이를 극복하려는 차원에서 교역 창구의 다변화를 추구한 결과, 남방산 珍物의 확보와 공급으로 이어졌다. 이로써 교역 주체인 백제 왕실은 우선 자국민에 대한 경제적 욕구를 해소할 수 있었다. 즉 백제 왕실은 수요자인 귀족들에게 공급할 목적으로 印度産 氍毹이나 인도-퍼시픽 유리, 象牙와 같은 사치품을 비롯하여 완상 동물인 鸚鵡 등을 수입하였다. 그리고 백제 왕은 이들 물품을 귀족들에게 分與함으로써 왕권을 강화하거나 확대할 수 있었다.

백제는 물산이 유사하거나 이제는 식상한 중국·한반도·일본열도를 벗어나고자 했다. 대신 백제는 희소성과 경제적 가치를 지닌 인도를 비롯한 동남아시아 제국과의 교류를 통해 독점적인 교역 체계를 구축하였다. 이와 관련해 부여 능산리 절터에서 확인된 면직물의 유입로를 검토해 본다. 국립부여박물관에서 절터 유물을 분석 · 정리하는 과정에서 목화를 원료로 만든 면직물이 나타났다. 면직물은 폭 2㎝, 길이 12㎝ 크기로 1999년 능산리 절터 6차 발굴 때 대나무편 사이에 끼인 채 수습되었다. 국립부여박물관은 이 면직물이 나온 유적층에서 함께 출토된 창왕명사리감의 제작 연도가 567년이므로 면직물의 연대도 그때쯤일 것이라고 밝혔다. 이 유물은 꼬임을 아주 많이 써서 만든 緯絲를 사용한 직조 방식의 면직물로 드러났다. 이러한 솜씨는 우리나라 특유의 직조 기술로 알려졌다.[33] 주지하듯이 면직물은 면사로 짠 직물의 총칭이다. 면사는 식물성 섬유의 하나로 아욱과에 속하는 목화속 식물의 종자를 덮어싼 백색 섬유질의 솜털에서 얻는다.

그러면 능산리 절터에서 출토된 면직물의 유입로는 어떻게 설정할 수 있을까? 그간 막연히 추측했던 중국이나 중앙아시아와 결부 지을 수 없다. 뒷 장에서 서술하겠지만 백제가 崑崙 등과의 교류를 통해 綿種을 입수했을 가능성이 크다. 중국 본토에서는 宋代 이후에야 면화가 인도에서 유입되었다.[34] 일본열도에서는 800년에 와서야 곤륜을 통해 면종을 수입하였다.[35] 백제는 그러한 면종을 확보한 곤륜이나 목면의 원산지인 인도와도 교류했다. 따라서 능산리 절터에서 확인된 면직물은 백제와 인도 간 교류를 뜻하는 증좌였다. 백제는 인도와의 교류를 통해 면종을 수입하는 데 성공했다. 백제의 의복 재료로서 확인된 면직물은 그 현저한 성과였다. 인도나 곤륜과의 교류를 통해 확보한 면종은 백제 상류층의 직물로만 소용되었기에 확산에 한계가 있었다. 服色에 대한 신분적 규제로 인해서였다. 더욱이 백제는 면종을 왜에는 전파하지 않았다. 마치 고려 말 文益漸이 元에서 구한 목화씨를 붓두껍에 숨겨 왔다는 만들어진 이야기를 연상시킨다. 그렇듯이 백제는 엄격하게 綿種을 통제했던 것이다. 백제는 선진 물품과 남방산 珍物을 倭에 선물했었다. 그렇지만 전략적 가치가 크거나 일회성 소모품이 아닌 綿種 등과 같은 작물에 대해서는 禁輸시키는 등 엄격히 통제한 것으로 보인다.

백제가 인도 및 동남아시아 제국과 교류한 데는 梵本 불경의 확보에서 알 수 있듯이 求道的 측면도 배제할 수 없었다. 즉 거국적 차원에서 겸익의 중인도 파견을 통한 敎義에 대한 욕구 충족이라는 敎學的 측면도 분명 존재하였다. 이와 더불어 紫檀木이나 茶種, 栴檀香을 비롯한 香·染料·佛具 등을 비롯한 불교 관련 물품의 수입도 절실했을 것이다.

결국 정치적 성격과 경제적 의미까지 복합적으로 내재된 백제의 인도 및 동남아시아 제국과의 교류는, 조선술과 항해술을 비약적으로 발전시키는 동인이었을 뿐 아니라, 백제 문화의 국제성 확립

33_ 국립부여박물관, 『백제 중흥을 꿈꾸다-능산리사지』 2010, 174~175쪽.
34_ 李道學, 「백제의 해양 활동사」 『동북아역사문제』 90, 동북아역사재단, 2014, 10쪽.
35_ 『類聚國史』 권199, 殊俗 崑崙.

에도 기여했다.[36] 그리고 백제 독자 문화를 창안하는 동인이 되었다. 이와 관련해 백제 영역인 지금의 부여와 익산, 그리고 일본열도 아스카 일원에서만 주로 발견되는 瓦積基壇을 상기해 본다. 기와를 이용하여 기단 외장을 구축한 와적기단은 중국과는 무관한, 백제인들이 창출하여 왜에 전래한 독특한 건축 양식이었다. 국립부여박물관에 전시하고 있는 빼어난 금속공예품인 백제금동대향로 역시 동일한 맥락에서 평가할 수 있다. 백제금동대향로는 전무후무한 수작이었기에 중국제로 지목하는 이들이 많았다. 물론 漢代 博山香爐의 영향과 기원은 부인할 수 없지만 백제금동대향로와 같은 수작은 중국에서도 없었다.[37] 백제금동대향로 하단 연꽃 문양 가운데 수중의 악어가 기포를 뽀글거리는 모습은 퍽 사실적이다. 닮은 듯하지만 닮지 않았던 문화가 국제성을 지닌 백제 문화였다. 전적으로 광활한 세계 체험의 결실이었다.

8) 일본열도 종교전쟁에의 출병

불교 수용 여부를 둘러싼 갈등에 군사력이 개입하여 충돌하면 종교전쟁이 된다. 주지하듯이 동아시아 세계의 불교는 모두 선선히 수용된 것만은 아니었다. 신라와 倭에서는 커다란 진통을 겪었다. 특히 倭에서의 불교 수용 여부는 권력 핵심 세력 간의 갈등을 증폭시키는 기제가 되었다. 이 때 백제는 왜 조정의 排佛派를 제압하는데 무력을 지원하였다. 『조선왕조실록』의 기사가 실마리가 되었던 것이다. 이때 위덕왕은 배불파와 숭불파가 팽팽히 맞서는 과정에서 倭의 聖德 太子를 지원할 목적으로 琳聖 太子를 파견하여 교전하였다. 종교전쟁 결과 백제의 지원을 받은 숭불파는 倭 조정의 실력자인 大連의 物部氏를 토멸했다. 이러한 과정을 겪고서 왜 조정에 불교가 뿌리를 내릴 수 있었다.[38]

36_ 李道學, 「百濟와 印度 및 東南아시아諸國과의 交流」『한국 인도 문화교류의 역사와 미래』, 동명대학교 인도문화교류연구소/ 동아시아불교문화학회 추계 국제학술대회, 2016, 37~54쪽.
37_ 李道學, 「백제금동대향로는 중국제인가?」『누구를 위한 역사인가』, 서경문화사, 2010. 36~45쪽.
38_ 李道學, 「고대 동아시아의 불교와 왕권」『충청학과 충청문화』 13, 충청남도역사문화연구원. 2011, 45~66쪽.

3. 신라

1) 북진경략 과정

신라의 구원 요청을 받아 400년에 출병한 고구려군 步騎 5만은 이를 계기로 신라의 내정에 영향력을 행사했다. 고구려는 동시에 신라에 대한 지역 지배를 병행한 결과 竹嶺 東南 지역을 복속시켰다. 그러나 5세기 중엽을 고비로 신라는 죽령 이남에서의 고구려 세력을 축출해 나갔다. 그 결과 일련의 대규모 산성 축조가 진행될 수 있었다. 이 같은 산성 축조는 舊小國 중심의 지배 질서를 해체하고 강력한 중앙집권화를 이루기 위한 조치였다. 이로 인해 신라는 국력을 결집시킬 수 있었다. 481년 이후 약 70년 가량의 대외관계의 안정기를 이용한 것이다. 즉 신라는 550년 이전에 이미 소백산맥 이북으로 진출하였다. 이때 신라군이 이용했던 교통로는 계립령로나 죽령로가 아닌 죽령 왼편의 이른바 赤城路였을 것으로 밝혀졌다.

赤城路를 이용하여 단양에 진입한 신라군은 고구려의 別都였던 國原城(忠州)을 공취한 후 550년에 보은 방면에서 진군해 온 부대와 증평·진천을 공취한 후 551년에는 장호원 쯤에서 백제군과 합류하여 한강 하류의 6郡을 공취했다. 그런데 백제와 동맹한 상황에서는 더 이상의 북진이 실익이 없다고 판단되자, 신라군은 6郡 점령의 北界인 임진강선에서 추가령 구조곡을 타고 단독으로 철령까지 진출하였다. 이때 신라가 점령한 '竹嶺以外 高峴以南' 10郡은 후대에 고구려가 실지회복을 표방했던 지역으로 대략 철령 이남과 죽령 서북에서 찾을 수 있다.[39]

2) 통일신라의 北界 劃定 문제

신라의 삼국통일 과정은 험난하고도 지루한 과정으로 점철되었다.[40] 삼국 가운데 약체국이었던 신라는 백제의 부단한 공세로 인해 지금의 서부 경상남도 지역을 거의 상실하다시피했다. 더구나

39_ 李道學,「新羅의 北進經略에 관한 新考察」『慶州史學』6, 1987, 23~41쪽.

40_ 신라가 당초부터 삼국통일을 염두에 두지 않고 백제 통합전만 전개했다는 주장도 있다. 그러나 648년에 김춘추와 당 태종 간의 밀약을 통해 백제와 고구려의 소멸을 통한 영토까지 획정했다. 그러니 백제 통합전론은 타당하지 않다.

백제군은 동진을 거듭하며 소백산맥을 돌파했다. 백제는 낙동강 東岸인 지금의 성주나 구미 방면까지 진출해서 신라를 압박하였다. 이러한 위기감 속에서 자력으로 막을 수 없는 국가 위기 타개책으로 신라는 고구려와 제휴를 고려했지만 성과가 없었다. 신라는 647년에 김춘추를 倭에 파견했지만 역시 성과가 없었다. 마지막으로 신라는 앞서와 동일하게 비중이 큰 중신 김춘추를 648년 당에 파견하였다. 그 결과 김춘추와 당 태종 간의 약정이 이루어졌다. 그들이 설정한 원대한 마스터 플랜에 의하면 신라와 당이 연합해서 백제와 고구려를 멸망시킨 후의 지분에 관한 논의가 확정되었다. '평양 이남'의 백제 영역을 신라에 귀속시키기로 한 것이다. 이 사실은 '평양 이북'과 요동 지역에 대한 지배권은 당이 갖는다는 약정이 이루어졌음을 뜻한다.

2차세계대전 종전 직전의 얄타회담이나 포츠담 선언에서 잘 드러났듯이 점령할 국가의 舊土 분할 문제는 이해가 상충되는 아주 미묘한 사안이었다. 이때 당은 고구려 구토에 대한 연고권을 제시했을 게 자명하다. 당 태종 이전인 통일제국 隋代 이래 중국인들은 요동 지역이 당초 중국 영역이었음을 강조하였다. 중국이 곧 탈환해야할 지역으로 설정했다. 소위 四郡 지역이 그러한 범주에 속하게 된다. 당은 고구려 영역 가운데 과거 한사군의 영역과 魏代 이후의 요동군을 수복지로 지목하였다. 즉 낙랑군과 더불어 현도군과 진번군과 임둔군이다. 이 중 단명한 진번군과 임둔군은 상징성은 물론이고 존재감마저 없었다. 현도군은 제3현도군이 지금의 랴오닝성 푸순에 소재하였다. 그런 관계로 요동을 지배하면 자동으로 수복이 완결되는 것으로 인식했을 것이다.

반면 진번군의 후신인 대방군은 백제 건국지로 인식되었다. 그렇기 때문에 삼한통합론을 제기한 신라의 지배를 인정하는 선에서 마무리되었다. 요컨대 당의 한사군 故地收復論은 작금의 동북공정과 관련해 시사하는 바 크다. 唐이 제기한 중국고토수복론은 역사에서 찾는 침공 명분론이었다. 이러한 논리는 현재도 중국이 여전히 유효하게 사용할 수 있는 기제이기도 하다. 통일제국이 형성되자마자 제기된 隋代 이래 당 태종 등이 제기한 논리가 고구려 정벌론이었다. 그러한 근거는 21세기 통일한국의 중대한 장애 요인으로서 수면하에 잠재하고 있음을 감지해야 한다.

사안의 중대성에 비추어 부연 설명을 해 본다. 648년에 당 태종은 김춘추와 협상하면서 낙랑군이 소재한 고구려 수도 평양에 대한 지배권을 내세웠을 것이다. 동시에 대방군 지역에 대한 지배권도 제시했을 것은 자명해 보인다. 그럼에도 대방군 고지인 '평양 이남'이 신라에 귀속된 데는 신라측의 집요한 논리가 제기된 결과였다. 신라가 제시했을 영토에 대한 연고권은 삼국의 전신인 삼한이었을 것이다. 고구려와 백제, 그리고 신라는 7세기 당시 삼한으로 일컬어졌다. 신라는 그러한 삼한의 통합을 정치적 명분으로 제기했을 가능성이 높다.

이와 관련해 중국 사서에 따르면 백제는 대방고지에서 건국했다고 적혀 있다. 백제 왕의 封爵에 대방군왕이나 대방군공이 자주 보인다. 이러한 봉작은 신라 왕에게 수여한 낙랑군왕과는 비교되지 않을 정도로 비중이 지대하였다. 결국 당도 백제의 대방고지에 대한 연고권을 부인할 수 없었다. 그러한 백제의 기원은 중국도 공인하는 삼한인 것이다. 또 그렇다면 백제의 건국지라는 황해도 방면의 대방고지는 응당 신라 지배하에 들어가야 한다. 요컨대 이 같은 논리의 절충과 타협을 통해 '평양 이남'이라는 묵계가 이루어졌던 것으로 판단된다. 이는 唐이 주장했던 '평양 이남'을 포괄하는 고구려 전역 수복론을 신라가 좌절시킨 결과였다. 이 約定은 신라와 唐이 고구려의 소멸에 합의했음을 뜻한다. 동시에 신라는 자국의 禮服과 연호를 포기하는 적극적인 귀속 의식을 표명한 결과 당을 유인하는데 성공하였다. 그리고 신라인들은 자국의 북동계를 지금의 함경남도 안변인 비열성으로 간주했다. 그 결과 대동강에서 원산만까지의 신라 北界가 설정된 것이다.

백제가 시조왕대부터 단일한 정치체로 출발했다는 메시지 격인 기록이 있다. 『삼국사기』 시조왕 13년 조에 보이는 北界로서 浿河이다. 백제의 북계로 등장하는 패하는 예성강을 가리키고 있다. 그런데 7세기 당시 패하 즉 浿水는 주지하듯이 대동강을 가리킨다. 이에 따라 백제를 병합한 신라측에서는 백제의 북계였던 패하 즉 대동강까지를 충분히 요구할 수 있는 상황이 되었다. 이러한 측면도 신라가 활용할 수 있는 카드였을 것이다.

唐은 고구려 영역 가운데 랴오뚱반도에 대한 지배로 마무리하고, 중만주와 동만주 일대를 방치하였다. 그 배경은 이러한 당의 영역관에 기인한 것으로 보인다. 그랬기에 신라나 당으로부터 방치된 일종의 무연고지인 동만주를 기반으로 渤海가 흥기할 수 있었다. 요컨대 당의 고구려 침공은 고토 탈환전이었고, 신라로서는 삼한통합전이었다. 고구려 멸망은 이념적으로는 중국인들의 고토회복이라는 누대 숙원과 황룡사 구층탑 조성에 응결된 신라인들의 삼한통합대망론이 결합된 결과였다. 요컨대 삼국통일전쟁은 단순한 영토 쟁취에만 국한된 정복전으로만 성격 지을 수는 없다. 양국이 오랜 기간에 걸쳐 기획한 역사회복전쟁의 산물로 평가하는 게 정당할 것 같다.

648년 양국 간의 약정은 그 12년 후의 실제 상황에서는 적용되지 못하였다. 백제에 이어 668년에 고구려가 멸망했다. 문제는 여기서 단순하게 현안이 해결된 것은 아니었다. 양국 간의 동상이몽 관계의 표출로 인해 숱한 우여곡절을 겪은 후 물리력으로써 신라는 당군을 축출할 수 있었다. 그렇더라도 신라가 패강 이남 즉 평양 이남을 직접 경영하지는 못하였다. 신라와 당, 두 세력이 대치하는 일종의 완충 지대로 남아 있었던 것이다. 신라인들이 평양 일원까지 진출해서 거주했지만 행정 지배를 할 수는 없었다. 그것은 양국 간의 합의가 이루어지지 않은 상황이었기 때문이다.

더욱이 통일과정에서 위약으로 인한 양국 간의 앙금이 남아 있었다. 일례로 670년에 당에 謝罪使로 온 欽純은 환국시키고, 良圖는 억류하여 옥중에서 죽게 했다. 이렇게 된 이유는 "(문무)왕이 백제의 토지와 유민들을 마음대로 가져, 황제가 책망하면서 화를 내어 거듭 사자를 억류했기 때문이다"[41]고 한 사례를 제시할 수 있다. 그리고 "왕은 고구려의 배반한 무리들을 받아들이고, 또 백제의 옛 땅을 점거하여 사람들을 시켜 지키게 했는데, 당 고종이 크게 노하여 詔書로써 왕의 관직과 작위를 빼앗고…"[42]라는 기사도 동일한 사례가 된다.

물론 唐이 '평양 이남'을 직접 지배 하지는 않았지만 눈독을 들이면서 예의 주시했던 일종의 뜨거운 감자였다. 이 곳에 대한 영유권 문제는 약정한 지 무려 90년 가까운 735년에야 해결되었다. 고구려가 멸망한 시점에서 본다면 2세대가 지난 67년만이었다. 이 사실은 신라의 삼국통일 과정은 당초의 약정과 현실적 변수 요인이 가세했음을 뜻한다. 비록 김춘추와 당 태종 간의 약정은 오래 지체되기는 했지만 종국에는 구현되었던 것이다. 그리고 648년 약정상의 영역은 한국사에서 공식적인 영역 판도로서 인정을 받았다. 결국 7세기 중반에 김춘추와 당 태종이 결정한 동아시아 정치 지형도는 3세대가 지나 완결되었다.

그런데 『삼국사기』 지리지를 보면 신라의 9州 가운데 漢州·朔州·溟州는 고구려 영역으로 인식되었다. 이 사실은 648년 협상 때와는 달리 '삼한=삼국'의 版圖를 신라 영역 안에 배정한 것이다. 이는 신라 삼한 통일의 완결성을 표방하려는 의도였다.[43]

이와 관련해 당 태종이 『晋書』를 편찬하면서 고구려전을 누락한 이유에 대해서는 적극적으로 논의되지 못한 감이 있었다. 3세기 후반에 편찬된 『삼국지』 동이전에 이미 고구려 조가 수록되었다. 그럼에도 7세기대에 편찬된 『진서』에 고구려전이 누락된 것은 고의적이었다. 더욱이 당 태종은 5세기 후반에 편찬된 『宋書』를 통해 백제전을 접한 바 있다. 이 보다 중요한 사실은 근초고왕대에 동진과 교류하여 백제의 존재가 중국에 알려졌었다. 단 1회 사신을 보낸 바 있는 가라의 경우 『南齊書』에 입전된 바 있기 때문이다. 그러므로 『진서』에서는 백제전도 立傳될 수 있는 정황이었다.

41_ 『三國史記』 권6, 문무왕 10년 조.
42_ 『三國史記』 권6, 문무왕 14년 조.
43_ 李道學, 「三國統一期 新羅의 北界 確定 問題」 『東國史學』 57, 2014, 289~323쪽.

『晋書』에 고구려전과 백제전이 누락된 이유에 대해 단재 신채호는 당 태종이 고구려와 백제를 侵逼하는 상황에서 양국의 중국 점유를 위증하기 위한 목적에서 아예 立傳시키지 않았다는 것이다.[44] 사실 당 태종 이전에 이미 출간된『魏書』나『南齊書』를 비롯하여『宋書』와『梁書』를 손대는 일은 용이하지 않았다. 그러나 이미 다수의 晋史가 존재함에도[45] 불구하고 당 태종이 새로『晋書』를 편찬할 때는 뚜렷한 목적이 있었다고 보겠다.

당 태종은 수 양제와 더불어 고구려 정벌의 목적을 漢代의 四郡이 설치되었던 고토회복에 두었다. 즉 침공이 아니라 회복 즉 수복 개념에서 찾았다. 그런데『진서』에 고구려전과 백제전이 立傳되었을 때 예상되는 사안은 이러한 침공 명분이 효력을 상실한다는 것이다. 쉬운 예로 梁代에 그려진「양직공도」의 "백제는 옛날의 來夷로 마한의 무리이다. 晋末에 고구려가 요동의 낙랑을 치자, (백제) 역시 요서의 晉平縣을 쳤다(百濟舊來夷 馬韓之屬 晋末駒麗略有遼東樂浪 亦有遼西晋平縣)"는 기사를 음미해 보자. 고구려가 漢代의 낙랑을 점유한 게 아니라 晋代에 요동 소재 낙랑을 점령했다는 것이다. 여기서 '晋末'을 西晋 末로 지목하더라도 이곳은 이미 漢族의 영역이 아니었다. 고구려는 모용씨 영역이었던 요동 소재 낙랑을 점령한 것이다. 그렇다면 당 태종의 고토수복론은 명분이 없어진다. 게다가 백제가 요서 지역을 경략했다고 적혀 있다. 이러한 기록들은 당 태종이 고구려와 백제를 侵逼할 명분을 잃게 한다.『晋書』에 입전되었어야 할 고구려전의 누락과 새로 입전시켰어야할 백제전의 不立傳 배경을 이와 같이 찾아 볼 수 있다.

이와 더불어 晋代의 고구려는 중국을 자주 침공했을 뿐 아니라 佟壽를 비롯하여 중국에서 고구려로 망명하는 일이 자주 발생했다. 고구려를 침공하려는 당 태종의 입장에서는 침공 명분과 어긋나는 일이 많이 발생한 시기였다. 이는 서진이 복구해 주었고, 또 조공을 착실히 해 온 당시의 夫餘가 기술된『晋書』부여전과는 정반대 상황이 될 수 있었다. 결국 이러한 이유로『진서』에는 고구려전을 立傳시키지 않은 것으로 보인다.[46]

44_ 丹齋申采浩先生紀念事業會,『改訂版 丹齋申采浩全集(上)』, 螢雪出版社, 1987, 204~205쪽.
45_ 국사편찬위원회,『中國正史朝鮮傳 譯註一』, 신서원, 2004, 322쪽.
46_ 李道學,「권력과 기록」『東아시아古代學』48, 2017, 18~19쪽.

제7장

동아시아의 정세와 삼국의 통일

제1절 삼국과 倭, 고구려와의 관계

1. 4~5세기대 고구려와 倭, 대립 · 갈등기

고구려와 왜의 관계는 『일본서기』 應神 28년 조에서 고구려 사신이 왜에 도착한 것으로 시작한다. 응신 28년을 297년으로 비정하기도 한다. 그러나 응신 25년 조에 따르면 백제 直支王 즉 腆支王(405~420)이 사망하고 구이신왕이 즉위한 것으로 적혀 있다. 이때는 420년이므로 응신 28년은 423년이 된다. 물론 응신 39년 조에 따르면 사망했다는 직지왕이 자신의 妹를 왜에 파견하고 있다. 따라서 기년을 신뢰하기 어렵지만 응신 28년 조가 5세기대의 사실임은 분명하다. 그리고 응신 28년 조 기사에서 신뢰할 수 있는 점도 고려해 보아야 한다. 이때는 고구려 국력이 강성하였다. 『일본서기』 다음 기사에서 보듯이 왜에 도착한 고구려 사신이 표를 올렸다.

> 가을 9월, 고려 왕이 사자를 보내 조공했다. 그리고 表를 올렸다. 그 表에 "고려 왕이 일본국에 가르친다"라고 하였다. 그때 태자 菟道稚郎子가 그 表를 읽고서 화를 내어 表의 무례함에 대해 高麗使를 책하고 그 표문을 찢어 버렸다(응신 28년).

위의 인용에서 보듯이 소위 表에는 "고려 왕이 일본국을 가르친다"고 적혀 있었다고 한다. 이것을 무례하게 여긴 왜의 태자가 고구려 사신을 꾸짖고는 표를 찢어 버렸다는 것이다. 이 기사를 허구로 여기는 분위기가 많다.[1] 그러나 당시 고구려가 입지한 정황에 비추어 볼 때 있음직한 사건으로 간주해도 이상할 것은 없다. 『일본서기』 敏達 원년 조에서 고구려가 보낸 국서가 난해하여 판독에 애를 먹은 기사가 있다. 이 역시 왜에 대한 고구려의 우월감을 반영하는 편린으로 보인다. 왜 왕이 고구

1_ 津田左右吉, 『古事記及び日本書紀の新研究』, 洛陽堂, 1919, 138쪽.

려 왕을 '高麗神子'[2]라고 한 것도 동일한 맥락에서 살필 수 있다.

『일본서기』에 등장하는 고구려와 왜 간의 최초의 기록에서 고구려의 우월감을 읽을 수 있다. 그런데 『일본서기』의 메시지는 북방의 강대한 고구려와 왜 간 최초의 국가적 교류에서 자존감의 격돌을 암시해준다. 『일본서기』 논법대로라면 백제와 신라 및 가라 제국을 臣屬시킨 왜였다. 그러한 왜가 자국을 가르치려는 고구려에 대해 반발하는 정서의 반영 쯤으로 여겨진다. 여기서 가르치려는 것 즉 '敎'라고 했다. 이 사실은 고구려의 천하관이나 官的秩序에서 충분히 나올법한 내용이다.

『일본서기』 기록과는 달리 고구려와 왜의 관계는 그 이전으로 소급된다. 「광개토왕릉비문」에 따르면 왜의 존재가 빈출하고 있다. 그러한 倭에 대한 고구려의 시각은 그 호칭에서 가늠해 볼 수 있다. 「광개토왕릉비문」에서는 倭를 '倭賊'과 '倭寇'로 각각 표기하였다. 물론 '倭賊'과 '倭寇' 호칭은 14세기 경에 생겨난 것처럼 云謂되었다.[3] '倭賊'의 연원은 1145년에 편찬된 『삼국사기』에서 "臨海鎭과 長嶺鎭 2鎭을 설치하여 倭賊에 대비했다"[4]라고 하여 보인다. 즉 493년(소지마립간 5)의 시점에서 유일하게 '倭賊'만 등장하고 있다. 『삼국사기』 여타 기사에서는 '倭兵'과 '倭人'으로 표기하였다. 이로 볼 때 414년에 작성된 「광개토왕릉비문」에서의 倭賊과 倭寇가 가장 오래된 용례였다. 고구려가 倭에 대하여 '賊·寇' 개념을 적용한 것은 고구려의 官的秩序를 해치는 세력으로 倭를 무겁게 인식한 반증일 수 있다. 왜왕은 백제 사신에게 고구려를 '狛賊'으로 일컬었다.[5] 이 같은 격한 표현은 말할 나위 없이 倭에게는 고구려가 자국 중심의 이해를 해치는 세력이어서였다.

「광개토왕릉비문」에서는 왜를 통상 '倭'·'倭人'으로 표기했다. 그렇지만 고구려가 왜군을 격퇴한 기사 속에서는 '倭賊'이나 '倭寇'로 호칭하였다. 즉 고구려는 관적질서를 해치는 왜에 대한 적개심과 경멸감을 극대화해서 표기했다. 「광개토왕릉비문」의 왜는 백제나 신라 보다 많은 8回나 등장하지만[6] 사건상으로는 3件에 해당한다. 첫번째는 신묘년 조의 백제와 엮어진 倭였다. 이에 대해 고구려는 倭와 한통속이었던 백제에 대한 응징전을 단행했다. 두번째는 신라에 침공한 왜군을 격퇴하기 위한 구원전이었다. 세번째는 고구려 본토를 기습한 왜군 방어전이었다. 396년에 고구려의 대백제 공격 이면은 백제와 왜 간의 연결고리를 자르려는 기도였다. 동시에 신묘년 이래로 건너온 왜는 고구려

2_ 『日本書紀』 권25, 大化 원년 7월 조.
3_ 中文大辭典編纂委員會, 『中文大辭典』 1, 1973, 1096쪽.
4_ 『三國史記』 권3, 소지마립간 15년 조.
5_ 『日本書紀』 권19, 欽明 9년 6월 조.
6_ 「광개토왕릉비문」에 倭가 9回 등장한다는 견해도 있지만, 어쨌든 倭의 출현 回數가 제일 많은 것은 분명하다.

의 속민인 신라가 격파해 주었다. 고구려의 대리자로서 신라가 왜를 상대한 것으로 인식했다. 그런데 399년 왜군의 신라 침공으로 인해 이제는 고구려가 직접 개입하게 된다. 고구려가 수행한 400년의 신라 구원전은 복잡한 성격을 지닌 국제전이었다. 그런데 지금까지와는 달리 고구려와 倭가 정면 승부를 벌였다. 다음의 「광개토왕릉비문」 영락 14년 조가 그 절정이었다.

十四年甲辰 而倭不軌 侵入帶方界△△△△△石城△連船△△△[王躬]率△△[從]平穰△△△鋒相遇 王幢要截盪刺 倭寇潰敗 斬煞無數

고구려는 그간의 대리전 성격의 전쟁에서 벗어나 자국 영내로 침입한 왜군을 궤멸시킴으로써 그 웅자를 다시금 화려하게 과시했다. 훗날 왜왕 武의 上表에서 "句驪가 無道해서 (우리나라를: 필자) 삼키려하여 邊隷를 掠抄합니다"라는 구절과 고구려를 가리키는 '寇讐'라는 표현은 강렬한 적개심의 표출이었다.[7] 왜인들의 고구려 적개심은 400년과 404년 敗戰에서 연유했을 것이다. 반면 고구려의 입장에서는 壓勝을 "倭寇潰敗 斬煞無數"로 기재하였다. 그럼으로써 위협적인 寇賊을 박멸한 상승군의 무비한 위상을 한껏 고조시키고자 했다.

404년 이후 663년의 백강전투까지 왜군이 차출이 아닌 독립 주체로서 한반도에 대군을 파병한 적은 없었다. 더구나 404년 전투는 대단위 정면 승부로서는 광개토왕대는 물론이고 고구려와 倭間의 명확한 마지막 격돌이었다. 이러한 점에서도 본 전투가 지닌 의미는 적지 않다.

倭는 근초고왕대 이래의 수호국인 백제를 지렛대로 한반도 정세에 깊이 개입했다. 왜는 고구려의 이해와 충돌했던 관계로 가장 격렬한 전투를 치룬 대상으로 남아 있다. 실제 「광개토왕릉비문」에서는 '倭'의 등장 횟수가 백제나 신라를 넘어 제일 많았다. 그리고 「광개토왕릉비문」에는 고구려인들의 倭에 대한 적개감이 넘치고 있다. 그럼에도 왜는 광개토왕의 덕화가 미치는 官的秩序의 편제 대상이었다. 곧 고구려의 천하관에 왜가 속함을 분명히 하였다. 「광개토왕릉비문」 영락 14년 조에서는 '반역을 꾀하거나'·'나라의 법을 지키지 않음'을 가리키는 '不軌'라는 표현을[8] 倭에게 구사했다. 즉 '不軌'는 자국내의 세력을 전제로 했을 때 나올 수 있는 개념이다. 이로 볼 때 광개토왕은 왜를 배타

7_ 『宋書』 권97, 夷蠻傳, 倭國 條.
8_ 단국대학교 부설 동양학연구소, 『漢韓大辭典 : 1』, 1999, 326쪽.

적 적대 세력이 아니라 德化의 대상에 포함시켰음을 알 수 있다. 광개토왕은 왜도 고구려의 官的秩序에 편제하고자 했던 것이다.[9] 이러한 맥락에서 볼 때 고구려가 왜를 '敎'하려고 했다는 응신 28년 조 기록 자체는 있음직한 일로 여겨진다. 敎에는 '깨닫게 하고'·'일깨워주고'·'바로 잡아준다'는 의미가 담겼다. 고구려로서는 왜의 주제를 알게 하여 자국의 관적질서 속에 편제되었음을 일깨워주겠다는 취지로 해석된다.

고구려와 왜는 광개토왕대에 한반도에서 격돌했던 관계였다. 「광개토왕릉비문」에 따르면 고구려의 압승으로 나타난다. 그 직후 고구려는 왜에 사신을 보내 敎를 하고 있는 것이다. 고구려의 영향력을 왜에까지 직접 미치고자한 의도로 보인다. 이때 고구려와 왜 간의 정치적인 교섭은 파국을 맞은 것으로 비칠 수 있다. 그러나 왜에서 吳로 기록된 남중국과 교류를 위해 고구려에 사람을 보내 고구려의 지원을 받아 도달한 기사가 다음이다.

> 봄 2월 戊午 초하루 阿知使主·都加使主를 吳에 보내어 縫工女를 구하게 하였다. 阿知使主 등은 高麗國을 지나서 吳로 가고자 하여, 먼저 高麗에 도착하였으나 (吳로) 가는 길을 알 수가 없었다. 그리하여 길을 아는 사람을 高麗에 구하니, 高麗王은 久禮波와 久禮志 두 사람을 딸려 보내어 안내자로 삼게 하였다. 이로 말미암아 吳에 이를 수 있었다. 吳王은 工女 兄媛·弟媛·吳織·穴織 등 4명의 여자를 주었다.[10]

위 기록 자체의 신빙성은 분명하지 않다. 그렇지만 왜가 고구려의 도움을 요청하여 받았다는 내용이다. 고구려의 관적질서 속에 왜가 편제된 사실의 반영일 수 있다. 왜가 백제가 아닌 고구려를 통해 남중국과의 교류를 시도한 데는 이유가 있었을 것이다. 일단 고구려의 해상 통제력을 인정한 결과로 보여진다. 5세기 후반에 고구려는 涉羅 즉 탐라 즉 제주도까지 장악하였다.[11] 백제가 북위에 보낸 국서에서 고구려를 일러 豺狼에 견주면서 길을 막고 있다고 하소연 했다.[12] 626년에 신라와 백

9_ 李道學, 「고구려 광개토왕대의 전쟁 철학」『전쟁기념관』75, 2012, 11쪽.
이상의 서술은 李道學, 「廣開土王代 南方 政策과 韓半島 諸國 및 倭의 動向」『한국고대사연구』67, 2012, 192~194쪽에 의하였다.
10_ 『日本書紀』권10, 應神 37년 조.
11_ 李道學, 『고구려 광개토왕릉비문 연구』, 서경문화사, 2006,
12_ 『魏書』권100, 백제국전.

제가 唐에 사신을 보내면서 "고구려가 길을 막아 조공하지 못하게 한다"[13]고 하였다. 이러한 맥락에서 볼 때 413년에 "이해 고구려·왜국 및 西南夷 銅頭大師가 함께 方物을 바쳤다"[14]는 기사는 해석이 가능해진다. 즉 고구려의 東晋 교섭에 왜가 편승했음을 눈치 챌 수 있다. 이후 왜에 건너온 고구려 客은 다음에 보듯이 武具를 지니고 왔다.

> 고려국이 철 방패와 철 과녁을 바쳤다. 8월 경자가 초하루인 기유에 조정에서 高麗 客에게 잔치를 열어 주었다. 이날 群臣 및 백료를 모아 고려에서 바친 철 방패를 쏘게 했다. 여러 사람들이 쏘아서 관통하지 못하였는데, 오직 的臣의 선조인 盾人宿禰만이 철 과녁을 쏘아 관통했다. 그때 고려객이 이것을 보고는 그 사격 솜씨가 훌륭한 것을 보고는 두려워하여 함께 일어나 拜朝하였다.[15]

위의 시점을 354년으로 비정하기도 한다. 그러나 仁德 12년 조는 5세기대의 사실로 밝혀진 응신 28년 조 기사 뒤에 수록되었다. 시간의 진행에는 이상이 없다고 한다면 위의 기사 역시 5세기 중반 이전 어느 때임은 분명하다. 이때 철 방패와 철 과녁을 왜 조정에 바친 高麗 客은 사신이 아니고 상인이 분명하다. 적어도 왜군은 400년~404년까지 고구려군과 한반도에서 격돌한 바 있다. 이때 왜군은 고구려군의 막강한 군사력을 체험했을 것이다. 이러한 왜군의 뼈 아픈 체험을 은연 중 상기시키면서 武具의 성능을 과시한 것이다. 그러면 高麗 客은 철 방패와 철 과녁만 선 보인 것일까? 그렇지 않다고 본다. 이는 여러 종류의 무기와 武具 가운데 성능과 관련한 일화가 발생하였기에 特記했을 것이다. 방패와 과녁은 각각 방어와 연습용 무구에 속한다. 전자는 칼과 창을 막는 무구이지만 화살을 막는 게 가장 효과적이다. 후자는 활쏘기 연습용 무구이다. 그렇다고 할 때 방패와 과녁의 주된 용도는 화살 즉 활에 대한 방어와 연습용 무구였다.

이 줄거리는 고구려 상인이 과시하던 철 과녁이 결국 뚫렸다는 것이다. 해서 고구려 상인의 코를 납작하게 만들었다는 데 초점을 맞췄다. 물론 신뢰하기 어려운 과장된 내용이지만 다른 한편으로 보면 이는 盾人宿禰가 사용한 활의 성능을 암시해 주고 있다. 물론 활에 대한 기록은 보이지 않는다. 그런데 商人王이었던 근초고왕이 366년에 왜 사신을 초치하여 선물한 물품 가운데 角弓箭이 보

13_ 『三國史記』 권20, 영류왕 9년 조.
14_ 『晋書』 권10, 安帝 義熙 9년 조.
15_ 『日本書紀』 권11, 仁德 12년 조.

인다. 게다가 이때 근초고왕은 왜 사신에게 鐵鋌도 선물하였다.[16] 양질의 철소재로 제작한 화살촉과 인장력이 빼어난 角弓으로 철 과녁을 관통시켰던 것 같다. 그렇다면 이러한 일화의 기저에는 백제 무기의 우월성이 깔려 있다고 보여진다. 왜의 무기체계는 기본적으로 백제와 엮어져 있었을 것이다. 특히 369년에 백제와 왜의 연합군은 마한 잔여 지역을 휩쓸었다. 이때 연합 작전의 효율성을 위해 군사 체계 뿐 아니라 무기 체계도 일원화하였을 가능성이다. 특히 화살과 같은 소모성 무기 뿐 아니라 백제의 성능 좋은 무기와 무구도 공급되었다고 보인다. 백제로부터 첨단 무기를 인수받은 왜군의 경우, 귀국 후 무기 체계의 우월성을 기반으로 대왕체제를 강화시키고자 하였을 것이다. 이러한 맥락에서 볼 때 위의 철 방패와 과녁 일화는 사실 여부를 떠나 백제를 통해 선진화된 왜 무기의 실력을 과시하고자 한 사례로 해석된다. 왜로서는 고구려가 아니라 기존의 백제로부터 공급받거나 구입한 성능 좋은 무기와 무구를 갖추었음을 과시한 사례였다.

475년에 백제 왕성인 한성이 고구려에 함락되었다. 고구려는 이때 백제 개로왕과 그 일족을 참살하거나 포획하였다. 그리고 고구려는 남진을 거듭했다. 이러한 고구려의 남진은 백제와 연계된 왜로 하여금 극도의 공포심을 자아냈다. 이는 478년에 왜왕 武가 유송에 올린 上表에서 "句驪가 無道해서 (우리나라를: 필자) 삼키려하여 邊隸를 掠抄합니다"라고 하였고, 고구려를 가리켜 '寇讐'라는 강렬한 적개심을 표출했다.[17] 왜인들의 고구려 적개심은 400년과 404년 敗戰에서 연유했을 것이다. 이 무렵 왜인 紀生磐宿禰는 왜 조정에 반기를 들고 임나에 근거하여 고구려와 내통하였다.[18] 고구려의 영향력이 지금의 경상남도 지역에 미치고 있었기에 가능한 현상이었을 것이다.

이렇듯 5세기대 고구려와 왜는 적대적인 상황이었다. 그런데 다음의 『일본서기』 기사는 고구려와 왜 간의 교류를 말해준다.

* 가을 9월 己酉 초하루 壬子 日鷹吉士를 고려에 사신으로 보내 손재주가 뛰어난 사람을 불러왔다(仁賢 6년).
* 이 해 日鷹吉士가 고려로부터 돌아와 工匠 須流枳·奴流枳 등을 바치니, 지금의 大倭國 山邊郡 額田邑 熟皮高麗가 그 후예이다(仁賢 6년).

16_ 李道學, 『백제고대국가연구』, 一志社, 1995, 185~186쪽.
17_ 『宋書』 권97, 夷蠻傳, 倭國 條.
18_ 『日本書紀』 권15, 顯宗 3년 조.

위의 기사는 6세기대인 516년(계체 10)에 고구려는 사신을 왜에 파견하여 結好했다는 기사와 맞추어 보아야 한다. 그런데 이 기사는 "백제가 炸莫古將軍과 일본 斯那奴阿比多와 다음으로 고려 사신 安定 등을 보내 來朝하여 結好했다"[19]는 구절이다. 백제가 왜와 고구려 사신을 왜 조정에 파견했다는 것은 사리에 맞지 않다. 당시 고구려는 실지 회복전을 펼치는 백제와 치열한 공방전을 벌이는 상황이었기 때문이다. 아울러 540년에 "8월에 고려 · 백제 · 신라 · 임나가 함께 사신을 보내 바치고, 아울러 貢職을 닦았다"[20]고 했다. 이 기사 역시 신빙성이 없는 것으로 평가되고 있다.

551년에 고구려는 백제와 신라 그리고 임나 연합군에 한강유역을 상실했다. 그 1년 뒤인 552년의 다음 기사를 주목해 본다.

* 이에 앞서 백제는 신라와 더불어 군사를 합하여 高麗를 정벌하려고 도모할 때 眞興이 말하기를 "나라의 흥망은 하늘에 달렸는데 만약 하늘이 고려를 미워하지 않으면 내가 감히 바라겠는가"하고 이 말을 고려에 전하였다. 고려가 그 말에 감격하여 신라와 通好함으로 백제는 신라를 원망하여 來侵한 것이다.[21]
* 고려와 더불어 신라는 通和하고 세를 합하여 臣國(백제: 필자)과 임나를 멸하려고 도모하고 있다.[22]

고구려는 이제는 신라와 손을 잡고 백제와 임나를 압박하는 형세가 되었다. 결국 553년에 신라는 한강 하류에 진출한 백제를 축출하고 한강 전역을 석권했다. 그리고 554년 관산성 전투에서 신라는 백제 성왕을 비롯한 백제군을 함몰시켰다. 여기서 고구려와 신라가 손을 잡게 된 배경을 살펴 보아야할 것 같다. 고구려는 신라에게 한강유역을 상실했음에도 불구하고 응징이나 보복보다는 손을 잡았다. 그러한 배경으로는 나제동맹의 해체를 겨냥했다고 보기도 한다. 고구려와 신라 간에 묵계가 있었다고 하자. 그렇더라도 고구려측에 궁한 사정이 없이는 훗날 그렇게도 절통하게 여겨 집요하게

19_ 『日本書紀』 권17, 繼體 10년 조.
20_ 『日本書紀』 권19, 欽明 원년 조.
21_ 『三國遺事』 권1. 眞興王 條.
22_ 『日本書紀』 권19, 欽明 13년 조.

시도했던 실지 회복은 뒷전에 미루고 손을 잡았다는 것은 이해되지 않는다. 552년의 시점에서 고구려는 실지 회복전에 나서거나 즉각 응징전으로 단행하지 못했을까? 오히려 신라와 손을 잡은 배경은 무엇일까? 이 문제에 대한 해답은 의외로 간단할 수 있다.

고구려는 552년부터 586년까지 35년에 걸쳐 전체 둘레 23km에 이르는 장안성을 축조했다. 그 축조 직전인 551년에 돌궐이 신성과 백암성을 포위 공격한 바 있었다. 이 틈을 타고 신라가 고구려의 남변 10성을 공취하였다.[23] 『삼국사기』 신라본기에는 10郡으로 적혀 있다. 고구려는 서북방으로부터의 군사적 위협과 남부 영역을 상실하는 위기에 직면하였다. 이러한 상황에서 장안성 축조가 단행된 것이다. 대규모 토목공사인 장안성 축조는 이러한 당장의 위협에 대처하기 위한 방안이기 보다는 오랜 계획의 산물로 간주하는 게 적합할 것 같다. 장안성 축조에 동원된 연인원이 230만 명이라고할 정도로 국가적으로 제일 중차대한 토목공사였다. 문제는 이러한 役事를 차질 없이 안정적으로 진행하기 위해서는 외침 위협이 없어야 한다. 국력을 기울여 주민을 징집해서 토목공사를 추진하고 있는 것이다. 대규모 노동력이 징발된 상황에서 외침을 받게 된다면 고구려로서는 난감하게 된다. 이로 인해 고구려는 당장 접경하고 있는 신라의 위협을 받지 않아야하는 것이다. 때문에 고구려는 신라와 손을 잡았고, 또 그랬기에 장안성 완공이 가능했다고 보여진다. 그렇지 않다면 양국이 손을 잡게 되는 이유를 찾을 수 없다.

장안성 축조 기간 35년 동안에 고구려는 단 1회의 전투를 치른 바 있다. 554년 겨울에 고구려는 백제의 웅천성을 공격하였다. 관산성 전투에서 백제 성왕 이하 2만 9600명이 몰살당하는 참패를 겪은 직후였다. 그 틈을 타고 고구려가 백제를 기습 공격한 것이었다. 이 전투의 경우는 고구려가 당초 기획했던 것은 아니었다. 상황이 유리하게 펼쳐지자 시도한 게 분명하다. 고구려는 장안성 축조 기간에 단 1회의 被侵도 받지 않았음을 알 수 있다. 이는 전적으로 고구려가 신라와 손을 잡았기에 가능한 현상으로 보여진다. 고구려는 603년에야 신라를 공격하였다.[24] 그러면 이제는 562년에 속한 다음 기사를 보자.

8월 천황이 대장군 大伴連狹手彥을 보내어 군사 수만 명을 이끌고 고려를 치게 하였다. 狹手彥은

23_ 『三國史記』 권19, 양원왕 7년 조.
24_ 『三國史記』 권20, 영양왕 14년 조.

이에 백제의 꾀를 써서 고려를 쳐서 깨트렸다. 그 왕이 담을 넘어 도망하자 狹手彦은 마침내 승세를 타고 왕궁에 들어가 진귀한 보물과 갖가지 재화 · 七織帳 · 鐵屋을 모두 얻어 돌아왔다[옛 책에 "鐵屋은 고려 서쪽의 높은 누각 위에 있으며 織帳은 고려 왕의 내전 침실에 걸려 있다"고 한다]. 七織帳은 천황에게 바치고 갑옷 2벌, 금으로 장식한 칼 2자루, 무늬를 새긴 구리종 3개, 五色幡 2竿, 미녀 媛[媛은 이름이다] 및 그의 시녀 吾田子를 蘇我稻目宿禰 大臣에게 보내었다. 이에 大臣은 두 여자를 맞아 들여 처로 삼고 輕의 曲殿에 살게 했다[鐵屋은 長安寺에 있다. 이 절이 어느 나라에 있는지는 알지 못한다. 어떤 책에는 "11년에 大伴狹手彦連이 백제국과 함께 고려 왕 陽香을 比津留都에서 쫓아내었다"고 한다].[25]

위의 기사는 왜군이 고구려 왕궁을 습격하였고, 고구려 왕은 담을 넘어 달아났고, 궁중의 진보와 미녀를 노획해서 개선했다는 내용이다. 이 기사는 고구려에 대한 적개감이 드러나 있는 허구로 보인다. 그러면 무슨 이유로 이러한 허구가 만들어졌을까? 백제가 신라에게 漢城을 상실하게 된 원인을 "고려가 신라와 더불어 通和하여 세력을 합쳤다"[26]고 하였듯이 신라보다 고구려에서 찾았다. 왜로서는 고구려와 신라의 통화로 인해 백제가 한성을 빼앗긴 것에 대한 증오가 컸을 것이다. 그러한 차원에서 창작된 '고구려판 진고황후 정벌'이라고 하겠다. 더욱이 대가라가 멸망하는 시점에 고구려 궁성을 습격하고 고구려 왕이 달아나는 허구를 창작한 것이다. 대가라 멸망으로 인한 뼈저린 패배에 대한 보상 심리를 만족시켰다고 본다. 이러한 기조는 百合野塞 전투에서 백제군이 고구려군을 격파하자, 고구려 왕이 東聖山之上으로 달아났다는 기사와[27] 맥을 같이 한다. 문학적으로도 빼어난 장면으로 평가받고 있는 백합야새 전투는 사실 그 현장도 분명하지 않다. 그 뿐 아니라 고구려 왕이 참전하지도 않았다. 이 기사 역시 고구려에 대한 보복심리의 발로 이상은 아니라고 본다.

『일본서기』 欽明 23년 조에서 왜가 고구려 궁성을 침탈하여 노략해 왔다는 기사는 고구려로 인해 좌절된 왜의 보상심리에서 창작된 '고구려판 진고황후 정벌'에 해당한다. 고구려와 왜의 대립 구도 속에서 밀리기만 했던 왜의 숙분이 응결된 창작으로 보겠다.

고구려는 7세기대에 수 · 당과 격돌하면서 획득한 포로나 전리품을 왜로 보내주었다. 이 사실은

25_ 『日本書紀』 권19, 欽明 23년 조.
26_ 『日本書紀』 권19, 欽明 13년 조.
27_ 『日本書紀』 권19, 欽明 14년 10월 조.

자국의 강대한 군사력을 과시하면서 동요하지 말라는 메시지였다. 고구려에게 왜는 후방의 든든한 울타리 쯤으로 여겼던 것이다. 고구려를 구원하기 위해 왜군이 출동했다는 기록(天智 즉위전기)은 사실 여부를 떠나 양국 간의 유대를 상징해 주고 있다. 이러한 선상에서 고구려 멸망 후 그 주민들이 선택할 수 있는 대상은 왜국이었다. 그랬기에 倭로는 다대한 고구려 망명자들이 발생할 수 있었다.

그림 37 | 이소노 가미 신궁에 봉안되었던 고구려 방패

2. 고구려와 왜의 관계 호전

6세기 중엽까지는 고구려와 왜 간의 대결 기사가 넘친다. 그런데 570년 무렵부터 고구려는 다음의『일본서기』기사에서 보듯이 왜와의 적극적인 교섭을 시도한다.

* 여름 4월 越人 江渟臣裙代가 京에 와서 주상하여 "고려 사신이 풍랑에 시달리고 표류하여 항구를 모르고 해안에 도착하였습니다. 郡司가 숨겨 놓고 있습니다. 고로 臣이 알립니다"고 말했다. 詔하여 "고려인이 길을 잃고 越의 해안에 도착하였다. …" 라고 명하였다. …고려인을 마중하여 들였다(흠명 31년).
* 여름 5월 丙寅朔 무진, 고려 사신이 越海의 對岸에 정박하였다. 破船되어 익사하는 자가 많았다(민달 2년).
* 여름 5월 庚申朔 갑자에 고려 사신이 越海의 對岸에 정박하였다(민달 3년).

위의 기사를 보면 고구려 사신들은 越國 혹은 越의 해안에 상륙하고 있다.[28] 668년(천지 7)에 고구려인들이 이용한 '越之路'인 것이다.[29] 고구려 선박들의 일본열도 기항지는 越前·加賀·能登·若狹으로 비정된다.[30] 여기서 고구려는 일본열도로의 항해와 관련한 중간 거점으로서 우산국을 정벌하였거나 아니면 자국의 영향권내에 편제했을 가능성이다. 이에 대해서는 명확한 근거는 제시할 수 없지만 울릉도에 산재한 고구려식 계단식 적석총의 영향을 받은 분묘가 방증이 될 수 있다.

동해안과 동해로 진출한 고구려는 이를 기반으로 일본열도와 교류할 수 있었다. 그러한 선상에서 고구려는 우산국이 소재한 울릉도의 전략적 중요성을 깨닫게 되었다. 울릉도 고분인 계단식 적석석

28_ 혹자는 고구려는 성장하는 신라를 견제하기 위해 570년(欽明 31)부터 倭와의 교류를 시작했다면서, 그 이전의 기사는 왜국으로 건너간 도래인들의 祖先傳承 형태에 불과하다고 했다. 이러한 논리라면 고구려와 倭와의 교류는 삼국 중 가장 늦은 것이 된다. 고구려가 신라를 견제하는 것보다는 4세기대 이래로 충돌하는 백제를 견제할 목적으로 왜와의 교류를 서둘렀을 가능성이 더 크다. 고구려왕이 사신을 보내었고, 倭의 태자가 表를 찢은 사건은 과장이 있다고 하자. 그렇더라도 고구려와 왜간의 공식적인 접촉이 일찍부터 전개되었음을 가리킨다. 고구려 사신의 이름으로, 또 외국 사신과 함께 등장하는 것을 볼 때 양국간의 공식적인 접촉이 570년 훨씬 이전부터 이루어졌음을 뜻한다. 族祖 傳承 2가지 정도가 공식적인 교류 기록까지 깡그리 부정하는 근거로 삼기에는 너무나 취약하다. 실제 570년 기사 이전에도 신뢰할 부분이 보인다는 지적이 있다(이홍직, 131쪽).

29_ 『日本書紀』권27, 天智 7년 7월 조.

30_ 윤명철,『해양활동과 국제항로의 이해』, 학연문화사, 2012, 265쪽.

그림 38 | 울릉도 현포리에 소재한 적석총

실분에서 고구려 적석총의 흔적이 남아 있는 것은 그 유력한 증좌인 것이다. 『靑鶴集』에도 우산국과 고구려와의 연관을 시사하는 기록이 남아 있다. 신라가 우산국을 지배한 동기는 동해의 해상권 장악과 왜구 통제라는 요인이 작용한 것이다.[31)]

31_ 李道學, 「高句麗의 成長과 東海 및 東海岸路」『고구려발해연구』 44, 2012, 169~198쪽.

3. 불교 문화의 세례를 통한 고구려와 倭

동아시아에서는 왜로의 불교 전래가 가장 늦었다. 왜 조정의 실권자인 소가씨가 신봉했던 백제 불교가 먼저 유입된 후 고구려 불교와 신라 불교, 그리고 마지막으로 수에 유학 갔던 승려들이 돌아옴으로써 중국 불교가 유입되었다.[32] 삼국이 다투어 왜에 불교를 전래해 준 것은, 자국 중심의 국가불교를 전래함으로써 사상적 의존도를 높이는 동시에, 그에 부수되어 유입된 건축이나 미술과 음악을 비롯한 문화 전반에서 영향력을 높이려는 의도로 보인다. 이는 단순히 문화 현상에만 국한된 차원이 아니라 동전의 앞뒷면처럼 정치와 긴밀히 연계된 사안이었기 때문이다.[33]

부차적으로는 파견된 사원 기술자들에 의한 종합예술로서 정교하고도 우람한 사찰의 건립은, 자국의 위상을 높이는 동시에 선망의 대상으로 삼을 수 있는 기제이기도 했다. 이러한 정치적 효과 뿐 아니었다. 왜에 파견된 佛僧의 경우는 자국에 대한 호감도를 높이고 권력 실세들에 접근하여 정책에 관여하거나 정보 획득이 가능하였다. 가령 고구려 승 혜자가 왜 조정의 실권자인 쇼토쿠 태자의 師가 된 사실이[34] 저명한 사례가 된다.[35]

32_ 鎌田茂雄 著 · 章輝玉 譯, 『중국 불교사 1』, 장승, 1992, 73쪽.
33_ 李道學, 「古代 東아시아의 佛教와 王權」『충청학과 충청문화』 13, 2011, 53쪽.
34_ 『日本書紀』 권22, 推古 5년 5월 조.
35_ 이상의 서술은 李道學, 「倭의 佛教 受容과 백제계 사찰의 건립배경 및 성격」『충청학과 충청문화』 19, 2014. 171~200쪽에 의하였다.

제2절 7세기대 동아시아 정세

경쟁과 견제와 우호가 反復과 反覆을 거듭하면서 전쟁으로 치닿는 양상이 동북아시아의 7세기 중엽이었다. 국가 이해가 맞물린 데다가 자력으로 상황을 타개하기 어려운 현실에서는 자연 외교의 비중이 클 수밖에 없었다. 백제 의자왕은 국가의 존립과 관련된 외교에서 비상한 능력을 발휘했다. 중국왕조의 통일국가인 당의 역할과 비중은 삼국의 동란 상황에서는 더욱 증대될 수밖에 없었다. 의자왕은 재위 12년까지는 당에 대한 조공을 게을 리 하지 않았다.

문제는 백제와의 전쟁에서 계속 밀리고 있던 신라의 입장이었다. 신라는 자력으로 타개할 수 없는 국가적 위기를 극복하기 위해 바다 건너에 있는 당의 손을 빌리지 않을 수 없었다. 당이 현실적으로 삼국 간의 문제에 힘을 미치기는 어려웠다. 의자왕 역시 당에 조공을 빈번히하는 등 틈을 보이지 않았기 때문이다. 게다가 의자왕이 당에 적대적인 입장을 취하지도 않았다. 그러나 신라가 대당 외교에 사활을 걸다시피한 관계로 양상은 급변하게 되었다.

1. 고구려

1) 천리장성을 인정하지 않은 연개소문

당은 수와 동일한 순서를 밟아 고구려에 대한 침공을 준비하였다. 이에 대비하여 631년부터 16년 간에 걸쳐 고구려는 동북쪽으로는 扶餘城(農安)에서 서남쪽으로는 발해만의 卑沙城(大連)에 이르는 천리장성을 축조했다. 631년에는 고구려를 방문한 당 사신이 고구려의 對隋戰 戰勝紀念物인 京觀을 헐어버리고 갔다. 경관의 '경'은 '높은 언덕'을, '관'은 '궁문 양 옆에 있는 높은 臺의 형상'을 가리킨다(『용비어천가』40장). 싸움에서 죽은 시체를 쌓아놓고 그 위에 흙을 덮어 敵을 이긴 공로를 드러내는 것이다. 이러한 위기의식과 긴장된 상황 하에서 다시금 귀족들 간의 분쟁이 야기되어 연개소문 일파에 의한 정변이 감행되었다고 한다. 이러한 견해는 지금까지 학계의 통설이었다.

漢族과 접한 고구려의 西界에 대해 『구당서』와 『신당서』를 비롯한 중국의 역사서들은 한결 같이 "(고구려의) 서북은 요수를 건너 영주에 이르렀다(西北渡遼水至于營州)"고 했다. 당 태종이 고구려 침공과 관련해 644년에 韋挺을 유주로 보내 군량을 수송하게 했다. 이때의 상황을 "유주 이북 요수까지 2천여 리에는 (당의) 주현이 없으므로 군량을 가져올 데가 없다(『구당서』 권77, 韋挺傳)"고 실토하였다. 이것은 오늘의 明代 만리장성 이북이 당 영역이 아니었음을 자인한 것이다. 644년 당시까지만 해도 요서 지역은 공식적으로 당의 영토가 아니었음을 알려준다.[36]

그러면 고구려의 西境으로서 631년(영류왕 14)부터 16년 간에 걸쳐 축조한 천리장성이 지닌 의미는 무엇이었을까? 漢代 이래 중국 역대 왕조가 평양성을 공격했을 때 육로와 수로를 함께 이용한 점을 상기할 때 천리장성은 무모한 토목 공사였다. 線에 불과한 천리장성이 군사 방어적으로 유효한 기제가 되기는 어렵다. 실제 고구려와 당과의 전쟁에서 천리장성의 존재감 자체는 아예 없었다. 더욱이 천리장성 축조 이전에 고구려와 당 간에 긴장 관계는 없었다. 그러므로 고구려의 천리장성 축조 배경을 당과의 대립 구도 속에서 이해하는 것은 맞지 않다. 이와 관련해 영국에 진출한 로마의 하드리아누스(Hadrianus, 재위 117~138) 황제는 오늘날 잉글랜드와 스코틀랜드의 접경 지역인 북해 쪽 타인강 하구의 뉴캐슬에서 아일랜드 앞 바다의 솔웨이灣까지 이어진 117.5km의 장성을 축조했다.

36_ 손영종,『조선단대사(고구려사 4)』, 과학백과사전출판사, 2008, 108쪽.

물론 장성은 군사적 방어 능력이 취약한 성벽이었다. 그렇기에 로마가 지배하는 문명 지역과 로마의 지배를 거부하는 그 북쪽 야만을 구분하는 界線 정도로 인식하게 되었다. 고구려 천리장성도 이와 마찬 가지 성격으로 볼 수 있을 것 같다.

천리장성 축조로써 고구려는 자국의 경계선을 요하 동쪽으로 설정하였다. 그럼으로써 더 이상 요하 서쪽 지역을 넘보지 않겠다는 화해의 표지였다. 중국의 당과 고구려가 각자의 계선을 설정하고 인정하도록 한 것이다.[37] 그런데 이러한 계선은 연개소문이 642년 10월 東盟祭 때를 이용하여 정변을 단행함으로써 무력해졌다.[38] 참고로 장안성 부벽루 밑의 절벽에 소재한 麒麟窟이 평양성 천도 후 이전된 동맹제 때의 제의 시설인 隧穴로 밝혀졌다.[39] 동명제 때는 기린굴 속에 있는 수혈신을 맞아다가 장안성에서 가장 높은 北城에 소재한 九梯宮에 봉안한 후 국왕이 제사를 집전했다고 한다.

그런데 당으로부터 압박을 받고 있던 연개소문은 천리장성 자체를 인정하지 않았다. 고구려와 당과의 공존 속에서 비정상 권력인 자신의 퇴출을 기정 사실화한 것으로 간주하였기 때문이다. 당은 더 이상의 고구려 영토에 대한 욕심없이 연개소문 제거로만 목표를 좁혔다. 이에 대한 반발로 연개소문이 집권한 고구려는 천리장성 서쪽 지역으로 진출을 시도했다. 국경 지표인 천리장성 자체를 무력화하려는 기도였다.

2) 연개소문의 신라 포위 전략

연개소문은 백제와는 세력 연합을, 신라에 대해서는 압박을, 왜에 대해서는 우호 관계를 유지했다. 고구려는 570년 이후 약 100년 사이에 23회나 사신을 왜에 파견하였다. 이 사실은 고구려가 왜에 적극적인 외교전을 펼쳤다는 증거이다. 그러한 목적은 왜가 그 전처럼 백제 편에서 지원하지 못하기 위한 견제책으로 해석된다.[40] 이와 더불어 왜 조정이 667년에 大津宮으로 수도를 옮긴 것도 고구려와의 관계를 강화하려는 의도에서였다고 한다. 실제 그곳으로 천도한 후 고구려 사신이 찾아왔었다. 이 사실을 가리켜 왜가 당시 고구려를 크게 믿었던 증거로 해석하고 있다.[41]

37_ 李道學, 「「廣開土王陵碑文」에 보이는 '南方'」『嶺南學』 24, 2013, 29~32쪽.
38_ 李道學, 「高句麗의 內紛과 內戰」『高句麗研究』 24, 2006, 33~37쪽.
39_ 李道學, 「平壤 九梯宮의 性格과 그 認識」『國學研究』 3, 1990, 229-234쪽.
40_ 사회과학원 력사연구소, 『고구려사』, 과학백과사전종합출판사, 1991, 205쪽.
41_ 사회과학원 력사연구소, 『고구려사』, 과학백과사전종합출판사, 1991, 207쪽.

통일국가 隋의 등장으로 동아시아 정세는 재편되고 있었다. 고구려는 수와 대결 구도였다. 반면 백제와 신라는 수 편에 섰다. 고구려로서는 포위된 상황이었다. 그런데 고구려는 왜가 수에 붙지 않도록 하는데 성공했다. 고구려가 수와 대결하는 국면에서 왜는 최소한 중립을 지켰다. 그랬기에 "수의 양제는 왜가 고구려와 연결되는 것을 두려워하여 분노를 억누르고 왜에 답례의 사자를 보냈던 것이다"[42]는 평가를 얻었다. 연개소문은 신라와 당 간의 결속에 대응할 목적으로 유목민족이나 서역과도 긴밀한 관계를 맺었다.

42_ 下山忍・會田康範 編,『もういちど讀む 山川 日本史 史料』, 山川出版社, 2017, 12쪽.

2. 백제

1) 신라 고립전략 추진

무왕의 원자였지만 무려 33년간의 왕자 시절을 거쳐 태자로 책봉되었다가 즉위한 의자왕이었다. 의자왕의 즉위 과정이 순탄하지 않았음을 뜻한다. 순응하는 이미지의 '海東曾閔'이나 '해동증자'라는 칭송에서 알 수 있듯이 의자왕은 기존 정치 구도를 인정하고 타협하는 선에서 재위 전반기를 보냈다. 그러나 대외 관계에서만은 달랐다. 의자왕은 즉위와 동시에 신라에 대한 총공격을 단행했다. 신라측에서는 "백제 왕 의자가 크게 군사를 일으켜 나라 서쪽의 40여 城을 공취했다"[43]고 하였다. 그 직후 백제는 신라의 대야성을 함락시켰고, 아울러 신라와 당과의 연결 통로인 당항성(경기도 화성) 공략을 단행했다. 그러자 신라가 화급히 당에 군사 지원을 요청하였다. 의자왕은 당항성에 대한 포위를 풀고 즉각 철수시켰다. 그가 국제 정세의 흐름에 밝고 신축성 있게 대응했음을 뜻한다. 고구려와 손잡은 의자왕의 군사적 압박의 강도는 신라 태종 무열왕의 아들인 김법민 태자의 다음 말에 잘 녹아 있다. 즉 "고구려와 백제가 순치와 같이 서로 의지하며 마침내 무기를 들고 번갈아 침략해 오니 大城과 重鎭이 모두 백제에게 병합된 바 되어 강토는 날로 줄어들고 위력도 쇠하였습니다"[44]고 했다. 실제 신라는 대야성 함락 이후 옛 임나 지역을 대부분 상실했을 뿐 아니라 거점을 낙동강 東岸의 경상북도 경산으로 후퇴시켰을 정도로 절대적 열세에 놓였다. 이곳에 설치된 押梁州 軍主에 최고의 명장이자 중신인 김유신을 임명했다.[45] 신라 조정이 지닌 절박감을 읽을 수 있다.

이와 연계된 신라의 구원 요청으로 당은 삼국 문제에 본격적으로 개입할 수 있는 명분을 얻었다. 당 태종은 644년에 사농승 相里玄奬을 보내 백제와 고구려에 告諭하였다. 그러자 의자왕은 철군과 사과를 통해 재빠르게 당의 압박에서 벗어나고자 하였다. 그러나 이것은 어디까지 명분적이고 형식적인 행위에 불과했다.

의자왕은 당 태종이 고구려 원정을 위해 신라로부터 군사를 징발한다는 말을 들었다. 의자왕은

43_ 『三國史記』 권5, 선덕왕 11년 조.
44_ 『三國史記』 권28, 의자왕 11년 조.
45_ 『三國史記』 권5, 선덕왕 11년 조.

그 틈을 타서 신라의 7개 성을 습취하는[46] 기민함을 보였다. 이러한 상황에서 태종을 이은 당 고종은 신라로부터 공취한 성을 반환하지 않으면 백제를 공격하겠다고 으름장을 놓았다.[47] 그 이듬해인 『삼국사기』 의자왕 12년 조에서 백제가 당에 조공한 것을 끝으로 더 이상의 관계는 보이지 않는다. 의자왕은 신라의 영토를 반환하라는 당 고종의 요구를 수용할 수 없음을 분명히 했다. 그러니 당을 매개로 한 백제와 신라의 조공 외교는 이제 신라의 독주로 이어졌다. 신라와 당의 유착은 심화되었다. 이로 인한 백제의 고립은 필연적일 수밖에 없었다. 그러나 의자왕은 이에 대응하여 고구려와 連和하고 왜와의 관계를 한층 돈독하게 구축했다.

의자왕대에 신라로부터 점령한 성의 총 숫자는 자그마치 100개 성을 웃돈다.[48] 백제를 넘어 한국 역사상 어떤 군주도 의자왕대 만큼 영역을 확장하지 못했다. 그런데 『삼국사기』 의자왕 15년 조의 대승 이후 4년 가까이 백제는 신라에 대한 공세가 뜸하였다. 신라로서는 백제의 공세가 소강 국면에 접어들자 안도하면서 오히려 백제를 자극하지 않으려고 했다. 이는 의자왕의 관심이 내정으로 옮겨진 일과 긴밀한 관련이 있다. 실제 의자왕은 대외 정복전의 대승에 이은 國主母의 사망을 기화로 정변을 통해 정계 개편을 일대 단행했다.

2) 정변으로써 강력한 왕권 구축

의자왕은 사실상 국주모의 '섭정' 속에서 외정에 주력하고 있었다. 해동증자라는 칭송을 받았던 의자왕은 계모인 국주모를 극진히 섬겼다. 『일본서기』 황극 원년(642) 조에는 국주모의 사망에 이어 弟王子 등과 같은 근친 왕족들에 대한 추방 사건이 덧붙여 있다. 그런데 이 기사는 금석문 자료 등과 결부지어 전후 정치적 상황을 검토해 볼 때 錯亂으로 파악되었다. 『일본서기』에는 智積 즉 砂宅智積이 641년 11월에 사망했다고 하였다. 그러나 「사택지적비문」에 따르면 사택지적은 甲寅年인 654년 정월에도 건재했다.[49] 『일본서기』에서 사망했다고 한 사택지적은 654년에도 생존해 있었다. 그러니 이와 연계된 황극 원년 조의 정변 기사는 제명 원년(655) 조에 배치되어야만 한다. 이러한 기사 착란

46_ 『三國史記』 권28, 의자왕 5년 조.
47_ 『三國史記』 권28, 의자왕 11년 조.
48_ 李道學, 『백제사비성시대연구』, 一志社, 2010, 175쪽.
49_ 井上光貞, 『日本の歷史 (3)飛鳥の朝廷』, 小學館, 1974, 278쪽에 보면 사택지적비 사진 설명으로 "政界를 은퇴한 智積이 갑인년에 건립한 碑"라고 했다.

은 기실 동일 인물인 황극과 제명의 復辟으로 인한 혼동에 기인했다. 『일본서기』의 7세기대 기사에서 유독 착란이 많이 확인되고 있다. 한결같이 기사 배열의 착오였다.[50] 따라서 기본적인 사료 검토가 전제되어야만 정변 기사의 시점이 보다 명료해질 수 있다.

표 8 | 皇極과 齊明을 중심으로 한 왕위 계승관계

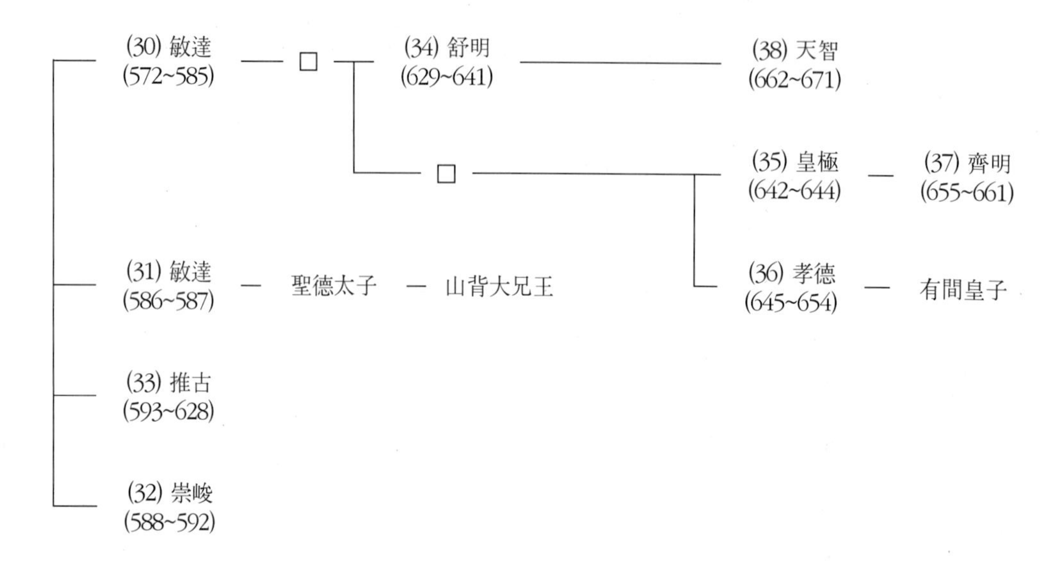

의자왕의 정변은 재위 15년(655)에 단행되었다. 이는 의자왕대의 정치사가 재위 15년을 기점으로 큰 변화가 이루어진다는 종전의 인식과도 부합된다. 그러나 기존 연구에서 지적하고 있는 왕권의 후퇴가 아니라 지배세력의 교체와 더불어 강력한 왕권 확립의 전기가 되었다.[51]

의자왕은 沙乇氏[52] 국주모의 사망을 기화로 정변을 단행해 강력한 권력을 구축하였다. 太子位의 변동은 이와 엮어져 있었다. 의자왕은 재위 4년에 "왕자 隆을 세워 태자를 삼고 大赦하였다"[53]고 했다. 그런데 의자왕 20년 조에는 "드디어 태자 孝와 함께 北鄙로 달아났다. …태자의 아들 文思가 왕자 융에게 이르기를 왕과 태자가 밖으로 나갔는데 지금 숙부가 제멋대로 왕이 되니 …"[54]라고 했다.

50_ 李道學, 「'日本書紀'의 百濟 義慈王代 政變 記事의 檢討」 『韓國古代史硏究』 11, 1997, 419~420쪽.

51_ 의자왕대에 강력한 왕권이 구축되었음은, 국왕을 축으로 한 '小王' 혹은 '外王'의 존재가 확인된 데서도 뒷받침된다(李道學, 「漢城末 · 熊津時代 百濟 王位繼承과 王權의 性格」 『韓國史硏究』 50 · 51 合輯, 1985, 24쪽).

52_ 「미륵사지 서탑사리봉안기」에 적힌 '沙乇積德'의 '乇'을 '택'으로 읽거나 '宅'으로 變造하여 표기하고 있다. 玉篇에서 '乇'은 '풀잎 · 부탁할 탁'의 뜻과 音 밖에 없다. 그러니 '사택적덕'이 아니라 '사탁적덕'이 맞다.

53_ 『三國史記』 권28, 의자왕 4년 조.

54_ 『三國史記』 권28, 의자왕 20년 조.

효가 태자였다. 의자왕 4년에 책봉된 융은 적어도 그 20년에는 더 이상 태자로 있지 않았다. 이때는 효가 태자였다. 태자가 교체되었음을 알 수 있다. 그 시점은 655년 정월 정변 단행 직후인 그해 2월에 "태자궁을 지극히 화려하게 수리하였다"[55]고 한 기사와 연결 짓는 게 무리가 없다. 의자왕은 효의 모계 세력 힘을 빌어 정변에 성공한 것이다.[56]

의자왕 정권 말기에 소왕 지위의 왕자들이 2명이나 확인된다.[57] 그런 만큼 의자왕 정권은 대왕과 태자 그리고 왕자들로 짜여진 내왕·외왕이라는 소왕과, 지방에 거점을 둔 왕자 좌평과, 왕제와 일반 귀족들로 구성된 중앙의 좌평으로 권력 상층부를 구성했다. 의자왕은 중앙의 '내 좌평'과 지방에 식읍을 둔 '외 좌평'으로 좌평제의 이원화를 구축하였다. 의자왕은 친아우나 친자 중심의 직계 왕족들과, 사택씨라는 외척 세력을 기반으로 강고한 친위 체제를 구축했다. 이는 기존의 정치판을 새로 짜는 정치적 물갈이 성격을 지닌 정치 개혁이었다.[58] 백제 왕과 권력을 공유했던 세력이 그간의 사탁씨에서 砂宅氏로 넘어간 것이다. 전체 沙氏 가문의 분화를 상정할 수 있다.

55_ 『三國史記』 권28, 의자왕 15년 조.
56_ 李道學, 「'日本書紀'의 百濟 義慈王代 政變 記事의 檢討」 『韓國古代史研究』 11, 1997, 131쪽.
57_ 『舊唐書』 권199, 동이전, 백제 조.
58_ 李道學, 『백제사비성시대연구』, 一志社, 2010, 180쪽.

3. 신라

1) 국가적 위기

우리나라 역사상 여왕통치의 단서를 연 선덕여왕은 진평왕의 맏딸이었다. 여왕이 즉위하게 된 배경을『삼국유사』에는 '聖骨男盡' 즉 성골 신분의 남자가 없었기 때문이라고 했다. 선덕여왕의 이미지는 '善德王知機三事' 즉 여왕이 하늘의 기밀을 알았던 세 가지 일화로 상징된다.

그런데 첫 번째 일화는 기실 선덕여왕의 공주 적 이야기를 통치할 때의 일화인 양 시점을 옮겨 놓았다. 두 번째 일화는 백제 군대가 신라 수도인 경주 외곽에 까지 진출하여 절체절명의 위기적 상황이 닥친 것처럼 했다. 그러나 오로지 여왕의 예지 능력으로써 막은 양 하여 통치 능력에 대한 홍보를 극대화시켰다. 이러한 일화에 보이는 선덕여왕은 巫女的인 색채가 농후하였다.『삼국유사』에서 "별기에 이르기를 이 왕대에 돌을 다듬어 첨성대를 쌓았다"[59]고 했다. 선덕여왕대에 천문관측 장소인 첨성대를 만든 이유는 하늘의 운행 질서에 대한 독점적 장악을 위한 시도로 풀이된다. 이는 앞에서 언급한 여왕의 예지 일화와도 연결되고 있다. 게다가 교감한 하늘의 뜻을 전달하는 중재자로서 자신의 위상을 부여하려고 한 것 같다.

여왕의 무녀적 색채는 비담의 난 이후 정치적 변화와 관련 있다. 선덕여왕을 옹호하였고 이후 권력을 장악한 김춘추와 그 후손들은 여왕 지지의 정당성을 내세울 필요가 있었다. 그러기 위해 선덕여왕을 실체보다 과장되게 기록한 느낌이 짙다.[60] 영국 문화의 황금기를 열었고 국가와 결혼했다고 선언한 독신녀 엘리자베스 1세 여왕(1533~1603)도 조작된 이미지를 바탕에 깔고 있다고 한다.

선덕여왕대 신라는 백제의 공격으로 서부 영역을 대거 상실하고 말았다. 신라의 앞마당격인 지금의 구미나 성주 방면에도 백제군이 진출한 상황이었다. 위기감이 고조된 신라 조정에서 선택할 수 있는 방법은 그리 많지 않았다. 이러한 백제의 군사적 압박에 영향력을 행사할 수 있는 국가는 고구려요, 두 번째는 당이었고, 세 번째는 왜였다. 한반도에 영역을 미치고 있을 뿐 아니라 신라와 접경하고 있는 해동삼국의 하나이자 대국인 고구려가 가장 유효한 대상이었다. 642년 대야성 함락과 실

59_ 『三國遺事』권1, 紀異, 善德王 知幾三事. "別記云是王代鍊石築瞻星臺"
60_ 李道學,「모란 같은 향훈(香薰)의 선덕여왕, 그 설화의 허와 실」『꿈이 담긴 한국고대사노트(상)』, 一志社, 1996, 240~247쪽.

권자인 김춘추의 딸과 사위의 피살은 신라 지배층의 위기감을 고조시켰다. 피부로 느끼는 백제로부터의 군사적 위협을 타개하기 위해 신라 조정은 중신이자 복수심에 불타 있던 김추추를 고구려에 파견했다. 김춘추는 고구려의 보장왕과 연개소문과도 담판했다. 그러나 연개소문의 영토 반환 요구로 인해 김춘추는 성과 없이 귀환하고 말았다. 그 다음으로 신라가 택할 수 있는 대안은 바다 건너에 있는 당이었다. 그런데 643년 당에 파견된 신라 사신에게 당 태종은 "그대 나라는 婦人을 임금으로 삼아 이웃 나라의 업신여김을 받고 있으니 이는 임금을 잃고 적을 받아들이는 격이라 해마다 편안한 적이 없다. 내가 친족의 한 사람을 보내어 그대 나라의 임금을 삼되 자연 혼자 갈수는 없으므로 마땅히 군사를 보내어 보호하게 하고, 그대 나라가 안정됨을 기다려 스스로 지키게 맡기려 한다"[61] 고 하였다. 이러한 당 태종의 방책은 오히려 여왕의 정치적 입지를 더욱 약화시켰다.

그러나 신라가 국가적 위기를 타개하기 위한 현실적 방안은 고구려와의 제휴가 물건너 간 상황에서는 당과 연합하는 길밖에 없었다. 국가의 생존이 무엇 보다 우선한 절체절명의 명제였기 때문이었다. 당 태종이 고구려를 침공할 때 신라는 5만이라는 대병을 동원해서 고구려의 水口城을 함락시킨 사실을 당에 알렸다.[62] 신라와 당과의 공동 전선이 가동되고 있음과 더불어, 이에 대한 자신들의 노력을 각인시키고자 했다. 643년의 수구성 공격은 신라가 당과 연합한 최초의 군사 작전이라는 점에서 의미가 크다. 당의 이해에 신라가 일단 가담하였다. 신라측 의도에도 당이 끌려 올 수 있는 기제를 마련한 것이다.

신라로서는 고구려 보다 백제의 군사적 위협에서 벗어나는 게 시급하였다. 고구려의 신라 침공 지역은 임진강유역이나 한강유역이었다. 이 곳은 모두 소백산맥 바깥이었다. 그 반면 백제의 신라 침공은 소백산맥이라는 천험의 담장 역할을 하는 방어선을 뚫고 이루어졌다. 그랬기에 백제의 위협 강도는 고구려에 비할 바가 아니었다. 더구나 백제군은 낙동강 동편으로 진출해서 신라를 시종 옥죄고 있었다.

61_ 『三國史記』 권5, 선덕왕 12년 조.
62_ 『舊唐書』 권199, 동이전, 신라 조.

2) 신라 최대의 내전

毗曇의 난은 신라 상대등의 요직에 있던 비담이 647년(선덕여왕 16)에 일으킨 반란이다. 즉 "여왕이 정치를 잘 하지 못한다"고 주장하며 선덕여왕을 축출하기 위한 목적의 내란이었다.[63] 선덕여왕의 폐위를 목적으로 한 이 내란은 권력 중추부내의 지배층이 분열하는 격렬한 정치투쟁의 양상을 띠었다. 이 내란의 분위기 속에서 선덕여왕은 사망하고 진덕여왕이 즉위하는 대사건이 이어졌다. 그로부터 7년 후인 654년에 김춘추가 태종 무열왕으로 즉위했다.

비담은 난의 명분을 당 태종의 '여왕폐위안'에서 구하였다. 따라서 그 난은 고구려·백제와의 항쟁과 그 과정에 개입된 당의 동향을 직접 매개로 하여 발발했다. 즉 비담의 난은 당시 신라가 처한 대외적 위기감이 內政으로 轉化하여, 내란으로 발현된 것이다. 결국 4년에 걸친 주도권 싸움에서 패배한 의존파를 대신하여 난을 진압하고 정권을 장악한 것은, 김춘추·김유신의 자립파였다. 그런데 중요한 사실은 자립파가 승리자였다는 점 보다는, 전통적 권위의 위광을 지닌 정치적 수반으로서의 신라 왕, 쟁란의 시대를 군사로서 직접 지배하는 김유신, 그리고 국가존망에 깊이 관련되는 외교를 짊어진 김춘추의 3세력이 결합하여, 신라 독자의 권력집중 방식을 성립시켰다는 점이다. 그 결과 이후에 전개된 삼국통일의 시련을 극복할 수 있는 親唐自立의 장기적이고도 공고한 체제가 확립될 수 있었다. 실제 신라는 곡절 많고 복잡한 삼국통일 과정에서, 친당책을 추구하면서도 자립노선을 일관되게 견지하였다. 그 결과 신라는 백제·고구려 유민을 포섭하여 백제 고토를 회복하고, 당군을 한반도에서 축출할 수 있었다.[64]

요컨대 비담의 난은 고대 동아시아의 동란기를 배경으로, 복잡한 삼국통일 과정에서 있었던 국제적인 정치 사건이었다. 친당자주파가 집권한 신라의 입장에서 볼 때 백제에 영향력을 미칠 수 있는 국가는 이제 왜 밖에는 없었다. 신라 조정은 고구려에 보낸 바 있던 김춘추를 647년에는 왜에 보냈다. 김춘추는 공작이나 앵무새와 같은 진귀한 남방 鳥類를 싣고 倭庭을 밟았다.[65] 이러한 남방 조류 선물은 신라의 교역 범위와 국력을 과시하고자 한데 있었다. 신라의 5세기대 고분에서 출토된 土偶 중에는 타조와 개미핥기 그리고 무소 등 열대나 남방산이 보인다. 백제와 비등하거나 그 이상의

63_ 『三國史記』 권5, 선덕왕 16년 조.
64_ 武田幸男, 新羅 '毗曇の亂'の一視覺」『三上次男博士喜壽記念論文集(歷史編)』, 平凡社, 1985, 234~246쪽.
65_ 『日本書紀』 권25, 孝德 3년 조.

향해 능력과 교역권을 체감하게 하고자 했다.[66] 그렇다고 김춘추는 왜가 당장 자국편을 들어줄 것으로 판단하지는 않았다. 다만 왜가 백제와 신라 사이의 분쟁에 개입하지 않기만해도 큰 이득으로 간주했을 법하다. 木畫紫檀碁局 등을 보낸 의자왕에[67] 대응하는 김춘추의 선물 외교도 일정한 성과를 거두었던 것 같다. 『일본서기』에 보이는 김춘추에 대한 호의적인 평가도 신라 외교의 작은 성과였다. 의자왕 역시 바둑두기가 주는 친근감뿐 아니라 과 동남아시아 産인 바둑판과 바둑돌을 통해 광활한 백제의 국력을 왜에 체감시키려고 했다.

3) 당과 연계한 통일 구상

648년에 당에 들어간 김춘추는 당 태종과 대면한 후 중대한 약정을 하였다. 당 태종은 "내가 두 나라를 평정하게 되면 평양 이남 백제의 토지는 모두 그대들 신라에 주어서 길이 편안하게 하겠소"라고 했다. 당이 백제와 고구려를 멸망시킨 후의 영역 분장과 관련해 백제는 신라로 귀속시켜주겠다고 했지만 고구려에 대해서는 '평양 이남'만 언급했을 뿐 '고구려 토지'에 대한 명시가 없다. 그 이유는 무엇일까? 당 태종을 비롯한 중국인들은 고구려 영토였던 遼東은 본시 중국 영역이라는 인식을 강하게 지녔다. 그리고 고조선의 수도였던 평양은 周初에 東來한 箕子의 근거지이자 한의 낙랑군이 설치된 곳인 관계로 역시 중국 땅이라는 인식이었다. 그리고 진번군의 후신인 대방군은 백제 건국지로 인식되었기 때문에 삼한 통합론을 제기한 신라의 지배를 인정하는 선에서 마무리 되었다. 당은 당초 고구려 전역에 대한 지배를 기도했을 것이다. 그런데 신라가 제기한 백제의 대방고지 건국설에 따라 대동강 이북의 관할로 후퇴했다. 실제 대방군 영역의 북계는 대동강유역까지로 밝혀졌다.[68] 요컨대 당의 고구려 전역 장악 기도와, 신라의 대방고지 백제 연고권 주장이 충돌함에 따라 접점을 대동강선으로 확정한 것이다. 이로써 '평양 이남' 고구려 전역까지 장악하려는 당의 기도는 무산되었다. 그렇지만 신라와 당은 고구려의 소멸에 합의했다.

고구려 영역 가운데 랴오뚱반도는 당의 지배로 마무리하였다. 반면 중만주와 동만주 일대가 방

66_ 이에 대해서는 李道學, 「백제와 인도와의 교류에 대한 접근」『동아시아불교문화연구』 29, 2017, 71~96쪽 참조바란다.

67_ 목화자단기국의 제작지가 백제임은 이도학, 『삼국통일 어떻게 이루었나』, 학연문화사, 2018, 239~240쪽에 상세히 논증되었다.

68_ 李丙燾, 『韓國史 古代篇』, 乙酉文化社, 1959, 252~253쪽 사이 '高句麗興起 三韓比定圖'

치된 것은, 이러한 당의 영토관에 기인하였다. 일종의 무연고지였던 동만주를 기반으로 발해가 흥기할 수 있었던 요인이다. 요컨대 당의 고구려 침공은 고토탈환전이었다. 신라로서는 삼한통합전에 속한다. 고구려 멸망은 중국인들의 누대 숙원 해결과 신라인들의 삼한통합대망론의 귀착점이었다.[69)]

69_ 李道學, 「三國統一期 新羅의 北界 確定 問題」『東國史學』 57, 2014, 313~317쪽.

4. 당

1) 당의 고구려 침공 명분

당을 세운 고조의 둘째 아들 秦王 李世民이 626년 7월에 형과 아우를 살해하고 집권했다. 그러한 '玄武門之變'과 관련해 '禁庭蹀血'이라는 용어를 낳았다. 대궐의 뜰에 유혈이 낭자하여 그것을 밟고 다닐 정도로 처참했다는 뜻이다.

당 태종이 집권하면서 고구려와의 관계는 악화되기 시작했다. 결국 645년(보장왕4)부터 고구려와 당 간의 전쟁이 발발하였다. 전쟁의 실제적인 동인은 중국왕조 중심의 일원적인 세계질서를 확립에 있었다. 즉 당은 조공책봉 관계를 통한 인접국의 蕃國化 만이 아니라, 인접 국가들과 세력들을 정복하여 羈縻州로 만들어 지배하려는 것을 궁극적인 대외정책의 지향점으로 삼았다.[70] 그 목표의 가장 중요한 대상은 수・당 이래 돌궐과 고구려였다.[71] 그런데 당 태종은 630년에 突厥第一可汗國을 멸망시켰기에 이제는 고구려 문제를 해결하려고 했다. 때문에 양국의 대립은 악화될 수밖에 없었고, 전쟁은 필연적이었다. 그러던 중 642년에 연개소문이 쿠데타를 일으켜 영류왕을 시해하였다. 당 태종은 이를 고구려 침공의 중요한 빌미로 삼았다. 아울러 고구려 실권자 연개소문의 신라와 당에 대한 강경책도 전쟁 발발의 주요한 요인으로 작용하였다.[72]

300년만에 통일제국을 이룬 수 이래로 고구려 침공의 명분은 고토회복이었다. 당 태종 역시 요동은 본시 중국 땅이었기에 회복하기 위해 전쟁을 불사한다는 명분을 걸었다. 중국 역대 왕조에서 삼국 왕들에게 수여한 낙랑・대방・현도 郡名 관작은 과거 중국이 통치하던 기구를 연상시킨다. 즉 삼국 왕들을 통한 과거 중국 故地에 대한 위임 통치라는 저의를 깔고 있었다. 언젠가는 중국 황제가 이곳에 대한 권리와 영유권을 직접 행사하겠다는 의도였다. 이미 밝혀진 이러한 요인과 여러 가지 사안이 얽혀졌다. 당 태종은 이것을 정리했다. 그 결과 고구려 침공의 명분을 실지회복과 패륜 응징이라는 도덕성에서 찾았다. 주지하듯이 이는 순전히 중국의 국내 민심을 수습하고 외정에 대한 지지를 얻기 위한 목적에서였다.

70_ 노태돈, 「삼국통일전쟁의 전개」『삼국통일전쟁사』, 서울대학교출판부, 2009, 81쪽.
71_ 朴漢濟, 「七世紀 隋唐 兩朝의 韓半島進出 經緯에 대한 一考」『東洋史學研究』43집, 1993, 25쪽.
72_ 李在成, 『고구려와 유목민족의 관계사연구』, 소나무, 2018, 317쪽.

고구려에 시달리던 신라는 643년 9월에 당에 구원을 요청하였다. 그러자 당 태종은 상리현장을 고구려로 보내 신라 공격 중단을 요청했다. 당시 연개소문은 신라에 빼앗긴 자국의 남부 지역을 탈환하기 위해 몸소 전선에 나가 있었다. 연개소문이 군대를 지휘하여 신라의 2개 성을 점령한 직후였다. 상리현장을 접한 연개소문은 신라를 치는 목적을 말했다. 즉 고구려가 30년 전에 수와 서북 요동 지역에서 사투를 벌이고 있는 틈을 타서 신라가 자국의 남부 지역 500리를 일거에 탈취했다는 것이다. 그러니 신라가 자국의 영토를 반환하지 않는 한 전쟁을 중단할 수 없다고 했다. 귀국한 상리현장의 보고를 접한 당 태종은 고구려 원정을 대놓고 말했다. 그러나 당 조정에서는 고구려 원정에 대해 찬반 양론이 갈릴 정도로 의견이 분분하였다. 그렇기 때문에 당 태종은 직접 고구려 공격에 나서려고 하지 않았다. 요서 지역 蕃軍으로써 고구려를 공격하게 하는 이른바 以夷制夷策을 구사하고자 했다. 당군의 직접적인 손실 없이 고구려를 굴복시키려고 하였다. 그런데 고구려군이 당의 영주를 공격했다가 참패한 사건도 침공의 도화선이 되었다.[73)]

위기를 느낀 연개소문은 644년 9월에 사신을 당에 보내 백금과 미녀를 바쳤다. 아울러 연개소문은 관인 50명을 보내 숙위를 요청했다. 적절한 선에서 당과 타협하려는 기도였다. 그러자 당 태종은 이유를 붙여 고구려 관인 50명을 감옥에 구금했다. 연개소문은 피할수만 있다면 전쟁을 피하고자 했다. 그런데 당 태종은 고구려 원정의 목표를 연개소문 한 개인에 대한 징벌로 좁혔다. 그랬기에 당 태종은 연개소문과 타협할 여지를 두지 않았다.

2) 당 태종의 고구려 침공

645년에 당 태종은 대군을 동원하여 일제히 고구려를 침공했다. 당 태종의 고구려 원정에는 백제의 지원도 한몫했다. 645년 5월에 당 甲士 6만 명이 지금의 랴오닝성 랴오양시 부근인 馬首山에 주둔한 기사에 이어, 다음 기사에 보인다.

> 처음에 태종이 백제국에 사신을 보내어 金漆을 채취해 오게 하여 鐵甲에 칠하게 하였는데, 모두 황금빛과 붉은 빛이 번쩍거려 그 빛이 兼金보다 더 찬란하였다. 또 五綵를 가지고 玄金에 물들여

73_ 李在成, 『고구려와 유목민족의 관계사연구』, 소나무, 2018, 315~323쪽.

산문갑山文甲을 만들어 장군들에게 입혀 따르게 하였다.[74)]

위의 기사는 고구려 원정에 동원된 당 장군들에게 사기를 높이기 위한 목적으로 백제 명광개를 입혔음을 알린다. 이와 동일한 시점과 상황에서의 기사가 『신당서』에 다음과 같이 보인다.

이 때에 백제가 金髹鎧를 바치고, 또 玄金으로 山五文鎧를 만들어 (보내와) 사졸들이 (그것을) 입고 종군하였다. 태종과 (李)勣의 (군사가) 모이자 갑옷이 햇빛에 번쩍거렸다.[75)]

여기서 백제가 원료를 제공했든 아니면 완공품을 제공했든 간에 당군은 백제의 손을 빌은 명광개를 입고 고구려 정벌에 나선 게 분명하다.[76)] 그런데 주필산 전투에서 고구려의 15만 대군은 참패하고 말았다. 이때 고구려의 동쪽 끝인 지금의 훈춘 지역 장관 李他仁도 항복하였다.[77)] 말갈 군대까지 동원한 15명의 대병력은 고구려가 국운을 걸고 지방 병력을 총동원한 결과였다. 고구려가 당군과 격전을 치를 때 僧軍도 참전한 사실이 드러났다. 안시성을 포위했던 당군은 9월에 접어들어 요동 지방의 기후가 추워지고 군량 또한 다했다. 게다가 당 태종은 퇴주로의 차단을 두려워했다. 연개소문이 당 후방을 교란시킬 것을 부추겼던 설연타가 당 태종이 아직 돌아오지 못한 틈을 타서 하남으로 쳐들어 갔다. 그러자 당 태종은 황급히 퇴각할 수밖에 없었다.[78)]

당 태종의 뒤를 이은 당 고종은 기존의 고구려와의 대결 구도를 넘어 백제에 대한 압박까지 가했다. 삼국 전체의 정세에 개입한 당 고종은 신라와 연합하여 백제와 고구려를 차례로 멸망시키는 구상을 확정했다.

74_ 『册府元龜』 권117, 帝王部 親征 第2.
75_ 『新唐書』 권220, 동이전, 고려 조.
76_ 공산성 출토 칠갑이 설령 백제 제작이라고 하더라도 着服한 이가 唐 장군임은 너무나 분명하다(李道學, 「公山城 出土 漆甲의 性格에 대한 再檢討」『인문학논총』 28, 경성대학교 인문학연구소, 2012, 10~21쪽).
77_ 李道學, 『삼국통일 어떻게 이루었나』, 학연문화사, 2018, 179쪽.
78_ 손영종, 『조선단대사(고구려사 4)』, 과학백과사전출판사, 2008, 124~125쪽.

5. 왜

1) 정변

618년 중국에는 수의 멸망에 이어 당이 들어섰다. 당은 均田制·租庸調制·府兵制 등을 축으로 하는 중앙집권적 체제를 확립하고 동서로 영토를 확대했다. 고구려에도 출병하였다. 바야흐로 동아시아의 정세는 긴박감을 더해가기 시작했다.

야마토(大和) 정권 내에도 소카노우마코(蘇我馬子)를 이어 소카노에미시(蘇我蝦夷)와 소카노이루카(蘇我入鹿) 부자가 권세를 장악하고 있었다. 특히 소카노이루카는 자신의 수중에 권력을 집중시키기 위해 유력한 황위 계승자인 쇼토쿠 태자의 아들인 山背大兄王와 그 일족을 참살하였다(643). 이러한 가운데 당으로부터 귀국한 유학생들과 그들의 영향을 받은 大和 정권 내의 사람들 사이에는 호족이 토지와 인민을 각각 영유하고, 조정의 직무를 세습하는 그 때까지의 체제를 개혁하여 대왕 중심의 새로운 중앙집권적인 정치체제를 만들려는 움직임이 높아만 갔다. 그 결과 舒明과 皇極, 두 천황의 아들인 나카노오에(中大兄) 皇子는 나카도미노카마다리(中臣鎌足) 등과 함께 645년 궁중에서 소카노이루카를 암살하고 소가씨를 타도했다.[79]

2) 大化改新

쿠데타 성공에 이어 皇極 천황이 물러나고 孝德 천황이 새로 대왕 위에 올랐다. 나카노오에 황자는 황태자가 되었다. 그리고 舊豪族들을 좌대신·우대신으로 임명한 후 신정부를 수립했다. 연호를 다이카[大化]로 고치고, 수도를 나니와[難波: 오사카]로 옮겼다. 구세력의 도태와 권력 집중 현상이라는 동아시아의 체제변화가 수반되었다. 이듬 해인 646년에 신정부는 4개 조항으로 된 改新의 詔를 반포하였다. 새정치의 기본방침을 알렸다.[80] 여기에는 새로운 중앙집권 정치를 이루려는 염원이 담겨 있다. 이후 신정부는 당을 모델로 하여 율령제를 축으로 하는 국가의 건설에 노력을 경주했다.

79_ 五味文彦·鳥海靖 編, 『もういちど讀む山川日本史』, 山川出版社, 2010, 28~29쪽.
80_ 『日本書紀』 권25, 大化 2년 조.

왜도 동아시아 법제적 국가의 하나로 등장한 것이다.[81)]

왜는 고구려와 대립과 갈등 관계에서 출발하여 무수히 충돌했다. 그러나 6세기 후반 이후부터 고구려는 불교를 비롯한 선진 문물을 대거 세례하는 대상으로 왜를 상정하였다. 이로써 백제와 유착된 왜를, 이제는 고구려와의 새로운 관계 속에 끌어당겼다. 고구려가 수와 대결할 때였다. 비록 명목상이라고 하더라도 백제는 수를 편들었다. 백제는 금방이라도 고구려 남부 지역을 침공할 것처럼 외쳤다. 신라의 경우 응당 수를 지원하고 있었다.

고구려는 7세기대에 수·당과 격돌하면서 획득한 포로나 전리품을 왜로 보내주었다. 이 사실은 자국의 강대한 군사력을 과시하면서 동요하지 말라는 메시지였다. 고구려에게 왜는 후방의 든든한 울타리 쯤으로 여겼던 것이다. 고구려를 구원하기 위해 왜군이 출동했다는 기록(天智 즉위전기)은 사실 여부를 떠나 양국 간의 유대를 상징해 준다. 이러한 상황에서 고구려는 왜가 수에 줄서지 않도록 하는데 성공했다. 고구려가 중국과의 대결 국면에서 왜는 최소한 중립을 지켰다. 그랬기에 고구려 멸망 후 왜로 다대한 유민들이 건너갈 수 있었다.[82)] 백제 역시 전통적 우방인 왜와의 관계에 대해서도 만전을 기했다.

81_ 五味文彦·鳥海靖 編,『もういちど讀む山川日本史』, 山川出版社, 2010, 29~30쪽.
82_ 李道學,「高句麗와 倭의 關係 分析」『東아시아古代學會 第66回 定期學術大會』, 東아시아古代學會, 2017, 30쪽.

제3절 7세기대 동아시아 질서의 재편

동아시아의 7세기대를 전반과 후반으로 양분해서 살펴 본다. 전반은 동아시아 제국들이 정변을 통해 일원적인 권력을 구축하는 시기였다. 626년 당, 642년 고구려, 645년 왜, 647년 신라, 655년 백제에서 각각 정변이 발생했다. 이들 국가 가운데 가장 먼저 강력한 권력을 구축한 당과, 가장 늦은 백제와는 근 30년인 1세대 차이를 보였다. 여기서 대내적 권력 구축이 가장 일렀던 당과 고구려가 정면 대결로 치달았다. 그 와중에서 국론을 통일한 신라는 당과 공고한 결속을 구축했다. 이에 대응하여 백제는 고구려와 연화하고 왜와 돈독한 관계를 구축하였다. 내부를 통일한 강력한 정치력이 외부로 발산된 결과 强對强 구도로 짜여졌다. 655년 이후 유연성을 잃은 백제 의자왕의 권력 독주는 외교적으로 신라에 대한 압박 가속 페달을 밟은 격이었다.

동아시아 5개국 간의 강대강 구도는 격하게 폭발하였다. 먼저 실험대에 올려진 백제의 멸망에 이어 왜는 위기감이 팽배했다. 그러나 당과 가장 먼저 격돌했던 고구려의 멸망이 뒤따랐다. 신라와 당은 백제와 고구려의 멸망으로 잔뜩 겁을 먹은 왜를 침공하지는 않았다. 백제와 고구려의 멸망을 지켜본 왜는 守成에만 급급했을 뿐 공세적 전의를 완전히 상실했기 때문이었다. 이후 동아시아의 정치 구도는 승자인 신라와 당, 그리고 살아남은 왜 중심으로 급속히 재편되었다.

백제와 고구려를 멸망시킨 신라와 당은 2국 故地에 대한 지배권을 놓고 격돌했다. 신라인들은 당의 소정방이 백제 정벌하러 왔을 때부터 신라까지 병탄할 계획을 지녔다고 판단했다. 양 군대가 660년 7월 11일에 합류했을 때 소정방은 軍期 위약을 근거로 신라의 督軍 김문영을 베려고 하면서부터 갈등은 표출되었다. 시종 두 군대는 지휘권을 놓고 대립했던 것이다. 당은 삼국 전체에 대한 장악이 여의치 않자 백제를 재건하여 신라를 견제하게 했다. 고구려 정벌을 목전에 두고도 양국은 끊임없이 신경전을 벌이며 대립했었다. 당의 전력이 東西로 분산된 틈도 있었지만, 676년 대소 22회의 해

상전을 통해 상륙을 원천 봉쇄함으로써 한반도에서 당은 손을 떼고 말았다.[83]

신라인들은 대제국 당을 자력으로 축출함으로써 의기양양했다. 이 무렵에 신라와 당 간에 격돌했던 전쟁을 중국측 문헌은 은폐하거나 소극적으로 기술하는 양상을 보였다. 반면 신라측 문헌에는 통쾌할 정도의 과장된 승전 기록이 넘쳐났다.[84] 이와 관련해 소정방이 피살되었다는 우리나라 문헌 기록에 시선을 모을 수 있다. 즉『삼국유사』에는 "또「新羅古傳」에는 이런 말이 있다. '소정방이 이미 고구려 백제 두 나라를 치고 또 신라를 치려고 머물러 있었다. 김유신은 그 음모를 알고 唐軍을 초대하여 짐새의 독을 먹여 모두 죽이고 구덩이에 묻었다.' 지금 尙州 지경에 唐橋가 있는데 이것이 그때 묻은 땅이라고 한다"[85]고 했다. 신라인들이나 고려시대인들은 소정방 피살설을 믿는 경향이 많았다. 이규보의「祭蘇定方將軍文」에서는 소정방의 혼령이 '客魂'이 되어 자국으로 돌아가지도 못하고 우리나라에서 제삿밥을 얻어 먹는 이유를 적어놓았다. 예산에 소재했던 소정방 사당도 그 사실

그림 39 | 지금은 훼실된 소정방 피살설과 관련된 문경의 당교 유적. 원래는 나무다리였지만 일제 때 시멘트 다리로 바꾸었는데, 이것마저도 없어졌다.

83_ 이에 대한 상세한 서술은 李道學,『삼국통일 어떻게 이루어졌나』, 학연문화사, 2018, 쪽을 참조하기 바란다.
84_ 이에 대해서는 李道學,「권력과 기록」『東아시아古代學』48, 2017, 41쪽을 참조하기 바란다.
85_ 李道學,「羅唐同盟의 性格과 蘇定方被殺說」『新羅文化』2, 1985, 19~33쪽.

을 뒷받침하고 있다. 그런데 1963년에 산시성 셴양(咸陽) 동북쪽 17.5㎞ 지점 묘에서 발굴된 묘지석의 개석에 '大唐故蘇君墓志銘'이라고 적혀 있었기에 소정방 묘로 추정하였다.[86] 이와 비슷한 추정들은 과거부터 제기되었다. 그러나 소정방이 이곳에 묻혔다는 증거는 성씨 이상은 확인된 바 없다. 설령 소정방묘가 중국에서 발견되더라도 소정방의 시신이 묻혔다는 보장은 없다. 그의 사망 사실을 당 조정에서 확인하였기에 분묘는 조성했을 수 있다. 설령 그렇더라도 유품장에 의한 墓일 가능성도 고려해야 한다. 따라서 이런 근거만으로는 소정방의 사망을 자연사로 속단할 수는 없다.

그러면 신라인들은 자신들이 살해했다는 소정방을 위한 사당을 굳이 건립한 이유는 무엇일까? 이는 冤鬼로 인한 해코지를 막는 위로와 달램 차원으로 해석할 수 있다. 신라의 사례를 보면, 경문왕은 재위 3년인 863년 9월에 839년 1월에 죽은 민애왕을 위한 탑을 세워준다. 무려 24년이 지난 시점에서 48대 경문왕은 44대 민애왕을 위한 석탑을 동화사 願堂 앞에 세웠다. 삼층석탑에 봉안된 蠟石舍利壺 겉면에 새겨진 '創立石塔'의 목적을 민애대왕을 위하여 '복업 추숭(追崇福業)'과 '업장의 쇠사슬을 펴려고 한다(聿鎖業障)'고 했다. 업장은 '전생에 지은 업으로 세상에서 받는 장애'를 가리킨다. 경문왕은 누대에 걸친 업장을 풀고자 했던 것 같다. 왜냐하면 민애왕은 희강왕을 협박하여 자살하게 한 후 즉위했다. 그러한 민애왕은 45대 신무왕에게 살해되었다. 신무왕은 자신이 죽인 利弘의 저주로 병에 걸려 죽었다. 이홍은 민애왕을 옹립한 重臣이기도 했다. 왕족이지만 헌안왕의 사위로서 즉위한 경문왕은, 근친왕족들 간의 골육상쟁이라는 돌고 도는 업장의 쇠사슬을 끊기 위해 23세에 비참하게 죽은 민애왕의 혼령을 위로하기 위해 석탑을 건립한 것이다. 이와 동일하게 신라인들도 자신들이 살해했다고 믿은 소정방의 원혼을 위로하기 위해 사당을 건립한 게 분명하다. 國泰民安 차원이었을 것이다.

86_ 宿白, 「西安地區唐墓壁畫的布局和內容」『考古學報』 1962-2期.

1. 유민들의 동향

1) 고구려 유민

(1) 당에서의 고구려인

당으로 끌려 간 고구려 주민 28,200호(혹은 38,200호)는 江淮(양쯔강과 화이어수) 이남과 山南(양쯔강 상류의 쓰촨성 일대)·幷州(산시성 太原)와 京西(간쑤성 일대)의 여러 州로 나누어 거주하였다. 이 가운데 官奴가 된 이의 아들 王毛仲은 당 현종의 최측근으로 활약했다.[87] 고구려 유민의 후손으로 高仙芝와 王思禮가 무장으로 이름을 떨쳤다.

고구려 유민 중에는 몽골 고원 지대의 돌궐 영내로 이주하여 몇 개의 집단을 형성해 돌궐 합한[可汗]의 통치하에서 자치적인 단위를 형성하였다. 高文簡과 高拱毅 그리고 高定溥 등이 그 대표적인 인물이다.[88] 보장왕의 후손인 若光은 일본열도의 關東 지방을 개척하였다. 고구려 유민 가운데는 동만주로 이동하여 발해 건국에 참여하기도 했다.

고구려 고지에서는 677년 2월에 당은 보장왕을 요동주도독으로 삼고 '조선왕'으로 봉하여 요동으로 돌려보냈다. 그 나머지 무리를 모아 고구려인으로 먼저 여러 주에 와있던 자들을 모두 보장왕과 함께 돌아가게 하였다. 이로 인하여 안동도호부를 신성으로 옮겨 통치하게 했다. 그러면 당의 측천무후는 왜 보장왕을 '조선왕'으로 봉한 것일까? 중국은 고구려와 그 이전의 조선, 즉 기자조선을 연계시켜 인식해 왔었다. 그러던 중 측천무후는 스스로 제왕이 되어 尊崇 의식이 고조되던 周를 재건했다. 이와 엮어져 측천무후는 주 무왕이 기자를 朝鮮侯에 봉한 것처럼, 보장왕을 '조선왕'에 봉하여 자신을 주 무왕과 일체시켰다. 바로 그 산물이 보장왕에 대한 조선왕 책봉이었다.[89]

그런데 보장왕이 요동에 이르러 반란을 꾀하고 몰래 말갈과 통하였다. 681년에 당은 보장왕을 邛州(중국 쓰촨성 邛峽縣)로 불러 돌아오게 했다. 상징성이 컸을 뿐 아니라 고구려 자체를 가리키기도 했던 보장왕의 사망을『삼국사기』는 다음과 같이 적어 놓았다.

87_ 『舊唐書』권106, 王毛仲傳.
88_ 『新唐書』권215上, 突厥上.
89_ 송영대,「高句麗와 唐의 箕子朝鮮 認識 檢討」『역사와 경계』100, 2016, 197쪽.

永淳 초년(682)에 서거하니 衛尉卿을 추증하고 조서를 내려 수도로 옮겨 頡利의 무덤 왼편에 장사지내고 그 무덤길에 비를 세웠다(葬頡利墓左 樹碑其阡). 그 백성들은 河南・隴右의 여러 주에 흩어 옮기고, 가난한 사람들은 安東城傍 옛 성에 남겨 두었는데 이따금 신라로 달아나는 자들이 있었다. 나머지 무리들은 말갈과 돌궐로 흩어져 들어갔다. 고씨의 임금이 마침내 끊어졌다.[90]

보장왕은 생포되어 죽은 돌궐 힐리 可汗의 무덤 왼편에 묻혔다. 손호와 진숙보의 묘 곁에 묻힌 백제 의자왕의 묘도 이러한 입지와 무관하지 않았다. 그리고 위에 적혀 있는 안동성은 당시 안동도호부가 있었던 新城(중국 랴오닝성 푸순)을 가리킨다. 686년에 당은 보장왕의 손자 高寶元을 朝鮮郡王으로 삼았다가, 698년에 左鷹揚衛 대장군으로 진급시키고 다시 忠誠國王을 봉했다. 699년에 당은 항복한 보장왕의 아들 德武를 안동도독으로 삼았는데, 후에 점차 나라를 세웠다(後稍自國). 이는 당 제국의 內(番)으로서 고구려의 존재를 가리킨다. 『구당서』와 『신당서』 고려 조에 따르면 "元和 13년(818)에 이르러 당에 사신을 들여보내 樂工을 바쳤다"고 했다. 내번으로서 고구려가 적어도 9세기 초까지 존속했음을 알린다. 이는 "3월에 고구려 승려 丘德이 入唐하였다가 經을 가지고 이르니, 왕이 여러 사찰의 승려를 소집하여 나가 그를 맞이하게 했다"[91]라고 한 고구려 승려 구덕을 통해서도 입증된다. 이처럼 827년에 구덕이 신라에 돌아온 사실은 『삼국유사』(권3, 탑상편 前後所將舍利 조)에도 수록되어 있다. 구덕을 고구려 승려라 한 것은 그가 옛 고구려 출신이었기 때문이라는 해석은 잘못이다. 내번으로서 고구려를 인지하지 못한 결과였다.

요동의 고구려를 '小高句麗國'으로 명명하기도 했다.[92] 혹은 안승의 보덕국을 소고구려국으로 일컫기도 한다.[93] 그런데 '소'는 '대소'의 규모 차이를 가리킬 뿐이다. 이러한 호칭은 국가의 성격을 드러내지는 못한다. 이 보다는 '續高句麗'로 일컫는 게 좋을 것 같다. '속'에는 고구려의 지속성을 함축하기 때문이다. 중국인들이 입버릇처럼 운위하는 '興亡繼絶'과도 부합한다. 『일본(서)기』의 후속편을 『續日本紀』라고 하였다. 고구려의 단절된 역사를 이었기에 '속고구려'로 호칭할 수 있다. 국가의 제사가 끊어지지 않았다는 것은 왕조의 존속을 뜻하는 지표였다.

90_ 『三國史記』 권22, 보장왕 27년 조 末尾.
91_ 『三國史記』 권10, 흥덕왕 2년 3월 조.
92_ 日野開三郎, 「小高句麗の建國」 『史淵』 72, 1957.
93_ 村上四男, 「新羅と小高句麗國」 『朝鮮學報』 37・38合集, 1966, 28~72쪽.

동방의 강국 고구려 이미지는 멸망 이후에도 여전히 유효했다. 684년에 揚州에서 반란을 일으킨 李勣의 손자 徐敬業이 패배한 후 江都로 달아났다가 다시금 그 처자와 함께 뱃길로 고려로 망명하려 했기 때문이다.[94] 이 고려가 속고구려로 추정된다.

(2) 일본 속의 고구려인

고구려와 왜는 대립과 갈등 관계에서 출발하여 무수히 충돌했지만, 6세기 후반부터는 우호관계를 유지하였다. 당의 침공을 받았을 때 고구려를 지원하기 위해 왜군이 출동했다는 기록(天智 즉위전기)은 사실 여부를 떠나 양국 간의 유대를 상징해준다. 이러한 선상에서 고구려 멸망 후 그 주민들이 선택할 수 있는 대상은 왜였다. 그랬기에 고구려 유민들이 새로운 삶의 터전으로서 왜를 선택하였을 것이다.[95] 일본의 고구려 유민들은 발해와의 외교에 활용되었다.[96]

고구려 유민의 정착과 관련해 고마신사(高麗神社)가 소재한 일본 사이타마현(埼玉縣) 히다카시(日高市)는, 716년에 駿河와 甲斐・相模・上總・下總・常陸・下野 7國에 거주하던 고구려인 1,799명을 武藏國(현재의 東京都와 사이타마 현의 거의 전 지역과 神奈川縣 일부 포함)에 이주시킨데서 비롯되었다. 이때 고마군(高麗郡)이라는 행정 단위가 창설되었다. 고마군의 중심지는 고마 신사가 소재한 新堀 부근으로 전한다. 고구려인들을 이곳에 이주시킨 이유는 익히 알려진 바 있다. 즉 그들의 힘을 빌어 이 지역을 개발하려는 의도였다.

고마군 설치에 중심 역할을 했던 이가 고마노 코니키시쟉코(高麗王若光)였다. 여기서 고마는 고구려 즉 고려를 가리킨다. 코니키시는 '코키시'로도 읽고 있다. 이는 백제에서 왕을 일컫는 건길지 호칭을 고구려 유민 대표자에게도 부여한 것이다. 쟉코 즉 약광은 666년에 고구려에서 파견한 사신의 이름인 겐무쟉코(玄武若光)와 동일 인물로 지목하고 있다. 703년에 從五位下 고려약광은 일본 조정으로부터 王姓을 하사받았다. 이후 고려왕약광으로 불리게 되었다. 약광은 666년에 왜에 도착한 이후 귀국하지 않았다. 그가 고마군이 설치된 716년까지 활약한 것이다. 666년에 고구려에서 파견된 현무약광과 고려왕약광이 동일 인물이라면, 이후 최소 50년간을 생존한 것이다. 약광이 왜에 파견

94_ 『冊府元龜』 권358, 將帥部 立功11, 李孝逸.
『資治通鑑』 권203, 光宅 원년 11월 庚申.

95_ 李道學,「高句麗와 倭의 關係 分析」『東아시아古代學會 第66回 定期學術大會』 2017, 7.6. 23~29쪽.

96_ 金秀鎭,「唐京 高句麗遺民 研究」, 서울대학교 국사학과 박사학위논문, 2017, 37~38쪽.

되었을 때 20세였다고 하더라도 716년에는 70세가 된다. 약광이 사망한 후 고마신사 뒷산에 건립한 靈墓의 神體를 고마묘진(高麗明神) 또는 시라히게묘진(白髭明神)으로 일컬었다. '白髭' 즉 흰수염은 이때 약광의 연령이 많았음을 암시하는 표징으로 받아들일 수 있다.[97]

(3) 신라에 온 고구려인

671년 안시성이 함락되었다. 673년에 호로하에서 고구려 회복군은 당군에 패하였다. 평양 부근 일대의 고구려 유민들이 신라로 넘어감으로써 회복운동은 좌절되었다. 고구려 왕족인 안승이 회복군을 이끌고 남하하여 신라에 귀속되어, '고려 왕' 즉 '고구려 왕'에 이어 '보덕 왕'이 되어 지금의 전라북도 익산인 금마저에 둥지를 틀었다. 보덕 왕이 통치하는 국가는 대외적으로는 여전히 '고려' 즉 고구려였다. 그러나 대내적 즉 신라에 대해서는 보덕국을 칭했다고 본다. 발해가 일본에 대해 자국을 '고려'라고 했다. 이와 마찬 가지로 보덕국과 이와 동일하게 대외적으로는 '고려'를 표방한 것 같다.

『삼국사기』에 따르면 670년에 신라는 "안승을 봉하여 고구려왕으로 삼았다(문무왕 10)"고 했다. 674년에 신라는 "안승을 봉하여 보덕 왕으로 삼았다(문무왕 14)"고 하였다. 여기서 '고구려 왕'은 '고구려국 왕'을 가리키고 있다. 그렇다면 '보덕 왕'도 '보덕국왕'을 가리킨다고 보아야 맞다. 그리고 『삼국사기』에서 '보덕성'과 '보덕성민'이라는 구절이 모두 4회 등장한다. 이는 보덕국에서 비롯한 지명이 분명하다. 신라 진흥왕이 대가라를 멸망시킨 후 '대가야군'으로 편제했다. 이 경우와 동일하게 보덕국 국호에서 '보덕성' 행정단위가 유래하였다. 요컨대 신라는 고구려 유민들의 정체성을 해체할 목적으로 국호를 '고구려국'에서 '보덕국'으로 교체했다. 신라의 다음 계획은 보덕국의 해체였다.

676년에 신라에 패한 당이 안동도호부를 요동으로 옮긴 후 대동강 이남의 고구려 영역과 주민들은 신라에 완전 귀속되었다. 680년에 안승은 문무왕의 누이동생과 혼인했다고 한다. 681년에 사망한 문무왕에게 적령기의 여동생이 존재했을 리 없다. 문무왕의 교서에서 妹女라고 하였다. 안승의 배필은 문무왕의 생질녀인 것이다. 안승은 태대형 관등의 고연무를 보내어 사례하였다. 681년(신문왕 1) 8월 보덕왕 안승은 소형 首德皆를 보내어 金欽突(신문왕의 장인)의 반란을 평정한데 대하여 신문왕에게 慶賀를 올렸다. 이때까지도 보덕왕은 예하의 신하들이 태대형 · 소형 등 고구려 관등을 그

97_ 오길환, 「일본에 있는 고대 한반도 관련 神社 조사보고」『일본 신사에 모셔진 한국의 神』, 민속원, 2014, 15~23쪽 참조.

대로 사용하며 자치국으로서의 체제를 유지하였다. 682년 10월에 신문왕은 안승을 서울로 불러 소판으로 삼고 김씨 성을 내려주었다. 이는 신라의 加羅諸國 통합과정과 동일하였다. 주권과 영토를 분리시킨 것이다.[98] 용도가 끝난 보덕국을 조용히 해체하기 위한 작업이었다. 이에 대한 반발로 684년 11월에 안승의 族子인 장군 大文이 신라에 반기를 들었지만 발각되어 참수당했다. 그럼에도 금마저의 고구려 유민들은 거세게 반발하였다. 이들은 관리를 살해하고 반란을 일으켰다. 신라에서는 군대를 동원해서 진압했다. 그러나 김영윤과 당주 逼實이 전사했을 정도로 진압은 용이하지 않았다. 이들이 전사한 가잠성의 위치는 명확하지 않다. 그러나 진평왕 40년에 북한산 군주 변품이 가잠성을 수복하려고 군사를 일으켜 백제와 金山에서 싸웠다. 금산현은 完州郡 高山面이다. 가잠성은 금마저가 소재한 익산의 동편이나 남편에 소재했을 것이다. 반란이 진압된 후 고구려 유민들은 신라의 남쪽 주·군으로 옮겨졌다. 보덕국 자리에는 금마군이 설치되었다.

신라 땅의 고구려 유민들로는 보덕성민들보다 먼저 왔던 연정토의 12성 주민 등이 있다. 그 밖에 많은 고구려 지방민들이 신라 땅에 그대로 눌러 있게 되었다.

전란의 와중에 신라 땅으로 스며들어간 고구려인들이 적지 않았다. 전라북도 남원 지역의 문화에는 고구려 문화도 스며 있다. 이와 관련해 "옥보고가 지은 30곡은 上院曲 하나 …入實相曲 하나 …인데 극종이 지은 7곡은 지금 없어졌다"는[99] 기사가 주목된다. 여기서 '입실상곡'은 옥보고가 은거한 지리산 운상원이 雲峰임을 입증하는 중요한 자료라고 한다. '입실상곡'의 '실상'은 산내면의 實相寺를 의미하기 때문이다.[100] 그런데 핵심은 晋에서 고구려에 수입된 七絃琴이 왕산악에 의해 改造·演奏되다가 신라인 사찬 공영의 아들 옥보고에 의해 신라에 전해졌다는 내용이다. 옥보고가 현금을 배운 최초의 신라인이 된다. 그렇다면 고구려인 樂師가 남원에 이주하여 살았다는 것이다. 이 사실을 통해 남원에 고구려 음악이 유행하였다는 게 확인된다. 그러면 어떤 경로로 고구려 음악이 남원이라는 특수한 지역에 옮겨 왔을까? 왕산악이 만들었다는 고구려 상류층의 음악이 남원에서 유행했다는 것은 고구려 지배층의 이민이 있었기에 가능했을 것이다. 고구려 지배층이 집단으로 신라에 유입된 것은 안승에 의해 금마저에 온 것이 대표적인 사례가 된다. 남원소경의 고구려악도 금마저의 고구려 지배층과 관련이 있을 것 같다. 특히 남원소경의 설치 연대가 금마저의 고구려인을 분산

98_ 村上四男,「新羅と小高句麗國」『朝鮮學報』37·38合集, 1966, 68~71쪽.
99_ 『三國史記』권32, 잡지 樂 조.
100_ 李道學,「고대사 속의 남원」『남원 문화유산의 탐구』, 전북전통문화연구소, 2002, 235~237쪽.

시킨 다음 해라는 점도 관련성을 깊게 해 준다.[101)]

이와 관련해 충주 淨土寺 法鏡大師慈燈塔碑에 의하면 "대사의 법휘는 玄暉이고 俗姓은 이씨이다. 그 선조는 周代에 덕을 감추어 柱史 벼슬을 하고 영화를 피했다. …먼 조상은 과거에 聖唐으로부터 멀리 요동을 정벌할 때 종군하여 이곳에 도착하였었는데, 苦役으로 돌아갈 것을 잊고 지금의 全州 南原人이 되었다"고 하였다. 법경대사의 선조는 唐人이었다. 고구려 원정에 종군했다가 고구려인이 되었고 지금은 전주 남원인이 되었다고 했다.

고구려 불교가 백제 땅에 수혈된 사례인 것이다. 전라북도 완주군 고덕산(예전의 고대산) 중턱에는 경복사 터가 남아 있다. 보덕의 비래방장 설화의 신빙성을 높여준다. 배척당하던 고구려 불교가 한반도 남부의 백제 땅에 와서 꽃을 피운 것이다.[102)] 고구려 불교는 남원 땅을 비롯해서 지리산 주변에도 스며들었다.

2) 백제 유민

(1) 만들어진 祭儀, 은산별신제

恩山別神祭의 현장인 은산은 부여읍에서 서북쪽으로 떨어져 있는 곳으로 驛院이 있던 곳이다. 그러한 은산면 은산리의 마을 뒷산을 堂山이라고 부른다. 구릉에 불과한 당산에는 이중산성이라는 소규모의 토성이 축조되어 있다. 이곳은 무수히 많은 백제 회복군이 전몰한 장소로 전해진다. 당산 서쪽은 절벽이며 그 아래로 은산천이 흐른다. 당산의 남쪽에는 기와집으로 한칸의 방과 마루로 된 별신당이 자리잡고 있다.

중요 무형문화재 제9호로 지정된 은산별신제의 기원에 대해서는 다양한 견해가 제기된 바 있다. 백제가 멸망한 이후 국가를 회복하기 위해 항쟁했던 회복군의 원혼을 풀기 위한 목적에서 비롯되었다는 견해가 대세를 이루고 있다. 그러나 이와는 달리 조선시대의 산신당 제의에서 비롯하였다가 19세기 이후 은산 場市의 형성 및 발전과 관련해 생성되었을 것으로 추정하기도 한다. 1935년에 은산별신제에 대한 조사가 이루어진 이래 지금까지 축적된 자료를 토대로 그 생성 시기와 변개 과정을 정리해 본다.

101_ 林炳泰, 「新羅小京考」『歷史學報』 35·36合輯, 1967, 91~93쪽.
102_ 李道學, 「불교사 100장면—고구려 불교」『불교신문』, 불교신문사, 1998. 7.7.

은산별신제는 복신을 비롯한 백제군 장졸들의 원혼으로 인한 疾疫을 막으려는 목적의 洞祭에서 비롯되었다. 이때 백제군 원혼들을 진압하기 위한 목적에서 중국의 韓信이나 樊噲를 비롯한 '옛 명장[古名將]'들을 총동원하다시피 했다. 그러다가 지역 정체성에 대한 강한 흡입력이 가세하면서 백제 회국군의 영웅 복신 장군이 질역을 막아주는 역할을 부여받았다. 백제군 孤魂에 대한 은산 주민들의 정서는 지금까지의 鎭壓과 忌避에서, 이제는 위로하고 접근하는 형식으로 바뀌었다. 그 결과 복신이 별신당의 主神이 되었다. 지금 전하는 별신제는 이러한 과정을 거쳐 생겨났다.

별신당에 모셔진 土進大師의 정체를 僧將 道琛으로 비정하는 견해가 통설을 이룬다. 토진과 도침이 音似하기 때문이다. 그렇다고 오랜 전승에 따른 와전은 전혀 아니었다. 이 경우는 당초 '복신장군 도침대사 신위'였을 것이다. 그러나 도침 대사는 복신 장군에게 피살된 원수인 관계로 신당에서 함께 제사를 받는다고 하자. 누가 보더라도 부자연스러운 일임은 분명하였다. 그렇다고 도침 대사를 위한 별도의 신당이 있는 것도 아니었기에 위패를 퇴출시킬 수도 없었다. 결국 도침과 음이 닮은 '토진'으로 표기하여 별신당에 도침 대사를 존치시킨 것이다.[103]

(2) 신라에 남은 백제인들, 碑像에 전하는 백제 유민

백제인들 가운데는 잡혀가거나 떠나가거나, 항전 과정에서 전몰하기도 했다. 그러면서 상영이나 충상처럼 전쟁 초기부터 신라에 항복하거나 협조하여 벼슬살이를 한 이들도 적지 않았다. 신라는 응당 이들을 배려해 주었다. 이와 관련해 백제 유민들의 동향을 살필 수 있는 자료가 있다. 세종특별자치시 조치원읍에 소재한 비암사에서 발견된 癸酉銘全氏阿彌陀佛碑像(국보 제106호)을 비롯한 비상 명문들이다.

웅진도독부가 신라에 점령되어 그곳에서 복무하던 흑치상지를 비롯한 백제계 관인들이 훌훌 털고 대거 당과 왜로 각각 흩어진 672년에서 불과 한 해 후에 추복사찰이 창건되고 비상이 제작되었다.

고구려 멸망 직후 그 유민들은 신라를 도와 당에 대적하였다. 반면 백제고지에는 663년 9월 백강 패전 이후 웅진도독부가 설치되었다. 그러한 웅진도독부가 신라에 의해 축출되었다. 이와 동시에 신라는 즉각 백제 유민들을 포용하여 676년까지 이어진 對唐 전쟁에 동참시키고자 하였다. 그랬기에 백제와 고구려 멸망 이후 그 유민들은 신라와 힘을 합쳐 당군을 축출할 수 있었다. 결국 신라에

103_ 李道學, 「恩山別神祭 主神의 變化 過程」『扶餘學』 4, 부여고도육성포럼, 2014, 11~39쪽.

의한 통일국가의 완성은 이러한 점에서도 의미를 찾을 수 있다. 백제 유민에 대한 신라의 적극적인 회유와 포섭 차원을 상정해 본다. 가령 白城郡 蛇山(稷山) 출신인 素那의 경우 그 아내는 '加林郡 양가 여자'였다.[104] 가림군은 충청남도 부여군 임천면 지역을 가리킨다. 신라인 소나가 백제 출신 양가의 여자를 아내로 맞게 된 시점은 백제 멸망 이후였다. 그것도 웅진도독부가 퇴출된 672년 이후라고 보아야 맞다. 신라는 웅진도독부를 축출한 이후 백제 지배층들을 회유하고 포섭하기 위한 전략으로써 혼인 시책까지 단행했다.

계유명전씨아미타불비상의 명문은 이러한 정보를 전해주었다. 이와 관련해 673년에 조성된 계유명천불삼존비상에 보이는 彌次乃香徒는 신라의 지원을 업고 결성되어 造像과 造寺를 통해 민심을 안무하는 역할을 했다. 전란으로 황폐해진 백제 고토와 민심을 수습하기 위한 목적이었다. 그랬기에 전란의 산물인 혼령들을 위한 추복 목적의 사찰과 불상을 조성하게 했다.[105]

(3) 일본열도에서의 백제 유민

백제의 조국회복운동가들과 유민 가운데는 일본열도에서 그 뒷 소식을 남기고 있다. 예컨대 의자왕의 아들 善光(禪廣)은 664년 3월에 難波에 거주하였다. 이 선광을 『구당서』에서는 부여융의 아우로 기록하면서 이때 고구려로 망명한 풍왕과 기맥을 통하고 있던 扶餘勇으로 지목하는 견해가 있다. 『속일본기』에 의하면 의자왕의 아들인 선광은 631년에 풍장과 더불어 왜에 건너가 있었는데 다음과 같이 전한다.

> 후에 岡本朝廷(齊明天皇)에 이르러 의자왕이 전쟁에서 패하여 당에 항복하자, 그 신하인 좌평 복신이 사직을 원래대로 회복하고자 멀리서 풍장을 맞이하여 끊어진 왕통을 이어 일으켰다. 풍장은 왕위를 이은 후 방자하다는 참언을 듣고 복신을 죽이니, 당군이 그것을 알고는 주유성을 다시 공격하였다. 풍장은 우리(일본: 필자) 병사와 함께 대항하였으나 구원군이 불리하게 되자 풍장은 배를 타고 고려로 도망하고 선광은 이로 말미암아 자기 나라로 돌아 가지 못하였다(天平神護 2년 6월 조).

104_ 『三國史記』 권47, 素那傳.
105_ 李道學, 「世宗市 일원 佛碑像의 造像 목적과 百濟 姓氏」 『한국학연구』 56, 고려대학교 한국학연구소, 2016, 5~31쪽.

조국회복운동이 실패함에 따라 선광은 많은 백제인들과 더불어 조국으로의 귀환에 대한 꿈을 가슴에 깊이 묻었다. 세월이 흘러 쇼무(聖武) 천황은 平城京의 東方에 건립된 거대한 관립 사찰인 東大寺를 창건하기 시작하였다. 747년에 大佛鑄造와 대불전 건립이 시작되었다. 752년에 대불에 대한 성대한 開眼式이 행하여 졌다. 당시 일본의 전 국력을 동원한 대불인 毘盧舍那佛坐像에 대한 주조를 끝낼 즈음에 칠할 금이 부족하였다. 이 소식을 들은 경복은 陸奧國(지금의 靑森縣)에서 驛馬로 달려와 小田郡에서 나온 황금 900냥을 바쳤다. 일본열도에서는 이때부터 황금이 산출되기 시작했다고 『속일본기』는 적고 있다.

이와 관련해 694년 경에 세 명의 승려가 부모의 은혜에 보답할 목적으로 관세음보살상을 만들기를 발원하여 만든 불상의 銅版이 남아 있다. 동판 뒷면에는 "大原의 博士와 同族으로 백제 王家 출신이다"고 새겨 놓았다. 백제왕경복 등의 조상으로 생각되고 있다.

그 밖에 餘自信은 669년에 복신의 아들인 좌평 鬼室集斯를 비롯한 유민 7백 명을 데리고 近江國의 浦生郡(滋賀縣 동남부 일대)으로 옮겨 거주했다. 671년 1월에 여자신은 일본 조정으로부터 종4위하에 상당하는 大錦下의 관위를 제수받았다. 小錦下의 관위인 귀실집사는 學職頭를 제수 받았다. 학직두는 近江 令官制에서 大學僚의 장관에 필적한다. 귀실집사의 묘와 신사는 蒲生郡 日野町 小野村에 소재하였다. 달솔이었던 곡나진수와 목소귀자 그리고 억례복류·答炑春初는 671년 일본 조정으로부터 종6위하에 상당하는 大山下의 관위를 제수받았다. 적어도 60여 명 안팎의 백제 유민들이 일본 조정에 복무하였던 게 확인된다. 특히 억례복류는 신라의 일본열도 침공에 대비한 목적을 띠고 단행된 산성 축조를 지휘하였다. 그는 북규슈의 다자이후를 방위하기 위하여 달솔 四比福夫와 함께 지금의 북규슈 지역인 筑紫國에 파견되어 오노 성(大野城)과 기 성(椽城)을 축조했다. 오노 성은 전형적인 백제식 산성으로서 둘레 5Km에 달하는 대규모 성이다.

(4) 중국에 남은 백제인

백제가 멸망한 후 의자왕을 비롯한 주민 12,807명이 당으로 압송되었다. 이들은 대부분 백제 사회를 이끌어 갔던 지배세력이었다. 또 일부는 웅진도독부의 관인으로서 환국하기도 하였다. 그러나 웅진도독부가 해체되자 다시금 당으로 돌아 갔다. 이러한 연유로 인하여 당에는 백제인들의 숨결이 흐르게 되었다. 중국 낙양 용문석굴에 조성된 부여씨 조상기도 그 한 편린이다. 즉 "문낭장의 처인 부여씨가 삼가 2구의 (불상을) 만들었다(文郎將妻 扶餘氏敬造兩區)"라고 적혀 있다. 묘지석을 통해 그 존재를 화려하게 드러낸 의자왕의 증손녀 扶餘太妃의 경우도 마찬가지이다.

이러한 백제인들 가운데 7세기 말에서 8세기 초에 걸쳐 부단히 당의 변경을 침공하는 돌궐 군대와의 전투에 등장하는 사타충의라는 인물이 보인다. 사타충의의 '沙吒'는 흑치상지와 함께 당영에 항복했던 사타상여와 같은 씨성이다. 곧 백제의 명문 귀족이었던 砂宅氏를 가리킨다. 그리고 사타천복도 눈에 띈다. 이들이 당에 들어가 무장으로서 출세하게 된 데는 개인적인 역량뿐 아니라 웅진도독부 이래 당의 시책에 협조적이었던 사택씨 가문에 대한 배려도 작용한 것 같다.

당으로 압송된 백제 주민들은 처음에는 徐州(장쑤성 彭城)와 兗州(산둥성 曲阜)로 옮겨진 후 다시금 建安으로 이주했다. 이와 관련해 중국 장쑤성 롄윈강 일대 석실분의 조성 주체를 서주와 연주로 사민시킨 백제 유민과 결부 짓기도 한다. 그러나 이곳은 롄윈강까지 각각 100km나 떨어져 있다. 지리적으로 부합하지 않는다. 게다가 백제 유민들은 676년 2월에 웅진도독부가 설치된 건안고성으로 옮겨 갔다.[106] 따라서 15년에 불과한 동안에 롄윈강 일대에 2천 기를 상회하는 대단위 고분군을 남길 수는 없다. 이와 더불어 롄윈강 고분군의 상한은 수대와 당 초로까지 소급되고 있다. 그리고 내륙의 서주와 연주 지역은 연안의 롄윈강과는 공간적으로 연결되지도 않는다. 따라서 양자를 연관성 있다는 식으로 얼버무리며 관련 지을 수는 없다. 더욱이 롄윈강 고분군이 소재한 곳은 18세기대까지 몇 개의 섬이었다.[107] 그러므로 이곳으로 백제 유민들을 사민시켰다고 해도 농경 목적과는 관련이 없다. 그리고 주민 이탈이 용이한 데다가 관리가 어려운 도서 지역이었다. 이곳에 당이 백제 유민들을 거주하게 할 리가 없다.

고구려와 백제 유민들에게는 결코 낯설지 않은 유서 깊은 묘지가 망산 곧 북망산이었다. 이곳에는 부여융과 흑치상지 부자의 유택을 비롯하여 숱한 백제인들이 잠들어 있다.

당은 웅진도독부의 도독인 부여융을 수반으로 하는 백제 유민 집단을 건안고성으로 移置시켰다. 건안고성의 '城傍餘衆'에서 특출난 將材들이 배출되어 당영에서 혁혁한 전공을 세운 경우도 있었을 것이다. 건안고성의 백제 유민 거주지는 명목상 독립 왕국적인 성격을 띠었다. 이 사실은 중국 사서에서 당 조정이 부여융으로 하여금 고구려 경역에 거주하게 한 배경으로서 "그때 백제가 황잔했다"고 하였다. 백제의 쇠락을 언급할지언정 멸망했다고 하지는 않았다. 이 점 역시 몹시 중요한 백제

106_ 『資治通鑑』 권202, 儀鳳 원년 2월 조.
107_ 李道學 · 송영대 · 이주연, 『육조고도 남경』, 주류성, 2014, 451~461쪽.

인식이라고 보겠다. '황잔'은 백제의 중흥을 염두에 둔 기술이기 때문이다. 실제 이와 맞물려 부여융은 그 조부인 무왕이나 부왕인 의자왕이 唐朝로부터 제수받았던 대방군왕 관작을 동일하게 습봉하였다. 이는 당조가 부여융을 백제 국왕으로 인정해 주었음을 뜻한다. 이러한 습봉은 부여융의 손자인 부여경에게까지 이어진 사실이 확인되었다. 725년의 泰山 封禪 기록에서 '백제대방왕'을 '內臣之番'이라고 하여 '백제'라는 국호와 '대방왕'이라는 작호는 물론이고, '번'의 존재까지 확인된 것이다.

그리고 백제 유민들이 '백제'라는 독립된 정치 세력으로서 당에 군사력을 제공해 주었다. 백제가 멸망한 지 1백년이 경과했음에도 沙吒利를 蕃將이라고 했다. 이 사실은 그가 漢族 사회에 완전히 편제된 인물이 아니었음을 뜻한다. 곧 唐域의 '번', 즉 당의 內藩으로서 존재한 백제를 상정할 수 있는 근거가 된다.

당이 백제를 재건해 준 배경은 676년에 신라가 당 세력을 한반도에서 축출한 사건과 맞물려 있다. 당은 '興亡繼絶'이라는 백제 유민들의 염원을 구현해 주는 한편 신라 견제용으로 활용하고자 하였다. 당 사회에서 백제인들이 지닌 효용성 또한 백제 재건의 기제로 작용한 것이었다.

그러한 건안고성의 백제 왕국은 8세기 중엽이나 9세기 초엽 어느 때 요동 지역으로 세력을 뻗친 발해에 병합되었다. 그럼에 따라 당역에서 여맥을 이어 간 백제는 역사의 전면에서 종언을 고하고 말았다. 이 사실을 일컬어 사서는 "그 땅은 이미 신라·발해말갈에게 분할되어 국계가 드디어 끊기고 말았다"고 평가했다. 여기서 '국계'라는 문자는 당에서 재건된 백제가 백제사의 법통을 계승했음을 뜻하는 의미심장한 문구가 아니겠는가?

이제 백제사는 672년까지 한반도에 존속했던 웅진도독부의 역사 뿐 아니라 8세기 중엽 내지는 9세기 초엽까지 중국에서 재건된 백제의 존재까지 포괄해야 한다. 700년을 넘는 장구한 내력과 강인한 생명력을 지닌 800년 백제사의 실체를 결코 간과해서는 안 될 것 같다. 비록 唐의 內蕃(番)이었지만 새롭게 밝혀진 '續百濟'의 모습이었다.[108]

108_ 李道學,「唐에서 재건된 백제」『인문과학논총』15-1, 경성대학교 인문과학연구소, 2010, 103~124쪽.

2. 삼국통일이 지닌 의미

1) 삼국통일 요인

676년에 신라가 한반도 내의 당군을 축출함에 따라 통일은 완료되었다. 신라가 당군을 축출한 배경으로서 토번(티베트)의 발호로 인해 전선이 양분되었고, 그 결과 당은 신라를 '방기'하였기에, 종전되었다는 주장이 있다.[109] 이러한 주장은 한국사의 타율성론에 입각한 자주성 말살 의도라고 한다.[110] 그러니 타당성 없는 주장이라는 것이다. 신라가 삼국을 통일함으로써 향후 200년간 전쟁이 없는 평화의 시대가 열렸다. 통일 과정에서 대규모 인구 이동과 문화 전파의 일대 전기가 마련되었다.

676년은 백제 멸망에서 16년이요, 고구려 멸망에서 8년이 경과된 시점이었다. 이 기간 동안 신라는 갖은 우여곡절을 겪은 후에 거대제국 당의 야욕을 꺽었다. 수백년 간 대립과 갈등 그리고 結好를 반복하면서, 자국보다 큰 2개의 국가를 소멸시켰다. 신라가 한강유역을 점령하던 6세기 중반 이후 고구려와 백제의 틈새에서 시달렸다. 무려 1세기 이상에 걸쳐 총체적인 위기 상황에 직면하였다. 신라인들에게 고구려는 말할 나위 없이 백제도 대국이었다. 이는 진덕여왕과 김유신의 대화에서 드러난 바 있다. 소국 신라는 총력전으로 위기를 벗어나고자 했다. 그렇지만 이는 어떻게 비유할 수 있을까? 끝이 보이지 않는 컴컴한 터널을 무한히 걷는 아득한 상황에 견줄 수 있었다.

신라가 통일할 수 있었던 요인을 몇 가지로 나누어 살펴 본다. 첫째, 소정방의 발언에 적혀 있듯이 신라는 상하가 강하게 결속되어 있었다. 신뢰로 맺어진 관계였다. 신라는 상대등 비담의 난을 진압한 후 국왕 중심의 일원적인 국가체제를 구축했다. 국가라는 大義를 위한 희생을 시대의 권화로 여겼다. 지배층 전사단이 수범을 보였다.

둘째, 국가적 목표의 설정과 그것을 이루기 위한 사회적 합의였다. 신라는 위기감의 고조로 인해 운명공동체 의식을 공유하였다. 이것을 타개하기 위해 당의 손을 빌려 백제와 고구려를 차례로 공멸한다는 장기 전략을 수립했다. 국가를 위기에서 건질 수 있는 방안으로 판단하여 신라 지배층들은 공유하였다.

109_ 이에 대한 연구사 정리는 이상훈, 『나당전쟁연구』, 주류성, 2012, 15쪽을 참조하기 바란다.
110_ 이상훈, 『나당전쟁연구』, 주류성, 2012, 16쪽.

셋째, 긍지였다. 삼국 가운데 후발주자였지만 독자 연호를 반포하는 등 황제체제를 운영했다. 전국을 9州로 구획하였고, 전군을 9軍으로 일컬었다. 이 모두 황제체제의 산물이었다. 1933년에 간행된 이마니시 류(今西龍, 1875~1932)의 유작 『신라사연구』 서문에서 쓰보이 구메죠(坪井九馬三, 1859~1936)는 신라를 다음과 같이 평가했다. "… 드디어 한반도를 통일하고서 3백년 간 國祀를 유지한 것은 당의 外藩이 되어 그 扶腋을 받았기 때문이기도 하지만 신라인들의 마음 속에 웅위한 바탕이 없었다면 이렇게까지 오랫 동안 이어질 수 없었을 것이다"[111]고 단언했다.

넷째, 동아시아 나라들은 640년대~650년에 걸쳐 각각 강력한 권력을 구축했다. 연개소문의 정변 성공은 지배층 물갈이를 가져왔다. 이를 기반으로 연개소문은 강경한 대외정책을 펼쳤다. 신라는 상대등 비담 반란 진압을 계기로 역시 지배층 쇄신을 가졌다. 신라 독자의 권력 집중 방식을 태동시켜 대외 문제에 대해 일사불란하게 대응하였다.

다섯째, 과학 기술의 발전에 국가적 노력을 꾸준히 기울였다. 여섯째, 국가 차원에서 바다를 적극 활용할 수 있는 항해술과 조선술을 함께 갖추었다.

2) 통일의 결과, 얻은 것

통일의 결과 첫째, 영일없이 이어진 공포스럽고도 광폭한 전쟁을 종식시켰다. 신라가 통일함으로써 전쟁이 없는 평화로운 세상을 만들었다. 그럼에 따라 민심의 안정을 기반으로 사회와 문화가 균형 있게 발전하였다. 과도한 군사 문화체제에서 벗어날 수 있어서였다. 장기간에 걸친 전쟁은 막대한 인적·물적 소모를 초래했다. 이와 맞물려 소모와 소비를 메우기 위한 제반 산업의 비약적인 발전을 가져왔다. 그리고 전쟁은 상실과 박탈을 초래했지만 기회의 場이기도 했다. 군공에 따른 신분 상승과 더불어 지방민에 대한 지위도 상승했다.

둘째, 삼국민과 문화적 통합이 이루어졌다.[112] 신라는 통일 이전부터 고구려와 백제의 문화를 꾸준히 수혈받고 있었다. 일례로 6~7세기의 신라 기와만 보더라도 고구려와 백제의 양식과 닿아 있

111_ 坪井九馬三, 「新羅史硏究序」 『新羅史硏究』, 近澤書店, 1933, 3~4쪽.

112_ 李道學, 「삼국의 문화와 문물교류 과정」 『7세기 동아시아 국제정세와 신라의 삼국통일전략』, 제24회 신라문화학술회의, 동국대학교 신라문화연구소, 2004.3.12.; 『신라문화』 24, 2004, 151~172쪽.

다.[113] 그리고 삼국민 융합의 상징은 신라 왕도를 보위하는 9誓幢의 구성이다. 9서당은 신라 외에 고구려와 백제 그리고 말갈인으로 구성되었다. 다른 곳도 아니고 신라의 심장부인 왕도를 수비하는 정예군단의 출신이 삼국 주민을 아우르고 있다. 이 자체만으로도 포용의 상징이 되고도 남는다.

셋째, 한국 역사상 최대 규모의 주민 확산 즉 디아스포라를 가져왔다.[114] 이와 맞물려 삼국 문화 전파의 획기적 전기가 되었다. 가령 고대일본 문화를 다채롭게 발전시켰다.[115]

넷째, 동아시아에서 새로운 정치질서의 재편을 가져왔다. 당에서는 武則天의 周帝國 태동을, 신라에서는 비록 이행되지는 못했지만 달구벌 천도론이 시사하듯이 확대된 영역에 맞는 새로운 행정 체계의 구축이 시도되었다. 동만주에서는 발해가 등장하였다. 일본열도에서는 '일본'으로의 改號에 이어 672년에 발발한 진신(壬申)의 난이라는 내전을 통해 강력한 왕권이 구축되었다.

다섯째, 신라 문화는 고려와 조선을 거쳐 지금까지 계승되어 왔다. 일례로 신라에서 왕을 호칭한 니사금은 닛금으로 발음하였고, 조선 왕의 호칭으로 살아 있다. 지금도 '임금' 王으로 훈독한다. 그리고 마립간은 조선의 왕이나, 세자, 왕비 등을 일컫는 단어 '말루하'로 이어졌다. 신라 상층 언어의 어휘와 단어가 고스란히 계승되었음을 알려준다.

113_ 김유식, 『신라기와연구』, 민속원, 2014, 159쪽.

114_ 李道學, 「중국 속의 백제인들」『한민족 디아스포라의 역사(1)』, 한민족학회, 2009, 5.27. ; 「중국 속의 백제인들, 중국 바깥의 백제인들」『한민족연구』 7, 2009, 27~50쪽.

115_ 井上秀雄, 『古代朝鮮』, 日本放送出版協會, 1972, 215쪽.

제8장

통치와 문화

제1절 삼국의 史書 편찬

1. 기록이 없는 이유

현재 전하는 전통시대 한국의 공식 역사서는 모두 승자의 기록이다. 그런 데다가 한국고대 사료의 빈곤상은 극심하기 이를 데 없다. 이와 관련한 사료 빈곤의 사유를 다음처럼 언급하기도 했다.

> 또 勝國(高麗를 가리킴: 필자) 이상으로서 증거할 만한 문헌이 없는 것들을 물었더니, 公은 탄식하면서, "唐 李勣이 고구려를 평정하고는 東方의 모든 서적을 平壤에다 모아놓고 우리나라의 文物이 중국에 뒤지지 않는 것을 시기하여 모두 불태워버렸으며, 신라 말엽에 甄萱이 完山을 점령하고는 三國의 모든 서적을 실어다 놓았었는데, 그가 패망하게 되자 모두 불타 재가 되었으니, 이것이 3千年 이래 두 번의 큰 厄이다"고 했다.[1]

위 기사는 勝國 즉 高麗 이전의 문헌 기록이 남아 있지 않은 이유를 설명하였다. 여기서 '公'은 李萬運(1723~1797)이다. 그리고 묻는 이는 李德懋(1741~1793)를 가리킨다. 博學으로 정평이 난 이만운이 고구려사를 비롯한 삼국사와 후백제사가 온전히 계승되지 못한 이유를 밝힌 것이다. 이만운이 어떤 근거로써 단언했는지는 알 수 없다. 그러나 그가 필시 참고했던 문헌은 존재했다고 본다. 이만운의 인식은 단재 신채호에게도 계승되었다.[2]

이만운은 고려 이전의 사서가 존재하지 않은 이유를 고구려와 후백제의 패망에서 찾았다. 승자에 의해 패자의 역사가 망가졌다는 것이다. 물론 이러한 주장의 증거는 뒷받침되지 않았다. 그랬기에

1_ 『雅亭遺稿』 권3, 紀年兒覽, 序. "又問勝國以上文獻之無徵 公嘆曰 唐李績 旣平高句麗 聚東方典藉於平壤 忌其文物不讓中朝 擧而焚之 新羅之末 甄萱據完山 輸置三國之遺書 及其敗也 蕩爲灰燼 此三千年來二大厄也"

2_ 申采浩, 『朝鮮史硏究艸』, 乙酉文化社, 1974, 74쪽.

柳得恭은 韓致奫의 저작인 『海東繹史』 서문에서 한 마디로 "이 역시 터무니 없는 이야기이다. 우리 나라에 어찌 史籍이 있었던가?"[3]라고 일축했다. 그렇지만 이만운의 주장이 무근거하지 않다는 정황은 보인다. 우선 고구려 역사 기록의 소략이다. 『삼국사기』를 놓고 볼 때 고구려 전성기인 광개토왕과 장수왕대만 해도 기록이 너무나 빈약하다. 장수왕대의 사적은 그 장구한 치세에도 불구하고 기록의 영성함이 두드러진다. 때문에 중국 사서의 朝貢 기사로 『삼국사기』를 메우고 있다. 그리고 『삼국사기』 광개토왕기는 「광개토왕릉비문」과 부합하는 기사가 없다. 이렇듯 고구려의 강성기의 관련 기록은 부실하기 이를 데 없다.

그러면 이만운의 "신라 말엽에 甄萱이 完山을 점령하고는 삼국의 모든 서적을 실어다 놓았었는데, 그가 패망하게 되자 모두 불타 재가 되었으니"라는 구절은 근거가 있는 것일까? 여기서 "三國의 모든 서적을 실어다 놓았다"는 기사는 실체가 있어 보인다. 이와 관련해 다음 기사를 살펴 보고자 한다.

> 왕의 族弟 金傅로 하여금 이어서 왕이 되게 하였다. 그런 후에 왕의 동생 孝廉과 재상 英景을 포로로 잡고, 또 국가 창고의 진귀한 보물과 병장기를 손에 넣고, [귀족의] 자녀들과 百工 중 솜씨가 있는 자들은 스스로 따르게 하여 돌아갔다.[4]

위 기사를 놓고 볼 때 후백제군이 927년에 경주를 습격한 후 회군할 때 史書도 싣고 갈 수 있는 정황이었다. 진훤은 "내가 삼국의 시작을 살펴 보니까 마한이 먼저 일어나고"라고 하였듯이 역사에 깊은 관심을 지녔다. 그는 백제가 삼국 중 가장 먼저 건국되었다는 인식을 지니고 있었다. 또 그렇게 역사를 새롭게 편찬하려는 의지가 강하였다. 그러한 진훤이 신라의 史庫를 털었을 가능성은 지대한 것이다.[5] 문제는 『삼국사기』가 영성한 이유이다. 그 이유는 이때 진훤이 깡그리 수압해간 典籍들이 승계되지 못한데서 기인했을 수 있다. 정황상으로도 충분히 가능한 주장으로 보여진다.

3_ 『海東繹史』 序. "此亦無稽之談 東方豈有史籍"

4_ 『三國史記』 권50, 진훤전. "以王族弟金傅嗣立 然後虜王弟 孝廉·宰相 英景 又取國帑 珍寶·兵仗·子女·百工之巧者 自隨以歸"

5_ 李道學, 『후백제 진훤대왕』, 주류성, 2015, 354쪽.

2. 삼국의 역사 편찬

儒學이 지배하는 동아시아의 전통시대에는 주지하듯이 經 그 자체는 무엇과도 견줄 수 없는 권위를 지녔다. 그랬기에 신라 진흥왕대『國史』편찬은 經에 의한 통치의 근거와 기준을 제시해 주었다고 본다. 삼국의 史書 편찬은 이러한 맥락에서 살필 수 있을 것 같다. 이때 사서는 하나의 정형성을 지니게 되었다. 즉 왕실이 바라는 바에 맞춰 내용을 정리할 수 있었다. 다음에 보듯이 고구려에서는『留記』100권을『新集』5권으로 정리하였다.

> 대학박사 이문진에게 조칙을 내려 古史를 요약하여 新集 5권을 만들게 했다. 국초에 처음 문자를 사용할 때 어떤 사람이 사실을 100권으로 기록하였다. 留記라고 이름했는데, 이에 이르러 깎고 고쳤다(詔大學博士李文眞 約古史爲新集五卷 國初始用文字時 有人記事一百卷 名曰留記 至是删修)[6)]

여기서『留記』는 문자 그대로 전해오는 기록물의 집성 쯤에 해당한다.『留記』를 줄인『新集』역시 문자 그대로 새롭게 집성했음을 가리킨다. 繁多한 기록물을 '删修'할 때는 기준이 있게 마련이다. 백제의 경우도 다음에서 보인다.

> 古記에 이르기를 백제는 개국한 이래로 문자로서 일을 기록하지 않았는데, 이에 이르러 박사 고흥을 얻어 비로소 書記함이 있었다. 그런데 고흥은 일찍이 다른 책에서 보이지 않으므로 그가 어떤 사람인지 알 수 없다(古記云 百濟開國已來 未有以文字記事 至是得博士高興 始有書記 然高興未嘗顯於他書 不知其何許人也).[7)]

위의 기사는 고구려와는 닮은 점도 있지만 다른 점도 보인다. 먼저 고구려에서는 "국초에 처음 문자를 사용할 때 어떤 사람이 사실을 100권으로 기록하였다"고 하였다. 반면 백제의 경우 "백제는 개국한 이래로 문자로서 일을 기록하지 않았는데"라고 했다. 고구려에서는 국초부터 기록이 있었지

6_ 『三國史記』권20, 영양왕 11년 조
7_ 『三國史記』권24, 근초고왕 30년 조

만, 백제에서는 기록물이 없었다는 것이다. 박사 고흥을 근초고왕대에 얻어서 '비로소 書記함'이 있었다고 했다.

고구려에서는 국초부터 기록이 마련되었음을 알려준다. 그런데 반해 백제에서는 근초고왕대에 이르러서야 '비로소 書記함이 있었다'[8]고 했다. 기록을 작성하는 일이 백제는 4세기 후반에야 가능했다는 것이다. 비록 이 문구를 액면대로 믿을 수 없다고 하자. 그렇더라도 이 무렵에는 기록물에 대한 정리와 체계가 잡혔음을 뜻한다.[9] 고구려와 백제 모두 문서 행정이나 기록물의 집성을 담당하는 이가 博士였다. 이러한 박사는 '五經博士'에서 알 수 있듯이 儒學經典의 전문가임은 익히 알려졌다. 이들이 '删修'하거나 '書記'했던 기록물은 유학의 행정 관리 시스템이나 그 이념에 기반했을 것임은 자명하다. 이 점은 다음에 보이는 신라의 경우를 통해서 입증된다.

* 가을 7월에 伊湌 異斯夫가 아뢰기를 "국사는 임금과 신하의 선악을 기록하여 褒貶을 萬代에 보이는 것입니다. [이것을] 편찬하지 않으면 후대에 무엇을 보이겠습니까?"라고 하였다. 왕이 진실로 그렇다고 여겨서 大阿湌 居柒夫 등에게 명하여 널리 文士들을 모아 이를 편찬하게 했다(秋七月 伊湌異斯夫奏曰 國史者 記君臣之善惡 示褒貶於萬代 不有修撰 後代何觀 王深然之 命大阿湌居柒夫等 廣集文士 俾之修撰).[10]
* 진흥대왕 6년 을축에 朝旨를 이어 여러 文士를 모아 국사를 수찬했기에 파진찬 벼슬을 더해주었다(眞興大王六年乙丑 承朝旨 集諸文士 修撰國史 加官波珍湌).[11]

8_ "高柄翊: 인용한 文句의 文面으로 보아서는 書記라는 것이 歷史册이란 뜻이 아니라 文字記錄이 이로부터 있었다고 하는 것이 타당하지 않겠습니까?"(李基白 外, 『우리 歷史를 어떻게 볼 것인가』, 三星文化財團, 1976, 19쪽). 이와는 달리 '書記'를 史書 名으로 처음 지목한 이는 신채호였다(丹齋申采浩先生紀念事業會, 『改訂版 丹齋申采浩全集(上)』, 螢雪出版社, 1987, 205쪽). 그리고 "망명한 백제인들이『日本書紀』의 편찬에 도움을 주었던 것으로 알려져 있거니와, 그 이름에 '서기'가 들어간 것은 백제의 국사『서기』에서 비롯되었을 것이다(조인성, 「역사 서술」『신라 천년의 역사와 문화 11』, 경상북도, 2016, 115쪽)"는 서술도 있다. 그러나『日本書紀』의 後續 官撰史書 이름이『續日本紀』였고, 또 '日本紀'로 적혀 있다. 비록 시기가 올라가는 필사본이 존재하더라도『日本書紀』의 '書' 字는 후대에 추가된 것이다. 한치윤도『해동역사』에서 자주 인용한『 일본서기』를 줄곧 '日本紀'로 표기했다. 그도『일본서기』의 정확한 原名을 간파했음을 알려준다. 따라서 '백제의 국사『서기』'와『日本書紀』書名과는 연관성이 없다고 보아야 한다.

9_ 「고대 백제로 가는 열쇠… 문서 · 주술 등 한국 목간의 백화점」『충청투데이』 2017.10.19, "이도학: 목간과 삭설이 다량 출토된 것은 문자 사용이 활발했다는 징표다. 사찰은 고급 지식인들의 상주처라는 점에서 목간의 출토는 어쩌면 당연하지만, 이러한 점을 확인시켜줬다는 점에서 의미가 크다. 또 백제 사원경제 연구의 중요한 단초를 제공하고 있다. 게다가 백제의 문서화된 행정체계의 일단을 엿볼 수 있는 '한국 목간문화의 메카'라 말할 수 있다. 즉 '삼국사기' 근초고왕기에서 "비로소 서기함이 있었다(始有書記)"고 한 기록의 실체를 입증해 주는 물증이 된다."

10_ 『三國史記』 권4, 진흥왕 6년 조.

11_ 『三國史記』 권44, 居柒夫傳.

이사부는 『국사』 편찬의 목적을 君臣의 善惡과 褒貶을 만대에 알리는 것이라고 했다. 그런데 『국사』 편찬은 진흥왕대의 정복전쟁의 승리와 엮어져 흔히들 배경을 말하고 있다. 즉 삼국의 역사 편찬을 거론하면서 "주로 왕의 정복전쟁에 대한 기사가 주요 내용이었을 것이다. 왜냐하면, 당시 왕권의 신장과 영토의 확장은 시대적인 중요한 과제였기 때문이다"[12]고 했다. 여기서 삼국의 역사 편찬의 준거로 삼은 대상은 진흥왕대의 국사 편찬이었다.

그런데 고구려의 경우 『留記』를 删修하여 『新集』을 편찬한 600년 시점은 영토의 확장에 이렇다할 성과가 없었다. 가령 그 2년 전인 598년(영류왕 9)에 영류왕은 말갈의 군사를 이끌고 요서를 침공했었다. 그러나 隋의 반격을 받아 퇴각하고 말았다. 오히려 수 문제의 침공을 유발하여 服罪하는 지경에 이르렀다.[13] 『新集』 편찬의 주체인 영류왕 11년(600) 이전에는 유념할 만한 정복사업의 성과는 없었다. 그러므로 사서 편찬의 동인이라고 할 수 있는 영토확장을 기념할 만한 치적은 존재하지 않았다. 백제의 경우는 '書記' 관련 기사가 사서 편찬 그 자체를 가리키지는 않는다. 게다가 사서 편찬은 일반적으로 당대가 아닌 전대까지를 대상으로 했다. 그러므로 진흥왕대의 영역 확장은 『국사』에 포함되지 않았을 가능성이 크다. 그러면 이제는 앞선 논지의 주요 근거인 신라 진흥왕대를 살펴 보도록 한다.

진흥왕이 『국사』 편찬을 지시한 해는 자신의 재위 6년인 545년이다. 이때는 신라가 소백산맥을 넘기 이전이었다. 그리고 진흥왕 6년과 그 이전은 전쟁 기사 자체가 없다. 즉 '왕의 정복전쟁에 대한 기사' 자체가 존재하지 않았다. 그러므로 『국사』 편찬을 정복전쟁의 승리에 대한 기념비적 과시의 산물이라는 인식은 타당하지 않다. 그럼에도 진흥왕이 異斯夫가 奏請한 『국사』 편찬을 승인한 배경은 무엇일까? 善惡을 기록하여 褒貶을 萬代까지 보이기 위한 목적이었다. 임금과 신하에 대한 선악의 기준은 말할 나위 없이 忠孝가 된다. 상향성을 지닌 忠孝는 신하가 지녀야할 절대적인 덕목이었다. 忠孝의 이행 여부에 따라 褒貶이 결정되어졌다고 본다. 또 그러한 사실을 『국사』 속에 적시하여 만대에 귀감이 되거나 경계로 삼을 수 있다.

문제는 儒經에 의해 企劃·裁斷된 역사 서술의 진정성 여부이다. 정치 선전문 성격을 지닌 碑文의 내용에 대해 당대 史料라는 이유로 존중되기만 해서는 안 된다. 무엇보다도 이에 대한 엄정한 史

12_ 정구복, 『한국인의 역사 인식—고대편』, 한국정신문화연구원, 1989, 104쪽.
13_ 『三國史記』 권20, 영류왕 9년 조.

料批判이 전제되어야 할 것이다. 적어도 「광개토왕릉비문」과 「진흥왕순수비문」은 歷史가 儒經을 具顯하는 수단이었음을 반증해주었다.

제2절 삼국시대의 經에 의한 통치

1. 통치 수단으로서의 經

인간은 자신의 행위에 대한 정당성을 찾고자 한다. 국가의 최고통수권자인 국왕의 경우 자신의 지시를 비롯한 통치행위의 정당성은 긴요한 현안이었다. 그러한 정당성을 절대권위가 부여된 經에서 찾고자 했다. 이와 맞물려 있는 고대국가 완성의 지표로 삼는 척도는 律令이었다. 국가 통치의 근간을 이루는 성문법인 율령의 제정과 반포는 왕권 행사의 근거를 제시해준다. 국가는 사회체제를 유지하기 위한 실정법인 율령을 시행한 이후에는 정치 이념의 제시가 긴요해졌다.

주지하듯이 삼국은 유학 이념에서 통치의 근거를 찾았다. 그러한 動因은 "儒家가 정치상으로 임금을 높이고 신하를 낮출 것(尊君抑臣)을 주장했기 때문에 전제황제들이 좋아했다고 말하여진다"[14]는데서도 발견된다. 이러한 유학 이념은 국왕을 정점으로 한 지배층이 공유하는 사상이 되었음은 분명하다. 가령 상대등 비담의 난 때 김유신은 "人道는 임금이 높고 신하는 낮다. 만약 이것을 바꾸면 곧 대란이 일어난다(人道則君尊而臣卑 苟或易之 卽爲大亂)"[15]고 했다. 이러한 호소도 이미 儒家들이 널리 운위한 구절이다.[16] 유가에서는 기존의 통치 질서를 인정해주고 있다. 그렇기 때문에 김유신은 經이 지닌 권위를 빌려 자신 주장의 정당성을 찾고자 했다. 經은 통치의 수단으로 활용하기에는 適格이었다. 실제 유학 이념은 20세기에도 통치 수단으로 여전히 유효했다. 일례로 공산당 섬멸이 의도대로 진행되지 않자 蔣介石은 儒學의 도덕적 규범을 부활시켜 '新生活運動'을 전개하였다. 그는 전통적 가치인 유학의 이념을 기반으로 중국인들을 순종시켜 공산주의를 차단하고자 한 것이다.[17]

14_ 펑유란 著 · 박정규 譯, 『중국철학사(上)』, 까치, 1999, 641쪽.
15_ 『三國史記』 권41, 김유신전(上).
16_ 『史記』 권24, 樂書2. "天尊地卑 君臣定矣 高卑已陳 貴賤位矣 …【正義】… 言君尊於上 臣卑於下 是象天地定矣"
17_ 조너선 펜비 著 · 노만수 譯, 『장제스 평전』, 민음사, 2014, 308~309쪽.

통치 수단으로서 經의 활용과 더불어 왕실과 국가의 정통성과 정당성을 고취해 주는 내력에 대한 정리가 필요해졌다. 그 결과 史書의 편찬이 뒤따랐다.

그림 40 | 비담의 군대가 주둔하여 본거지로 삼았던 경주 명활성에서 출토된 명활산성 작성비.

2. 통치 근거로서의 經

1) 經과 교육 그리고 통치

律令은 국가 통치의 근본이 되는 성문법으로, 法典에 의해 왕권을 합법화하는 것을 그 목표로 삼고 있다.[18] 律令이라는 성문법의 적용과 맞물려 국가와 주변을 지배하는 정치 이념의 제시가 필요했다. 정치 이념의 제시를 위해서는 교육 기관의 설치가 전제되어야 한다. 고구려의 경우 율령 반포 직전인 372년에 太學이라는 국립교육기관을 설치했다.[19] 이는 율령 반포와 태학의 설치가 연동되었음을 뜻한다. 태학에서 교육했던 이념은 주지하듯이 유학이었다. 이와 맞물려 사회를 유지하기 위한 기본 틀인 율령이 시행되었다.

이러한 체제의 이념 기반 구축은『北史』를 통해서 엿볼 수 있다.『북사』는 貞觀 元年~顯慶 4년(627~659) 사이에 李延壽가 私撰한 北朝(北魏 · 齊 · 周 · 隋) 233年間(386~618)의 通史이다.[20] 그러므로『북사』에는 4세기 후반부터 7세기 초까지의 역사가 압축되어 있다. 그러한『북사』고려전에는 "서책은 五經 및 三史와『三國志』·『晋陽秋』가 있다"[21]고 했다. 특히 五經이 중시되었을 것으로 추측된다.[22] 五經은『易經』·『書經』·『詩經』·『禮記』·『春秋』를 가리킨다.『북사』백제전에 보면 "아울러 古書와 史書를 愛讀하여 뛰어난 사람은 제법 문장을 엮을 줄도 알며 官廳 사무에도 능숙하였다. 또 醫藥 · 蓍龜 및 相術 · 陰陽五行에 대해서도 알았다"[23]고 했다.『북사』신라전에는 "文字와 甲兵은 중국과 같다. … 風俗 · 刑政 · 衣服은 대략 高麗 · 百濟와 같다"[24]고 하였다. 신라에서도 漢字가 정착되었음을 알려준다. 고구려에서는 국초 이래로 '留記'라는 기록물이 존재하였다. 백제에서는 4세기 후반경에는 문서 기록이 공식적으로 정착했다. 신라에서는 금석문 자료를 통해 적어도 6세기 초에는 한문 구사가 확인된다. 문필을 통한 이념을 정리할 수 있는 인적 자원의 구비를 암시해준다.

儒經의 이념이 두루 알려져야 그에 기반한 敎化 · 統治는 실효성이 담보된다. 이와 관련해 고구려

18_ 李基白 · 李基東,『韓國史講座 古代篇』, 一潮閣, 1982, 129쪽.
19_ 『三國史記』권18, 소수림왕 2년 6월 조.
20_ 국사편찬위원회,『역주 中國正史朝鮮傳 2』1988, 67쪽.
21_ 『北史』권94, 동이전, 고려 조. "書有五經 · 三史 · 三國志 · 晉陽秋"
22_ 川崎晃,「高句麗好太王碑と中國古典」『古代國家の歷史と傳承』, 岩波書店, 1989, 55쪽.
23_ 『北史』권94, 동이전, 백제 조. "兼愛墳史 而秀異者頗解屬文 能吏事 又知醫藥 · 蓍龜 與相術 · 陰陽五行法"
24_ 『北史』권94, 동이전, 신라 조. "其文字 · 甲兵 同於中國 … 風俗 · 刑政 · 衣服略與高麗 · 百濟同"

는 372년에 태학을 설립했다. 『新集』 5권을 편찬한 이문진의 직함인 태학박사는 주지하듯이 태학의 교수직을 가리킨다. 유학 교육기관인 태학은 응당 중국에서처럼 정치의 중심지인 국도에 소재했을 것이다. 백제의 경우는 근초고왕대에 '書記'와 관련해 '博士高興'이 보인다. 그러므로 백제에서도 유학기관인 태학이 존재했을 것이다.[25] 실제 「진법자묘지명」에 따르면 백제에서도 태학의 존재가 확인되었다. 태학의 설립은 한국 유교의 기원을 생각하는 하나의 기준이 된다.[26] 이러한 유학에서 가르친 사상은 '忠'이었다. 국민이 국왕에게 바치는 정신적인 정성이 忠이라면, 국왕이 그것을 유지하는 법적 · 사회적 장치가 율령이었다. 유학 이념의 忠을 구현하는 강제수단으로서 율령의 존재를 상정할 수 있다. 국왕의 통치에는 왕권 행사의 법적 근거이자 실무적 성격의 율령과 더불어 儒家 통치 이념의 제시가 맞물려 있었다.

2) 「광개토왕릉비문」에 보이는 통치 이념

「광개토왕릉비문」에서 광개토왕은 항시 은혜와 자비를 발휘하여 용서하고 구원해 주는 따뜻한 德化君主의 모습으로 설정되었다. 광개토왕의 이름도 이와 무관하지 않은 '談德'이었다. 광개토왕의 恩德은 구체적으로 「광개토왕릉비문」에서 보인다. 즉 영락 6년의 백제 원정에서 승리했지만 '太王恩赦'로써 백제 왕을 용서하였다. 이때 고구려는 백제로부터 58城 700村을 얻은 사실을 '得'으로 표기했다. 점령이 아닌 '歸服을 얻었음'을 설파한 것이다. 영락 9년에는 '太王恩慈'로써 신라 구원을 결행했다. 영락 20년에는 武力이 아닌 德化로써 동부여를 정벌하고 회군했음을 천명하였다. 이렇듯 광개토왕의 恩澤은 廣大하기 이를 데 없었다. 그 결과 歸服과 歸王이 가능했다. 이러한 德化主義의 본질은 『孟子』에 근거하였다. 「광개토왕릉비문」에 보이는 광개토왕은 仁義에 기반한 王道政治를 구현한 德化君主像이었다.[27] 「광개토왕릉비문」의 서사 구조는 王道政治思想이다. 王道는 '王의 道' 즉 왕이 행해야하는 도덕적 규범을 가리킨다. 이는 王位를 얻거나 그것을 보유하는 방법을 말하고 있다. 왕은 德이 있어야 民을 歸服시켜 새로운 天命을 얻을 수 있다고 했다. 民은 虐政을 일삼는 君主에게는 歸服하지 않는다고 하였다. 王道政治에서는 民의 歸服과 離叛은 천명의 存否에 달려 있다고 보

25_ 李丙燾, 「近肖古王 拓境考」, 『韓國古代史研究』, 博英社, 1976, 515쪽.
26_ 李基白, 「儒教 受容의 初期形態」, 『新羅思想史研究』, 一潮閣, 1986, 193~197쪽.
27_ 李道學, 「廣開土王陵碑文의 思想的 背景」, 『韓國學報』 106, 2002, 11~21쪽.

았다.[28]

武力을 사용하여 이룬 정복이 霸道였다. 이와 대척되는 王道는 民을 疾苦에서 구하기 위해서라면 무력 사용이 승인된다고 했다.[29] 몇 가지 사례를 꼽아보면 먼저 영락 6년에 고구려가 백제를 정벌한 배경도 백제의 屬民 의무 위반에 두었다. 그리고 광개토왕은 항복한 백제 왕을 용서해주었다. 영락 10년 신라 구원전은 침탈받고 있는 속민에 대한 보호 의무 이행이었다. 영락 14년 고구려와 왜의 격돌도 '違書'한 백제에서 遠因을 찾았다. 영락 20년의 동부여 정벌은 '中叛不貢'에 대한 膺懲戰에 속한다. 그럼에도 광개토왕은 점령한 동부여의 영역을 한뼘도 장악하지 않고 회군하였다. 그랬기에 동부여의 수장들이 '慕化'하여 함께 따라왔다고 한다. 民은 자신들의 생활에 害를 끼치지 않은 왕에게 복종하고, 仁義의 軍에는 四方의 民이 다투어서 환영한다고 했다.[30] 이러한 王道論은 「광개토왕릉비문」에 적힌 광개토왕의 治績과 모두 부합한다.

「광개토왕릉비문」에서는 고구려가 통치이념으로 왕도정치사상을 표방했음을 발견할 수 있다. 익히 알고 있듯이 왕도정치는 霸道政治와는 달리 仁義에 근거한 사상이었다.[31] 실제 고구려는 「광개토왕릉비문」에서 壓勝을 과시하였지만, 명분 없는 무력을 언급하지는 않았다. 반드시 전쟁의 동기로서 명분을 제시했다. 전쟁의 불가피성을 언급하였다. 이러한 意識의 근거는 『孟子』에서 다시금 찾을 수 있다. 이에 의하면 "힘으로써 다른 사람을 굴복시키는 것은 마음으로 복종시키는 게 아니다. 德으로써 사람을 복종하게 하는 것은 마음 속으로 기뻐서 진정으로 복종함이다(以力服人者 非心服也 以德服人者 中心悅而誠服也)"[32]고 했다. 이러한 요소들이 시행되었다고 볼 수 있는 근거는 역시 앞에서 摘示한 「광개토왕릉비문」의 구절들이다.

「광개토왕릉비문」에는 넓어진 영토에 대한 통치이념을 설파했다. 백제와 왜를 仁義에 배치되는 세력으로 규정하였다. 그럼으로써 광개토왕대에 이들 세력 격파에 대한 정당성과 더불어 정복지에 대한 지배의 영속성을 합당하게 마련하고자 했다.「광개토왕릉비문」에는 광개토왕대의 完勝을 과시하였다. 이는 천하에 대적할 자가 없는 것은 仁道가 이룬 최고의 결과이며 필연적으로 나타나는 왕

28_ 津田左右吉, 「王道政治思想」, 『津田左右吉全集 18』, 岩波書店, 1965, 137~146쪽.
29_ 津田左右吉, 「王道政治思想」, 『津田左右吉全集 18』, 岩波書店, 1965, 149쪽.
30_ 津田左右吉, 「王道政治思想」, 『津田左右吉全集 18』, 岩波書店, 1965, 140쪽. 149쪽.
31_ 李熙德, 『韓國古代自然觀과 王道政治』, 혜안, 1999, 335~343쪽.
32_ 『孟子』 公孫丑 上.

도정치의 명백한 효과라는[33] 해석과도 부합한다.

「광개토왕릉비문」과 「마운령진흥왕순수비문」에는 '舊民'과 '新民' 그리고 '新古黎庶'를 거론했다. 정복지 주민인 '新民'이나 '新黎庶'들은 융화의 대상이었다. 그들에게 보편적 이념인 유학의 經을 통해 통치 이상을 알릴 필요가 있었다.「광개토왕릉비문」에서 광개토왕이 동부여를 정벌했지만 영토를 보전시켜주고 회군했고, 피정복민을 '民'으로 포용한 일은 '仁'의 典型이었다. '仁'은 타인을 먼저 생각하는 배려의 윤리였기 때문이다.[34] 반면 '義'는 '仁'을 실천하는 데 있어서 前提 근거가 된다.[35] 그랬기에 「광개토왕릉비문」에서 "殘不服義" 즉 義에 복종하지 않은 '殘'인 백제를 굴복시켰음을 선언했다. 동시에 광개토왕은 仁을 발휘하여 백제 왕을 용서해 주었다는 것이다.

백제가 영산강유역을 비롯한 마한 잔여 세력을 제압할 때 '南蠻 忱彌多禮'가 보인다.[36] 물론 이러한 구절은 유학적 질서 속의 천하관에서 운위할 수 있지만, 野蠻에 대한 관념이 태동했음을 뜻한다. 말할 나위 없이 백제에 의한 마한 敎化論이 기저에 깔린 것이었다.

3) 儒經의 힘

신라의 경우도 經의 확산이 확인된다. 가령 지방민 출신인 죽죽의 아버지 學熱은 撰干이었다. 찬간은 外位 11관등 중 제5관등으로서 중앙의 나마에 해당하는 위계였다. 그가 지어준 아들의 이름 유래를 竹竹이 다음처럼 운위하였다.

> 그러나 나의 아버지가 나를 죽죽이라고 이름지어 준 것은 나로 하여금 추운 겨울에도 시들지 않으며 꺾일지라도 굽히지 말게 한 것이다(而吾父名我以竹竹者 使我歲寒不凋 可折而不可屈).[37]

죽죽이 읊조린 "歲寒不凋" 구절은『論語』子罕篇에서 "공자께서 말씀하시기를, 추운 겨울이 지나야 소나무와 잣나무가 뒤에 시듦을 알게 된다(子曰 歲寒然後知松柏之後彫也)"라고 하여 보인다. 지방

33_ 伊藤仁齋 著 · 최경열 譯,『孟子古義』,그린비, 2016, 133쪽.
34_ 서욱수,「『論語』의 倫理思想」,『論語의 綜合的 考察』,심산, 2003, 207쪽.
35_ 서욱수,「『論語』의 倫理思想」,『論語의 綜合的 考察』,심산, 2003, 210쪽.
36_ 『日本書紀』 권9, 神功 49년 조.
37_ 『三國史記』 권47, 죽죽전.

민 출신도『논어』의 내용을 숙지하고 있었다. 진평왕대의 訥催도 백제군의 공격을 받아 위기에 처했을 때 "봄날의 따뜻한 기운에는 초목이 모두 꽃을 피우지만, 추운 겨울이 오면 오직 소나무와 잣나무만이 뒤에 시든다(陽春和氣 草木皆華 至於歲寒 獨松栢後彫)"[38]라고 했다. 김유신도 丕寧子가 백제군 진영에 돌격하기를 부추기자 역시 "추운 겨울이 지난 후에야 소나무와 잣나무가 뒤에 시듦을 알게 된다(歲寒然後 知松栢之後彫)"[39]고 하였다. 따라서 적어도 儒經은 지배층 사이에서는 공유하는 정서였던 것 같다. 이는 백제 장군 흑치상지의 일화에서도 보인다. "나이가 어려서 배울 때『春秋左氏傳』및 班固의『漢書』와 司馬遷의『史記』를 읽었다. 이에 탄식하여 "左丘明이 이를 부끄럽다고 하였고, 공자도 역시 부끄럽다 하였으니, 진실로 나의 스승들이다. 이보다 더한 사람들이 이 세상에 어찌 많을 것인가?(年甫小學 卽讀春秋左氏傳 及班馬兩史 歎曰 丘明恥之 丘亦恥之 誠吾師也 過此何足多哉)"라고 말하였다.

『구당서』백제 조에도 "書籍으로는 五經과 諸子書 및 史書가 있으며 또 表·疎의 글도 中華의 法에 의거한다"라고 하여 뒷받침해 주고 있다. 백제에서는 4세기 중반 이래 五經博士를 비롯한 박사제도가 있었다.[40] 태학의 존재도 확인되었다. 이러한 점을 미루어 볼 때 백제 귀족의 자제들은 유학기관을 통해 학문적 소양을 일찍부터 넓혀 나갔음을 알려준다. 신라 승려 圓光의 경우도 出家 전에 이미 道學과 儒學을 공부했다고 한다.[41] 이처럼 7세기 중엽경의 신라와 백제에서는 중앙과 지방의 지배층들은 유학에 대한 깊은 소양을 갖추고 있었다. 고구려의 경우도 이와 다를 바 없었을 것이다.[42]

삼국 왕들의 통치이념은 유학으로 알려져 있다. 그렇지만 구체적인 사실들에 대한 구명을 기반으로 총체적으로 분석하지는 못한 감이 있었다. 이에 금석문에 보이는 儒經의 글귀를 적출해 보았다. 그 결과『論語』·『孟子』·『書經』·『詩經』·『春秋』·『禮記』·『周易』이 확인되었다. 4書5經 가운데 2書5經이 포착된 것이다. 이러한 사실은 통치이념으로서 儒經이 십분 활용되었음을 뜻한다.

주지하듯이 삼국시대는 동란의 시기였다. 살륙이 수반되는 전란의 시기에 통치자들은 고민을 안고 있었다. 패전은 말할 것도 없고 승전의 경우도 어떻게 포장할 것인지 여부였다. 그 결과 儒經을 빌려 승리의 산물인 넓어진 영토와 늘어난 주민을 天命과 결부 지어 정당화시켰다. 그러면서 '德化'

38_ 『三國史記』권47, 눌최전.
39_ 『三國史記』권47, 비녕자전.
40_ 李道學,「百濟 黑齒常之墓誌銘의 檢討」『鄕土文化』6, 嶺南大學校 鄕土文化硏究會, 1991, 19~37쪽.
41_ 『續高僧傳』권13, 圓光傳.
42_ 李基白,「儒教 受容의 初期形態」『新羅思想史硏究』, 一潮閣, 1986, 195~196쪽.

로 포장하여 포용 의지를 천명했다. 이는 「광개토왕릉비문」과 「진흥왕순수비문」 모두에서 확인되는 현상이었다. 德化君主像은 피정복민에 대한 대책과 물려 있었다. 이와 더불어 정복은 무력에 기반한 覇道가 아니라 仁義에 근거한 王道 구현이었음을 설파했다. 특히 「광개토왕릉비문」에는 『孟子』의 왕도정치사상이 저변에 깔려 있었다.

흔히들 진흥왕 6년의 『國史』 편찬을 왕실의 위엄과 영역 확장의 과시에서 찾았다. 그런데 실제는 『國史』 편찬의 목적을 善惡을 가리고 褒貶을 기록하여 萬代에 알리는 데 두었다. 『國史』 편찬을 주청한 異斯夫는 '기록'의 중요성을 역설했다. 善惡과 褒貶 기록에서 '善'과 '褒'는 賞給이 뒤따랐고 또 顯示되었다. 이는 단양신라적성비를 비롯하여 진흥왕순수비에서도 확인되고 있다. 이 점은 忠과 信에 대한 動機 誘發 기제가 되었다. 『國史』 편찬은 병마권을 쥐고 있던 兵部令 이사부가 주청하였다. 그는 儒經에 근거하여 소년왕의 권위를 세워 강력한 왕권을 구축하는데 성공했다. 이후 신라의 정복활동은 눈부시게 진척되었다.

이사부의 『國史』 편찬 주청은 '善' · '褒' · '記'라는 요소로 인해 빛을 발휘했다. 왕에 대한 '忠'은 '善'이기에 '褒'라는 보상과 더불어 '記 · 示'로 萬代까지 전해지게 하였다. 이와 맞물려 청소년 전사단인 화랑도는 드높은 명예심으로 '忠'을 가리키는 '善'을 추구하며 다퉜다. 이들의 행적은 鸞郞碑와 같은 기념비를 비롯하여 文籍에 숱하게 전하게 되었다. 『화랑세기』에서 "賢佐忠臣이 이로부터 솟아났고, 良將勇卒이 이로 말미암아 나왔다"고 했다. 이들이 시대정신을 이끌었다고 해도 과언이 아니었다. 그 밖에 귀족층들은 어린시절부터 『논어』를 비롯한 儒經에 익숙해 있었다. 將帥들의 경우는 『도덕경』에 대한 이해도 깊었다. 이러한 현상들은 經을 基調로 하는 社會가 구축되었음을 알려준다. 그럴수록 經에 의한 敎化 · 統治는 한층 수월해졌다. 왕의 권력 행사에 대한 이념적 완성을 가져왔기 때문이다.

삼국은 이때까지의 힘에 의한 강제에서 율령이라는 법제적 지배로 전환했다. 이와 맞물려 儒經에 의한 敎化 목적의 사상적 근거를 제시하였다. 이로써 통치권력의 법제적 · 사상적 완결을 가져왔다. 특히 신라는 儒 · 佛 · 道經을 융화하여 통치의 기제로 극대화시켰다.

왕의 民에 대한 지배는 무력에 의한 강제에 이어 성문법인 律令의 반포로 정당성을 구축했다. 이어 왕도정치가 제시되었다. 율령을 기반으로 한 그러한 民 지배의 정점에는 왕이 존재했다. 반면 왕도정치에는 도덕적 律法의 집행자로서 天이 존재하였다. 삼국 가운데 정치 발전이 가장 늦은 신라에서는 6세기 중엽에 세속의 律令과 天命의 대행자로서의 兩者를 겸한 왕의 위상이 구축되었다.

4) 불교와 도교의 經典과 지배 이념

삼국은 儒・佛・道經의 관계를 어떻게 정리했을까? 신라의 경우 다음 기사에서 보인다.

> 崔致遠은 鸞郞碑序에서 "나라에 玄妙한 道가 있는데, 風流라고 한다. 가르침을 세운 근원에 대해서는 仙史에 자세하게 갖추어져 있다. 실로 이는 三敎를 포함하고 羣生을 接하여 교화한다. 우선 들어와서는 집안에서 효를 행하고 나가서는 나라에 충성함은 魯 司寇의 뜻과 같다. 無爲의 일에 처하고 말 없는 가르침을 행하는 것은 周 柱史를 으뜸으로 한다. 모든 악을 짓지 말고 모든 善을 받들어 행하라는 것은 竺乾太子의 가르침이다"고 말했다.[43]

위의 기사에 따르면 신라의 風流 道는 儒・佛・道 3敎를 포함했음을 밝혔다. 신라 화랑도의 경우 世俗五戒는 儒經의 가르침이다. 김유신의 郞徒를 龍華香徒라고 한 것은 미륵신앙의 산물이었다. 화랑을 '國仙'이라 하고, '仙史'라고 한 것은 道經의 영향이다. 그리고 「마운령진흥왕순수비문」에 보이는 '世道乖眞'과 '道化不周'는 老壯 계열의 『列子』에 나온다고 한다.[44] 이렇듯 신라가 진흥왕대에 정복전쟁의 절정을 기록한 데는 儒・佛・道의 '包含三敎'에 있었다고 본다. 그러한 결정체가 화랑도였다.

신라는 불교의 輪廻轉生思想을 이용하여 엄격한 신분제인 골품제의 당위성을 설파하는데 성공하였다. 佛家에서는 인간은 태어나서는 죽고, 다시 태어나는 일을 반복하는데, 그때 마다 전생의 業報에 대한 평가를 통해 환생이 이루어진다고 믿었다. 이러한 輪廻轉生思想은 신라 왕과 지배층들이 군림하는 사회적 신분을 갖게 된 배경을 설명해주기에 안성맞춤이었다. 결국 신라 왕실에서는 뒤늦게 자신들의 신분적 권위를 뒷받침해주는 윤회사상을 발견하고는 불교 수용에 적극적인 입장으로 전환하였던 것이다. 손진태는 불교의 輪廻宿命說로 삼국의 왕권 강화에 이론적 옹호를 얻어내었다고 했다.[45] 이에 관해 그는 다음과 같이 서술하였다.

43_ 『三國史記』권4, 진흥왕 37년 조."崔致遠鸞郞碑序曰 國有玄妙之道 曰風流 設敎之源 備詳仙史 實乃包含三敎 接化羣生 且如入則孝於家 出則忠於國 魯司寇之旨也 處無爲之事 行不言之敎 周柱史之宗也 諸惡莫作 諸善奉行 ☒乾大子之化也"

44_ 盧鏞弼,『新羅眞興王巡狩碑硏究』,一潮閣, 1996, 154쪽.

45_ 孫晉泰,『朝鮮民族史概論(上)』, 乙酉文化社, 1948, 247쪽.

* 그러나 그 點만을 黙殺한다면 因果應報說·宿命論·輪廻思想·諦念思想·寡慾思想·隱遁思想 等 모든 消極的 思想은 支配階級에게 極히 有利하였다. 貧富와 階級을 宿命으로서 斷念하고 服從하는 思想이 宣傳된다면 그들의 支配는 至極히 容易할 것을 알았던 까닭이다. 그래서 支配階級은 平等思想을 黙殺한다는 約束下에 이것을 歡迎하였다. 그리고 被支配 人民階級이 이것을 歡迎한 理由는, 첫째 그들의 現實生活의 貧困에 對하여 從來의 自然的인 民族宗教로써는 安心의 길을 얻지 얻지 못하던 것을, 佛教는 宿命說로써 貧困과 被支配生活의 理由를 明白하게 說明하여 주었으므로(前生의 罪惡에 對한 應報라고!) 그들은 貧賤 中에서도 斷念에 의한 마음의 慰安을 얻게 되었다. 그리고 둘째 그들의 未來生活 곧 死後生活에 對하여, 그들의 自然宗教로써는 그것이 極히 曖昧하고 또 憂鬱하였던 것이, 佛教에 依하여 明白하고 光明한 希望을 주게 되었다. 自然宗教에서는 現世生活이 死後에도 그대로 繼續되므로 貧者는 死後에도 貧窮한 生活을 하지 아니할 수 없었다. 그리고 또 그것은 貧窮한 채나마 永續的도 못 되고 數代 뒤에는 自然히 消滅되었다. 그런데 佛教에서는, 現世에서 善業을 行하면 死後에 極樂世界 蓮花臺 上에서 無窮한 幸福과 愉快와 安養을 얻을 수 있었다. 이것은 그들의 暗澹한 現實生活에 光明과 希望과 勇氣를 주었다. 그들의 生活에 對하여 佛教 以上으로 더 明白하게 더 具體的으로 平易하게 說明을 하여 준 哲學은 全 貴族支配時代를 通하여 있지 아니하였다.[46]

* 佛教가 治者階級에 不利하였더라면 이렇게 旺盛할 理가 없다. 佛教에는 四種(僧侶·武士·商工民·奴隷) 平等이라는 階級平等思想이 있다. 그러나 한편으로는 因果應報說·輪回說과 같은 宿命思想이 있어, 現實生活이 貧賤한 것은 前世의 惡業에 대한 갚음[報]이라는 治者階級에게 極히 有利한 說도 있다. 그래서 貴族들은 다투어 華麗한 절을 짓고, 土地를 寄附하고, 奴隷까지도 주어 중들의 生活을 保護하고 貴族 出身의 중들을 높은 地位에 앉히었으므로 그들은 治者階級에 不利한 說을 버리고, 오직 支配階級에 有利한 思想만을 宣傳하였다. 그래서 佛教 自身이 貴族化하여 廣大한 土地와 農奴를 가지게 되었다. 그리하여 人民으로부터 反抗思想을 빼앗아 斷念的이요 服從的인 民衆을 만들려고 꾀하였다.[47]

46_ 孫晉泰, 『朝鮮民族史槪論(上)』, 乙酉文化社, 1948, 285쪽.
47_ 孫晉泰, 『國史大要』, 乙酉文化社, 1949, 28쪽.

정복군주인 진흥왕은 須彌四洲의 세계를 통솔하며 寶輪을 굴리면서 사방을 위엄으로 굴복시킨다는 전륜성왕에 견주었다.[48] 삼국 중 가장 늦게 불교가 수용되었지만 신라 왕실은 자신들과 석가모니 집안을 엮었다. 진평왕의 경우 석가모니의 아버지인 백정으로, 그 왕비는 석가의 어머니인 마야 부인으로 간주하였다. 실제 그렇게 일컬었다. 많은 왕족들이 석가와 그 제자들의 이름을 차용하여 刹帝利種을 재현했던 것이다.[49] 백제의 경우도 일체 살생을 금했을 뿐 아니라 사냥이나 漁獵 도구를 불태웠던 孝順王에게 法王이라는 시호를 부여했다.[50] 법왕은 두 말할 나위 없이 부처를 가리키고 있다. 즉 王卽佛思想의 정점을 말하는 부동의 증좌였다.

삼국에서는 불법과 왕법의 일치를 위한 제도적 장치로서 僧官制가 나타났다. 이는 황제권 밑에 불교를 두고, 그 조직을 일사불란하게 움직일 수 있는 체제의 구축을 뜻한다. 백제와 신라 및 倭에서도 그러한 조직이 확인되고 있다. 이와 관련해 광개토왕이 창건한 樂浪故地인 평양 지역의 9寺는 말할 나위 없이 官寺였다. 그러한 관사의 존재는 승관제를 前提하는 동시에 계통이 다른 주민들을 융화시켜 보편적인 통일국가를 이루는 소임을 지녔던 것으로 판단된다. 삼국은 방대한 僧徒 조직을 꾸려, 전쟁이나 군사 시설인 塢의 축조 등에도 투입하였을 정도로 국가불교의 한 軸을 이루게 하였다. 이렇듯 승관제를 기반으로 한 불교는 국가불교이자 호국불교의 성격을 띄게 되었다.[51] 그리고 불교가 흥성했던 고구려이지만 고분 벽화의 연화문을 장식문으로 이해하였다.[52] 加羅의 불교 수용과 관련해 고령 고아동 고분벽화의 연화문을 거론하지만 불교사상의 영향 보다는 문양만의 채용일 것이다.

신라나 백제 모두 불법과 왕법을 일치시키는 데 성공했다. 아울러 신라는 王都 내에 釋迦 이전 前佛時代의 7處 가람터를 설정하였다. 그러한 오래된 인연에 따라 황룡사 등이 창건되었음을 설파했다.[53] 결국 불법과 왕법을 일치시킨 호국불교로서 신라 불교를 탄생시킨 것이다. 신라는 이러한 불경의 眞宗說과 王道思想을 수용함으로써 정치 이념의 진전을 이루었다고 한다.[54] 호국법회인 仁王

48_ 金煐泰,「彌勒仙花攷」『佛教學報』3·4합집, 1966, 145쪽.
49_ 金哲埈,「新羅上代社會의 Dual organization」『歷史學報』2, 1952, 91~92쪽.
50_ 『三國史記』권27, 법왕 원년·2년 조.
51_ 李道學,「고대 동아시아의 불교와 왕권」『충청학과 충청문화』13, 2011, 45~66쪽.
52_ 齋藤忠,『古代朝鮮文化と日本』, 東京大學出版會, 1981. 33쪽.
53_ 李基白,「皇龍寺와 그 創建」『新羅思想史硏究』, 一潮閣, 1986, 64쪽.
54_ 金哲埈,「三國時代 禮俗과 儒敎思想」,『大東文化硏究』6·7합집, 1970 ;『韓國古代社會硏究』, 지식산업사, 1975, 201쪽. 219쪽.

會에서 강독된『仁王經』도 그러한 佛經의 하나였다.[55] 이렇듯 신라는 불경을 忠으로 전환시켜 주민 결집 유도에 성공했다. 정치적 활용에 성공한 사례에 속한다.

왕도정치를 펼쳤던 진흥왕은 말년에 승려가 되었다. 儒經과 佛經의 결합은 신라진흥왕순수비에 道人으로 적힌 승려들의 위상이 가장 높았을 뿐 아니라 화랑도에도 승려들이 배속된 데서도 헤아릴 수 있다. 전략가로서 승려들이 맹활약했던 것이다.[56]

儒學의 經은 물론이고 道敎의 經도 뒤따라 보급이 되었다. 그리고 이러한 經은 실생활에서도 위력을 발휘했던 것 같다. 권위를 지녔기에, 여타의 견해를 제압할 수 있는 위력의 근거로 작용했다고 본다. 다음 기사는 근구수 태자가 앞장선 백제군이 고구려군을 격파하여 추격할 때였다.

> 태자가 이 말에 따라 진격하여 크게 이기고, 달아나는 군사를 계속 추격하여 수곡성 서북에 도착하였다. 이때 장수 莫古解가 간하였다. "일찍이 道家의 말에 '만족할 줄 알면 욕을 당하지 않고, 그칠 줄 알면 위태롭지 않다(知足不辱 知止不殆)'고 하였습니다. 지금 얻은 바도 많은데 어찌 더 많은 것을 바라겠습니까?" 태자가 이 말을 옳게 여겨 추격을 중단하였다. 그는 즉시 그곳에 돌을 쌓아 표적을 만들고, 그 위에 올라가 좌우를 돌아보면서 말했다. "오늘 이후로 누가 다시 이곳에 올 수 있는가?" 그곳에는 말발굽 같이 생긴 바윗돌 틈이 있는데, 사람들은 지금까지도 그것을 태자의 말굽 자국이라고 부른다.[57]

위의 인용에 보이는 백제 장군 막고해의 발언은『도덕경』제44장에 적혀 있는 "명예와 몸은 어느 것이 나에게 더 친한가? 몸과 재물은 어느 것이 나에게 더 소중한가? 얻는 것과 잃는 것은 어느 것이 나에게 더 병인가? 이런 까닭에 지나치게 사랑하면 반드시 크게 소모되고, 많이 지니면 반드시 많이 잃게 된다. 만족할 줄 알면 욕됨이 없다. 그칠 줄 알면 위태롭지 않아서 가히 오래갈 수 있다(名與身孰親 身與貨孰多 得與亡孰病 是故甚愛必大費 多藏必厚亡 知足不辱 知止不殆 可以長久)"라는 글귀의 끝 구절이다. 맹렬히 추격하던 근구수 태자가『도덕경』의 한 구절을 듣고는 멈추었다. 막고해는 道經으로써 자신의 주장에 권위를 실어 태자의 욕심을 좌절시켰다. 이 사실은 유학의 經 뿐 아니라 도교의 經

55_ 盧鏞弼,『新羅眞興王巡狩碑硏究』, 一潮閣, 1996, 147~148쪽.
56_ 李道學,「磨雲嶺眞興王巡狩碑의 近侍隨駕人에 관한 檢討」『新羅文化』9, 1992, 121~123쪽.
57_ 『三國史記』 권24, 근구수왕 즉위년 조.

역시 그 권위가 백제 사회에서 미치고 있었음을 알려준다. 그리고 고구려 을지문덕이 隋將 于仲文에게 보낸 다음의 五言詩가 있다.[58)]

신묘한 계책은 天文을 꿰뚫었고　神策究天文
오묘한 계산은 地理를 다하였네　妙筭窮地理
싸워서 이긴 공이 이미 높으니　戰勝功旣高
족한 줄 안다면 그치면 어떠할까　知足願云止

위에서 '妙筭窮地理'는 "우러러 천문을 보고, 아래로 지리를 살핀다(仰以觀天文 俯以察地理)"라고 한『周易』繫辭 上의 구절과 연관을 짓기도 한다. 사실 오언시의 '究天文'과 '窮地理'는 대응되는 개념이다. 그리고 '知足願云止'는 앞서 소개한 바 있는『도덕경』의 "知足不辱 知止不殆" 구절에서 나왔다.『도덕경』구절의 수용 여부와는 관계없이 결과적으로 우중문은 회군했다. 그렇지만 道經을 통해 적장을 제압하려는 심사를 읽을 수 있다. 이렇듯 백제의 막고해나 고구려의 을지문덕같은 장군들이 老子의 經을 운위하였다. 전쟁에서 과욕을 삼가라는 가르침으로서 일찍부터 兵家에서 가르쳤던 교훈으로 보인다.

고구려 말기에는 일명 五斗米敎라고 하는 도교 일파를 주민들이 많이 신봉하였다. 그 소식을 들은 당 고조는 우호 차원에서 道士 숙달을 비롯하여 天尊像을 보내왔고,『道德經』을 강연하게 했다. 국왕인 영류왕이 강의를 듣고서 당에 사신을 보내어 도교를 구하였다고 한다. 연개소문 집권 후 즉위한 보장왕은 유교와 불교 그리고 도교를 함께 진흥시키고자 했다. 그러나 연개소문은 유교와 불교는 모두 번성하지만 도교는 그러하지 않다는 이유로써 도교만을 구하고자 했다. 호국호왕사상을 지닌 불교는 자신의 독재정치에 걸림돌이 된다고 여겨서 새로운 지배 이념으로서 도교를 진흥시키고자 한 것이다. 더구나 불교는 오랜 기간에 걸쳐 귀족 세력들과 결부된 종교였다. 그러한 견제 차원에서 연개소문은 도교를 진흥시킨 것이다

고구려에서는 다음에 보듯이 보장왕대에 도교를 받아들였지만 대립・갈등 관계를 유발했다.

58_ 『三國史記』권44, 을지문덕전.
『隋書』권60, 于仲文傳.

* 3월에 연개소문이 왕에게 아뢰어 말하기를 "三敎는 비유하자면 솥의 발과 같아서 하나라도 없어 서는 안됩니다. 지금 유교와 불교는 모두 흥하는데 도교는 아직 성하지 않으니, 소위 천하의 道術 을 갖추었다고 할 수 없습니다. 엎드려 청하오니 당에 사신을 보내 도교를 구하여 와서 나라 사람 들을 가르치게 하소서"라고 하였다. 대왕이 그러하다고 여겨서 국서를 보내어 청하였다. 태종이 道士 叔達 등 8명을 보내고 동시에 노자의『도덕경』을 보내 주었다. 왕이 기뻐하고 절을 빼앗아 이들의 客舍로 삼았다.[59]
* 蘇文이 왕에게 아뢰었다. "中國에는 3敎가 나란히 있다고 들었습니다. 하지만 우리나라에는 道敎 가 아직까지 없습니다. 당에 사신을 보내 이를 구해오도록 하소서!" 왕이 드디어 表를 보내 [도교 를] 청하니, 당에서는 道士 叔達 등 8명의 사람을 보냈고, 이와 함께『道德經』을 주었다. 이에 사찰을 빼앗아 이들의 客舍로 삼았다.[60]

위의 기사에 따르면 '取僧寺館之'나 '取浮屠寺館之'라고 하였듯이 불교를 탄압하였다. 그랬기에 『삼국유사』 권3, 寶藏奉老普德移庵 條에 적혀 있듯이 보덕이 飛來方丈하여 백제로 넘어갔다.[61] 신라는 儒・佛・道를 융합하였다. 그런데 반해 고구려는 도교를 통해 불교를 탄압했다. 이로 인한 사상계의 갈등도 고구려의 분열을 야기한 요인이었다.

삼국은 이때까지의 힘에 의한 강제에서 율령이라는 법제적 지배로 전환했다. 이와 맞물려 儒經에 의한 교화 목적의 사상적 근거를 제시하였다. 이로써 통치권력의 법제적・사상적 완결을 가져왔다. 특히 신라는 儒・佛・道經을 융화하여 통치의 기제로 극대화시켰다.

왕의 民에 대한 지배는 무력에 의한 강제에 이어 성문법인 律令의 반포로 정당성을 구축했다. 이어 왕도정치가 제시되었다. 율령을 기반으로 한 그러한 民 지배의 정점에는 왕이 존재했다. 반면 왕도정치에는 도덕적 律法의 집행자로서 天이 존재하였다. 삼국 가운데 정치 발전이 가장 늦은 신라에서는 6세기 중엽에 세속의 律令과 天命의 대행자로서의 양자를 겸한 왕의 위상이 구축되었다.[62]

59_ 『三國史記』 권21, 보장왕 2년 조. "三月 蘇文告王曰 三教譬如鼎足 闕一不可 今儒・釋並興 而道教未盛 非所謂備天下之道術者也 伏請 遣使於唐 求道教以訓國人 大王深然之 奉表陳請 太宗遣道士叔達等八人 兼賜老子道德經 王喜 取僧寺館之"

60_ 『三國史記』 권49, 蓋蘇文傳. "蘇文告王曰 聞中國三教並行 而國家道教尚缺 請遣使於唐求之 王遂表請 唐遣道士叔達等八人 兼賜道德經 於是 取浮屠寺館之"

61_ 『三國遺事』 권3, 寶藏奉老普德移庵 條.

62_ 이상의 서술은 모두 李道學,「三國時代의 儒學 政治理念에 의한 統治 分析」『韓國史硏究』 181, 2018, 1~38쪽에 의

제3절 도성 체제

1. 王都와 都城制

1) 고조선과 부여

고조선의 왕도 즉 수도의 위치에 대해서는 실질적인 논의는 거의 없었다. 물론 고조선의 소재지에 대한 遼東·遼西說이 힘을 얻고는 있지만 구체적인 왕도 유적을 제시하지는 못했다. 게다가 마지막 왕도였던 평양에서도 중지가 모아지지는 못하였다. 앞으로의 연구 과제로 여전히 남아 있다.

부여 왕도의 소재지에 대해서는 크게 3가지 학설로 구분되었다. ① 農安의 동북방인 阿勒楚喀(一名 阿什河) 일대, 즉 쑹화강 북쪽의 雙城에서부터 그 북쪽의 阿勒楚喀 一帶(池內宏). ② 만주에서 가장 넓은 평야지대인 伊通河流域의 農安·長春 지방(日野開三郎). ③ 吉林市 東團山 南城子 지역(武國勛)으로 지목한다.[63] 그 밖에 賓縣 慶華城址(王禹浪·李彦君)를 지목하고도 있다. 현재 남성자설이 통설이지만, 부여 왕도 문제는 여전히 해결해야할 과제로 남아 있다. 왜냐하면 吉林市 일대에서는 왕릉의 존재를 입증하는 玉匣 고분뿐 아니라 殉葬墓도 확인되지 않았기 때문이다.

2) 고구려

고구려의 王城은 여러 차례 바뀌었다. 『삼국사기』에 따르면 첫 왕성은 '沸流水上'에 소재하였다. 이와는 달리 「광개토왕릉비문」에 따라 첫 왕성을 屹立한 '山上'의 五女山城으로 지목하여 왔다. 흔

하였다.

63_ 武國勛, 「夫餘王城新考」『黑龍江文物叢刊』 1983, 제4기; 李道學 譯, 「夫餘 王城新考-前期 夫餘王城의 發見(상·하)」『우리 文化』 12·13호, 한국문화원연합회, 1989.;『고대문화산책』, 서문문화사, 1999, 275~300쪽.

히들 고구려 王都의 특징으로 평지성과 산성의 조합을 운위하여 왔다.[64] 오녀산성과 하고성자를 엮어서 이해하는 경향이 많았다. 그러나 양자 간의 거리도 멀 뿐 아니라 중간에 하천이 흐르고 있다. 서로 연결이 어렵다. 게다가 하고성자는 오녀산 동편에 소재한 홀본과는 정반대편에 소재하였다. 오히려 고구려의 첫 왕성은 비류수를 가리키는 富尒江과 훈강의 합류 지점 江邊에 소재한 나합성이 관련 있다.

유리왕대의 국내위나암 천도와 관련된『삼국사기』의 '國內'는 '城山上'인 오녀산성과 엮어지는 까오리무즈촌(高力墓子村) 일대로 비정된다. 위나암성은 '國內'에 소재하였다. 이와 관련해 국내성은 342년에 축조되었다. 반면 위나암성은 3년(유리왕 22)에 축조되었다고 한다. 따라서 양자는 관련이 없다. 그리고 산성자산성인 환도성을 위나암성으로 비정하여 왔다. 그러나 환도성은 198년에 축조되었다. 22년에 축조된 위나암성과는 서로 관련이 없다. 혹자는 위나암성 이름이 환도성으로 바뀌었다고 하였지만 자의적이다. 환도성은 丸都라는 지역에 축조된 성이었다. 그리고 2성의 축조 연대가 각각 명시되어 있다. 서로 다른 성임을 알려준다. 따라서 위나암성을 환도성과 연관 지을 수 없다. 위나암성은 지형 조건을 비롯한 여러 요소를 감안할 때 환런의 오녀산성이 합당해 보인다.[65] 국내성과 환도산성을 평지성과 산성의 조합으로 이해하는 경향이 있었다.[66] 그렇다면 도성 계획에 따라 양자가 조성되었다는 게 된다. 그러나 국내성은 342년, 환도성은 198년에 각각 축조되었다. 2성의 축조 시기가 무려 144년이나 벌어진다. 게다가 丸都와 國內는 서로 다른 행정 구역이었다. 따라서 양자를 연결시키는 것은 전혀 맞지 않다.[67]

고구려는 魏軍의 침공으로 환도성이 폐허가 되자 247년에 廟社를 新築한 평양성으로 옮겼다. 이는 실질적인 遷都와 다름 없었다. 문제는 평양성의 소재지였다. 313년까지 낙랑군이 평양에 소재했다는 관념 때문에 이 기록 자체를 신뢰하지 않거나 그 위치를 다른 곳으로 비정했다. 그러나『삼국사기』에 보이는 평양성 관련 기록은 일관성을 지니고 있었다. 따라서 廟社를 옮긴 평양성은 지금의 평양이 분명하였다. 이와 연계된 낙랑군은 기실 1세기 후반경 한반도에서 축출되었다.[68] 그러므로 고구려는 지금의 평양으로 廟社를 옮기는 게 가능했다.

64_ 한국고고학회,『한국고고학강의(개정판 3쇄)』, 사회평론, 2012, 234쪽.
65_ 李道學,『백제고대국가연구』, 一志社, 1995, 271~272쪽.
66_ 한국고고학회,『한국고고학강의(개정판 3쇄)』, 사회평론, 2012, 234쪽.
67_ 李道學,「『三國史記』의 高句麗 王城 記事 檢證」『한국고대사연구』79, 2015, 151~153쪽.
68_ 李道學,「樂浪郡의 推移와 嶺西 地域 樂浪」『東아시아古代學』34, 2014, 3~34쪽.

고구려는 342년에 丸都城으로 移居하였다. 그러나 전연의 침공으로 환도성이 초토화되었다. 고구려는 이듬 해인 343년에는 '평양 동쪽의 黃城'으로 移居했다. 『삼국사기』에서는 黃城의 소재지를 '木覓山中'이라고 구체적으로 명시하였다. 현재 黃城址의 확인 여부와는 무관하게 그 실체를 분명히 해준다. 게다가 後人들이 木覓山 下에 '皇宮基址' 碑를 건립한 바 있다. 그럼에도 소위 '평양 동황성'을 평안북도 강계로 비정하였다.[69] 근거는 『삼국사기』의 "十三年 春二月 … 秋七月 移居平壤東黃城 城在今西京東木覓山中(고국원왕 13년 조)"라는 기록이다. 여기서 '平壤東黃城'은 '西京東木覓山中' 즉 '평양 동쪽 황성'과 '서경 동쪽 목멱산'은 대응한다. 黃城과는 달리 정작 '東黃城'은 존재하지 않는다. 『삼국사기』 안장왕 11년 조에서 "春三月 王畋於黃城之東"라고 했다. 이 기사를 통해 '동황성'이 아닌 '黃城'의 존재가 확인될 뿐이다. 실제 「대동여지도」에서도 평양 동쪽 木覓山 중에 黃城이 표시되어 있다. 게다가 '동황성'이 소재했다는 평안북도 강계에서 성을 특정하지도 못했다. 이렇듯 考證이 잘못된 주먹구구식이 정설처럼 행세한 것이다. '東黃城'이 아닌 '黃城'의 존재는 일찍이 간파되어 손진태는 청암동토성으로 비정한 바 있었지만[70] 외면되었다. 오히려 "동천왕 21년(247) 2월에 동황성을 쌓아 백성과 종묘·사직을 한때 이곳으로 옮겼다고 한다"[71]고 단언했다. 그러나 이 구절은 "春二月 王以丸都城經亂 不可復都 築平壤城 移民及廟社 平壤者 本仙人王儉之宅也 或云 王之都 王險"이 원문이다. 이 구절 어디에도 '동황성'은 존재하지 않는다.

그럼에도 이병도는 낙랑군이 313년까지 평양에 존재한다는 전제 하에 이 구절의 '평양성'을 강계 '동황성'으로 단정했다. 그런데 "평양은 본래 선인왕검의 宅" 즉 근거지였다고 적혀 있다. 그러니 평양은 현재의 평양을 가리키는 게 분명하다. 따라서 평양성 즉 이병도가 주장하는 동황성은, 평양을 벗어난 지역이 될 수 없다. 게다가 '동황성' 즉 '황성'은 "移居平壤東黃城"라고 했듯이 '移居'했을 뿐이다. 신축한 평양성과 황성은 서로 다른 별개의 성이었음을 가리킨다. 이병도는 서로 다른 2개의 성을 한 개의 성으로 못박은 것이다. 그리고 정작 동황성을 쌓았다는 강계 지역의 성을 특정하지도 못했다. 이와 더불어 전연의 침공을 거론하면서 "1세기 전 魏軍의 침략을 받았을 때와 마찬가지로 임시 수도를 동황성에 정하여(343) 국력 회복운동에 나섰는데"[72]라고 했다. 그러나 이는 왕이 거처를

69_ 李丙燾,『韓國古代史研究』, 博英社, 1976, 370~373쪽.
70_ 李道學,「孫晉泰의 韓國古代史 敍述과 認識」『고조선단군학』31, 2014, 245~246쪽.
71_ 李基白·李基東,『韓國史講座 古代篇』, 一潮閣, 1982, 109쪽.
72_ 李基白·李基東,『韓國史講座 古代篇』, 一潮閣, 1982, 127쪽.

황성으로 '移居'했을 뿐이다. 천도 개념의 '임시 수도'와는 성격이 다르다. 게다가 황성은 『삼국사기』를 편찬할 때 분명히 "서경 목멱산 중에 있다"고 했다. 황성은 고구려 당시의 평양성도 아닐뿐더러 강계에 소재하지도 않았다. 고려 때 '西京'에 소재했던 황성은 분명히 지금의 평양을 가리킨다. 이처럼 동황성 주장은 논리와 근거를 죄다 잃었지만, 통설처럼 행세했던 것이다.

371년에 평양성에서 고국원왕이 백제군과의 교전 중 전사하였다. 평양 일대를 왕도로 이용한 결과로 보인다. 광개토왕이 399년에 평양성에서 신라 사신을 맞이한 것도 평양성이 실질적인 왕성으로 기능했음을 뜻한다. 이러한 맥락에서 볼 때 427년 평양성 移都는 일대 사건이라기 보다는 평양성을 왕성으로 확정 짓는 공식적인 선언으로 간주된다. 따라서 평양성 천도를 전후한 귀족들 간의 갈등설은 재고해야 될 듯싶다.

427년에 移都한 평양성은 371년에 고국원왕이 전사한 평양성으로 지목된다. 그런데 이때 移都한 평양을 대성산성으로 지목하였다. 즉 "평양지역에서 고구려의 처음 도성유적은 평지의 안학궁성과 배후의 대성산성으로, 이들이 평양성이라 불렀다"[73]고 했다. 그렇지만 이와 관련된 소위 안학궁은 5세기대 이후 고구려 고분 위에 조성되었다. 때문에 일찍부터 안학궁은 고구려 말기의 별궁으로 지목되었던 것이다. 이러한 안학궁은 대성산성의 축조 시기와 연결되지 않는다. 양자는 도성체제에 맞추어 조성하지 않았던 것이다. 더욱이 대성산성 일대는 행정 구역상 427년 당시 평양에 속했는지도 불투명하다. 대성산성은 『通典』에서 魯城이라고 하였기 때문이다. 따라서 대성산성은 427년에 고구려가 移都한 평양성은 아니었다.[74] 반면 청암동토성이 장수왕대에 천도한 평양성이 분명해졌다.

대성산성은 427년의 移都 이후 어느 때 축조된 성으로 밝혀진다. 이후 평양의 범위는 대성산성 중심으로 시가지가 확대·재편되었을 수 있다. 고구려는 정복 전쟁이 소강 국면에 접어든 481년 이후 장안성 축조가 시작되는 552년 이전에 대성산성을 축조했던 것으로 보인다. 이와 짝하여 35년간의 工期가 소요된 장안성이 완공되어 고구려는 586년(평원왕 28)에 移都하였다.

장안성은 동쪽과 남쪽은 대동강으로, 서쪽과 서북쪽은 대동강 지류인 보통강으로 2중으로 둘러싸였다. 동북으로만 육로로 연결된 천험의 자연요새였다. 삼면이 강으로 둘러싸인 6세기 서고트 왕국의 수도였던 스페인의 톨레도(Toledo)를 연상시킨다. 고구려 말기에 평양성이 포위되었을 때 '평

73_ 한국고고학회, 『한국고고학강의(개정판 3쇄)』, 사회평론, 2012, 234쪽.
74_ 李道學, 「한강유역 지배권의 변천」 『삼국 한강』, 광진문화원, 2015, 178쪽.

양남교'·'평양성북문'·'평양성대문' 그리고 주변에 사천이라는 하천이 보인다. 평양남교는 대동강을 가로지르는 木橋의 존재를 말해준다. 북문은 칠성문, 대문은 대동문을 가리키는 듯하다. 사천은 보통강을 가리킨다. 자연지형을 이용한 고구려 도성체제는 거대 羅城과 바깥 성벽만 7km가 넘는 대형 산성(대성산성)의 결합으로써 6세기 후반에 완결되었다.

고구려는 대동강을 거슬러 올라와 상륙한 내호아가 이끈 隋軍의 공격을 퇴치할 수 있었다. 그러한 요인도 이러한 도성체제의 효율성에 기인했다고 본다. 이후 고구려는 평양성을 포위한 당군에 맞서 여러 해 동안 항전할 수 있었다. 그러한 요인도 거대 羅城과 대형 산성의 결합이라는 독특한 도성 구조에 힘입은 바 컸을 것이다.[75]

3) 백제

(1) 漢城의 비정

백제 왕도 3곳은 강변에 소재했다는 공통점을 지녔다. 이와 관련해 중국의 도성은 夏代~北宋과 金代까지 黃河를 軸線으로 하여 소재하였다. 水資源이 도성 결정의 중요한 요소임을 말해주고 있다. 그랬기에 반드시 '廣川之上'에 定都했다는 것이다. 그리고 중국에서는 토양의 조건을 도성 결정의 요인으로 지목하고 있다.[76] 이 경우는 백제가 당초 해변인 미추홀에 도읍했다가 慰禮로 옮기는 배경과 관련해 "땅이 습하고 물이 짰다"는 데서 찾았다. 역시 도성의 선정과 관련해 토양의 조건이 중요한 요소임을 웅변해 주고 있다.

백제가 처음 서울에서 왕성으로 삼은 곳은 한수 이북의 하북위례성이었다. 그렇지만 하남으로 천도하였다고 한다. 천도 배경은 낙랑이나 말갈과 같은 외침 방어라는 외형상의 이유도 고려될 수 있었다. 그러나 『삼국사기』 기록대로 남하와 건국에 주도적 역할을 했던 國母의 사망이라는 내부의 정치적 문제가 河南 遷都의 본질이었다. 이후 백제는 고구려와의 전쟁에서 連勝하고 있던 371년에 漢山으로 移都하였다. 이곳 한산은 한강 이북이 분명하다. 그럼에도 고구려를 두려워하여 천도했다는 전제하에 漢山을 한강 이남으로 비정하지만 너무나 자의적이다. 移都한 漢山城은 북한산성 내의 중흥동고성으로 비정할 수 있다. 그런데 백제는 이후 고구려와의 전쟁에서 수세에 놓였다. 그러자 백

75_ 李道學, 「『三國史記』의 高句麗 王城 記事 檢證」 『한국고대사연구』 79, 2015, 168쪽.
76_ 王星光, 「黃河流域古代都城遷徙及其對近代中國社會的影向」 『中原與東北亞古代文化交流硏討會 論文提要』, 鄭州大學校, 2016, 5쪽.

제는 天塹인 한강을 방어기제로 이용할 목적으로 391년 무렵 한수 이남으로 환도했다.[77)]

왕성인 하남위례성 안에는 왕궁과 民戶가 雜居하는 상황이었다. 그런데 5세기 중엽 개로왕이 왕권 강화 차원에서 民戶를 궁성 바깥으로 철거시켰다. 그럼으로써 명실상부한 王宮城 체제를 확립한 것이다. 이와 관련해 풍납동토성은 이병도가 鎭城인 사성으로 비정한 이래 한국 학계의 정설이되다시피했다. 그러한 풍납동토성에 대해서는 20세기 초반부터 현지 조사를 하였던 일본인 학자들에 의해 일관되게 백제 王宮 즉 王城으로 지목되어 왔었다. 간헐적으로 한국 학자들에 의해서도 풍납동토성이 왕성으로 지목되기도 했다.

풍납동토성이 왕성으로 확정되다시피한 것은 20세기가 끝날 무렵부터였다. 그리고 왕궁성으로서의 북성과 남성은 서로 650m 밖에 떨어져 있지 않은 풍납동토성과 몽촌토성이 될 수 없다. 북성과 남성이 지근거리의 풍납동토성과 몽촌토성이라고 가정해 보자. 이러한 상황이라면 고구려군은 475년에 兩城을 동시에 공격해야만 한다. 그렇지 않고 풍납동토성을 7일 동안 공격해서 함락시킨

그림 41 | KBS 헬기 1호기에서 촬영한 풍납동토성

77_ 李道學,「百濟 漢城時期의 都城制에 관한 檢討」『韓國上古史學報』9, 1992. 25~48쪽.

후에야 몽촌토성을 공격할 수는 없다. 따라서 북성과 남성은 한강을 경계로 한 그 이북과 이남의 하북위례성과 하남위례성을 가리킨다고 본다. 풍납동토성 발굴에 참여했던 혹자는 "(풍납동토성은) 일제시대부터 '河南慰禮城'으로 비정되는 등 주목을 받아 왔으며"라고 했지만, 정작 풍납동토성을 사성으로 지목했던 기존 견해에 대해서는 일체 언급이 없다. 풍납동토성을 백제 왕성으로 부각시키면서 의아하게 느끼는 것은 "일제시대부터 '河南慰禮城'으로 비정되는 등 주목을 받아 왔으며"라고 했다면 그렇게 중요한 성을 왜 간과했는지? 더구나 풍납동토성은 발굴까지 했음에도 불구하고 이제야 조명받는 이유가 무엇인지? 바로 그러한 이유가 무엇인지를 밝혔어야 마땅했을 것이다.[78)]

(2) 웅진성에 대한 몇 가지 문제

공주에 소재한 웅진도성 왕궁지 비정의 단서는 동성왕대에 '궁 동쪽'에 건립한 臨流閣이었다. 그런데 임류각이 더 이상 공산성 안에 소재했다는 근거는 사라졌다. 따라서 가칭 임류각지에 근거한 적심석 건물지 2棟으로 구성된 쌍수정 광장을 왕궁지로 비정한 설은 근거를 잃었다. 가칭 임류각지는 백제 건물지도 아니었다. 이름 그대로 '臨流'와 부합될 수 있는 곳은 공산성 동쪽 바깥의 금강변이다. 임류각지는 금강이 바라 보이는 이곳의 풍광 수려한 臺地에 입지했을 것이다. 왕궁지는 공산성 동남쪽 대지로 비정할 수밖에 없다. 제민천 동서를 연결하는 교량은 왕성에서 송산리로의 運柩를 위해서라도 일찍이 조성되었다. 498년에 세워진 웅진교는 곰나루에서 금강을 남북으로 관통하는 木橋였다.[79)]

(3) 사비도성의 몇 가지 문제

부여를 역사의 전면에 띄운 '부여의 아버지' 성왕은 사비도성을 기획했다. 부여 지역에서 가장 이른 시기 백제 때 유구와 유물이 출토된 곳이 용정리 절터였다. 이곳은 사비도성을 이루는 나성 바깥 동쪽에 소재했다. 그러니 성왕이 사비도성 바깥에 특별히 사원을 조성한 이유가 궁금해진다. 그러한 용정리 절터는 내성과 외성을 합쳐 둘레가 무려 10km가 넘는 청마산성과 인접했다. 청마산성

78_ 李道學, 「百濟 漢城都邑期 王城에 대한 所在地 認識 檢證」『山城論誌』, 광주문화권협의회, 2011-4, 23~32쪽.
李道學, 「백제 왕궁과 풍납동토성-사료를 통해 본 한성백제 왕성」『한성백제의 왕궁은 어디에 있었나』, 한성백제박물관, 2014, 67~96쪽.

79_ 李道學, 「百濟 熊津城硏究에 대한 檢討」『東아시아古代學』23, 2010, 247~278쪽.

은 삼국시대 성 중에서는 초대형급에 속한다. 청마산성 서편은 넓은 개활지가 펼쳐져 있다. 그리고 청마산성 내부는 물이 풍부하다. 결과론의 입장에서 청마산성은 사비도성의 외곽을 방어하는 사령부 쯤으로 해석을 하였다. 그러나 청마산성의 엄청난 규모에 대한 답변으로는 부족하다. 청마산성을 중심으로 한 구간이 무녕왕대에 설정한 천도 부지로 추측된다. 천도할 곳에는 사찰이 조성되므로 용정리 절터도 그러한 맥락에서 해석이 가능하다. 392년에 고구려 광개토왕이 평양에 무려 9개의 사찰을 조성했다. 그런 지 35년 만에 아들인 장수왕이 평양성 천도를 단행하였다.

그런데 청마산성 일대는 취약점이 있었다. 西向인 데다가 백마강과 떨어져 있었기 때문이다. 도성 정궁의 기본 조건인 南面 즉 남향이 아니었고 물길을 끼지 않았다. 이 점을 포착하고 지금의 부여읍내 부소산을 主山으로 하여 도읍지를 새로 설정한 이가 성왕으로 보인다. 주지하듯이 백제 도성의 공통점은 강변 입지였다. 그리고 웅진성에서 사비성으로 천도한 주된 동기는 물길의 온전한 이용이었다. 웅진성인 공산성이나 사비성의 부소산성은 모두 금강을 끼고 있었다. 그럼에도 웅진성에서 사비성으로 천도한 배경은 금강의 수심이었다. 『택리지』에 적혀 있듯이 공주쪽 금강은 수심이 얕아서 바닷배가 들어올 수 없었다. 웅진성에서 중국이나 일본열도에 나갈 때는 부여 쪽 금강에서 큰 배로 바꿔타야하는 불편이 따랐다. 백마강으로 일컫는 금강의 부여쪽 구간은 백제대교 곁의 수북정과 부소산 일원까지는 바닷물이 들어왔었다. 조수가 빠져나갈 때를 이용하여 수월하게 서해로 항진할 수 있었다. 바로 이러한 점을 놓치지 않았기에 부소산을 끼고 도성을 설정했을 게다.

사비도성의 왕궁은 부소산 남쪽 서편의 구아리쪽을 지목하는 경향이 많다. 그러나 이 보다는 현재의 부여여고를 포함한 그 동편 구역이 타당하다. 변한의 경우만 하더라도 "부뚜막은 모두 문의 서쪽에 있도록 설치했다"[80] 고 하였다. 조선의 官衙만 하더라도 사또가 정무를 보는 곳은 東軒이었다. 즉 동쪽이었고, 고을의 서쪽은 사직단과 같은 제사 시설이 들어섰다. 이와 마찬 가지로 과일이 저장된 목곽고 등이 조성된 관북리 일대는 왕궁 운영과 관련한 付屬 시설이 있던 곳이었다.

사비도성의 구획과 관련해 쟁점이 되고 있는 게 백마강변 西羅城의 존재 여부였다. 서나성의 흔

80_ 『三國志』 권30, 동이전, 한 조, 변진 항. "施竈皆在戶西". 그런데 이 구절을 그 앞의 "言語法俗相似 祠祭鬼神有異"과 결부지어 '竈'를 '竈王' 즉 조왕신으로 해석하는 경향이 있다. 그러나 분명히 '施'라고 하였다. 그러므로 "귀신을 제사지내는 데 차이가 있다"는 사례 제시가 아니다. 부뚜막을 설치하는 위치로 보아야 한다. 더욱이 이러한 사실은 동일한 시기 주거지 발굴 결과 밝혀졌다. 게다가 전통 한옥의 살림집은 부엌을 거의 대부분 서쪽에 배치했다. 따라서 위의 『三國志』 기사는 "귀신을 제사지내는 데 차이가 있다"는 사례로서도 적합하지 않는 현상이기 때문이다.

적이 현재 확인되지 않은데다가 강 자체가 해자 역할을 하는 관계로 굳이 성을 축조할 필요가 없다는 주장이 제기되었다. 이 경우는 나성의 방어 기능만 고려했을 뿐 도성의 位格이나 堤防 기능까지에는 생각이 미치지 못한데서 비롯된 발상이었다. 대동강변에 조성된 고구려의 長安城도 江岸의 南壁이 조성되어 있다. 낙양성을 비롯한 중국 도성의 경우도 洛水 등의 강을 끼고 입지하였다. 그러나 모두 나성이 축조되어 있다. 게다가 쌓다가 만 나성은 어느 도성에도 존재하지 않는다. 구드래조각 공원 남서쪽에서 백마강을 마주보며 위치한 구교리사지의 경우를 보자. 그 서편 강변에 西羅城의 소재 가능성을 높여준다. 아무런 제방 시설 없이 강변에 사찰이 홀로 들어서기는 어렵기 때문이다. 더구나 과거에는 백마강 水路 幅이 지금보다 더 좁았다고 한다. 그러므로 서나성이 백마강변으로 훨씬 근접했을 수 있다. 그럴 가능성은 구드레 지점의 현 제방 바깥 둔치에서 백제 당시 건물지와 경작지면이 확인된 데서도 헤아릴 수 있다. 요컨대 서나성은 지금까지 조사한 구간과는 달리 백마강변에 근접했을 가능성도 고려해야 한다.

한성 도읍기부터 홍수의 범람으로 인한 제방 축조의 경험을 지닌 국가가 백제였다. 백마강에 접할 수밖에 없는 서나성은 제방의 역할과 더불어 도성의 완결성을 가져다 주는 사안이었다. 530여년 전의 부여 지역 지형을 『신증동국여지승람』에서 "부소산을 껴안은 두 머리가 백마강에 이르렀다"는 '半月城' 기사는 서나성의 존재를 결정적으로 뒷받침해 주었다. 서나성은 한강에 연한 풍납동토성의 西壁처럼 백마강의 범람으로 유실되었다.[81] 참고로 羅城인 고구려 長安城의 사례를 제시해 본다. 612년에 隋將 來護兒가 船團을 거느리고 浿水 즉 대동강으로 진입하여 장안성의 南壁을 넘어 상륙한 바 있다.[82] 이처럼 江은 방어용 해자라기 보다는 敵의 침공로로 변용되기도 한다. 그랬기에 백제 말에 성충과 홍수가 기벌포 즉 금강 하구를 막으라고 하지 않았던가? 만약 사비도성에서 서나성을 축조하지 않았다고 하자. 이는 마치 敵으로 하여금 어서들어 오라고 大門을 활짝 열어 놓은 것과 진배 없다. 따라서 이러한 정황에 비추어 보더라도 서나성 不存說은 타당하지 않다.

그러한 사비도성의 구획에는 백제 천하관이 반영되어 있었다.[83] 그리고 사비도성에서는 상수관 시설이 확인되었다. 수키와 2매를 원통형으로 맞대어 기와 배수관을 만들었다. 필요한 만큼 물을 사용

81_ 李道學, 「百濟 泗沘都城과 '定林寺'」『白山學報』94, 2012, 107~136쪽.
李道學, 「百濟 泗沘都城의 編制와 海外 交流」『東아시아古代學』30, 2013, 231~267쪽.

82_ 『三國史記』권20, 영양왕 23년 조.

83_ 李道學, 「百濟 泗沘都城의 編制와 海外 交流」『東아시아 古代學』30, 231~267쪽.

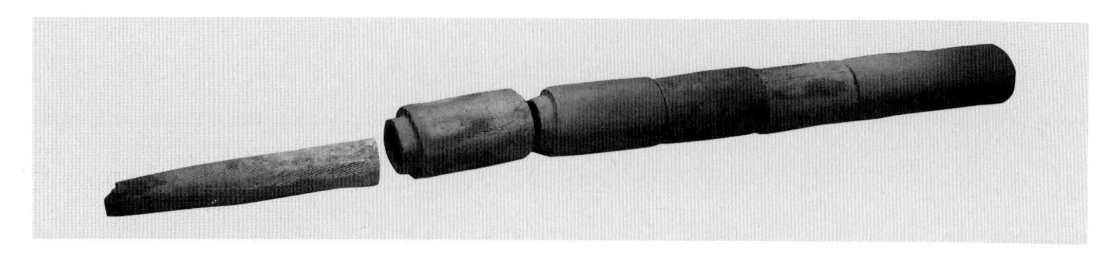

그림 42 | 부여 관북리에서 발굴된 상수관

할 수 있게 한 것이다. 상수관을 땅 속에 묻은데다 管의 중간 지점에는 침전물을 걸러내는 것으로 보이는 목곽수조까지 조성하였다. 익산 왕궁평성에서는 토제관을 이용한 상수관 시설이 확인되었다.

(4) 익산 왕궁평성

① 複都說의 탄생

익산 왕궁평성에 대해서는 別宮說·離宮說·行宮說·別都說·未完의 王都說·神都說 등이 제기되어 왔다. 그러나 문헌과 고고물증을 통해 검증해 본 결과 익산은 왕도가 분명하였다. 사비도성의 西都와 왕궁평성의 東都라는 2개의 도성 체제로 밝혀졌다.[84] 이는 다음의 인용을 통해서 분명해진다.

註 39) 李道學, 2003, 5. 23, 「百濟 武王代 益山 遷都說의 檢討」『益山文化圈 硏究의 成果와 課題』, 마한백제문화연구소 설립30주년기념 제16회국제학술회의, 91쪽. 이 논문 동일한 쪽에서 "무왕은 즉위 전반기에 자신의 세력 근거지였던 익산을 王都로 삼았다. 그렇다고 사비성을 舊都로 만든 것은 아니었다. 익산의 금마저와 부여의 사비성, 이 2개의 都會를 모두 왕도로 하는 도성체제를 유지한 것으로 보인다. 전통적으로 백제의 王城은 兩城체제였다. 한성 도읍기에는 南·北城體制였고, 사비성 도읍기에는 "其王所居有東西兩城"이라고 하였듯이 東·西 兩城體制였다. 여기서 東·西 兩城은 舊都인 웅진성과 新都인 사비성으로 지목되고 있다. 그런데 웅진성은 성왕대에 方-郡-城制가 시행됨에 따라 北方城으로 기능하였다. 웅진성은 5方 가운데 北方의 행정 거점성이 된 것이다. 그럼에 따라 웅진성은 사비성 도읍기 백제 왕성의 한 단위에서는 벗어나게 되었다고 본

84_ 李道學, 「백제 무왕대 익산 천도설의 검토」『익산 문화권 연구의 성과와 과제』, 마한백제문화연구소 설립 30주년 기념 제16회 국제학술회의, 2003.;「百濟 武王代 益山 遷都說의 再解釋」『馬韓百濟文化硏究』 16, 2004, 97쪽.
李道學, 「古都 益山의 眞正性에 관한 多角的 分析」『馬韓百濟文化』 19, 2010, 95~123쪽.
李道學, 「'史料와 考古學 자료로 본 백제 王都 益山'에 대한 檢證」『한국전통문화연구』 9, 한국전통문화대학교, 2011, 4~19쪽.

다. 대신 웅진성에 이어 왕성의 기능을 담당했던 곳이 別都로 기록된 익산이었던 것 같다"라고 서술하였다.

필자가 처음으로 제기한 '2곳의 王都' 즉 複都說은 李道學,「百濟 武王代 益山 遷都說의 再解釋」『馬韓 · 百濟文化』16, 2004, 96~97쪽을 비롯해 李道學,『살아있는 백제사』,휴머니스트, 2003, 241~242쪽에서도 줄곧 견지되었다.[85]

백제인들이 이상향으로 여겼기에 金馬를 가리키는 枳慕蜜地 호칭에는 '그리워하는 樂土'의 뜻이 담겨 있다. 게다가 사비도성과 익산 도성은 2개의 王都로서 대등하게 기능한 사실이 구명된다. 그러한 결정적인 또 하나의 근거가 宮南池의 소재지이다. 현재 부여읍에 소재한 假稱 '宮南池'는 백제 때 궁남지가 아닌 것으로 밝혀졌다.[86] 무왕은 20餘 里 바깥에서 물을 끌어 당겨 인공 못을 조성하였다. 그런데 사비도성에서는 백마강을 끌어당긴다고 할 때 4km 남짓 밖에 되지 않는다. 오히려 익산 왕궁평성의 남쪽에 못을 조성한다고 한다면 '20餘 里' 引水가 가능해진다.『삼국사기』를 보면 前後 사비도성 구역 기사 속에서 궁남지 조성 기록이 등장하고 있다. 이 사실은 익산 도성이 사비도성과 더불어 일체를 이루었음을 뜻하는 반증이기도 하다. 이렇게 하여 익산 도성설은 이제 부동의 위상을 확보한 것이다.[87]

② 무왕대의 익산 천도 문제

- 익산 王都의 입증

『觀世音應驗記』 요체는 정관 13년(639)에 제석정사가 災害를 입었음에도 불구하고 기적이 일어났다는 것이다. 즉 제석정사 목탑 밑의 초석에 장치되었던 종종의 七寶와 佛舍利 및 동판 금강반야경 중 오직 불사리병과 파야경을 넣었던 漆函만이 그대로 남아 재난을 모면했다는 應驗 기사가 되겠다. 이러한 응험 기사 속에 그 사건의 시간적 · 공간적 배경을 설명하기 위해 冒頭에 무왕대의 천

85_ 李道學,『백제도성연구』, 서경문화사, 2018, 197~198쪽, 註39.
이도학은 2003년 5월 23일에 마한백제문화연구소 설립 30주년기념 국제학술회의에서 공개 발표하는 기회를 얻었다. 이 때 2개의 도성설을 처음 제기했다. 2019년 9월 26일에 '2019 고도 익산의 정체성 확립을 위한 학술회의'에서 최완규는 당시 이도학의 발표를 경청했고, 故金三龍 선생께서 이러한 논지를 피력한 이도학 칭찬을 많이 했다는 말을 하였다.

86_ 李道學,『백제사비성시대연구』, 一志社, 2010, 530~532쪽.

87_ 李道學,「백제사 속의 익산에 대한 재조명」『馬韓百濟文化』25, 2015, 93~112쪽.

도 기사가 아래와 같이 수록되어 있다.

* 백제 武廣王이 枳慕蜜地로 천도하고 새로 精舍를 조영했다(百濟武廣王遷都枳慕蜜地 新 營精舍).
* 정관 13년 기해가 되는 해 겨울 11월에 하늘에서 큰 벼락과 비가 내려 드디어 帝釋精 舍가 재해를 입어 佛堂과 7층 浮圖 내지는 廊房이 일체 모두 타버렸다(以貞觀十三年歲 次 己亥冬十一月 天大雷雨 遂災帝釋精舍 佛堂七級浮圖乃至廊房 一皆燒盡).

『관세음응험기』의 익산 천도 기사는 일찍이 다각적인 검토를 통해 신빙할 수 있는 기록으로 밝혀졌다. 그렇다면 이제는 익산이 왕도였음을 입증할 만한 기록이 보여야 한다. 다음과 같은 점에서도 익산이 왕도였을 가능성은 확인되었다.

첫째, 익산 왕궁면에는 '王宮'·'宮坪' 등의 지명이 전하고 있다. 물론 이러한 지명들이 익산 王都說의 직접적인 근거가 되기는 어렵지만 방증임은 분명하다. 게다가 이들 지명은 단순 자연지명이 아니었다. 유서 깊은 전승에 근거한 '王都'라는 구체적인 실체를 지녔다는 것이다.

둘째, 후백제 진훤 왕이 全州로 천도하면서 "백제는 나라를 金馬山에서 개국하여 600餘年이 되었다"라고 하며 금마산 곧 익산이 開國地임을 천명했다. 이는 진훤 왕이 光州에서 全州로 천도한 명분을 설명하는 구절이다. 즉, 개국지 바로 남쪽에 새로운 왕도를 조성하여 천도한 사실을 천명했다. 그는 후백제 정권의 정당성과 정통성을 개국지로 간주한 익산 지역에서 찾았다. 물론 백제가 익산에서 개국하지는 않았지만, 현실적으로 漢城 지역을 장악할 수 없는 상황에서 금마산 개국설 천명에는 최소한의 어떤 정치적 단초를 짐작할 수 있다. 익산이 백제 왕도가 아니었다면 이러한 말은 감히 내세울 수 없었을 것이기 때문이다. 진훤 왕의 익산 開國說은 이곳이 최소한 백제의 왕도였던 사실을 실마리로 했다는 판단이 든다. 이와 유사한 사례가 있기 때문이다. 즉 고려말 李穀(1298~1351)의 칠언고시「扶餘懷古」에 보면 "온조왕이 東明家에서 태어나 부소산 밑으로 옮겨와 나라를 세웠다"라고 했다. 여기서 온조가 고구려 땅에서 부소산 밑으로 옮겨와 개국했다는 구절은 물론 사실은 아니다. 주지하듯이 온조는 한강유역에서 건국하였다. 그러나 이 詩에서 '立國'했다는 '扶蘇山下'는 백제 왕도였던 사비성의 왕궁 일대를 가리킨다. 이곳은 백제 개국지는 아니지만 왕도 안의 왕궁터였다. 이러한 맥락에서 볼 때 금마산 개국설 역시 익산이 최소한 왕도였음을 웅변하는 실례가 아닐 수 없다.

진훤 왕은 922년에 익산 미륵사에서 '開塔'을 한 바 있다. 이때의 '開塔'은 종전에 운위되고 있던 重

修나 補修 문제가 아니었다. 迎骨 儀式을 통한 사리신앙의 효과를 극대화하기 위한 정치적 조치였다.[88] 이러한 미륵사 開塔 儀式은 백제의 '金馬山 開國'과 무관하지 않는 것 같다. 가령 開闢의 미륵신앙과 결부지어, 백제 말기의 왕도였던 익산의 정치적 유서를 백제 開國 때로 소급시키려는 정치적 복선을 생각하게 한다. 어쨌든 미륵사 開塔은 익산이 백제 때 왕도였음을 반영하는 동시에 이곳이 지닌 정치적 위상을 암시해준다.

셋째, 부소산성과 왕궁평성에서만 출토된 印刻瓦의 명문 '首府'는 "一國의 君主의 居所 및 중앙정부가 있는 都會·首都"의 뜻이다. 백제 기와 '首府' 명문은 익산이 백제의 왕도임을 가리키는 결정적인 근거가 된다. 실제 왕궁평성에서는 正殿으로 추정되는 대형 건물지 곧 궁성의 존재가 확인되었다.

넷째, 『삼국유사』에 보이는 다음과 같은 미륵사 창건 연기설화를 통해 익산이 왕도임을 암시받을 수 있다.

> 하루는 왕이 부인과 함께 師子寺에 행차하고자 하여 龍華山 밑의 큰 못가에 이르렀다. 못 가운데서 彌勒三尊이 출현하므로 수레를 멈추고 경배하였다. 부인이 왕에게 이르기를 "모름지기 이 땅에 대가람을 창건하는 게 진실로 소원입니다"고 하였다. 왕이 허락하고는 知命에게 가서 못을 메울 일을 묻자, 神力으로 하룻밤에 산을 무너뜨려 못을 메워 평지를 만들었다. 그리고는 彌勒三會의 형상을 본받아 殿·塔·廊廡를 각각 3곳에 창건하고는 이름을 彌勒寺라고 하니 진평왕이 百工을 보내어 도와주었다. 지금도 그 절이 남아 있다.

위의 기사는 무왕과 그 왕비가 미륵사를 창건하게 된 내력을 적어 놓았다. 그렇지만 그 창건 시기는 알 수 없고, 여타 문헌에서도 언급된 바 없다. 더욱이 「미륵사지 서탑 사리봉안기」에 보이는 사탁씨 왕후의 존재로 인해 미륵사 창건연기설화는 허구로 지목되기도 했다. 그러나 그 부당성은 이미 지적된 바 있다. 오히려 백제 기와편들이 출토되는 師子寺의 존재는 설화의 사실성을 함축해준다.

이와 더불어 분명한 것은 무왕의 익산 사자사 행차가 처음은 아니라는 정황이다. 만약 무왕의 居所가 사비성이었다면 원거리의 사자사에, 그것도 왕비와 함께 행차하는 일은 쉽지는 않았을 법하

88_ 李道學, 「백제의 불교 수용 배경과 위덕왕대의 불교」 『백제 사비성시대연구』, 一志社, 2010, 88쪽.

다. 이러한 정황에 비추어 볼 때 미륵사 창건 이전에 무왕은 익산에 이미 도읍하고 있었다고 보여진다. 그렇지 않다면 도읍지에서 원거리인 익산 땅에, 그것도 공주나 부여 지역에도 없는 거대한 사찰을 조영해야할 당위성이 엿보이지 않는다. 더구나 궁성이 먼저 조영된 후에 사찰 등의 부대 시설이 들어서는 게 순리이기 때문이다. 이 사실은 곧 이도학이 제기한 무왕 전기의 익산 천도 견해를 뒷받침해 준다. 실제 궁성인 왕궁평성 유적이 미륵사지보다 선행 유적으로 밝혀졌다. 게다가 「미륵사지서탑 사리봉안기」를 통해 미륵사는 639년 이후에 완공된 사실이 밝혀졌다. 여전히 왕궁평성 유적이 미륵사보다 앞서 조성되었음을 알 수 있다.

다섯째, 『삼국사기』를 통해 보면 백제왕은 적어도 630년(무왕 31)부터 638년(무왕 39)까지 사비성에 도읍한 게 분명하다. 이와 관련해 무왕 31년의 다음과 같은 기사가 유의된다.

> 2월에 사비의 宮을 重修하였고, 왕이 웅진성에 행차하였다. 여름에 한발이 들어 사비의 役을 정지하고 7월에 왕은 웅진으로부터 돌아왔다.[89)]

종전에는 무왕이 익산 천도를 추진했다면 위의 기사처럼 사비궁 중수가 필요했겠냐며 반문했다. 즉 위의 기사를 익산 천도 의사가 없었다는 논거로 이용하였다. 그러나 이 기사는 왕이 웅진성으로 행차한 후 사비궁을 중수한 게 아니다. 사비궁을 중수하고 있을 때 웅진성에 행차한 것이다. 이 점 주목해야 한다. 왜냐하면 집을 수리하려면 먼저 이사하는 게 순리이기 때문이다. 이 사실은 사비성과 웅진성 간에는 국왕 거소로서 공간상의 계기적인 연결이 없었음을 뜻한다. 그러므로 무왕은 사비궁 중수 이전에 제3의 장소에 있다가 웅진성에 행차한 것으로 볼 수 있다. 사비성의 왕궁을 중수하다가 정지한 상태에서 다시 사비성으로 돌아 올 수는 없기 때문이다. 그렇다면 무왕이 泗沘의 役을 정지하고 웅진성에서 돌아온 제3의 장소는 익산이 될 수밖에 없다.

이러한 추측을 무왕 즉위 전기에 익산으로 천도했으리라는 추정과 결부지어 다시금 음미해 보자. 그러면 위의 기사는 환도 작업의 일환으로 사비궁 重修가 이루어졌다고 보아야 한다. 이때 무왕은 익산에서 사비궁 중수 작업 독려차 사비성에서 가까운 웅진성으로 행차한 것이다. 즉위 전반기에 익산으로 천도한 무왕은 630년에 사비궁을 중수한 후 환도하려고 했다. 그런데 한발로 인해 泗沘의

89_ 『三國史記』 권27, 무왕 31년 조.

役을 停止한 상황, 즉 사비궁 重修가 완료되지도 않았는데 무왕이 사비성으로 환도할 수는 없었을 것이다. 그러므로 7월에 무왕이 "웅진으로부터 돌아왔다"고 한 곳은 사비성이 될 수 없다. 무왕이 돌아온 곳은 당초의 출발지였던 익산으로 간주하는 게 온당하다.[90] 이와 더불어 왕도 이름을 굳이 붙이지 않아도 됨에도 불구하고 '泗沘之宮'이나 '泗沘之役'으로 표현하였다. 이 사실은 역으로 무왕 31년 당시에 백제 왕도는 사비가 아니라는 반증이 된다. 그렇다고 할 때 당시 무왕은 사비성이 아닌 익산 지역에 도읍했음을 알 수 있다. 그리고 무왕이 사비성으로 환도한 시기는 사비궁 중수가 완료되는 630년 7월 이후부터 631년 사이로 지목할 수 있다.

여섯째, 백제는 사비성 도읍기에 "그 왕이 거처하는 곳은 東·西 兩城이다"[91]고 했을 정도로 2곳의 도성체제였다. 과거에는 東城을 웅진성으로 간주했었지만[92] 특별한 근거도 없었다. 당시 웅진성은 5方城 가운데 하나인 북방성에 포함되어 있었다. 그런만큼 웅진성은 도성을 가리키는 '東·西 兩城'에는 포함되지 않는다. 이와 관련해 부여 동쪽도 아닌 남쪽의 논산에 5方城 가운데 東方城이 소재한 사례를 헤아려 볼 때 오히려 익산을 東城으로 지목하는 게 합당하다. 이러한 『구당서』 기록은 무왕 사망 직후 唐에서 파견한 조문 사절의 견문을 토대로 하였다. 그러므로 '東·西 兩城' 기사는 무왕대 부여와 익산의 2곳 도성체제를 가리킨다고 본다. 이 역시 익산이 왕도였음을 알리는 기록이다. '2곳 도성체제'와 관련해 唐의 東都(洛陽)와 西都(西安) 운영이나 제정러시아에서 모스크바와 상트 페테르부르크를 번갈아 수도로 삼았던 사례를 상기할 수 있다.

일곱째, 당군의 백제 도성 공격과 관련해 등장하는 '眞都城'을 假都城의 상대적인 표현으로 간주한다면[93] 부여와 익산이라는 2곳의 도성체제를 상정할 수 있다. 실제 이와 관련해 소정방이 "내가 7월 10일에 백제 남쪽에 이르러 대왕의 군대와 만나서 義慈都城을 깨뜨리고자 한다"[94]라고 한 '義慈都城'도 근거가 된다. '百濟都城'이라고 하면 될 것을 굳이 '義慈都城'으로 표현하였다. 이는 의자왕이 거처하는 '眞都城'을 공격 목표로 삼았음을 뜻하는 동시에 도성의 존재가 2 곳임을 가리킨다고 볼 수 있다.

90_ 李道學, 「百濟 武王代 益山 遷都說의 檢討」『益山文化圈硏究의 成果와 課題』, 원광대학교 마한백제문화연구소, 2003 ; 『백제 사비성시대연구』, 一志社, 2010, 149쪽.

91_ 『舊唐書』 권199, 東夷傳, 百濟 條.

92_ 今西龍, 『百濟史硏究』, 近澤書店, 1934, 298쪽.

93_ 金周成, 「7세기 각종 자료에 보이는 익산의 위상」 『익산 왕궁리 유적』, 국립부여문화재연구소, 2009, 249~250쪽.

94_ 『三國史記』 권5, 태종 무열왕 7년 조.

여덟째, 익산을 '別都'라고 하였다.[95] 別都는 副首都의 뜻을 담고 있다. 그런데 別都 역시 기본적으로는 왕도에 속한 것이다. 별도는 왕도와 더불어 수도의 한 軸을 담당하기도 하지만, 과거의 왕도를 별도로 설정한 경우를 상정할 수 있다. 이 경우는 고구려의 사례가 도움이 된다. 고구려는 평양성 천도 후에 3京制를 운영하였는데, 舊都였던 국내성은 別都가 되었다.[96] 익산이 왕도가 아니라 별도로 기록에 남게 된 배경도, 국왕이 사비성으로 還都함에 따라 舊都로 인식된 결과였을 것이다.

아홉째, 백제 멸망기 흉조에 대한 기사가 부여와 익산에서 각각 다음과 같이 동일하게 확인된다.

* 봄 2월에 王都의 우물 물이 핏빛이 되었다.[97]
* 6월에 大官寺의 우물 물이 피가 되었고, 金馬郡 땅에 피가 흘러 그 넓이가 다섯 步가 되었다. 왕이 돌아가셨다.[98]

위의 기사에서 전자는 백제의 멸망을 암시하고 있다. 후자는 신라 태종 무열왕의 사망을 암시하는 문구이다. 그리고 f의 '大官寺井'은 『金馬志』에서 왕궁탑 북쪽 2보 지점에 소재했다는 王宮井을[99] 가리킨다고 본다. 이들 모두 우물 물이 핏빛이 됨으로써 흉조를 알려준다. 곧 동일한 현상에 의한 국가의 몰락과 국왕의 사망을 알리고 있다. 여기서 일단 외형상으로는 두 지역 모두 동급임을 암시해준다. 익산이 부여와 동급일 수 있는 이유는 사비도성 함락 이후가 된다. 이때는 왕도인 사비도성이 羅·唐軍에 점령당하였고, 주류성이 백제의 새로운 왕성으로 구심 역할을 하기 전이었다. 이 시점에서는 익산 금마가 왕도로서 대표성을 지녔다고 보아야 한다. 2 곳 도성 체제의 한 軸을 이루었던 익산이 왕도 位相을 갖는 것은 지극히 자연스러운 일이었다. 그랬기에 익산 땅을 배경으로 흉조 기사가 나올 수 있었을 것이다. 이러한 맥락에서 볼 때 후백제 진훤 왕이 "백제는 나라를 금마산에서 개국하여 600餘年이 되었다"라고 한 구절에서 '600여년'이 지닌 의미를 새롭게 발견할 수 있다. 즉 백제 말기에도 '일관되게' 익산이 왕도였음을 염두에 둔 언사라고 본다.

지금까지의 검토를 통해 익산이 왕도였음을 암시하는 방증 자료를 무려 9개나 추가할 수 있었다.

95_ 『大東地志』 권11, 益山 沿革 條. "本百濟今麻只 武康王時築城 置別都 稱金馬渚"
96_ 『周書』 권49, 異域傳(上), 高麗 條.
97_ 『三國史記』 권28, 의자왕 20년 조.
98_ 『三國史記』 권5, 태종 무열왕 8년 조.
99_ 『金馬志』 上, 古蹟 條.

이러한 기록들은『觀世音應驗記』의 천도 기사와 어긋나지 않았다.[100)]

최근 왕궁평성 출토 銘瓦의 '首府' 의미는 17세기 淸代 지방지의 기록에 따라 '속국 및 식민지 최고 정부기구 소재지'이므로 首都와는 무관한 대신, 唐의 軍政機構인 熊津都督府와 관련 지을 수 있다는 주장이 제기되었다. 그러나 백제 전형의 圓形 印刻瓦와 함께 출토된 '首府' 銘瓦는 唐製가 아니라 백제 제작이었다. 게다가 중국보다 무려 228년 전에 확인된 한국에서의 '首府' 용례는 중국에서의 용례와도 일치하지 않았다.[101)] 17세기의 그것도 지방지 기록에 근거해서 1천여 년 전의 사실을 소급・해석하는 것은 만용에 가깝다.

어떤 이는 부여 관북리 유적과 배후 산성인 부소산성과 같은 도성 구조가 익산에는 없다고 했다. 그런데 왕궁평성 서북 3.5km 지점에 소재한 익산토성에서 '수부' 명문 기와가 출토되었다. 익산토성이 배후 산성 역할을 하고 있는 왕성의 한 단위로 밝혀졌다. 게다가 이곳에서도 부여와 동일하게 '北舍' 명문 토기가 출토되었다.[102)]

(5) 도성과 사찰

도성 기획과 관련해 사찰의 존재를 거론하지 않을 수 없다. 사비도성 안의 사찰로서는 가칭 정림사지를 꼽을 수 있다. 본 사찰의 백제 때 이름은 알 수 없을 뿐 더러, 조성 시기도 종전의 6세기 중엽에서 7세기 전엽으로 바뀌었다.[103)] 문제는 '정림사지' 5층석탑의 조성 시기가 된다. 5층석탑 이전에 목탑이 조성되었다는 견해와 석탑만 조성되었다는 견해로 나뉘어진다. 층위 관계로 볼 때는 5층석탑은 금당 터와 동일하게 고려시대에 속한다. 그러나 석탑의 탑신에 660년 8월 15일 字 명문이 있는 관계로 백제 때 조성한 석탑으로 지목하는 데는 이견이 없다. 그런데 이와 동일한 명문이 부여 石槽에서도 남겨져 있다. 그리고 부여현 서쪽 2리에 소재했다는 소정방비는 현재 남아 있지 않다. 이를 놓고서 '정림사지' 오층석탑과 부여 석조에 소정방비문을 復刻한 것으로 지목하는 견해도 제기되었다. 그렇다면 '정림사지' 오층석탑은 백제탑이 아니라 백제계 탑인 것이다. 게다가 '정림사지' 오층석탑은 층위상으로는 고려시대 층위에 소재했다. 이와 관련해 의성 탑리 오층석탑은 백제의 영향

100_ 李道學,『백제사비성시대연구』, 一志社, 2010, 146쪽.
101_ 李道學,「益山 遷都 物證 '首府' 銘瓦에 대한 反論 檢證」『東아시아古代學』35, 2014, 3~26쪽.
102_ 李道學,『삼국통일 어떻게 이루어졌나』, 학연문화사, 2018, 47~48쪽.
103_ 李道學,「百濟 泗沘都城과 '定林寺'」『白山學報』94, 2012, 120~121쪽.

을 받은 탑이라고 한다. 그리고 탑리 오층석탑은 양식상으로 미륵사지 탑과 '정림사지' 탑의 사이에 조성되었다는 것이다.[104] 이러한 견해에 따른다면 '정림사지' 오층석탑은 탑리 오층석탑처럼 백제의 영향을 받은 백제계 탑이 된다. '정림사지' 오층석탑에 「사리봉안기」가 부장되었다면 확인될 것이다. 사실 '정림사지' 오층석탑을 백제계 탑이 아닌 백제탑으로 지목한 결정적 근거는 탑신의 '大唐平百濟國碑銘'이라는 題額 때문이었다. 顯慶 5년(660) 8월 15일에 새겼다고 적혀 있기 때문이다. 그런데 '비명'은 비석에 새긴 글을 가리킨다. 탑에 새긴 '정림사지' 오층석탑의 정확한 제액은 '塔銘'이나 '塔碑銘'이라고 적어야 맞을 것이다. 현재 전하지 않는 부여현 서쪽 2리에 소재했다는 소정방비를 복각한 게 '정림사지' 오층석탑 비명과 부여 석조 명문이라는 것이다. 게다가 탑신에 새겼다는 근거인 '刊玆寶刹'의 '刹'은 명료하지 않다. 그리고 오층탑의 명문을 부여 석조에까지 새겼다는 것은 어색하다. 이 곳에도 '刊玆寶刹'라고 새겨져 있다면 碑銘 대상에 맞지 않다. 그 밖에 한치윤의 『해동역사』에서는 '刊龜△△'로 판독했다. 아울러 '刹'에 탑의 뜻이 담겨 있지만, '寶刹'의 용례는 한결 같이 '사찰'에 대한 격조 있는 표현이었다. 의미가 통하지 않는 것은 아니지만, '보배로운 탑'으로 사용한 용례는 없었다. 또 이 구절을 다르게 판독하기도 한다.

익산 왕궁평성 안에 석탑이 건립되어 있다. 이를 토대로 무왕 사후 왕궁평성의 願刹 전환설이 제기되었다. 원찰이라면 傳東明王陵과 定陵寺, 성왕릉과 능사의 경우처럼 서로 인접했어야 한다. 그러나 왕궁평성은 쌍릉과 너무 떨어져 있다. 설령 목탑이 존재했다고 하더라도 현재 왕궁평성 석탑은 통일신라 때 조성되었고, 回廊이 없다. 이곳에서 출토된 '官宮寺'·'大官宮寺' 銘瓦는 통일신라 것이다. 물론 661년의 시점에서 大官寺의 존재는 확인된다. 이 사실과 관련해 부소산성과 왕궁평성에서 각각 출토된 '功' 銘 印刻瓦의 존재는 주목을 요한다. 그 원형인 '功德' 銘 토기들이 왕궁평성과 미륵사지에서도 각각 출토되었기 때문이다. '功德' 銘은 사비성 도읍기 22 官府 가운데 사찰을 관장하던 '功德部'를 상기시킨다. 익산 왕궁평성에서 출토된 기와의 '大官大寺'·'大官寺' 명문은 官寺를 관장하는 功德部 기능을 상정해준다. 이곳에서 출토된 '王宮寺' 銘 통일신라 瓦도 백제 때 왕궁의 존재를 반추해준다. 그러한 왕성인 왕궁평성 내에 功德部라는 官府가 소재한 것은 당연하다.[105]

104_ 이서현, 「의성 탑리리 오층석탑의 특징과 건립 시기」『한국고대사탐구』 29, 2018, 433~467쪽.
105_ 李道學, 『백제 도성 연구』, 서경문화사, 2018, 149쪽.

4) 新羅・任那

신라의 도성제는 최근 경주 반월성의 발굴을 기점으로 새로운 연구 성과를 기대해 볼 수 있다. 현재로서 분명히 정리할 수 있는 것은 月城은 현재의 반월성을 가리킨다. 그리고 월성의 축조 시기는 『삼국사기』에서 101년에 축조했다는 기록과는 달리 고고학상으로는 3세기 이전으로 소급되기는 어렵다.[106] 이 사실은 3세기대에 이르러서야 6村 중심의 사회에서 발전한 사로국의 거점이 월성이었음을 뜻한다. 金城은 만월성인데, 경주 읍성 구역과 겹쳤기에 현재 유구가 남아 있지 않다고도 하지만 분명하지 않다.[107] 그리고 6세기 중・후반부터 월성 북편의 황룡사지 주변 일대부터 條坊制가 시행되어 점차 주변 지역으로 확대된 것으로 판단된다.[108]

통일신라의 왕궁은 東宮과 月池의 조성을 통해 규모의 확대와 위엄을 갖추었다. 통일신라의 왕경 유적과 관련한 도로 유구의 발굴을 통해 도시의 면모가 그려졌다. 지방도시인 5小京에 대한 조사도 긴요하다.

관방 유적과 관련해 신라의 북진 거점이었던 예천의 上乙谷城은 가장 이상적 지형인 고로봉에 입지한 대형 산성이었다. 상을곡성 前面 양편의 교통로에는 老姑城과 夫老城이라는 小城을 배치했다. 구조적으로 상을곡성은 고구려계 산성에 더러 나타나는 結合式 兩城 구조였다. 이러한 구조는 예천의 학가산성과 水酒郡城인 흑응산성에도 보이고 있다. 이러한 축성 구조는 신라와 對峙한 고구려의 죽령산성과 공문성 등에 보이는 二重城 양식이 예천 지역에 영향을 미친 결과로 파악되었다. 흑응산성과 인접한 栢田洞의 석실분에 고구려계 벽화고분의 요소가 침투한 것도 이와 무관하지 않았다.[109] 上乙谷城에서 출토된 유물은 초기철기시대 주거지~신라와 통일신라, 고려・조선・근현대에 이르고 있다. 이 중 신라 온돌 주거지는 上乙谷城의 축조와 결부 지어 볼 수 있게 한다.[110]

任那 諸國 왕성의 비정과 발굴은 과제로 남아 있다. 임나 제국의 왕성으로는 김해 대성동 고분군과 인접하여 있는 가라의 봉황동토성을 지목할 수 있다. 봉황동토성은 환호읍락에서 4세기 이후 평지성으로 전환한 것이다. 봉황동토성을 중심으로 관동리 유적과 같은 항만 마을, 여래리 유적과 같

106_ 한국고고학회, 『한국고고학강의(개정판 3쇄)』, 사회평론, 2012, 336쪽.
107_ 신라 도성에 대해서는 朴方龍, 『新羅都城』, 학연문화사, 2013을 참조하기 바란다.
108_ 한국고고학회, 『한국고고학강의(개정판 3쇄)』, 사회평론, 2012, 337쪽.
109_ 李道學, 「醴泉의 上乙谷城考」 『慶州史學』 8, 1989, 1~16쪽.
110_ 중원문화재연구원, 『예천 어림성』 2009, 472쪽. 458~460쪽.

은 제철마을이 도로망을 통해 유기적으로 결합되어 있었다. 고령 지산동 고분군과 인접한 구릉에는 대가라 왕궁이 조영되고 이를 둘러싼 산성의 방어망이 구축되었다. 安羅의 배후 성인 함안 봉산성은 외성과 내성을 갖춘 이중성이다.[111] 봉산성 서남쪽 밑으로 멀리 남문리 고분군 · 필동 고분군 · 선왕동 고분군이 에워싸고 있는 중심부에 토축이 나타나는 곳을 안라의 왕궁지로 추정하고 있다.

大加羅와 安羅가 소재했던 경상남도 고령과 함안 지역에서 나타나는 雙內城式 外城 구조의 산성은 雙城과 外城의 축조 시기와 주체가 달랐을 가능성이 제기되었다. 즉 고령의 主山城과 云羅山城 및 함안의 蓬山城과 門巖山城이 되겠다. 이와 관련해 海南 지역의 옥녀봉토성과 죽금성에서 單內城式 外城 구조가 확인되었다. 여기서 '外城'은 가라계 산성의 영향을 배제하고서는 설명이 어렵다. 雙內城式 外城 구조의 '外城'은 가라 당시에 축조된 것으로 보인다. 따라서 '가야계 산성'은 백제의 영향을 받은 게 아니라 오히려 백제의 변방 지역에 영향을 미친 게 확인되었다. 이 같은 특수한 형태의 산성의 계통은 백제의 영향이 아닌 권력 집중의 산물로 밝혀졌다.[112]

111_ 한국고고학회, 『한국고고학강의(개정판 3쇄)』, 사회평론, 2012, 386~390쪽.
李道學, 「加耶系 山城의 한 類型에 관한 檢討」 『韓國古代史와 考古學』, 金廷鶴博士 頌壽紀念論叢刊行委員會, 1999; 『신라 가라사연구』, 서경문화사, 2017, 287~288쪽.

112_ 李道學, 「加耶系 山城의 한 類型에 관한 檢討」 『韓國古代史와 考古學』, 金廷鶴博士 頌壽紀念論叢刊行委員會, 1999, 791~799쪽.

2. 삼국의 國都 · 別都 · 州治였던 북한산성

1) '지금 楊州이다'고 한 '평양' 위치

경기도 고양시와 관련한 대표적인 삼국시대 유적으로는 북한산성(사적 제162호)을 꼽는다. 북한산성의 규모는 길이 11.6km이며 내부 면적은 5.3km² 정도이다.[113] 북한산성 남쪽과 동쪽 성벽은 경기도와 서울을 나누는 경계선이 된다. 북한산성은 현재 행정 구역으로는 경기도 고양시에 소재한다(경기도 고양시 덕양구 북한동 산1-1(임)).

북한산성 성벽이 걸친 범위가 원체 넓다 보니까 그 연원에 대한 오류가 빚어지기도 했다. 북한산성 성벽 남쪽에 소재한 종로구 평창동은 경기도 고양군이었지만 1949년에 서울시에 소속되었다. 이와 관련해 고양 지역의 남쪽 경역을 확인할 수 있는 중요한 자료가 보인다. 즉 구기동과 평창동의 남쪽에 소재한 종로구 신영동의 고려 전기 관할 지역이 된다. 신영동에는 莊義寺址가 소재했다. 현재 장의사지 幢竿支柱(보물 제235호)는 세검정초등학교 경내에 남아 있다. 『삼국사기』 헌덕왕 17년 조에는 다음에 보듯이 장의사 관련 기록이 보인다.

> 17년(825년) 봄 정월에 憲昌의 아들 梵文이 高達山賊 壽神 등 백여 명과 함께 반역을 도모하여 平壤에 도읍을 세우고자 北漢山州를 공격했다. 도독 聰明이 병사들을 이끌고 그를 잡아 죽였다[평양은 지금 양주이다 [고려] 태조가 지은 장의사 재문에 "고려 옛 땅이요 평양 명산이다"라는 구절이 있다(平壤今楊州也 太祖製莊義寺齋文 有高麗舊壤平壤名山之句)].

위의 인용문에서 "평양에 도읍을 세우고자 북한산주를 공격했다"고 하였다. 통일신라의 9州에는 한산주가 있을 뿐 북한산주는 없다. 그렇지만 전후 문맥상 평양과 북한산주는 관련 있어 보인다. 우선 북한산주는 북한산군을 가리키는 것 같다. 그렇지 않고서는 한산주라는 행정체계 속의 '북한산주'를 해석할 수는 없다. 『삼국사기』 지리지를 열면 "북한산군: 혹은 평양이라고도 한다(北漢山郡 一云平襄(壤))"라고 했다. 즉 북한산군=평양은 동일한 곳이었다. 그리고 북한산군을 북한산주로 표기

113_ 북한산성문화사업팀, 『북한산성』, 고양시, 5쪽.

한 만큼 統一 前 신라의 북한산주와 동일한 곳일 가능성이다. 555년에 진흥왕이 순행한 곳을 '북한산'이라고 했다.[114] 557년에 진흥왕이 몸소 다녀간 곳에 북한산주를 설치했다면 자연스럽다.[115]

그러면 '평양'은 지금의 어느 곳일까? 먼저 위에서 인용한 문장 끝 구절에 적힌 재문의 '재'는 불교에서 供養을 올리면서 행하는 법회였다. 평양의 위치를 알려주기 위한 목적에서 고려 태조가 친히 지은 장의사 재문의 逸文이 『삼국사기』에 수록된 것이다. 장의사는 태종 무열왕이 죽은 長春과 罷郎이라는 신하를 위해 659년에 북한산주에 창건한 사찰이다.[116] 『삼국사기』에서는 장의사가 소재한 지금의 서울시 신영동 일대와 관련해 "평양은 지금 양주이다"고 했다. 즉 위의 평양은 양주에 속했던 곳이다. 따라서 신영동 북쪽에 소재한 구기동과 평창동은 물론이고 북한산성도 적어도 『삼국사기』 편찬 때는 양주에 속했음을 알 수 있다.

여기서 또 고려해야할 사안은 '평양'의 소재지이다. 평양은 "한양군은 본래 고구려 북한산군[혹은 평양이라고도 한다]이었다"[117]고 했다. 『고려사』에는 "양주는 본래 고구려 북한산군이다[혹은 남평양성이라고도 한다]"[118]고 하였다. 따라서 양주=북한산군=남평양성이라는 등식이 성립된다. 이러한 평양의 존재는 다음 『일본서기』에서도 확인할 수 있다.

* 이 해에 백제 성명왕이 친히 무리 및 2國兵[2국은 신라와 임나를 말한다]을 거느리고 가서 고려를 정벌하고 漢城의 땅을 획득하고 또 진군하여 평양을 토벌하였는데, 무릇 6군의 땅으로 드디어 고지 를 회복하였다.[119]
* 이 해에 백제가 한성과 평양을 버렸다. 신라가 이로 인하여 한성에 들어가 자리잡았다.[120]

백제가 76년만에 고토를 회복하고, 또 잃는 상황에서 평양이 한성과 함께 등장한다. 여기서 한성

114_ 『三國史記』 권4, 진흥왕 16년 조. "冬十月 王巡幸北漢山 拓定封疆"

115_ 『三國史記』 권4, 진흥왕 18년 조. "廢新州 置北漢山州"
참고로 국사편찬위원회 한국사데이터베이스에서는 북한산주의 위치를 "지금의 서울시 강북 지역으로"라고 했지만 타당하지 않다.

116_ 『三國史記』 권5, 태종 무열왕 6년 조.

117_ 『三國史記』 권35, 지리2, 한양군. "漢陽郡 本高句麗北漢山郡 一云平壤"

118_ 『高麗史』 권56, 지리1, 南京留守官 조. "楊州 本高句麗北漢山郡[一云 南平壤城]"

119_ 『日本書紀』 권19, 欽明 12년 조. "是歲 百濟聖明王 親率二國兵[二國謂新羅・任那也]往伐高麗 獲漢城之地 又進軍討平壤 凡六郡之地 遂復故地"

120_ 『日本書紀』 권19, 欽明 13년 조. "是歲 百濟棄漢城與平壤 新羅因此入居漢城"

은 지금의 서울 송파구 일대 풍납동토성을 중심으로 한 구역이다. 평양은 한강 이북에 소재한 북한산의 남평양성이 분명하다. 일본측 사서를 통해서도 남평양성의 존재가 확인된다.[121)]

앞에서 살폈듯이 『삼국사기』 지리지에서 고구려 북한산군을 평양이라고도 했다. 그러면 평양 즉 남평양이기도 한 양주는 지금의 어느 곳일까? 다음은 지금의 고양시를 구성하고 있는 고양현과 행주현의 내력이다.

* 고양현: 본래 고구려 달을성현인데 신라가 고봉으로 고쳤다. 교하군 영현으로 삼았다[김부식이 이르기를 한씨미녀가 고산 봉우리에서 봉화를 올려 고구려 안장왕을 맞이한 곳인 까닭에 고봉이라 이름했다].
* 행주: 본래 고구려 개백현인데 신라가 우왕으로 이름을 고쳐 한양군의 영현으로 삼았다. 혹은 왕봉 현이라고도 한다[김부식이 이르기를 한씨미녀가 안장왕을 맞이한 땅인 고로 왕봉으로 이름했

121_ 혹자는 본 기록상의 평양을 대동강유역의 평양으로 지목했다. 남평양은 존재하지 않았던 허구하는 것이다. 즉 "백제가 한성을 취한 뒤 '진군'하여 평양에 이르고, 그 결과로 6군을 취하였다면 평양은 한성과 마주한 양주가 될 수 없다. 또한 백제가 두 곳을 버린 후 신라는 한성만 취한 것으로 나오는데, 진흥왕이 북한산까지 진출했으므로 평양이 양주라면 한성과 함께 평양을 취했다는 기사가 나와야 한다"고 주장했다. 그런데 한성은 풍납동토성이 소재한 한강 남쪽 지금의 서울시 송파구 일원이다. 그리고 평양 즉 평양성은 지금 경기도 고양시에 속한 북한산성 안의 중흥동고성이다. 중흥동고성은 풍납동토성에서 한강을 건너 멀리 서북에 소재했다. 양자 간의 거리는 직선거리로만 무려 17km에 이르고 있다. 그러니 兩者는 혹자 주장과는 달리 마주할 수 없다. 게다가 "討平壤"하여 "凡六郡之地 遂復故地"라고 했듯이 백제가 점령한 6군 안에 '평양'이 포함된다. 그리고 백제가 "드디어 고지를 회복했다"고 했는데, 대동강유역의 평양이 백제 영역이 된 적이 있던가? 그러니 이 기록상의 평양은 '남평양'이 될 수밖에 없다. 그리고 "이 해에 백제가 한성과 평양을 버렸다"고 했다. 즉 '棄'라고 하여 백제가 평양을 점령했던 사실을 분명히 알렸다. 그러나 혹자의 주장대로 백제가 551년에 점령한 평양이 대동강유역의 평양이라면 고구려 수도를 점령한 것이다. 그럼에도 한성에서 평양까지 6郡밖에 소재하지 않았다는 것은 당치 않다. 물론 혹자는 "평양에 이르고"라고 하여 백제가 평양을 점령하지 않았다고 했다. 이러한 혹자의 주장은 사료와 정면으로 배치된다. 그럼에도 이에 대한 분석이나 검토 없이 넘어갔다. 혹자 논지의 타당성을 잃게 한다. 그리고 "백제가 한성과 평양을 버렸다"고 했으므로, 신라가 한성 뿐 아니라 평양까지 점령한 것은 쉽게 간파할 수 있다. 혹자는『일본서기』의 이러한 기사는 신라 자료를 채용한 것으로 추정되므로 신뢰할 수 없다고 했다. 그렇다면 신라의 영유권을 주장하기 위해 만들어낸 기록을 日人들이 왜 취했는지 해명해야 한다. 결국 혹자가 주장하는 남평양 허구론은 실증을 결여한 상상의 산물이었다. 그 밖에 『삼국사기』 지리지에서 "북한산군을 평양이라고도 한다"는 기록이 오류임을 입증해야 한다.
혹자는 고려 태조의 「장의사재문」에 등장하는 '고구려 옛땅 평양'은 대동강유역 소재지를 양주 땅으로 내려와서 설정한 것으로 해석했다. 그러나 이러한 주장은 태조가 「훈요십조」를 비롯하여 줄곧 西京 즉 평양을 중시했던 일과 배치된다. 게다가 고려를 침공한 遼의 소손녕이 "그대의 나라는 옛 신라 땅에서 건국하였고, 고구려의 옛 땅은 우리 것인데, 어째서 당신들이 침범하였는가?"라고 물었다. 고려가 신라의 후예로 인정될 경우에는 대동강 이북의 땅에 대한 소유권을 주장할 수 없는 것이었다. 그러자 서희가 말하기를 "그렇지 않다. 우리나라는 바로 고구려의 후예이다. 그랬기에 나라 이름을 고려라 하였고, 평양을 국도로 정했다"고 응수했다. 태조 뿐 아니라 고려시대인들은 평양을 양주가 아니라 대동강유역으로 여전히 인지하였다. 따라서 혹자의 주장은 도저히 성립하기 어려워서 어리둥절하게 한다.

다]. 고려가 고쳐서 행주로 했다[별도로 덕양이라고도 하는데, 순화 연간에 정한 것이다].

* 위의 2현은 현종 무오년에 모두 양주 경내에 속했다.[122]

현종 9년(무오년)인 1018년에 현재 고양시를 구성하는 고양현(일산구)과 행주현(덕양구)이 양주 경내로 들어갔다. 『삼국사기』가 편찬되는 1145년 이전의 양주 관하에는 응당 고양시가 속해 있었다. 서울시 종로구 일대도 양주 땅이었다. 이 점 분명히 알아야 할 것 같다.

2) 백제 국도 북한산성

북한산성은 백제와 어떤 관련을 맺고 있었을까? 『삼국사기』에 따르면 개루왕 5년 조에 "봄 2월 북한산성을 쌓았다"고 기록되어 있다. 327년에는 "9월 내신좌평 우복이 북한성에 웅거하여 반란을 일으켰다. 왕이 군대를 보내 이들을 토벌했다(비류왕 24년 조)"고 하였다. 백제가 북한산성을 축조하여 활용한 사실이 확인되는 것이다. 이어 백제는 평양성까지 진격하여 고구려 고국원왕을 살해한 직후인 371년에 "도읍을 한산으로 옮겼다"[123]고 하였다. 『삼국유사』에서는 "북한산으로 도읍을 옮겼다"[124]고 했다. 그리고 "고구려 남평양을 취하여 도읍을 북한성으로 옮겼다. 지금 양주이다"[125]고 하였다. 『삼국유사』는 구체적으로 국도 소재지를 북한산(북한성)으로 명시했다. 『세종실록』 지리지에서는 "楊州都護府는 본래 고구려 남평양성인데 혹은 북한산이라고도 한다. 백제 근초고왕이 이곳을 취하여 25년 신미에 남한산에서 이곳으로 도읍을 옮겼다"고 했다. 따라서 근초고왕이 천도한 한산은 한강 이북의 북한산성이 분명하다. 한진서도 371년에 백제가 광주에서 한강 이북 한양으로 천도했다고 하였다.[126]

백제가 도읍을 북한산성으로 옮긴 사실은 이처럼 명백했다. 그럼에도 천도 배경을 고구려의 보복을 두려워한 데서 찾거나 그 위치도 한강이남에서 구하는 견해를 추종하는 이들이 많았다. 그러나

122_ 『世宗實錄』 지리지, 고양현 조. "高陽縣: 本高句麗 達乙省縣 新羅改名高烽 爲交河郡領縣[金富軾云 漢氏美女於高山頭燃烽火 迎高麗 安藏王之處 故名高烽] 幸州 本高句麗 皆伯縣 新羅改名遇王 爲漢陽郡領縣 一云王逢縣[金富軾云 漢氏美女迎安臧王之地 故名王逢] 高麗改爲幸州[別號德陽 淳化所定] 右二縣 顯宗戊午 皆屬楊州任內"

123_ 『三國史記』 권24, 근초고왕 26년 조. "移都漢山"

124_ 『三國遺事』 권1, 王曆. "辛未移都北漢山"

125_ 『三國遺事』 권2, 紀異, 南扶餘 · 前百濟 · 北扶餘. "取高句麗南平壤 移都北漢城 [今楊州]"

126_ 『海東繹史續集』 제8권, 지리고8, 백제 강역총론.

이러한 주장은 모두 설득력이 없다. 왜냐하면 천도 직전인 근초고왕 26년(371)에 백제군은, 평양성 전투에서 고구려 고국원왕을 전사시킬 정도로 대승을 거둔 기세등등한 상황이었다. 그러한 백제가 고구려의 보복을 두려워하여 천도했다는 것은 정황상 맞지 않다. 게다가 당시 고구려는 前燕의 침탈로 인한 수도 복구 등 국가 재건에 총력을 기울이고 있었다. 백제와의 전쟁을 추진할 상황이 되지 못했다. 그리고 황해도 황주에서는 백제토기들이 출토된 바 있다. 이와 더불어 백제는 황해도 신계 지역인 水谷城을 적어도 375년 이전에 지배하고 있었다. 백제는 일시적 진출이 아니라 황해도 지역을 안정적으로 확보하였음을 알려준다. 그렇기 때문에 고구려가 두려워 한강이남 천도를 했다는 것은 사세에 맞지 않다. 따라서 기존의 근초고왕대 천도 동기는 따르기 어렵다. 근초고왕대에 천도한 한산은 북한산성 일원이 분명하다.

고구려는 남진경영을 위해 평양성 천도를 단행하였다. 백제 역시 승세를 타고 고구려와의 전쟁을 적극 주도할 필요가 있었다. 그랬기에 백제는 고구려를 바짝 조이기 위한 북진책의 일환으로 그 중심축인 왕성을 좀더 북쪽인 한강이북, 그것도 전략적으로 방어가 용이한 북한산성으로 옮긴 것이다. 백제는 물론 근구수왕 사후 고구려에 밀렸기에 방어하기에 유리한 한강이남으로 재천도하였다.

그러면 근초고왕이 천도한 북한산성과 1711년(숙종 37)에 축조한 지금의 북한산성은 어떤 관련이 있을까? 백제 때 축조한 '북한(산)성'은 북한산성 안의 重興洞古城이 분명하다. 우선 "백제 중엽에 이곳에 도읍했다"[127]는 기록이 보인다. 『대동지지』에서는 "중흥동고성: 북한산성 안에 있으며 山映樓의 좌우편에 遺址가 있다. … 고려 우왕 14년에 최영에게 명하여 한양의 중흥산성을 수리하게 한 것은 장차 왜적을 피하고자 하였던 것이다. 성의 둘레는 9517척인데 지금은 북한산성 안에 들어간다. 이 성은 백제 때 시작했으나 백제의 도성은 아니다"[128]고 했다. 그렇지만 "백제 옛성이 삼각산 중흥사 북쪽에 있다. 석축으로 둘레가 9517척인데, 더러 퇴락하였거나 혹은 완전하기도 한데, 기초는 잘 남아 있다. 절 앞의 내를 건너가면 성을 쌓은 모습이 있다. 중봉에는 중성 옛터가 있다. 절 남쪽에는 또 돌로 작은 문을 만들었다. 돌문짝이 아직도 남아 있다. 세상에 전하기로는 백제 중엽에 일찍이 이 성에 도읍했다고 한다. 돌문은 곧 그 궁문이다. 역사에 전하는 기록은 없다"[129]고 했다.

127_ 『東國輿地備考』권2, 漢城府 關防 條. "百濟中葉都于此"
128_ 『大東地志』양주목 조.
129_ 『疎齋集卷』권11, 雜著, 北漢山城. "百濟古城 在三角山重興寺北 石築周九千五百十七尺 或頹或完 基址宛然 寺前有跨川 作城之形 中峰有中城舊址 寺南又有石作小門 石扉尙存 世傳百濟中葉 嘗都于此城 石門卽其宮門 史傳無記"

중흥동고성의 존재는 이 밖에도 "고적에서 이르기를 옛 석성은 중흥사 북쪽에 있다. 둘레가 9417척이다. 돌문과 문터가 있다"[130]고 하였다. 중흥동고성은 1685년(숙종 11)에 副護軍 金重信의 상소에서 "돌아가신 相臣 李德馨 文集을 읽다가 그 소위 중흥동산성 형세를 사뢴 것에 이르러 반복해서 자세히 읽은 후에 비로소 宣祖代에 이곳을 중수할 뜻이 있음을 알았습니다. 전하는 말이 망녕되지 않다는 것을 더욱 믿게 되었습니다"[131]라고 하여 '중흥동산성'으로 등장한다. 그리고 "石門 옛터가 있는데 곧 소위 西門입니다. 성은 비록 무너졌어도 아직도 石築 기초 터가 남아 있습니다. 그래서 內城에 진입하면 또 石門이 있는데, 이곳은 절(중흥사: 필자)과 겨우 수백 보 남짓 밖에 떨어져 있지 않습니다. 만약 조금씩 수리를 하려면 역시 牛馬에 싣고 통행하는 게 가능합니다. 그리고 성터 안의 산골짜기 사이에는 곳곳에 물이 있으므로, 비록 대군이 머물더라도 부족에 대한 걱정은 없을 것입니다. … 무너진 성에 대해 사람들은 보수하면 사용할 수 있다고 합니다. 그러나 改築하지 않으면 사용할 수 없습니다. 기왕의 옛성 남는 돌과 즐비한 산돌이 있으니 비록 공력을 덜 수 있습니다"[132]라고 하여 옛성을 활용하면 공력을 줄일 수 있다고 건의했다. 이로써도 북한산성 옛터[舊基]가 확인되는 것이다.

중흥동고성의 존재는 "우왕이 최영과 더불어 몰래 요동을 공격하려고 상의하면서, 경성의 방리군을 징발하여 한양 중흥성을 수리했다"[133]고 하여 보인다. 북한산성의 新築이 아니었다. 어디까지나 기존에 있던 성벽을 수리[修]한 데 불과하였다. 이 점을 간과해서는 안 된다.

1481년에 간행된 지리서에서 "重興洞石城: 중흥사 북쪽에 있는데 둘레가 9417척이다. 성 안에 산이 있어 높이 솟은 것이 노적 같으므로 세상에서는 露積山이라고 한다"[134]고 했다. 어떤 尺을 적용하든 중흥동고성은 대략 3km 규모의 큰 성이었다.

1711년(숙종 37) 4월부터 북한산성을 축조하기 이전에 이미 옛성이 소재했던 것은 분명하다. 실제 발굴 결과 증취봉 아래 부왕동 암문 구간의 성벽 단면 조사에서 현재 북한산성 축조 이전 시기의 별

130_ 『冠巖全書』 册18, 記, 漢北山城記. "古蹟曰古石城在重興寺北 周九千四百十七尺 有石門及門址"

131_ 『承政院日記』 숙종 11년 1월 9일. "及閱故相臣李德馨文集 至其所謂中興洞山城形勢啓者 反覆詳覽而後 始知宣廟朝 有此重修之意 而益信傳者之非妄也"

132_ 『承政院日記』 숙종 36년 10월 13일. "有石門舊址 卽所謂西門也 城雖崩 尙有石築基址 而進入內城 又有石門 此則距寺僅數百步許 若稍加修治 亦可以通牛馬任載 而城基內山谷之間 處處有水 雖大軍留屯 似無不足之患 … 頹毁城子 人雖曰修補則可 而若非改築 則不可矣 旣有舊城餘石及纍纍山石 雖可省功"

133_ 『高麗史』 권137, 禑王 14년 2월 조. "禑與崔瑩 密議攻遼 發京城坊里軍 修漢陽重興城"

134_ 『東國輿地勝覽』 권3, 한성부, 고적 조.

도 성벽이 드러났다.[135] 백제가 축조하였고 신라가 이용한 북한산성 성벽인 것이다.

숙종대에 6개월이라는 아주 짧은 기간에 무려 11.6km에 이르는 거대한 축성이 가능했던 요인도 기존의 중흥동고성에서 찾을 수 있다. 앞서 거론한『승정원일기』에서 "이미 옛성의 남는 돌과 즐비한 산돌이 있기에 공력을 줄일 수 있습니다"고 하였다. 이렇듯 중흥동고성의 성벽과 석재를 활용했기에 工期가 6개월밖에 소요되지 않았다. 따라서 고려 말에 수리했던 '중흥성'이 백제 때 북한산성이 분명하다. 그 외에는 비정할 수 있는 대상이 기록상으로는 전혀 없다. 아울러 백제 때 북한산성 또한 석축이었을 가능성이 크다.[136]

3) 고구려 별도 남평양성

고구려가 고양을 장악한, 지배 시점은 재검토할 필요가 있다.「광개토왕릉비문」에 따르면 영락 6년(396)에 고구려는 백제로부터 58성과 700촌을 장악했다. 고구려가 이 때 장악한 백제 지역 가운데 지금의 인천을 가리키는 彌鄒城이 포함되었다. 그 이유는 한강 하구와 연계된 인천 지역을 장악함으로써 생필품인 소금 산지의 공급 차단이라는 전략적 목표가 담겼을 것이다. 이와 더불어 한강 하구의 차단이라는 전략적 의도가 작동했을 수 있다. 한반도 전체 물길의 4분의 1을 차지하고 있는 한강을 적절하게 활용했던 나라가 백제였다. 그런데 고구려가 396년에 인천을 포함한 한강 하구를 차단했다면 백제는 내륙수로와 해로를 연계하는 경제와 교통 수단을 일거에 상실하게 된다. 실제 그렇게 볼 수 있는 정황이 있다.

고구려는 지금의 충주를 장악한 후 國原城이라는 행정지명을 부여했다. 국원성은 고구려 수도였던 國內城과 동일한 의미를 지닌 행정지명이었다. 즉 '서울 지역'이라는 의미를 지닌 국내성과 동일한 지명이 국원성이었다. 고구려는 427년에 평양성으로 천도한 후에 남진을 거듭하였다. 475년에 고구려는 백제 국도 한성을 함락시키고 한반도 중부 이남으로 내려왔다. 이 때 국도 이름인 평양성에서 취하여 別都를 설치했다. 바로 그곳이 평양의 남쪽에 소재한 또 하나의 평양성인 '남평양성'이었다. 이와 마찬 가지로 국원성도 고구려가 국내성에 도읍하던 427년 이전에 설정했음을 알 수 있

135_ 북한산성문화사업팀,『북한산성』, 고양시, 17쪽.
136_ 북한산성을 아차산성으로 간주하는 주장에 대한 비판은 李道學,「삼국의 國都 · 別都 · 州治였던 북한산성」『행주얼』59, 고양문화원, 2018, 25~26쪽을 참조하기 바란다.

다. 결국 이에 걸맞은 시기는 396년이 합당해 보인다. 고구려는 소백산맥 이남으로 진출하는 통로 확보 차 남한강 상류 지역을 이때 확보한 것이다.[137)]

고구려가 인천과 충주를 396년에 장악했다고 하자. 이러한 상황에서는 한강 하구 북안인 지금의 고양 역시 고구려 지배하에 들어갔다고 본다. 백제로서는 (남)한강 상류와 한강 하구를 봉쇄당한 상황에 직면했다. 결국 백제는 당항성이 소재한 경기도 화성을 통해 대중국 혹은 대왜 교류를 추진할 수밖에 없었을 것이다. 고구려에 의한 한강 차단이 396년 이후 백제가 시종 고구려에 고전한 요인으로 보여진다.

4) 한강유역 봉수 체계의 출발점 달을성

고구려는 현재 고양시 관내의 행정 구역으로서 達乙省縣과 皆伯縣이라는 2개 현을 설치하였다.[138)] 달을성현은 지금의 일산구 일대, 그리고 개백현은 지금의 덕양구 일대였다. 여기서 '달을성'의 '달을'에 대한 뜻 새김은 '高'이고, '성'에 대한 뜻 새김은 '烽=峰' 즉, '수루(봉우리의 뜻)'에 해당된다고 한다. '수루'는, '봉우리'에서 신호를 위해 피우는 '烽火'를 뜻하고 있다.[139)] 그러므로 '달을성(고봉)'은 봉수체계의 확립과 결부지어 살필 수 있는 지명이다. 『신증동국여지승람』에 의하면 '高峰城山烽燧'가 확인되고 있다. '고봉'의 지명 유래를 기록한 『삼국사기』 지리지에 의하면 "한씨미녀가 높은 산마루에서 봉화를 피우고 안장왕을 맞이한 곳이라하여 뒤에 '고봉'이라 하였다"는 기록이 있다. 따라서 이곳 지명과 관련된 봉수의 연원은 삼국시대까지 소급된다.

'달을성'이라는 지명의 기원을 이와 같이 정리했다. 그러면 이제는 충주의 백제 때 지명인 '未乙省: 『삼국사기』 권37, 지리4)'의 존재를 주목하게 된다. 미을성은 달을성과 대응되는 면을 보이기 때문이다. 즉 '달을'이 '高'의 뜻을 지녔다면, '미을'은 '밑' 즉 '底'의 뜻으로 풀이된다. 미을성은 '底烽'의 뜻이었다. 이는 봉수체계선상에서 달을성은 그 首點에, 미을성은 그 終點에 자리잡은 데서 비롯된 듯하다. 달을성 지역에 남아있는 봉수 이름인 '高峰山'의 '高'에서도 엿볼 수 있다. 고구려가 한강유역에

137_ 李道學, 「永樂 6年 廣開土王의 南征과 國原城」『孫寶基博士停年紀念韓國史學論叢』, 지식산업사, 1988, 105쪽.
138_ 『三國史記』 권37, 지리2.
139_ 류렬, 『세 나라 시기의 리두에 대한 연구』, 과학백과사전 출판사, 1983, 244쪽.

그림 43 | 고양시에 소재한 고봉산 원경. 북한산성과 연계된 한강 수로 봉수체계의 출발점이었다.

설정한 거대한 봉수체계를 살필 수 있는 지명이 달을성이었다.[140)]

140_ 李道學, 「고대 · 중세의 역사」『일산 새도시 개발지역 학술조사보고 2』, 한국선사문화연구소 · 단국대학교 한국민족학연구소, 1992, 13~14쪽.

3. 왕릉

1) 부여

부여의 고분군은 둥퇀산 난청쯔와 연계된 지린시 마오얼산 고분군과 위수 라오허선 고분군을 지목할 수 있다. 그리고 이 보다 이른 시기의 분묘인 시차거우(西岔構) 고분군이 확인된다. 그 밖에 지린시 창써어싸안(長蛇山) 고분군 · 화뎬현(樺甸縣) 시황산툰(西荒山屯) · 화이더현(懷德縣) 다칭산(大青山) 고분군을 지목할 수 있다.[141] 아울러 눙안시(農安市) 싱자뎬베이산(邢家店北山) 고분군을 빠뜨릴 수 없다.[142]

마오얼산 고분군의 피장자를 선비로 간주하는 견해도 있지만 부여의 전체 강역과 부장품을 놓고 볼 때 부여의 분묘가 타당하다. 시차거우 고분군의 피장자를 흉노와 결부 짓기도 하지만 단정하기 어렵다. 부여 왕릉 확인의 지표는 漢代의 玉匣을 갖춘 분묘이다. 이와 더불어 지린시 일원에서는 대규모 순장묘도 확인되지 않았다. 부여 최고 지배층의 분묘는 왕도의 소재지와 직결되어 있다. 전자가 확인되지 않았기에 후자도 구명할 수 없게 되었다.

2) 고구려

고구려 왕릉은 초기 도읍지였던 환런의 훈강을 따라 분포하는 望江樓 · 高力墓子 · 上古城子 · 四道嶺子 고분군이 알려져 있다. 두 번째 도읍지였던 지안에는 禹山下 · 萬寶汀 · 山城下 · 東大坡 · 마선구 · 철성산 고분군 등이 대표적이다. 이들 고분은 모두 적석총이었다. 이와는 달리 평양성 천도 이후 지금의 평양과 중화 그리고 안악 지역에서는 석실봉토분과 내부에 벽화가 보이기도 한다. 전 동명왕릉 · 경신리 1호분 · 토포리 대총 · 호남리 사신총 · 강서대묘 · 강서 중묘 등이 이 무렵의 왕릉으로 추정되고 있다.[143]

141_ 한국고고학회, 『한국고고학강의(개정판 3쇄)』, 사회평론, 2012, 162쪽.
142_ 국립문화재연구소, 『고대국가 부여』 2018, 144~145쪽.
143_ 한국고고학회, 『한국고고학강의(개정판 3쇄)』, 사회평론, 2012, 158쪽. 244쪽.

(1) 추모왕릉과 미천왕릉의 이장 문제

고구려 왕릉의 소재지에 관해 쟁점이 되고 있는 추모왕릉과 미천왕릉 그리고 고국원왕릉에 대한 기본적인 사료들을 분석 · 검토해 볼 필요가 있다. 「광개토왕릉비문」에서 추모왕은 황룡이 맞아 승천했다고 한다. 이는 당시 고구려인들의 인식인 것이다. 祠廟는 존재했지만 유체를 안치하지 못한 추모왕의 능묘가 조성되지 않았음을 암시한다.[144] 그러니 추모왕은 당초 능묘가 없었던 것으로 판단된다. 다만 유품장은 가능했을 수 있겠지만, 설령 그렇더라도 유품장에 불과한 능묘를 천도와 관련해 이장할 리는 없다.

미천왕릉은 前燕의 도굴로 인해 이장설이 통설이 되었다. 그러나 도굴되었다고 이장하는 것은 아니었다. 가령 임진왜란 때 선릉(성종릉)과 정릉(중종릉)이 도굴되었지만 시신을 수습하여 이장하지 않고 그대로 사용하였다. 미천왕릉 내의 미천왕 재궁과 미천왕비 周氏는 전연에게 납치되었다가 모두 돌아왔다. 때문에 夫婦 합장묘인 미천왕릉은 전연군이 들이 닥쳤을 때 영구 폐쇄된 상황은 아니었다. 미천왕비가 건재했기 때문이다. 그러므로 전연군은 미천왕릉에 대한 파괴 없이 재궁 납치가 가능하였다. 이렇듯 미천왕릉은 파괴되지 않은 관계로 이장 사유가 당초부터 발생하지 않았다. 반환받은 미천왕의 재궁을 안치하고, 왕비 주씨 사후 영구 폐쇄했을 것이다. 따라서 봉분이 무너져 내린 서대총을 도굴된 미천왕릉으로 지목하는 견해 등은 타당성을 잃었다. 다만 도굴된 바 있는 서천왕릉은 압록강에 비교적 근접한 서대총으로, 미천왕릉은 M2100호분으로 지목된다. 중천왕릉은 국도를 관류하는 압록강 중간에서 근접한 JQM0211호분으로 추정할 수 있다.[145]

근자의 연구를 통해 國都의 범칭으로 사용된 '故國原' 즉 '國原'은 西川原을 포괄하는 광의의 지역으로 사용되었음이 제기되었다. 그렇다면 "서천왕릉의 위치가 고국원에 있다"는 고국원=서천원 주장은 성립이 어려워졌다. 그 밖에 우산하 992호분과 우산하 0540호분은 중국에서 고구려 왕릉으로 비정한 바 있지만, 규모나 부속 시설이 미비하였다. 게다가 일찍이 세키노 타다시도 언급했듯이 후자는 群集墳에 불과했으므로 왕릉 가능성은 낮다.

144_ 李道學, 「高句麗 王陵에 관한 몇 가지 檢討」『전통문화논총』 6, 한국전통문화대학교, 2008, 134~138쪽.
145_ 李道學, 「高句麗 王號와 葬地에 관한 檢證」『慶州史學』 34, 2011, 27쪽.

(2) '國川'에 대한 새로운 비정

지안 일대 고구려 왕릉의 소재지 비정과 관련한 관건은 일차적으로 하천명이었다. 『삼국사기』 고구려왕들의 시호에 보이는 지안 일원의 하천으로는 國川과 東川 · 中川 · 西川을 비롯해서 美川이 존재하였다. 종전에는 국내성을 기준하여 동천과 서천 그리고 중천의 존재를 비정하고는 했다. 동시에 국천을 압록강으로 지목하기도 하였다. 이러한 전제에서 출발한다면 고국천왕릉이나 고국양왕릉은 압록강 연변과 가까운 곳에 소재했을 가능성이 높다.

그런데 국천은 국내성 西壁 앞을 통과하면서 일종의 해자 역할을 하는 통구하로 지목하는 게 타당해 보인다. 왜냐하면 고구려 당시에 압록강은 『삼국사기』에서만 무려 21회에 걸쳐 표기되었다. 반면 '국천'은 단 한 차례도 언급되지 않았다. 오로지 고구려왕들의 시호와 관련해 국천의 존재가 드러날 뿐이었다. 그러므로 국천은 압록강 이외의 하천으로 비정할 수밖에 없다. 결국 국천=압록강설에 의한 기왕의 하천명에 근거한 고구려 왕릉 비정은 타당성을 잃었다.

만약 기존 견해대로 통구하를 중천으로 비정한다면 압록강은 南川이 되어야 한다. 그러나 큰 강인 남천 관련 시호가 없는 만큼 남천 자체가 존재하지 않았을 가능성이 크다. 그러므로 동천 · 중천 · 서천은 압록강 자체의 구간에 대한 호칭일 가능성을 고려해 보아야 한다. 고구려 당시에 지안에는 북천과 남천의 존재가 확인되지 않는다. 반면 고구려 국도인 지안 지역을 동→서로 흘러가는 압록강을 구간별로 구분해서 동천 · 중천 · 서천으로 일컬었다면 자연스럽다. 동일한 강을 달리 불렀던 사례는 한강의 경우도 마포쪽의 서강과 그 동편의 용산강을 통해서도 확인된다.[146)]

이렇게 볼 때 임강총이 동천왕릉일 가능성은 한층 높아진다(池內宏, 『通溝(上)』 1938). 동시에 압록강 연변에 소재했던 왕릉에 대한 지금까지의 비정은 전면 재고하게 되었다. 일례로 태왕릉을 고국양왕릉으로 비정하는 신설이 제기되었지만, 고국양왕의 國壤은 통구하인 국천과 연결된다. 여기서 '양'과 '천'은 넘나들기 때문이다. 따라서 압록강에서 가까운 태왕릉은 '국양'의 대상 자체가 될 수는 없다.

(3) '황제묘'와 '황제비'의 비밀

1447년에 제작된 『용비어천가』에서 "평안도 강계부 서쪽으로 강을 건너 140리 쯤에 큰 벌판이 있

146_ 李道學, 「高句麗 王號와 葬地에 관한 檢證」『慶州史學』 34, 2011, 9~27쪽.

다. 그 가운데 옛 성이 있는데 세상에서는 대금황제성이라고 일컫는다. 성 북쪽으로 7리 쯤에는 비석이 있다. 또 그 북쪽에는 石陵 2기가 있다"라고 하면서 이 비석의 존재를 언급했다. 여기서 '비석'의 존재는 1487년에 평안감사로서 압록강변 만포진을 시찰했던 成俔이 지은 '황성 밖을 바라 보며(望皇城郊)'라는 詩에서 다시금 언급되었다. 그는 "우뚝하게 千尺碑만 남아 있네"라고 읊었다.[147] 『신증동국여지승람』과 이수광의 『지봉유설』 등에서는 金의 황제비로 단정하였다. 1595년(선조 28)에 宣祖의 특명으로 누루하치를 만나기 위해 한겨울에 압록강을 건넌 申忠一이 작성한 「建州紀程圖記」에도 '황성'·'황제묘'·'비'가 표시되어 있다.

그러면 고구려 왕릉으로서 황제묘는 어느 왕릉을 가리키는 것일까? 이와 관련해 다음 『신증동국여지승람』의 기록을 주목해 본다.

> 皇城坪: 滿浦에서 30里 떨어져 있으며, 金나라가 도읍했던 곳이다.
>
> 皇帝墓: 皇城坪에 있으니, 세상에서 전해 내려온 말로는 金나라 황제묘라고 한다. 돌을 갈아 만들었다. 높이는 10丈이 될만하다. 안에는 3개의 寢牀이 있다. 또 皇后墓와 皇子 등의 墓가 있다.[148]

『신증동국여지승람』의 기록에 따르면 황제묘의 속성을 "돌을 갈아 만들었다"고 구체적으로 언급했다. 이는 앞서 인용한 『용비어천가』에 적힌 '石陵'을 가리키고 있다. 황제묘로 알려진 적석총의 높이는 10丈 쯤이라고 했다. 여기서 '10丈'이라는 수치는 과장이라고 하자. 그렇더라도 현재 지안에 남아 있는 적석총 가운데 이 정도에 근사한 왕릉급 고분은 없다. 게다가 적석총의 내부를 들여다 보았는지 "3개의 침상이 있다"고 했다. 현실 안 3개의 棺臺를 증언하고 있다. 우선 태왕릉과 장군총의 현실 棺臺는 각각 2개 밖에 없다. 따라서 관대가 3개인 황제묘는 이들 墳墓를 가리키지는 않는 것 같다.

무덤 내부를 들여다 본 후에 구체적으로 기술한 황제묘는 광개토왕릉비를 중심 반경에 놓고 볼 때 해당되는 고분은 없다. 그런데 『용비어천가』에서 "성 북쪽으로 7리 쯤에는 비석이 있다. 또 그 북쪽에는 石陵 2基가 있다"고 했다. 광개토왕릉비 북쪽으로 2기의 石陵이 소재했음을 알려준다. 그러나 이 방향에서는 현재는 장군총 1기 밖에 없다. 태왕릉이나 임강총은 해당되지 않는다. 그리고 "또

147_ 李道學, 「<광개토대왕릉비>를 세운 목적은 무엇일까?」『다시 보는 고구려사』, 고구려연구재단, 2004, 207쪽.
148_ 『新增東國輿地勝覽』 권55, 平安道 江界都護府 山川 條. "皇城坪: 距滿浦三十里 金國所都 皇帝墓: 在皇城坪 世傳金皇帝墓 礱石爲之 高可十丈 內有三寢 又有皇后墓皇子等墓"

皇后墓와 皇子 등의 墓가 있다"고까지 했다. 여기서 황제묘와 황후묘는 비슷한 규모의 무덤임을 전제로 하고 있다. 역시 광개토왕릉비 북쪽에 2기의 석릉이 있다는 기록과 어긋나지 않는다. 게다가 兩 墳墓는 크게 격절된 게 아니라 근거리에 인접했음을 알려준다.

황제묘와 황후묘, 그리고 황자묘는 비슷한 규모의 왕릉 2기와 배총의 존재를 가리키는 것으로 보인다. 이 중 높이가 10丈 쯤인 황제묘 내부의 玄室에 3개의 棺臺가 있었음을 구체적으로 증언하였다. 그렇다면 2개의 관대인 데다가 높이가 황제묘보다 낮은 장군총은 '황후묘'를 가리키는 것 같았다. 물론 이 구간에서 장군총보다 규모가 컸던 황제묘로 비정할 수 있는 적석총은 현재 존재하지 않는다. 그러나 현재 존재하지 않는다고 하여 당초부터 조성되지 않았다거나 기록의 오류로 돌리기는 어려운 점이 있다.

(4) 태왕릉=광개토왕릉설의 검증

19세기 후엽에 확인된 광개토왕릉비의 존재는 광개토왕릉을 찾을 수 있는 관건이었다(앞으로는 '능비'와 '능비문'으로 略記한다). 『회여록』에 보면 "비의 곁에 하나의 큰 무덤이 있는데 완연한 구릉이다. 그 모양은 기울어져 있는데 기세에 압도당하는 것 같았다. 대개 고구려 盛時의 永樂太王을 장례한 곳일 게다"고 했다. 즉 태왕릉을 광개토왕릉으로 비정한 것이다. 태왕릉=광개토왕릉설의 핵심은 능비와 왕릉급 분묘가 분명한 태왕릉이 가장 가깝다는 점에 근거하였다. 거대한 규모의 태왕릉은 희세의 정복군주 광개토왕의 능으로 손색이 없다고 보았다. 태왕릉의 외적 규모에 대해 한국 미술사학의 비조인 又玄 高裕燮은 비중을 두지 않았다. 즉 "이(장군총: 필자) 현실의 위장한 품은 외용만 커다란 태왕릉의 미칠 바 아니다"고 갈파하였다. 태왕릉의 외적 규모는 장군총보다 무려 4배나 크다. 그러나 그는 태왕릉의 현실 규모가 정작 장군총의 4분의 1에 불과한 사실을 간파한 것이다.

그 밖에 태왕릉에서 수습한 전돌에 적힌 명문의 '太王'은 능비에서 '好太王' 혹은 '태왕'으로 표기한 광개토왕과 부합하다는 데 두었다. 그러나 이에 대해서는 고유섭이 일찍이 냉소를 지은 바 있다. 즉 "그러나 記銘의 태왕은 태왕일 뿐이요 호태왕이라 하지 아니하였으니, 태왕은 미칭으로 어느 왕에게나 쓸 수 있는 것이요, 또 고구려 역대에는 태조대왕 · 차대왕 · 신대왕 등 실제 대왕으로 칭호된 왕도 있으니, '願太王陵' 운운의 句, 반드시 광개토의 호태왕이 아닐 것이다"[149]라고 갈파하였다.

149_ 高裕燮, 「高句麗 古都 國內城 遊觀記」『朝光』 1938-9; 又玄 高裕燮全集 發刊委員會, 『又玄 高裕燮全集 9』, 悅話堂.

그럼에도 태왕릉=광개토왕릉설은 최근까지도 논거를 보태면서 여전히 유효한 학설로 자리잡고자 했다. 가령 중국이 지안의 고구려 유적을 세계유산으로 등재하기 위한 작업을 추진하면서 왕릉 주변을 대대적으로 발굴한 결과 소위 祭臺라고 명명한 敷石 시설이 노출되었다. 태왕릉의 경우는 소위 제대가 지금까지 알았던 태왕릉 정면의 반대 편에서 드러났다. 그러나 비교 검토한 결과 정형성이 없는 소위 제대는 제대가 될 수 없다는 결론에 이르렀다. 나아가 태왕릉=광개토왕릉설의 유력한 새로운 근거는 효력을 일순에 잃어 버렸다.[150]

태왕릉 주변을 발굴한 결과 銅鈴 한 개가 共伴 유물 없이 출토되었다고 한다. 실로 자그마한 동령의 겉면에는 '辛卯年'과 '好大王'이라는 문자가 확인되었다. 이를 토대로 명문 동령은 태왕릉과 관련 있는 것이고, 태왕릉은 호대왕 즉 호태왕인 광개토왕의 능으로 재삼 확인되었다고 역설했다.[151] 그런데 동령의 문자는 능비문의 서체와는 너무 달랐다. 이 점은 호우총에 부장된 壺杅의 명문이 능비문의 서체와 일치한 것과는 사뭇 다른 양상이었다. 따라서 '호대왕' 문자로써 태왕릉을 광개토왕릉으로 확정 지으려는 시도 역시 적절하지 않아 보였다.[152]

최근까지도 태왕릉=광개토왕릉설은 새로운 논거를 찾아 굽히지 않고 제기되었다. 태왕릉과 장군총 사이에 하천이 흐르고 있었던 사실을 추적하여 태왕릉과 능비는 동일 구역이지만 장군총은 하천이라는 장애물로 인해 능비와는 구분되는 공간으로 단정하였다. 그러나 1595년의 현장 답사를 토대로한 신충일의 지도에 보면 국내성 서편을 흐르는 通溝河(加也之川)나 그 서편의 麻線溝河(仇郎哈川)는 분명히 표시되었다. 반면 능비나 장군총 부근에는 하천 표시가 없다. 이로 볼 때 그 보다 훨씬 후대의 기록이나 지도에 소개된 하천은 16세기 이후에 생겨났거나 아니면 실개천에 불과할 수 있다. 따라서 이러한 소하천의 연원을 고구려 당시로까지 소급시켜 이해하는 일은 용이하지 않다.[153]

그리고 태왕릉 주변에서 출토되었다는 청동 부뚜막과 마구류 가운데 휘장을 설치하는 기구인 幔架는 태왕릉의 家型石槨보다 길어서 들어갈 수도 없다. 따라서 태왕릉 주변에서 출토되었다는 유물

2013, 310쪽.

150_ 李道學, 「太王陵과 將軍塚의 被葬者 問題 再論」『高句麗硏究』 19, 2005 ;『고구려 광개토왕릉비문 연구』, 서경문화사, 2006, 124~128쪽.

151_ 吉林省文物考古硏究所・集安市博物館, 『集安高句麗王陵』, 文物出版社, 2004, 334쪽.

152_ 李道學, 「高句麗 王陵硏究의 現段階와 問題點」『高句麗渤海硏究』 34, 2009, 131~157쪽.

153_ 개천은 생성과 소멸이 빈번한 편이므로 고구려 당시 자연지형의 준거로 삼기는 어렵다. 가령 潭陽郡 古西面 海平 마을의 경우 "무등산에서 흘러내리는 증암천(소쇄원 앞을 흐르는 개천: 필자)이 이 마을로 흘러 갔는데 백여 년 전 큰 홍수에 의하여 물줄기가 現 甑岩川으로 돌게 되어 平野가 바뀌어 졌다하여 海平이라 칭해온다(潭陽郡誌編纂委員會, 『潭陽郡誌』 1980, 898~899쪽)"고 한 예를 제시할 수 있다.

들은 태왕릉과는 무관한 것으로 드러났다.[154]

한 때 장군총을 장수왕릉으로 지목한 주장이 통설처럼 행세하였다. 평양성 천도를 단행한 장수왕은 조상들의 陵域이 소재한 集安의 장군총에 歸葬되었다는 것이다. 그러나 부여군 능산리 절터에서 출토된 창왕 사리감의 명문을 통해 신지견을 얻었다. 천도를 단행한 성왕의 유택은 신도읍지인 사비성에 조영된 사실을 확인한 것이다. 이와 관련해 익산과 수원에 각각 능묘를 조성한 백제 무왕과 조선 정조는 공통점이 있었다. 생전에 자신들이 묻힐 곳에 도성과 신도시 건설을 각각 추진했다는 것이다. 그럼에도 평양성 천도를 단행한 장수왕이 평양에 묻히지 않았다면 어색한 일이 아니겠는가? 결국 사비성 천도를 단행한 성왕이 천도지에 묻힌 게 확실시 되었고, 또 그럼에 따라 귀장설은 근거가 희박해지면서, 광개토왕릉을 장군총으로 비정한 설이 한층 힘을 얻었다.[155]

⑸ 장군총=광개토왕릉설

능비에서 가까울 뿐 아니라 宏大한 태왕릉을 광개토왕릉으로 지목해 왔었다. 그러나 비석과 태왕릉의 방향이 서로 맞지 않았다. 태왕릉의 뒤편에 능비가 세워진 형국이었다. 능비와 태왕릉과의 사이에 4~5개의 石塚이 무너져 내려 있다는 점이다. 설령 순장이라고 해도 태왕릉과 능비 사이에 이와 같은 무덤을 만들었을까? 이러한 석총이 존재한다는 자체가 태왕릉과 능비가 서로 관계 없음을 입증해준다. 반면 장군총은 능비의 동북 약 1,752m 거리이므로 조금 멀리 떨어져 있지만, 능비의 1면과 參道가 연결된다는 것이다.[156] 그리고 태왕릉 陵墻 바깥에 능비가 세워져 있다는 것이다. 태왕릉과 능비가 근접하기는 했지만 서로 관련 없음을 뜻한다. 담장을 가리키는 '土壘'의 존재를 구체적으로 기록한 1943년 간행 논문을 입수하였다. 그럼에 따라 태왕릉의 '土壘' 즉 陵墻 바깥에 능비가 세워진 사실을 포착할 수 있었다. 물론 태왕릉=광개토왕릉설을 견지한 池內宏도 "광개토왕비가 태왕릉 兆域 밖에 속하는 것은 거의 확실하다(池內宏, 『通溝(上)』 1938)"고 했다. 이 사실은 태왕릉과 능비가 서로 관련이 없음을 웅변하는 것이다. 나아가 그간 지루하게 전개된 광개토왕릉 논쟁을 종식시킬 수 있는 유력한 근거로 삼을 수 있었다. 비록 태왕릉은 장군총과 비교해 볼 때 능비와 근접한 것은 사

154_ 李道學, 「集安 地域 高句麗 王陵에 관한 新考察」『高句麗渤海研究』30, 2008, 101~102쪽.
155_ 李道學, 「부여 능산리 고분군 출토 사리감 銘文의 意義」『서울新聞』1995. 11. 6; 「최근 부여에서 출토된 사리감 명문은 무엇을 말하고 있나」『꿈이 담긴 한국고대사노트 (하)』, 一志社, 1996, 77~79쪽.
156_ 關野貞, 「滿洲輯安縣及び平壤附近に於ける高句麗時代の遺蹟(二)」『考古學雜誌』第五卷 第四號, 1914, 1~5쪽. ; 『[新版] 朝鮮の建築と藝術』, 岩波書店, 2005, 294~296쪽.

실이다. 그러나 능비는 태왕릉에서 150m 떨어진 곳을 남북으로 연결시킨 동쪽 陵墻 바깥에 세워져 있다. 더욱이 가장 잘 보존된 동쪽 陵墻에는 門址가 확인된 바 없다. 반면 태왕릉의 남쪽 陵墻에는 門址가 확인되었다. 태왕릉의 정면이 압록강이 흐르는 쪽을 향한 남면일 가능성을 제기해 준다. 이러한 점에 비추어 보더라도 비록 능비는 태왕릉과 가깝지만 그러나 엄연히 구분되었음을 알 수 있다. 태왕릉 능장은 능비와의 관련을 차단하기 위한 목적을 지닌 것으로 해석되었다. 따라서 양자는 관련이 없다는 사실을 밝힐 수 있었다.

세키노 타다시(關野貞, 1867~1935)가 제기한 장군총=광개토왕릉설을 처음으로 취한 한국인은 민족주의 사학자 단재 신채호였고, 고유섭과 최남선, 金瑢俊 등이 뒤따랐다.[157] 사회경제주의 사학자인 李淸源도『朝鮮歷史讀本』(1937, 白揚社)에서 장군총을 광개토왕릉으로 지목했다.

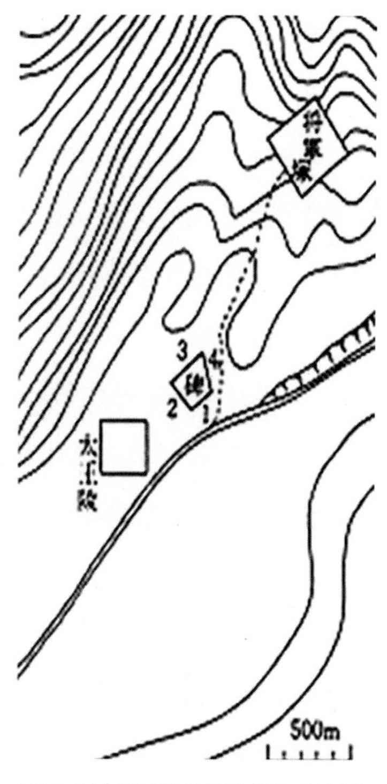

그림 44 | 광개토왕릉비와 장군총 및 태왕릉과의 관계를 알 수 있는 도면[157]

(6) 광개토왕릉비 立地의 비밀

광개토왕릉비를 중심한 주변의 국강상에 소재한 능묘로는 임강총과 태왕릉 그리고 장군총의 順으로 입지하고 있다. 임강총은 동천왕릉으로, 태왕릉은 고국원왕릉으로, 장군총은 광개토왕릉으로 비정되었다.[159] 여기서 동천왕과 고국원왕은 고구려 최대의 국가적 시련을 극복한 왕들이었다. 비록 동천왕은 패전한 왕이었지만 장례 때 殉死한 이가 숱하게 나왔을 정도로 국인들의 사랑을 뜨겁게 받았던 터였다. 그리고 고국원왕은 70대 고령임에도 백제군과 몸소 전투하다가 순국하였다. 그러한 왕릉들과 연계된 능비에는 눈부실 정도로 찬연한 전승이 기재되어 있다. 이러한 능비에서 먼발치로 보이는 분묘가 장군총이다. 장군총은 광개토왕의 혁혁한 전과가 적힌 능비를 前照燈 삼아

157_ 李道學,「고구려 왕릉 연구의 어제와 오늘」『한국고대사 연구의 시각과 방법』, 사계절, 2014, 129~150쪽.
158_ 齋藤忠,『古代朝鮮文化と日本』, 東京大學出版會, 1981, 15쪽.
159_ 李道學,「高句麗 王號와 葬地에 관한 檢證」『慶州史學』34, 2011, 21쪽. ; 李道學,「太王陵과 將軍塚의 被葬者 問題 再論」『高句麗研究』19, 2005 ;『고구려 광개토왕릉비문 연구』, 서경문화사, 2006, 145쪽.

국강상에서 그 웅자를 과시하고 있다.[160] 대백제전에서 패사한 고국원왕에 대응되는 왕이 광개토왕이었다. 그러한 관계로 고국원왕 패사의 숙분을 풀었던 광개토왕을 현창할 목적에서 거대한 훈적비를 세운 것이라고 하겠다. 전자는 '聖太王'이라는 격상된 시호로써, 후자는 능비를 통해 군사적 훈적을 현양한 것이다. 국난을 겪은 '國罡上王'인 고국원왕의 능과 '大開土地'하여 영광의 시대를 연 광개토왕의 능은 '국강상'이라는 장지를 공유하였다.[161] 이로 인한 혼동을 피하기 위해 후자의 시호를 '광개토'로 略記했다는 모리스 꾸랑(Maurice Courant, 1865~1935)의 견해는 예리한 시각이라고 본다.[162] 그리고 양자를 연결하는 지점에 능비를 세워 광개토왕의 훈적을 한껏 현양하고자 하였다. 이 같은 정치적 입지 구도 속에서 임강총 및 태왕릉과 각각 연결될 뿐 아니라, 비록 멀리 떨어져 있지만 태왕릉과 장군총을 일직선상에서 연결하는 지점에 광개토왕릉비가 세워지게 되었다. 그러나 후인들은 이러한 구도를 이해하지 못한 관계로 태왕릉과 장군총의 피장자에 대해 헷갈렸던 것이다. 참고로 천추총은 國罡上王이 原名이었던 고국원왕의 능이 될 수 없다. 통구하 서편에 소재한 천추총 구간은 도저히 국강상이 될 수는 없지 않은가? 천추총은 국강상에 소재한 광개토왕릉비에서 무려 7.34km나 떨어져 있기 때문이다.

당초 왕족묘로 분류되었던 우산하 0540호분은 태왕릉 뒤편에 소재하였던 한변 20~25m되는 5基의 석총 가운데 한 곳이 분명하였다. 조밀하게 붙어 있었던 이들 고분군은 단독 墓域을 확보하고 있지도 않았다. 그런데다가 태왕릉에서 북쪽으로 불과 100여m 밖에 떨어져 있지 않은 우산하 0540호분은 태왕릉 북쪽 陵墻에 가장 근접하였다. 이러한 점에만 비추어 보더라도 우산하 0540호분은 왕릉으로 비정할 수 없다. 따라서 우산하 0540호분에 대한 왕릉 비정 논의는 의미를 잃게 되었다. 그리고 천추총에서 출토된 '△浪趙將軍 … 未在永樂'이라는 명문 기와를 통해 조장군은 낙랑 출신으로 짐작된다. 광개토왕대인 乙未(395)年이나 丁未(407)年에 천추총이 조성되었거나 번와했을 가능성이다. 여기서는 번와했을 가능성이 높다.

고구려 적석총 가운데 왕릉급 분묘에서는 어김없이 기와편 등이 확인되었다. 그랬기에 墓上 건축물이 언급되었다. 묘상 건축물을 대표하는 유구가 장군총이었다. 그런데 勿吉의 경우 "그 부모가 봄에 죽게 되면 세워서 그를 묻었다. 무덤 위에 屋을 지었는데, 비[雨]로 인해 젖지 않게 하기 위해서였

160_ 李道學,「廣開土王の領域擴大と廣開土王陵碑」『高句麗の政治と社會』, 明石書店, 2012, 166쪽.
161_ 이렇게 본다면 능비에서 가까운 태왕릉의 조성 시기나 능묘의 형식은 고국원왕릉과 잘 연결된다.
162_ 서길수,『한말 유럽 학자의 고구려 연구』, 여유당, 2007, 257쪽.

다"[163]고 했다. 여기서 屋은 '집'의 뜻도 있지만, '지붕'이나 '지붕 모양의 덮개'를 가리킨다. 천추총을 비롯한 고구려의 왕릉급 적석총 위에 얹혀진 기와의 용처가 드러난다. 적석총 위의 기와는 분묘의 지붕 역할을 하는 용도였다. 장군총의 경우는 지붕 기와 정도가 아니라 소규모 家屋이 올려져 있었다. 고구려와 인접하여 긴밀한 관계였던 물길의 분묘 조성 풍속은 고구려의 그것을 살피는 단서가 되었다.

(7) 안악3호분의 피장자 문제

안악3호분을 고구려 왕릉으로 지목하는 견해가 북한 학계의 공식 입장이다. 그렇게 지목하는 여러 근거 가운데 하나가 벽화 행렬도 깃발에 보이는 '聖上幡'이라는 글자이다. '성상'이 왕을 가리키므로 국왕의 행차이고, 무덤의 피장자도 고구려 왕이 될 수밖에 없다고 했다. 그러나 '聖上幡'의 '聖'에 대해 金瑢俊은 "내가 보았을 때는 역시 전혀 알 수 없는 글자였다"[164]고 실토했다. 그럼에도 '聖上幡' 묵서명은 현재 너무나 선명하다. 이렇게 분명한 글자가 처음에는 '전혀 알 수 없는 글자'였는지 의아할 따름이다. 그 밖에 고국원'은 국강상인 국내성 일원이므로 고국원왕릉은 안악에 조성될 수 없다. 서측실 벽화의 주인공이 왕이라면 태수급 아래의 속관인 記室·省事·門下輩 등이 그 옆에 있기는 어렵다. 벽화에 보이는 복식과 관모는 중국 漢代나 고구려와는 다르고, 遼陽 三道壕 벽화와 유사하다. 피장자의 초상을 현실 북벽에 그리지 않고 서측실 서벽에 그렸다. 이와 같이 분묘의 축조 형식부터 벽화의 배치 정형, 복식 풍속, 주인공 부인의 두발에 이르기까지 遼陽 지역 벽화묘와의 공통점을 느끼게 한다.[165] 1957년에 탈고한 김용준의 동수묘설은 각별히 주목할 점이 많다.

고구려의 장지명식 시호는 평양성 천도 이후는 물론이고 고구려가 멸망할 무렵까지 이어졌던 것 같다. 고구려 때 영류산으로 일컬었던 현재의 대성산에 묻힌 제27대 영류왕의 경우가 이에 해당한다. 따라서 대성산 기슭의 내리 1호 벽화분을 영류왕릉으로 지목하는 일도 가능해졌다. 당으로 압송되었던 보장왕의 능은 생포되어 죽은 돌궐 頡利 可汗의 무덤 왼편에 조성되었다.

163_ 『魏書』 권100, 勿吉傳.
164_ 金瑢俊, 『고구려 고분벽화 연구』, 과학원출판사, 1958 ; 『高句麗古墳壁畫硏究』, 열화당, 2001, 166쪽.
165_ 金瑢俊, 『고구려 고분벽화 연구』, 과학원출판사, 1958 ; 『高句麗古墳壁畫硏究』, 열화당, 2001, 134~198쪽.

3) 백제

(1) 한성 도읍기

① 적석총

서울시 송파구 석촌동 고분군을 중심으로 하는 가락동과 방이동 일대에는 백제 한성 도읍기의 고분군이 밀집·분포하고 있다. 비록 행정 洞名은 나누어져 있지만 석촌동과 가락동 고분군은 서로 연결된 백제 고분군이라고 하겠다. 석촌동 고분군을 비롯한 이들 고분군 지역에서 동북쪽으로는 몽촌토성과 풍납동토성 등 한성 도읍기의 성들이 소재하고 있다. 이들 고분과 성을 중심한 일대는 백제 한성도읍기의 핵심 지역이라고 말할 수 있다. 사실 왕성의 소재지를 파악과 관련해서는 왕릉군의 소재지 파악이 선결되어야 한다. 왕릉과 왕성은 상호 근거리에 소재한 게 일종의 법칙이기 때문이다. 이러한 조건을 염두에 둘 때 우선 그 관건이 되는 백제 때 왕릉군이라고 지목할 수 있는 곳은 단연 석촌동 고분군이다. 이 점에 있어서 異意를 제기하는 경우는 없다. 석촌동 고분군을 중심으로 해서 근거리에 소재한 성은 풍납동토성과 몽촌토성이다. 요컨대 왕성으로 추정하는데 이견이 거의 없는 풍납동토성과 몽촌토성에서 가장 가까운 거리에 소재한 고분군이 석촌동 고분군이 된다.

1916년에 조사된 자료에 의하면 석촌동 주변에는 대규모의 고분군이 형성되어 있었다. 그리고 이곳은 송파진의 남쪽으로 7~8町에 있는 퇴적 세토로 된 평지의 좀 높은 지점에 소재한 것으로 보고되었다. 또 "석촌의 한 부락은 수많은 황폐해진 무덤 사이에 있다고 말할 수 있을 정도로 수많은 고분들이 이 부락을 중심으로 하여 동남쪽에까지 넓게 분포하며 논과 밭 사이에 산재하고 있다"고 기록했다. 이러한 석촌동 고분군은 조선총독부의 촉탁이었던 세키노 타다시에 의해 조사되었다. 당시 고분은 적석총 및 토총의 2 종류로 구성되어 있었다. 적석총은 高大한 규모를 자랑하며 석촌동에 군집하고 있으며, 토총은 형태는 작으며 석촌동의 남쪽 및 동쪽에 군집 혹은 산재해 있었다고 한다. 봉토분으로 생각되는 甲塚은 22기이며 적석총으로 생각되는 석총인 乙塚은 66기를 헤아렸다.[166] 그러나 무분별한 개간으로 인하여 극심한 훼손이 조장된 결과[167] 현재 유구가 뚜렷한 적석총은 석촌동 제3호분과 제4호분 그리고 제2호분 정도에 불과할 따름이다. 1987년 3월부터 5월까지 서울대학교

166_ 朝鮮總督府, 『朝鮮古蹟圖譜』 제3권, 1916, 圖 704(석촌동 부근 백제 고분 분포도).
167_ 촌락 근처의 고분을 개간할 때 금은제의 부장품이 발견된 관계로 극심한 고분의 훼손이 조장되었다(京城電氣株式會社, 『風納里土城』 1937, 17쪽).

와 경희대학교 그리고 숭실대학교가 주도한 약 3개월간 진행된 발굴을 통해 적석총 3기와 석곽묘 8기, 옹관묘 1기, 토광적석묘 3기, 토광묘 3기가 발굴되었다. 이 밖에도 전모를 확인하지 못하는 파괴된 적석총과 토광묘 등이 여러 기 조사되었다.[168)]

석촌동 일대에는 돌 무더기 다섯이 봉우리 같이 되어 있기 때문에 오봉산으로 불리었던 적석총도 소재했다. 그러나 오봉산 고분은 6.25 전쟁 때 미군들이 그 돌무지를 쓸어다 한강을 메우고 도강 작전을 전개하는 바람에 흔적이 모호해 지고 말았다.[169)] 오봉산 고분은 발굴 없이 훼손되었으므로 그 성격을 정확히 알기는 어렵다. 다만 "이(오봉산) 근처를 파면 위에는 돌이고 밑에는 진흙으로서 가끔 구슬 따위의 패물이 나옴"[170)]이라는 기록을 주목해 볼 필요가 있다. 이 기록과 남아 있는 사진을 토대로 할 때 오봉산 고분은 석촌동 제4호분과 같은 외형은 적석총이지만, 내부는 점토로 충전된 점토 충전식 적석총임을 짐작할 수 있다. 물론 5기의 봉분으로 구성된 오봉산 고분 전체가 점토 충전식 적석총이라고 단언할 수는 없지만, 그러한 유형이 포함된 것은 분명하다.

석촌동 제3호분은 동서 50.8m, 남북 48.4m 길이의 거의 정방형에 가까운 대형 석실적석총이다.[171)] 석촌동 제4호분은 제1단의 평면이 17m로서 방형인 3단의 적석총인데 그 안에 점토를 충전하고 있는 구조이다.[172)] 석촌동 3호분과 4호분에서 출토된 동진제 青磁盤口壺와 같은 유물과 더불어 내부 구조를 감안할 때 4세기 후반과 5세기 초에 각각 조영된 것으로 추정되고 있다.[173)] 비록 내부 구조에는 차이가 있지만 양 적석총은 무기단식의 후행 양식인 기단식에 해당된다. 그리고 석촌동 제3호분 동쪽에는 '파괴된 적석총' 1기가 확인되었다.[174)] 시굴 결과 할석으로 된 한변 20m 이상의 적석총 하부 기반석이 확인된 '파괴된 적석총'은, 비록 내부 구조는 확인할 수 없지만 지층을 고려할 때 4세기 말에서 5세기 초에 조영된 기단식에서 발달한 계단식으로 판단된다.[175)] 아울러 만주 桓仁 高

168_ 서울大學校 博物館,『石村洞 1·2號墳』1989, 4~7쪽.

169_ 송파문화원,『향토 사례집, 송파의 뿌리』1999, 72~73쪽.

170_ 한글학회,『한국지명총람 1(서울편)』1966,107쪽.

171_ 서울大學校 博物館,『石村洞 3號墳 東쪽 古墳群整理調査報告』1986, 12~13쪽.

172_ 金元龍,『한국고고학개설(제3판)』, 一志社, 1986, 179쪽.
이 고분의 구조가 환런현 高力墓子 11호분과 비슷한 것으로 보는 견해도 있다(金元龍, 위의 책, 179쪽). 그러나 그 11호분은 基段 壙內에 大小 石塊가 충전된 양식이기 때문에 상호 차이가 있거니와 이 묘제는 무기단식 적석총으로 분류되기 때문에 더욱 연결시키기 어렵다.

173_ 林永珍,「石村洞 一帶 積石塚系와 土壙墓系 墓制의 性格」『三佛 金元龍敎授停年退任紀念論叢 1』1987, 487쪽.

174_ 서울大學校 博物館,『石村洞 3號墳 東쪽 古墳群整理調査報告』1986, 37쪽.

175_ 서울大學校 博物館,『石村洞 3號墳 東쪽 古墳群整理調査報告』1986, 45쪽.

力墓子村에 보이는 이음식 적석총과도[176] 연결되는 적석총계의 大形 雙墳인 석촌동 제1호분도 단축이 확인되었다.[177] 그 밖에 석촌동 제4호분과는 규모와 구조면에서 유사할 뿐 아니라 3단이었을 제2호 적석총도 계단식에 해당된다.[178] 그러므로 석촌동에서 유구가 남아 있는 몇 기의 적석총들은 모두 계단식으로 확인되었다.

그런데 이들 고분의 형식 구조를 통하여 그 편년을 3세기대까지 상향하려는 논의가 있어 왔다. 가령 내부를 점토로 충전한 석촌동 제1호 북분과 제2·4호분을 고구려계 적석총과 토착적인 토광묘가 혼합된 양식이며 그 매장 주체를 토착세력자로 추정하기도 한다.[179] 그러나 이는 무리한 해석으로 판단된다. 왜냐하면 묘제의 결합이라는 것도 부자연스러울 뿐 아니라, 적석총 중 연대가 가장 올라간다고 주장하는 석촌동 제1호분 北墳의 편년을 3세기 중·후반으로 설정하려면 3세기 중반을 상회하는 토광묘와[180] 그 이전 시기의 기단식 석실적석총의 존재가 확인되어야만 가능하기 때문이다. 물론 석촌동의 적석총들이 거의 파괴되어 이용할 수 있는 자료가 극히 부족하다는 점은 고려해야 한다. 그러나 지금까지 확인된 기단식 석실적석총은 4세기 후반으로 편년되는 제3호분이 가장 이른 시기의 것이다. 그러므로 3세기 중·후반과 3세기 말로 각각 편년을 설정하고 있는 석촌동 제1호분 북분과 2호분의 축조 상한은[181] 재조정의 여지를 남기고 있다.[182] 그 뿐 아니라 석촌동 제1호분 북분의 편년을 설정할 수 있는 유물이 없을 뿐 아니라 그와 쌍을 이루고 있는 제1호분 南墳의 편년은 전혀 가닥이 잡히지 않고 있다. 차라리 석촌동 1호분은 환런현 까오리무즈촌의 이음식 적석총과 관련될 뿐 아니라[183] 까오리무즈촌 15호분과도 유사한 구조이므로[184] 이와 관련해 그 편년을 설정하는 것이 온당하리라고 본다. 비록 쌍분인 1호 적석총 북분 위에 석곽묘가 겹쳐 있고 그 약간 떨어진 곳 위에 1호 옹관묘와 3호 석곽묘가 차례로 중첩되어 있다고는 한다.[185] 그렇지만 이곳은 지층

176_ 정찬영,「기원 4세기까지의 고구려 묘제에 관한 연구」『고고민속논문집』5, 1973, 26~31쪽.
177_ 서울大學校 博物館,『石村洞 1·2號墳』1989, 10쪽.
178_ 서울大學校 博物館,『石村洞 1·2號墳』1989, 21쪽.
179_ 서울大學校 博物館,『石村洞 1·2號墳』1989, 47~49쪽.
180_ 서울지역 토광묘는 지금까지 확인된 바 3세기 중엽을 상회하지 못하고 있다(『石村洞 3號墳 東쪽 古墳群 整理調査報告』1986, 45쪽).
181_ 서울大學校 博物館,『石村洞 1·2號墳』1989, 47쪽.
182_ 그밖에 이 문제에 관한 논의로서 李道學,「百濟의 起源과 國家形成에 관한 재검토」『한국 고대국가의 형성』, 민음사, 1990, 146쪽의 註 91도 참고된다.
183_ 정찬영「기원 4세기까지의 고구려 묘제에 관한 연구」『고고민속논문집』5, 1973, 26쪽.
184_ 陳大爲,「桓仁縣考古調査發掘簡報」『考古』1960, 제1기, 5~10쪽.
185_ 서울大學校 博物館,『石村洞 1·2號墳』1989, 40쪽.

교란이 극심한 지역이기 때문에 그 편년을 보고서대로 수용하기는 어려운 점이 있다. 석촌동의 석곽묘에서 출토된 高杯 가운데는 이성산성에서 출토된 신라의 그것과 同型인 것도 있을 뿐 아니라, 6세기의 중국 백자편이 석곽묘에서 출토되는[186] 한편 '파괴된 적석총'을 파괴하면서 석곽묘가 축조되고 있는 실정이다.[187]

이러한 점을 생각한다면 적석총 제1호분 위에 자리잡은 석곽묘 등은 몽촌토성 내에 조영된 옹관묘 등과 마찬가지로 웅진성 천도 후인 5세기 후반 이후에 축조된 것으로 보여진다. 정변이 있었다 하더라도 한성 도읍기 백제의 왕릉급 대형 적석총을 석곽묘·옹관묘 조영집단이 훼손시킬 수는 없다고 판단되기 때문이다. 따라서 석촌동 제2호분의 편년도 오히려 과거에 설정한 4세기 후반 경[188]이 타당하다고 생각된다. 그러나 보고서의 연대관을 받아들여 석촌동 제1호분 북분과 제2호분의 편년을 3세기 중반에서 말엽으로 설정하더라도 그 계통은 고구려 지역에서도 4세기대에나 등장하는 기단식 석실적석총과는 성격이 구분되는 것이다. 왜냐하면 이들 고분은 粘土充塡式이므로 4세기 후반 경에 축조된 석실적석총인 3호분과는 구조상 차이가 나기 때문이다. 점토충전식 적석총은 土壙墳丘墓에 葺石을 가한 즙석봉토분의 발전된 양식이 된다. 이를테면 이것은 즙석을 割石化하는 동시에 그것의 流動化를 막기 위하여 계단식으로 구조화한 것이라고 하겠다. 이러한 추정은 석촌동에 점토충전식 적석총보다 이른 시기에 조영된 3세기 중반의 즙석봉토분이 확인될뿐 아니라, 즙석봉토분의 발전 양식인 기단식 즙석봉토분이 남한강유역의 도화리와 문호리 등지에서 나타나고 있는데서 뒷받침되지 않을까 한다.

잔존하는 단편적인 고고학적 자료를 토대로 하였기 때문에 그 전모를 헤아리기는 쉽지 않지만, 지금까지의 정리를 통하여 석촌동의 적석총은 기단식만 존재한 것으로 밝혀졌다. 석촌동 일대는 높이 6m 이상의 雄姿를 과시하는 적석총군이 숲을 이룬 거대 고분의 중심지였음에도[189] 불구하고, 서울 지역 어디에도 기단식 적석총의 선행 양식인 무기단식 적석총은 확인되지 않았다.

이로써 석촌동을 비롯한 서울 일원에는 4세기 후반 이전으로 시기가 소급되는 적석총은 존재하지 않은 것으로 다시금 확인된다. 반면 즙석봉토분과 더불어 한강유역에서는 유례가 드문 대형 옹

186_ 서울大學校 博物館,『石村洞 古墳群 發掘調査報告』1987, 159쪽.
187_ 서울大學校 博物館,『石村洞 3號墳 東쪽 古墳群 整理調査報告』1986, 45쪽.
188_ 서울大學校 博物館,『石村洞 積石塚發掘調査報告』1975, 159쪽.
189_ 朝鮮總督府,『大正 5年度 古蹟調査報告』1916, 84쪽.

관묘와 토광묘 등이 존재하였다. 계통상 서로 연관이 깊은 옹관묘와 토광묘의 규모나 부장품의 질을 생각할 때, 계단식 적석총이 출현하기 이전 서울 지역의 주묘제는 즙석봉토분·옹관묘·토광묘로 한정하는 게 가능하다. 그러므로 설령 무기단식 적석총이 존재하였다고 하더라도 토광묘나 즙석봉토분 등에 비해 그 부장품의 질적 수준이 높다고 운위되기 어렵다. 그로므로 서울 지역 단위사회 최고 지배층의 묘제일 가능성은 희박하다.

즙석봉토분은 제천 양평리·교리·도화리, 양평 문호리, 춘천의 중도, 연천 삼곶리·학곡리 등지에서도 확인되었다.[190] 양평리 고분(1·2호분)은 자연 언덕 구덩이[自然砂丘]에 대형 냇돌[川石]을 입혀서 축조하였으므로 일종의 즙석봉토분이다. 그리고 도화리 고분은 3단의 계단식으로서 그 '평면도'에서 분명하게 드러나고 있지만 자연 퇴적된 구릉에 적석을 얇게 덮고 있는 형식이므로 즙석봉토분이 분명하다. 문호리 고분은 계단식으로 축조된 3段築의 方形인데 점토층 위에 냇돌을 올려놓은 구조로서 적석총 양식에 가깝기는 하지만 역시 즙석봉토분이다. 중도 고분은 모래층 위에 냇돌 積石層位가 올려진 구조로서 문호리 고분과 흡사한데 즙석봉토분으로 분류된다. 최근 발굴된 삼곶리 고분 또한 2~3단 정도의 계단식으로 적석을 덮었지만 내부는 모래층이므로, 앞의 고분들과 동일한 구조로서 즙석봉토분에 해당된다.

② 석실분

한성 도읍기에는 횡혈식 석실분은 축조되지 않았다는 견해가 많았다. 그러나 가락동과 방이동의 횡혈식 석실분은 웅진성 천도 후에 조영된 공주 송산리의 석실분과 구조적인 측면에서 큰 차이가 없다는 사실이 밝혀졌다. 특히 묘실이 지하에 있다는 백제 횡혈식 석실분 고유의 보편적 축조법이 나타나고 있다는 점, 깬돌의 사용과 궁륭식 천정의 표현, 그리고 긴 연도와 벽면의 회바름, 배수로와 묘실 바닥을 하단에 깬돌을 깔고 그 위에 다시 자갈을 까는 방식에서 강한 공통성이 나타나고 있

190_ 裵基同,「제원 양평리 A지구 유적발굴조사보고」『충주댐 수몰지구문화유적 발굴조사종합보고서(고고·고분 분야 I)』 1984, 615~692쪽.
崔夢龍·李熙濬·박양진,「제원 도화리지구 유적발굴 약보고」『'83 충주댐 수몰지구문화유적발 굴조사약보고서』 1983, 315~328쪽.
황용훈,「양평군 문호리지구 유적발굴복」『팔당·소양댐 수몰지구 유적발굴 종합보고』 1974, 327~378쪽.
박한설·최복규,「중도적석총발굴보고」『중도발굴조사보고서』 1982, 3~82쪽.
김성범,「軍事保護區域內 文化遺蹟地表調査報告--경기도 연천군편」『文化財』 25, 1992.
文化財管理局·文化財研究所,『漣川三串里百濟積石塚發掘調査報告書』 1994, 1~116쪽.

다고 한다. 그 밖에 가락동과 방이동 고분에서 출토된 단각고배를 신라 유물로 간주했지만, 오히려 그것은 백제에서 신라로 전파된 것이라는 견해 등을 제시하면서 한성 후기 백제 분묘임을 논증하였다.[191)]

게다가 최근 분강 저석리 12~14호 석실분과 화성 마하리 1호분, 원주 법천리 1 · 4호분, 오창 주성리 2호분을 비롯해서 한성 도읍기의 백제 토기가 출토되는 석실분들이 조사되어 한성 도읍기 석실분의 존재 자체는 누가 보더라도 명확해졌다.[192)] 더욱이 마하리 1호분은 4세기 후반, 분강 저석리 12~14호분이 5세기 중반 이전, 그 16 · 17호분은 5세기 중반, 분강 저석리 12호분 등과 동일한 구조의 나주 복암리 2 · 3호분을 5세기 전반경, 청주 신봉동 82-1호분과 익산 입점리 86-1호분을 5세기 중반이나 직후로 편년되고 있다. 따라서 한성 도읍기의 석실분은 4세기 후반부터 조영된다는 견해가 힘을 얻게 되었다. 특히 5회에 걸쳐 추가장되면서 신라 토기가 출토된 오창 주성리 1호분을 5세기 초부터 조영된 것으로 간주하여 일찍이 이 같은 견해를 제시했던 기존 견해와 같이 방이동 · 가락동 석실분의 신라 토기들도 주성리와 동일하게 추가장에 의한 이입으로 간주하여 이들 분묘들이 백제 한성 도읍기부터 조영된 것으로 볼 수 있는 근거가 된다고 한다.[193)]

요컨대 지금까지의 연구 성과에서는 대체로 한성 도읍기에 석실분이 조영되었음을 인정했다. 그러나 정작 백제 왕도인 서울 지역에서는 그것이 조영되지 않은 일종의 空洞 상태로 간주하는 견해가 적지 않았다. 그러나 이러한 주장에 의한다면 백제 석실분의 계통을 전혀 잡을 수도 없게 된다. 게다가 이는 백제에서 왕족 등을 파견해서 지방을 지배하는 형태인 담로제 시행과 결부지어 볼 때 설득력이 떨어진다.

사실 방이동 고분군이 신라 고분이라면, 고분과 반드시 짝을 이루며 나타나는 생활 공간인 성의 존재가 그 인근에서 확인되어야만 하는 것이다. 그러나 방이동 고분군 인근에서 신라성의 존재가 확인되지도 않았을 뿐 아니라 기존의 백제성을 신라가 활용한 흔적도 나타난 바 없다. 그러므로 한성 도읍기에 횡혈식 석실분이 유입되면서 방이동과 가락동 등지에서 석실분들이 축조되고 지방에

191_ 李南奭, 『百濟石室墳研究』, 학연문화사, 1995, 145~164쪽.

192_ 그 대표적인 논자로는 李南奭과 龜田修一이다. 그 밖에 다음과 같은 관련 업적이 있다.
安承周, 「百濟 古墳의 研究」 『百濟文化』 7 · 8합집, 1975.
西谷正, 「百濟 前期 古墳의 形成過程」 『百濟文化』 13, 1980.
成正鏞, 「百濟 漢城期 低墳丘墳과 石室墓에 대한 一考察」 『湖西考古學』 3, 2000, 11쪽.

193_ 成正鏞, 「百濟 漢城期 低墳丘墳과 石室墓에 대한 一考察」 『湖西考古學』 3, 2000, 13쪽.

그림 45 | 하남시 감일 지구에 소재한 백제 석실분

는 구조적 다양성을 보이는 초기 양상의 석실분들이 조성되며 점차 가락동 3호분과 같은 정형적 형태로 발전한 후 웅진 도읍기의 석실분과 연결된다고 했다. 방이동 제1호분과 공주의 왕릉 구역에 소재한 송산리 제5호분이 서로 구조와 형식이 흡사한 것도 계통적 연결성을 뜻한다고 하겠다.[194]

이와 관련해 한성 후기에 왕릉으로서 석실분이 조영되었음을 암시해 주는 문헌적 근거를 제시하지 않을 수 없다. 즉 한성 후기 왕릉의 구조를 추정해 볼 수 있는 기록이 다음과 같이 보인다. "또 욱리하에서 큰돌[大石]을 취하여 槨을 만들어서 아버지의 유골을 장례지냈다 又取大石於郁里河 作槨以葬父骨(『삼국사기』 권25, 개로왕 21년 조)"라는 기사가 되겠다. 물론 이 기사만으로는 해당 묘제를 그리기는 어렵지만, 돌을 쌓아서 조영하는 적석총은 굳이 '큰돌'만을 필요로 하지 않는다. 게다가 석촌동의 적석총은 냇돌이 아니라 남한산에서 채취한 산돌로 축조되었다. 또 큰돌로 '槨'을 만들었다고 했다. 그러므로 이 기사를 허심하게 받아 들인다면 개로왕의 선왕이 묻힌 무덤은 거대한 규모의 적석총을 가리킨다기 보다는 그 보다 분묘의 규모가 작은 석실분 조영을 가리키는 문자로 지목하는

194_ 成正鏞, 「百濟 漢城期 低墳丘墳과 石室墓에 대한 一考察」 『湖西考古學』 3, 2000, 13쪽.

게 온당하다. 이러한 추정은 위의 기사에 보이는 큰돌은, 조선 세종 2년(1420)에 원경왕후릉의 석실 개석으로 '全石'을 사용하고자 하는데 대해 넓고 두꺼워 운반하기 어려우므로 두 쪽으로 쪼개자는 논의[195]에 등장하는 그 '전석'과 연결될 수 있다. 나아가 全石으로 조영된 舊英陵이 석실분인 점에서도 뒷받침되지 않을까 한다. 더욱이 그러한 한성 도읍기의 석실분으로서는 가락동과 방이동 등지에서 찾을 수 있기 때문이다.[196] 실제 최근에는 서울 서초동 우면산과 하남시 감일 지구에서도 한성 도읍기 석실분이 조사 발굴되었다. 감일 지구는 몽촌토성에서 3km 이내에 속한다. 따라서 한성 도읍기 왕도 구역에서도 석실분의 존재는 분명하게 확인되었다.

현재 서울 지역의 삼국시대 고분군으로서는 광진구에 속하여 있지만 일제 치하에는 경기도 고양군 독도면 중곡리에 속하였던 곳을 지목할 수 있다. 중곡동 고분군은 구릉 혹은 평야에 소재하고 있었다. 1942년에 간행된『조선보물고적조사자료』에 의하면 다음과 같이 기록되어 있다.

> 131기가 있다. 모두 天然石과 흙으로 쌓아올린 것으로서 경작을 위해 주위가 잠식되었기 때문에 외곽 원형을 찾아 볼 수 없다. 삼각 · 사각 등 여러 형태를 하고 있으며 또 현상에 의하여 타원형이 15기(지름 3칸반 내지 2칸, 폭 2칸반 내지 1칸, 높이 1칸 내지 3칸), 원형의 것이 116기(직경 2척 내지 2칸반 내지 1칸, 높이 1칸 내지 3칸)가 있다. 발굴 혹은 파괴된 것이 7기 있어서 이것에 의해 내부를 볼 때 천연석을 가지고 장방형의 석실을 만든 것을 알 수 있다.[197]

위의 기록을 놓고 볼 때 중곡동 구릉과 평야에는 석실분이 조영되어 있었음을 헤아릴 수 있다. 이러한 고분들이 모두 삼국시대 분묘라고 단정할 수야 없겠지만 그러나 조사가 된 중곡동 甲墳과 乙墳의 경우는 삼국시대 조영된 게 분명하다. 이들 분묘의 현실은 장방형으로 남벽 중앙에 연도를 설치하였다. 그 현실은 깬돌을 쌓아서 올렸는데, 위로 올라 갈수록 안쪽으로 기울게 축조되었으며, 천정에는 판석 여러 개로 짜여져 있다. 현실 안에는 지름 6촌 안팎의 냇돌을 사용하여 한 단 높은 시상대를 설치했다. 시상대 바깥의 현실 밑면에는 지름 4촌 안팎의 냇돌을 깔았는데, 연도로부터 현실로

195_ 『世宗實錄』 권9, 세종 2년 8월 계축 조.
196_ 李道學,『백제고대국가연구』, 一志社, 1995, 92~93쪽. 註 149.
197_ 朝鮮總督府,『朝鮮寶物古蹟調査資料』 1942, 2쪽.

가는 입구에는 깬돌로서 폐쇄한 후에 흙을 덮어 봉분을 조성했다.[198]

여기서 중곡동 甲墳은 장방형 석실에 연도가 長軸 방향으로 붙어 있다. 그리고 천정이 穹窿 형태로 되어 있다. 중곡동 을분은 연도가 없는 장방형 석실분이다. 벽면은 깬돌로 쌓았고, 높이 올라 갈수록 안으로 기울게하여 맨 위에 몇 개의 판돌을 덮었다. 바닥에는 안쪽의 단벽으로부터 屍床을 만들어 추가장할 때마다 시상을 넓혀 왔다. 남쪽 벽면은 연도는 없으나 추가 매장할 때마다 헐고 들어가는 횡구식 벽 開閉 기능을 지녔다.[199] 그런데 중곡동 고분군의 국적에 대해서는 명료하지가 않다. 일제 치하에서 조사할 때는 백제 고분으로 규정하였고 또 백제 고분으로 분류하는 경향도 있지만[200] 그것을 입증할 만한 유물이 확인되지 않았다는 한계가 있다. 그러나 중곡동 고분군과 관련된 인근의 성이 신라가 이용한 게 분명한 아차산성인 점을 주목한다면, 한강유역을 점유한 이후 신라가 조영한 분묘일 가능성을 고려해 볼만하다. 그렇지 않다면 지금의 서울 일원을 이후 줄곧 지배한 신라의 통치 거점이 명료하지 않다는 문제점이 제기 되기 때문이다.

몽촌토성 앞에 백제 때 무덤으로 추측되는 '말무덤'으로 일컬어지는 거대한 봉분을 갖춘 고분이 있었다. 넓이는 약 500평에, 높이는 약 30척 정도 되는 것으로 전해지고 있다.[201] 그러나 현재 말무덤의 위치는 확인할 길이 없고 그 존재에 대한 기록도 더 이상 남아 있지 않다.

(2) 웅진성 도읍기

웅진성에 도읍하던 시기의 왕릉군은 공주 송산리에서 확인되었다. 중심되는 고분은 7基이지만, 이 중 5기는 석실분이고, 나머지 2기 중에서 무녕왕릉과 송산리 6호분은 전축분이다. 동일한 전축분인 무녕왕릉과 송산리 6호분의 선후 관계가 쟁점이 되고 있다. 이와 관련한 몇 가지 단서를 짚어 보고자 한다.

무녕왕릉은 내부 전돌과 연도부의 벽돌이 서로 계통이 동일하지 않다. 현실 내부의 전돌은 사격자문과 연화문이다. 그런데 연도부 바깥의 벽돌에는 현실 내부에서는 단 1점도 확인되지 않았던 오수전 문양 전돌이 상당히 나타난다. 이러한 현상은 현실과 연도의 조영에 있어서 서로 시간상의 차이

198_ 朝鮮總督府,『昭和二年度古蹟調査報告(第2册)』, 1929, 27~28쪽.
199_ 강인구,『삼국시대분구묘연구』, 영남대학교 출판부, 1984, 163~164쪽.
200_ 李南奭,『百濟石室墳研究』, 학연문화사, 1995, 44쪽에서는 중곡동 고분을 '백제 고분 현황'표에 넣었다.
201_ 한글학회,『한국지명총람 1(서울편)』1966, 108쪽.

가 존재했음을 생각하게 한다. 이와 더불어 흔히 무녕왕릉이 왕 생전에 조영된 壽陵이라는 근거로서 '壬辰年作' 銘 전돌을 제시하고 있는 점을 검토해 본다. 임진년은 512년이므로 무녕왕(462~523) 생전의 능묘 조영을 상정해 왔다. 그러나 '임진년작'명 전돌은 현실 내부가 아니라 연도 바깥 폐쇄부에서 나왔다. 무녕왕릉이 최종 폐쇄되는 시점에 쌓여진 전돌인 것이다. 무녕왕릉이 최종 폐쇄되는 시점은 3년상을 마치고 525년에 안장된 무녕왕의 시신에 이어 529년 2월에 왕비의 시신이 脫喪하고 합장되었다. 529년 2월이 무녕왕릉이 최종 폐쇄되는 시점이었다. 그럼에도 불구하고 최종 연도 폐쇄부에서 529년보다 17년이나 앞선 임진명 전돌이 존재했다는 사실이다. 이 사실은 무녕왕릉이 왕 생전인 임진년 곧 512년에 축조가 시작되었다는 의미는 아닐 수 있다. 무녕왕릉을 축조하다가 마무리 단계에서 전돌이 모자란 관계로 그 전에 제작했던 전돌을 이용하여 완공한 것으로 해석되게 한다.

이러한 추론은 무녕왕릉 연도 벽의 전돌이 내부 현실과는 다르다는 점에서도 방증된다. 전축분을 조영할 때 관을 안치하는 현실을 먼저 만든 후에 그 입구인 연도를 제작한다고 보여진다. 따라서 이러한 전돌의 차이는 분묘 조영 공사상의 문제와 관련 있다고 볼 수밖에 없다. 그러니까 '임진년작'명 전돌을 비롯하여 연도 벽의 벽돌은 무녕왕릉을 조영할 때 제작한 벽돌이 아니었다. 그 이전에 제작하였다가 어떤 이유로든 남아 있던 것을 이용한 것으로 보여진다. 유독 '임진년작'명 전돌 1개만 무녕왕릉 전돌을 제작하기 이전의 것으로 간주하기 보다는 이러한 성격의 전돌들이 상당수 존재하였다. 또 그것은 분묘 조영의 끝마무리를 장식하는 폐쇄부에 쓰여진 것이라고 해석하는 게 자연스럽지 않을까 한다.

이와 관련해 무녕왕릉 연도의 벽돌 가운데 오수전 문양이 다수 나타나고 있다는 점을 유의해야 한다. 오수전 문양의 전돌은 송산리 6호분 현실 벽에 가득 나타나고 있다. 이로 볼 때 무녕왕릉 조영의 마무리 단계에 쓰여졌던 오수전 문양의 전돌은 송산리 6호분이 조영 된 후 남겨진 것을 이용했을 개연성이 높아진다. 여기서 송산리 6호분과 무녕왕릉의 조영 시점의 선후 문제가 따르게 된다. 무녕왕릉 조영의 마무리 단계에서 새로 채택된 오수전 문양 전돌이 송산리 6호분 조영 때 중심 문양전으로 계승되었다고 볼 여지 보다는, 송산리 6호분을 조영한 후 남는 오수전 문양 전돌을 무녕왕릉 조영에 이용하였을 가능성이 더 크다고 본다. 이러한 추정은 무녕왕릉 조영의 최종 단계에 쓰여졌던 벽돌이 '임진년작'명 전돌 1개에 불과하였다고 볼 여지가 거의 없는 상황이라는 전제에서이다. 그리고 오수전 문양 전돌은 '임진년작'명 벽돌과 마찬가지로 무녕왕릉 조영 이전에 제작된 것으로 보여진다. 게다가 전돌 문양의 일관성에 어긋나므로 외부 전돌을 이용한 것으로 간주되기 때문이다. 따라서 이들 전돌이 사용되었던 분묘는 송산리 6호분임을 지목하는 게 자연스러워진다. 이와는 달리 왕릉급 전축분이 더 이상 존재하지 않았기 때문이다. 그럼에 따라 송산리 6호분은 무녕왕릉보다 앞선 시기에 조영된 분묘로 밝혀지게 되었다.

그러면 송산리 6호분은 누구의 분묘일까? 예전에 무녕왕의 아들인 성왕의 분묘로 지목하는 견해가 있었다. 그러나 창왕사리감 명문을 검토해 본 결과 그럴 가능성은 없어졌다. 송산리 6호분이 무녕왕릉보다 후대에 조영되었다는 근거를 하나 잃은 셈이다. 송산리 능원에서 전축분은 무녕왕릉과 송산리 6호분 단 2기밖에 없는 만큼, '임진년작'명 전돌은 송산리 6호분을 조영하던 시기에 제작한 전돌로 간주한다면 무리는 없지 않을까 한다. 물론 교촌리 전축분이 존재하고 있다. 그러나 교촌리 전축분에는 오수전 문양 전돌이 없다. 그러면 임진년인 512년 전후하여 분묘가 조영될 수 있는 인물은 누구일까? 백제왕으로서는 해당되는 인물이 일단 보이지 않는다. 그러나 비정상적인 사망을 한 특별한 경우의 왕이라면 가능성이 전혀 없는 것도 아닐 것이다. 이러한 측면에서 찾아 본다면 무녕왕에 앞서 재위했다가 피살된 동성왕을 지목할 수 있다. 동성왕이 피살된 후 즉위하여 그 죽음의 최대 수혜자가 다름 아닌 이복형인 무녕왕이었다. 그런 만큼 동성왕과의 관계가 매끄럽다고 생각되지는 않는 만큼, 동성왕의 시신은 격에 맞게 안장 되지 못한 상황이었을 수도 있다. 그 후 512년이나 그 이후에 동성왕의 능묘가 송산리 능원에 정중하게 조영 된 게 아닐까 하는 추리를 유발시킨다.

송산리 6호분은 동쪽 벽으로 붙어 관대가 1개이다. 서쪽 벽으로 관대를 1개 더 놓을 계획이었던 것 같다. 합장을 염두에 두었지만 뜻대로 되지 않았을 가능성이다. 이와 관련해 무녕왕의 아들인 순타 태자의 분묘로 간주하는 견해도 있다. 그러나 순타 태자는 513년에 사망하였다. 그런 관계로 수릉설을 따르기 어려운 상황에서는 512년에 이미 분묘가 조성된 것으로 보이는 송산리 6호분과 결부짓기는 어렵다.

한편 송산리 6호분에서 나온 명문 전돌의 위치를 "6호분의 폐쇄부 전에서 확인된"[202] 것이라고 했다. 그러나 6호분 발굴에 직접 참여했던 가루베지온의 글에 따르면 연도 前壁에 사용한 塼 가운데서 단 1매에 명문이 적혀 있었다고 했다.[203] 이 글귀의 양자를 가만히 음미해 보면 동일한 내용으로 보인다. '임진년작'명 전돌은 송산리 6호분 폐쇄부에 사용한 것은 분명하다. 그렇다면 송산리 6호분은

202_ 윤용혁,『가루베지온의 백제 연구』, 서경문화사, 2010, 139쪽, 주 58.
203_ 輕部慈恩,『百濟美術』, 寶雲舍, 1946, 124쪽.

510년~512년 사이에 사망한 백제 왕족의 분묘일 가능성을 제기할 수 있다. 이러한 맥락에서 본다면 무녕왕의 첫 번째 왕비의 능일 가능성은 엄존한다.

(3) 사비성 도읍기

부여군 능산리 왕릉원에는 현재 왕릉을 포함한 7기의 석실분이 중심을 이루고 있다. 사비성 도읍기 두 번째 왕인 위덕왕은 부왕인 성왕의 명복을 빌기 위해 나성의 동쪽 성벽에 거의 잇대다 시피했을 정도로 근접한 공간에 사찰을 조영하였다. 567년에 이 사찰이 창건될 무렵의 능산리 왕릉원에는 성왕의 무덤 1기밖에 소재하지 않았다. 봉분이 확인되는 7기의 고분 가운데 앞줄 한복판에 소재한 규모가 가장 컸다는 능산리 2호분이 성왕의 능으로 밝혀졌다. 능산리에서 출토된 창왕 사리감 명문을 통해서였다. 관련된 논거를 소개하면 다음과 같다.

사리감 명문은 능산리 절터의 창건 내력을 밝혀주고 있다. 567년에 목탑의 심초석에 사리를 공양하였다는 사실은 567년 이전에 佛寺가 시작되었음을 뜻한다. 이 시점에 능산리에 묻힌 王者는 위덕왕의 아버지인 성왕을 제외하고는 없었다. 성왕은 신라에 의해 살해되었지만, 『일본서기』에 의하면 頭骨을 제외한 遺體는 돌려 받았다. 그러므로 성왕은 백제 땅에 묻힌 게 분명하다. 능산리 절터가 위덕왕 때 창건된 능사로 밝혀진 만큼, 성왕의 능은 부여 능산리에 소재한 것으로 드러났다.

능산리 백제 왕릉군 가운데는 棺을 안치해 두는 房인 玄室의 형태가 창왕명사리감과 유사한 게 있다. 石室墳인 능산리 제2호분의 현실이 바로 아치형이다. 塼築墳인 공주 무녕왕릉의 형태를 계승한 제2호분의 조영 시기가 능산리에서 가장 이르다는 데는 이견이 없다. 그렇다면 사리감의 형태는, 성왕의 관을 안치한 현실 구조에서 따왔을 가능성을 시사해준다. 전륜성왕을 자처했을 수 있는 성왕의 시신이 안치된 현실의 모양이기 때문이다. 성왕을 위한 원찰의 목탑 안에, 그것도 사리를 봉안하는 사리감의 형태로 재현시켰다. 이는 '왕이 곧 부처이다'라는 '王卽佛' 사상의 발현으로 생각된다.[204] 가톨릭이 지배하던 중세 프랑스에서도 쉬제(Suger, 1081~1151) 수도원장은 국왕을 '제2의 그리스도'로 선언했다. 국왕과 그리스도를 일치시켰다. 유일종교 시대에 '王卽佛' 사상의 기본원리는 동서양이 동일했던 것이다.

204_ 李道學, 「부여 능산리 고분군 출토 사리감 銘文의 意義」 『서울新聞』 1995. 11. 6; 「최근 부여에서 출토된 사리감 명문은 무엇을 말하고 있나」 『꿈이 담긴 한국고대사노트(하)』, 一志社, 1996, 77~79쪽.

익산의 쌍릉은 무왕과 관련 있어 보인다. 그런데 재발굴을 통해 대왕묘가 무왕릉으로 밝혀졌다는 것이다. 그러나 현실 중앙에 관대가 1개 밖에 없다. 무녕왕릉을 비롯한 삼국 왕들의 합장 사례와 맞지 않다. 최소 2명의 왕비를 배우자로 했던 무왕이 홀로 묻힌 이유에 대한 해명이 없다.[205] 여러 정황에 비추어 볼 때 선화 왕후가 먼저 세상을 떴을 가능성이 높다. 그렇다면 그녀는 능산리 왕릉원에 묻혔을 가능성이 높다. 그 다음으로 무왕이 사망했다고 할 때 익산에 묻혔을 가능성을 상정할 수 있다. 사탁씨 왕후가 실권자였기에 의자왕은 무왕을 선화 왕비와 합장하거나 곁에 분묘를 조성할 수 없었다. 소왕묘가 대왕묘보다 먼저 조성된 분묘라고 할 때 소왕묘가 무왕릉일 가능성이 있다. 그리고 최종 사망자인 사탁씨 왕후는 대왕묘에 묻혔는데, 그녀 사망 직후 의자왕은 정변을 일으켰다. 사탁씨 왕후의 측근들을 죄다 제거했지만 외형상 계모의 능을 장대하게 조성하여 효성을 보였기에 海東曾閔이라는 칭송을 받았던 것 같다. 閔子는 계모에게 효성이 지극했던 공자의 제자였다.

당에 붙잡혀 가서 숨진 의자왕의 능묘는 중국 西安의 북망산에 소재하였다. 당초에는 비석도 세워져 있었다. 그의 능묘는 중국 삼국시대 오의 마지막 황제인 孫晧와 남북조시대 陳의 마지막 황제인 陳叔寶의 묘소 옆에 마련되었다.[206] 의자왕 능묘 확인의 관건은 2 왕릉의 소재지와 엮어져 있다. 의자왕릉 곁에 세워졌던 비석은 일찍이 파괴되었다.

4) 신라와 임나

신라의 수도인 경주에는 주된 묘제가 목곽묘·적석목곽분·석실봉토분의 순으로 변화되었다. 적석목곽분의 조성은 古塚古墳 문화의 등장을 가리킨다. 표형 쌍분인 황남대총은 남북 길이 120m, 높이 22m에 이른다. 금관을 비롯한 막대한 금제품과 무기류가 잔뜩 부장되었다. 이러한 적석목곽분은 4세기 후반~6세기 전엽까지 마립간 시기의 묘제였다. 5세기대에 가장 굉대했고, 대략 경주에서 벗어나지 않았다. 마립간 시기의 왕과 김씨 왕족 중심의 배타적 묘제가 적석목곽분이었다. 적석목곽분의 기원에 대해서는 여러 학설이 제기되었다. 이 가운데 김씨 왕가의 집권과 맞물린 북아시아 지역 묘제의 유입으로 보인다. 황남대총 남분 등 이른 시기의 적석목곽분 중에서 순장은 확인된다.

205_ 李道學,「쌍릉 대왕묘=무왕릉 주장의 맹점(盲點)」『계간 한국의 고고학』43, 2019, 66~69쪽.
206_ 『三國史記』권28, 의자왕 20년 조. "詔葬孫晧·陳叔寶墓側 并爲竪碑"

순장은 502년(지증왕 3)에 금했지만, 경산 임당동 고분군이나 창녕 송현동 고분에서도 순장자가 발견되었다.[207]

신라는 율령의 반포와 도시의 확장에 따라 경주 분지 안에 더 이상 거대 분묘를 조성할 공간이 없었다. 결국 분묘의 입지는 구릉이나 야산으로 바뀌게 되었다. 분묘의 규모도 축소될 수밖에 없었기에 자연히 부장품의 薄葬이 따랐다.

흥무대왕으로 추증된 김유신의 경우 현재의 김유신 장군묘에 대해 이견이 제기되었지만, 현재 분묘가 맞다.[208] 그리고 산청의 전 仇衡王陵에 대해서도 그 성격을 논증한 바 있다. 즉 방단형 적석탑인 전 구형왕릉의 양식과 지금은 도난당한 구형왕 影幀 服飾을 놓고 볼 때 9세기대 이후에 조성된 것으로 추정하였다. 이곳의 王山寺는 구형왕을 추념하기 위한 금관가야계 귀족들의 願刹로 지목했다.[209]

임나의 묘제는 매장주체부에 따라 목곽묘·수혈식석곽분·횡혈실분으로 나누어진다.[210] 加羅의 거점인 김해에서는 3세기 후반에 이르러 대성동고분군에서는 이전 시기와 뚜렷이 차이나는 대형 목곽묘들이 등장하였다. 순장이 확인될 뿐 아니라 선비 계통의 유물들이 부장되어 있었다.

임나 고분으로는 고령 지산동 고분군과 함안 도항리·말산리 고분군이 대표적이다. 이러한 임나 고분의 매장주체부는 4세기 후반부터 수혈식 석곽으로 전환되기 시작하여 5세기 이후에는 고총으로 발전했다. 6세기에 접어들어서는 임나 지역에도 횡혈식석실분이 부분적으로 축조되었다. 임나의 고분들에는 순장곽도 확인되지만 지역적 특색이 나타나고 있다. 그리고 고성·의령·사천·거제 등의 고분에서는 일본 묘제와의 관련도 보인다.[211]

207_ 한국고고학회,『한국고고학강의(개정판 3쇄)』, 사회평론, 2012, 344~354쪽.
208_ 李道學,「傳 金庾信墓에 對하여」『文化財學』6, 한국전통문화대학교 문화재관리학과, 2009, 95~106쪽. 본 논문은 이도학이 대학시절인 1978년에 집필하여 1979년에 탈고한 글이다.
209_ 李道學,「山淸의 傳仇衡王陵에 관한 一考察」『鄕土文化』5, 嶺南大學校 鄕土文化硏究會,1990, 97~112쪽.
210_ 한국고고학회,『한국고고학강의(개정판 3쇄)』, 사회평론, 2012, 391쪽.
211_ 한국고고학회,『한국고고학강의(개정판 3쇄)』, 사회평론, 2012, 393~397쪽.

제4절 과학의 운용과 발달

인간은 실생활에 필요한 기구를 속속 발명했다. 그 중 하나가 수레의 발명이다. 그리고 가축을 이용해서 사냥 수단으로 사용하거나 운송 수단 즉 탈것으로 이용했다. 삼국시대에 접어들어서 산성 축조와 고분 조영에 있어서 수학과 역학의 원리를 바탕으로 한 대단위 토목기술이 필요했다. 사원 건축의 경우도 예외가 되지 않았다. 가령 신라 선덕여왕대에 조영된 경주 황룡사목조구층탑의 경우 높이가 무려 80m가 넘었다.

그런데 삼국 간의 군사적 격돌이 심화되는 과정에서 전쟁 무기의 발달이 촉진되었다. 심지어는 무기 제작 기술을 습득하기 위해 중국의 기술자를 회유한 경우도 있었다. 고구려는 재물을 뿌려 수의 弩手를 빼어 갔는데, 隋에 대적하기 위한 군비증강 계획의 일환이었다. 당에서 회유했던 신라 노수 仇珍川의 일화는 널리 알려져 있다.

1. 천문학

천체의 운행은 규칙성과 반복성을 띠고 있다. 그런데 반해 천재지변과 같은 자연 재해는 돌발적인 사태로서 규칙성에 위배되는 현상이었다. 그러나 이러한 현상은 분명 하늘의 뜻을 거슬린 인간 세상에 대한 징계와 응징 그리고 경고의 표징으로 이해되었다. 인간은 하늘의 현상이나 지상의 모든 자연 현상을 하늘의 뜻으로 간주하였다. 그랬기에 그 표징을 관측하기 위해 부심하였고, 결국 이것은 천문학의 발달을 가져 온 것이다.

고대사회에서는 자국의 시조들을 하늘과 연결 지었다. 가령 왕검조선의 경우 천상에서 강림한 환웅의 아들로 그 시조가 출생했다. 단군의 할아버지는 천상을 주재하는 환인이었다. 부여 시조인 동명은 햇빛을 받아 잉태하였고, 천제의 아들로 믿었다. 고구려에서는 시조인 추모를 '해와 달의 아드님'·'황천의 아드님'·'천제의 아드님'이라고 하면서 자국 시조를 하늘의 아들이라고 인식했다. 혹은 하늘의 별자리 가운데 가장 크고 중심인 태양의 아들을 자처하기도 했다. 이렇듯 자국 시조의 연원을 하늘과 결부시켰던 것이다. 이 사실은 하늘을 가장 지존한 존재로 인식했음을 뜻한다. 그러다 보니 하늘에 대한 관심이 클 수밖에 없었다. 또 하늘의 뜻을 헤아리려고 관심을 기울일 수밖에 없었다. 바로 하늘의 아들의 후손들이 통치하는 세상인 만큼 하늘의 뜻이 지상에 전달된다고 믿었다. 그러한 하늘의 뜻을 묻거나 헤아리기 위해서 하늘의 조짐이나 천상의 별자리의 운행에 비상한 관심을 투사할 수밖에 없었다. 이는 자연스럽게 천문학의 발달을 가져오게 했다.

삼국에서는 하늘의 뜻을 헤아리기 위해 천문을 관측했다. 『삼국사기』에서는 혜성이나 유성에 대한 기록들이 자주 확인되고 있다. 이러한 천문을 관측하는 전문 직종이 나왔던 것이다. 日者나 日官 혹은 천문박사나 사천박사가 그러한 일을 맡아 보던 직종이었다. 자연 이들의 사회적 비중은 크지 않을 수 없었다. 융천사가 혜성을 퇴치한 노래 '혜성가'에서도 승려들의 주술적인 능력이 돋보인다. 곧 이 사실은 천문을 관측했던 이들의 성격이 주술사와 크게 구분되지 않았음을 뜻한다. 요컨대 하늘의 뜻을 제대로 헤아리는 능력은 국왕의 독점적인 역할이었다. 그는 하늘의 후손이었기에 하늘의 뜻을 제대로 포착할 수 있었다는 것이다. 이와 관련해 조선 왕조가 개국한 지 3년 후에 고구려 말기에 전란으로 대동강 물에 가라앉혀져 있던 고구려 천문 석각의 원본을 제공한 사람이 있어 그것을 토대로 새롭게 고쳐서 만든 천문도가 천상열차분야지도인 것이다. 고구려 고분 벽화에 그려진 별자리 그림이나 고구려 천문 석각의 경우 모두 삼국시대인들이 천문에 관심이 컸음을 뜻한다.

하늘의 운행에 대한 관측은 농사와 밀접한 관련을 맺고 있었다. 동예에서는 별자리의 운행을 보고 농사의 흉풍을 예견했다고 한다. 고인돌 덮개돌에 새겨진 별자리의 그림은 천문에 대한 지식을 반영하고 있다.[212] 이와 더불어 농경 사회였던 삼국은 농사의 凶豊이 국왕의 위상과 직결되었다. 지금의 쑹화강유역에 소재했던 부여 왕국의 옛 풍속에 농사가 잘 되지 않거나 곡식이 잘 영글지 않았을 때는 그 허물을 왕에게 돌려 갈아치우자느니 죽이자느니 했다고 한다. 농사의 흉풍이 王者의 운명을 결정 지었을 정도로 농경의 비중이 큰 사회였음을 뜻한다. 그렇기 때문에 고대의 지배자들은 천상의 움직임에 비상한 관심을 투사하게 되었다. 이로 인해 천문학의 발달을 가져 왔다. 백제에서 역박사의 존재가 확인되고 있을 뿐 아니라 602년에는 관륵이라는 승려를 통해 왜에 천문서적과 역서를 전해주었다.

『삼국사기』에 따르면 삼국시대에 기상관측이 체계적으로 이루어졌음을 알 수 있다. 가령 일식과 월식 현상 뿐 아니라 혜성과 유성을 비롯한 숱한 천문에 관한 기록들이 보인다. 신라의 첨성대라는 천문 관측 기구 역시 그러한 선상에서 조성된 것이라고 하겠다.

백제에서 일식이나 혜성·유성·행성들의 운행에 대한 기록이 보이고 있다. 이는 일찍부터 중국의 역법을 수용한 백제에서 천체를 관측하는 전문 官部와 학자가 양성되었음을 의미한다. 백제의 발달된 천문학은 왜의 천문학 발전에도 깊은 영향을 미쳤다. 554년에는 왜의 요청에 따라 백제는 고덕 관등의 曆博士 王保孫을 파견하여 전임자와 교대하여 상주케 함으로써, 백제의 曆學 지식은 왜에 적지 않은 영향을 끼쳤다. 602년(무왕 3)에는 觀勒이라는 승려가 왜에 건너가 曆本 등을 전하고 가르쳐서 曆法이 왜에 채용되었다. 그 결과 야마토 조정은 604년 정월을 기하여 曆日을 반포하였는데, 백제에서 전래된 劉宋의 元嘉曆을 채택한 것이다. 백제에서 전래된 역법은 뒷날『일본서기』와 같은 역사서 편찬의 골격을 이루는 紀年의 설정에 영향을 미쳤다. 고대 일본의 기년체계를 확립시켜주었던 것이다.

『일본서기』에 의하면 推古 天皇 36년(628)에 日食을 관측한 기사가 보인다. 이 기사는 지구와 달의 軌道計算에서 볼 때 정확한 것으로 확인되었다. 그럼으로써 아스카시대의 왜에서는 백제의 천문지식을 배워 천체관측이 시작되었음을 알려준다. 675년에는 천문을 관측하여 길흉을 점치는 시설인 占星臺가 설치되었다. 백제문화의 영향을 많이 입은 신라에서 7세기 전반에 瞻星臺가 설치된 사

212_ 권승안,『조선단대사(부여사)』, 과학백과사전출판사, 2011, 193~194쪽.

실을 주목할 때, 왜의 점성대 또한 천문학 지식을 전해준 백제의 영향으로 보겠다.

하늘의 운행 질서는 하늘의 대행자라는 王者의 통치 문제와 직결되어 있었다. 그렇기 때문에 천문 관측의 결과는 왕자가 독점 장악할 수밖에 없었다. 20세기에 조선총독부가 천문 관측과 사적인 曆書 발행을 금지했다. 총독부에서 간행한 曆法만 사용하도록 했다. 天文의 독점이라는 차원에서는 본질적으로 동일한 상황이었다.

2. 醫學

사람이 삶을 영위하는 과정에서 떼 놓을 수 없는 게 질병이다. 질병을 퇴치하기위해 무당을 통한 주술적인 방법이 선사시대 이래로 사용되어 왔다. 무당에게 의탁하는 주술적 의술에서 벗어나 자체적으로 약재와 鍼術을 개발하면서 의술이 체계를 잡아 갔다.

백제에서는 일찍부터 醫藥에 관한 지식과 학문이 발달하였고, 또 그에 관한 제도도 정비되어 사비시대에는 22개의 官署 중 內官 소속의 藥部라는 관청이 설치되어 있었다. 이처럼 소관 관청이 설치되었을 정도로 의학기술이 체계적으로 발전하였는데, 의학과 약학이 분리되었고, 의료진으로는 치료를 업무로 하는 醫博士와 약물을 전문적으로 취급하는 採藥師로 나뉘어졌다. 이러한 백제의 의학은, 일본 難波藥師의 비조로 알려진 德來를 통해서 왜에 영향을 미쳤다. 덕래는 본래 고구려인이었는데, 백제에 귀화하였다가 개로왕대에 왜로 파견되었다. 고구려 의술의 한 갈래가 백제를 통하여 왜로 전파되었다고 하겠는데, 백제 의술의 계통을 잘 알려준다. 백제 의술의 바탕이었던 고구려 의술의 뛰어남을 시사하는 기록이 다음과 같이 전한다. 즉 魏代에 고구려인 客이 針을 잘 썼는데, 한 치의 머리털을 갈라 10 여 가닥으로 만들고는 그곳에 보이는 빈틈까지 찌를 정도로 기술이 절묘하였다고『酉陽雜俎』에 전한다. 이는 분명히 과장이겠지만 고구려 針術의 오묘함이 중국에 어떻게 회자되었는가를 잘 반영해 주는 이야기라고 하겠다. 덕래의 5세손인 惠日은 593~628 사이에 당에 파견되어 의술을 배우기도 하였기에 藥師라는 성을 칭하게 되었다. 백제 의술의 발달은, 그 멸망 후 왜로 망명하여 天武 천황의 侍醫로 봉직하다가 672년 5월에 사망한 億仁이 사망한 후 야마토 조정으로부터 勤大壹의 관위를 제수 받았으며 食封 100 戶를 하사받은데서도 확인된다.

553년(성왕 31) 6월에는 왜에서 사신을 백제로 파견하여 여러 종류의 약재를 부탁하였다. 이듬해 2월에 백제에서는 학자나 승려를 비롯하여 각종의 전문 기술자들을 왜에 파견하였다. 그때 醫博士인 나솔 관등의 王有悛陀와 採藥師로서는 施德 관등의 의약 전문가인 潘量豊과 丁有陀도 건너 갔다. 671년에 야마토 정권으로부터 관위를 받은 좌평과 달솔 출신의 백제 귀족 가운데 4명이 醫·藥師였다.

백제에서는 의료지식과 경험을 체계적으로 정리한『百濟新集方』이라는 의학서가 출간되기도 하였다. 이 책에는 약재의 분량과 약을 다리고 복용하는 방법 등이 소개되어 있다. 그런데 책 이름이

'백제에서 새로 수집된 처방집'이라는 의미를 지니고 있으므로, 발전된 의학기술이 수록된 것으로 보인다. 이 책은 지금은 전하지 않고 있으나 왜에 보급되었기에 984년에 편찬된 일본의 대표적인 의학서인『醫心方』에 소개될 정도로 일본 의학 발전에 지대하게 기여하였던 것이다. 특히 백제는 성왕대에 왜에 呪禁師를 파견하고 있다. 이는 그 직전에 겸익이 중인도에서 구한 인도의 불교의학의 전파라고 한다. 백제 의학 기술의 습득 범위가 동아시아 전체에 미쳤음을 뜻한다.

414년에 왜왕 윤공이 중병에 걸렸을 때 金武라는 신라 의사가 파견되어 치료한 바 있다.

3. 항해술—6~7세기는 대항해의 시대

1) 백제

서해를 끼고 있는 백제의 조선술은 매우 발달하였다. 백제가 중국 남부지역 뿐 아니라 제주도와 일본열도 나아가 동남아시아 지역에 이르는 광역 무역을 진행하였다. 조선술의 발달을 생각하게 한다. 이는 이른바 왜의 5王 가운데 하나인 武가 쌍동선인 舫이라는 백제의 큰 선박을 이용하여 중국 대륙과 교섭을 전개한데서도 알 수 있다. 650년에 왜에서 선박 2척을 제작하였는데 그 이름이 '百濟船'이었다. 크고 튼튼한 선박의 대명사가 될 정도로 백제 선박의 우수성을 말해준다.

백제는 흔히 '해양왕국'이라는 이름으로 말해지고 있다.[213] 이 같은 '해양왕국' 용어의 타당성 여부를 떠나 "朝鮮 歷代 이래로 바다를 건너 領土를 둔 자는, 오직 백제의 近仇首王과 東城大王의 兩代이다"[214]라고 하면서 백제의 '海外植民地'를 운위하였다.[215] 이러한 서술의 적확성 여부와는 상관 없이 백제는 삼국 가운데 바다를 잘 이용했다. 그랬기에 백제는 중국 대륙 및 일본열도와 활발히 交易한 것으로 인식했다.[216] 문제는 백제인들의 활동 공간이 중국대륙과 일본열도를 넘어 印度를 비롯한 東南아시아 諸國까지 미친 사실이다.

6세기대 당시 백제는 동남아시아에 이르는 항로를 개척하였다. 성왕대의 승려 겸익은 항로를 통해 중인도에 들어가 불경을 얻어 귀국하였다. 이는 「미륵불광사사적」의 다음 기사에서 확인할 수 있다.

> 미륵불광사사적에 이르기를 백제 성왕 4년 丙午에 사문 겸익이 마음 속으로 맹세하여 律을 구하기 위해 航海로써 中印度 常伽那大律寺에 이르렀다.

213_ 백제의 전방위적인 해상활동에 대해서는 李道學, 「해양강국 백제의 꿈」『해양과 문화』 3, 해양문화재단, 2000, 56~63쪽에 서술되어 있다.

214_ 丹齋申采浩先生紀念事業會, 「朝鮮上古史」『改訂版 丹齋申采浩(上)』, 螢雪出版社, 1987, 224쪽.

215_ 丹齋申采浩先生紀念事業會, 「朝鮮上古史」『改訂版 丹齋申采浩(上)』, 螢雪出版社, 1987, 224쪽.
金哲埈, 『韓國古代社會硏究』, 知識產業社, 1975, 54쪽.

216_ 孫晋泰, 『國史大要』, 乙酉文化社, 1949, 36쪽.
李道學, 「백제의 요서경략과 중 · 고등학교 한국사 교과서의 서술」『한국전통문화연구』 15, 한국전통문화대학교, 2015, 189~221쪽.

그리고 543년에 백제는 푸난국 곧 메콩강 하류 유역과 그 삼각주를 거점으로 한 지금의 캄보디아 지역의 재물과 노비 2口를 왜에 선물하는 기사가 보이고 있다. 메콩강 델타의 농업생산과 해상교역을 통해 발전한 푸난국은, 인도와 중국을 잇는 교역선들이 기착하였기에 로마시대의 금화도 출토되고는 한다.[217] 그러한 푸난국과 백제와의 교류는 554년 백제가 왜에 보낸 물품 가운데 양모를 주성분으로 하는 페르시아의 직물로서 북인도 지방에서 산출되는 毾㲪의 존재가 확인되는 점에서도 입증된다. 탑등은 페르시아의 Taptan · Tapetan의 漢音 표기였다. 부여씨 왕족이었던 흑치상지의 조상이 분봉되었던 黑齒가 지금의 필리핀으로 비정되고 있는 사실도 이와 무관하지 않다. 그 밖에 해남 군곡리 패총에서 출토된 管玉이 동남아시아製라는 지적 역시 백제와 이들 지역 간의 교류를 분명히 해 준다. 무령왕릉에서 출토된 황색의 유리 구슬을 인도-퍼시픽 유리라고 한다. 이 유리의 납 성분은 현지 조사 결과 태국 송토 납광산이 원산지로 밝혀졌다. 그리고 무령왕릉에서 출토된 소다 유리는 印度나 스마투라를 비롯한 동남아시아 지역에서 확인된다고 한다. 그 밖에 무령왕릉에서 출토된 방격규구신수문경 문양에는 특이한 용모의 인물상이 등장하고 있다. 이러한 풍모는 고대 한국과는 관련이 없는 베트남과 같은 남방으로부터의 영향이라고 한다.

이와 관련해 백제와 인도 및 인도차이나 지역과의 교역을 암시해 주는 물증을 제시함으로써 그것은 구체적인 사실로 확인된다. 우선 코끼리의 존재를 꼽을 수 있다. 백제인들이 코끼리의 존재를 불경을 비롯한 불교의 영향이 아니라 실견했음은 백제금동대향로에서 코끼리 위에 사람이 봇짐을 지고 올라 탄 모습을 통해 유추가 가능하다. 이처럼 코끼리를 탈것 즉 운송 수단으로 이용하고 있는 광경은 동남아시아 지역에 실제 가 보아야만 재현할 수 있는 사안이기 때문이다. 그리고 쇼소인(正倉院) 北倉에는 의자왕이 왜 조정의 실권자인 후지와라노 가마타리에게 선물한 바둑함과 바둑돌 그리고 바둑판이 전하고 있다. 여기서 銀製 바둑함 뚜껑에는 코끼리 문양이 나타나고 있다. 역시 백제인들이 코끼리의 존재를 접했을 가능성을 심어준다. 실제 바둑함 속에 담긴 白 · 黑 · 紅 · 紺色의 4 종류로 된 총 600개의 바둑돌 가운데 재료가 상아가 있다. 게다가 익산 왕궁평성 탑에 부장되었던 금제 금강경판은 상아로 만든 각필로 새긴 것으로 추정되고 있다. 따라서 이러한 점들은 백제인들이 동남아시아 지역과 교역한 움직일 수 없는 증거가 된다. 동시에 백제인들이 제작한 물건 속에 등장하는 코끼리像의 성격이 밝혀지게 되는 것이다.

217_ 최병욱, 『(개정판) 동남아시아사-전통시대』, 산인, 2018, 48쪽.

백제가 왜 조정에 보냈거나 왜 사신이 백제에서 받아간 선물 가운데 다음과 같은 동물의 존재가 주목을 끈다.

> 백제가 낙타 1 마리, 노새 1 마리, 양 2 마리, 흰꿩 1 마리를 바쳤다(『일본서기』 推古 7년 (599) 조).
>
> 백제로부터 돌아와 앵무 1 쌍을 바쳤다(『일본서기』 齊明 2년(656) 조).
>
> 백제로부터 돌아와 낙타 1 마리, 당나귀 2 마리를 바쳤다(『일본서기』 齊明 3년(657) 조).

즉 낙타 · 노새 · 양 · 흰꿩 · 앵무새 · 당나귀가 그것이다. 낙타와 양은 사막과 초원 지대에 서식하는 가축이다. 낙타는 고비사막과 몽골 그리고 알타이 산맥 등지에서 서식했다. 당나귀는 티벳과 몽골에서 서식하고 있다. 이러한 낙타의 존재는 의자왕이 후지와라노 가마타리에게 선물한 木畫紫檀碁局에서 낙타를 끄는 사람의 모양을 비롯해서 8필의 낙타 그림을 통해서도 그 실재성이 드러난다. 그리고 말과 당나귀의 잡종인 노새는 적어도 삼국과 왜에서는 접하지 못했던 가축임이 분명하다. 그렇기 때문에 노새는 선물로서의 의미가 배가되지 않을까 싶다. 앵무새는 열대 아시아 지역에서 서식하는 조류이다. 비록 후대 기록이기는 하지만 "앵무는 본래 서역의 靈禽이온데, 저 琉球가 南蠻과 같이 바친 공물이옵니다"[218]라고 하였다. 따라서 백제는 오키나와를 통해 앵무를 공급받은 것으로 보인다. 이와 관련해 백제의 영향권이었던 대가라의 소재지인 고령 지산동 44호분에서 출토된 夜光貝로 제작한 국자 모양의 조개가 상기된다. 이 야광패는 奄美大島 이남의 열대 인도양과 태평양에 분포하는 암초에 사는 조개로 나전 등의 세공에 사용되어 왔다고 한다. 목화자단기국의 재료인 자단은 원산지가 스리랑카로 알려져 있다. 따라서 이러한 유물들 역시 백제와 동남아시아 지역 간의 교류를 암시해준다.

2) 신라

신라는 바다와 인연이 없는 나라로 간주하기 쉽다. 한반도의 동남 모서리에서 국가를 형성한 신라는 울산이라는 좋은 항구를 확보하고 있었다. 그러나 동해안은 수심이 깊고 해안이 단조로워 항

218_ 『東文選』 권33, 「賀琉球國獻鸚鵡箋.

구가 발달하기 어려웠다. 이러한 지리적 조건에서 신라가 팽창해 갔던 관계로 국가 발전에 각별히 바다를 활용한 것으로 지목하지는 않았다. 그러나 신라는 기실 바다를 잘 운용했던 것이다. 512년(지증왕 13)에 신라 장군 이사부는 지금의 울릉도인 우산국 정벌에 나서게 된다. 망망대해에 존재한다는 섬나라를 찾아 나선 것이다. 당시의 항해술에 비추어 볼 때 群島를 이루지 않은 작은 섬 하나를 찾아나선다는 것은 바다에 대한 자신감 없이는 감히 엄두를 내기 조차 어렵지 않았을까.

신라는 일찍부터 바다와 깊은 인연을 맺고 있었다. 석씨 왕실의 시조인 탈해의 유입설화는 바다를 이용하여 아진포라는 항구에 도착했다고 한다. 또 탈해는 젊었을 때 고기잡이를 업으로 삼으면서 노모를 봉양했다는 것이다. 이는 수산자원이 풍부한 동해안에서 어렵이 차지하는 비중을 암시해준다. 그리고 인도의 阿育王 전설을 비롯하여 외래의 문물은 바다를 이용해 유입된 것으로 전해지고 있다. 가령 아쇼카왕이 보낸 수만 근의 철을 적재한 선박이 울산 근처의 항구에 도착하였다. 바로 그 철로써 황룡사 장육존상을 주조했다는 것이다. 그리고 신라 관등 가운데 제4 관등인 波珍飡은 '파달찬' 곧 '바다 칸'이었다. 파진찬은 일명 '海干'이라고도 하였다. 그 명칭을 볼 때 본래 바다와 관련 깊은 관직 이름에서 기인한 해군 사령관으로 지목하기도 한다.

512년(지증왕 13)에 신라 장군 이사부는 지금의 울릉도인 우산국 정벌에 나섰다. 망망대해에 존재한다는 섬나라를 찾아 나선 것이다. 당시의 항해술에 비추어 볼 때 群島를 이루지 않은 작은 섬 하나를 찾아나선다는 자체는 바다에 대한 자신감 없이는 감히 엄두를 내기 조차 어렵다.[219)]

이무렵 신라의 선박 형태와 관련해 금관총에서 출토된 배 모양 토기의 구조를 살펴 본다. 선박의 앞뒤가 높이 솟아 있고, 뱃전 위에 널판대기를 한 두 장 더 이어 올렸다. 그러므로 하천이 아니라 높은 바다를 항해하는 선박으로 추정되어진다. 이러한 신라의 조선술은 일본측 기록에서 구체적으로 확인된다. 즉 왜에 조선술을 최초로 가르친 猪名部氏의 선조는 신라인으로 밝혀진 바 있다. 또 639년(선덕여왕 8)에는 당의 승려들이 신라의 送使를 따라 왜로 왔다. 649년(진덕여왕 3)에는 왜의 승려가 신라 선박편에 당에서 귀환했다. 657년(무열왕 4)에는 왜에서 자국 사신을 신라 사신에 붙여 당에 보내려고 했지만 신라의 거절로 이루지 못하였다. 658년에는 왜의 승려 2명이 신라 선박을 이용하여 당에 유학 가기도 했다.

219_ 우산국에 대해서는 李道學, 「高句麗의 東海 및 東海岸路 지배를 둘러싼 諸問題」『高句麗渤海硏究』 44, 2012, 182~193쪽.

당시 왜는 백제와 밀접한 관계였지만 굳이 신라 선박을 이용하였다. 그랬기에 신라의 조선술과 항해술이 백제를 능가했다는 평을 얻기까지 했다. 신라 선박의 명성은 후대까지도 일본에 영향을 미쳤다. 즉 752년(경덕왕 11)에는 선박 1척에 100여 명이 승선할 수 있는 7척의 巨艦으로 일제히 북규슈까지 왕래하였다. 839년에 북규슈의 다자이후에서 '신라선'을 만들게 했더니 풍파에 잘 견디었다고 한다. 이렇듯 신라인들은 왜인들에게 조선술을 가르쳤을 뿐 아니라 신라선은 성능이 우수한 것으로 평가되었다. 그랬기에 왜에서 당으로 파견되는 사신의 선박에는 신라인 항해사와 통역사가 동승한 것이다.

그러면 『삼국사기』에는 신라인들의 바다에 대한 관심이 어떠한 형태로 제도화되고 있을까? 신라는 467년(자비왕 10)에 관원들을 시켜 일반 선박이 아니라 전함을 수리하였다. 505년(지증왕 6)에는 선박의 이로움을 적극 권면했다. 신라는 583년(진평왕 5)에 兵部에 船府署를 설치하여 선박 사무를 관장해 왔다. 그러나 678년(문무왕 18)에는 "船府令 1명을 두어 선박의 사무를 관장하게 했다"고 하였다. 여기서 병부와 동격인 선부를 설치하고 장관급에 해당하는 令을 두었다는 것은 해상을 관장하는 선부의 비중이 막중했음을 뜻한다. 선부가 국방부에 해당하는 병부와 동급으로 자리하고 있는 경우는 중국과 일본에 없는 신라만의 독특한 제도였다. 여하간 이는 신라가 적극적인 해양정책을 취했음을 뜻하는 동시에 놀라운 선견지명으로 평가받아 마땅하다. 게다가 경주 월성에서 출토된 토기편에 '嶋夫' 명문이 확인되었다.[220] 도서를 관장하는 직무 담당자를 가리키는 호칭으로 볼 수 있다. 이러한 국가적 노력에 힘입어 신라는 676년(문무왕 16)의 기벌포 해전에서 당 수군을 무려 22회에 달하는 치열한 전투 끝에 격파함으로써 서해의 제해권을 장악할 수 있었다. 그리고 신라의 삼국통일이 가능해졌다. 이후 신라에 대한 당의 침공은 꿈도 꿀 수 없었다. 바다의 장악이 삼국통일 전쟁의 大尾를 장식한 것이다. 신라가 바다를 장악했기에 통일위업이 달성되었음을 웅변해 준다.[221]

신라는 우수한 조선술과 항해술을 배경으로 해외에 진출했던 것 같다. 신숙주(1417~1475)가 저술한 『해동제국기』에 의하면 일본의 초대 천황이라는 진무 천황 이래 그 계통을 소개하는 기사 가운데 다음과 같은 대목이 눈에 띈다. 즉 "(敏達 천황) 6년 신축에 鏡當으로 연호를 고치고 3년만인 계묘에 신라군이 서쪽 변방으로 쳐 들어 왔다." 여기서 경당으로 연호를 고친 신축년은 581년이다. 계묘년

220_ 국립경주문화재연구소, 『신라 왕궁 월성』 2018, 66쪽.
221_ 李鍾學, 『新羅花郎 · 軍事史研究』, 서라벌군사연구소, 1995, 94~114쪽.
신라의 바다 이용에 대한 안목과 분석은 순전히 이종학의 형안과 탁견의 소산이었다.

인 583년에 신라군이 일본열도의 서변인 북규슈 일대를 침공해 왔다는 이야기인 것 같다. 신숙주가 이 기록을 일본의 어떤 문헌에서 인용한 것인지는 알 수 없다. 그러나 이러한 전승이 일본측 문헌에 전해 왔음은 의심할 나위없다.

이와 더불어 다시금 주목을 끄는 것은 신경준(1712~1781)의 『旅菴藁』에 수록된 다음 기사이다. 즉 "일본 응신 천황 22년에 신라 군사가 明石浦에 들어 가니 大阪과의 거리가 백 리였으므로 일본이 화친하고 군사를 풀어달라고 애걸하여 백마를 잡아서 맹세하였다. 胡元이 크게 군대를 일으켰으나 겨우 一岐島에 이르러 마침내 크게 패했다. 그러니 역대로 깊이 쳐들어가 왜인에게 이긴 나라는 오직 신라 뿐이었다"고 했다. 이 기록은 일본을 왕래했던 조선 통신사들의 기행문에서도 자주 소개된 바 있다. 가령 1636년에 통신부사로 일본을 다녀온 바 있는 김세렴(1593~1646)의 『海槎錄』에도 다음과 같이 보인다. 즉 "일본은 극동에 멀리 떨어져 있고 사면이 큰 바다로 둘려 있어 외국의 군사가 들어갈 수가 없다. 단지 그 『年代記』를 보면 왜황 응신 22년에 신라 군사가 아카시노 우라에 들어 왔다고 되어 있는데 아카시노 우라는 오사카에서 겨우 1백리 떨어졌다. 赤間關(필자 : 지금의 시모노세키)의 동쪽에 한 구릉이 있다. 왜인이 이것을 가리켜 '이것이 백마분인데, 신라 군사가 일본에 깊이 쳐들어오니 일본이 화친하고 군사를 풀어주기를 청하여 백마를 죽여서 맹세한 뒤에 말을 이곳에 묻었다고 한다'고 하였다. 상고하건대 응신 12년 신해가 바로 유례왕 8년에 해당되는데, 이 해와는 조금 차이가 있지만 대개 같은 때의 사건이다. 그러나 東史에 보이지 않는 것은 글이 빠진 것이다"고 했다.

특히 맹세할 때 잡았던 백마를 묻었다는 '白馬墳'이 남아 있다는 '고고학적 물증'을 제시하는 등 구체적인 견문 기록을 남긴 경우가 많았다. 여기서 응신 천황 22년은 수정된 기년에 따르면 342년(흘해왕 33)이다. 그런데 이와 관련된 기록은 여타 문헌에서 보이지 않는다. 다만 344년(흘해왕 35)에 왜국이 사신을 파견하여 신라에 혼인을 요청했으나 거절당했다. 345년에 신라는 왜국 왕에게 글을 보내 국교를 단절하였다. 346년에는 왜병이 신라 수도인 금성을 포위하기까지 했다. 이러한 저간의 상황 속에서 전격적인 신라의 일본열도 進攻이 단행된 것일까.

이와 더불어 주목되는 것은 『연대기』라는 책이다. 신라의 일본열도 진공 기록을 담고 있는 『연대기』는 1617년에 일본에 다녀온 이경직이 일본의 秘閣本 중에서 보았다는 『일본연대기』를 가리킨다. 『일본연대기』의 존재는 일본 江戶時代의 국학자인 松下見林(1637~1703)이 史局에 근무했을 적에 열람해 보았다. 禁書였다고 한다. 이도학이 대학 때 읽었던 마쓰시다 미바야시가 지은 『異稱日本傳』에 수록된 내용이었다. 『일본연대기』의 존재를 추적하는 작업과 더불어 이 책이 확인된다면 좀더 균형된 입장의 한일관계상이 정립되지 않을까 싶다.

이와는 별개로 신라는 광활한 교역 반경을 확보하고 있었다. 신라와 동남아시아 지역과의 교류가 확인되기 때문이다. 가령 598년(진평왕 20)에 신라는 공작 1쌍을 왜에 선물로 보낸 바 있다. 동남아시아 지역과의 교류를 말해주는 분명한 자료가 된다. 이와 더불어 신라 고분에서는 한반도에서 볼 수 없는 위도가 내려간 지역에서 서식의 개미핥기와 물소·土偶를 비롯하여 원숭이와 타조 토우가 출토되었다. 그런데 얼굴과 몸체가 너무나 사실적이어서 경탄을 자아낸다. 이러한 토우들은 실물을 보지 않고서는 만들어질 수 없다. 따라서 동남아시아 지역 동물들의 신라 유입은 분명해진다. 이 사실은 이곳과 긴밀한 교류를 진행할 수 있을 정도의 조선술과 항해술을 신라가 갖추었음을 뜻한다.

이는 당의 고관이 체험했던 일화를 통해 생생하게 전달받을 수 있다. 당의 陵州刺史 周遇는 지금의 산둥성 일대인 靑州에서 푸젠성 지역인 閩으로 돌아오는 길에 풍랑을 만나 표류했다. 狗國에서 만난 신라인들이 이곳의 이름을 알려주었다고 한다. 그후 毛人國 → 野叉國 → 大人國 등을 지나 流虯國에 이르렀다. 지금의 오키나와로 추정되는 유규국 사람들은 앞 다투어 음식을 가져와서는 釘鐵과 바꾸기를 원했다. 이때 동승했던 新羅客들은 그곳 사람들의 말을 반쯤은 통역했다고 한다.[222] 당의 지방관이 체험했던 이 같은 표류기를 통해 신라인들이 동남아시아 지역과 교류한 사실이 포착되었다.

이렇듯 신라인들에게 바다는 결코 畏敬의 대상으로만 머물지는 않았다. 우리의 관념과는 달리 신라는 일찍부터 바다의 중요성을 깨우쳤고 적극 활용했었다.[223] 신라가 문두루 비법을 통해 한반도에 상륙하려는 당군을 격파한 것도 해군력의 강성으로 해석하고 있다.

이와 관련해 후삼국기의 戰艦에 관한 기록이 남아 있다. 후삼국기 궁예의 부하였던 왕건은 나주 정벌을 위해 전함 1백여 척을 더 건조하였다. 그 가운데 큰 전함 십여 척은 사방이 각각 16步였다. 갑판 위에는 다락을 세웠는데 말을 달릴 수 있을 만큼 넓었다. 왕건의 船團에는 사방을 조망할 수 있는 망루와 말들이 달릴 수 있을 만큼 넓은 갑판을 가진 대형 전함을 갖추고 있었던 것이다. 이 배는 길이가 31m에 이르는 거대한 규모인데다 갑판 위에 上粧을 꾸민 장대한 누선이었다. 1492년 콜럼버스가 3척의 범선을 이끌고 대서양을 횡단할 때 타고간 旗船 산타마리아호의 길이가 27.4m에 폭

222_ 『太平廣記』 권483, 蠻夷4, 狗國.
223_ 李道學, 「신라는 바다의 강자였다」 『한국고대사, 그 의문과 진실』, 김영사, 2001, 232~239쪽.

그림 46 | 규슈와 혼슈를 잇는 시모노세키의 칸몬(關門) 대교. 기록이 맞다면 신라군은 세도내해를 통해 진입했을 것이다.

이 약 6.1m였던 점과 비교된다. 더구나 산타마리아호는 당시 "배가 너무 크기에 조금 더 작아야한다"는 말을 들었다. 이와 비교해 왕건 전함의 규모와 빼어난 조선술을 짐작할 수 있다.

4. 기술직

고대사회에서는 기술직의 비중이 지대했다. 기와 제작 기술자의 경우는 瓦博士라고 일컬었다. 수공업에 종사하는 기술자들의 경우는 관등을 지닌 사례가 적지 않았다. 이 사실은 기술자들이 지배층 반열에 속했음을 뜻한다.

이 보다는 신분인 낮은 장인들이 속했던 수공업 집단의 경우는 '家'로 일컬었던 것 같다. 가령 마로산성에서는 드믄 사례인 銅鏡이 3점이나 출토되었다. 2점은 직경 16.5·18.5cm 크기의 원형이고, 1점은 9x9cm 크기의 방형 동경이다. 원형 동경 가운데 1점은 "王家造鏡"라는 명문이 담겨 있다.[224) 이 거울은 王家 즉 왕씨 집안에서 만든 거울이라는 뜻으로 해석하면서, 王家를 중국인으로 간주하기도 한다. 그러나 일본 正倉院에 소장된 墨 가운데 "新羅楊家上墨"·"新羅武家上墨"이라는 명문을 가진 墨이 있다. 신라의 楊家와 武家에서 만든 上等品 墨이라는[225) 의미였다. 동시에 당시 통일신라에서는 '家'를 중심으로 墨이나 鏡을 제작·생산했다는 사실을 알려준다. 그리고 '咸通六年' 즉 865년의 시점을 가리키는 명문이 새겨진 이천 설봉산성 출토 벼루 바닥에서 '寺下家墨'라는 명문이 확인되었다. 먹의 제작처를 가리키는 이 명문은 "절의 下家에서 만든 먹"이라는 뜻으로 해석된다. 문자생활이 많은 사찰에 공급하는 먹을 제작하는 工房을 역시 '家'로 표시했음을 알 수 있다.

비록 13세기 경의 명문이기는 하지만 1252년에 제작한 고성 옥천사 飯子 명문에 따르면 "京師工人家中鑄成 知異山安養社之飯子"라는 구절이 있다. 여기서 반자를 제작한 工房을 '(工人)家'로 표기하였다. 이는 앞서 언급한 王家·楊家·武家로 표기한 사례와 연결된다. 그리고 황룡사지에서 출토된 토기편에 "三十日造得林家入"라는 글귀가 새겨져 있다. 이는 "30일에 林家에서 造得하여 납입함"으로 해석된다. 林家의 '家' 역시 工所를 가리키는 것으로 보인다.

수공업 집단은 村 안에서도 존재하였던 것 같다. 이와 관련해 신라촌락문서에 따르면 서원경 부근의 村에서 제작한 물품 가운데 '貫甲'이 주목된다. 貫甲은 慕容熙가 모반 사건이 발생하자 "이 쥐도둑 같은 것들! 짐은 돌아와서 반드시 이들을 주살할 것이다!"라고 소리 지른 후에 "髮貫甲을 잡고는

224_ 順天大學校博物館, 『광양 마로산성 발굴조사 약보고』 2002.

225_ 李成市, 『東アヅアの王權と交易』, 青木書店, 1997, 19~20쪽; 李成市 著·김창석 譯, 『동아시아의 왕권과 교역』, 청년사, 1999, 25~26쪽.

달려서 어렵게 나아가 돌아오니, 밤에 龍城에 이르렀다"[226]고 했다. 여기서 '髮貫甲'은 전후 문맥을 놓고 볼 때 '털 있는 갑옷'을 가리키는 것 같다. 그러므로 신라촌락문서의 '貫甲'도 갑옷일 가능성이 높다. 실제 紙甲과 鐵甲을 방물로 바친 '그 유래가 오래되었다'고 조선 초기 기록에 보인다.[227] 따라서 신라 村에서 '貫甲'을 제작했을 가능성을 높여준다.[228] 신라군이 쓰시마를 습격했다가 빼앗긴 물품 가운데 '甲冑 貫革袴'가 있다. 『조선왕조실록』에서 '貫甲鹿皮(태종 1년 3월 己卯)'·'貫甲皮(태종 7년 8월 丁亥)'라는 기사가 보인다. 여기서 '鹿皮'와 '皮'는 貫甲의 素材를 가리키는 것 같다. 아마도 가죽을 댄 철제 비늘갑옷을 뜻하는 것으로 보인다. 철제 비늘갑옷을 꿰기 위해 각 패찰마다 구멍을 뚫어 가죽끈으로 꿰었던 것 같다. 그랬기에 '貫'이 들어간 것으로 보인다. 따라서 '甲冑 貫革袴'는 갑옷 상의(甲)와 투구 및 가죽으로 댄 비늘갑옷 바지를 가리키는 듯하다.

226_ 『晉書』 권124, 慕容熙 載記.

227_ 『世祖實錄』 5년 8월 丁丑 條.

228_ 李道學, 『고구려 광개토왕릉비문 연구』, 서경문화사, 2006, 107쪽, 註 55.

제5절 문화와 사회

1. 언어와 문자

『삼국지』 동이전의 다음과 같은 기사는 부여와 고구려 그리고 동옥저와 동예가 동일 문화권으로 밝혀지고 있다.

* 東夷의 옛 말에 夫餘 別種이라고 하는데, 언어나 諸事에는 부여와 같은 점이 많다.[229](고구려 조)
* 그 언어는 고구려와 大同하지만 경우에 따라 약간 다르기도 하다. … 음식·주거·의복·예절은 고구려와 닮았다(동옥저 조).[230]
* 언어와 法俗은 대체로 고구려와 같지만 의복은 다르다(예 조).[231]

즉 고구려와 옥저 그리고 동예는 동일한 언어와 풍속을 지닌 문화 공동체였다. 이는 족원의 동일성과 결코 분리하기 어려웠는데, 그 문화의 정점에는 부여가 자리잡고 있었다. 그러한 부여의 세력 분파에 따라 그 언어와 풍속이 파급되어 나갔다. 그 결과 고구려·옥저·동예뿐 아니라 '扶餘之別種'으로 기록된 백제[232]에도 깊은 영향을 미쳤다. 중국 사서에서 백제를 가리켜 "지금 언어와 복장은 대략 高驪와 같다"[233]라고 하였다. 백제와 고구려는 언어와 의복이 동일하다고 했다. 그러한 고구려는 부여와 언어·법속이 연결되고 있다. 따라서 백제와 고구려는 夫餘를 軸으로 한 동일 문화권이

229_ 『三國志』 권30, 동이전, 高句麗 條. "東夷舊語以爲夫餘別種 言語諸事 多與夫餘同"
230_ 『三國志』 권30, 동이전, 東沃沮 條. "其言語與句麗同 時時小異 … 食飮·居處·衣服·禮節 有似句麗"
231_ 『三國志』 권30, 동이전, 濊 條. "言語法俗大抵與句麗同 衣服有異"
232_ 『舊唐書』 권199, 동이전, 百濟 條.
233_ 『梁書』 권54, 百濟國 條. "今言語服章略與高驪同"

었음을 알려준다. 백제를 '扶餘之別種'이라고 하였음은 그 건국 세력과 부여는 물론이고 고구려와의 종족적인 연관성을 암시해 준다. 실제 백제와 부여는 언어상으로도 연결되고 있다. 일례로 백제에서 왕을 가리키는 호칭인 '於羅瑕'가 부여에서 '왕'을 가리키는 보통 명사이기 때문이다.[234] 그리고 백제에서는 왕을 於羅瑕 외에 '鞬吉支'라고도 불렀다.[235] 『일본서기』에서는 백제왕을 '고니키시' 혹은 '코키시'라고 불렀다. 고니키시와 코키시는 곧 건길지를 가리킨다. 고구려에서는 왕을 코키시 외에 '오리코게'라고도 일컬었다. 오리코게는 백제에서 왕을 일컫는 '어라하'와 음에 있어서 약간의 유사점이 나타나고 있다.[236] 그 밖에 『삼국사기』 지리지 등을 토대로 한 지명 연구를 통해 고구려어와 백제어 그리고 신라어에는 근본적인 차이가 없는 것으로 드러났다.[237] 그런데 史書에 보면 이러한 삼국과 숙신→읍루→물길→말갈로 이어지는 족속과의 문화적 친연성은 언급된 바 없다. 오히려 물길의 경우 "言語가 홀로 다르다"[238]고 했을 정도로 부여→고구려계와는 언어적 차이는 물론이고 문화적인 이질성이 현저했음을 알 수 있다.

문자의 경우는 고구려를 비롯한 삼국은 漢字를 공유하고 있었다. 중국과는 다른, 문자 체계에서의 동질적인 면면을 보이고 있다. 가령 "漢城下御(평양성석각)"와 "御都(아차산 제4보루 토기)"에 보이는 部를 나타내는 省略 文字인 'ß'가 백제 금석문에도 나타나고 있다. 가령 '上ß'·'前ß'銘 표석을 비롯하여 印刻瓦와 목간 등에서 흔히 확인되고 있다.[239] 이러한 생략 문자는 이미 알려져 있듯이 한자의 생략형인 고려와 조선시대의 吐로서 기능하였다. 그리고 吏讀가 삼국시대에 행해졌음을 알려준다.

한편 "丙戌十二月中 漢城下前ß 小兄文達節 自此西北行涉之(평양성석각)"에 보이는 '之'는 종결 어미로서 한문의 '也'와 동일하게 사용되었다.[240] 이러한 용례는 「단양신라적성비문」을 비롯한 신라 금석문에서 자주 확인되고 있다. 그리고 「평양성석각문」과 「충주고구려비문」에 보이는 '節'은 신라 「남산신성비문」을 비롯해서 삼국만의 독특한 漢字 체계를 말해준다. 특히 「평양성석각문」에 보이는 '作節'은 「남산신성비문」에서도 그대로 나타난다. 그 밖에 고구려에서는 중국 한자에도 없는 여러 가지 이두식 한자를 만들어 사용하였다. '㫆(마을·창고)'·'𨑨(국경 초소가 있는 변방)'·'椺(사다리)' 등이 고구

234_ 李道學, 『백제고대국가연구』, 一志社, 1995, 53~54쪽.
235_ 『周書』 권49, 異域傳(上), 百濟 條.
236_ 上田正昭, 『文字』, 社会思想社, 1975, 108쪽.
237_ 金芳漢, 『韓國語의 系統』, 민음사, 1983, 95~123쪽.
238_ 『魏書』 권100, 勿吉 條.
239_ 국립 부여박물관, 『백제의 문자』 2002, 20쪽. 86쪽. 75~80쪽.
240_ 上田正昭, 『文字』, 社会思想社, 1975, 110쪽.

려에서 만든 한자인 것이다.[241] '辶丁' 자는 월지에서 출토된 신라 宮門 이름인 '開義門辶丁'에서도 확인된다.[242] 그리고 「창녕신라진흥왕순행비문」에서 확인되듯이 신라에서는 '畓'처럼 중국 한자에 없는 독자적인 한자를 역시 만들었다.[243] 요컨대 이미 지적된 바 있듯이 이두와 새로운 한자의 제작은 고구려에서 시작하여 백제와 신라에도 영향을 미친 것이다. 이는 우리나라 언어 발전에 중요한 의의를 지니게 된다.

241_ 과학백과사전 종합출판사, 『조선전사 3』 1979, 310~311쪽.

242_ 국립중앙박물관, 『문자, 그 이후』, 통천문화사, 2011, 69쪽.

243_ 이와 관련해 다음과 같은 『旬五志』의 글귀가 참고된다. "물밭을 논[畓]이라 하고, 쌀곡식이 한 섬이 되지 않는 것을 마자리[迲]라고 하고, 나무가 한 단이 되지 못하는 것을 개비[迲]이라고 한다. 이런 등등의 문자는 중국에도 없는 것인데, 우리나라 관부 문서에서는 쓰고 있으니 이런 것들을 누가 창작해 냈는지 알 수 없다. 탈(頉)이라는 頉 자도 어느 사전에도 없는 것인데 우리나라에서는 공사간 문자에 통용으로 되어 있고, 또 章奏의 문자에도 많이 쓰고 있으며 심지어 문인에 이르기까지 모두 쓰고 있으니 알 수 없는 일이다."

2. 법과 정치 제도

1) 법속과 신분제

고조선 사회의 성격은『漢書』지리지에 수록된 犯禁 8조목을 가지고 약간의 유추가 가능하다.『한서』에 따르면 고조선은 箕子의 敎化로 인해 婦人들이 貞信하여 음란하지 않았다고 한다. 또 백성들은 도적질하지 않아 대문이나 방문을 잠그지 않고 살았던 이상적인 사회로 묘사하고 있다. 그러한 배경은 기자의 교화가 아니라 엄혹한 법 집행 때문이었다.

법률은 종교적 의미를 지니기도 하여 종교적 제의를 거행할 때 斷罪하기도 하였다. 가령 울진 봉평신라비에 의하면, 524년(법흥왕 11) 정월 대보름날 얼룩소를 잡고, 술을 빚어 제사하였으며, 杖을 100대~60대까지 加하였다. 이 비문에 보면 "만약 이를 지키지 않는 자는 하늘로부터 罪를 얻을 것이다"라는 구절이 종교적 색채를 잘 말해 준다. 예수가 過越節에 사형된 것도 이러한 풍습과 무관하지 않다.

부여에서 迎鼓 때는 온 나라 사람들이 며칠 낮밤을 연일 마시며 노래하고 춤추었다. 이 기간 동안에 죄수를 방면하였다. 종전에는『삼국지』의 "斷刑獄 解囚徒"라는 문구를, "형옥을 중단하고 죄수를 풀어 주었다"로 해석했다. 그러나 이러한 해석은『용비어천가』에서 "刑罰이 크게 줄어들어 斷獄이 400에 이르니, 옛날 형벌을 놓아두었던 것 같이 되었다: … 斷獄이 400이란 말은 천하에 죽은 죄인이 불과 400명이란 뜻이다(96장)"라고 했다. 여기서 '斷獄'은 죄수를 죽이는 것을 말하고 있다.[244] 종전의 해석은 '단형옥'의 용례와는 물론이고, 유태 민족의 명절인 과월절에 예수를 처형하는 동시에 사형수 한 사람을 석방하였던 사례와도 부합되지 않는다. 사실 부여의 형벌은 엄혹하였고 즉각 집행되었다.[245] 그러나 동일한『삼국지』에서 "冬十月 改平望觀日聽訟觀 帝常言 獄者 天下之性命也 每斷大獄 常幸觀臨聽之"[246]라고 하여 '斷'이 보인다. 이에 따르면 "斷刑獄 解囚徒"은 "獄事에 대한 판결을 내려 囚徒를 풀어주었다"로 해석된다. 실제 "或禁決斷刑獄"[247]의 경우 "형벌의 판결을 금했다"는 의

244_ 리지린도 이 구절을 재판하여 처형한 것으로 해석했다(리지린,『고조선연구』, 과학원출판사, 1963, 370쪽).
245_ 李道學,「다시 읽는 고전—용비어천가의 세계」『문헌과 해석』3, 태학사, 1998.
246_『三國志』권3, 明帝 太和 3년 10월 조.
247_ 崔漢綺,『人政』講官論, 권3.

미이다. 여기서 '斷'은 '판결'의 뜻으로 사용되었다. 『牧民心書』 刑典 6條 第2條 斷獄 項도 獄事 즉 범죄 사건의 판결을 가리킨다.

부여에서는 제사 · 재판 · 軍事에 관한 주요한 결정은 씨족평의회에서 결정했다고 한다.[248] 그러한 부여는 물론이고 여기서 분파된 고구려와 백제는 공히 5부연맹체였다. 도성을 고구려와 백제는 5部로, 지방 역시 5部(5方)로 각각 구획하였다. 신라의 경우도 5小京制를 통해 볼 때 지방 통치와 관련한 '五'라는 수자와 결코 무관하지 않다. 이 점은 부여를 정점으로 한 삼국만의 특색이었다. 고구려는 5부를 기반으로 국가를 태동시켰다. 소국인 5개의 부가 모여 하나의 국가를 이루었다. 신라는 6촌에서 발전한 6부를 기반으로 했다. 이러한 부는 고구려와 신라가 영역국가로 발전하면서 國都와 그 주변부가 되었다. 이들을 일컬어 '5부민'이나 '6부민', 그리고 통일신라대에는 '왕경인'이라고 했다. 6부민들은 신라 관등의 京位와 外位에서 보듯이 지방민과는 차별된 우월 의식을 지녔다. 집권국가 성립에 따라 部 수장이 그간 누려왔던 독립성은 거의 소멸되고 말았다. 그렇지만 국가 구성에서 지배민으로서의 위상은 여전히 유지했다. 중앙귀족들은 이름 앞에 출신 부를 제시함으로써 소속감을 드러냈다. 또 部民 전체에 대한 집단체벌도 가능했을 정도로 공동체적인 관계로 묶여 있었다.

그러나 백제 한성 도읍기에는 왕경이나 왕도를 구성하는 部의 존재가 보이지 않는다. 『삼국사기』를 보면 "봄 정월에 국내 민호를 나누어 남 · 북부로 삼았다(春正月 分國內民戶爲南 · 北部. 시조왕 13년 조)" · "가을 8월에 동 · 서 2부를 더하였다(秋八月 加置東 · 西二部. 시조왕 15년 조)"고 했다. 그리고 "겨울 시월에 왕이 동 · 서 2부를 순무하여 가난하여 혼자서 살수 없는 이에게는 사람당 2석을 지급했다(冬十月 王巡撫東 · 西兩部 貧不能自存者 給穀人二石. 다루왕 11년 조" · "봄 2월에 왕이 동부에 명하여 우곡성을 쌓아 말갈에 대비하게 했다(春二月 王命東部 築牛谷城 以備靺鞨. 다루왕 29년 조)"고 하였다. 이들 기록을 볼 때 王都 내의 部가 아니라 국내를 구획한 部임을 알 수 있다. 이 사실은 백제는 고구려나 신라와는 달리 토착 세력의 협조나 토착 기반 없이 건국했음을 알려준다. 미추홀에서 위례로의 진입도 이러한 배경에서 설명이 가능해진다.

한편 신라의 독특한 신분제로만 여겨졌던 게 골품제였다. 그런데 「흑치상지묘지명」을 통해 백제에서도 그와 유사한 제도가 존재했음을 알 수 있다. 그 묘지명에 의하면 "그 선조는 부여씨에서 나와 흑치에 봉해졌으므로 자손이 인하여 氏로 삼았다"라고 하였다. 여기서 흑치상지는 본래부터 백제

248_ 李淸源, 『朝鮮歷史讀本』, 白揚社, 1937, 28쪽.

왕족이었음을 알게 된다. 그런데 그 집안은 曾祖父부터 흑치상지에 이르기까지 4대에 걸쳐 역임한 최고 관등이 達率에 국한되고 있다. 바로 이 사실은 백제 또한 신라의 頭品制처럼 昇級의 한계가 규정된 신분 체계가 확립되었음을 생각하게 한다.[249] 즉 흑치상지 가문이 왕족임에도 불구하고 4대에 걸쳐 제2관등인 達率에 그쳤음은, 마치 신라의 族降과 비교되는 사안이다. 「성주사낭혜화상비문」에 의하면 朗慧는 무열왕의 8세손으로서 조부 때까지는 진골 신분이었으나 父인 範淸 때 "族降眞骨一等曰得難"이라고 하여 육두품으로 강등되었다. 그 신분 변동의 동기는 친족 집단의 증가로 인하여 낭혜의 父인 범청이 왕실 직계 집단에서 소외된 데 있다고 한다.[250] 이러한 점에 비추어 볼 때 백제의 경우도, 부여씨 왕실 집단의 증가로 인해 그 분파가 이루어진 것으로 간주된다. 흑치상지는 弱冠이 안되어 地籍으로서 달솔을 제수받았다고 한다. 여기서 지적은 '소속된 가문'이나 '신분'을 가리킨다.[251] 쉽게 말해 그는 문벌로서 달솔에 이르렀음을 알려준다. 그러니까 흑치상지는 부여씨 왕족 신분이었던 관계로 달솔까지 승진했음을 뜻한다. 이와 관련해 고구려 연개소문의 子인 泉男生이나 泉男產의 경우, 특히 전자의 20세 전 前歷이 9세에 先人, 15세에 中裏小兄, 18세에 中裏大兄이었던[252] 예가 상기된다. 그러나 4대에 걸쳐 흑치상지 가문이 16관등 가운데 제2관등인 달솔까지밖에 승급하지 못했다는 것은, 그 원인이 어디에 있든 간에 왕족 간의 신분적 구분이 확립되었음을 암시해 준다. 이 문제는 백제의 사회제도가 신라의 그것과 유사할 수 있다는 심증을 충분히 안겨주고 있다.[253] 그런데 신라 이전에 이미 고구려에서도 그러한 요소가 일찍부터 지적되었다.

즉 "『翰苑』에 보면 고구려의 14관등을 언급하면서 제1관등~제5관등까지는 기밀을 장악하고 정치에 관한 일을 모의하고 군대를 징발하고 관직을 뽑아서 제수한다고 되어 있다. 이 5관등 이상은 신라의 5관등인 대아찬 이상과 공통성을 이루고 있고, 구성원이 명백히 진골들인 신라의 화백회의와 마찬가지로, 이 사람들만 일정한 특권을 가지고 정치에 관한 모든 중요한 일을 맡았다"[254]고 했다. 이러한 맥락에서 고구려가 미친 정치적 영향력을 고려한다면 그러한 신분 제도가 백제와 신라에도 영향을 미쳤다고 보는 게 온당한 해석일 것이다. 동일한 이름으로 삼국 모두에서 확인되고 있는 지

249_ 李道學,「百濟 集權國家形成過程 研究」, 한양대학교 사학과 박사학위논문, 1991, 145쪽.
250_ 金哲埈,『韓國古代社會研究』, 지식산업사, 1975, 249쪽. 282쪽.
251_ 諸橋轍次,『大漢和辭典』3, 大修館書店, 1967, 137쪽.
252_ 韓國古代社會研究所,『譯註 韓國古代金石文 I』1992, 83쪽.
253_ 이상의 서술은 李道學,「百濟 黑齒常之 墓誌銘의 檢討」『鄉土文化』6, 1991, 14~15쪽에 의하였다.
254_ 李基白,「삼국시대의 사회 구조와 신분제도」『한국고대사론』, 탐구당, 1988, 169~170쪽.

방 장관인 '道使'의 경우가 그 단적인 사례가 될 수 있다. 이와 더불어 백제의 賦稅가 고구려와 동일한 게 많았다[255)]는 기록도 참고된다.

2) 중앙과 지방 통치체계

백제의 중앙과 지방 관제에 대한 재검토가 가능하다. 6세기대에 등장한 5좌평제가 6좌평으로 발전했다는 주장이 통설이었다. 그러나 이러한 주장이 성립하려면 그 이전부터 『삼국사기』에 등장하는 좌평 기사를 일괄적으로 소급·부회한 배경이 전제되어야만 한다. 그리고 5좌평의 구체적인 이름을 명시할 수 있어야만 새롭게 증설된 1개 좌평직이 지닌 의미가 살아나게 된다. 게다가 6좌평은 소임과 職名이 모두 기재되어 있지만, 5좌평은 '左平五人' 기록이 전부인 것이다. 문제는 중국 사서에서 5方制가 6方制로 확대된 기록이 보이지만 역시 낱낱이 기재된 5方 기사가 타당함을 알 수 있다. 이와는 달리 5좌평 기록은 그 자체 중대한 취약점을 지녔기에 취신하기 어렵다고 본다. 그리고 좌평을 왕이 선임하지 않고 사후 승인했다는 근거로서 정사암 회의를 지목하고 있다. 그러나 설화적인 내용을 근거로 7세기대에 백제가 최고위직을 선임했다는 근거로 잡기에는 사료 비판이 전제되지 않았다. 다음은 사비성 도읍기 백제의 중앙 部司에 대한 기사이다.

各有部司 分掌衆務 內官有前內部・穀部・肉部・內掠部・外掠部・馬部・刀部・功德部・藥部・木部・法部・後官部・外官有司軍部・司徒部・司空部・司寇部・點口部・客部・外舍部・綢部・日官部・都市部[256)]

지금까지는 위의 기사를 "內官으로는 前內部・穀部・肉部・內掠部・外掠部馬部・刀部・功德部・藥部・木部・法部・後官部가 있고, 外官으로는 司軍部・司徒部・司空部・司寇部・點口部・客部・外舍部・綢部・日官部・都市部가 있다"로 해석을 하였다. 아울러 사비성 도읍기의 중앙 관사인 22部司의 설치 시기에 대해서는 시차를 운위하기도 한다. 그렇지만 적어도 『周禮』에서 典故를 찾을 수

255_ 『舊唐書』 권199, 동이전, 百濟 條.
256_ 『周書』 권49, 異域傳(上), 백제 조.

있는 司軍部 · 司徒部 · 司空部 · 司寇部라는 4개 관사는 기획된 명칭인 만큼 일괄 설치된 부서로 간주된다. 그리고 『周書』에서 처음 보이는 22부사의 內官 12부 가운데 맨 앞의 '前內部'와 맨 끝의 '後宮部'에 보이는 '前 · 後'는 내관 12부의 첫 번째와 마지막 部署를 표시하는 문자에 불과하다. '自至'의 의미로 간주할 수 있다. 그렇게 보면 이들 부서는 '前內部'와 '後宮部'는 실체가 없는 대신 '內部'와 '宮部'로 표기해야 맞다. 그리고 內官에 속한 穀部 · 馬部 · 刀部 · 木部 · 肉部 · 藥部 등의 부서는 왕실에 소용되는 관련 물품을 조달하는 기관인데 반해, 內椋部 · 外椋部 · 功德部 · 宮部는 관리 부서였다. 法部가 內官에 포함된 것을 볼 때 왕족 관련 犯法에 대한 刑罰을 집행하는 부서로 보았다. 外官 10부사 가운데 外舍部와 관련해 내관 宮部가 시사하는 바 있다. 宮部가 王宮 전반에 관한 관리, 가령 수리 · 건축 · 보수 등을 맡아 보았다면, 外舍部는 외관 10부의 廳舍 관리를 맡아 본 부서로 추측된다.

지금까지 연구로는 22부사와 좌평직에 관해서는 역할이 겹치는 부분이 많다고 보았다. 즉 좌평이 22부사를 관장했던 것으로 간주하였다. 그러나 위사좌평이 예하에 둘 수 있는 부서는 존재하지 않았다. 이렇듯 6좌평의 직무가 22부사를 모두 포괄하지는 못하였다. 게다가 좌평과 22부사 간에는 호칭상 연결도 되지 않는다. 이와 관련해 국왕의 친위 兵職인 좌장은 外官 10部의 하나인 司軍部의 長으로 추정된다. 병관좌평은 內外兵馬를 장악한 공식적인 전국 兵權의 최고위직이었다. 22부사와 좌평직의 역할이 드러나게 되는 것이다. 요컨대 백제 왕은 직속 행정 부서로서 내관과 외관을 두고 있었다. 내관은 왕궁 안에, 외관은 왕궁 바깥 도성 안에 소재하였다. 반면 좌평직은 직무 범위가 전국적이었다. 그럼에도 좌평의 청사가 궁중에 있었다는 자체가 왕권에 예속된 신료로서의 면모를 보여준다.

지방 통치와 관련해 한성 도읍기 후반부터 등장하는 王 · 侯의 분봉은 담로제와 무관하다고 볼 수는 없다. 그런데 분봉 왕 · 후의 轉封은 영지를 가진 제후가 되어 권력을 갖는 것을 차단하기 위한 백제 왕의 조치로 파악된다. 이는 陳法子 4대의 경우를 보더라도 중앙과 지방직을 오가고 있는 데서도 이러한 경향을 읽을 수 있다. 이 같은 왕 · 후제는 西河太守 馮野夫의 존재를 놓고 볼 때 적어도 450년까지 소급된다고 하겠다. 요컨대 5세기 후반 백제 왕은 왕권을 강화시킬 수 있는 제도적 조치를 구축했음을 알 수 있다.

백제는 538년 사비성 천도 이후 전면적인 지방 지배 방식인 方-郡-城制로 전환했다. 이와 더불어 소국이나 지역 세력의 비중에 따라서 大郡과 小郡 등으로 차별 편제된 것으로 밝혀졌다. 이는 제4관등인 덕솔이 임명되는 郡將과는 달리 진법자의 祖가 麻連大郡將을 역임했을 때 관등이 達率인데서 짐작할 수 있었다. 『한원』에서 "郡縣置道使 亦名城主"라고 한 구절에서 "郡縣置道使"를 "郡의 縣" 즉, 郡 밑의 縣 단위를 가리키는 등등의 해석이 있어 왔다. 그러나 허심하게 '군과 현에는 도사를 둔다'로 해석해 본다. 그렇다면 1개 方에는 3명의 군장이 파견되므로, 군장이 파견된 郡은 백제 5方 영역 내에서 15개 지역이 된다. 이와는 달리 3인의 郡將 선임 배경을 북위의 사례와 결부 짓는 경우이다. 이 점은 차후에 명료한 검토가 필요할 정도로 시사적인 면이 있다. 그렇다면 백제의 군장 3인은 왕족 1명, 귀족 1명과 토착 호족 1명으로 구성되었을 가능성이다. 상호 견제 측면 보다는 토착 세력에 대한 배려 차원에서 郡將으로 기용했을 수 있다.[257]

3) 수취와 경제

한반도 서북 지역에서는 중국 전국시대 화폐인 易刀錢(明刀錢)을 비롯하여 중국 화폐들이 무더기로 출토되었다. 부여 영역이었던 지린성 위수시 라오허선 71호묘에서 오수전 1매, 지린시 마오얼산 고분군에서 五銖錢과 貨泉이 출토된 바 있다. 그 밖의 한반도 지역에서도 해변과 도서 중심으로 중국의 오수전과 화천을 비롯한 화폐들이 출토되었다. 唐代까지 중국 화폐는 삼국시대 고분 뿐 아니라 城이나 궁터와 같은 생활 유적에서도 남겨졌다. 중국 화폐는 지금의 달러 같은 가치를 지녔던 듯한 인상을 준다.

자체 화폐 사용과 관련해 고조선 화폐라는 일화전을 언급하고 있지만 좀더 많은 검토가 필요하다. 화폐와 동일한 용도로서 진한에서는 "시장마다 물건을 구입할 때는 모두 철을 사용했는데, 중국에서 錢을 사용하는 것과 같았다(諸市買皆用鐵 如中國用錢)"고 했다. 매매 수단으로 地金이나 稱量貨幣格인 판상철부나 鐵鋌의 사용을 가리키고 있다. 고구려에서는 남자가 결혼할 때 '錢帛'을 지참하였다. 동옥저의 혼인에서 여자 친정에서는 남자 집에 '錢'을 요구했다. 유통수단으로 화폐에 대한 개념과 실제 통용을 읽을 수 있다. 그리고 신라에서는 金銀으로 錢을 삼았다는 『海東繹史』 기록이 주목된다. 실물은 신라 헌강왕릉에 부장되었던 金錠 1점이나 황룡사 목탑지 심초석 하부에 부장된 銀錠을 가리키는 것으로 보인다.[258] 익산 미륵사지 서탑에 부장된 공양품 가운데 18개의 금판 즉 金錠

257_ 李道學, 「百濟 官制 運營의 實際 -既存 資料와의 差異를 中心으로-」 『韓國古代史探究』 19, 2015, 37~79쪽.
258_ 朴方龍, 『신라도성』, 학연문화사, 2013, 339~341쪽.

가운데 3개에는 명문이 있었다. 가령 "中部德率支受施金壹兩"라는 명문은 "중부의 덕솔 지수가 금 1냥을 보시했다"는 것이다. 해당 금판 1개가 1냥이었음을 알 수 있다. 이들 금정은 모두 화폐 용도로 보인다. 이러한 金銀鋌은 부장되지 않는 이상, 그 자체가 지금의 역할을 할 수 있었기에 후대에 전승되기는 어려웠을 것이다.

4) 청소년 조직

청소년 조직과 관련해 신라 화랑도의 기원에 대한 재검토가 가능했다. 이를 삼한 시기 촌락공동체 내부에서 발생한 청소년 조직으로 간주하였던 三品彰英說에 이도학은 의문을 제기했다. 그러면 청소년들의 고행과 관련해 『삼국지』와 『후한서』 한 조의 다음 기사를 살펴 본다.

* 그 나라 안에 무슨 일이 있거나 官家에서 城郭을 쌓게 되면, 연소한 勇健者는 모두 등가죽을 뚫고 큰 밧줄로 그곳을 꿰었다. 또 한 丈 남짓의 나무를 그곳에 매달았으나 온종일 소리를 지르며 일을 하는데도 아프다 하지 않는다. 그렇게 일하기를 권하며 또 이것을 강건한 것으로 여겼다(『삼국지』 권30, 동이전, 한 조).
* 그 사람들은 壯勇하여 소년 가운데 室을 만드는 데서 일을 하는 자는 곧 밧줄로 등가죽을 꿰어 큰 나무를 매어 달고 소리를 지르는 것으로 강건함을 나타내었다(『후한서』 권85, 동이전, 한 조).

위의 기사는 구체적으로 묘사되어 있음에도 불구하고 쉽사리 이해하기 어려운 대목이 보인다. 과연 이러한 상태에서 아무리 건장한 사내라고 해도 견디어 낼 수 있을까 하는 생각과 더불어 '환호'가 나왔다는 게 경이로울 정도였다. 그랬기에 이병도는 지게노동을 잘못 보고 기록한 것으로 해석하였다.[259] 그러나 적어도 이 기사는 '온종일(通日)' 현장을 지켜보지는 않았다 손치자. 그렇더라도 유심히 관찰하였거나 적어도 구체적으로 상황을 견문한 기록임은 분명하다. 그러한 만큼 위의 행위에 대한 목격자나 제보자를 이병도가 우매한 자로 단정할 때 가능한 지게노동 착각설은 수긍하기 어렵다.

오히려 이와 관련해 노예노동설과 성년식설을 비롯하여 築城儀禮說까지 제기되었다. 가령 염소

259_ 李丙燾, 「三韓의 社會相」『韓國古代史研究』, 博英社, 1976, 291~292쪽.

의 피가 묻은 칼로 소년들의 이마에 자국을 내었다. 이마의 피를 닦을 때 소년들은 반드시 '큰 소리로 웃어야'만 한다는 로마제국의 루페르칼리아 축제가 있다. 또 허리 부분만 적당히 가린 소년들은 만나는 사람마다 염소의 가죽으로 채찍질을 하였다. 그 매를 맞으면 순산과 다산을 한다고 믿었기에 젊은 여인들도 그 매를 피하지 않았다고 한다. 이러한 맥락에서 볼 때 『삼국지』의 고통을 수반하는 위의 행위는 어쩌면 견고함을 축원하는 주술적 성격의 축성의례가 아니었을까 싶기도 하다.[260)]

그러면 위에서 인용한 『삼국지』 한 조와 『후한서』 한 조의 동일한 기사에 대한 기록 자체에 대한 검증을 시도해 본다. 미시나 아키히데(三品彰英, 1902~1971)는 『삼국지』 한 조에 보이는 성곽 축조 기사를, 『후한서』의 '室'을 축조하는 기록과 관련지었다. 그래서 이 '室'을 청소년 고유의 집회소인 것으로 추정하였다. 이 때 수행한 청소년들의 행위를 원시적 성년식 보이는 일종의 시련으로 인식한 바 있다. 즉 미시나 아키히데는 이들 기사의 시련 행위를 신멕시코 박물관에 소장되어 있는 인디언 청년의 기괴한 자세를 묘사한 유화와 관련지어 성년식으로 파악했던 것이다. 아울러 氏는 이 기사의 시련 행위를 臺灣 高砂族의 성년식에 견주어 생각하였다.[261)] 그러나 이 같은 미시나 아키히데 견해의 타당성 여부는 검토의 여지를 안고 있다.[262)] 우선 '城郭'이나 '室'이 과연 청소년 집회소의 존재를 시사하는 지는 의문이 제기된다. 왜냐하면 위에 기록된 "성곽을 쌓게 되면"이라는 『삼국지』의 기사는, 동일한『삼국지』한 조의 "山海 간에 흩어져 살았고, 성곽이 없다"[263)]라는 문구와 상충되기 때문이다. 이 점이 氏 견해의 타당성 여부를 가늠해 주는 실마리가 된다고 하겠다. 즉 『삼국지』 한 조의 성곽 유무에 관한 상이한 기록은 선학들도 지적한 바 있듯이 명백한 상충 기사가 된다. 그럼에도 오히려 앞에서 인용한 "官家에서 城郭을 쌓게 되면"라는 기사를 토대로 삼한에 성곽이 존재한 것으로 간주하기도 했다.

이러한 점을 유념할 때 『삼국지』 한 조의 내용을 거의 全寫하다시피 한 『후한서』 한 조[264)] 가운데 위의 기사의 채록 배경을 다음과 같이 해석하는 게 가능해진다. 즉 성곽 유무에 관한 『삼국지』 한 조 기사의 모순을 간파한 『후한서』 찬자가, 『삼국지』의 '성곽'을 '室'로 수정 기재한 것으로 보인다. 『후한서』 찬자는 『삼국지』에 기재된 '城郭'의 성격을, 『삼국지』를 토대로 옮겨 적은 "읍락이 잡거하며 역

260_ 李道學, 「'삼국지' 동이전의 세계, 한 조의 풍속 기사」『꿈이 담긴 한국 고대사 노트 (상)』, 一志社, 1996, 78~79쪽.
261_ 三品彰英, 『新羅花郎の硏究』, 平凡社, 1974, 21~31쪽.
262_ 이에 대한 최재석의 비판이 주목된다(최재석, 「신라의 화랑과 화랑집단」『민족문화논총』 8, 1987, 440~442쪽).
263_ 『삼국지』 권30, 동이전, 한 조. "散在山海間 無城郭"
264_ 全海宗, 『동이전의 문헌적 연구』, 一潮閣, 1980, 120쪽.

시 성곽이 없다"라는『후한서』한 조 기사와의 상충을 피하고자 하였다. 그 결과 '室'로 축소 해석하여 기록한 것이다. 이는 찬자 나름의 일종의 합리적인 해석을 시도한 것으로 보인다. 다시 말해『후한서』의 동일 기사에 보이는 '室' 은『삼국지』의 '城郭'과 구분되는 독자적인 사료를 토대로 작성된 문구가 아니었다. 탁상안출에 불과한 것이다. 이는 전해종이 "『후한서』동이전은『삼국지』의 기사를 剪切・輯綴함으로써 개선보다 개악된 점이 매우 많으며, 특히 한전에 있어서 그것이 심하다"[265]라고 한 지적에서도 방증되어진다. 따라서 미시나 아키히데의 주장과는 달리 '室'은 더 이상 원시적 성곽의 성격을 가진 청소년 전사단의 집회소로 간주할 수 있는 근거가 되지는 못한다.

이와 더불어 검토해야 될 문제는『삼국지』한 조에 보이는 청소년들의 시련 행위에 관한 기사이다. 여기서 그 행위의 가혹성은 접어 두고라도 성곽의 축조에 수반되는 시련 행위에 관한 문구에는 의문이 제기된다. 왜냐하면 이 기사의 '城郭'을 '室'로 받아들여 집회소로 간주하더라도, 과연 집회소 조영에 가혹한 시련을 요하는 성년식이 필요했을까 의심되기 때문이다. 그리고『삼국지』나『후한서』의 문구대로 한다면, 집회소 조영 때만 시련 행위가 있게 되는 격이라고 하겠다. 바꿔 말해 집회소 조영 없는 성년식은 존재할 수 없게 된다. 왜냐하면 이 문구에 의하면 미시나 아키히데가 주장하는 청소년 집회소 조영이 전제되어야만 성년식이 가능하기 때문이다. 그러니까 성년식은 집회소 조영을 수반한다는 논리라고 하겠다.

그러나 청소년들의 시련 행위는 어디까지나 '城郭'이나 '室' 축조에 수반되는 일종의 力役이기 때문에 그 자체를 독립된 儀式으로 파악하기는 어렵다. 과거에 이 문구를 과장된 문면으로 받아들여 청소년들의 노예노동이나[266] 지게노동으로[267] 해석한 것도, 이러한 시련 행위가 성곽 축조와 분리할 수 없기 때문이었다. 더욱이『삼국지』한 조의 "관가에서 성곽을 쌓게 되면"이라는 문구는, 삼한의 각 읍락은 독자적인 청소년 조직과 집회소를 지녔다는 미시나 아키히데의 주장과는 달리, 성곽 축조가 읍락 자체의 소관이 아님을 뜻한다고 하겠다.

반면, 이 문구야말로 삼한의 성곽 축조는 '官家'인 '國' 주관 하에 단행되었음을 의미한다. 실제 당시의 생산력과 관련지어 볼 때, 삼한 시기 단계에서 가혹한 시련이 요구되는 力役이 행하여졌을지는 몰라도 그에 상응하는 건조물이 읍락마다 존재했다고 볼 수 있는 근거는 희박하다. 저수지나 석

265_ 全海宗,『동이전의 문헌적 연구』, 一潮閣, 1980, 150쪽.
266_ 白南雲,『朝鮮社會經濟史』, 改造社, 1933, 141~142쪽.
267_ 李丙燾,『韓國古代史研究』, 博英社, 1976, 291~292쪽.

축산성의 축조와 같은 대규모 토목공사는, 국가 주관 하에 4세기 중반 이후부터 본격화되었기 때문이다.[268)]

지금까지의 문헌적 검토를 통해 화랑도의 기원을 삼한의 각 읍락 내 청소년 조직에서 찾는 견해는 재고를 요하게 된다. 화랑도의 기원은 오히려 『삼국사기』의 화랑제도에 관한 기록에서 실마리를 찾는 게 본질에 접근하는 방법이 될 것 같다.

화랑도의 기원에 관한 가장 기본적인 사료는 『삼국사기』 진흥왕 37년 조 말미의 기사이다. 이 기사에 의하면 화랑도의 전신은 여성 수령과 그를 따르는 무리로 구성된 원화조직이었다. 왕녀로 추정되는 원화조직의 수령인 남모와 준정은, 신라 초기 왕녀의 역할과 관련 지어 볼 때 사제적인 성격을 지니고 있었다. 그리고 원화조직의 "무리를 모아 떼지어 놀게 하였다"라는 遊娛的인 속성은, 그 수령의 사제적 성격 및 그 후신인 화랑도의 종교적 제의와 연관되어진다. 그 결과 원화조직을 산악신앙과 관련한 국가적 제의 집단으로 파악되었다.

원화조직은 신라의 중앙집권적 국가로의 발전의 산물이었다. 진한 연맹을 통합한 신라는, 6세기에 접어들어 州郡制度를 시행하여 국가권력이 지방에 침투할 수 있는 확고한 토대를 구축하였다. 그러나 신라는 군사적인 복속과 지배만으로는 지방세력에 대한 효과적인 통제가 이루어질 수 없다고 판단한 결과 종교적인 통일을 시도하였다. 일원적인 종교의식은 집단의 통합과 결속에 가장 중요한 기능을 하였기 때문이다. 그러므로 신라는 중앙 통치력의 확대와 관련하여 신궁을 설치하는 한편, 이른바 護國3山 및 경주 평야 주변에 5岳과 같은 국가적 산악의 설정을 통해, 지방 토착세력의 정신적 기반이 되어 왔던 소도신앙과 같은 이념적 구심체를 해체하고자 하였다. 요컨대 중앙집권적 국가의 출현과 짝하여 분산적인 제의권의 국가적 통합, 이를테면 복속 지역에 대한 이념기반의 국가적 통제와 확대라는 측면에서 그 같은 임무수행 집단으로 원화 조직의 출현을 생각한다. 『일본서기』 景行 12년 9월 조에서 大和政權의 수장이, 흡사 삼한의 소도신앙에 비견되는 지방수장의 제의권을 접수하는 복속의식이 확인되었다. 신라의 경우도 국가권력의 확대에 따라 이와 비슷한 과정을 거쳤으리라고 충분히 짐작된다.

6세기 중반에 접어들어 여성 수령이 이끄는 원화조직은, 傅粉粧飾한 남성 수령의 화랑도로 개편되었다. 화랑도는 율령의 수용에 따른 법제화 · 중앙집권화 시책의 한 소산으로서 출현한 것이다.

268_ 李道學, 「百濟 集權國家形成過程 硏究」, 한양대학교 사학과 박사학위청구논문, 1991, 86~91쪽.

아울러 이 때는 신라의 괄목할 만한 정복전쟁의 시기로서 전사단으로 그 소임이 전환되고 있었다. 이는 시대적 추세의 결과이기도 하였다. 그 결과 화랑도는 본디의 모습인 제의적 기능을 거의 상실했지만 그 성격마저 전변하지는 않았다.[269)]

269_ 李道學,「新羅 花郞徒의 起源과 展開過程」『정신문화연구』38, 한국정신문화연구원, 1990, 3~18쪽. 李道學,「신라 화랑도의 기원과 성격에 관한 검토」『신라화랑연구』, 한국정신문화연구원, 1992, 11~33쪽.

3. 두발 형태와 관모 그리고 의복

1) 두발 형태

두발 형태와 관련해 고조선의 경우를 먼저 살펴 본다. 『사기』 조선전에서 위만의 조선 망명 기사에 등장하는 두발이 '魋結'였다. 그런데 『한서』 조선전에서는 이를 '椎結'로 적었다. 『삼국지』에 인용된 「魏略」에서는 두발은 기록하지 않고 '蠻夷服'을 '胡服'으로만 적어 놓았다. 여러 문헌을 詳考한 결과 『한서』의 '椎結'는 흉노로 투항한 漢將 李陵처럼 辮髮로 밝혀졌다. 흉노의 두발인 '椎結'는 변발을 가리킨다. 따라서 조선의 두발은 剃頭를 한 辮髮로 드러났다. 이 사실은 중국과 구분되는 세계의 표지였다. 『史記』에 보이는 '魋結'는 非中國系 주민 두발에 대한 범칭이었다. 『한서』의 저자 반고는 조선의 두발이 흉노와 동일한 사실을 인지하였다. 그랬기에 '椎結'라는 구체적인 표기로 바꾸었다고 본다.

'椎結' 즉 辮髮이었던 한반도 서북 지역 주민들은 한사군 설치 이후 상투를 틀어 머리를 정수리로 올린 두발로 바뀐 것 같다. 기자교화론이나 8條敎 운운하면서 급속히 밀려든 중국 문화로 인해 두발 역시 변모했던 것 같다. 실제 1세기대의 문헌인 『論衡』에 따르면 낙랑은 '椎髻'에서 '皮弁'으로 바뀌었다고 했다. 辮髮에서 '皮弁'이 가능한 高髻로 바뀐 것이다. 이로 인해 고구려 고분벽화에서는 상투 두발만 주로 확인되었다. 백제나 신라의 경우도 예외가 아니었다. 그러나 백제금동대향로 五樂師에 보이는 剃頭辮髮은 椎結의 殘影이었다. 백제금동대향로가 祭器였기에 종족의 정체성을 웅변해주는 두발이 남겨질 수 있었다.

『삼국지』 동이전에는 부여를 비롯하여 고구려나 동예와 옥저 등의 두발 기록을 남기지 않았다. 그 이유는 중국의 상투와 별반 차이가 없어서였을 것이다. 실제 부여 영역인 중국 지린성 지린시 마오얼산과 둥퇀산에서 출토된 金銅面을 보면 상투를 튼 모습이었다.[270] 다만 중국과는 분명히 구분되었을 읍루의 두발에 관한 기록은 누락된 게 분명하다. 읍루는 俎豆를 사용하지 않았다고 했다. 읍루는 東夷世界에서 가장 중국화하지 못한 세력으로 분류되었다. 따라서 읍루의 두발이 중국과 유사했을 가능성은 없었다고 본다. 실제 『晋書』 동이전 肅愼氏 조에서는 "죄다 編髮을 했다"고 하였다. 읍루인들이 변발했음을 알려준다. 그리고 마한과 왜인들의 경우 "풀어져 흐트러진 머리의 드러난 상

270_ 김민구, 「夫餘의 얼굴」 『미술사논단』 38, 2014, 한국미술연구소, 7~38쪽.

투는 날카로운 兵器 같았다(마한 항)"[271] · "남자는 모두 상투가 드러났는데, 목면으로 머리를 묶었다(왜인 조)"[272]고 하였다. 변한에 대해서는 "長髮(변진 항)"[273]이라고 했다. 즉 마한이나 변한과 왜에서는 모두 모자 없이 상투가 노출되었다.

고구려에서 부녀자들은 머리를 올렸고, 처녀들은 머리를 내렸다고 한다.[274] 백제에서도 처녀는 머리를 땋아 뒤로 드리웠다가 시집을 가면 두 갈래로 나누어 머리 위로 틀어 올렸다.[275] 신라에서도 마찬 가지로 婦人은 "땋아 내려진 머리카락을 머리 위로 올린다"[276]고 하였다. 얼마 전까지만 해도 남아 있었던 우리나라 여성들의 두발 풍습이 아닐 수 없다.

요동과 한반도 서북부의 고조선 지역은 변발이었다. 부여를 비롯한 고구려와 옥저 및 濊는 3세기대에는 중국처럼 상투를 틀었다. 「王會圖」에는 신라 사신이 머리를 뒤로 풀어서 늘어뜨렸다. 이는 변한의 長髮을 가리키는 게 분명하다. 6세기대의 신라와 임나 제국의 두발을 살필 수 있다. 반면 마한에서는 몽치처럼 머리를 묶었다. 즉 방망이[椎]처럼 삐죽하였기에 날카로운 무기에 비교되었을 것이다. 마한의 大島에 거주하는 州胡는 鮮卑처럼 머리를 깎았다.

유목민족의 경우 剃頭辮髮을 하고 있다. 가령 禿髮氏의 경우 氏名을 통해 剃頭임을 알 수 있다. 실제 365년에 "선비족 禿髮椎斤이 죽었다"[277]는 기사에 보이듯이 독발씨는 선비계인 것이다. 그리고 백제금동대향로의 오악사 두발과 일본 古墳時代 남자 두발과의 관련이다. 후자의 두발을 일러 みずら[美頭良]라고 한다. 즉 "긴 머리칼을 좌우로 나누어 (원형)고리를 만들어 머리칼을 묶었다"[278]는 형식이다. 다만 오악사는 오른쪽 귀언저리에만 묶었지만, 일본 みずら는 양귀 언저리로 묶었고 변발도 아니었다. 그러나 머리채를 묶는 양식은 동일하므로 앞으로 심도 있는 탐구가 필요해진다. 양자의 기본 모티브가 동일하기 때문이다.[279]

이처럼 각기 다른 두발의 형태는 종족 본래의 정체성을 반영해주지만 중국화의 길을 밟은 경우도 확인해 준다. 결국 두발은 한국 고대사를 구성하는 집단들의 계통적 다양성과 복합성을 암시해주는

271_ 『三國志』 권30, 동이전, 마한 항. "魁頭露紒 如炅兵"
272_ 『三國志』 권30, 동이전, 왜인 조. "男子皆露紒 以木緜招頭"
273_ 『三國志』 권30, 동이전, 변진 항. "長髮"
274_ 과학백과사전 종합출판사, 『고조선사 3』 1979, 380쪽.
275_ 『隋書』 권81, 百濟 條.
276_ 『隋書』 권81, 新羅國 條.
277_ 『자치통감』 권101, 興寧 3년 조.
278_ 山本西郎 · 上田正昭 · 井上滿郎, 『解明新日本史』, 文英堂, 1983, 37쪽.
279_ 李道學, 「衛滿의 頭髮과 服裝을 실마리로 한 한국 고대문화의 정체성 탐색」 『온지논총』 56, 2018, 151~180쪽.

지표이기도 했다.

2) 관모

관모와 의복은 신분의 지표인 동시에 타 공동체와 구분 짓는 역할을 하였다. 「충주고구려비문」에 보면 고구려가 신라왕과 그 신료들에게 의복을 하사하고 있다. 이는 널리 알려져 있듯이 복속 의례와도 관련 있는 일종의 정치적 성격을 지닌 것이다. 신라 진덕여왕이 복속 의례로서 독자 연호를 폐기하고 당의 연호와 관복을 수용한 것처럼[280] 의복 자체의 성격은 그 국가와 종족의 정체성을 반영하고 있다. 이러한 맥락에서 고구려를 비롯한 삼국의 관모와 의복의 현상을 파악해 볼 필요가 있을 것 같다.

부여에서는 "金銀으로써 관모를 장식하였다"[281]고 했다. 고구려에서도 "귀인은 冠에 紫色 비단을 사용하고 金銀으로써 장식한다"[282]라고 하여 귀인의 관모에 金銀으로 장식했다고 한다. 唐의 저명한 시인 李白이 지은 고구려 춤을 소재로 한 詩句 가운데 '金花折風帽'[283]라고하여 折風 관모에 장착한 金花의 존재를 언급하고 있다. 백제 왕은 "烏羅冠에 金銀으로 장식한다"[284]고 했다. 백제 무녕왕릉과 충청남도 부여·논산과 남원·나주 등지의 백제 고분에서 각각 출토된 金銀製 冠飾이 그것을 확인시켜주고 있다.[285] 이렇듯 부여에서 비롯하여 고구려·백제 모두 지배층 신분의 관모에 金銀으로 장식했다. 이와 관련해 고려 현종이 귀주대첩에서 승리하고 개선한 姜邯讚 장군의 머리에 金花 8가지를 꽂아 준 사실이 상기된다.[286] 여기서 머리 곧 관모에 金花를 꽂아 준 것은 고구려를 비롯한 삼국시대 이래의 전통이었음을 다시금 확인시켜 준다. 한편 고구려인들은 모자에 鳥羽를 꽂는다고 했다.[287] 백제에서도 "그 冠의 양쪽 곁에 날개를 붙였다"[288]라고하여 고구려처럼 관모 양 곁에 새깃을 꽂는 풍속이 존재하였다. 콜롬비아 고대사회의 샤먼은 신을 만날 때 커다란 깃털 왕관으로 자신

280_ 『三國史記』 권5, 진덕왕 3년 조.
281_ 『三國志』 권30, 동이전, 夫餘 條.
282_ 『隋書』 권81, 동이전, 高麗 條.
283_ 「高句麗」『李白集校注』 권6.
284_ 『舊唐書』 권199, 동이전, 百濟 條.
285_ 국립 부여박물관, 『백제』 1999, 68쪽.
286_ 『高麗史』 권94, 姜邯讚傳.
287_ 『隋書』 권81, 동이전, 高麗 條.
288_ 『周書』 권49, 異域傳(上), 百濟 條.

을 치장했다.[289] 관모에 꽂는 깃털은 백제에서 "朝拜나 제사 지낼 때는 그 冠의 양쪽 곁에 날개를 붙였으나, 軍事에는 그렇지 않았다"는 기사와 연결된다.[290] 신라에서도 깃털을 관모의 양 곁에 꽂았다고 한다.[291] 의성 탑리 고분 · 천마총 · 나주 반남면 신촌리 9호분 등등에서 출토된 관모는 고구려의 영향과 그 연관성이 강조되고 있다. 그러한 고구려 관모는 중국과는 근본적으로 다르다고 한다.[292]

고구려 고분인 龕神塚 벽화에 의하면 銳角三角形이 3개 연결된 관모 착용한 여인상이 보인다. 이러한 관모는 알타이 고분이나 돌궐을 비롯한 유목문화의 移入 흔적으로 볼 수 있다.[293] 투르크 제2제국의 빌게 카간(684~734)의 황금관은 아프카니스탄에서부터 한반도의 신라 금관과도 동일하다고 한다. 이러한 동일성은 서로 밀접한 문화의 반영임을 증명해준다.[294] 고구려 각저총 벽화의 婦人을 보면 수건 모자인 건귁을 착용하고 있다. 건귁은 1950년대까지만 해도 평안도 지역 부인네들이 늘상 착용한 쓰개와 일치한다.

3) 의복

백제의 의복과 관련해 "그 왕은 소매가 큰 자색 도포를 입는다(王服大袖紫袍)"[295]고 했다. 백제 왕은 紫色 즉 보라색 옷을 입었다. 그러면 왜 보라색 옥을 입었을까? 즉위를 나타내는 登極의 極은 北極을 가리킨다. 칠성신앙과 관련해 보라색 옷을 至高한 색깔로 간주하여 백제 왕은 이러한 色服을 착용한 것이다. 반면 일반인들은 "그(백제) 의복은 남자는 대략 고려와 동일하다"[296] · "그(백제) 의복은 고려와 더불어 대략 동일하다"[297]라고 하였다. 그러므로 服制上 고구려와 백제 간의 동질성을 찾을 수 있다. 신라의 경우도 "의복은 대략 고려 · 백제와 더불어 같다"[298]라고 했다. 그러므로 삼국은

289_ 국립중앙박물관, 『황금문명 엘도라도 신비의 보물을 찾아서』 2018, 127쪽.
290_ 『周書』 권49, 異域傳(上), 百濟 條. "若朝拜祭祀 其冠兩廂 加翅 戎事則不"
291_ 리광희, 「고구려의 금속제 관모와 관모 장식에 대한 간단한 고찰」 『조선고고연구』 127, 2003, 21쪽.
292_ 리광희, 「고구려의 금속제 관모와 관모 장식에 대한 간단한 고찰」 『조선고고연구』 127, 2003, 21~25쪽.
293_ 이용범, 「高句麗의 遼西 進出企圖와 突厥」 『史學硏究』 4, 1959, 78~79쪽.
294_ G. Eregzen, 「몽골국에서 발견된 투르크[突厥]제국 빌게 카간의 황금관에 대한 고찰」 『나주 신촌리 금동관의 재조명』, 국립나주박물관, 2017, 79쪽.
295_ 『舊唐書』 권199, 동이전, 百濟 條.
296_ 『周書』 권49, 異域傳(上), 百濟 條.
297_ 『隋書』 권81, 동이전, 百濟 條.
298_ 『隋書』 권81, 동이전, 新羅國 條.

의복 체계가 거의 동일했던 것 같다. 그러한 신라에서 "色服은 흰색을 숭상했다"[299]고 하였다. 신라 혁거세와 알지의 출생과 관련한 동물이 각각 '白馬'와 '白鷄'인 데서도 그러한 정서가 엿보여진다. 이는 부여와의 관련성을 생각하게 한다. 부여에서는 "나라 안에 있을 때는 옷은 흰색을 숭상했는데, 白布大袂·袍·袴가 있다"[300]고 했듯이 백색을 숭상했기 때문이다. 한국 민족을 '백의민족'으로 일컬은 것은 적어도 부여 이래의 전통이었음을 알 수 있다. 고구려 고분벽화에서도 白袍와 袴를 입은 이들이 눈에 많이 띈다고 한다.[301]

고조선의 경우는 두발이 변발로 드러난 만큼 복장 또한 左衽 가능성이 높다. 흉노의 복장인 左衽은 고구려에서도 확인되었다. 이에 덧붙여 관모와 관련해 고구려 고분인 龕神塚 벽화에 의하면 銳角三角形이 3개 연결된 관모 착용한 여인상이 보인다. 이러한 관모는 알타이 고분이나 돌궐을 비롯한 유목문화의 移入 흔적으로 볼 수 있다.[302] 투르크 제2제국의 빌게 카간(684~734)의 황금관은 아프카니스탄에서부터 한반도의 신라 금관과도 동일하다고 한다. 이러한 동질성은 서로 긴밀한 관련성을 증명해주고 있다.[303]

한편 고구려 고분벽화에 보이는 騎馬人의 上衣는 다양한 여밈새를 하고 있다. 바지는 上衣의 통수에 어울리는 그리 좁지 않은 통으로 했고, 바지 부리를 좁혀 깔끔하게 처리했다. 이러한 복식은 기마인 외에 고구려 일반인들도 모두 입고 있는 것으로, 전국시대에 북방 민족이 입은 통이 좁은 고습이나 三國·兩晋·南北朝時代의 袴褶과는 완전히 다른 모양이다. 또한 고구려에서는 북방 민족처럼 모든 계층이 동일한 성격의 의복을 일률적으로 입은 것이 아니다. 성별과 신분 및 직업에 따라 차이를 보인다고 한다. 구체적으로 살펴 보면 다음과 같다.

각저총 벽화에서는 주인공과 시녀들의 袍와 襦는 모두 左衽直領으로 나타나고 있다. 이는 쌍영총 벽화에서 여자 주인공과 시중군이 함께 右衽直領의 옷을 입은 것과 마찬 가지로 衽形이 사회적 지위와는 관련이 없음을 알려준다. 약수리 고분벽화에서는 기마인과 수렵인들을 대상으로 살펴 볼 때 동일한 의복에서 좌임과 우임이 자연스럽게 혼용되었다. 이들 복장에서는 북방 호복 계통의 窄

299_ 『隋書』 권81, 동이전, 新羅國 條.
300_ 『三國志』 권30, 동이전, 夫餘 條.
301_ 耿鐵華, 『中國 高句麗史』, 吉林人民出版社, 2002, 47쪽.
302_ 李龍範, 「高句麗의 遼西 進出企圖와 突厥」 『史學硏究』 4, 1959, 78-79쪽.
303_ G. Eregzen, 「몽골국에서 발견된 투르크[突厥]제국 빌게 카간의 황금관에 대한 고찰」 『나주 신촌리 금동관의 재조명』, 국립나주박물관, 2017, 79쪽.

袖와 細袴는 보이지 않으며 삼국 · 양진 · 남북조시대 袴褶의 모양도 역시 보이지 않는다. 따라서 고구려 기마인과 수렵인의 복식 역시 북방계 호복 형태에 속한다고는 볼 수 없다. 그리고 장천 1호 고분벽화를 볼 때 고구려인들이 帶를 묶는 방향과 매듭의 모양이 신분에 관계없이 자유스러웠지만, 帶의 넓이는 신분에 따라 달랐다. 또 고구려 복식에서는 袍나 襦에 帶를 매기도 하고, 매지 않기도 했다. 이는 북방 계통의 호복에서 거의 일률적으로 帶를 착용한 것과는 차이가 난다. 衽形에서는 좌임과 우임을 자유롭게 혼용하고 있어, 임형은 신분과는 관계가 없음을 말해주고 있다. 그 밖에 삼실총 벽화에서는 주인공 부부의 襦나 袍의 소매 모양과 바지통이 모두 廣袖와 寬袴였다. 시중군들의 경우도 소매는 약간 좁으나 바지의 폭은 역시 寬袴로 북방 계통의 細袴나 窄袖가 아님이 확인되었다. 또 삼국에서 모두 大口袴가 확인되고 있으며, 금동 신발 바닥에 釘을 달았다. 이러한 신발은 중국이나 북방 지역에서는 보이지 않는다.[304)]

4) 직물

직물로는 비단 · 모직물[罽] · 삼[麻] · 명주 등이 보인다. 중요한 사안은 면직물의 제작과 사용이다. 국립부여박물관에서 절터 유물을 분석 · 정리하는 과정에서 목화를 원료로 만든 면직물이 나타났다. 면직물은 폭 2㎝, 길이 12㎝ 크기로 1999년 능산리 절터 6차 발굴 때 대나무편 사이에 끼인 채 수습되었다. 국립부여박물관은 이 면직물이 나온 유적층에서 함께 출토된 창왕명사리감의 제작 연도가 567년이므로 면직물의 연대도 그때쯤일 것이라고 밝혔다. 이 유물은 꼬임을 아주 많이 써서 만든 緯絲를 사용한 직조 방식의 면직물로 드러났다. 이러한 솜씨는 우리나라 특유의 직조 기술로 알려졌다.[305)] 주지하듯이 면직물은 면사로 짠 직물의 총칭이다. 면사는 식물성 섬유의 하나로 아욱과에 속하는 목화속 식물의 종자를 덮어싼 백색 섬유질의 솜털에서 얻는다.

그러면 능산리 절터에서 출토된 면직물의 유입로는 어떻게 설정할 수 있을까? 그간 막연히 추측했던 중국이나 중앙아시아와 결부 지을 수 없다. 다음에서 서술하겠지만 백제가 崑崙 등과의 교류를 통해 綿種을 입수했을 가능성이 크다.

304_ 박선희, 『한국 고대 복식—그 원형과 정체』, 지식산업사, 2002, 308~519쪽.
305_ 국립부여박물관, 『백제 중흥을 꿈꾸다-능산리사지』, 2010, 174~175쪽.

또 백제 使人이 崑崙 사신을 바다 속에 던져버렸다.[306)]

위의 기사만으로는 백제 使人이 곤륜 사신을 水葬시킨 장소는 불확실하다. 그러나 곤륜은『구당서』남만전에 "林邑 이남부터는 모두 곱슬 머리에 신체는 새카만데 통상적으로 崑崙이라고 부른다"[307)]고 하여 보인다. 崑崙은 지금의 남베트남 · 캄보디아 · 타이 · 미얀마 · 남부 말레이반도 등을 일괄한 동남아시아 지역에 대한 호칭이었다.[308)] 어쨌든 곤륜 사신 水葬 사건은 백제 海域이거나 백제 선박이 미치는 공간에서 발생한 게 분명하다. 더욱이 곤륜 사신들을 수장한 곳을 '바닷속[海裏]'이라고 하였다. 이는 백제와 곤륜 즉 동남아시아 제국과의 교류 없이는 발생할 수 없는 사건이다.

그러면 海難 중에 이방인들은 왜 제거된 것일까? 전통적으로 不淨이나 怪奇한 것은 海難의 原因으로 말해져 왔다. 이러한 맥락에서 본다면 백제 使人들이 崑崙 사신을 海擲시킨 이유가 구명되어진다. 즉 백제가 동남아시아 제국과 교섭할 때 崑崙使를 乘船시켜 歸國하다가 遭難당하자 냉큼 '異邦人'들을 水葬시켰을 가능성이다.[309)] 이러한 추론은 지금까지의 정황과 결부 지어 본다면 일반인이 아닌 '百濟使人'의 선박이 동남아시아 제국에 공식적으로 닿았음을 뜻한다. 요컨대 이는 백제와 곤륜 즉 동남아시아 제국과의 교류 없이는 발생할 수 없는 사건이다.[310)]

799년에 小船을 타고 漂着한 단 1명의 곤륜인과 그 이듬 해에 綿種을 가져 온 곤륜인에 관한 기록이 일본 사서에서 처음으로 눈에 띈다. 그런 만큼 곤륜 사신 水葬 사건의 공간적 배경은 일본열도와는 무관하다. 799년 이전에는 일본열도에 곤륜인이 얼씬도 하지 않았기 때문이다.[311)]

중국 본토에서는 宋代 이후에야 면화가 인도에서 유입되었다.[312)] 일본열도에서는 800년에 와서야 곤륜을 통해 綿種을 수입하였다.[313)] 백제는 그러한 綿種을 확보한 곤륜이나 목면의 원산지인 印度와도 교류했다. 따라서 능산리 절터에서 확인된 면직물은 백제와 印度間 교류를 뜻하는 證左인 것이다.

306_ 『日本書紀』권24, 皇極 원년 2월 조. "去年十一月 大佐平智積卒 百濟使人擲崑崙使於海裏"
307_ 『舊唐書』권197, 南蠻傳. "自林邑以南 皆卷髮黑身 通號爲崑崙"
308_ G. Codes, Cultural history of Southeast Asia, 山本智教 譯,『東南アシ"ア文化史』, 大藏出版, 1989. 32~33쪽.
309_ 李道學,「百濟 泗沘都城의 編制와 海外 交流」『東아시아古代學』30, 2013, 254~259쪽.
310_ 李道學,「百濟 泗沘都城의 編制와 海外 交流」『東아시아古代學』30, 2013, 231~267쪽.
311_ 李道學,「백제의 동남아시아 交流論은 妄想인가?」『慶州史學』30, 2009;『백제 사비성시대 연구』, 一志社, 2010, 284~285쪽.
312_ 李道學,「백제의 해양 활동사」『동북아역사문제』90, 동북아역사재단, 2014, 10쪽.
313_ 『類聚國史』권199, 殊俗 崑崙.

이와 더불어 고구려에서 생산된 白疊布[314]와 869년(경문왕 9)에 신라가 唐에 바친 공물 가운데 白氎布는 무엇일까?[315] 白疊布와 白氎布는 동일한 織物로서 高昌이 產地로 보인다.[316] 신라의 白氎布는 적어도 唐代까지는 중국에서 생산되지 않았기에 조공품이 되었을 것이다. 白疊布와 白氎布는 高昌 등에서 유입된 草綿을 가리킨다고 한다.[317] 『삼국지』 동이전 濊 項과 馬韓 項에 각각 기재된 '緜'이나 '綿布'는 누에고치솜으로 만든 것이었다.[318] 이 구절을 보면 "有麻布 蠶桑作緜(예 항)" "知蠶桑作綿布(마한 항)" "曉蠶桑 作縑布(변진 항)"라고 했다. 즉 예에서는 蠶桑으로 緜을 만들었고, 마한에서는 蠶桑을 알아 綿布를 만들었다고 한다. 그런데 변진에서는 蠶桑을 환히 알아 縑布를 만들었다고 했다. 여기서 濊와 마한은 蠶桑을 통해 綿을 만들었지만, 변진은 縑布를 만들었던 것이다. 縑布는 비단을 가리킨다. 그렇다면 綿은 무엇일까? 바로 누에고치솜으로 만든 베였다.

그러면 인도나 곤륜과의 교류를 통해 백제가 확보한 綿種은 왜 단절된 것일까? 단절되었기에 고려 말 문익점에 의해 도입된 것으로 보아야 한다. 이는 확실히 답변해야 하는 중요한 사안이다. 그렇지만 근거 자료가 없는 것도 분명하다. 여기서 면종의 백제 유입은 분명한 사실에 속한다. 그렇다고할 때 면종은 신분제 사회인 백제 상류층의 직물로만 소용되었기에 확산에 한계가 있었던 것 같다. 게다가 백제는 면종의 전략화로 왜에는 금수시킨 것으로 판단된다. 그렇지 않고서야 백제와 긴밀했던 왜에서 면직물이 등장하지 않는 이유를 설명하기 어렵다. 또 이런 연유로 인해 國亡 후 백제 綿種이 한반도에서 절멸한 것으로 해석된다. 참고로 3세기 단계에 왜에서 재배되었던 木綿은 씨에 붙은 軟毛를 취하여 浦團과 織物로 사용한 것이다.[319]

綿種과 같은 禁輸 사례는 중국의 茶에서도 찾아 볼 수 있다. 清은 茶나무의 유출을 엄금했고, 茶제작도 비밀에 붙였다. 당시 영국에서는 동인도회사를 통해 중국으로부터 막대한 양의 차를 수입하면서 지불 대금으로 대량의 銀이 유출되자, 산업 스파이를 통해 茶種을 몰래 가져와 재배한 바 있다. 그리고 뛰어난 제철 기술을 보유했던 필리스티아인은 철제 무기가 이스라엘 손에 넘어가지 않도록

314_ 『翰苑』 蕃夷部, 高麗.
315_ 『三國史記』 권11, 경문왕 9년 조. "九年 秋七月 遣王子蘇判金胤等 入唐謝恩兼進奉馬二匹・麩金一百兩・銀二百兩・牛黃十五兩・人蔘一百斤・大花魚牙錦一十匹・小花魚牙錦一十匹・朝霞錦二十匹・四十升白氎布四十匹・三十升紵衫段四十匹 … 又遣學生 李同等三人 随進奉使 金胤 入唐習業 仍賜買書銀三百兩"
316_ 『梁書』 권54, 西北諸戎傳 高昌.
317_ 박선희, 『한국 고대 복식-그 원형과 정체』, 지식산업사, 2002, 215~217쪽.
318_ 박선희, 『한국 고대 복식-그 원형과 정체』, 지식산업사, 2002, 205~206쪽.
319_ 武光誠・山岸良二, 『改訂版 邪馬台國事典』, 同成社, 1998, 79쪽.

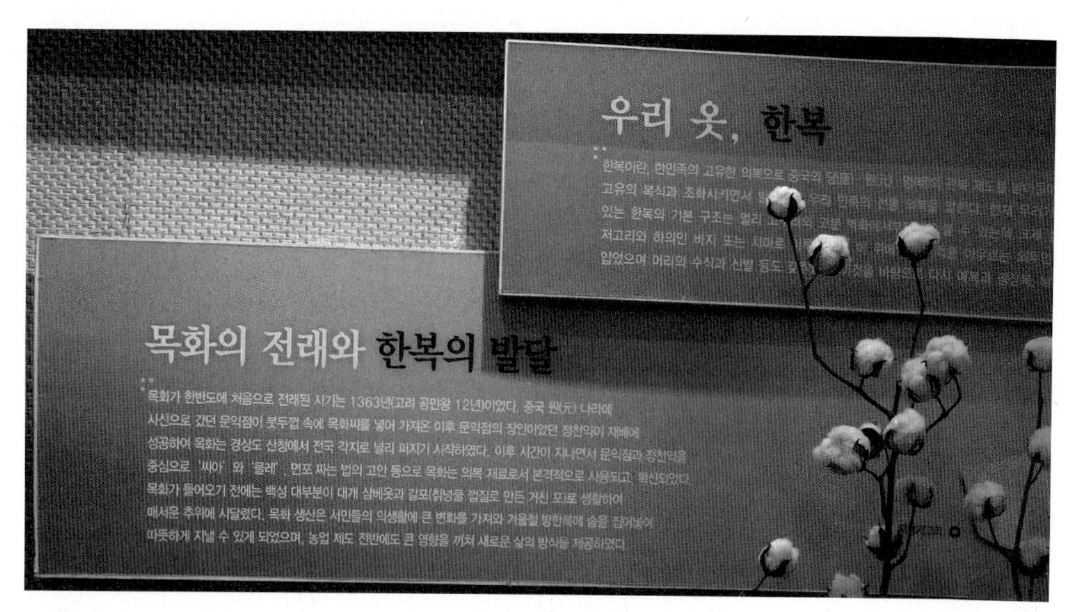

그림 47 | 백제 때 면화의 전래는 기존 통념과는 정면으로 충돌한다.

철저히 관리했다.[320] 이러한 맥락에서 백제와 가까웠던 왜에서도 면종이 보급되지 않은 배경을 설명할 수 있을 것 같다.

320_ 마이크 보몽 著 · 김효준 譯,『바이블 가이드』, 생활성서사, 2013, 40쪽.

4. 武器와 武具

고구려의 武器와 武具의 성격을 잘 집약해 주는 게 화살촉이다. 고구려 화살촉은 用途에 따른 그 효용성의 극대화를 꾀하기 위해 종류와 형태가 다양하다. 이는 고구려 독자의 무기 체계가 확립 되었음을 시사해 준다.[321] 그러한 고구려의 무기 체계는 4세기 중엽까지는 중국의 그것과는 근본적으로 차이가 났다고 한다. 고구려의 무기체계는 북방적인 성격을 지니고 있으며, 고조선의 무기체계를 발전시켰던 것으로 지목되고 있다. 그러한 고구려의 무기 체계는 신라와 백제 그리고 가야로 전해졌다고 한다.[322] 즉 백제 지역에서 短弓의 사용과 長槍인 矟이 출현하고 있다. 일례로 천안 용원리 유적에서 고구려계 錫盤附鐵矟을 통해 고구려 무기의 백제 지역 전파가 확인된다.[323] 삼한 영역인 한반도 남부 지역에서는 長弓을 사용하였으나 삼국시대에는 고구려의 영향을 받아 短弓을 제작·사용하였다.[324] 이러한 사실은 역시 고구려의 정치적 영향력의 확대에 따른 문화적 영향으로 간주되어진다. 甲冑를 비롯해서 목이 긴 화살촉, 3엽문 환두대도, 마구와 말갑옷 등이 그러한 실례가 된다.[325]

敵으로부터 신체를 보호하기 위한 목적의 武具 가운데는 갑옷과 투구인 甲冑가 포함된다. 고구려의 갑주는 중국과 북방 지역의 영향을 받기는 하였다. 그러나 頸甲의 경우는 이들 지역과는 무관한 고구려만의 특징으로 파악되고 있다.[326] 札甲의 경우 삼국 중 고구려에서 가장 먼저 사용되어 신라·가야·백제 등지로 전파되었다. 고구려 지역에서 札甲은 4세기 전반 경에 조영된 분묘에서 확인된 바 있다.[327] 그리고 고구려의 縱長板冑는 임나에도 지대한 영향을 미쳤다.[328] 일례로 랴오닝성 푸순의 高爾山城에서 출토된 고구려 투구와 동일한 양식이 김해 예안리 150호분에서 출토된 바 있다.[329] 요컨대 고구려의 武器와 武具는 백제·신라·임나에 영향을 미쳤음이 밝혀졌다.

321_ 耿鐵華,『中國 高句麗史』, 吉林人民出版社, 2002, 200쪽 참조.
322_ 金性泰,「高句麗 兵器에 대한 硏究」『高句麗硏究』 12, 2001, 801~832쪽.
323_ 金性泰,「高句麗 兵器에 대한 硏究」『高句麗硏究』 12, 2001, 829쪽.
324_ 부산 복천박물관,『古代 戰士』, 1999, 12쪽.
325_ 리광희,「고구려의 금속제 관모와 관모 장식에 대한 간단한 고찰」『조선고고연구』 127, 2003, 25쪽.
326_ 국립 김해박물관,『특별전 한국 고대의 갑옷과 투구』 2002, 10쪽.
327_ 국립 김해박물관,『특별전 한국 고대의 갑옷과 투구』 2002, 36쪽.
328_ 宋桂鉉,「韓國 古代의 甲冑」『특별전 한국 고대의 갑옷과 투구』, 국립김해박물관, 2002, 67쪽.
329_ 박선희,『한국 고대 복식―그 원형과 정체』, 지식산업사, 2002, 660쪽.

5. 혼인과 상례

1) 혼인

혼인 풍습과 관련하여 고구려에서는 남편이 일단 처가에서 생활을 하지만 아들을 낳아서 성장하게 되면, 남편은 아내를 데리고 자기 집으로 돌아온다.[330] 오환의 경우는 소나 양을 지참하고 처가에 들어간 사위는 2년간 노역을 한 후 재물과 함께 처를 데리고 본가로 돌아왔다.[331] 고구려에서는 "그 풍속은 혼인할 때는 말로 이미 정하고나서 여자 집에 大屋 뒤에 小屋을 짓는데, 壻屋이라고 이름한다. 사위가 날이 저물 무렵에 여자 집 문밖에 이르러 스스로 이름을 대며 跪拜하고, 여자와 자는 것을 요청하기를 두세번하면, 여자의 부모는 듣자마자 小屋에서 자게 하는데, 곁에 錢帛을 가지런히 둔다. 자식을 낳아 長大하게 되면 곧 婦를 데리고 집으로 돌아간다"[332]고 했다. 옥저에서는 "그 결혼하는 법은 여자 나이 10세가 되어 서로 허락하면, 사위집에서 그녀를 맞이하여 장성할 때까지 길러서 婦를 삼는다. 成人이 되면 다시 女家로 돌아간다. 女家에서 錢을 요구하여, 錢을 바치면 다시 사위에게로 돌아간다"[333]고 하였다. 오환과 고구려 및 옥저의 혼속에서 일종의 매매혼적인 요소가 보인다. 더불어 처가살이하면서 노동력을 제공한다는 공통점을 지녔다. 이러한 3곳의 혼속은 본질적으로 동질한 것이다.

거란에서도 남자가 여자 집에 가서 생활하다가 첫 자식을 낳으면 남자 가족을 만날 수 있었다.[334] 거란도 고구려와 동일하게 처가살이를 했던 것이다. 『구약성경』에서도 야곱은 "외삼촌의 작은딸 라헬을 얻는 대신 7년 동안 외삼촌 일을 해 드리겠습니다"고 했다. 야곱은 라헬을 얻으려고 7년 동안 일을 하였다.[335] 이러한 점에 비추어 볼 때 고구려의 혼속에는 유목적인 요소가 잠재되었음을 알 수 있다. 어쨌든 신랑이 신부 집에 결혼 후 상당 기간 머무는 풍습은 고려와 조선시대까지도 행해졌

330_ 『三國志』 권30, 동이전, 高句麗 條.
331_ 『三國志』 권30, 烏丸鮮卑傳.
332_ 『三國志』 권30, 東夷傳, 高句麗 條. "其俗作婚姻 言語已定 女家作小屋於大屋後 名壻屋 壻暮至女家戶外 自名跪拜 乞得就女宿 如是者再三 女父母乃聽使就小屋中宿 傍頓錢帛 至生子已長大 乃將婦歸家"
333_ 『三國志』 권30, 東夷傳, 東沃沮 條. "其嫁娶之法 女年十歲 已相設許 壻家迎之 長養以爲婦 至成人 更還女家 女家責錢 錢畢 乃復還壻"
334_ 발레리 한센 著 · 신성곤 譯, 『열린제국: 중국 고대-1600』, 까치, 2005, 373쪽.
335_ 『구약성경』 창세기 29장, 18~20절.

다.[336] 가령 "우리나라의 풍속에 남자가 여자의 집에 장가든 일이 있었으니, 異姓의 친함과 恩義의 분별이 同姓과 별다름이 없습니다"[337]라는 기록이나 "親迎의 禮를 廢하고 男歸女家의 법을 행하니 부인이 무지하여 그 부모의 사랑을 믿고 남편을 업신여기고 교만하고 질투하는 마음이 날로 커져서 마침내는 남편과 반목하는 지경에 이르렀다"[338]는 기사가 그것이다.

이러한 혼인 풍습이 폐지된 후에도 첫아이를 처가에서 낳는 풍습은 근자까지도 유지되었다. 사실 20세기까지도 함경도와 평안도 지방 농민 사이에도 이러한 혼속은 남아 있었다. 그리고 조선 중엽까지도 그 遺風이 일반적으로 이어졌다. 여러 해 동안 처가에서 노동봉사하여 妻를 얻는 혼인 풍속이었다. 이는 빈궁에 의해 일생을 처가에서 보내거나 아들이나 손자까지 외가의 가족이 되는 데릴사위제와는 구분된다.[339]

하루 중 혼인의 시점이다. 고구려에서는 사위가 날이 저물었을 때 여자 집 문밖에 이르러(壻暮至女家戶外) 딸과 자기(女宿)를 요청한 후 들어가 생활을 시작한다. 처가에서 사위를 맞아들이는 시점이 저녁 때였다. 1825년 문경 지역 儒士 홍낙건의 일기에 따르면 "午時에 醮行이 도착했다"고 했다. 초행은 혼례를 치르기 위해 신랑이 신부 집으로 가는 과정이다. 11시~1시 사이에 신랑 측 선발대가 신부 집에 도착했음을 말한다. 동일한 1826년 일기에는 "날이 저물자 눈비가 잠시 개었다. 納幣와 奠雁을 하고 醮禮를 마쳤다"[340]고 했다. 저녁 때 신랑 집에서 신부 집에 예물을 보내는 납폐가 있었다. 이어 신랑이 나무 기러기 상을 가지고 신부 집에 가서 상 위에 올려놓고 절하던 예를 가리킨다. 초례는 신랑 신부가 혼례복을 입고 초례상을 마주하여 절을 하고 술잔을 서로 나누는 예식이다. 이러한 2건의 기록을 놓고 볼 때 조선 후기의 결혼식은 다음과 같이 재현된다. 점심 무렵에 신랑 일행이 신부 집에 도착했다는 것이다. 이들은 신부 집에서 제공하는 공간에 머물면서 요기를 한다. 날이 저물 무렵 납폐를 한 후 본격적인 혼례를 뜻하는 전안과 초례를 했다. 결혼식 시점이 고구려나 조선 후기나 동일하게 저녁 무렵이었다.

一夫多妻制 사회에서 가정의 평화를 유지하기 위한 방편으로 자매형 결혼의 존재가 확인된다. 아메리카 인디언의 크로우 종족은 한 남자가 어느 집안의 장녀와 혼인한다면, 그는 처의 자매가 성년

336_ 한국고문서학회, 『조선시대 생활사』, 역사비평사, 1996, 40~41쪽.
337_ 『成宗實錄』 권10, 成宗 2년 5월 임진 조.
338_ 『三峰集』 권13, 「朝鮮經國典」禮典, 婚姻 條.
339_ 孫晉泰, 『朝鮮民族史概論(上)』, 乙酉文化社, 1948, 68~69쪽.
340_ 『鑑誡錄』 乙酉 2월 27일 조. 丙戌 2월 27일 조. ; 문경시, 『문경 선비 홍낙건의 유자적 삶』 2016, 83쪽. 105쪽.

에 이를 때 그 모두를 부수적인 妻로 삼을 수 있는 권리를 가진다. 그는 이 권리를 포기할 수도 있지만, 만일 주장한다면 그의 우선권은 처의 씨족에 의해 승인된다. 그 밖에 확인된 사례로서 포로로 잡은 여자아이를 자기의 장모를 설득하여 처족의 양녀로 삼은 후 처의 동생이 되었고, 그녀가 성인이 되었을 때 별도의 처로 삼을 수 있었다.[341] 고대 일본의 천황 가운데 18건이 자매형 결혼으로 나타나고 있다.

부여에는 兄死娶嫂制가 있었다. 문자 그대로 형이 죽게 되면 아우가 형수를 妻로 삼아 데리고 사는 혼인 풍속이다. 그런데 이 호칭은 일반적인 경향성을 놓고 붙였다. 동생이 먼저 죽게 되면 '아주버님'이 제수씨를 데리고 살았을 게 자명하다. 형사취수제는 부여뿐 아니다. 고구려나 동예 · 옥저와 같은 예족 문화권을 위시하여 아시아 전역에 광범위하게 퍼져 있다. 『구약성경』에도 아버지인 유다가 첫째 아들이 죽자 둘째 아들에게 "'네 형수와 한자리에 들어라. 시동생의 책임을 다하여 네 형에게 자손을 알으켜 주어라.' 그러나 오난은 그 자손이 자기 자손이 되지 않을 것을 알고 있었기 때문에, 형수와 한자리에 들 때마다, 형에게 자손을 만들어주지 않으려고 그것을 바닥에 쏟아 버리곤 하였다(창세기 38장 9절)"라고 했다. 이와 관련해 『신약성경』의 7형제 이야기도 저명하다. 흉노의 경우는 심지어 아버지가 죽게 되면 생모를 제외한 여타의 어머니까지 데리고 사는 父死娶母制까지 행해졌다. 이 점은 前漢에서 흉노 선우에게 바쳐진 王昭君의 사례에서도 보인다.[342] 왕소군은 모두 3명의 남자와 살았다.

형사취수제는 출현 배경을 놓고 볼 때 윤리적인 측면에서만 논단하기는 어렵다. 당초 유목민 사회에서 풍미했던 형사취수제였다. 이는 재산과 종족의 보존을 위한 현실적인 필요에서 나왔다. 그 부족의 여자가 다른 부족으로 改嫁하게 되면 재산뿐 아니라 인적 공급원까지 유출되기 때문이다. 해당 부족은 그 만큼 경제적인 손실을 감내해야만 했었다. 이러한 경우는 비록 후대 조선 전기의 사례이지만, 시집 온 妻가 자녀 없이 사망했을 때는 처의 재산은 本族에게 돌려준다는 법이 참고가 된다. 本族에는 죽은 여인의 친정 부모와 형제자매의 자녀나 손자가 해당된다.[343] 조선 전기만 해도 시집 온 여인의 재산은 男家와 합쳐지지 않고 별도로 관리되었다. 이러한 형사취수제는 죽은 형의 재

341_ 루이스 헨리 모건 著 · 최달곤 정동호 譯, 『고대사회』, 문화문고, 2000, 189쪽.
342_ 『後漢書』 권89, 남흉노전.
343_ 『朝鮮經國典』 前集, '餘還本族註'

산상속과 幼穉한 生子의 분리를 방지하여 가족제도를 옹호하고자 함에 있었다.[344)]

형사취수제는 부단한 약탈전쟁으로 인해 청장년 남자의 사망률이 높았던 유목민 사회에서 인적 자원의 보충을 위해 나왔다고 해석한다. 흉노의 경우는 생모를 제외한 아버지의 여타 여인들을 아들이 데리고 사는 父死娶母制가 존재하였다.[345)] 이 역시 형사취수제와 근본은 동일한 것이다. 오환의 경우도 "아버지와 형이 죽으면, 後母와 형수를 가져서 아내로 삼았다. 만약 형수를 가질 수 없는 者는, 자식으로 보아 그 다음으로 가까운 伯叔母를 아내로 하였다가 죽으면 그 옛 남편에게 돌아가게 했다"[346)]고 했다. 이러한 혼속은 근본적으로 재산과 관련이 있다. 가령 그리스에서도 재산은 사망자의 씨족 내에 남아 있어야 한다는 원칙이 솔론시대에 이르기까지 확고하게 지켜졌다고 한다. 이때 여자 상속인의 혼인에 의하여 재산이 다른 씨족에게로 옮겨가는 것을 막기 위하여 그녀로 하여금 강제적으로 자신의 씨족내에서 혼인하도록 하였다.[347)] 혜초의 『왕오천축국전』 胡國 條에는 "혼인을 막 뒤섞어서 하는 바, 어머니나 자매를 아내로 삼기까지 한다. … 그것은 집안 살림이 파탄되는 것을 두려워해서이다"고 했다. 이렇듯 근친혼은 자신들의 살림을 보전하기 위한 방편이었다.[348)] 신라 왕실의 근친혼도 기실은 타종족과 혼인함으로써 발생하는 재산의 유출과 권력의 확산을 막고자 하는 데 있었다. 즉 신라 왕실의 권력과 재산에 대한 독점욕 때문이었다.

형사취수제는 투기죄와 마찬 가지로 부여와 풍속이 동일했던 고구려에서도 엿보인 바 있다. 그런데 高昌에서 확인된 收繼婚의 경우 突厥 可汗의 딸이 시집 온 이후 손자에게까지 그 祖母가 계승되고 있는 것이다.[349)] 이는 돌궐의 婚俗이 강요된 것이지만, 수계혼이 단순히 재산과 종족의 보존 목적만은 아님을 뜻한다. 즉 양 집안 간의 결속을 계속 유지하기 위한 정치적 목적도 지녔다고 보여진다. 만주족의 경우도 아버지가 죽으면 아들이 계모를 아내로 삼았다.[350)]

344_ 孫晋泰, 『朝鮮民族史概論(上)』, 乙酉文化社, 1948, 63쪽.
345_ 『史記』 권110, 匈奴傳.
346_ 『三國志』 권30, 烏丸鮮卑傳.
347_ 루이스 헨리 모건 著 · 최달곤 정동호 譯, 『고대사회』, 문화문고, 2000, 271쪽.
348_ 정형진, 『대륙에서 열도까지 문화로 읽어낸 우리 고대』, 휘즈북스, 2017, 29쪽.
349_ 『隋書』 권83, 西域傳, 高昌 條.
350_ 『紫巖集』 권6, 雜著, 建州聞見錄. "父死而子妻其母"
아울러 兄死娶嫂制는 兄이 죽으면 弟는 반드시 兄嫂를 娶한다기보다는 『史記』 권110, 匈奴傳에서 "兄弟死皆取其妻 妻之"라고 한 것처럼, 兄弟 중 누구라도 먼저 죽으면 그 아내를 남아 있는 兄이나 弟가 데리고 산다는 것이 올바른 해석일 것이다. 이와 관련해 『구약성경』에도 이스라엘 백성의 지파 가운데 딸이 유산을 물려받는 경우는 자기 지파에 속한 사람하고만 결혼할 수 있다. 유산을 이 지파에서 저 지파로 옮기지 못한다(민수기, 36장).

옥저의 婚俗으로는 민며느리제가 있었다. 즉 "여자 나이 10세가 되면 혼인을 약속하고, 사위 집에서 그녀를 맞아들여 클 때까지 길러서 婦로 삼았다. 어른이 되면 여자집으로 돌려보낸다. 여자집에서 돈을 요구하여, 돈을 바치면 곧 바로 다시금 사위에게 돌아온다"[351]고 했다. 옥저의 민며느리제는 고구려의 혼속과는 정반대였다. 당초 옥저에서도 고구려와 동일한 혼속이었겠지만 養育難으로 인해 민며느리제로 전락했다고 한다.[352] 그러나 옥저에서 미녀를 고구려에 제공한 사실이 있다. 동천왕 때에 "東海人이 美女를 바치자 거둬들여 후궁을 삼았다"[353]고 했다. 실제 "미녀를 고구려에 보내 婢妾으로 삼게 했는데, 고구려에서는 이들을 노복처럼 대했다"[354]고 한다. 따라서 옥저의 민며느리제는 고구려에 대한 人身貢納을 피하기 위한 혼속이었을 가능성이다.

민며느리제라는 일종의 매매혼은 노동력의 移轉과 관련 있었다. 19세기 초에도 여자가 귀한 함경도 지역에서는 서른 살이 가까워진 후에야 시집 가게 했다. 집에서 딸을 부려먹어도 불쌍하게 여기지 않았다.[355] 그리고 사람이 죽으면 가매장했다가 뒤에 뼈를 추려서 큰 목곽에 안치하는 가족장이 행해졌다.

동예에서는 族外婚 혼속과 배타적인 생활 구역의 산물인 責禍라는 辨償 법속이 존재하였다. 음력 10월에는 舞天이라는 제천행사가 있었다.

부여인들의 가정 생활과 관련해 『삼국지』 부여 조에 적혀 있는 다음과 같은 妬忌罪에 관한 기사를 통해 엿 볼 수 있다.

> 남녀 간에 음란한 짓을 하거나 부인이 투기하면 모두 죽였다. 투기하는 것을 더욱 미워하여 죽이고 나서 그 시체를 서울 남쪽 산 위에 버려 썩게 한다. 여자 집에서 (시체를) 찾아가려면 소와 말을 바쳐야 내어준다.

부여에서는 간통한 남녀와 투기한 부인은 가차없이 모두 죽였다. 이러한 투기죄는 一夫多妻制 하에서 가부장권을 확립하고 가정의 평화를 유지하기 위한 조치였다. 투기한 여자는 죽인 다음 그 시

351_ 『三國志』 권30, 동이전, 동옥저 조.
352_ 孫晉泰, 『朝鮮民族史概論(上)』, 乙酉文化社, 1948, 70쪽.
353_ 『三國史記』 권17, 동천왕 19년 조.
354_ 『三國志』 권30, 동이전, 동옥저 조.
355_ 『休休子自註行路編日記』 11월 13일.

체를 산 위에 버려 鳥獸의 먹이가 되게 하였다. 매장권을 박탈한 엄혹한 처벌이었다. 시신의 매장을 위해 여자의 친정에서는 재산인 소나 말을 바친 이유는 무엇일까? 비록 후대 기록이기는 하지만 "가축이건 사람이건 마른 뼈나 썩은 살이 햇빛에 드러나 있으면 모두 가리고 묻어주게 함으로써 죽은 기운이 산 기운을 거스르게 하지 말도록 하라"[356]는 고려 성종의 教가 이해를 돕운다. 死者의 해코지를 염려하였기 때문이었다. 혹은 모든 生靈의 產室인 大地에 묻혀야만 영혼도 부활한다는 의식의 산물로도 보인다. 죽임을 당한 투기한 여인들이 버려지는 '서울 남쪽 산'이 지린시 둥퇀산성 남쪽에 소재한 마오얼산으로 보인다.

간음한 남녀에 대해서는 화형에 처하는 법속이 존재했다. 김유신이 김춘추와 私通한 여동생인 문희를 태워죽이려고 한 데서 알 수 있다. 왜에서도 궁중에서 복무하는 여인인 采女를 에워싸고 심심찮게 사랑 행각이 빚어졌다. 이 경우 발각되어 화형에 처해졌다.[357] 『일본서기』 죠메이 8년 3월 조에도 채녀를 범한 자를 조사하여 모두 조사하였다. 이때 조사받는 것이 고통스럽고 모멸감을 느꼈는지 목을 찔러 자결하는 경우도 나왔다.

2) 상례

(1) 장례

부여인들의 죽음과 관련해 장례를 후하게 치렀다. 대략 5개월 동안 초상을 지냈는데 오래 끌수록 영예로 여겼다. 喪主는 빨리 장사지내려 하지 않았다. 그러나 주변에서 이제 그만하자고 하면 서로 실랑이를 벌이다가 따르고는 했다. 결국 초상 기간이 길어 진데다 여름에는 시신의 부패가 커다란 걱정거리였다. 그러므로 얼음을 사용했다. 얼음을 동굴이나 별도의 저장소에 보관했던 것이다. 그러한 기술은 신라의 석빙고 보다 부여인들이 먼저 개발했었다. 그리고 초상 기간에는 남녀 모두 흰 옷을 입었다. 17세기 초 만주족의 풍속을 적은 『건주문견록』에 따르면 상복으로 흰옷을 입었다고 한다. 부여에서는 초상 기간에 반지나 패물 따위도 몸에서 떼었다고 한다. 지금 한국의 장례 풍속과 변함없이 꼭 같다. 喪中에 부인은 말을 타고 멀리 갈 때 바람이나 먼지를 막기 위해 망사로 눈 부분만 보이게 하고 얼굴을 가리는 데 쓰는 面衣를 착용하였다.

356_ 『高麗史』 권3, 成宗 7년 2월 조. "或畜或人 曝露枯骨腐肉 皆令掩埋 勿使死氣逆生氣也"
357_ 『日本書紀』 권14, 웅략 5년 4월 6월 7월 조.

고구려의 경우 "처음 죽었을 때는 哭과 泣을 한다. 묻을 때는 북치고 춤추며 음악을 연주하면서 그를 보낸다. 매장을 마치면, 모두들 무덤 곁에 죽은 자가 생시에 썼던 옷이나 노리개와 車馬를 두면 취하는데, 장례에 모인 자들이 다투어서 가지고 간다"[358]고 했다. 이러한 고구려의 장례 풍속은 흉노와 인접했던 東胡의 후신인 烏丸과의 유사성이 보인다. 오환에서는 "처음에 죽었을 때는 哭을 하지만, 묻을 때는 노래와 춤으로 서로 보냈다"[359]고 했다. 고구려와 오환은 장례 의례가 동일한 것이다. 그 밖에 중국 지안에 소재한 각저총 통로 왼쪽 벽에 그려진 개 그림을 烏丸에서 사람이 죽으면 개가 영혼을 赤山으로 호위하게 한 葬送儀禮와[360] 연관지어 해석하기도 한다.[361] 이에 덧붙여 고구려 고분벽화의 歌舞圖를 生活圖로 간주해 왔지만, 喪屋 앞에서 歌舞하는 풍습을 나타내는 葬送儀禮로 파악하고 있다.[362] 역시 고구려와 오환 간 장례풍속의 동질성을 나타낸다.

(2) 묘제와 매장 방식

부여의 墓制와 관련해 『삼국지』 부여 조에 따르면 "有棺無槨(汲古閣本 · 殿本)"라고 하였다. 그러므로 부여 묘제는 土壙木棺墓로 추정된다. 이와 연관된 묘제가 吉林省 楡樹縣 老河深 遺蹟도 토광목관묘이다. 그러나 『삼국지』 판본에 따라 "有槨無棺(太平御覽本)"라고도 하였다. 실제 부여의 중심 墓域인 吉林市 冒兒山 古墳遺蹟에서 木槨墓가 확인되었다. 어느 판본을 취하느냐에 따라 부여의 무덤 구조는 다르게 인식되어진다. 그런데 시신을 안치한 최소한의 공간인 관만 허용하는 무덤보다 槨이 있는 무덤이 규모가 크게 마련이다. 백여 명을 죽여서 순장하는 무덤이라면 棺만 있기는 어렵다. 부여 때의 墓域인 마오얼산에서는 목곽묘는 발굴되었지만 목관묘는 발굴된 바 없다. 그러므로 부여 묘제에 관한 『삼국지』의 서술은 "곽은 있으나 관은 없다"로 판명되었다.

마오얼산에 조영된 목곽묘들은 대부분 봉분이 없는 平葬이었다. 도굴로 인해 부장품은 극히 적었다. 순장의 흔적은 확인된 바 없다고 한다. 玉匣이 출토된 무덤도 아직껏 없는 것으로 밝혀졌다. 옥갑은 부여 왕의 무덤을 증명해 주는 근거가 된다. 중국의 漢에서는 옥갑을 제3현도군(撫順 소재)에 미리 갖다 놓았다가 부여 왕의 장례에 보내 주었다. 이 옥갑이 부여 왕릉을 밝혀 주는 결정적인 지표

358_ 『隋書』 권81, 高麗 條. "初終哭泣 葬則鼓儛作樂以送之 埋訖 悉取死者生時服玩車馬置於墓側 會葬者爭取而去"
359_ 『三國志』 권30, 烏丸鮮卑傳. "始死則哭 葬則歌舞相送"
360_ 『三國志』 권30, 烏丸鮮卑傳.
361_ 齋藤忠, 『古代朝鮮文化と日本』, 東京大學出版會, 1981, 33쪽.
362_ 齋藤忠, 『古代朝鮮文化と日本』, 東京大學出版會, 1981, 25쪽.

가 되는 것이다. 부여 고고학의 진전에 따라 그 왕릉이 밝혀지는 날이 오지 않을까? 그리고『三國志』에서 "사람이 죽으면 厚葬하였다"는 기록은 위수 라오허선 고분 출토품을 놓고 볼 때 厚葬으로서 부합되었다. 被葬者 男女 모두 가죽신을 신고 있었다. 이는 가죽 신발을 신었다는『삼국지』부여 조 기사와 부합된다. 따라서 유수라오허선 유적은 부여의 고분이며 鮮卑 분묘가 아님은 확실하다.

老河深 古墳은 장방형의 토광묘로서 남자는 왼쪽, 여자는 오른 쪽에 매장되었다. 合葬墓의 경우 시신의 위치는 중요한 자료가 된다. 墓向은 대부분 동쪽, 부장품은 陶器·鐵器·銅器·金銀器·石器·瑪瑙珠가 출토되었다. 銅器 중 前漢의 四神規矩鏡과 被葬者의 양쪽 귀에는 금실로 짜여진 많은 장식품이 달려 있었다. 목과 가슴 부분에는 瑪瑙珠가 놓여 있었다. 남자의 시신에는 청동자루가 달린 철검이, 여자의 시신의 팔뚝 부위에는 청동 팔찌가 있었다. 男女 모두 가죽신을 신고 있었다. 말이빨과 말뼈도 출토되었다. 被葬者의 다리 부분에는 馬具가 副葬되어 있다. 그 가운데 鎏金飾牌에는 飛馬가 주제였다. 鐵器는 낫·괭이·삽·호미 등의 農耕具에서 확인되고 있다. 이는 농업경제가 상당히 발달했음을 示唆한다. 곧 "東夷 地域 가운데 가장 넓은 데 자리잡고 있었으며, 五穀이 잘 된다(『삼국지』부여 조)"고 하였듯이 대량의 농기구가 출토되는 것은 자연스러운 일이다.

고구려 고유의 묘제인 적석총은 백제에서도 조영되었다. 그리고 진파리 고분 등과 같은 고구려 고분벽화에 보이는 사신도와 연화문은 능산리 1호분과 같은 백제 벽화묘에도 영향을 미쳤다.[363] 그리고 喪을 당하게 되면 남녀 모두 순백색 옷을 입거나 여름에 장례를 치를 때 시신의 부패를 막기 위해 얼음을 사용한[364] 부여 이래의 전통은 후대까지도 이어져 왔다. 즉 "비로소 所司에게 명하여 얼음을 저장하게 했다"[365]라고 하였듯이 신라의 藏氷庫를 이와 같은 맥락에서 거론할 수 있다. 실제로 신라에서는 "여름에 음식물을 얼음 위에 둔다"[366]고 하였다. 부여의 喪禮에서 사용이 확인된 얼음 저장 시설과 그러한 전통은 현재 일부 남아 있는 조선시대의 석빙고로 이어졌다.

고구려에서는 "부모 및 지아비의 喪에는 모두 3년간 服을 입는다"라고 하였다. 백제에서는 "喪制는 高麗와 같다"고 하였으므로 고구려와 동일하게 3년喪을 치렀다. 신라에서는 "왕 및 부모와 지아비의 喪에는 1년 동안 服을 입는다"라고 하였듯이 1年喪이었다.[367] 비록 신라에 병합되었지만 고구

363_ 과학백과사전 종합출판사,『조선전사 3』, 1979, 343쪽.
364_『三國志』권30, 동이전, 夫餘 條.
365_『三國史記』권4, 지증왕 6년 조.
366_『新唐書』권220, 新羅 條.
367_『隋書』권81, 동이전, 高麗·百濟·新羅國 條.

려와 백제의 3년상 전통은 결국 조선시대까지 내려 왔다. 이 점 의미심장하다. 경주의 천마총에 부장된 다량의 달걀은 死者의 부활을 기원하는 의도와 관련이 있다.[368] 그 밖에 고구려 고분 벽화에서는 屋室을 나타낸 광경에 天井에 帳幕이 쳐져 있다. 이는 7세기대에 러시아 일부-몽골 일부에 걸쳐 있었던 鐵勒의 "死者는 시신을 房帳 속에 둔다"는 풍속과 관련된다.[369] 이렇듯 유목 초원의 세계와 고대 한국 사회는 긴밀한 관련을 보였던 것이다. 鐵勒에서는 "屋中에 死者의 形像 및 그 生時의 戰陣하고 있을 때의 모습을 그림으로 그렸다(『北史』 권99, 鐵勒)"고 했다. 여기서 屋中이 喪屋인지 墳中인지는 알 수 없다. 그렇지만 고구려 고분벽화와의 공통적인 것은 분명하다.[370]

옥저에서는 장례 때 길이가 10餘 丈이나 되는 大木槨을 만들었다. 목곽의 머리 부분은 열어 놓을 수 있는 문을 달아놓았다. 사람이 죽으면 겨우 형체를 가릴 정도로 임시로 묻었다. 가죽과 살이 죄다 썩게 되면 유골을 취하여 槨 안에 두었다. 온 집안이 죄다 1개의 槨 안에서 맞아들였다.[371] 2次葬인 洗骨葬의 풍속을 말해주고 있다. 이러한 풍속은 1812년에도 함경도 지역에 남아 있었던 것 같다. 암행어사로서 이곳을 탐방했던 具康의 일기에 적혀 있다. 즉 "친척이 먼 곳에서 죽게 되면 시신을 쉽게 운송하기 위해 그 가죽과 살을 긁어내고 그 해골만 거두워 상자에 넣어 짊어지고 간다. 와서 듣고는 놀랍고 참담함을 이기지 못하였다. 端人들에게는 왕왕 이러한 풍속이 있다. 비록 蠻貊이라고 하니까 가능한 것이다"[372]고 했다. 즉 함경도 端川에서 목격한 장례 풍속이었다. 옥저의 세골장 풍속이 남아 있었다.

(3) 순장

장례 풍속과 관련해 부여에서는 대규모 殉葬이 행해졌다. 순장은 죽은 사람이 생전에 사용하던 물건을 부장하는 단계를 넘어 다른 사람까지 죽여서 함께 매장하는 葬法이다. 순장은 생전의 영화를 내세에서 고스란히 재현하고자 하는 관념과, 내세를 현세의 연장으로 보는 繼世思想에서 비롯되었다. 부여에서는 많을 때는 백 명에 이르는 사람을 순장시켰다. 이러한 순장은 당시 사람들의 사유 관념의 일단을 엿보여 준다.

368_ 齋藤忠, 『古代朝鮮文化と日本』, 東京大學出版會, 1981, 94쪽. 110~111쪽.
369_ 齋藤忠, 『古代朝鮮文化と日本』, 東京大學出版會, 1981, 32쪽.
370_ 齋藤忠, 『古代朝鮮文化と日本』, 東京大學出版會, 1981, 22쪽.
371_ 『三國志』 권30, 동이전, 동옥저 조.
372_ 『休休子自註行路編日記』 11월 29일.

고대 한국과 흉노에서는 순장이라는 동질성이 보인다. 人身에 대한 순장이 흉노에서 확인된다고 한다. 종족의 번식을 위해 父死娶母制까지 시행한 흉노에서 인신에 대한 순장은 쉽지 않았을 것이다. 그렇지만 모린 톨고이 1호분의 경우 30세 가량 여인 한 명과 개 한 마리가 함께 순장된 사실이 확인되었다.[373] 흉노 무덤에서는 말·소·양·염소·낙타 등의 동물뼈가 출토되고 있어, 동물 순장은 광범위하게 확인되고 있다.[374] 동물 순장의 경우 몽골에서는 말을 비롯한 가축의 머리나 다리와 같은 특정 부위만을 분묘에 부장하는 것을 '호일고(khoilgo)'라고 부른다.[375] 노용 올 20호에서는 30여 마리의 馬頭가 출토된 바 있다.[376]

부여에서는 많은 경우 한꺼번에 100명을 순장시키는 장례 풍속이 존재하였다.[377] 순장은 백제 지배층의 분묘가 소재한 서울 석촌동에서도 흔적이 포착된다. 즉 석촌동의 대형토광묘 안에서 8基의 목관이 동시에 매장되었고[378] 여성 인골까지 출토된 사례이다. 즉 폭 2.6-3.2m, 길이 10m 이상되는 대형 토광을 거의 남북 방향으로 깊이 0.8m 정도 판 다음 목관을 안치하였다. 현재 확인된 목관은 모두 8개이다. 이 8개 목관은 동시에 안치된 것으로 판단되며 각 목관에 대한 개별 무덤 구덩이는 없고 하나의 대형 토광 바닥에 목관들을 나란히 놓은 후 목관 사이 사이에는 회청색 뻘흙 혹은 논흙과 같은 점토질이 강한 토양을 채워 다졌다. 개별 목관의 깊이는 현재 남은 정황으로 미루어 35cm 내외였을 것으로 추정된다. 목관 상부의 전체 무덤 구덩이 내에는 이 구덩이를 만들 때 파낸 흙을 다시 채우고 나서 마지막으로 1-2겹의 깬돌로 덮어 묘역을 만들고 있다. 8기의 목관 가운데 1기는 순장묘에 흔히 등장하는 부장곽(5호·180cm)이라는 것이다. 그 나머지 7기 중에서 7호 목관만 길이 308cm에 폭이 66cm로 제일 규모가 크다. 나머지 6기의 목관 길이는 178cm(2호)·230cm(3호)·255cm(1호)·256cm(8호)·275cm(4호)·295cm(6호)이다. 그리고 1호·2호·6호 목관에는 유물이 전혀 없었다. 다만 3호·4호·8호 목관에서만 토기 1점이 부장되었을 뿐이다. 반면 7호 목관에서는 보고서 표현대로 한다면 '비교적 다양한 부장 유물'을 가지고 있다. 철제 낫과 가래 끝쇠 1점씩과 토기 1점과 소형 철검이 부장되어 있었다.[379] 7호 목관을 중심으로 한 종속성과 동시성이 확인된다. 더욱이 層

373_ 윤형원, 「匈奴고고학의 발굴 성과」, 『몽골의 역사와 문화』, 서경문화사, 2006, 74쪽.
374_ 에렉젠(G.Eregzen), 「흉노의 무덤」, 『흉노고고학개론』, 진인진, 2018, 163-165쪽.
375_ 에렉젠(G.Eregzen), 「흉노의 무덤」, 『흉노고고학개론』, 진인진, 2018, 163-165쪽.
376_ 윤형원, 「흉노인의 식의주」, 『흉노고고학개론』, 진인진, 2018, 275쪽.
377_ 『三國志』 권30, 東夷傳, 夫餘 條.
378_ 서울大學校 博物館, 『石村洞3號墳 東쪽古墳群 整理調査報告』1986, 27쪽.
379_ 서울大學校 博物館, 『石村洞3號墳 東쪽古墳群 整理調査報告』1986, 23-27쪽.

位가 동일한 8기의 목관이 일렬로 매장되었다는 자체가 추가장 가능성을 희박하게 해준다. 이렇듯 8기의 목관이 동시에 묻혔다는 게 강제성의 근거가 되지 않을까 한다. 요컨대 이처럼 순장 조건을 충족한다면 집단묘인 석촌동 대형토광묘의 순장묘 가능성을 제기할 수 있다. 동시에, 대형토광묘가 순장묘일 가능성이 있다면 응당 그 기원을 부여에서 찾을 수밖에 없다.[380] 이와 연관이 깊은 분묘가 지린성 퉁허 완파보지(萬發撥子) M21호 토광묘이다. 넓지 않은 공간에 무려 35명이나 묻혀 있는 순장묘로 보이기 때문이다.

황남대총 남분 등 이른 시기의 적석목곽분 중에서 순장은 확인된다. 순장은 502년(지증왕 3)에 금했지만, 경산 임당동 고분군이나 창녕 송현동 고분에서도 순장자가 발견되었다.[381] 김해에서는 3세기 후반에 이르러 대성동 고분군에서는 이전 시기와 뚜렷이 차이나는 대형 목곽묘들이 등장하였다. 순장이 확인될 뿐 아니라 선비 계통의 유물들이 부장되어 있었다. 대가야 왕릉급 분묘인 고령 지산동 고분군뿐 아니라,[382] 경상남도 합천과 산청 등을 비롯한 일원과 전라북도 남원과 장수 등과 전라남도 순천에서도 순장묘가 확인되었다.[383]

380_ 李道學, 「百濟 建國勢力의 系統과 漢城期 墓制」『百濟學報』 10, 백제학회, 2013, 17쪽.
381_ 한국고고학회, 『한국고고학강의(개정판 3쇄)』, 사회평론, 2012, 344-354쪽.
382_ 金世基, 「대가야 고대국가론」『가야사연구의 현황과 전망』, 주류성, 2018, 146-147쪽.
383_ 郭長根, 「小白山脈以西地域의 石槨墓 變遷過程과 그 性格」『한국고대사연구』 18, 2000, 127-169쪽.

6. 제의와 종교

1) 제의

인류 역사는 제의 비중이 점증되었다가 극점을 이룬 후 점진적으로 미약해지는 특징을 보이고 있다. 고대사회는 祭儀 비중이 제일 지대하였다. 사회 전반에 퍼져 있던 숱한 제의는 儒教 중심으로 통합되어 일원화하는 추세를 보였다. 주지하듯이 제의는 종교 영역에 속한다. 그런데 권력과 종교는 불가분의 관계에 놓여 있었다. 세속적인 정치 권력과 사람의 심리적 내면을 통제할 수 있는 종교는 분리되지 않는다. 양자를 모두 장악하려는 것이 권력자의 속성이기도 했다. 삼한의 경우만 본다면 하늘과 소통할 수 있는 天君과 최고 통수권자인 臣智의 역할은 분리되어 있었다. 그런데 왕권이 강화되면서 巫者의 역할을 왕이 흡수하여 자신의 예하에 日者 혹은 日官이라는 이름으로 두었다. 무속의 신앙이 왕권의 통치로 흡수되어 통합되어갔다.[384] 그 징표가 巫의 뜻을 지닌 신라의 왕호 次次雄이었다. 이는 巫者의 역할을 왕이 흡수한 모습을 웅변하고 있다.

선사시대 이래로 생겨난 제의에는 神에게 제물을 바치게 되어 있다. 신성시되는 동물만 제물로 선택되었다. 이러한 神格의 제물을 神이 먹고 인간도 나눠 먹었다. 이것은 인간이 神과 직접 교감하는 행위였다. 즉 神과 인간의 일체성 외에 神을 진정시키고 달래는 역할도 했다고 한다.[385] 그리고 族團을 돕거나 지켜준다는 동물을 숭배하는 의식이 있었을 것이다. 위기에 처한 시조가 渡江할 때 도움을 준 물고기와 자라 등이 부여나 고구려의 토템이 되었을 수 있다.

인간은 미래를 알고 싶어 했다. 그 수단이 占卜이었다. 한반도 남해안의 패총 유적에서 출토되는 卜骨이 그 흔적이 된다. 부여에서는 牛蹄占法이 행하여졌다. 전쟁이 있을 때는 犧牲用 소의 발굽을 베어 불에 쬐인 다음 그 갈라진 결을 보고서 吉凶을 점쳤다. 발굽이 합쳐지면 吉하고 벌어지면 凶하다고 해석했다. 1253년에 프랑스 왕이 몽골의 수도 카라코룸(하라호룸)에 사절을 파견한 바 있다. 이때 파견한 일부 네스토리우스파 기독교인 등이 몽골의 몽케 칸(Möngke qa'an, 1251~1259년 재위)을 방

384_ 김연재, 「중국의 고대문화에서 巫術로부터 數術로의 전환과 시대정신」『2015년 동아시아고대학회 동계학술대회』 2015, 172쪽.

385_ 양종승, 「샤머니즘의 본질과 내세관 그리고 샤먼 유산들」『하늘과 땅을 잇는 사람들, 샤먼』, 국립민속박물관, 2011, 309쪽.

문했을 때 目睹한 사례가 전한다. 칸이 천막 밖으로 까맣게 그을린 羊의 어깨뼈를 들고 나왔다. 무슨 일이 있을 때 양뼈를 가지고 점을 치는데, 불을 쬐어 세로로 길게 쭉 갈라지면 吉한 조짐이요, 반대로 뼈들이 가로로 갈라지거나 둥근 조각들이 떨어져 나올 경우 흉하다고 판단했다.[386]

부여인들은 殷正月(음력 12월)이면 하늘에 제사를 올렸는데, 迎鼓라고 하였다. 迎鼓의 字意는 '북맞이'인데, '북'은 샤먼을 대변하는 물체였다. 청동기시대 이래로 샤먼이 사용한 북의 존재는 시베리아 지역에서 확인되었다. 그리고 러시아 서부를 흐르는 볼가강(Volga) 지류에 해당하는 오카(Oka)강 암벽에 그려진 폭 18cm 규모의 북 그림으로 증명되어졌다. 북소리는 샤먼이 神과 접촉을 유도하는데 반드시 필요한 것이었다. 게다가 神을 즐겁게 하고 神을 돌려보내는 것 역시 북소리 역할이었다.[387] 북은 샤먼이 다른 세계로 가는 운송수단이라고 한다.[388] '북맞이'인 迎鼓는 북을 타고 내려오는 天神을 맞이하는 행사요 축제의 시작을 알린다고 보겠다.

고구려에서는 건국자인 추모와 그 어머니인 류화부인을 제사지내는 국가 사당이 존재하였다. 고구려의 건국자인 추모왕은 천제의 아들이고 하백의 외손이라고 하여, 시조의 사당을 크게 짓고 정기적인 제사를 지냈다. 『北史』 고려 조에는 "고구려에는 2神의 사당이 있는데, 하나는 부여신이라하여 나무를 깎아서 여성의 조각상을 만들었다. 또 하나는 高登神이라 하는데, 고구려의 건국시조이며 부여신의 아들이라고 한다. 모두 관청을 두고 사람을 시켜 지키게 하는데, 하백의 딸과 주몽이라고 한다"고 했다. 이러한 시조신 숭배는 추모왕과 그 어머니를 신비화함으로써 역대 국왕들은 죄다 하느님의 후손으로서 보통 사람과는 다른 혈통과 내력을 가진 특수한 존재로 떠 받들게 하며 그 명령에 절대 복종하게 하려는 종교신앙이었다.[389] 10월에 하늘에 제사지내는 국가적인 행사를 東盟 혹은 東明이라고 불렀다. 이는 고구려에서 하늘에 제사지내는 행사와 범부여족의 시조인 東明王을 제사지내는 행사가 상호 밀접한 관련을 맺고 있었음을 보여준다.

부여의 영고나 고구려의 동맹과 같은 축제 때는 지방 주민들까지 국도로 몰려와 연일 먹고 마셨을 법하다. 축제 때 먹고 마실 식량과 술, 식자재들이 국도로 집결되었고, 막대한 가축 도살도 이루어진 大消費場이 되었을 것이다.

386_ 발레리 한센 著, 신성곤 譯, 『열린제국: 중국 고대-1600』, 까치, 2005, 405~406쪽.
387_ 양종승, 「샤머니즘의 본질과 내세관 그리고 샤먼 유산들」 『하늘과 땅을 잇는 사람들, 샤먼』, 국립민속박물관, 2011, 311쪽.
388_ 이건욱, 「시베리아 샤먼 무구의 상징과 의미」 『2015년 동아시아고대학회 동계학술대회』, 2015. 2. 11, 188쪽.
389_ 손영종, 『고구려사 1』, 과학백과사전종합출판사, 1990, 270쪽.

시조신 숭배신앙은 유교적 관념과도 결합하여 종묘와 사직단을 꾸리고, 국왕의 조상들과 社稷(農事神)을 제사지내게 하고, 그와 관련한 국가적 의례를 요란하게 벌렸다. 이 밖에 고구려에는 隧神에 대한 숭배 · 靈星神 · 日神 · 箕子 · 可汗神에 대한 숭배와 샤머니즘 등이 있었으며, 환상적인 동물에 대한 숭배도 있었다. 吳의 손권이 동천왕을 선우에 봉한 적이 있다. 그리고 보장왕을 일러 可汗이라고 한 사례가 있다. 이처럼 고구려 왕에 대한 호칭으로 '可汗'이 보인다. 따라서 可汗神은 고구려 왕실의 조상신을 가리키는 것 같다.

隧神에 대한 숭배신앙을 보완해서 언급한다면, 3세기 후반에 쓰여진 중국의 역사책인 『삼국지』에서 "서울[國]의 동쪽에 큰 굴이 있는데 그것을 隧穴이라고 부른다. 10월에 온 나라에서 크게 모여 수신을 맞이하여 서울의 동쪽 (강물) 위에 모시고 가 제사를 지내는데, 나무로 만든 수신을 神座에 모신다"고 하였다. 그러므로 대혈은 압록강변 근처에 소재해야만 한다. 그 대혈은 중국 지린성 지안시 상양어두에서 발견되었다. 현지에서는 '국동대혈'로 일컫고 있다. 서울 동쪽에 있는 큰 동굴이라는 뜻이다. 대혈 앞은 백여 명 정도의 인원이 운집하여 제의를 집전할 수 있는 편편한 대지이다. 고구려에서는 매년 10월의 동맹제 때 도성 동쪽의 대혈 속에 안치된 나무로 된 수혈신을 맞아다가 이를 도성에 연한 하천 동쪽의 높은 지대 위의 神坐에 올려놓고 국왕이 직접 제사하였다. 이러한 大穴祭禮는 그 비중에 비추어 볼 때 평양성 천도 이후에도 지속되었을 것이다. 평양성에서의 새로운 대혈은 麒麟窟로 보인다. 기린굴에 봉안된 수혈신을 맞아 대동강 연안의 높은 지대인 모란봉 근처의 신좌에 올려 놓고 국왕이 제사를 집전했을 것이다. 수혈신을 신좌에 봉안하는 사당이 기린굴 위에 있던 영명사 자리의 구제궁이었다.[390]

고구려의 제의 유적과 관련해 중국 集安 東臺子 유적의 성격을 검증한 논문을[391] 再檢해 본다. 그 결과 혹자가 부정해 왔던 國社일 가능성이 전혀 없다고 단정 짓기 어렵다는 것을 깨달았다. 혹자는 이곳에서 출토된 와당들은 국내성 시기의 것이 없다고 단정했다. 그러나 이 점에 대해서는 면밀한 재검증이 필요해졌다.

실제 8角의 柱座를 새긴 정교한 柱礎가 소재한 동대자 유적은 환도산성 궁전지와 더불어 건물의 격조를 상징하는 와당이 많이 출토된 장소였다. 이 같은 정교한 柱礎와 다량의 와당은 동대자 유적

390_ 李道學, 「平壤 九梯宮의 性格과 그 認識」『國學研究』3, 1990, 229-234쪽.
391_ 강현숙, 「中國 吉林省 集安 東台子遺蹟 再考」『韓國考古學報』75, 2010.

의 비중을 헤아려 주었다. 실제 동대자 유적에서는 망새 기와도 출토되었다(池內宏, 『通溝(上)』 1938). 동시에 발해의 와당도 출토되고 있는 관계로, 동대자 유적은 國社나 그에 버금가는 국가적 정체성과 관련된 건물지로 추측하는 게 가능해졌다. 고구려에서는 제의 시설은 동편에 소재하였고, 『翰苑』에서도 동쪽을 중시한다고 했다. 이러한 맥락에서 동대자 유적은 國城인 국내성의 동편에 소재했다는 입지상의 의미도 재발견되었다.[392]

백제의 국가적 제의로서 가장 격이 높았던 제의처는 국왕이 집전하는 國祖神을 모신 東明廟였다. 동명묘는 부여 시조인 동명왕을 제사지내는 사당이었다. 백제 건국 세력은 부여로부터 내려오는 정통성을 자국이 지녔다고 믿었기에 부여 시조를 제사지냈다. 동명묘는 不遷位와 같은 절대적 위상을 지닌 사묘였다. 그랬기에 동명묘가 소재한 한성을 상실하고 웅진성으로 천도한 이후 백제 왕들의 동명묘 배알은 가능하지 않았다. 반면 사비성 도읍기에 백제는 그 대안으로 부여의 중시조격인 위구태를 제사지냈다. 바로 1년에 4회나 제사 지내던 백제 '始祖 仇台廟'였다.

백제 왕이 겨울과 여름에 집전하는 제의 대상으로는 天地가 있었다. 특히 祭天의 경우 대부분 겨울에 하였고 가장 성대하였다. 이때는 북[鼓]을 사용하였고 '歌舞'를 했다. 이는 殷正月에 하였던 부여 迎鼓의 '飮食歌舞'와 유사하다. 그리고 흉노에서 겨울과 여름에 天地 제의가 있었던 것처럼 백제 제의에는 북방적 색채가 보인다. 이는 백제 건국세력의 정체성을 반영하는 것이다. 이 같은 제천을 통해 백제 왕실을 비롯한 건국 세력은 일체감을 조성하고자 했던 것 같다.

백제에서는 天地神에 대한 제의가 있었다. 그런데 「무녕왕릉매지권」은 天帝의 律令을 배제하고 있다. 백제에서는 天神과 地神의 관할 공간을 구분했음을 알려준다. 이 점 백제만의 특색으로서 제의 대상인 天地의 주관자가 엄격하게 양분되었음을 뜻한다. 그리고 백제에서는 사비성 도읍기에 중국에서 유입된 五帝 제의가 있었다. 그 밖에 부여 왕국 이래로 국왕의 운명을 결정 지었던 사안이 농사의 凶豊이었다. 이와 관련해 역대 백제왕들은 직접 國祖神→山岳神→佛神 순으로 祈雨祭를 지낸 바 있다. 제의 대상의 진화와 확대를 읽을 수 있게 된다.

백제에서는 국가의 터전이 되는 국토와 더불어 그에 깃든 山川에 대한 제의가 있었다. 백제는 사비성 천도 이후 왕도와 그 인근에 3山을 설정하였다. 즉 日山과 吳山 그리고 浮山이다. 3山에는 神人이 각각 거주하면서 "날아서 서로 왕래하기를 朝夕으로 끊어지지 않았다"다고 한다. 그러한 시기

392_ 李道學, 「中國 吉林省 集安 소재 東臺子 遺蹟 再檢證」 『慶州史學』 35, 2012, 21~44쪽.

가 '國家全盛之時'였던 점에 비추어 볼 때, 神人의 역할은 국가 鎭護였음을 암시해 준다. 나아가 백제는 사비성 도읍기에 국토의 4方界에 국토를 鎭護해 주는 산악을 설정하였다. 즉 東界의 鷄藍山(鷄龍山), 西界의 旦那山(月出山), 南界의 霧五山(智異山), 北界의 烏山(烏棲山)이었다. 이러한 3山 5岳 의식은 백제가 대외적으로 팽창해 가던 무왕대의 정서가 투영된 것이다. 그리고 3山 5岳은 백제의 祀典체계에 편제된 것으로 간주된다.

백제금동대향로는 국가나 왕실과 관련한 제의에 사용된 祭具였다. 五樂師 頭髮은 禿頭에다가 오른쪽 귀언저리에 머리채를 끌어 모아 묶은 형식[兩角髻]에 속한다. 즉 剃頭辮髮에 속하는 것으로 역시 북방 유목민족 사회의 두발 형태가 된다. 그렇다면 이는 부여에서 출원한 백제인들이 자국의 정체성과 연계된 모습으로써 산악과 하늘에 제의하는 장면으로 볼 수 있다. 그리고 이는 사비성으로 천도한 백제가 '부여'로 改號하면서 국가의 정체성을 찾고자 한 흐름과 연관된다.

백제는 신선이 산다는 봉래산으로 간주되기도 했던 지금의 제주도를 영향권내에 두었다. 백제는 三神山의 이상향을 포용한 것이다. 이와 더불어 무왕대에는 정복전쟁에서 승리를 구가했다. 동시에 익산 천도와 맞물려서 신수도를 '枳慕蜜地' 즉 '樂土'나 '福地' 개념으로 설정하였다. 동시에 백제는 미래불인 미륵부처의 하생과 엮어서 미륵신앙의 요람임을 과시했다. 미륵사지 서탑 「사리봉안기」에서 무왕의 장수를 기원하는 염원이 담겨 있었다. 이는 특별히 지병이 있었기에 비롯된 발상은 아니었다. 인생 말년에 漢 武帝를 비롯한 정복군주의 성향인 신선사상에 대한 동경이요 표출이었다. 결국 무왕대 미륵국토 구현 의지와 관련해 연화장 위에 피어오르는 方丈仙山의 모습은 궁남지 모습의 재현일 수 있다. 요컨대 불교의 연화장 세계와 도교사상이 응결된 그 재현물이 백제금동대향로였다.

경상북도 군위에도 김유신과 그 어머니인 萬明을 함께 제사지냈다. 그리고 神堂에는 명도라는 동경을 걸어 놓았다고 한다(『오주연문장전산고』). 『성호사설』에는 萬明 神을 섬기는 자는 철릭이라는 武士 옷을 입었고, '가운데가 뾰족한 큰 面鏡'을 만들어 사용했다. 김유신이 보검을 통해 接神했다는 사실과 결부 지어 볼 때 劍과 鏡은 接神 도구로 사용되었음을 알 수 있다. 청동기시대 지배자의 분묘에서 출토된 劍과 鏡의 성격이 주술성이었음을 짐작하게 한다. 아울러 당시 지배자의 성격이 샤먼적이었음을 가리킨다. 또 샤먼적인 권능과 관련해 여성의 역할이 지대했던 분위기를 느끼게 한다.

『삼국지』 동이전, 한 조 마한 항에 "그 나라 안에 무슨 일이 있거나 官家에서 성곽을 쌓게 되면, 용감하고 건장한 젊은이는 모두 등에 가죽을 뚫고 큰 밧줄로 그곳에 한 丈쯤 되는 나무 막대를 매달고 온종일 소리를 지르며 일을 하는데, 아프게 여기지 않는다. 그렇게 작업하기를 권하며 또 이를 강건

한 것으로 여긴다"라는 기사가 있다. 이 기사를 지게노동에 대한 오인으로 해석하기도 했다.[393)]

그러나 이는 守城 신앙과 관련한 축성의례로 간주된다. 주민의 안전과 직결된 城을 수호해 주는 神靈에 대한 제의가 없을 수 없기 때문이다. 守城의 神格은 요동성의 朱蒙祠처럼 시조신 등으로 격상되기도 했지만, 성안에 불찰을 세운데서 알 수 있듯이 종국적으로는 佛神으로 귀착된 것으로 보인다. 삼국시대 城名 가운데 '할미성[老姑城, 姑母城]'이 많다. 이는 女神에게 의존하는 바 컸던 당시의 정서를 반영하는 듯하다. 신라에서 보이는 護國3女神의 존재를 통해서도 여신의 존재가 확인된다. 불노장생을 돕는 道教 女神의 존재가 守城과 관련해 차용된 것은 아닌지 모르겠다.

삼국에 신선사상이 유행한 사실은 신라 고분인 천마총이나 황남대총 · 은령총 · 호우총과 백제 왕성인 풍납동토성에서 仙藥으로 쓰였던 雲母의 부장을 통해서 가늠할 수 있다. 운모를 부장하는 풍속은 중국 吳의 景帝 때 도굴한 大塚 내부 棺 안에 雲母가 '尺許'나 쌓여 있었다는 기록을[394)] 통해서도 헤아려진다.

2) 犧牲

부여와 고구려에서는 희생으로 돼지가 보인다. 고구려 유리왕 때에 달아난 희생용 돼지를 추격하다가 새로운 도읍지를 발견하였다. 고국천왕이 주통촌 미녀와 연을 맺게 되는 것도 돼지의 탈출 사건이었다. 神物로서 돼지의 존재가 포착된다. 『건주견문록』에 따르면 만주족들은 사람을 살리는 질병 치료 목적으로 돼지를 잡았기에 몹시 귀중하게 여겼다고 한다.

犧牲으로서 말이 보인다. 돌궐에서는 매년 5월에 양과 말을 죽여 하늘에 제사를 지냈다고 한다(『수서』 돌궐전). 이처럼 말을 제물로 하는 경우는 북방 기마민족 공통의 습속으로, 퉁구스족 · 몽골족 · 터키족 · 훈족 등 이른바 알타이계 종족에 널리 행해지고 있었다. 그러나 백제를 비롯한 한반도에서는 말을 제물로 희생한 흔적은 발견되지 않는다고 했다.[395)] 과연 그럴까?

백제 왕성인 풍납동토성의 경당 지구에서 馬頭를 매장한 坑의 존재가 확인되었다. 경당 지구 9호 유적에서는 毀棄된 토기들과 더불어 9체분 馬頭와 1체분 牛頭 모두 10개의 獸頭가 출토되었다. 이

393_ 李丙燾, 「三韓의 社會相」『韓國古代史研究』, 博英社, 1976, 291~292쪽.
394_ 盧弼, 『三國志集解』柒, 上海古籍出版社, 2012, 3008쪽.
395_ 西嶋定生, 『古代東アジア世界と日本』, 岩波書店, 2000, 154쪽. 157쪽.

러한 현상은 모종의 제의와 연관 짓게 하였다.[396] 실제 풍납동토성 197번지 일대의 나-10호 주거지에서는 말의 견갑골을 이용한 卜骨이 확인되었다.[397] 따라서 馬頭坑은 祭儀 유구일 가능성을 높여주었다. 바로 그러한 馬頭坑이 부여 유적인 老河深에서도 확인된다. 라오허선 분묘 구역의 중앙에 위치하고 있는 마두갱은 길이 2.97m, 폭 0.75m의 장방형이다. 그 안에 7片의 馬頭骨이 남아 있다. 坑내에서는 다른 유물은 발견되지 않고 3匹 정도의 말 개체분만 확인되었다.[398] 이 같은 제의는 비록 생활유적과 분묘유적이라는 차이에도 불구하고 종족이나 집단의 정체성과 관련 있다. 풍납동토성에서 출토된 馬頭坑이 순장이 아닌 희생이라고 하더라도 그 속성은 동일하다고 본다. 이러한 마두제의 유구는 고구려 영역에서는 명확하게 알려진 바 없다. 따라서 풍납동토성에 거주했던 백제 건국세력의 계통은 "其國善養牲"[399], 즉 제사 때 제물로 바치는 가축인 犧牲을[400] 잘 길렀다는 부여와 연관될 가능성을 높여준다.[401] 요컨대 부여나 백제를 비롯한 한국 고대제국에서 확인된 마두 매납은 몽골 유목 문화와의 연관성을 뜻한다.[402] 이 점은 부인할 수 없을 것 같다.

3) 불교 — 동아시아의 불교 수용 배경과 그 과정

(1) 중국

중국에 불교가 전래된 시기에 대한 일반적인 통설은 後漢 明帝 때이다. 67년에 명제가 現夢을 통해 서방에 불교가 있다는 사실을 자각한 후 18人을 西域에 파견하였다. 그들은 白馬에 불상과 불경, 그리고 승려 2人을 대동하고 수도인 洛陽으로 귀환했다고 한다. 현재 뤄양에 남아 있는 白馬寺 전설인 것이다. 그런데 당시 부처를 종종 黃老佛陀로 일컬었거나 불교를 道教의 한 宗派로 간주했다.[403] 또 유사한 중국사상에 맞추어 이해한 格義佛教 형식을 띠었을 정도로 초기 중국 불교의 기반은 취

396_ 한신대학교 박물관, 『風納土城Ⅳ(本文·圖面)』, 2004, 319-322쪽.
397_ 국립문화재연구소, 『풍납토성 XⅣ』, 2012, 518-519쪽.
398_ 吉林省文物考古硏究所, 『楡樹老河深』, 文物出版社, 1987, 38-40쪽.
399_ 『三國志』 권30, 東夷傳, 夫餘 條.
400_ 韓國精神文化硏究院, 『譯註 經國大典 註釋篇』, 1986, 120쪽.
401_ 나주 복암리 3호분 1호 석실묘의 말뼈와 복암리 2호분 주구에서도 추정 馬齒가 출토된 바 있다. 그러나 이것의 성격은 犧牲보다는 순장 가능성이 더 높게 제기되었다(박중환, 「백제권역 동물희생 관련 考古자료의 성격」 『百濟文化』 47, 2012, 188-191쪽).
402_ 이상의 서술은 李道學, 「百濟 建國勢力의 系統과 漢城期 墓制」 『百濟學報』 10, 백제학회, 2013, 16쪽에 의하였다.
403_ 木村清孝 著·朴太源 譯, 『中國佛教思想史』, 경서원, 1988, 15~17쪽.

약하였다.[404] 이렇게 하여 중국에 스며든 불교가 크게 융창한 시기는 삼국의 吳와 남북조시대를 거치면서였다.[405] 그에 앞서 西晋末의 화북 지역은 북방 유목민족들에게 유린당하였다. 약탈과 살육이라는 비참한 현실에서 북중국의 漢族들은 영험한 기적과 윤회전생 사상에 기대어 심리적으로 보상받고자 하는 경향이 두드러졌다. 이때 高僧의 영험을 빌어 정복전의 승리와 같은 현실 욕망을 구현하려는 정치적 의도와 佛法의 효과적인 弘布를 위해서는 군사나 정치적 실권자와 결탁해야 된다는 양자 간의 이해가 맞아 떨어져서 결합된 경우가 많았다. 이는 道安이 "지금 凶年을 만나 國主에 의지하지 않고서는 法事를 세우기 어렵다"[406]고 한 말에 잘 집약되어 있다. 요컨대 승려와 國主의 이해가 결합된 사례로서는 서역의 승려 佛圖澄과 後趙의 石勒과의 결합이 대표적이다. 북중국을 점유한 胡族君主들은 불교의 심오한 진리보다는 적군의 來襲, 전쟁의 승패, 군주의 안위, 길흉을 점치는 沙門의 영험한 능력을 필요로 하였다.[407]

5胡16國時代의 각국 군주들은 沙門을 자신의 참모나 정치적 고문으로 삼았다. 이는 後趙의 佛圖澄・前秦의 道安・後秦의 鳩摩羅什・沮渠蒙遜과 曇無讖의 경우가 대표적이다. 호족군주들은 사문을 통해 불교의 영험한 힘을 빌어 영역 확장에 이용하고자 하였다.[408] 신라 진흥왕의 황초령이나 마운령 巡狩에 보면 비문의 隨駕行列 가운데 道人 2명이 제일 앞에 적혀 있다. 道人으로 적혀 있는 승려의 비중이 고관들 보다 우위에 위치했다. 곧 "이들이 국정의 자문역 뿐 아니라 영토의 개척과 관련 있는 巡境에 隨駕하고 있는 만큼 전략가로서의 임무도 수행하였으리라고 지적된다"[409]고 했다. 진흥왕이 승려들을 軍國의 고문으로 삼았음을[410] 암시해 준다. 신라 자장율사가 선덕여왕에게 황룡사 구층탑의 건립을 제의한 것도 동일한 범주에 속한다. 전사단인 화랑도에 승려가 배속된 것도 같은 맥락에서 살필 수 있다. 승려를 군사적 고문으로 하는 전통은 고려 태조 대까지 이어져 왔다.[411]

그러면 동란기에 帝王들이 긴 잠복기를 거친 불교 수용에 적극적이었던 배경은 무엇이었을까? 북위 태조의 경우 화북 통일을 위해서는 胡와 漢이 잡거하는 지역을 점령해야만 했다. 또 이들을 북위

404_ Arthur F. Wright, Buddhism in Chinese History, 양필승 譯, 『중국사와 불교』, 신서원, 1994, 59~60쪽.
405_ 중국 불교사에 대해서는 任繼愈, 『中國佛教史』, 中國社會科學出版社, 1981을 참조바란다.
406_ 『高僧傳』 권5, 道安傳.
407_ 이영석, 『南北朝佛教史』, 혜안, 2010, 17~33쪽.
408_ 이영석, 『南北朝佛教史』, 혜안, 2010, 72쪽.
409_ 李道學, 「磨雲嶺 眞興王巡狩碑의 近侍 隨駕人의 檢討」 『新羅文化』 9, 1992, 122쪽.
410_ 李基白, 『新羅思想史研究』, 一潮閣, 1986, 119쪽.
411_ 李道學, 「磨雲嶺 眞興王巡狩碑의 近侍 隨駕人의 檢討」 『新羅文化』 9, 1992, 122쪽.
李道學, 「弓裔의 北原京 占領과 그 意義」, 『東國史學』 43, 2007, 209쪽.

의 臣民으로 예속시키기 위해서는 초민족적 종교인 불교가 교화와 세력 융합에 긴요하다고 느꼈다. 더구나 전란으로 인한 미래와 생명에 대한 불안을 최고 통치자가 숭배하는 불교를 통해 질병과 고통 및 전란을 피하고 福을 구하려는 열망이 증대하였다. 나아가 胡漢의 잡다한 세력을 北魏에 心腹하게 하고 상호 간의 대립과 갈등을 완화시켜 정권의 안정을 기하고자 한 것이다.[412] 불교의 유용성은 보편적인 진리와 함께 종족과 시대, 그리고 문화의 차이를 뛰어넘는 호소력을 지녔다. 불교는 胡族君主의 현안인 사회적 분열을 막고, 통일되고 안정된 사회를 이루는데 기여하였기에 끊임없는 후원과 보호를 받을 수 있었다.[413] 사실 앞날을 장담할 수 없는 동란의 시기에 주민들은 죽음의 공포에 직면해 있었다. 그런데 불교의 죽음을 넘어선 영혼 구원과 같은 내세관은 그러한 공포를 누그러뜨리는데 一助했다. 그러나 호족군주들이 불교를 선호한 근본적 이유는 불교가 황제권 강화에 이바지하는 사상임을 발견하면서 일 것이다. 다른 집단 보다 우위에서 세력 통합을 하려면 군소 세력의 신앙과는 차원을 달리하는 다른 권위의 배경을 갖지 않으면 안 되었다. 이민족의 종교임에도 불구하고 불교가 세계성을 띄고 수용·보급된 데에는 전란기의 불안정한 지배자들의 배경을 보장해 주는 이념적 장치였던데서 요인을 찾을 수 있을 것 같다.

(2) 고구려

372년에 전진 왕 부견의 불상과 승려인 順道 파견은 고구려 불교 수용의 계기였다. 물론 그 이전부터 고구려에는 불교가 전래되었지만 국가적 차원의 수용은 이때가 처음이었다. 부견이 고구려에 불교를 전파한 것은 북중국을 통일한 시점에서 불교의 영험을 직접 체험한 결과이기도 했다. 그와 동시에 초민족적 종교인 불교를 통해 양국 간의 관계를 안정시켜 중원 통일과 관련한 후고를 덜려는 정치적 계산이 깔려 있었다. 당 고조가 叔達과 같은 道士와 『도덕경』을 비롯한 자국 황실의 종교인 道教를 고구려에 전래해 준 것과[414] 유사한 정황을 연상시킨다. 前秦의 불교 전래는 종교를 매개로 한 국가 간의 우호 관계 추진 의도였다. 아울러 불승을 매개로 한 고구려와 동진 간의 교류를 차단하려는 의도도 작용했다.[415]

412_ 이영석, 『南北朝佛教史』, 혜안, 2010, 54쪽. 77쪽.
413_ Arthur F. Wright 著·양필승 譯, 『중국사와 불교』, 신서원, 1994, 83쪽.
414_ 『三國史記』 권21, 보장왕 2년 조.
415_ 李道學, 「제3장 백제의 불교 수용 배경과 위덕왕대의 불교」『백제 사비성시대 연구』, 一志社, 2010, 69쪽.

고구려는 전진으로부터의 불교를 흔쾌히 수용한 것으로 보인다. 전진 왕 부견이 불교를 崇信했기에 영역 확장의 성과인 화북 통일을 확인하였기 때문일 것이다. 고구려 왕실에서는 국가의 세력 확장에 크게 도움이 되는 종교가 불교라는 확신이 들었던 것 같다. 그러나 무엇 보다 고구려 왕실은 불교가 주변의 잡다한 세력들의 신앙을 통합할 정도의 보편성과 세계성, 그리고 교리 체계의 우월성을 깨달았기 때문으로 보인다. 그랬기에 고구려는 전진에서 불교가 전래된 지 3년이 되는 375년에 省(尙)門寺를 창건하여 순도를 주석하게 했다. 또 그 1년 전에 고구려에 온 阿道를 새로 창건한 伊佛蘭寺에 주석시켰다. 이것을 가리켜『삼국사기』는 "해동 불법의 시초이다"[416]라고 평했다.

고구려는 불교를 매개로 하여 전진과 교류의 물꼬를 텄다. 그랬기에 사신과 불승을 보내온 372년에 고구려는 즉각 答使를 파견하여 방물을 바쳤다. 377년에도 고구려는 부견의 전진에 사신을 보내 조공하였다. 그런데 전진 왕 부견이 383년의 비수 전투에서 敗死한 직후인 385년에 고구려는 요동으로의 진출을 시도했다.[417] 고구려는 요동 지역의 지배권을 놓고 재건된 모용씨 일족의 후연과 격돌하였다. 동시에 고구려는 백제와도 공방전을 전개했다. 이러한 국제 관계 속에서 고구려는 신라를 우군으로 껴안았다. 이 무렵 고구려 고국양왕은 教를 내려 "佛法을 崇信하여 福을 구하라"[418]고 했다. 이 같은 고국양왕의 教는 인과응보론에 입각해서 현재 불행의 원인을 짚어주면서 거듭된 전란으로 피폐해진 민심을 다독이기 위한 조치였다. 요컨대 기근과 거듭된 전란으로 인한 질곡에서 연유한 왕권에 대한 불만의 분출 통로가 시급한 문제였다. 그러자 고국양왕은 내세의 안락을 보장하는 불교의 인과응보론으로써 현실의 고통을 희석시켜 정치적 통솔을 강화하고자 한 의도로 풀이된다. 특히 부처의 救濟 이득은 生者는 물론이고 死者에게도 미친다는 의식이었다. 전몰자들에게는 往生思想으로, 일반 주민들에게는 승전을 통한 太平世上의 도래에 대한 믿음을 고취하였을 것이다.[419]

(3) 백제

백제는 384년 7월에 사신을 동진에 파견했다. 그해 9월에 동진에서 온 胡僧 마라난타를 대궐에 맞아들였다. 이것을 일러 "佛法이 이로부터 시작되었다"[420]고 했다. 전후 정황으로 볼 때 백제가 동

416_ 『三國史記』 권6, 소수림왕 5년 조.
417_ 『三國史記』 권6, 고국양왕 2년 조.
418_ 『三國史記』 권6, 고국양왕 9년 조.
419_ 李道學,「제3장 백제의 불교 수용 배경과 위덕왕대의 불교」『백제 사비성시대 연구』, 一志社, 2010, 72~73쪽.
420_ 『三國史記』 권24, 침류왕 원년 조.

진에 파견한 사신과 함께 마라난타가 귀국한 것으로 추정된다.[421] 사신이 귀국할 때 佛僧을 동반하는 경우는 백제에서 있었다.[422] 신라 高僧인 圓光(600년)·智明(602년)·曇育(605년)도 자국 사신과 함께 귀국했기 때문이다. 그리고 백제가 선뜻 불교를 수용하게 된 배경은 383년 동진이 前秦軍을 淝水에서 대파한 승인을 전적으로 佛德에서 찾았기 때문이었을 것이다. 전력의 절대 열세임에도 불구하고 前秦을 대파한 東晋이었다. 그러한 동진에서 불교를 수용하는 일을 백제는 국운상승의 요체로 파악했을 법하다.

당시 백제는 국운을 건 공방전 상대인 고구려를 꺾는 일이 현안이었다. 전쟁과 관련해 북위의 무위장군 費穆이 爾朱榮에게 "戰勝의 위엄이 없으면 대중들은 본래 복종하지 않습니다"[423]라고 한 바 있다. 이 구절은 모든 통치자들에게는 긴요한 사안이었다. 침류왕도 東晋이 前秦을 대파한 전승 요인을 당시 풍미하고 있던 佛德으로 이해했을 수 있다. 백제가 거부감 없이 불교를 적극 수용한 것은 고구려와의 대결에서 승리할 수 있는 방편으로 여긴 측면도 배제할 수 없다. 이후 백제는 남조 불교와 긴밀한 관련을 맺었다. 그 일례가 梁 武帝 때의 연호를 취한 大通寺 창건이다. 宋 孝武帝의 大明年號(457~464)에서 大明寺가 기원했다.[424] 景明寺도 景明 연간(500~503)에 건립했기에 이름을 그 같이 지었다.[425] 그랬기에 "또 大通 元年 丁未에 武帝를 위하여 熊川州에 절을 지었는데, 이름을 大通寺라 하였다"[426]라고 한 백제 大通寺의 寺名 유래도 액면대로 수용할 수 있게 된다. 大通門에서 기원했다는 '大通' 名 年號[427] 자체도 불교에서 유래했다고 본다.[428]

한성도읍기에 불교가 수용되었음은 서울시 강동구에 소재한 巖寺를 통해서도 입증된다. 아울러 당시 백제의 수도에 대해서는 한강 이남의 河南이 타당하며, 백제 사상 최초로 佛刹이 건립된 漢山 역시 하남시 일대일 가능성이 높다. 하남시 일대를 비롯한 한강 이남 지역의 불교 관련 유적이나 유물을 통해서도 입증할 수 있다. 그리고 하남시 객산폭포 마애불의 명문에 보이는 '重脩'는 본 불상을

421_ 李基白은 마라난타가 "답례로 온 晋의 使節과 동행했던 것으로 보인다(李基白, 『新羅思想史研究』, 一潮閣, 1986, 114쪽)"고 했다.

422_ 李道學, 「제3장 백제의 불교 수용 배경과 위덕왕대의 불교」『백제 사비성시대 연구』, 一志社, 2010, 68쪽.

423_ 『魏書』 권44, 費于附費穆傳.

424_ 馬家鼎 外, 『大明寺』, 南京出版社, 2005, 1쪽.

425_ 『洛陽伽藍記』 권3, 城南, 景明寺.

426_ 『三國遺事』 권3, 原宗興法.

427_ 鎌田茂雄 著·章輝玉 譯, 『중국 불교사 3』, 장승, 1996, 220쪽.

428_ 이상의 서술은 李道學, 「고대 동아시아의 불교와 왕권」『충청학과 충청문화』 13, 충청남도역사문화연구원, 2011, 46~50쪽을 참조하였다.

수리한 게 아니었다. 大平 2년(977) 이전에 존재했던 원래의 불상이 퇴락한 관계로 977년에 그 옆 바위에 새롭게 새긴 것으로 해석할 수 있었다. 이는 순천 선암사 소장 道詵國師 眞影에 보이는 畵記의 '重脩' 용례를 고찰한 결과와 맞아 떨어진다. 그렇다고 원래의 불상을 母本으로 동일하게 새겼다는 의미는 아니다. 게다가 목불상의 重修 개념과는 성격이 동일하지 않다. 요컨대 한성도읍기 불교와 관련해 하남시 일원이 한국의 초기 불교사 연구에 있어서 중요한 위치에 있다고 본다.[429]

백제사에서 불교의 盛期는 단연 제26대 성왕 대였다. 그러한 성왕의 성격을 전륜성왕으로 지목하는 견해가 많았다. 그러나 이와는 다르게 파악할 소지도 있는 것 같다. 聖王의 성품을 『삼국사기』에는 "지혜와 식견이 뛰어나고 일에 결단성이 있었다"·"나라사람들이 '성왕'이라 일컬었다"고 하였다. 『일본서기』에서는 '明' 字까지 덧붙여서 聖明王으로 일컬었다. 성왕이 明王으로 불리었다는 사실은 주목을 요한다. 미륵신앙과 관련된 의미를 타진해 볼 수 있기 때문이다. 이와 관련해 다음의 용례를 주목해 보자. 즉 "大明이란 국호는… 한산동은 일찍이 '미륵불이 세상에 나타난다'고 떠들었고, 그 아들 韓林兒 또한 小明王이라고 칭했다"[430]는 구절이다. 성왕은 성명왕 혹은 명왕이라고도 했다. 미륵신앙과 明王의 등장은 앞날의 어둠을 이긴 밝음의 등장인 것이다. 성왕이 미륵신앙과 관련한 역할을 했음을 암시해준다. 또 같은 책에서 "성왕은 天道와 지리에 신묘하게 통달하였기에 명성이 사방에 나 있었다"라고 평할 정도였다.[431]

미륵불로 간주되었던 성왕이 전사함에 따라 백제 불교는 일대 위기에 봉착하였다. 그간 백제 왕실이 쌓았던 불교와 연계된 국왕의 위상은 급전직하 추락할 수밖에 없었다. 이러한 얼음장 같은 현실에서 위덕왕은 출가수도를 택하고자 하였다. 이는 일종의 정치적인 도피 행위였던 것이다. 그러나 귀족들은 패전의 책임을 지고 있는 위덕왕이 즉위하는 게 유리하다고 판단했다. 결국 귀족들은 代贖을 제시함으로써 위덕왕의 즉위는 가능했다. 이때 위덕왕은 정치적 군장으로서의 위상은 유지하였지만, 성왕이 견지했던 佛王的인 위상은 상실하였다. 대신 위덕왕의 妹인 兄公主가 성왕이 장악했던 역할을 분담하게 되었다. 즉 백제 왕권의 또 한 軸을 담당했던 상징성 깊은 舍利에 대한 독점적인 분여권의 박탈이었다.

그러나 577년에 왕홍사 부지에서 戰死한 3명의 왕자를 위한 추복 사리탑을 조성하며 사리를 봉

429_ 李道學,「漢城百濟 佛敎史 硏究의 問題點」『위례문화』15, 하남문화원, 2012, 120~133쪽.
430_ 판슈즈 著·김대환 等譯,『100가지 주제로 본 중국의 역사』, 고려대학교 출판부, 2007, 553쪽.
431_ 李道學,「부여 지역의 불교 문화」『부여 백제수륙재 연구』, 민속원, 2016, 49쪽.

안하는 의식을 집전하는 과정에서 사리 분과라는 異蹟이 발생했다. 사리 분과는 위덕왕이 봉안하는 사리가 불사리임을 입증하였다. 그 뿐 아니라 위덕왕 스스로가 佛王임을 반증하는 기제로써 작용하게 되었다. 이로써 위덕왕은 정치와 종교적인 권한을 일거에 회복하는 데 성공한 것으로 보인다. 위덕왕이 분여한 불사리는 倭의 飛鳥寺 창건을 비롯해서 일본열도 곳곳에 속속 이르고 있다. 이 사실은 백제 위덕왕을 중심한 불사리에 대한 독점적인 점유와 분여를 통해 부처와 동격의 위상을 확보해 가고자 하는 의도를 보여준다. 동시에 이것이 일정한 정치적 성과를 거둔 것으로 보인다. 요컨대 위덕왕은 출가수도의 대속이었던 다대한 佛事와 사리 신앙을 통해 실추된 왕권을 회복하는 데 성공한 것이다. 開塔 의식이라는 것도 사리 신앙을 정치적으로 이용하고자 하는 방편이었다. 그것을 긴요하게 잘 이용했던 이가 위덕왕이었던 것으로 보인다. 그러한 불사리에 대한 백제 왕실의 독점적 지배는 무왕대까지 이어졌다.[432)]

백제에서는 무수한 寺塔의 건립 속에서 發願塔의 조성도 확인된다. 왕흥사 창건 기록보다도 앞서 조성된 백제 왕흥사 목탑의 경우도 사찰의 伽藍規約과는 별개의 용도로 당초에 조성되었음을 밝혔다.[433)]

사비도성의 중앙에 소재한 '정림사지'는 北魏 낙양성의 영녕사에 견주어 왔다. 그러나 양자는 입지 조건도 동일하지 않을뿐더러 가람 배치 양식도 일치하지 않았다. 따라서 '정림사지'가 영녕사의 영향을 받았으리라는 추측은 근거 없음을 밝혔다. '정림사지'에 보이는 1塔-1금당-1講堂 式의 가람 배치는 백제 특유의 양식으로 구명했다. 동시에 이러한 가람 양식은 백제 왕실과 깊은 관련을 맺고 있는 사찰에서만 나타난다는 것을 확인했다. 남북 자오선상에 일례로 부처 관련 시설이 배치된 가람 구조는 王卽佛 사상과 관련 된 것으로 파악하였다. 佛과 동격의 위상을 확보하고자 한 백제 왕을 정점으로 한 강력한 왕권의 표상이기도 했다.[434)] 참고로 백제 이래 지금까지 부여 지역의 寺庵의 존재 형태에 대한 정리도 하였다.[435)]

오랫 동안 일본 法隆寺 금당 벽화를 그린 이로 고구려승 曇徵을 거론해 왔지만 아무런 근거가 없음을

432_ 李道學, 「百濟의 佛教 受容 背景과 威德王代의 佛教」『동아시아의 불교 문화와 백제』, 한얼문화유산연구원 개원 5주년 기념 국제학술대회, 2010. ;『백제사비성시대연구』, 一志社, 2010, 91쪽.

433_ 李道學, 「〈王興寺址 舍利器 銘文〉 分析을 통해 본 百濟 威德王代 政治와 佛教」『韓國史研究』 142, 2008, 1~31쪽.

434_ 李道學, 「百濟 泗沘都城과 '定林寺'」『白山學報』 94, 2012, 107~136쪽.

435_ 李道學, 「부여 지역의 불교 문화」『부여의 불교문화, 민속문화 그리고 수륙재』, 부여군 불교사암연합회, 2015, 11~40쪽.

밝혔다. 오히려 일본의 고문헌 3곳에서 백제 장인 止利 佛師의 작품으로 기재한 사실이 밝혀졌다.[436]

그런데 동아시아 세계의 불교는 모두 선선히 수용된 것만은 아니었다. 신라와 倭에서는 커다란 진통을 겪었다. 특히 왜에서의 불교 수용 여부는 권력 핵심 세력 간의 갈등을 증폭시키는 기제가 되기도 했다. 이때 백제는 왜 조정의 排佛派를 제압하는데 무력을 지원한 사실이 확인되고 있다. 위덕왕은 排佛派와 崇佛派가 팽팽히 맞서는 과정에서 倭의 聖德 太子를 지원할 목적으로 琳聖 太子를 파견하여 교전하였다. 종교전쟁의 결과 백제의 지원을 받은 숭불파는 왜 조정의 실력자인 오무라치(大連)의 모노노베씨를 토멸했다. 이렇게 해서 왜 조정에서 불교의 정착이 가능했던 것이다. 백제가 전래해 주고, 가닥을 잡아 준 왜에서의 불교는 위덕왕의 구상과 맞물려 크게 흥륭하였다.

불법의 흥륭은 최고 권력자의 비호를 받아야만 효과가 지대해진다. 그러기 위해서 군주의 야심을 충족시켜주는 방향으로 나가는 경향이 있었다. 즉 왕권과 불교의 결합은 결국 '王이 곧 부처이다'라는 王卽佛思想을 가져 왔다. 이러한 북방불교의 영향은 백제와 신라에도 지대한 영향을 미쳤다. 남조 梁 武帝처럼 국왕이 승려가 된 사례는 신라 진흥왕에게서 찾을 수 있었다. 백제의 '法王' 시호는 王卽佛思想의 정점을 말하는 부동의 증좌였다. 정치권력이 불교의 속성을 사회적으로 이용한 사실과 그 영향은 윤회전생사상에서 잘 간파되고 있다.[437]

한편 佛法과 王法의 일치를 위한 제도적 장치로서 僧官制가 나타났다. 이는 황제권 밑에 불교를 두고, 그 조직을 일사불란하게 움직일 수 있는 체제의 구축을 뜻한다. 백제와 신라 및 倭에서도 그러한 조직이 확인되고 있다. 이와 관련해 광개토왕이 창건한 樂浪故地인 평양 지역의 9寺는 말할 나위 없이 官寺였다. 그러한 관사의 존재는 승관제를 전제하는 동시에 계통이 다른 주민들을 융화시켜 보편적인 통일국가를 이루는 소임을 지녔던 것으로 판단된다. 삼국은 방대한 僧徒 조직을 꾸려, 전쟁이나 군사 시설인 塢의 축조 등에도 투입하였을 정도로 국가불교의 한 軸을 이루게 하였다. 이렇듯 승관제를 기반으로 한 불교는 국가불교이자 호국불교의 성격을 띄게 되었다. 이러한 속성은 백제 불교의 영향을 받은 倭에서도 예외가 되지 않았고, 어떤 측면에서는 두드러지기까지 했다.

불교가 일반 사회 저변에 확대되는 과정에서 여성 전용 사찰인 尼寺의 조성이 나타났다. 이 경우는 중원대륙 뿐 아니라 삼국과 倭에서도 확인되고 있다. 아울러 官寺 뿐 아니라 개인의 사찰인 私寺

436_ 李道學, 「倭의 佛敎 受容과 백제계 사찰의 건립배경 및 성격」『충청학과 충청문화』 19, 2014, 171~200쪽.
437_ 孫晋泰, 『國史大要』, 乙酉文化社, 1949, 28~29쪽.

가 가문의 願刹로서 조성되기도 했다. 무수한 寺塔의 건립 속에서 발원탑의 조성도 확인된다. 백제 왕흥사지 목탑의 경우도 사찰의 伽藍規約과는 별개의 용도로 당초에는 조성되었다. 백제 도성의 모습을 일컬어 "절과 탑이 매우 많았다"고 한 기록은 국가적 에너지가 불교로 쏠리는 경향을 단적으로 보여준다.

백제 불교는 儒敎와 道敎가 혼효하는 특징을 지녔다. 일례로 백제금동대향로에는 단일한 세계가 아니라 복합적인 세계가 재현되었다. 백제에는 외형상 道觀은 없지만 산수문전 등에서 보듯이 道敎는 불교와 공존했다. 義慈王의 이름 유래를 불교나 유교 모두에서 찾듯이 양자가 엄존하였다. 그리고 백제는 불교가 지닌 세계성을 매개로 국제성이 강한 문화를 구축하였다. 아울러 백제는 동아시아 세계가 공유하는 불교 신앙을 통해 문화 교류를 촉진하고, 정치적 동반자 관계를 확대시켰다. 이 점 백제 불교 문화의 특징이었다.

백제의 승려 가운데 玄光 한 사람만 뽑아 소개해 본다. 중국의『宋高僧傳』과 고려 때 편찬된『法華靈驗傳』에 의하면 현광의 전기가 수록되었다. 그런데『송고승전』에서 현광의 전기 제목을 '陳新羅國玄光傳'이라고 한 관계로 신라 승려로 오인하기도 했다. 현광은 熊州 즉 지금의 공주에서 출생했다고 한다. 물론 웅주라는 행정지명은 통일신라 때 지명이다. 그런데 중국의 陳은 557년~589년 동안 존속한 나라이고, 현광의 스승인 중국의 南岳 慧思는 생몰년이 515년~577년이다. 그리고 중국에 유학한 현광이 귀국한 곳이 웅진이었다. 그러므로 현광은 백제인으로 간주할 수 있다. 그는 위덕왕대(554~597) 후반기에서부터 무왕대(600~640) 전반기에 걸쳐 활약한 승려였다.

현광은 성장하면서 禪法을 구하려고 바다 건너 陳으로 들어 갔다. 그는 당시 남악 衡山에 머물고 있던 혜사를 찾아 그의 薰陶 아래『妙法蓮華經』安樂行品의 法門을 중심으로 수학하였다. 마침내 그는 禪을 위주로 하는 입장에서 法華三昧를 證得하여 師僧으로부터 인가를 받은 후에는 그 사승의 付囑에 따라 귀국하였다. 그는 귀국하는 도중에 해상에서 天帝의 요청으로 龍宮에 들어가 친히 증득한 법화삼매를 강설해 주었다. 그런 연후에 공주로 돌아와 翁山에 자리잡고 교화에 힘썼다. 南岳懷讓(677~744)이 남악의 祖師인 혜사의 影堂을 구축하여 혜사의 제자 28명의 고승 진영을 봉안했을 때도 그 중의 하나로 모셔졌다.

(4) 신라

신라 왕실 사찰의 추복 기능에 대한 분석을 한 결과 원찰로서 哀公寺는 法興王家의 追福寺刹이었고, 永敬寺는 眞智王家의 追福寺刹로 밝혀졌다. 그리고 五陵 부근의 祇園寺와 實際寺는 전왕족인 박씨 왕가의 追福寺刹로 추정하였다. 이미 일본 학계에서 일본 고대사 문제와 관련하여 지적한 바 있듯이, 장대한 봉분과 대규모 노동력이 동원되는 거대 고분에 쏟던 열정이 고등 종교인 불교가 유입됨에 따라 氏寺 創建으로 옮겨지는 것과 동일한 軌上에서 파악된다. 이러한 움직임은 그 이전에 이미 고구려의 定陵寺와 백제의 陵山里 절터를 통해서 확인되었다. 고구려와 백제에서 陵寺가 존재하였음이 밝혀졌다. 그러한 線上에서 후발주자로서 이들 국가보다 불교를 늦게 수용한 신라에 그와 동일한 성격의 사찰들이 창건되는 배경을 생각해 보았다.

신라는 진평왕이 석가의 아버지인 白淨으로, 그 왕비가 釋迦의 어머니인 摩耶夫人의 이름을 칭했다. 왕족들이 불교식 이름을 유행처럼 사용하였듯이, 국왕을 정점으로 한 강력한 불국토국가에 대한 의지를 지니고 있었고, 왕실 先導 하에 불교는 일반에 파급되어 갔다. 그 결과 陵墓의 鎭護 기능은 祠廟 일변도에서 벗어나 寺刹로 옮겨 가는 추세를 보이면서 양자는 상호 공존하는 형세였다. 이러한 線上에서 寺刹의 鎭護 기능은 一路 확대되었던 바, 삼국이 대치하는 불안정한 동란의 시기에 일반 주민들과 지역에 대한 방어거점으로서 중요한 역할을 했던 山城과 긴밀한 관련을 맺으면서 위상을 확립하였다. 대표적인 사찰이 왕실의 흥륭을 기원하기 위한 목적으로 창건된 백제 王興寺였다. 왕흥사는 수도 방비에 긴요한 역할을 하는 그 인근인 현재의 부여 백마강 북편에 소재한 岧城(울성산성)을 진호하는 역할을 지녔다. 그랬기에 그와 연계된 울성산성을 '王興寺岧城'이라고 하였다. 이는 신라에도 응당 영향을 미쳤던 바 북한산성 안의 安養寺와, 萬興寺山城의 萬興寺의 존재가 그것을 웅변해 주고 있다. 이러한 맥락에서 우리나라 僧兵의 기원도 찾아 볼 수 있게 된다. 조선조에 이르러서도 산성 안에 많은 사찰을 창건하여 산성을 관리하게 하였다. 가령 광주 남한산성이나 공주 공산성 안의 사찰들의 연원은 삼국시대의 산성과 연계된 진호사찰에서 찾을 수 있다.[438)]

그 밖에 가락국 즉 남가라의 불교 수용 과정과 그 가능성에 대해서는 최근의 논고가 도움이 된다.[439)]

438_ 李道學, 「古新羅期 靈護寺刹의 機能擴大 過程」『白山學報』 52, 1999, 83~98쪽.
439_ 석길암, 「駕洛國의 佛敎 傳來 문화와 성격에 대한 검토」『동아시아불교문화』 25, 2016, 129~149쪽.
한지연, 「고대 해상루트를 통한 불교 전파의 가능성과 의미」『동아시아불교문화』 25, 2016, 177~197쪽.

7. 서약 관념

사회체제는 서약을 통해 운용되고 있다.[440] 기록이 많이 남아 있는 때문이기도 하겠지만, 유독 서약이 많이 확인되는 사회가 신라이다. 일례로 薛氏女는 자신의 父 대신 軍役을 지게 된 嘉實이라는 청년과의 약속을 이행하려고 했다.[441] 고구려 장안성의 축성 實名 城石과는 달리 남산신성비에는 다음에 보듯이 冒頭에 서약문이 붙어 있다.

> 신해년 2월 26일에 南山新城을 만들 때 법에 따라 만든 지 3년 이내에 무너져 파괴되면 罪로 다스릴 것이라는 사실을 널리 알려 서약케 하였다.…(남산신성비 제1석)[442]

뒤에서 인용한 임신서기석 74字 가운데 '誓'가 무려 6회나 등장한다. 이와 같은 정서는 화랑도의 그것과 결코 무관하지 않았을 것이다. 화랑도는 평소에 忠孝와 信 등의 덕목을 수련하였다. 그리고 이들은 왕경을 벗어나 산수를 遊娛하며 歌樂을 즐겼다. 그럼으로써 집단 의식에 맞는 人性을 길렀다. 그러한 화랑도의 유오지 가운데 金蘭이라는 지명이 많이 보인다. 金蘭은『周易』繫辭 上에서 "金은 지극히 견고하지만, 두 사람이 마음을 합치면 그 예리함이 쇠[金]를 끊을 수 있고, 마음을 함께 하는 말은 그 향기가 蘭草와 같다"라는 故事成語에서 나온 것이다.[443] 金蘭窟을 비롯하여 보통명사처럼 곳곳에 붙여진 '金蘭' 지명은 화랑들의 誓約 관념을 응축한다고 본다. 실제 화랑도의 구성원들 간에는 死友를 약속할 정도로 인간적인 유대가 깊었다. 또 이러한 관계는 평생 동안 지속되었다고 한다. 다음은 그러한 사례의 편린이 된다.

> * (사다)함이 전에 武官郎과 함께 死友가 되기를 약속하였다.[444]

440_ 이에 대해서는 李弘稙, 「고대인의 서약 관념과 그 형식」『韓國思想』1・2합집, 1959, 42~52쪽;『한 史家의 遺薰』, 통문관, 1972, 21~29쪽에 잘 서술되어 있다.
441_ 『三國史記』권48, 薛氏女傳.
442_ 한국고대사회연구소,『譯註 韓國古代金石文 Ⅱ』1992, 104쪽. 남산신성비 제1석. "辛亥年二月卄六日南山新城作節 如法以作後三年崩破者 罪教事为聞教令誓事之…"
443_ 三品彰英,『新羅花郎の硏究』, 平凡社, 1974, 138~139쪽.
444_ 『三國史記』권44, 斯多含傳. "含始與武官郎 約爲死友"

* 홀로 中嶽 석굴에 들어가 齋戒하고 하늘에 告하여 맹세하였다. … (김춘추가) 장차 떠나고자 함에 庾信에게 "저와 공은 한 몸이고 나라의 중신이 되었으니 지금 제가 만약 저기에 들어가 해를 입는다면 공은 무심할 수 있겠습니까?"라고 이야기하였다. 유신은 "공이 만약 가서 돌아오지 않는다면 저의 말발굽이 반드시 고구려와 백제 두 왕의 뜰을 짓밟을 것입니다. 진실로 이와 같지 않다면 장차 무슨 면목으로 나라사람들을 보겠습니까?"라고 말하였다. 春秋는 감격하여 기뻐하였고 공[김유신]과 함께 서로 손가락을 깨물어 피를 마시며 맹세하면서 "제가 날짜를 헤아려보니 60일이면 돌아올 것입니다. 만일 이 기간이 지나도 돌아오지 않는다면 다시 볼 기약이 없을 것입니다"라고 말하였다. 드디어 서로 헤어졌고, 뒤에 유신은 압량주 軍主가 되었다.[445]
* 임신년 6월 16일 두 사람이 함께 맹세하여 쓴다. 하늘 앞에 맹세하여, 지금으로부터 3년 이후에 忠道를 執持하고 과실이 없기를 맹서한다. 만약 이 일(맹세)을 잃으면 하늘로부터 큰 죄를 얻을 것을 맹세한다. 만약 나라가 불안하고, 세상이 크게 어지러워지면 가히 행할 것을 받아들임을 맹세한다. 또 따로이 먼저 신미년 7월 22일에 크게 맹세하였다. 詩・尙書・禮記・春秋・傳을 차례로 습득하기를 맹세하되 3년으로 하였다.[446]

2인 同志同死의 관계는 사다함과 무관 외에도 남해로 배를 타고 떠나가버린 진평왕대의 大世와 仇柒, 世俗五戒의 가르침을 받은 貴山과 箒項, 백제와의 전쟁에서 함께 장렬하게 전사한 長春郞과 罷郞을 꼽을 수 있다. 그 밖에 죽지랑과 득오곡, 부례랑과 안상, 白雲과 金闡의[447] 경우도 덧붙일 수 있다. 이러한 死友 관계는 맹세를 통해 공표되었을 것이다. 맹세를 할 때 김유신의 경우는 "齊戒告天盟誓"라고 하였다. 이처럼 제계하고 하늘에 맹세하는 것이다. 이러한 경우는 울진봉평신라비를 비롯하여 여러 곳에서 확인된다. 임신서기석의 경우도 두 사람이 하늘 앞에 맹세했다. 이들을 화랑으로 추정하기도 한다.[448]

445_ 『三國史記』 권41, 金庾信傳(上). "獨行入中嶽石崛 齊戒告天盟誓曰 … 將行 謂庾信曰 吾與公同體 爲國股肱 今我若入彼見害 則公其無心乎 庾信曰 公若徃 而不還 則僕之馬跡 必踐於麗・濟兩王之庭 苟不如此 將何面目以見國人乎 春秋感悅 與公互噬手指 歃血以盟曰 吾計日 六旬乃還 若過此不來 則無再見之期矣 遂相別 後庾信爲押梁州軍主"

446_ 한국고대사회연구소, 『譯註 韓國古代金石文 Ⅱ』 1992, 176쪽. "壬申年六月十六日 二人幷誓記 天前誓 今自三年以後 忠道執持 過失无誓 若此事失 天大罪得誓 若國不安大亂世 可容行誓之 又別先辛未年 七月廿二日 大誓 詩尙書禮傳倫得誓三年"

447_ 『三國史節要』 제6권, 丙戌年.

448_ 末松保和, 『新羅史の諸問題』, 東洋文庫, 1954, 464쪽.

혼자가 아닌 복수의 사람들과 서약할 때 산정을 찾는 경우가 보인다. 임신서기석의 경우 경주 큰갓산(234.8m) 기슭 석장사지 뒤 언덕에서 수습되었다.[449] 큰갓산에서 두 사람이 하늘에 대고 맹세했다고 본다. 錫杖寺의 승려가 서약의 보증이 되었을 수 있다. 산정 서약은 백제에서도 다음과 같이 확인된다.

> 서로 보며 기뻐하며 예를 두텁게 하여 보냈다. 다만 천웅장언과 백제왕은 백제국에 가서 辟支山에 올라 맹약하였다. 그리고 다시 古沙山에 올라서 함께 磐石 위에 앉았다. 그때 백제왕이 "만일 풀을 깔아서 자리를 만들면 불에 탈까 두렵고, 또한 나무로 자리를 만들면 물에 떠내려 갈 것 같아 두렵다. 따라서 반석에 앉아서 맹약하는 것은 영원히 변하지 않을 것임을 보여주는 것이다. 이로써 지금부터 는 천추만세에 끊임없이 항상 西蕃이라 칭하며 해마다 조공하겠다"라고 맹세하였다.[450]

위의 기사에 따르면 백제 근초고왕 부자와 倭將이 벽지산과 고사산에 각각 올라 磐石 위에 앉아서 맹약했다. 국가 간의 맹약은 당이 중재한 백제와 신라 간에도 존재하였다. 다음은 665년의 사건이다.

> 가을 8월에 왕이 勅使 劉仁願, 熊津都督 扶餘隆과 함께 웅진의 就利山에서 맹세를 하였다. … 이때에 이르러 白馬를 잡아 맹세하였다. 먼저 하늘의 신과 땅의 신, 내와 골짜기 신에게까지 제사지낸 뒤에 그 피를 마셨다. … 金書鐵券을 종묘에 보관하여 자손만대에 감히 어기지 말지어다. 신이여, 이 말을 듣고 차려진 음식을 드시며 복을 내려 주소서!" 이것은 유인궤의 글이다. 피를 마신 뒤에 제단의 북쪽 땅에 희생과 예물을 묻고서 그 글을 우리 종묘에 보관하였다.[451]

449_ 李丙燾, 「壬申誓記石에 대하여」『韓國古代史硏究』, 博英社, 1976, 685쪽.

450_ 『日本書紀』 권9, 神功 49년 조. "相見欣感 厚禮送遣 唯千熊長彦與百濟王 至于百濟國 登辟支山盟之 復登古沙山 共居磐石上 時百濟王盟之曰 若敷草爲坐 恐見 火燒 且取木爲坐 恐爲水流 故居磐石而盟者 示長遠之不朽者也 是以 自今 以後 千秋萬歲 無絶無窮 常稱西蕃 春秋朝"

451_ 『三國史記』 권6, 문무왕 5년 조. "秋八月 王與勑使劉仁願·熊津都扶餘隆 盟于熊津就利山 … 至是 刑白馬而盟 先祀神祇 及川谷之神 而後歃血 … 故作金書鐵券 藏之宗廟 子孫萬代 無敢違祀 神之聽之 是饗是福 劉仁軌之辭也 歃訖 埋牲幣於壇之壬地 藏其書於我之宗廟"

위의 맹약 기사에 따르면 취리산 산상에서 백마를 잡아 피를 나누어 입술에 축이는 歃血 의식을 하였음을 알 수 있다. 화랑 출신인 김유신과 김춘추도 '서로 손가락을 깨물어 피를 마시며 맹세하면서'라고 하였다. 이로 볼 때 임신서기석의 두 사람도 큰갓산에서 맹세한 후 誓盟石을 마치 金書鐵券을 종묘에 보관한 것처럼 석장사에 봉안했을 수 있다. 사다함과 무관의 死友 맹약도 산상에서 歃血하며 했을 것으로 보인다.

화랑과 낭도로 구성된 화랑도의 경우는 집단적으로 誓盟 의식을 행하는 바가 있었을 것이다. 그 중 빼놓을 수 없는 게 다음과 같은 世俗五戒로 보인다.

> 지금 世俗五戒가 있으니, 첫째는 임금 섬기기를 忠으로써 하고, 둘째는 어버이 섬기기를 孝로써 하며, 셋째는 친구 사귀기를 信으로써 하고, 넷째는 전쟁에 나가서는 물러서지 말며, 다섯째는 생명있는 것을 죽이되 가려서 할 것이다. 너희들은 이것을 실행함에 소홀히 하지 말라!"고 하였다.[452]

수행과정에서 화랑도가 成業했을 때 일정한 誓約儀式이 집전되었을 법하다. 경주 근처의 四靈地 등에서 이러한 誓盟儀式이 집단적으로 집전되었을 것이다. 산이나 숲속의 신성한 유오지는 神靈이 내려오는 성역으로 간주했다고 한다.[453] 이와 관련해 불의와 타협하지 않은 劍君이 웃으며 "내가 近郎의 門徒에 이름을 두고 風月의 뜰에서 수행했는데, 진실로 그 義가 아니면 비록 千金의 利가 있더라도 마음을 움직이지 않는다"[454]고 하였다. 당시 검군은 沙梁宮 舍人이었다. 그러므로 그는 낭도는 이미 넘어섰다고 본다. 다만 화랑과 낭도의 관계가 평생을 유지하였던 것 같다. 그렇기에 검군은 근랑을 운위하고 또 그를 만났던 것으로 보인다. 어쨌든 利를 버리고 名을 취하는 검군의 발언과 태도를 통해 볼 때 화랑도의 교육 기능과 서약 관념의 일단을 엿볼 수 있다.

452_ 『三國史記』 권45, 貴山傳. "今有世俗五戒 一曰事君以忠 二曰事親以孝 三曰交友以信 四曰臨戰無退 五曰殺生有擇 若等行之無忽"

453_ 三品彰英,『新羅花郎の研究』, 平凡社, 1974, 151~152쪽.

454_ 『三國史記』 권48, 劍君傳. "僕編名於近郎之徒 修行於風月之庭 苟非其義 雖千金之利 不動心焉"

8. 사회의 술

한국 고대사회에서 술은 다양한 기능을 지녔다. 이 중 醫藥品으로서 술의 기능은 일일이 열거하기 어려울 정도로 많다. 그와 더불어 술에는 정치·종교·사회적 기능이 수반되었다. 우선 祭儀 공동체 속에서 술은 빠질 수 없었다. 농경 사회에서 파종과 수확기의 제천 의례 속에서 술은 구성원들을 묶어주는 촉매제 역할을 하였다. 이것도 일종의 잔치 속에서의 술의 기능이었다. 잔치 때 마시는 술은 高麗 뿐 아니라 고대 사회에서도 毒酒는 아니었다. 잔치에 참여하는 이들을 취하게 하기 보다는 興을 돋우는데 있었기 때문이다. 그 밖에 誓盟 때 飮酒로써 誓約에 대한 신뢰감을 공유했을 것으로 보인다.

잔치에서의 술은 마음의 벽을 허무는 기능을 지녔다. 그랬기에 잔치는 단순히 遊戱 기능 뿐 아니라 인간 관계를 정립하고 풀어내는 역할을 했다. 잔치에 초대된 이들은 주재자에게 마음의 부채를 지게 된다. 더욱이 잔치에서 주재자는 상급을 하사하는 경우가 많았기 때문이다. 그럼에 따라 구성원들 간의 일체감을 조성하는 역할도 하게 된다. 그리고 잔치의 장소는 잔치의 성격과 결부된 경우가 많았다. 가령 잔치의 장소가 전승 현장이면 勝戰宴이요, 풍광이 수려한 곳인데다가 주재자가 거문고를 뜯으며 歌舞를 先導하면 風流가 된다.

잔치는 勝戰이나 길쌈짜기 競走와 같은 競技 뒷풀이 행사, 享樂 수단으로서 음주가 붙는 향연이 이어졌다. 후자의 경우는 국왕과 신하간의 일체감을 조성하고 응집력을 촉발하는 역할을 하였다. 그리고 술은 정치적 긴장 상황에서 해방시켜주는 기능도 했다. 그러나 의자왕의 경우에는 지속적인 음주를 보여주고 있다. 이는 음주 중독의 결과로 간주할 수 있으며, 복잡한 정치 상황에서 벗어나게 하는 수단이기도 했다. 그리고 잔치에 참여한 구성원들 간의 일체감을 조성하여 강력한 왕권을 유지하고자 한 것이다. 의자왕이 성충이나 흥수의 諫言을 배제하거나 제거할 수 있었던 요인도 술에 기반하고 있다. 술의 힘을 빌어 단호하게 政敵들을 제거할 수 있었다. 의자왕은 신라와 당의 침공 가능성에 대한 대비라는 피곤한 현실에서 벗어나고자 했다. 그 자신은 신라와 당의 연합 침공 가능성을 희박하게 보았다. 그럼에도 경고의 비상 나팔을 불러대자 짜증을 느끼게 된 것이다. 의자왕이 현실을 잊거나 벗어나기 위한 탈출구로서 술을 이용한 측면도 배제하기 어렵다.

술이 들어가서 홍겨운 잔치 속에서 자신의 딸을 국왕과 태자에게 선을 보임으로써 간택받도록 했다. 김유신이 의도적으로 김춘추에 접근하여 자신의 집으로 불러들인 후 술상을 차린 후 여동생을 접근시켰다. 술판이 무르 익어 기분이 고조되었을 때 접근시켜서 눈에 들게 한 사례가 된다.

흉금을 털어 놓기 위한 촉매제로 술이 기능하였다. 상대방의 인품이나 됨됨이를 파악하기 위한 수단으로서 술을 나누는 경우가 보인다. 경문왕이 왕의 사위가 되는 경우가 著例가 된다. 김유신이 어려운 상황을 뚫기 위해 용약 적진에 돌진할 수 있는 勇士로서 비녕자의 마음을 움직이게 한 것도 다름 아닌 술이었다. 경순왕은 경주에 온 왕건과 대작하며 흉금을 열어 놓았다. 비록 진훤이 옹립한 경순왕이었지만, 對酌 과정에서 서로간의 진정성과 신뢰관계가 구축되었다. 그러한 선상에서 천년 사직에 대한 이양으로까지 이어진 것이다.

어떤 의도를 지니고 접근할 때 양자 간의 격의를 허물어 주는 수단이 술이었다. 정략적으로 술을 뇌물로 이용한 경우가 포착된다. 가령 고구려 대무신왕대에 침공해 온 漢軍을 퇴군시키는 기제로써 旨酒라고 하는 맛 있는 술이 이용되었다. 그리고 "먹은 물이 다르다"는 속담이 연상되는 사례가 있다. 즉 청포 300步를 뇌물로 받은 고구려 보장왕의 총신 선도해가 옥중의 김춘추를 데리고 나와 술상을 차려서 대접했다. 그러면서 토끼의 肝 이야기를 빌어 자신의 의중을 넌지시 흘리고 있다. 술을 매개로 경계심을 늦추게 한 후 자신의 본심을 전달한 것이다.

술은 인간과 인간을 연결시켜주는 촉매제 역할을 한다. 잔치의 기본 소재가 술이기도 하다. 마음 먹은 대상이나 정적을 유인하는 수단으로 술은 지극히 자연스러운 소재였다. 더욱이 상대를 만취하게 한 다음 자신의 의도대로 마무리하는 경우가 보였다. 연개소문의 정변이야 말로 술을 매개로 한 잔치를 가장 효과적으로 극대화시킨 사례였다. 이와는 반대로 상대방이 만취한 사실을 알고 기습에 성공한 경우도 있다. 거짓 항복한 염장에 의한 장보고의 피살이 되겠다. 대작을 통한 신뢰감을 역이용한 사례로 기록된다.

한국 고대사회에서 술은 제의의 필수품이라는 종교적 소재인 동시에, 사교와 향락의 수단뿐 아니라 정치적 의도를 지니고 다방면에서 이용되었다.[455)]

455_ 李道學, 「한국 고대사회에서 술의 기능」『東아시아古代學』 44, 2016, 9~37쪽.

제9장

통일신라와 발해

제1절 통일신라

1. 집권국가 확장기(654~809: 태종 무열왕~애장왕)

1) 시대구분으로서의 '中代'

'통일신라' 용어는 현재 일반적으로 통용되고 있지만, 신라인 스스로 "삼한을 합쳐서 1家를 이루었다"고 했으므로, 그것을 존중하여 표기한다. 신라인들의 인식 속에서는 더 이상 백제와 고구려는 존재하지 않았다. 신라인들은 '통일'을 악몽 같았던 백제와 고구려의 위협에서 영원히 해방된 일대 역사적 전환점으로 삼고자 했다. 또 그렇게 믿고자 하였다. 물론 일본은 백제를 존치시킨다는 차원에서 자국으로 망명해 온 의자왕의 후손들에게 百濟王氏 姓을 내려주었다. 당의 경우도 건안고성을 거점으로 遼東에서 재건시켜 준 백제를 '內臣之番'으로 간주하였다. 당은 또 고구려 보장왕을 수반으로 한 그 유민들의 정권을 요동에 세워주었다. 신라인들이 주장하는 삼한 즉 삼국을 합쳐서 한 집안을 만들었다는 인식과는 달리, 일본과 당은 명목상이지만 백제와 고구려를 부활시켜 주었다. 물론 外蕃이 아닌 內番(蕃)의 형식이었다. 그 저의에는 신라인들의 통일 의식을 희석시키고, 견제하기 위한 차원에서 나왔다. 즉 신라의 '통합'을 인정하지 않으려는 데 있었다.

태종 무열왕과 문무왕 2대에 걸친 통일전쟁(660~676년)은 처절하기 이를 데 없었고, 곡절도 많았다. 이 기간에 신라는 백제·왜·탐라·고구려·당 총 5개 국과 격돌해서 최종 승자가 되었다. 천문학적 戰費가 소요되는 전쟁 기간임에도 불구하고, 665년에 문무왕은 오히려 면포 1필의 길이를 80척에서 42척으로 줄여 수취의 부담을 줄여주었다.[1] 그리고 백성을 수고롭게 하지 않으려고 자신의 시신은 화장하여 散骨하게 했다. 문무왕은 遺詔에서 "중앙과 지방민들에게 균등하게 벼슬에 통하게

1_ 이우태, 「한국고대의 척도」『태동고전연구』 1, 1984, 13쪽.

했다"고 자부하였다. 지방민들이 받았던 外位가 京位로 통합되어 지위가 향상되었음을 뜻한다.

신라의 2국 병합과 당군 축출을 계기로 外侵을 받지 않는 유례없는 평화의 시대가 열렸다. 전쟁의 종식은 수백년 간 신라 사회를 내리눌러 왔던 공포와 긴장감을 일거에 날려버렸다. 그와 맞물려 전시체제 국가는 사실상 종언을 告하였다. 이는 한국사상 일종의 계엄시대, 계엄체제의 종식을 뜻했다. 지방장관은 군정관에서 민정관으로 그 성격이 교체되었다. 그리고 왕권은 제도적으로 안정 기조를 확보하였다. 왕권의 초월적이고도 종교적인 이미지는 유교 이데올로기를 바탕으로 한 실무적인 군왕의 면모로 바뀌게 되었다. 682년(신문왕 2)에 國學이 설치되었고,[2] 686년(신문왕 6)에 唐에 사신을 보내어 『禮記』와 文章에 관한 책을 요청했다.[3] 719년(성덕왕 16)에는 당으로부터 孔子와 十哲 72弟子의 圖像을 가져왔다.[4]

이러한 사실들은 신라가 이 때 제도적으로 유교국가로 완전하게 출발하게 되었음을 뜻한다.[5] 그리고 上代 사회의 유이민 파동이나 이탈과 같은 인구 변동이 사라지고 역시 인구 안정이 이루어졌다. 이 것과 맞물려 영토의 가변성에서 정형성을 얻게 되었다. 당으로부터 공인받은 대동강에서 원산만에 이르는 영역이 그것을 말한다. 아울러 사회경제적으로 엄청난 변화를 초래한 그 비중의 막중함으로 인해 시대 구분의 기준점이 될 수도 있다.

2) 金欽突 난에 대한 해석

중대의 개막과 더불어 전제왕권 확립의 계기를 마련해 준 사건으로 신문왕이 즉위한 직후에 발생한 김흠돌의 반란을 지목한다. 이 난을 진압한 후에 신문왕은 숙청 작업을 통해 강력한 전제왕권을 확립했다는 것이다.[6] 그러한 정치적 의미에서 볼 때 중대의 起點은 무열왕과 문무왕대를 지난 신문왕대로 지목할 수 있다. 따라서 이러한 중대를 '전제왕권이 확립된 시기'로 규정해 왔다. 일반적으로 전제왕권이나 전제권력은 지배자가 국가의 모든 권력을 장악하여 아무런 제한이나 구속없이 마음대로 권력을 운용하는 정치체제를 말한다. 즉 정치 권력의 통제없는 권력의 집중적 행사를 의미한

2_ 『三國史記』 권8, 神文王 2년 조.
3_ 『三國史記』 권8, 神文王 6년 조.
4_ 『三國史記』 권8, 聖德王 6년 조.
5_ 李鍾旭, 『신라의 역사 2』, 김영사, 2002, 110~111쪽.
6_ 李基白·李基東, 『한국사-고대편』, 一潮閣, 1982, 309쪽.

다.[7] 견제받지 않는 통치권의 행사를 가리키는 것이다. 그러나 신문왕 이후의 연이은 모반 사건 등을 놓고 볼 때 중대 왕권 역시 절대 권력을 구축했다기보다는 귀족 세력과의 타협 속에서 존재했음을 알려준다.[8] 진골귀족 세력의 반발과 慶永의 난과 같은 반란, 빈번해진 왕비의 出宮과 국왕의 再婚, 兵部令 등 무력적 기반을 가진 진골세력에 의해 국왕의 혼인이 좌우되기까지 했다.[9]

이에 관한 보다 결정적인 자료는 명색이 전제왕권을 확립했다는 신문왕이 기존의 왕도를 버리고 달구벌로 천도하려고 했지만 이행하지 못했다는 것이다. 물론 왕권의 한계보다는 다른 이유로 인해 달구벌 천도를 단행하지 않았을 가능성도 있다. 그러나 그것이 기록에 남겨진 것을 볼 때 단순한 구상 정도에 그치지는 않았던 것 같다. 실제 천도를 단행하려고 준비까지 했으나 귀족 세력의 반대로 이행하지 못했다는 게 정황상 타당하다.

권력에 대한 가장 기초적인 정의는 "모든 일을 가능케 하는 역량"으로 운위되고 있다. "권력이란 사회 관계 내에서 피지배자의 저항에도 불구하고 자신의 의지를 실행하는 위치에 있게 될 가능성이다"[10]라는 막스 베버(Max Weber)의 주장을 상기하지 않을 수 없다. 베버는 사람들의 저항에도 불구하고 자신의 의지를 수행할 수 있을 때 그가 권력을 소유한 것이라고 정의하였다. 그럼으로써 권력의 개념이 어떻게 사회 상황에 적용되는 가를 명백히 해 주었다. 고구려 장수왕이나 백제 성왕과는 달리 신문왕의 달구벌 천도 계획은 부인할 수 없는 실패로 돌아갔다.[11] 신문왕은 자신의 의지를 관철시키지 못한 것이다. 그러므로 이제는 다른 각도에서 中代 왕권이 지닌 의미를 살피는 게 좋을 것 같다.

그러면 이 문제를 원점에서 다시 검토해 보기로 한다. 신문왕의 즉위와 김흠돌의 난은 문무왕의 사망과 연계되어 있으므로 먼저 다음과 같은 문무왕의 遺詔를 언급하지 않을 수 없다.

> 太子는 일찍이 賢德을 쌓고 오래 동안 東宮位에 居하였으나 위로는 여러 宰相으로부터 아래로는 뭇 官員에 이르기까지 送往의 義를 어기지 말며, 事居의 禮를 잃지 말라. 宗廟社稷의 主는 잠시도 비워서는 아니되므로 太子는 곧 柩 앞에서 王位를 계승하여라.… 臨終 후 10일에는 곧 庫門 外庭

7_ 金雲泰,『政治學原論』, 博英社, 1997, 300쪽.
8_ 李泳鎬,「新羅 中代의 成立과 展開」『慶北史學』23, 2000, 283~288쪽.
9_ 李泳鎬,「新羅의 王權과 貴族社會」『新羅文化』22, 2003, 47~91쪽.
10_ 조나단 하스 著 · 崔夢龍 譯,『원시국가의 진화』, 민음사, 1989, 194~195쪽.
11_ 이 문제에 대해서는 李泳鎬,「新羅의 遷都 문제」『韓國古代史研究』36, 2004, 65~112쪽을 참고하기 바란다.

에서 西國의 式에 의해 불로 燒葬할 것이다.[12]

위의 유조에서 즉시 왕위를 계승하라고 했다. 이것을 가리켜 통일 직후의 불안 내지는 위기 의식의 반영으로 간주하고 있다.[13] 신문왕은 즉위하자마자 첫 任免權 행사로서 상대등을 軍官에서 眞福으로 교체하였다.[14] 이 시점을 '八月'이라고만 하였는데, 이것에 이어진 기록은 8일에 김흠돌과 홍원·진공 등이 모반하다가 복주되었다고 했다. 그런데 시점상으로 軍官의 면직과 김흠돌 난이 서로 연결될 수도 있으므로 이것과 관련 짓기도 한다.[15] 군관은 그 달 28일에 嫡子와 더불어 자진하였다.[16] 그렇다고 할 때 김흠돌 난의 발단으로 더러 지목되기도 하는 군관은 정작 역모에는 관여 하지도 않았지만 그로부터 20일 후에야 불고지죄로 처형되었다는 게 된다. 정황상으로 볼 때 군관의 면직은 김흠돌 난과는 직접 관련이 없음을 알 수 있다.[17] 그러므로 상대등 교체가 적어도 김흠돌 난의 원인은 아니라는 지적은[18] 일리가 있어 보인다. 이와 관련해 김흠돌 난을 진압한 후 신문왕이 내린 교서의 내용은 다음과 같다.

… 寡人이 조그만 몸과 엷은 德을 가지고 큰 基業을 承守하여, 食事도 폐하고 잊으면서 또 일찍 일어나고 늦게 자면서 股肱의 臣과 더불어 邦家를 편안하게 하려는 바인데, 喪服中에 亂이 서울에서 일어날 줄을 누가 생각하였으랴? 賊魁인 欽突·興元·眞功 등은 그 벼슬이 재능으로 높아진 것도 아니고 실상은 王恩으로 올라간 것이지만, 능히 始終을 삼가거나 富貴를 보전하지 못하고 이에 不仁·不義로 威福을 만들고 官僚를 侮慢하고 上下를 속이어 매일 그 無厭의 뜻을 나타내고 暴虐한 마음을 드러내어 凶邪한 자를 불러 들이고 近竪와 交結하여 禍가 內外에 통하고, 같은 惡人들이 서로 도와 期日을 約定한 후 亂逆을 행하려 하였다. 寡人이 위로 天地의 도움을 입고 아래로는 宗廟의 靈助를 받아 惡이 쌓이고 罪가 가득 찬 欽突 등의 꾀가 發露되니 이는 곧 人·神이 함

12_ 『三國史記』 권7, 문무왕 21년 조.
13_ 李泳鎬, 「新羅 中代의 成立과 展開」『慶北史學』 23, 2000, 283쪽.
14_ 『三國史記』 권8, 신문왕 원년 조.
15_ 軍官과 김흠돌이 연결된 세력이라는 주장은 다음을 참고하기 바란다. 金壽泰, 『新羅中代政治史研究』, 一潮閣, 1996, 12쪽.
16_ 『三國史記』 권8, 신문왕 원년 조.
17_ 朴海鉉, 『新羅中代政治史研究』, 국학자료원, 2003, 45쪽.
18_ 崔弘昭, 「神文王代 金欽突亂의 再檢討」『大丘史學』 58, 1999, 29~66쪽.

께 버린 것이요, 天地에 용납받지 못하게 된 것이다. 正義를 犯하고 美風을 傷하게 함에 있어서 이 보다 더 심한 것은 없었다. 그러므로 兵衆을 모아 그 梟獍과 같은 나쁜 놈들을 없애려하는데, 혹은 山谷으로 도망가고 혹은 闕庭에 歸降하였다. 그러나 그 枝葉을 探索하여 죄다 誅滅하고 3~4일 동안에 罪囚가 탕진함은 이 마지 못할 일이었고 士人을 驚動시켰으나 憂愧한 마음은 어찌 朝夕으로 잊을 수 있으랴. 지금은 이미 그 妖徒가 廓淸되어 遠近에 虞患이 없으니 召集하였던 兵馬는 속히 돌아가게 하고 四方에 布告하여 이 뜻을 알게 하라.[19]

김흠돌 난의 배경에 관해서는 여러 견해가 제기되었지만 불투명하기 이를 데 없다. 비록 김흠돌의 딸이 아들을 낳지 못했다고 하자. 그렇더라도 딸이 妃로 있는 상황에서 김흠돌이 반란을 일으켰다는 것도 석연찮은 동시에 미심쩍은 구석마저 있다.[20] 이와 관련해 신문왕의 즉위가 오랜 기간에 걸친 통일 사업을 마무리한 문무왕의 사망과 연계되어 있다는 사실을 상기하지 않을 수 없다. 앞서 문무왕의 유조를 통해 통일 직후의 불안 내지는 위기 의식이 포착되었음을 언급한 바 있다. 그렇다고 할 때 신문왕 즉위 직후에 단행된 상대등 교체와 김흠돌 세력의 제거는 그러한 선상에서 생각해 볼 수 있지 않을까 싶다. 반란을 빌미로 한 신문왕의 숙청 행위는 "그 枝葉을 探索하여 죄다 誅滅하고 3~4일 동안에 罪囚가 탕진함은"라고 했을 정도로 무자비할 정도의 잔혹한 면을 보이고 있다. 따라서 그 진압은 자연 과잉 반응을 떠 올리게 된다. 그것은 이 시점이 통일전쟁 과정에서의 뒷처리가 마무리되고, 바야흐로 평화시대로 접어드는 상황인 만큼 더욱 그러한 느낌이 드는 것이다. 이러한 현상의 원인과 관련해 일종의 '전쟁 피로증'을 연상하지 않을 수 없다. '戰爭 疲勞(Combat fatigue)'는 일반적으로 전쟁 중에 받은 스트레스로 인해 일어나는 신경증적 장애나 불안한 감정과 관련이 있다고 한다. 그러므로 어떤 자극에 대해 과민 반응을 보여 무의식적으로 몸을 움찔하거나 펄쩍 뛰는 것과 같은 과잉 방어 행동을 나타내며 쉽게 자극받아 폭력을 사용하기도 한다는 것이다.

19_ 『三國史記』 권8, 神文王 원년 조.

20_ 김흠돌 난의 성격을 김흠돌 女의 無子와 결부짓는 견해가 많다. 그런데 신문왕은 김흠돌 女를 出宮시킨 후로부터 2년이나 지난 683년에야 김흠운의 女와 결혼하고 있다. 이같은 왕비의 공백은 선뜻 이해되지 않는다. 김흠운은 655년에 戰死했다. 그러므로 그가 전사하는 해에 女를 낳았다고 하더라도 683년에 그 女는 29세의 늙은 여자가 된다. 이 연령은 당시로서는 몹시 많은 연령인 동시에 아이를 출산하기에는 부담이 되는 연령임은 부인할 수 없다. 그럼에도 굳이 신문왕이 父도 존재하지 않은 김흠운의 女를 그것도 엄청난 量의 婚需 기록을 남기면서까지 妃로 맞이한 배경은 정치 논리로만은 설명하기 어렵지 않을까 싶다. 어쩌면 私的인 다른 요인이 도사리고 있었을 가능성도 배제하기 어렵다고 본다.

신문왕의 김흠돌 세력 제거는 이른바 전제왕권의 구축이라는 전제 하에서 단행되었다기 보다는 장기간에 걸친 통일전쟁으로 인한 사회적 피로감의 표출로 간주할 수 있는 측면이 없지 않다. 통일전쟁에 참여했던 신문왕을 비롯한 김흠돌과 같은 진골 세력이 共有하고 있었을 사회적 전쟁피로 현상의 폭발이었을 가능성이 높다. 그러니까 양자 간의 충돌에는 왕권의 정책 방향이 새롭게 설정된다거나 그에 저항해서 모반을 획책했다고 보기에는 계기성이 너무나 부족하기 때문이다. 문무왕의 사망과 장례, 그리고 신문왕의 즉위라는 것은 이미 지적되고 있듯이 1개월 안팎이라는 매우 짧은 기간에 모두 이루어졌다. 그런 만큼 양자 간의 성격을 파악하고 이해가 부닥치기에는 너무나 짧은 기간이라는 것이다. 게다가 軍官은 김흠돌 세력의 모반에 관여하지도 않았다. 그러므로 군관을 면직시킨 신문왕이나 그에 연동한 김흠돌 세력의 반응은 "어떤 자극에 대해 과민 반응을 보여 무의식적으로 몸을 움찔하거나 펄쩍 뛰는 것과 같은 과잉 방어 행동을 나타내며 쉽게 자극받아 폭력을 사용하기도 한다"라는 전쟁피로 증세와 딱 들어맞을 수 있다.

결과적으로 이것은 중대 왕권이 어느 정도 안정되는 계기가 되었다고 말해지고 있지만 구조적으로는 왕권을 뒷받침하지는 못했다는 한계를 지니고 있었다. 그런 관계로 중대 정권 기간 내에서는 上代 때와 마찬 가지로 여전히 모반 사건이 발생하였다. 또 이미 지적되고 있듯이 왕권은 귀족 세력과 타협하는 모습을 보이게 되었던 것이다.

上代의 정복전쟁이 첨예화하는 4세기대 중반 이후부터 왕권이 강화되어 나갔다. 그것이 한 층 가열한 양상을 띤 6세기대부터는 불안정한 정국 속에서 오히려 왕권의 안정과 强化가 촉진되었다. 왕권의 존립은 물론이고 국가 자체의 생존 여부와 직결될 뿐 아니라 승리라는 공동의 목표를 지향하는 전쟁을 끊임없이 치르면서 지배세력 간에는 자연스럽게 운명 공동체 의식이 공유되었기 때문이다. 군사령관으서의 위상을 확보하고 있던 국왕의 戰死에서 알 수 있듯이 전쟁의 승패는 왕권과 직결되어 있었다.

그런데 수백년 간 지속된 이러한 동란을 매듭짓고 통일을 달성함으로써 중대 왕실은 최대의 유공자이자 수혜자가 되었다. 자연 권위가 붙게 되는 중대의 왕권은 강화될 수밖에 없었다. 그런데다가 전리품이라고 할 수 있는 넓어진 토지와 노비의 分給은 진골귀족들에게 일련의 크나 큰 성취감을 맛보게 하였다. 또 이것이 지배체제의 안정을 가져 온 직접적인 요인이 되었다. 중대 왕권 안정의 근본적인 기조는 여기에 근거한 것이었다. 그러나 지배층의 증가로 인해 경제적 효험이 소진된 8세기 중엽 이후에는 진골귀족 간의 갈등이 촉발되었고, 下代의 개막과 더불어 왕위계승전으로 표출되었다고 볼 수 있다.

이 무렵 신라는 석굴암이나 불국사 창건 등에서 볼 수 있듯이 괄목할만한 조형미술의 발전을 가져왔다. 신라와 경주의 위상을 알려주는 문장이 있기에 인용해 본다.

> 唐人의 전설에 의하면 어떤 唐商은 신라로부터 辟塵巾 辟塵針을 얻었는데 巾은 馳馬의 꼬리에 달면 그 주위에 黃塵을 辟除할 수 있고, 針은 보통 手巾에 꽂아 馬尾에 달면 또한 塵埃를 피할 수 있다고 한다. 이 황당한 珍寶傳說은 신라의 商工品이 당에서 높이 평가되었던 것과 신라와의 교역이 거대한 이익을 齎來한다는 것과, 당상의 신라 왕래를 의미하는 것이다. 육로와 황해를 통하여 나·당 간의 사람과 物貨와 문화의 교류가 이다지 빈번하였으므로 신라의 수도 경주가 小長安化하고 신라의 귀족·소시민사회가 小唐化하였을 것을 추측할 수 있으니, 과연 경주는 6部 55里 1360坊(一作 360坊) 17만 8936호 약 8·9십만 인구의 대도시로 되었다. 약 130호(혹은 약 500호)로써 1坊을 형성하고, 25방(혹은 6방)許로써 1里를 이루었던 모양이다. 이것은 9세기 말의 상태이므로 통일 이전처럼 軍事都市로서 인구가 집중된 것은 아닐 터이요 商工都市로서 발달된 것이다. 全亞細亞文化의 集散地인 長安이 겨우 30만호이어늘 경주는 이에 육박하여 아세아 제일류의 도시를 이루었다. 국제적 商工貿易의 殷盛을 제외하고 우리는 이러한 도시발달을 상상할 수 없다. 장안이 黃金熱病의 도시면 경주도 또한 그러하였다.
>
> 경주는 지배귀족계급과 그들의 門客·私兵·僧侶·상공소시민·商工富豪·職工·기술자·노동자·技藝人·遊女 등으로 충만하였을 것이다. 그들의 생활은 극히 호화 사치 타락하였을 것이나, 기록은 이것을 구체적으로 전하지 않는다. 오직 삼국사기와 삼국유사의 전하는 바를 보면 경주는 39의 金入宅(大富豪)이 있어 김유신가도 그 하나이었으며, 말년에 가까운 9세기 말에는 城中에 一棟의 草屋도 없이 瓦家가 연접하였고 시민은 요리에 薪木으로 불을 때지 않고 木炭을 사용하였고, 宴樂 유흥의 歌吹聲이 晝夜로 그치지 아니하였다 한다. 화려한 궁전과 광대한 佛刹이며 부호의 대저택이 처처에 數多히 林立하였다. 이것이 경주의 外貌이었다.[21]

비록 9세기 말까지의 경주의 상황을 반영하고 있지만 8세기대부터 이러한 모양을 갖추어갔을 것

21_ 孫晉泰, 『朝鮮民族史槪論(上)』, 乙酉文化社, 1948, 195~196쪽.

이다. 당의 수도 장안과 견줄정도의 위상을 갖추었던 동아시아 대도시 경주의 면면이었다. 그럼에도 어떤 문헌에서도 소개하지 않았기에 인용해 보았다. 통일신라의 위상에 대해서는 다음의 글도 주목을 요한다.

> 신라는 참된 의미에서 국제적인 국가였다. 많은 지식인과 상인들이 중국을 중심으로 한 동아시아 세계에서 활약했다. 최치원과 같이 중국의 과거에 합격하여 국제적으로 활약한 지식인들이 많았다. 또 佛僧들도 중국에서 활약한 사람들이 많았다. 또 元曉와 같이 신라에서 나오지는 않았지만 그 著作은 중국과 일본으로 건너가 높은 평가를 받은 불승도 있었다. 상인들은 한반도에서 나와 중국에 거점을 가지고 활약했다. '국제적인 것'의 의미를 이 시대의 일본과 신라와의 차이점에서 고찰하는 것도 가능할 것이다. 일본은 신라와 비교하여 압도적으로 비국제적이었다. 물론 '奈良은 실크로드의 종착점'이라고 하는 인식은 옳고, 중국과 한반도와의 교류도 왕성했다. 하지만 신라와 같이 중국과의 거리적·심리적인 근접성은, 일본에는 부족했다. 고구려와 백제가 멸망하는 과정 및 그 후에 당과의 사이에서 정치적인 긴장과 대립이 있었어도, 결국은 문명적 세계관에서 신라는 중국화되었다. 이에 대하여 일본은 결국 國風化라는 방향으로 걸었다. 이 차이는 후의 일본과 한반도의 행보를 생각하는데 있어서 중요하다.[22]

통일신라의 국제성과 약동하는 에너지를 읽을 수 있는 글귀이다. 통일신라 주민들은 한반도라는 공간에서 벗어나 중국을 중심으로 한 동아시아 세계 전역에서 猛躍하였다. 그랬기에 장보고와 같은 巨商도 배출되었고, 신라 王庭에 진상된 동남아시아産 공작이 당 황실까지 보내질 수 있었다. 흔히 말하는 신라의 불완전한 통일로 인해 공간적 강역은 좁아졌다고 하지만, 활동 무대는 삼국시대보다 훨씬 광활하였다. 이슬람 상인이 찾아오는 국제국가 신라는 전쟁이 사라진 자유로운 사회 분위기 속에서 태동한 것이다. 전쟁과 갈등이라는 수백년 간에 걸친 막대한 소모전의 청산을 통해 얻은 값비싼 결과물이었다.

물론 小倉紀藏은 신라의 중국화를 짚고 넘어갔다. 그러한 면을 전면 부인할 수는 없다. 그렇지만 唐樂에 대비되는 鄕樂과 鄕歌의 존재, 향가를 집성한 『三代目』 편찬 등을 통해 신라인들이 정체성을

22_ 小倉紀藏, 『朝鮮思想全史』, 筑摩書房, 2017, 72~73쪽.

견지하려는 노력을 읽을 수 있다. 이러한 노력은 고려 태조의 「훈요십조」에서도 확인된다. 즉 "우리 동방은 옛적부터 唐風을 사모해 文物과 禮樂은 모두 그곳에서 만든 것을 좇고 있으나, 異域이라 풍토가 다르고, 인성도 각각 다르므로 반드시 진실로 같지 않아도 된다(4조)"고 했다. 그리고 八關의 준수를 당부하였다(6조). 신라인들과 마찬 가지로 태조 역시 중국화로 인한 정체성의 상실을 우려했다.

이 무렵 한산주도독 金大問에 의해 『漢山記』가 저술되었다. 『삼국사기』 편찬 때 남아 있었던 김대문의 『한산기』에 온달전이 수록되었을 것으로 보인다. 그리고 都彌傳과 道琳 이야기도 『한산기』가 原所典일 것으로 추정되었다. 온달전의 집필자와 집필 시기에 대한 검증을 할 수 있다. 지금까지는 고려 중기의 빼어난 문장가인 김부식이 『삼국사기』 편찬 때 온달전을 지은 것으로 추측하는 경향이 많았다. 그런데 온달전에 등장하는 '後周(951~960)'가 해결의 실마리가 된다. 역사적으로 周 왕조는 기원 이전의 周와 北周(557~581) 그리고 後周의 3개 왕조였다. 온달전의 後周는 고구려가 시대적 배경이므로 北周를 가리킨다. 김부식이 온달전을 저술했다면, 이 때는 後周가 등장한 이후였다. 그렇다면 온달전의 後周는 北周로 표기했어야 마땅하다. 그러나 온달전에는 前·後 2개의 周 밖에 없었던 시기의 北周를 가리키는 '後周'로 표기했다. 이 사실은 온달전의 저술 시점이 고려 이전임을 반증한다.

이와 관련해 『삼국사기』 제사지에 보이는 낙랑 언덕 사냥 기사의 출전이 온달전으로 구명된다. 『삼국사기』 제사지에 수록된 사냥 관련 기사의 출전은 「新羅古記」였다. 그렇다면 온달전=新羅古記라는 등식이 성립된다. 두 말할 나위 없이 「新羅古記」는 신라 때 편찬된 서적을 가리킨다. 게다가 온달전의 고구려 왕호 표기는 平原王이 아니었다. 『삼국사기』 割註에 적힌 古形 왕호인 '平岡王'이었다. 후자는 『삼국사기』 이전에 편찬된 『구삼국사』에 앞서는 표기였다. 온달전이 고려 이전의 저술임을 다시금 확인해 주었다.[23)]

『삼국사기』에 수록된 소설문 형식의 도미전과 고구려 간첩승 도림 이야기 역시 『한산기』를 출전으로 추정할 수 있었다. 이와 관련해 '愚溫達'의 '愚' 모티브가 도미 부인이나 간첩승 도림에게 속은 개로왕 이야기와도 상통한다. 물론 온달전에서는 모두의 '愚' 이미지가 후반부에서 전변되고 있다. 어쨌든 '愚'는 『한산기』를 관류하는 중요한 모티브였다. 게다가 『삼국사기』에 逸文만 전하는 "賢佐忠臣 從此而秀 良將勇卒 由是而生"라는 김대문의 美文은 名文인 온달전의 문체와 무관하지 않아 보였다.

23_ 李道學, 「『三國史記』 온달전의 出典 摸索」 『東아시아古代學』 45, 2017, 9~38쪽.

온달전의 메시지는 종결부에서 大尾를 장식한 한수유역 회복 문제였다. 이 메시지는 통일신라 한산주의 정체성이 고구려임을 알리는 데 있었다. 그렇기 때문에 이곳을 탈환하기 위해 출정했다가 도중에 온달이 전사한 아단성의 위치가 훗날의 溟州인지 漢山州인지 여부는 본질이 아니었다.

『한산기』는 고구려가 한산주를 지배하는 5세기 후반부터 시간적 대상이었다. 백제 개로왕은 한산주가 고구려의 소유가 되는 실마리 제공자였기에 등장한 것이다. 개로왕은 어디까지나 『한산기』의 객체에 불과했다. 신라인들은 6세기 중엽 이래 자국이 통치하는 한산주의 정체성을 고구려에서 찾았다. 한산주의 연원을 『삼국사기』 지리지에서 백제가 아니라 고구려에서 찾은 데서도 알 수 있다. 사실 신라는 백제가 아니라 고구려를 축출하고 한수유역을 지배한 것으로 인식했다. 이렇듯 고구려 영역에서 출발한 한산주의 정체성을 확인해 주는 글이 온달전이었다.[24)]

『삼국사기』에는 고구려 무장 온달 외에 계백의 전기도 수록되어 있다. 신라인들은 계백의 용전도 높게 평가하여 기록을 남긴 듯하다. 이러한 분위기에서 김대문은 『화랑세기』를 저술하여 숱한 화랑들이나 고구려 무장 온달을 통해 삼국기 신라인들의 강건한 정신세계를 환기하고자 한 것 같다. 자신들의 정체성을 확인하는 한편, 자신들을 위협했던 고구려나 백제의 장군들을 통해 사회적 각성과 긴장감을 촉구하려고 한 듯하다. 김대문은 도미 아내 이야기에 개로왕을 등장시켜 警戒를 삼고자 한 것이다.

24_ 李道學, 「『三國史記』 溫達傳의 出典 摸索」 『東아시아古代學』 45, 2017, 9~38쪽.

2. 왕족 분열기(809~887: 애장왕~정강왕)

국가권력이 쇠퇴해 간 반면 지방의 호족세력이 꾸준히 성장한 시기였다. 780년에 무열왕 계통의 마지막 군주였던 혜공왕을 타도한 진골 귀족세력들의 자립성이 높아졌다. 그런데다가 雪上加霜으로 809년에 애장왕의 피살 이후 근친왕족들 사이에서 왕위계승 쟁탈전이 벌어져 국가권력은 현저히 약화되었다. 골육상쟁으로 인해 지방 군벌인 장보고가 틈새를 비집고 중앙 정치 무대에 영향력을 행사할 수 있었다. 그리고 골품제적인 정치·사회 질서가 무너져 가고 있었다.

幢停과 같은 군사체제의 전면적인 붕괴를 가져왔다. 신라는 국토의 변경 要地에 軍鎭을 설치했었다. 패강진(평산? 평양?)·혈구진(강화도)·당성진(화성)·청해진(완도) 등이 대표적이다. 李瀷은 백제와 고구려의 교전장인 패수를 평산부의 猪灘으로 지목했다. 이러한 맥락에서 패강진 소재지를 평산 동남쪽 猪灘으로 지목하였다. 이괄의 난 때도 저탄에서 전투가 치러졌을 정도로 전략적 요지였다. 그러나 927년에 후백제 진훤 왕이 왕건에게 보낸 檄文에 보면 "나의 기약하는 바는 평양 문루에 활을 걸어두고, 패강에 말의 목을 축이는 데 있다"고 호언했다. 신라 말에도 대동강을 패강이라고 했다. 따라서 패강진이 대동강유역에 설치되었을 가능성도 상존한다. 그리고 혈구진이 설치된 강화도의 옥림리에서는 신라토기 폐기장이 확인되었다. 이를 신라 군사 방어 시설과 연관 지어 해석하고 있다.

그런데 신라를 지탱해주던 군진들이 호족의 수중에 떨어졌다. 이로 인해 중앙정부의 통제력은 더욱 약화되었기에 수취체계의 붕괴를 유발했다. 당시 농민들은 지방의 호족과 중앙정부에 이중으로 부담하는 조세와 力役 징발로 流民이 되거나 귀족들의 私兵이나 노비로 전락하게 되었다. 신라 중앙정부는 통치력의 한계에 직면하였다.

그림 48 | 민애대왕 석탑사리호(보물 741호). 이 무렵 왕족 간의 갈등과 분열상을 담고 있는 유물이다.

이러한 국가 권력의 쇠퇴에 결정적인 역할을 한 것이 822년(헌덕왕 14) 웅천주 도독 김헌창이 자신의 아버지인 김주원이 왕이 되지 못한 것을 이유로 반란을 일으켰다. 국호를 長安, 연호를 慶雲이라 하였다. 김헌창은 무진주·완산주·청주·사벌주의 4주의 도독과 국원경과 서원경 및 금관경의 3소경의 仕臣과 여러 군현의 수령들을 장악한 상황이었다. 신라 조정은 김헌창의 반란을 힘겹게 진압했다. 그러나 이 사건은 신라의 해체를 알리는 전주곡이었다.

3. 국토의 대분열기(887~935: 진성여왕~경순왕)

1) 소멸되는 국가

진성여왕이 즉위한 지 3년째 되던 889년에 농민봉기가 일어나 곧바로 전국적으로 파급이 되었다. 즉 "나라 안의 여러 州郡에서 貢賦를 나르지 않으니 府庫가 비어버리고 나라의 쓰임이 궁핍해졌다. 왕이 사자를 보내 독촉하였지만 이로 말미암아 곳곳에서 도적이 벌떼같이 일어났다"고 하였다. 조세독촉을 계기로 신라는 전국적인 內亂狀態에 빠졌다. 우리나라 역사상 공식적으로 확인된 최초의 조세저항이었다. 이 사건은 888년 5월에 가뭄이 든 일과[25] 무관하지 않다. 가뭄으로 인해 흉년이 들자 이듬 해인 889년에 租賦가 걷히기 어려웠다.

농민봉기를 기폭제로 한 내전의 참혹상은 최치원과 승려 僧訓이 각각 지은 다음의「海印寺妙吉祥塔記」와「五臺山寺吉祥塔記」에서 보듯이 비참했다.

* … 惡 중의 惡이 없는 곳이 없었고, 굶주려 죽거나 전쟁터에서 죽은 시체는, 들판에 별처럼 늘어졌다.
* … 하늘과 땅은 온통 흐리고 어지러워져, 들판은 전쟁터가 되니, 사람들은 일이 되어가는 추세를 잊어버리고, 행동은 짐승을 닮았다. 나라는 기울고 무너짐이 드리웠다.

위의 기사는 889~895년까지의 사정을 배경으로 했다. 도적떼에 관한 기록은 788년 · 815년 · 819년 · 832년에 보인다. 가령 "크게 흉년이 들었다. 도적이 벌떼처럼 일어나니 군사를 내어서 이들을 토벌하여 평정시켰다"라고 했을 정도이다. 현저히 증가한 도적들의 횡행은 소작농이나 그보다 못한 농민들이 주로 지주층에 대해 적대감과 저항감을 노출시킨 결과였다. 이들은 지도자를 중심으로 조직을 정비하였다. 나아가 자신들의 행위를 체계적으로 합리화 · 정당화했다. 그러다 보면 자연히 정치적인 성격을 띠게 마련이었다. 정치적으로 그들은 반정부적이요 반신라적인 태도를 가장 쉽게 가질 수 있는 부류의 사람들이 되어 갔다. 앞에서 인용한 최치원의 글과 관련해 조선 후기의 유사한 상

25_ 『三國史記』 권11, 진성왕 2년 조. "夏五月 旱"

황을 소개해 본다.

> 한 길의 눈이 내림. 大抵 일찍이 없었던 일이다. 흉년이 들어 농사가 결딴나고, 큰 흉년이 든 해에 또 큰 눈까지 만나, 도로와 도랑에는 굶어죽은 시체들이 서로 이어지고, 얼어죽은 시체가 끊이지 않았다. 인심이 점점 사나워졌는데, 어떻게 변통할 길이 없었다. 당시 사대부의 딸들조차 집을 떠나 흩어져 정처 없이 헤메어, 떠도는 이가 얼마나 되는지도 알 수 없었다.[26]

위의 인용은 1833년 12월에 문경에서 목격한 처참한 상황이다. 이로부터 대략 1세대 후인 1862년에 전국적인 민란이 일어나게 된다. 문경에서는 '큰 흉년이 든 해에 또 큰 눈까지 만나' 아사자들이 지천으로 깔려 있었다. 심지어 사대부의 딸들마저 광야를 방황하는 비참한 현실이었다. 그럼에도 민심이 국가 권력을 원망하거나 저항을 한 조짐도 없다. 신라 말의 경우와 비교하면 현저한 차이가 난다. 1833년의 경우는 餓死 지역의 局地性으로 인해 천재지변 탓으로 돌릴 수 있었다. 신라 말의 경우는 이전부터 내려왔던 流民과 그들의 도적화로 인한 兵亂과 흉년이 가세한 전국적인 상황이었다. 이러한 상황의 기폭제가 된 것은 조세저항에서 비롯한 상주 지역 원종과 애노의 난을 이은 전국적인 농민 봉기였다. 정부군과 농민군의 격돌이 시작된 것이다.

신라 조정은 벼랑 끝에 서게 되었다. 여왕은 府庫를 채우기 위해 모험을 감행했다. 894년(진성여왕 8)에 신라인들이 對馬島를 습격한 사건이다. 그런데 이 습격은 신라측의 일방적인 참패로 종결되었다. 100척의 선박에 2천 5백 명이 동승하여 쓰시마에 상륙했다. 이 중 신라인 302명이 사살되었고, 11척의 선박과 더불어 탑재했던 막대한 무기와 사치품 등을 거의 빼앗겼다.[27] 이 때 쓰시마를 습격한 주체를 신라 호족으로 지목하는 견해가 많다. 그러나 차분하게 살펴 볼 필요가 있다. 쓰시마에서 유일하게 생포된 신라인 賢春의 다음 진술을 주목해야 한다.

> 저희 나라는 해마다 곡식이 영글지 않아서, 인민들이 기근으로 괴로우며, 창고가 다 비었다. 王城도 불안하자, 드디어 왕이 명령하자 곡식과 비단을 취하기 위하여, 빠른 배를 나란히 해서 왔다.

26_ 『鑑誡錄』 癸巳 12월 7일 조.
27_ 『扶桑略記』 第22, 寬平 6년 9월 17일 조.

그러나 있는 대소 선박 100척에 乘船한 사람은 2천 5백인이었다. 사살당한 賊은 그 숫자가 몹시 많았다. 그런데 남아 있는 賊 가운데 조용하면서 민첩한 장군이 3명이 있다. 그 가운데는 大唐人이 한 명 있다.

위의 구절 가운데 "사살당한 賊은 그 숫자가 몹시 많았다"는 기록은 그 底本인 『已上日記』 필자의 소견이다. 그 전후한 기록은 현춘의 진술을 담은 게 분명하다. 894년의 시점에서 현춘의 진술은 정황상 부합한다. 즉 "해마다 곡식이 영글지 않아서, 인민들이 기근으로 괴로우며, 창고가 다 비었다"는 기사이다. 이 기사는 "5월에 가뭄이 들었다(888년)"·"나라 안의 여러 州郡에서 貢賦를 나르지 않으니 府庫가 비어버리고 나라의 쓰임이 궁핍해졌다(889년)"는 구절과 부합한다. 그리고 쓰시마 출병 동기로서 "王城도 불안하자"를 거론했다. 실제 891년에 궁예가 맹위를 떨치며 북원과 명주 관내를 습격했다. 892년에 진훤이 백제를 부활시켰다. 893년에는 당에 가던 병부시랑 김희처가 익사했다. 이로써 신라 최후의 의지처인 당에서 얻을 수 있는 정치·경제적 지원 요청은 불발로 그쳤다.

이러한 정황들은 진성여왕을 불안하게 하고도 남았다. 사면초가의 벼랑 끝에 선 신라로서는 왕명으로 "곡식과 비단을 취하기 위하여" 쓰시마 출병을 단행할 수 있었다. 게다가 동원된 대소 선박이 100척이요, 병력 숫자가 2천 5백인에 이르고 있었다. 전사한 신라군 302명 가운데 "대장군 3인, 부장군 11인"이나 되었다. 병력 규모도 클 뿐 아니라 대장군과 부장군이라는 고급 장교들로 구성된 군단임을 알 수 있다. 894년의 시점에서 100척 이상의 선박과 2천 5백명 이상의 병력을 구비한 호족이 존재했을까? 이 무렵 가장 강대한 세력가는 진훤이었다. 그러나 진훤이 쓰시마 출병을 단행할 이유도 없었고, 이 만한 선박을 구비하지도 못했다. 결국 쓰시마 출병의 주체는 막다른 골목에 처한 진성여왕의 마지막 선택이었다. 그 이듬 해인 895년 10월에 진성여왕은 조카를 태자로 책봉하여 讓位할 준비를 하였다. 쓰시마 원정 실패로 인한 진성여왕의 정치적 결단이었다.

신라가 해체되는 상황에서 群雄들이 할거하였다. 이러한 조짐을 읽을 수 있는 편린이 산성들이다. 가령 신라가 백제 영역을 접수한 후 기존 백제 성들을 재활용하게 되었다. 그러나 백제 때와는 달리 비중이 현저히 작아진 산성들이 많았다. 사비도성을 구성했던 왕궁 배후성인 부소산성도 백제 때 城 내부에 다시금 축성했다. 관리할 수 있는 만큼 성의 규모를 줄였다. 그런데 부여 가림성의 경우 기존 동쪽 성벽에 붙여 또 한 곳의 성을 새로 축조한 사실이 드러났다. 그리고 성안에 集水池까지 조성되었다. 광양의 마로산성을 비롯하여 갑자기 집수지가 조성된 산성들이 늘어났다. 9세기 말

~10세기 初, 동란의 시기를 맞아 단순한 통치거점에 불과했던 기존 산성들의 활용도가 급격히 높아졌기 때문이다. 산성에 入保하는 인원이 급증하자 성벽을 덧데어 확충하거나, 집수정을 조성하여 늘어난 인원이 거주할 수 있는 환경을 만든 것이다. 신라가 접수하여 통치 거점으로만 활용되던 산성들이 활기를 찾게 되었다. 이름하여 성주와 장군을 칭하는 시대가 열렸기 때문이다.

이러한 상황에서 신라 조정이 난국을 수습하지 못하고 있는 가운데 야심가들이 등장하여 후삼국시대가 전개되었다. 이 기간 동안 신라는 명패만 움켜쥔 채 힘겹게 버티다가 결국 국가를 넘겨주었다.

2) 사상

삼국은 불교국가였기에 숱한 高僧들을 배출했다. 그럼에도『삼국사기』에는 僧傳이 없다. 그 이유는 묘청의 난 때문으로 보인다. 김부식의 승려 트라우마를 상기하지 않고서는 생각할 수 없는 요인이다.『삼국유사』에서 승려 사적을 많이 수록한 이유는 僧傳의 遺事에 본질이 있었기 때문으로 보인다. 각훈의『해동고승전』도 동일한 맥락에서 살필 수 있을 것 같다.

통일기의 대표적 사상이자 종교로는 불교를 꼽을 수 있다. 이 중 불교의 淨土信仰은 나무아미타불만 一念으로 외면 淨土에 갈 수 있다는 신앙이다. 사회적으로 몰락해 가고 있는 실정 속에서 현세에 대한 희망을 상실하고, 현세 부정적이고 염세적인 경향을 지닌 노비라든지 良民層으로부터 호응을 받았다. 즉 현세에서 이렇다할 희망이 없는 사회적으로 몰락해 가는 계층에 정토신앙은 보급되었다. 또 극락에는 여인이 없으나 女人의 往生極樂이 가능하다고 해석했다. 이는 현세의 여인이 往生할 수 없다는 뜻이 아니고 往生하자마자 여인에서 벗어난다는 뜻이라고 元曉는 풀이했다. 원효는 모든 사람이 淨土에 往生할 수 있다는 인간평등의 입장에서 섰던 것이다.[28]

義湘에 의한 華嚴宗도 크게 보급되었다. 우주의 다양한 현상이 결국은 하나라고 하는 '華嚴一乘法界圖'의 '一中一切多中一 一卽一切多卽一'의 정신은 종전의 왕권을 중심으로 한 중앙집권적 통치체계를 뒷받침하기에 족하였다고 한다. 이러한 시각은 일본의 中村元과 鎌田茂雄의 설을 원용하여, 화엄의 圓融思想은 전제왕권을 지지하는 이념으로 간주한 것이다. 한국에서는 1970년에 金文經이 처음으로 화엄사상이 전제왕권의 이념임을 주장했다. 그 뒤 이기백에 의해 전제왕권 이념에 입각하

28_ 李基白,『新羅思想史硏究』, 一潮閣, 1986, 124~189쪽.

여 의상의 사상을 해석했다. 그러나 김상현은 '一卽多 多卽一'의 사상은 사회의 조화와 평등의 이론이었다고 반론을 제기했다.[29)]

화엄종은 왕권의 후원 속에서 성장하였고, 華嚴十刹이 창건되었다. 華嚴經은 統一國家의 상징이기도 했다. 華嚴의 가르침은 서로 대립하고 抗爭을 거듭하는 政界나 社會를 淨化시키고 또 지배층과 피지배층과의 대립도 지양시킴으로써 人心을 통일하는데 알맞았다. 즉 華嚴思想은 '一卽多 多卽一'의 圓融思想이며, 一心에 의해서 만물을 統攝하려는 것이었다. 이러한 사상은 전제왕권을 중심으로 한 중앙집권적 지배체제와 일치하는 것이며, 통일기에 지배적인 귀족사회에서 환영된 까닭도 여기에 있었다.[30)]

신라 멸망의 요인으로 거론되고 있는 佛刹의 濫設이었다. 사원에는 많은 승려들이 거처하였다. 비록 소수의 노동하는 禪僧들이 있기는 하였지만 잉여물을 비축할 수 있는 수준은 아니었다. 대다수 승려들은 求道精進에 전념하는 통에 노동을 하지 않았다. 사찰은 귀족들의 재산을 寄進 投託하여 免稅處이기도 했다. 뿐만 아니라 군복무를 하지 않은 승려들은 국가의 재정을 위태롭게 한다고 인식되었다.

이 시기의 사상으로 禪宗도 꼽을 수 있다. 선종은 '不立文字'를 표방하는 宗派였다. 복잡한 教理를 떠나서 心性을 陶冶하는데 치중했다. 佛教經典에 따라 宗派를 구별하는 教宗과는 대조적인 입장이었다. 「지증대사비문」에서 "나라에서는 佛書를 소중히 여기고 집에서는 僧史를 간수하여 法碣이 서로 바라 보고 禪碑가 가장 많던 시대가 아니었던가!"라고 했을 정도였다. 禪宗은 豪族들로부터 환영을 받아 호족의 종교로서 성장하였다. 선종의 개인주의적인 경향은, 중앙집권적인 지배체제에 반항하여 일어나는 호족들에게 그들이 독립할 수 있는 사상적 근거를 제공해 주었다고 한다. 전국적으로 九山禪門이 개창되었다.

圖讖思想인 風水地理說도 유행하였다. 도참사상은 불교의 善根功德思想에다가 도교의 陰陽五行說이 결합되어 나왔다. 이 설은, 지형과 지세는 국가나 개인의 길흉과 밀접한 관계에 있다고 주장했다. 해서 한반도는 백두산을 뿌리로하여 가지가 뻗어나간 나무로 비기거나 배 모양에 비겼다. 광양 백계산 玉龍寺의 道詵은 전국 각지를 돌아다니며 山水의 衰旺과 順逆을 占쳤다. 도선은 국운의 쇠

29_ 小倉紀藏,『朝鮮思想全史』, 筑摩書房, 2017, 92쪽.
30_ 李基白,『新羅思想史研究』, 一潮閣, 1986, 255~264쪽.

되나 天災의 多發을 한반도의 지형과 지세 탓으로 돌렸다. 산천의 지형이 나쁜 곳에 寺塔을 건립하면 국운을 회복할 수 있다고 설파했다. 그로 인해 한반도 곳곳에 사탑이 건립되었다.[31] 그리고 풍수지리설에 입각해서 각지의 호족들은 저마다 자기네의 근거지를 明堂으로 인식했다. 왕건의 사례에서 알 수 있듯이 호족 자신들의 존재를 정당화하려고 하였다.

그 밖에 彌勒信仰이 광범위하게 유행하였다. 특히 옛 백제 지역에서 크게 유행하였는데, 백제유민으로서 스스로 백제인임을 강조했던 眞表(경덕왕대: 742~765)는 미륵보살의 대행자로서 계율을 통한 이상국가의 건설을 꿈꾸었고, 백제의 정신적 부흥을 갈망하였다. 이러한 운동은 신라 말의 末世觀과 결부되어 크게 퍼졌다.[32]

31_ 小倉紀藏,『朝鮮思想全史』, 筑摩書房, 2017, 101쪽.
32_ 李基白,『新羅思想史研究』, 一潮閣, 1986, 265~276쪽.

제2절 渤海

1. 국호의 유래

발해는 1970년대의 일기예보에서 "발해만에서 발달한 고기압이 우리나라에 영향을 주어…"라고 하여 귀에 익은 지명이다. 대조영의 아버지인 乞乞仲象이 요동에서 처음 건국했을 때 국호는 震國이었다. 震國의 '震'에는 "권세가 천하에 떨친다(權震天下)"라고 했듯이 '떨치다'는 뜻이 담겼다. 실제 震國을 振國으로 표기한(『신당서』) 사례에 따르면 나라의 위력이 사방에 떨치는 큰 나라라는 뜻을 지녔다. 그러면 震國은 누가 지은 국호일까? 『五代會要』에 따르면 "측천무후가 걸사비우를 許國公으로, 대사리 걸걸중상을 震國公으로 삼았다. 걸사비우는 命을 받지 않았다"고 했다. 걸걸중상과는 달리 걸사비우는 '許國公' 책봉을 거부하였다. 여기서 '許國公'의 '許國'은 '나라를 허락해 주었다'는 뜻이다. 걸사비우가 제정한 국호를 당이 승인하지 않았다. 대신 건국 승인의 뜻이 담긴 '許國'으로 책봉하자 걸사비우가 수용하지 않았던 것 같다. 반면 걸걸중상이 제정한대로 '震國'을 당이 책봉했기에 반발이 없었던 것으로 보인다. 물론 『구당서』에 적힌 振國이 발해 당초의 국호이고, 震國은 辰國을 잘못 표기한 것으로 간주하기도 한다.[33] 그러나 시간상으로 震國公의 震國에서 유래했다는 게 합당하다. 즉 양자를 일치시켜 지목하는 게 지극히 자연스럽다.

『구당서』에 따르면 713년 2월에 당은 최흔을 발해에 파견하였다. 이 사실을 "郎將 崔訢을 보내 책봉하여 祚榮을 左驍衛員外大將軍·渤海郡王으로 삼았다. 그리고 그가 통치하는 곳을 忽汗州로 삼았다. 더하여 忽汗州都督을 제수했다. 이로부터 매년 사신을 보내 朝貢했다"고 기록했다. 당은 대조영에게 관할 영역을 기미주로 삼아 자치에 맡겼다는 것이다. 최흔은 귀국길인 715년 5월에 중국 遼

33_ 宋基豪, 『渤海政治史研究』, 一潮閣, 1995, 69쪽.

寧省 旅順口 黃金山 기슭에 우물 2곳을 파고 石刻을 남겼다. 여기서 그는 '勅持節 宣勞靺鞨使 鴻臚卿 崔忻'으로 자신의 신분을 밝혔다. 최흔은 대조영을 발해군왕으로 책봉하는 소임을 지니고 왔었다. 그 이후부터 '발해' 국호가 효력을 발생하게 되었다. 그러나 최흔은 발해 국호가 사용되기 전에 다녀갔기에 종족 이름에서 따온 당초의 호칭인 '말갈사'를 사용했다. 대조영이 도읍한 동모산 일대는 '읍루고지'로 일컬어졌다. 그랬기에 최흔은 발해가 국호를 부여받기 전에 출발하였다. 이로써 대조영의 국가를 도읍지 중심으로 취하여 '말갈사'로 호칭한 것으로 보인다.

대조영은 당으로부터 '渤海郡王'에 冊封되자 국호를 바꾸었다. '발해군왕'은 '발해군을 다스리는 왕'을 의미한다. 중국 왕조가 백제왕들에게 수여했던 帶方郡王도 동일한 맥락에서 살필 수 있다. 문제는 발해군은 당초 한반도에 소재한 대방군과는 달리 산동반도 부근의 발해만에 면한 곳이다. 그러니 당에서 책봉한 '발해군왕'은 대조영이 이곳을 통치하라는 뜻은 아니었다. 단순한 명예직이었다. 그렇더라도 위임 통치 성격을 지닌 '郡王'과는 달리 현실성이 없는 것이다. 중국 황제가 직접 통치할 수 없으므로 위임 통치 형식을 빌린 게 '郡王'이었다. 그러나 발해군은 당의 본토였다. 그러므로 이곳을 대조영에게 위임 통치하게 한다는 것은 성립할 수 없다. 오히려 대조영과 발해만은 특별한 관계에 있지 않았을까 생각하게 한다. 혹은 고구려 때와 마찬가지로 멀리 서남쪽 발해연안까지도 국력이 미치라는 희망을 가지고 붙인 이름으로 간주하는 시각은 수긍이 어렵다. 차라리 571년(위덕왕 18)에 北齊의 後主가 위덕왕을 책봉한 '使持節·都督東青州諸軍事·東青州刺史'에 보이는 '東青州'가 상기된다. 동청주와 백제와의 연고는 명료하게 알려진 바는 없다. 그러나 이곳은 '발해'와 더불어 중국 동부 沿岸 지역이다. 아마도 발해와 이 곳과의 연고권을 인정해주는 듯한 인상을 받게 한다. 발해 사신들이 海路를 이용하여 당에 오게 하려는 목적으로 寄港處에 대한 영유권을 위임하는 형식일 수 있다. 그럼으로써 발해가 外藩이 아닌 內藩인 듯한 인상을 조성하려는 의도로 비친다. 당으로서는 발해에 대한 직접적인 영향력을 행사하려는 저의가 담긴 국호로 보인다.

727년에 부여의 裕俗 계승을 천명한[34] 발해의 국호 기원은 그 밖에도 2 가지로 나누어 더 생각해 볼 수 있다. 첫째 渤海郡 일원에 거주하던 고구려 유민들이 동만주로 이동하여 국가를 세웠다. 당은 그러한 근원을 인정하는 선상에서 '발해군왕'으로의 책봉 가능성이다. 둘째 발해가 海東의 本源으로서 '渤海'가 되어 海東諸國들을 호령하겠다는 의지의 표출로 해석해 본다. 후자의 경우 唐이 신라와

34_ 『續日本紀』 권10, 聖武 神龜 5년 춘 정월 조. "武藝忝當列國 濫摠諸蕃 復高麗之舊居 有扶餘之遺俗"

日本을 견제하고자 수용한 결과일 가능성도 있다.[35] 당의 일방적인 국호 命名이 아니라는 것이다. 발해 국호에는 고구려 유민들의 의지가 담겼고, 그것을 당 조정이 수용했다는 취지가 된다.

그런데 발해가 759년에 일본에 보낸 국서에 따르면 '高麗國王 大欽茂'라고 하였다. 발해왕이 자국의 이름을 '고려'라고 했다. 일본 조정 또한 발해국왕을 '고려국왕'이라고 일컬었다. 그 밖에 일본에 남겨진 목간을 비롯한 숱한 금석문에 따르면 발해는 '고려'로 일컬어진 사실이 확인된다. 발해와 일본 사이에서는 '고려'로 일컬어졌던 것이다. 그러면 대조영이 지은 '진국' 이후의 국호는 '발해'인가 '고려'인가? 여기서 발해는 당으로부터 책봉된 '渤海郡王'에서 비롯하였다. 중국의 지방정권의 왕이라는 뜻을 내포했다. 그런데 반해 '고려'는 유서 깊은 고구려 왕조의 전통을 계승했다는 자부심이 담겼다. 자칫 신생국으로 취급당할 수 있는 상황이었다. 발해에서 첫 번째로 보낸 국서에서 "고려의 옛 터전을 수복했다"는 '收復' 개념을 밝혔다. 수복의 사전적 의미는 '잃었던 땅이나 권리 따위를 도로 찾음'이었다. 잃었던 땅을 되찾아 정당한 권리를 회복한 고구려의 계승자임을 천명하였다. 그랬기에 '고려국왕'을 자처한 것은 지극히 자연스러운 일이었다. 특히 7세기 중후반 백제의 멸망을 에워싸고 신라=당에 대적하는 고구려=백제=왜의 동맹관계가 구축되었다. 신라=당으로 짜여진 동북아시아의 국제환경에서 발해는 고구려=왜를 상기시키는 고려=일본 관계를 구축하려고 했다. 발해는 신라를 의식하였기에 국호를 '고려'로 내세웠던 것 같다. 신라가 멸망시킨 고구려가 복구되었음을 과시하려는 의도였다.

발해 국호의 연원과 관련해 북위나 고구려 지배층 가운데 '勃海蓚人' 출신 高氏들이 보인다. 이러한 고씨를 고구려 왕실과 연관 짓기도 한다. 그러면 고구려를 이은 震國을 고구려 왕실과 연고가 있는 '발해수인'의 '발해'로 고치게 하여, 당의 內藩 같은 인상을 주고자 했을 수 있다. 발해 역시 당이 멸망시킨 고구려의 국호를 상기시켜 적대적이고 부정적인 이미지를 심어줄 이유가 없었다. 당의 체제에 순응하는 게 유리한 상황이었다. 이러한 연유로 발해는 공식적인 국호로 자리잡았다고 본다.

35_ 李道學, 「夫餘系 國家들의 國號 起源」『한국사 속의 나라 이름과 겨레이름2』, 한국학중앙연구원 현대한국학연구센터, 2014, 1~14쪽.; 『한민족연구』 14, 2014, 19~40쪽.

2. 발해사 인식과 발해사 자료

발해는 영역이 넓어 현재의 한국의 북부와 중국 그리고 러시아에 걸쳐 있다. 게다가 발해는 일본과도 활발한 교류를 하였다. 그런 관계로 한국 외에 중국·일본·러시아, 동북아시아의 3국들도 발해사 연구에 관심을 보였다. 그런데 발해사 연구는 정치적인 현안과 맞물려 중국에서는 동북공정 결과 현재 중국사로 분류되었다. 동북공정을 예견이라도 한 것처럼 유득공은 고려가 발해사를 편수하지 못한 사실을 질타했다.[36] 그렇더라도 한국에서는 고려시대에 『삼국유사』와 『제왕운기』에서 발해사를 한국사로 인식하였다. 조선 후기 실학자들의 연구를 통해 발해사는 한국사의 일원으로 정착하게 되었다.

물론 성호 李瀷은 "맨처음 우리나라 옛영토는 大氏로 인해 축소되었고, 契丹이 또 모든 大氏의 것을 취했다"[37]고 하였다. 이익은 발해를 한국사에 포함시키지 않았음을 알 수 있다. 그의 학통을 이은 순암 안정복도 "발해를 우리나라의 역사에 수록하는 것은 부당하다"[38]고 했다. 발해사 연구에 남다른 업적을 남긴 이용범도 "발해사를 한국사에 넣는 데에 주저하였던 면도 보인다"[39]는 평을 받았다. 실제 이용범은 자신 논문 제일 말미에서 "발해사를 國史體系에 넣는 데 먼저 우리가 해야할 것은 우리와의 追憶共同體로서의 발해사 연구가 더 진실하게 개척되어야 하겠다"[40]고 했다. 21세기에 접어들어 중국사나 한국사도 아닌 사라진 말갈의 역사로 보자.[41] 혹은 발해사는 중국사도 아니고 한국사도 아닌 遼東史로 간주하기도 했다.[42] 그 밖에 발해사를 한국사에 속하게 하는 것은 재고해야 맞다고 한다.[43] 발해사를 한국사에서 제외해야 한다는 견해의 當否를 떠나 발해사 비중이 신라사와 대등하지 않다는 점은 분명하다. 그렇지만 발해가 고구려를 계승했다는 의식은 발해사가 한국사에 포함

36_ 『渤海考』 自序.

37_ 『星湖先生僿說』 권21, 經史門, 渤海. "其始東邦舊疆縮拎大氏 而契丹又取諸大氏也"

38_ 『東史綱目』 凡例. "渤海不當錄于我史"

39_ 宋基豪, 『渤海政治史研究』, 一潮閣, 1995, 5쪽.

40_ 李龍範, 「渤海王國의 社會構成과 高句麗遺裔」 『東國大學校論文集』 10호·11호, 1972. 7월·12월; 『中世滿洲·蒙古史의 研究』, 동화출판공사, 1988, 60쪽.

41_ 이종욱, 『역사충돌』, 김영사, 2003, 80쪽; 『민족인가, 국가인가』, 소나무, 2006, 15~18쪽.

42_ 김한규, 『요동사』, 문학과 지성사, 2004, 421쪽.

43_ 尹世哲, 「韓國史研究와 韓國史教育」 『한국사 인식과 역사 이론』, 지식산업사, 1997, 660쪽.

되는 중요한 근거를 제공해준다.[44]

발해인들이 남긴 문헌자료는 남아 있지 않다. 대부분 중국과 일본측 자료가 남아 있다. 그 밖에 신라인들이 남긴 자료의 편린이 전해진다. 즉 발해 건국시 신라가 대조영에게 5관등인 대아찬을 제수하여 진골귀족으로 대우했다는 것, 8세기 전반에 있었던 발해와 신라 사이의 전쟁과 爭長 사건, 唐 賓貢科에서의 首席 다툼 사건 등이 남아 있다. 양국 간의 우호 보다는 대립관련 기록이 더 많이 남아 있다.

스스로의 기록을 전해주지 못한 발해의 역사는 他者 진술에 의존하여 복원하는 형국이었다. 그러니 발해사 복원의 한계는 처음부터 노정된 것이다. 다만 발해 금석문 자료가 최고위층과 관련하여 발굴되었다. 즉 중국 지린성 敦化市 六頂山 고분군에서 1949년에 출토된 발해 제3대 文王(大欽茂)의 둘째딸인 貞惠公主(777년, 40세 사망)의 묘지명(725字), 吉林省 和龍縣 龍頭山 고분군에서 1980년에 출토된 貞孝公主(792년, 36세 사망)의 묘지명(728字)이다. 「정혜공주묘지명」에 따르면 공주는 珍陵의 西原에 묻혔다고 했다. 이로써 진릉은 문왕의 무덤으로 육정산 고분군이 왕릉 구역으로 추정할 수 있게 되었다.

2004년 7월~11월과 2005년 6월~11월에 걸쳐 지린성고고문물연구소 등에서 발굴한 지린성 和龍市 頭道鎭 龍海村 龍頭山 발해 왕실 묘역에서 金冠飾을 비롯한 많은 부장품과 묘지석 2장이 출토되었다. 孝懿皇后와 順穆皇后 묘지석이었다. 묘지석에는 "渤海國順穆皇后 卽簡王皇后泰氏也" "建興十二年七月十五日 遷安△陵 禮也" 등이 기재되어 있다.[45] 건흥 12년은 830년으로서 宣王代(819~830)의 연호였다. 簡王은 그 직전의 왕으로서 818년 단 1년간 재위했다. 그런데 유감스럽게도 본 2장의 묘지석은 전문이 공개되지 않았다. 그러나 묘지석을 비롯한 금석문 자료들은 차후에도 꾸준히 발굴될 가능성이 높다. 발해사 복원에 지대한 공헌을 하는 자료가 될 것이다.

44_ 宋基豪,『渤海政治史研究』, 一潮閣, 1995, 147쪽.
45_ 吉林省文物考古研究所 · 延边朝鲜族自治州文物管理委员会办公室,「吉林华龙市龙海渤海王室墓葬发掘简报」『考古』2009, 제6기, 23~25쪽.

3. 건국과 건국자의 계통, 그리고 '舊國'

거란인 이진충이 698년에 營州(朝陽)를 점령하고 唐에 叛旗를 들었다. 이때 영주에 있던 大祚榮도 고구려 유민을 이끌고 遼河를 건너 天門嶺에서 이해고의 당군을 크게 깨뜨리고는 지금의 지린성 敦化市(東牟山)에서 건국하였다. 건국 과정을 보면『구당서』에는 주체를 '대조영과 말갈 걸사비우'라고 했다. 그런데『五代會要』에는 "고려 별종 大舍利 乞乞仲象이 말갈 反人 乞四比羽와 더불어 달아나 요동을 지켰다. 고려 故地에서 왕을 나눈 즉 측천무후가 걸사비우를 許國公으로, 대사리 걸걸중상을 震國公으로 삼았다. 걸사비우는 命을 받지 않았다. 측천무후가 장군 이해고에게 명하여 出陣해서 그를 베었다. 그 때 걸걸중상이 이미 죽자 그 아들 대조영이 왕위를 이어(繼立), 걸사비우의 무리까지 아울렀다. 勝兵과 丁戶가 40여 萬이었고, 挹婁故地를 차지하여 지켰다. 聖曆 중에 稱臣하고 조공했다"고 하였다.

『五代會要』에 따르면 고구려 故地인 요동에서 동행했던 걸걸중상과 걸사비우가 왕을 나누었다(分王)고 했다. 2명의 왕이 탄생한 것이다. 즉 고구려인과 말갈인으로 구성된 2개의 정권이 탄생하였다. 그러자 측천무후는 즉각 각각 '國公'에 책봉했다. 정권의 존재를 인정해 준 것이다. 그러나 책봉을 거부한 말갈인 걸사비우는 당의 공격을 받아 전사했다. 이 때 사망한 걸걸중상을 이은 대조영이 전사한 걸사비우의 말갈인까지 합쳤다. 발해 주민의 이원성은 고구려와 말갈 주민을 통합함으로써 생겨났다. 그리고 대조영은 동쪽으로 이동하여 읍루고지에 정착했다고 한다.

발해의 만주 지역 건국지를 '舊國'이라고 했다. 즉『신당서』에서 "天寶 末에 欽茂가 上京으로 옮겼다. (이곳은) 舊國에서 300리에 해당한다. 忽汗河의 동쪽이다"고 하였다. 구국은 홀한하인 무단강 동쪽에 소재했다고 했다. 그러면 구국은 어떠한 의미를 지녔을까? 일반적으로 구국하면 '舊都'의 의미로 해석을 한다. 그러나 대무예가 727년에 일본에 보낸 국서에서 "고려의 옛 터전을 수복했다(復高麗之舊居)"[46]고 하여 '舊居'가 보인다. 여기서 舊國과 舊居는 동일한 의미로 간주된다. 사실 '舊都'가 아니라 굳이 '舊國'으로 표현한 사실과 '구국'의 용례를 유의하면 진국 시점의 동만주 첫 도읍지를 염두에 둔 표기로 보인다. 舊國은 新國에 대응하는 용어이다. 그런데『삼국지』에 따르면 "伊夷模更作

46_ 『續日本紀』권10, 神龜 5년 정월 甲寅 조.

新國 今日所在是也"[47]라고 하여 '신국'이 보인다. 이 '신국'은 '새 수도'의 뜻이 아니다. 형제 간 왕위계승 분쟁으로 인해 2개의 정권이 수립된 상황에서 연유한 기술이었다. 2곳의 국가 가운데 이이모 즉 산상왕 정권의 국가 곧 고구려를 일컬어 '새로 나라를 만들었다'고 했다. 이러한 '신국'에 대응하는 '구국'은 발해 이전에 진국 시점에서 비롯한 도읍지와 영역을 염두에 둔 표기로 보아야 한다.

구국 소재지를 지린성 둔화시 일대로 지목하는 견해가 정설이다. 그런데 발해의 건국 연대인 698년은 당군을 대조영이 격파한 700년보다 2년 앞섰다. 그렇게 되면 추격하는 당군을 물리치고 난 뒤에 건국했다는 통설과는 시간상으로 逆轉된다. 그러므로 동모산이 발해의 최초의 건국지라고 할 수는 없다. 대조영은 영주를 탈출하여 처음에는 자신들의 연고지였던 遼東地方으로 가서 그곳에서 일시 건국했다가 급기야 당군이 공격해 오자, 거의 동쪽 끝인 지금의 둔화시 방면으로 이동했던 것으로 생각된다. 대조영이 처음부터 이곳에서 나라를 세울 생각이 있었던 것은 아니었다. 고구려와는 달리 발해의 중심부가 만주 東部에 치우친 것은 이러한 건국 과정 때문이라는 해석도 제기되었다.

그림 49 | 발해의 건국과 관련해 사서에 등장하는 동모산 원경

47_ 『三國志』 권30, 동이전, 고구려 조.

이와 더불어 깊이 고려해볼 사유가 하나 존재한다. 신라와 당 사이의 밀약에서 당은 고구려 영역에 소재했던 고토수복론을 제기한 바 있다. 이에 따른다면 한사군이 설치되었던 한반도 서북부와 西滿洲 지역이 당의 '수복' 지구에 해당된다. 그러나 발해가 건국되는 동만주 지역은 당의 '수복' 지역에 속하지 않았다. 발해의 건국지가 만주 동쪽에 치우친 것도 이러한 저간의 사정에서 연유한 것으로 보인다.[48] 이러한 절충점 선상에서 당은 발해의 건국을 인정한 것이다.

동모산으로부터 5km 지점에 소재한 융성촌(永勝村) 일대는 제3대 문왕 대흠무의 딸인 정혜공주 무덤이 발견된 六頂山 고분군과 함께 삼각형을 이루고 있는데, 과거에는 둔화시(敦化市)에 있는 敖東城을 발해 초기 왕성으로 간주하였었다. 그러나 이곳에서는 발해 유물들이 거의 발견되지 않고 거리도 너무 떨어져 있는데 반해, 발해 유물들이 많이 발견되는 융성촌 유적을 주목하였다. 이 유적은 둔화시 장동향(江東鄕) 융성촌 북쪽 1km 떨어진 밭 가운데 있다. 즉 "근년에 발해 유물들이 많이 발견되는 융성 유적에 주목하게 되었다. … 산성과 평지성이 한 組를 이루는 방어체제는 중국에서는 볼 수 없는 순수 고구려 방식이다. 지안의 국내성과 환도산성, 평양의 안학궁터와 대성산성은 그러한 전형을 보여준다"[49] 이 유적들을 문헌에 나오는 舊國의 터전으로 지목하였다. 그러나 오동성과 융성촌 유적을 2002년에 발굴한 결과 발해 유적을 발견하지 못했다.[50] 게다가 산성과 평지 궁성 조합이라는 고구려 도성 구조에 대한 이해는 타당하지 않은 것으로 드러났다.[51] 따라서 이것에 準據하여 고구려 도성 방식을 운위한다는 자체가 무의미해졌다.

大祚榮의 국적에 관해서는 이견이 있다. 『구당서』에는 "대조영은 본래 고려 별종이다 大祚榮者 本高麗別種也"고 했다. 『신당서』에서는 "본래 속말말갈로 고려에 부용되었는데, 성은 대씨이다 本粟末靺鞨 附高麗者 姓大氏"고 하였다. 그러나 한국측 기록인 『삼국유사』에는 "新羅古記에 이르기를, 高麗 舊將 祚榮의 姓은 大氏이다. 殘兵을 모아 大伯山 南쪽에서 나라를 세웠다. 國號는 渤海였다"[52]고 했다. 『삼국사기』 최치원전의 唐 태사시중에게 보낸 편지에는 "고구려의 殘孽들이 태백산 밑에서 나라를 세우고 나라 이름을 발해라고 하였다"·"옛날 貞觀 중에 太宗 文皇帝가 손수 詔를 지어 天下에 알리기를… 그 고구려는 지금은 발해가 되었다(『東文選』新羅王與唐江西高大夫湘狀)"·"옛날 태종 황제

48_ 李道學, 「三國統一期 新羅의 北界 確定 問題」『東國史學』57, 2014, 315쪽.
49_ 송기호, 『발해를 찾아서』, 솔출판사, 1993, 75쪽.
50_ 송기호, 『발해를 찾아서(개정판)』, 솔출판사, 2017, 85쪽.
51_ 李道學, 「『三國史記』의 高句麗 王城 記事 檢證」『한국고대사연구』79, 2015, 166~168쪽.
52_ 『三國遺事』 권1, 靺鞨渤海 條. "新羅古記云 高麗舊將祚榮姓大氏 聚殘兵 立國於大伯山南 國號渤海"

가 고구려를 쳐 없앴는데 그 나머지 무리들이 끌어모여 나라 이름을 도적질하였다. 이로써 옛날 고구려가 곧 지금 발해라는 것을 알 수 있다(『東文選』 與禮部裴尙書瓚狀)"고 했다.

이러한 기록을 놓고 볼 때 첫째, 발해의 건국자가 고구려계 인물임을 알 수 있다. 발해에 관한 최초의 역사서인 『구당서』를 주의해서 살펴야 한다. 이에 따르면 "祚榮이 말갈 乞四比羽와 더불어 각각 亡命을 거느리고 동으로 달아났다(祚榮與靺鞨乞四比羽各領亡命東奔)"고 했다. 대조영을 말갈 출신 걸사비우와 구분하였다. 그리고 '고려별종'인 대조영이 고려와 말갈의 무리를 합쳐서 唐將 이해고를 막았다(祚榮合高麗 · 靺鞨之衆以拒楷固)고 했다. 아울러 "대조영은 굳세고 용감하고 용병을 잘했기에 말갈의 무리와 고려의 유민들이 점점 그에게 돌아왔다(祚榮驍勇善用兵 靺鞨之衆及高麗餘燼 稍稍歸之)"고 하였다. 여기서 고려와 말갈을 분명히 구분해서 서술했다. 따라서 문맥상 대조영의 종족 계통인 '고려별종'은 분명히 말갈과는 구분된다. 이는 고려를 가리킨다고 보아야 맞다. 별종은 종족 계통이 다르다는 뜻이 아니었다. 고려 즉 고구려가 멸망한 이후의 유민을 가리키므로 별종으로 표기한 것이다. 즉 종족 계통은 고구려와 동일하다는 의미가 담겼다.

둘째, 발해국가의 민족 구성과 거기에 있어서의 지배민족의 역할이다. 발해에서 일관되게 주체적으로 지도적인 역할을 쥚어진 것은 고구려계 주민이었다. 일본에 파견된 발해 사신으로 과거 고구려 王姓인 高氏가 제일 많았다.[53] 발해인은 유민을 포함하여 400명 가량이 확인된다. 이 가운데 大氏가 117명이고, 高氏는 63명이었다.[54] 이렇듯 발해의 지배층이 고구려와 연결되고 있다. 그러므로 발해는 고구려의 지난 날 그대로의 국가였다. 물론 이러한 해석에는 말갈족에 대한 극히 낮은 역사 · 문화적 평가가 눈에 띄게 두드러진다. 그리고 말갈족 자체에 대한 관심은 거의 없다는 한계를 보인다는 지적도 있다.

발해 주민 구성에 있어서 지배층은 고구려계 주민이었다. 이러한 사실을 반증해 주는 기사가 『유취국사』이다. 즉 "그 백성은 말갈인이 많았고, 土人(士人)이 적다. 모두 土人(士人)으로써 村長을 삼는다.…"고 했다. 이 글귀의 문맥상 다수는 말갈인이고, 소수인 土人이 村長을 하였다. 이로 볼 때 토인은 고구려계 주민임을 알 수 있다. 발해 주민 구성의 이원성을 가리킨다.

그런데 발해가 시종 고구려 계승만 주장했는 지 여부는 검증이 필요하다. 발해의 제2대 대무예왕

53_ 白鳥庫吉,「渤海國に就いて」『史學雜誌』44-12, 彙報, 1933, 98~99쪽.
54_ 이효형,「한국의 발해사 연구 현황과 방향 모색」『동아시아의 발해사 쟁점 비교연구』, 동북아역사재단, 2009, 37쪽.

이 일본에 보낸 최초의 국서에 보면 "고려의 옛터전을 수복하고, 부여의 遺俗을 가지고 있다[55)]"고 했다. 여기서 '遺俗'의 용례는 李瀷의 『성호사설』 柶戲 條에서 "윷놀이를 高麗의 遺俗으로 본다"고 한 '遺俗'이 상기된다. 遺風의 의미로 유속을 사용한 것이다. 고구려 영역을 회복한 발해가 유풍의 정체성을 夫餘에서 찾았다. 게다가 "扶餘故地에 扶餘府를 두고, 항상 勁兵을 주둔시켜 契丹을 막았다"[56)] 고 했듯이 5京 15府의 한 곳으로 扶餘府를 설치했다. 발해는 고구려 故地에 고구려를 상기시키는 행정지명을 부여한 바 없다.

발해는 제2대 대무예왕 때라는 가장 이른 시점인 727년에, 대외적으로 부여의 유풍을 선언했다. 이러한 선언은 일본 뿐 아니라 중국에도 일정하게 영향을 미쳤던 것 같다. 그랬기에 宋代인 1047년에 편찬된 『武經總要』에서 "발해는 부여의 별종이다"[57)]고 단언한 것으로 보인다. 그렇지 않고서는 『武經總要』 기사는 느닷없는 것이 된다. 따라서 대조영의 국적을 '고려 별종'이라고 적은 『구당서』는 비록 『무경총요』 보다 100년 전에 출간되었지만, 오히려 '부여 별종'→'고려 별종'→'속말 말갈'로 인식이 바뀐 것으로 보인다. 이러한 사실을 종합해 볼 때 발해는 처음 부여 계승을 표방하다가 일본을 우군으로 두어야 하는 외교 현안으로 인해 고구려 계승을 자처한 것으로 생각된다. 발해의 부여 계승과 관련해 성호 이익은 "세상에 전해지는 『虬髯客傳』 끝머리에서 이르기를, '扶餘國은 海寇가 거처한 바가 되었으니'라고 했다. 진실로 이러한 일이 있었으면 乞乞仲象이라는 이가 그 사람이다. 仲象이 요동으로 건너온 것이 어느 때인지는 알 수 없으나 그 아들 祚榮이 開元 원년에 나라를 세웠으니 仲象은 마땅히 唐 初의 사람임을 알 수 있다. '바닷가에서 扶餘로 이름을 삼은 것은 오직 이것 뿐이고, 그 땅은 실제 仲象이 들어가 거처한 곳의 안에 있으니' 그 설이 두 가지가 서로 부합되는 것이 이상하다"[58)]고 한 구절이 유의된다. 발해와 부여를 등치시켰기 때문이다.

셋째, 발해 왕실이나 지배집단이 명백히 고구려 계승의식을 가지고 있었다. 그것을 스스로 표명했다. 『속일본기』 神龜 5년(727) 정월 갑인 조에 의하면 발해왕인 대무예 자신이 "고려의 옛 터전을 수복하고 부여의 遺俗을 지니고 있다"고 선언하였다. 또 遣日使의 奏上에 발해왕이 '고려왕'을 자

55_ 『續日本紀』 권10, 聖武 神龜 5년 춘 정월 조. "復高麗之舊居 有扶餘之遺俗"
56_ 『신당서』 권199, 북적전, 발해 조.
57_ 『武經總要』 前集16, 下.
58_ 『星湖先生僿說』 권21, 經史門, 渤海. "世傳虬髯客傳卒乃云 扶餘國為海寇所摭 苟有此事疑乞乞仲象者其人也 仲象之渡遼不知何時 而其子祚榮開元元年立國 則仲象之當唐初可知 沿海以扶餘為號者惟此而已 其地實在仲象入摭之内 其說两相沕合可異也"

칭하고 있으며, 平城宮에서 출토된 木簡에서 발해사신을 '高麗使'라고 하였고, 『속일본기』의 759년~778년 사이에 발해를 '高麗'라 칭했다. 762년 사건을 기록한 正倉院 고문서에서 "高麗客人[59]이 東大寺에 예불하였다"는 기록을 제시할 수 있다.

넷째, 『삼국사기』 원성왕 6년(790) · 헌덕왕 4년(812) 조에 등장하는 '北國', 『삼국사기』 지리지에서 옛 고구려 영역에 관한 설명 가운데 '北朝境內'라는 문구, 최치원의 '謝不許北國居上表'에 보이는 '北國'이 가리키는 것은 무엇인가? 신라에서는 일반적으로 발해를 가리켜 '北國' 혹은 '北朝'로 일컬었음을 알 수 있다. 이로 미루어 신라를 '南國' · '南朝'로 일컬었던 것으로 추정된다. 이것에 의해 당시 신라와 발해 간에는 서로 '南北國' 혹은 '南北朝'라는 개념의 존재가 확인되는 것이다. 그것은 곧 신라와 발해는 현재 남북으로 대립되고 있지만, 그것은 비정상적인 사태이며, 결국은 통일되어야 할 동족 전체의 일부라는 생각을 내포하고 있다. 최치원의 '謝不許北國居上表'에서 대조영이 건국기에 신라에 구원을 요청하자 대아찬 관등을 수여하여 진골귀족으로 대우했다고 한다.

다섯째, 발해유민의 귀추와 그들의 귀속 의식인데, 발해 멸망 후 10만 남짓의 발해유민이 고려에 귀복한 점을 중시하고, 이러한 배경에는 고려가 고구려와 함께 발해에도 큰 관심을 가져 이들을 피로 맺어진 동족으로 의식한 것에 따른 것으로 해석할 수 있다. 발해유민이 고려로 망명한 것은, 고국으로 돌아가는 것 같은 심정이었을 것으로 본다.

여섯째, 발해의 무덤과 주거지 · 도성지 및 출토유물과 불상 등의 유적과 유물은, 모두 고구려와의 계승관계를 명백히 보이고 있다.

요컨대 이러한 근거로써 발해는 고구려를 계승한 국가로 인정하게 되었다. 그러나 이에 대한 비판도 제기되고 있다.

첫째, 예로부터 건국자의 출신만으로 국가나 민족의 성격을 논할 수 없다는 문제점이 있다. 가령 중국에서의 망명자인 위만을 받들어 세운 위만조선을 다루고 인식하는 방법에 문제가 생기는 것이다. 위만조선은 중국의 역사에 포함되는 문제가 생긴다.

둘째, 피지배자였던 말갈족의 사회적 성장과 발전을 엿보게 하는 구체적인 활동이 보인다는 점이다. 즉 당이나 일본과의 사이에 실시된 발해국가의 외교와 교역활동에 首領層이 독자적인 자세를 갖고 참여하고 있다. 이러한 점 등은 결코 고구려시대와 같은 일방적인 지배와 종속의 관계로는 모

59_ 사신의 이름은 王新福으로 밝혀졌다.

두 포착되지 않고 있는 측면으로서 중시되지 않으면 안된다는 것이다.

셋째, 고구려 계승의 선언 구절은, 발해의 강역이었던 중국 동북지방에서 일어난 여러 민족은 예로부터 그 왕권의 由緖와 정통성을 항상 부여나 고구려에서 찾았다. 그러한 전통은 후세의 金王朝에게도 계승되었다.

넷째, '南北國'과 '南北朝'라는 용어 문제이다.[60] 신라가 발해를 '北國'으로 일컬은 기록이 등장한다. 그리고 『삼국사기』 지리지의 北朝는 김부식이 『삼국사기』를 편찬할 당시의 '北朝'를 가리키고 있다. 즉 국내성의 소재지를 언급한 구절에서 "이 성도 역시 北朝 境內에 있었으나 어느 곳인지 모르겠다"고 하였다. 여기서 北朝는 金이 분명하다. 고려에서는 고려의 영토 북방에 위치한 여진족의 국가인 金을 北朝로 호칭하였음은 널리 알려져 있다. 또 '南北國'도 단순히 상대적인 위치를 나타내는 데 불과한 측면이 보인다. 낙랑왕 최리가 고구려 호동 왕자를 일컬어 "혹시 北國 神王의 아들이 아닌가?"라고 한 북국이 그러한 범주에 속한다. 중국의 北周가 北齊에 보낸 국서에서 "지난해 北軍이 그대의 국경에 깊이 들어가… 북방을 막을 뿐 아니라 남방도 공략한다고 들었습니다"라는 구절에 보이는 북군은 돌궐군을 가리키며, 북방은 돌궐, 남방은 북주를 가리킨다. 게다가 중국사에서 이른바 '남북조'라는 호칭이 남쪽의 한족정권과 북쪽의 이민족정권에 대해 사용되었다. 동일한 민족 간의 대립과는 관계가 없었다. 요컨대 '남북조'는 동질성을 바탕으로 한 호칭은 아니었다.

그렇지만 발해사가 한국사에 포함될 수 있는 중요한 근거는 발해의 고구려 계승 의식이었다.

60_ 이상의 서술은 李成市, 「渤海史研究における國家と民族─「南北國時代」論の檢討を中心に」『朝鮮史研究會論文集』 25, 1988, 33~58쪽에 의하였다.

4. 국가와 문화의 성격

1) 국가 성격

발해는 당의 지방정권은 아니었다. 발해는 독자적인 연호를 사용하였다. 仁安(武王)・大興・寶曆(文王) 연호 등이 대표적이다. 이와 더불어 발해의 최초 국호였던 震國의 '震'은 『周易』에서 "帝出乎震" 즉 "황제는 震에서 나온다"고 한 말에서 취했을 것이니 황제를 자처한 것이라고 한다.[61] 그리고 시호제가 확립되었고, 왕의 무덤을 '陵'이라고 했다. 문왕의 둘째 딸인 정혜공주(738~777)의 「묘지명」에 나타난 '珍陵'이 대표적이다. 그리고 3대 문왕의 넷째 딸인 정효공주(757~792)의 「묘지명」에 의하면 발해국왕을 '皇上'이라고 했다. 771년인 大興 34년에 文王이 일본에 보낸 국서에 의하면 발해 왕실이 '天孫'을 선언하였다. 이러한 천손사상은 「광개토왕릉비문」과 「모두루묘지」 등에 전해지고 있는 고구려 왕실과 귀족들의 긍지였다. 발해왕이 자신을 天孫이라고 하였음은, 곧 그 자신을 고구려 왕실과 같은 혈통으로 생각하고 있었다는 사실을 뜻한다. 높을 '高' 字의 高氏나 큰 '大' 字의 大氏는 이러한 맥락에서 새겨 볼 수 있을 것 같다. 즉 여느 종족과는 구분되는 자부심의 표상이었다.[62]

중국 지린성 문물고고연구소와 延邊朝鮮族自治州 문물관리위원회 판공실은 지린성 허룽시(和龍市) 룽터우산(龍頭山) 일대 발해시대 고분 14기의 발굴 결과를 중국사회과학원 고고연구소의 『考古』 2009년-제6기에 발표했다. 8세기 후반~9세기 전반 조성된 이 고분군은 1980년대에 발해 3대 文王의 넷째 딸인 貞孝公主 무덤이 발굴됐던 곳이다. 이 곳 발해시대 고분군에서 출토된 금제 관식은, 새의 날개 이미지가 세 가닥으로 갈라진 식물 이파리처럼 표현돼 고구려 鳥羽冠의 전통을 잇는 것으로 평가된다.

「발해 왕실묘장 발굴 간보」에 따르면, 룽터우산 발해 고분군 중 대형 돌방무덤(석실묘)인 M12와 M3호 무덤에서 각각 발해 3대 문왕의 부인인 孝懿皇后와 9대 簡王의 부인인 順穆皇后의 이름을 새

61_ 孫晉泰, 『朝鮮民族史概論(上)』, 乙酉文化社, 1948, 231쪽.
참고로 727년에 대무예가 일본에 보낸 국서의 "武藝忝當列國 濫摠諸蕃(『續日本紀』 권10, 聖武 神龜 5년 춘 정월조)"라는 구절을 "열국을 주관하고 제번을 거느려"라고 한 해석은 적절하지 않다. 이 문구는 기본적으로 발해가 일본에 저자세로 보고하는 형식이었다. 일본을 의식하거나 일본에 의해 윤색된 기록이라는 점을 염두에 두어야 한다. 그리고 발해 건국 과정을 서술하고 있다는 것이다. 그러므로 "武藝는 여러 나라와 맞서, 외람되이 제번을 합하여"라고 해석해야 한다. 그래야만 이어지는 "고려의 옛 땅을 수복하고"라는 구절과 시간의 經過가 자연스럽다.

62_ 宋基豪, 『渤海政治史研究』, 一潮閣, 1995, 101~105쪽.

긴 묘지석이 출토됐다. 순목황후 묘지석은 너비 34.5㎝, 높이 55㎝, 두께 13㎝로, 세로 9행에 걸쳐 총 141자의 글자가 새겨져 있다. 묘지석에는 "발해국 순목황후는 간왕의 황후 泰氏이다"[63]는 명문이 적혀 있다. 또 부부 합장묘로 추정되는 M13·M14 무덤에서는 고구려 조우관의 전통을 잇는 금제 관식과 팔찌·비녀 등이 출토됐다.[64] 그리고 "묘지에 황후라는 호칭을 썼다는 것은 발해가 지방정권이 아니라 황제국을 지향했다는 증거이고, 무덤 양식이나 부장품을 보면 발해가 고구려를 계승하고 있음을 명백히 알 수 있다"고 말해졌다. 게다가 "새의 날개 이미지를 세 가닥으로 갈라진 식물 이파리처럼 표현한 금제 관식은 고구려 조우관의 전통이 발해까지 계승되고 있음을 보여주는 중요한 실물자료"[65]라고 평가됐다.

2) 문화 성격

그림 50 | 동경성 성터에 남아 있었던 발해 연화문 와당

발해 문화에 대한 초기 연구에서는 당 문화의 복제판 정도로 인식하는 경향이 지배했다. 즉 "우리로 하여금 약간은 가당치 않다고 하더라도 대담한 비유로써 발해 왕국을 평가하는 것이 허락한다면, 발해는 대저 스스로 빛나는 능력이 없는 달과 같은 것인가? 발해의 문화는 찬란한 당 문화의 빛을 받아 이것을 반사시키는 달빛과 같은 것인 듯하다"[66]고 하였다. 이 말 속에는 발해의 독자성이나 고유성에는 관심이 미치지 않았던 당시의 연구가 상징되어 있다. 그러나 "금은의 불상을 唐室에 獻送(813년)할 정도로 공예가 발달되었던 것으로 추측할 수 있고"[67]라고 했다. 발해 문화의 고유성을 감지할 수 있는

63_ 吉林省文物考古研究所·延边朝鲜族自治州文物管理委员会办公室, 「吉林华龙市龙海渤海王室墓葬发掘简报」『考古』 2009, 第6期, 38쪽.
64_ 吉林省文物考古研究所·延边朝鲜族自治州文物管理委员会办公室, 「吉林华龙市龙海渤海王室墓葬发掘简报」『考古』 2009, 第6期, 36쪽.
65_ 허윤희, 「무덤은 말한다, 발해의 진실을」『조선일보』, 2009. 8. 26.
66_ 鳥山喜一, 『渤海史考』 奉公會, 1915, 159쪽.
67_ 孫晉泰, 『朝鮮民族史槪論(上)』, 乙酉文化社, 1948, 233쪽.

일명이다.

발해는 "풍속이 고려 및 거란과 동일하다"[68]고 했다. 발해 문화의 기층은 고구려 문화였음을 알려준다. 거란인 李盡忠의 반란에 연동하여 대조영은 당 지배에서 이탈했다. 이와 관련지어 발해의 기층문화에 거란 요소가 있음을 운위하는 듯하다. 이후 발해가 성장하면서 복합 문화적인 성격을 띠게 된다. 발해 문화에는 고구려·말갈·당·중앙아시아·서구·신라적 요소가 공존한 것이다.[69] 특히 9세기대의 발해 문화라면 어느 한 편을 놓고 국가의 성격이나 정체성을 단정하기는 어렵다.

68_ 『舊唐書』 권199(下), 북적전, 발해말갈 조. "風俗與高麗及契丹同"
69_ 이효형, 「한국의 발해사 연구 현황과 방향 모색」『동아시아의 발해사 쟁점 비교연구』, 동북아역사재단, 2009, 53쪽.

5. 발해의 중앙조직과 영역

1) 자연환경과 중앙 및 지방

발해 영역은 중위도에 위치하여 한온습윤 · 반습윤을 모두 갖춘 계절풍이 불어오는 몬순 기후 지역에 해당된다. 그런 관계로 겨울은 춥고 길며 여름은 따뜻하고 습하며 봄 · 가을은 메마르고 짧다. 일본측 문헌에도 "토지는 매우 차가워서 水田에 마땅하지 않다"[70]고 기술되었다. 삼림은 무성하여 침엽수림 및 침엽수림 외에 활엽수의 혼합림이 울울창창하다. 또 사철쑥[茵] 등이 무성한 草甸이나 초원과 소택이 광범위하게 분포하고 있다.[71]

발해의 중앙관제는 3省 6部制였다. 그 밑에 1대 · 1국 · 1원 · 1감 · 7사 · 10위가 설치되었다. 이러한 발해의 중앙관제는 당의 영향을 받은 것으로 밝혀졌다.[72] 그리고 발해는 지방을 5京 · 15府 · 62州와 그 아래 100여 개 縣으로 운영했다. 5경은 상경(헤이룽장성 닝안시 渤海鎭) · 중경(和龍 西古城) · 동경(琿春 八連城) · 서경(臨江) · 남경(北青)이었다. 발해는 4차례에 걸쳐 천도를 하였다. 즉 舊國(698년)→중경(732년 전후)→상경(756년 무렵)→동경(785년 무렵)→상경(794년)으로 천도했다. 도읍한 기간이 30년이라는 공통점을 보이고 있다. 이는 특정한 의도가 아니라 결과론적인 확인에 불과한 것이다. 따라서 대내외적인 상황을 종합하여 천도 배경을 찾는 게 필요하다.[73]

강성했을 때 발해의 영역은, 현재의 지린성 대부분, 헤이룽장성 대부분과 랴오닝성 일부분, 러시아의 연해주 일대와 함경도와 평안북도 일대를 포괄하는 실로 넓고 넓은 海東盛國을 이루었다. 발해의 동북쪽 경계는 우수리강과 아무르강 일대로 비정하기도 하지만 좀 더 많은 논의가 필요하다. 이와 관련해 몽골에서 발굴된 발해 유적에 대한 면밀한 분석이 필요하다.[74] 단순한 발해 문화의 전파인지? 아니면 발해 유민의 이주와 관련된 유적인지? 한편으로는 발해의 북쪽 경계에 대한 확장 가능성을 시사해준다. 차후 세심한 연구가 더 필요하다. 발해의 남쪽 경계에 대해서는 논의가 분분하

70_ 『類聚國史』 권193, 殊俗部, 渤海.
71_ 王承禮 著 · 宋基豪 譯, 『발해의 역사』, 한림대학 아시아문화연구소, 1987, 103쪽.
72_ 선석열, 「일본의 발해사 연구 쟁점과 추이」 『동아시아의 발해사 쟁점 비교연구』, 동북아역사재단, 2009, 222~223쪽.
73_ 이효형, 「한국의 발해사 연구 현황과 방향 모색」 『동아시아의 발해사 쟁점 비교연구』, 동북아역사재단, 2009, 47쪽.
74_ A.Ochir, 「몽골과 동아시아의 교류(10~11세기)」 『발해와 동아시아』, 동북아역사재단 국제학술회의 발표논문집, 2008.

다. 다만 "남쪽으로는 신라와 이웃하여 泥河로 경계를 삼았다"[75]고 하였지만 니하의 소재지 비정에 대해서는 이견이 많다.

발해 영역 범위에 대해서는 서쪽은 요동을 점유한 것으로 보인다. 이에 대한 부정론도 존재하지만, 백제 멸망 이후의 시점을 대상으로 중국 사서에 보이는 다음의 의미심장한 기사를 살펴본다.

> 儀鳳 2년(677)에 [융]에게 光祿大夫 太常員外卿 兼 熊津都督 帶方郡王을 제수하여 本蕃에 돌아가 남은 무리를 安輯하게 했다. 이때 백제의 本地는 荒毁하여 점점 신라의 소유가 되어가고 있었으므로 隆은 끝내 舊國에 돌아가지 못한 채 죽었다. 그의 손자 敬이 측천무후 때에 대방군왕에 襲封되어 衛尉卿을 제수하였다. 이로부터 그 땅은 신라 및 발해말갈이 나누어 차지하게 되었으며, 백제의 종족이 마침내 끊기고 말았다(『구당서』).

위의 기사에 따르면 백제는 '荒毁하여 점점 신라의 소유'가 되었기에 부여융이 '本地'의 舊國에 돌아가지 못했다. 여기서 백제는 '本地'의 舊國 즉 外藩에 대응하는 '他地'인 唐地의 新國 즉 內藩을 상정하게 한다. 건안고성의 新國에서 부여융 이후로 그 후손들이 왕위를 계승하여 왔다. '本地'의 舊國은 신라에 병합되었다. 그리고 唐地의 新國 즉 內藩은 발해말갈이 빼앗았다는 것이다. 당에서 재건된 건안고성의 백제는 8세기 중엽이나 9세기 초엽 어느 때 요동 지역으로 세력을 뻗친 발해에 병합되었다. 따라서 발해가 요동을 점유했음을 확인할 수 있다.

2) 당과의 충돌과 팽창

말갈 7部 가운데 가장 북쪽에 소재하였으며, 쑹화강과 헤이룽강의 합류 지점과 헤이룽강 하류의 광대한 지역에 분포하고 있던 黑水靺鞨이 唐의 관리를 요청하고 교류를 원했다. 唐은 그곳에 黑水都督府를 두어 돌궐의 세력을 꺾고 대무예의 북진정책을 저지하고자 하였다. 이 상황은 726년에 흑수말갈이 알리지도 않고 발해 땅을 지나 당에 조공한 데서 비롯했다. 대무예는 당이 흑수말갈과 연합하여 발해를 공격하려 한 것으로 판단하였다. 대무예는 격노하여 돌궐의 지원 아래 동생 大門藝

75_ 『新唐書』 권219, 북적전, 발해 조. "南比新羅 以泥河爲境"

및 그의 舅 任雅로 하여금 군대를 이끌고 흑수말갈을 공격하게 했다. 그러나 대문예는 唐에서 宿衛한 적이 있었기에 당의 실력을 알고 있다. 대문예는 듣지 않고, 당으로 망명했다. 대무예는 대문예를 소환해서 살해하려고 하였다. 대무예는 당에 대문예의 신병인도를 요구했지만 뜻대로 되지 않았다. 당의 비호와 거짓말을 알아 챈 대무예는 732년에 張文休로 하여금 떵조우(登州)를 공격하게 했다. 이 때 장문휴는 해적을 거느리고 登州刺史 韋俊을 공격했다고 한다. 최치원의 「上太師侍中狀」에 따르면 "자사 위준을 살해했다"고 하였다. 당은 대문예를 보내 발해 군대를 막았다. 다음은 『자치통감』에 적혀 있는 발해와 당 간의 전쟁이다.

> 현종 開元 21년 정월, 皇上이 大門藝를 幽州로 보내 군대를 발동하여 발해왕 大武藝를 토벌하도록 하였다. 경신일(21)에 太僕員外卿 金思蘭을 신라에 사신으로 보내어 군사를 출동시켜 그들의 남쪽 변방을 치도록 했다. 마침 큰 눈이 약 1丈이 내려 산길이 험하고 막혀서 사졸 중에서 죽은 자가 반을 넘으니 功勞없이 돌아왔다. 대무예는 대문예를 원망하는 것을 그치지 않고 몰래 자객을 보내어 天津橋의 남쪽에서 대문예를 칼로 찔렀으나 죽지 않았는데, 황상이 河南府에 명령하여 도둑의 무리를 체포하도록 하고 그들을 모두 죽였다.[76]

위에서 인용한 『자치통감』에 적혀 있는 발해와 당 간의 전쟁은 아주 간결하다. 게다가 전쟁의 결과가 적혀 있지 않다. 대신 대무예의 동생에 대한 복수는 상세히 적혀 있다. 이와는 달리 『자치통감』 考異를 토대로 구성하면 다음과 같은 전쟁이었다. 733년에 당 현종은 대문예를 앞세워 발해 군대를 공격하게 했다. 이에 대무예가 몸소 군대를 이끌고 지금의 산하이관 부근인 馬都山(허베이성 친황다오시 칭룽만족자치현과 청더시 콴청만족자치현에 있는 도산)[77]으로 진격하여 城邑을 도륙했다고 한다. 발해군이 무자비하게 파괴했음을 뜻한다. 이 때 唐軍은 참호를 파고 큰돌로 요로를 막아 방어한 길이가 무려 400리였다. 참호의 깊이는 무려 3丈이었다. 그러자 발해 군대가 진격을 멈추었다. 흑수말갈과 실위가 5천 명의 군대를 보내어 겨우 발해 군대의 공격을 막았다. 동시에 唐은 신라로 하여금 발해의 남쪽을 치도록 했으나 신라 군대는 폭설을 만나 싸워보지도 못하고 퇴각했다. 발해와 당과

76_ 『資治通鑑』 권213, 唐紀29, 玄宗 開元 21년 정월 조.

77_ 김종복, 「발해 · 당의 전쟁과 그 의미」 『새롭게 본 발해사(재판)』, 동북아역사재단, 2007, 130쪽. 김종복은 대문예에 대한 "암살이 실패한 후 발해는 마도산을 공격했다"고 한다.

의 전쟁은 마침내 끝났지만 이게 전부는 아니었다. 대무예는 몰래 자객을 당에 보내 洛陽의 天津橋 남쪽에서 대문예를 찔렀다. 대문예는 자객과 격투를 벌여 죽지 않았다. 당 현종은 자객 일당을 붙잡아 죽였다.[78] 考異를 토대로 할 때 선제 공격한 당이 역습을 받았다. 그리고 대무예의 친정인 발해군의 진격이 구체적으로 적시되었다. 그 밖에 당군의 차단 시설과 흑수말갈과 실위의 지원으로 발해군의 간신히 진격을 막았다고 했다. 『자치통감』 본문에서 보이지 않는 기사였다. 다만 현종의 업적이 부각될 수 있는 대무예의 복수극을 좌절시킨 사건은 구체적으로 기록했다.

10대 발해왕인 大仁秀(818~830)는 중흥의 군주였다. 당은 이사도와 이동첩 등의 난으로 정신이 없을 때인 819년에 이 亂을 평정하기 위해 신라의 군사마저 징발하였다. 이때를 틈타 발해의 대인수는 영토를 확장하여 훈춘의 북동쪽에 소재한 鴻凱湖의 여러 부락을 토벌했다. 또 遼東으로의 진출을 시도하여 상징적 존재였던 '內藩 백제'와 續高句麗國을 병합하였다. 즉 『遼史』에서 "東京은 옛 발해땅이었다"[79]고 했다. 지금의 랴오닝성 료양을 가리키는 東京 遼陽府가 발해 영역이었던 것이다. 발해는 819·820년경에는 신라 지역에도 진출하여 대영토를 이루었다.

78_ 『資治通鑑』 권213, 唐紀29, 玄宗 開元 21년 정월 조, 考異.
79_ 『遼史』 권28, 天慶 6년 조.

6. '남북국시대론'

유득공의 '남북국론'을 현재 한국 학계에서 취하여 '남북국시대'라는 시대 이름으로까지 발전시켰다. 유득공은 "扶餘氏가 망하고 高氏가 망하고 나서, 金氏는 그 남쪽에 있고, 大氏는 그 북쪽에 있었으니 발해라고 한다. 이를 南北國이라고 이른다. 그 南北國史가 있어야 마땅함에도 고려가 이것을 편찬하지 않은 것은 잘못이다"[80] 고 했다. 여기서 중요한 것은 시대론으로서 '남북국시대'이다.

북한 학계에서는 이러한 시대론을 취하지 않는 이유는 민족의 역사적 형성이라는 관점이 후퇴한다는 데서 찾았다. 즉 한국 민족은 유사 이래 이미 단일성을 형성했다는 것을 전제로 하기 때문이다. 한편 국가에 관해서는 고려에 이르러 비로소 통일국가가 성립한 것으로 설정하였다. 그렇다면 먼저 통합한 국가가 기점에 있고, 그것이 분열하고 또 통합된다고 하는 역사적 과정에 대하여 그 분열 시기를 가리켜 부르는 남북조시대라는 전통적 개념을 상기시키려는 '남북국시대'라는 시대 규정은, 당연히 논리상으로도 인정하기 어려울 수밖에 없다. 해서 북한 학계에서는 이 시대를 '발해 및 후기 신라시대'로 규정하였다. 북한에서 '남북국시대'라는 개념이 설정되지 않은 배경에는 위와 같은 국가의 통합 과정에 대한 독자적인 인식에 바탕을 두었던 것이다. 또 북한은 발해와 신라를 대등하게 보지도 않았다. 그렇기 때문에 동등한 비중을 부여한 '남북국시대'라는 용어를 사용할 수 없었다.[81]

이 점을 살펴보도록 한다. 문제는 『삼국사기』에서 발해를 '北國'으로 지칭했다고 하여, 발해가 신라를 '南國'으로 일컬었다는 근거는 없다. 물론 후삼국시대에 후백제가 고려군을 '北軍'으로 일컬었다. 고려 태조가 후백제인을 '南人'이라고 했다. 이 경우는 앞선 시대인 신라 영역에서 후백제와 고려가 탄생하였고, 삼한이라는 동질성을 깔고 있었다. 그러나 발해에 대한 신라인들의 '北國' 호칭이 양국 간의 동질성을 알려주는 지표가 되기는 어렵다. 동질성이 전제되지 않았지만 남북조를 운위한 경우가 있기 때문이다. 가령 後金이 明을 '南朝'로 일컬은 당시의 현장 기록이 생생하게 전한다.[82] 후금은 자국을 명과 동급으로 간주하였다. 그랬기에 대등하다는 의식에서 '남조'로 일컬었을 뿐이다.

80_ 『渤海考』 渤海考序. "及扶餘氏亡 高氏亡 金氏有其南 大氏有其北 日渤海 是謂南北國 宜其有南北國史 而高麗不修之非矣"

81_ 李成市, 「渤海史硏究における國家と民族--「南北國時代」論の檢討を中心に」 『朝鮮史硏究會論文集』 25, 1988, 33~58쪽.

82_ 『紫巖集』 권5, 「柵中日錄」 己未, 3월 9일. 4월 29일. 6월 1일. 6월 2일. 6월 30일. 7월 1일. 10월 7일. 庚申 6월 20일.

그림 51 | 랴오닝성 선양에 소재한 후금의 황궁

이러한 호칭에 동질성은 전제되지 않았다.

고려가 금을 '北朝'로 지칭했다. 『삼국사기』를 편찬한 김부식의 다음과 같은 글귀를 통해 확인할 수 있다.

> 目錄에서 이르기를 "鴨綠 이북에서 이미 항복한 城이 11이다. 그 하나가 국내성이다. 平壤에서 이 곳에 이르기까지 17驛이다"고 했다. 곧 이 城 역시 北朝 경내에 있었다. 다만 그곳이 어디에 있 는 지를 알지 못할 뿐이다(『삼국사기』 권37, 지리4, 고구려).

김부식은 고구려 국내성의 소재지를 파악하지 못하고, '北朝 境內' 즉 金 영역에 소재한 정도로만 인지하였다. 여기서 중요한 사실은 고려가 금을 '北朝'로 일컬었다는 것이다. 그렇다고 하여 양국 간의 동질성이 전제되었는지는 의문이다. 고려가 거란을 北朝로 일컬은 경우도 다수 확인된다. 이와 더불어 宋이 거란을 北朝로 간주했다는 것이다. 즉 "왕께서 이미 북조의 책명을 받았다고 들었습니다. 남조와 북조의 두 나라가 백 년 동안이나 우호관계를 맺어 와서 의리는 형제와 같았습니다. 그 까닭으로 또 다시 왕을 책봉하지 않고 조서만 보낼 뿐입니다"[83]고 했다. 이 경우는 분명히 지리와 국

83_ 『高麗史』 권13, 睿宗 5년 6월 癸未 條. "聞王已受北朝册命 南北兩朝 通好百年 義同兄弟 故不復册王 但令賜詔"

세를 놓고서 '남북조'로 일컬은 것이다. 신라와 발해의 경우도 이러한 맥락에서의 해석은 가능할 수 있다. 그러나 기존에 인식했던 공동체 의식의 공유는 좀 더 숙고가 필요할 것 같다. 중국의 남북조 시대를 연상하는 '남북국시대'는 그에 앞서 통일된 국가를 전제하고, 지금의 현상이 한시적이라는 인식을 공유했을 때 제기되었다. 그 이전의 통일된 국가에서부터 통일신라와 발해가 분열되었다는 공유된 인식이 전제되어야 가능하다. 삼국의 경우는 '해동삼국'이나 '삼한'이라는 공유된 인식과 공통분모가 존재하였다. 이와는 별개로 발해가 통일신라에서 분열되었다는 전제가 공유되어야 한다. 그러나 발해는 고구려를 계승하였다고 자처했다. 따라서 '남북국시대론'은 더욱 많은 논의를 필요로 한다. 실제 신라는 발해를 대등하게 간주하지 않았다. 일단 신라는 고구려를 멸망시켰고, 국도를 점령하여 왕을 생포했다. 그리고 보장왕의 族子라는 안승을 수반으로 하는 고구려 유민들을 모아 藩國을 신라 영역에서 재건해 주었다. 신라가 보기에는 고구려를 깔끔하게 멸망시켰고, 또 끊어진 사직을 이어주기까지 했다. 그런데 반해 발해는 고구려 왕족이 세운 나라도 아니었다. 발해 두 번째 국왕인 대무예가 일본에 보낸 첫 번째 국서에서 자국의 정체성을 夫餘에서 찾았다. 비록 당을 의식한 수사라고 하더라도, 분명한 것은 발해는 당초 고구려 계승을 선언하지도 않았다. 신라가 보기에는 고구려 殘孼이 세운 발해를 고구려의 적통으로 간주할 이유가 없었다. 신라로서는 발해를 말갈의 나라로 여기는 게 당연할 수도 있었다.

더욱이 신라는 백제와 고구려를 멸망시켜 통합했다는 자부심을 가졌다. 그런데 반해 신라나 고려는 발해를 통합하지 못했다. 발해의 입장에서도 마찬 가지였다. 고려가 발해 유민을 받아들인 것은 난민 수용 차원일 뿐 통합은 아니었다. 그리고 삼국의 경우는 복색이나 문화에서 동질하다는 평가와 더불어 '해동삼국'이나 '삼한'이라는 공동체로 인식되었다. 이에 반해 신라와 발해의 동질성은 그 어디에서도 운위된 바 없었다. 중국 사서에서도 고구려는 東夷傳에 속했지만, 발해는 北狄傳에 배정하였다.

삼국은 간단없이 수백년 간에 걸쳐 상대를 통합하기 위한 전쟁을 지속적으로 벌였다. 그런데 반해 신라와 발해는 서로를 통합의 대상으로 여기지도 않았다. 신라는 어디까지나 당의 요청으로 발해를 공격한 적은 있었다. 그렇지만 양국이 자국의 의지로 충돌한 적은 없었다. 물론 신라는 서북에 장성을 축조하거나 동북에 관문을 설치한 적은 있었다. 즉 826년에 300리에 걸친 패강장성과 경덕왕대의 炭項關門 축조였다. 그렇지만 이는 발해의 위협보다는 界線으로서의 성격이 강했다. 통합에 대한 의지 대신 상호불가침 형태로 각자도생의 길로 병존을 바랐음을 읽을 수 있다. 통합 의지가 없었던 양국을 대등하게 놓고 남북국시대를 설정하는 것은 사리에 맞지 않다.

굳이 남북국시대론을 설정한다면 신라와 발해가 아니라 후백제와 고려 사이는 가능할 수 있다. 양국은 동일한 국가 영역에서 성립하여 상대를 통합의 대상으로 간주하였다. 고려 왕건은 후백제 진훤 왕에게 보낸 국서에서 "이것은 곧 내가 南人들에게 큰 덕을 베푼 것이었다(此即我有大德於南人也)"고 했듯이 후백제인들을 '남인'으로 호칭했다. 진훤 왕은 "군대는 북군보다 갑절이나 되면서도 오히려 이기지 못하니(兵倍於北軍尚爾不利)"라고 하여, 고려군을 '북군'으로 일컬었다. 진훤 왕은 그러면서 "어찌 北王에게 귀순해서 목숨을 보전해야 되지 않겠는가(盍歸順於北王保首領矣)"고 하면서 고려 왕을 '북왕'이라고 했다. 발해가 신라를 '남국'으로 일컬었는지는 확인되지 않았다. 그렇지만 후백제와 고려는 서로를 '남인'·'북군'·'북왕'으로 불러 '남북국'의 대치를 상정할 수 있다.

후백제와 고려의 대치 기간을 남북국시대로 설정해도 지나치지 않는다. 물론 신라의 존재를 제시하겠지만 진훤과 왕건이 주고받은 국서에서 공히 신라와 周를 거론했다. 진훤은 "저의 뜻은 왕실을 높이는데 돈독하고(僕義篤尊王)"라고 하여 '존왕' 곧 신라의 신하임을 자처하였다. 왕건은 "의리를 지켜 周를 높임에 있어(仗義尊周)"라고 했듯이 신라를 周室에 견주었다. 익히 두루 알려진 사실이다. 중국 춘추시대의 周室은 상징성만 있었듯이 당시 신라도 이와 동일했다. 형식상 주실이 엄존했지만 춘추시대로 일컫고 있다. 중국의 삼국시대도 엄연히 漢室이 존재했지만 魏·蜀·吳 삼국의 역사로 간주하였다. 따라서 우리나라의 경우도 周처럼 상징성만 지닌 신라를 제끼고 후백제와 고려가 대치한 남북국시대로 설정해도 하등 부자연스럽지 않다. 현재 남한과 북한이 대치한 시대를 훗날 남북국시대로 설정한다고 해도 전혀 억지스러운 일은 아니다.

신라와 발해는 상대를 통합의 대상으로 간주하지도 않았고, 동질성도 분명하지 않았다. 그럼에도 단순히 남북으로 대치했다고 하여 남북국시대로 운위할 수는 없다.

7. 발해의 대외관계—신라와의 관계

발해는 고구려를 멸망시킨 신라보다는 일본과 시종 활발하게 교류했다. 그랬기에 일본 사서나 문헌에는 발해 관련 기록이 적지 않게 남아 있다. 당과 신라 사이에서 고구려가 왜와 연화하였던 맥락에서 교류를 한 것 같다. 일본측 자료를 통해서 발해인들 자신의 정체성과 속내를 파악하는 경우가 많았다. 동경성 궁전 유적에서 출토된 일본 동전 和同開珎은[84] 양국 간 교류의 밀도를 암시해준다. 발해가 건국할 때 신라는 대조영에게 대아찬의 관등을 내려주었다고 한다. 신라는 발해 국왕을 진골로 대우한 것이다. 대조영은 건국하자 돌궐과 교류를 했다. 대조영은 건국 과정에서 추격하던 당군을 격파하였다. 아울러 당군에 속했던 말갈과 奚의 군대가 돌궐에 항복했다. 이로 인해 당군의 추격은 멈추고 말았다. 그러한 돌궐은 당을 견제할 수 있는 세력이었다. 그랬기에 대조영은 돌궐에 사신을 파견한 것이다. 보다 근본적인 요인은 다음의 기사에서 보듯이 돌궐에는 발해의 우군인 고구려 유민들이 거주했다.

> 이따금 신라로 달아나는 자들이 있었다. 나머지 무리들은 말갈과 돌궐로 흩어져 들어갔다. 고씨의 임금이 마침내 끊어졌다.[85]

실제 돌궐 역사에서 위대한 정복군주로 평가받고 있는 默啜(Kapgan 재위: 691~716) 합한의 사위가 고구려 유민 출신인 高文簡이었다. 그는 '高麗王莫離支'를 칭할 정도로 위세가 있었다. 그 밖에 高拱毅를 비롯한 고구려 유민들이 몇 개의 집단을 이루며 돌궐에 속해 있었다. 돌궐이 발해를 지원하는 데는 이러한 배경이 깔렸을 것이다. 그런데 대조영이 신라의 진골관등을 받았는지는 확인이 어렵다. 그렇지만 당의 공격을 받는 상황에서 신라에 숙이는 것은 전략적으로 나쁘지 않았다. 발해가 이후 국가체제를 정비한 후에는 상황이 달랐다.

발해는 고구려의 계승자를 자처하였다. 그랬기에 고구려를 멸망시킨 신라를 적국으로 간주하여

84_ 原田淑人,『東京城-渤海國上京龍泉府址の發掘調査』, 東亞考古學會, 1939 ; 原田淑人 著 · 김진광 譯,『東京城 발굴보고』, 박문사, 2014, 152~153쪽.

85_ 『三國史記』 권22, 보장왕 27년 조 末尾.

시종 대립했다. 발해는 일본에 자주 사절을 파견하면서도 신라에는 한 번도 사절을 파견하지 않았다. 오히려 신라에서는 2차례나 발해에 사신을 파견한 적은 있다. 신라는 이 같은 발해를 의식해서 북쪽 변방에 長城을 쌓기까지 했다. 721년에 강릉에 장성을 축조하였으며, 762년에는 황해도 지역에 6城을 축조하였다. 발해와 일본이 신라를 협공할 계획을 세우고 있었다. 그러한 사실을 감지한 신라가 벌인 축성 사업이었다. 821년에는 300 里에 걸친 浿江長城을 축조했다. 발해의 위협이 증가되는 상황에서 당측의 요청으로 733년에는 발해의 남쪽 경계인 함경남도 지방을 공격하였다. 그러나 신라군은 大雪로 인해 退却하였다. 발해와 신라의 대립이 군사적 충돌로까지 번지어 간 셈이다. 이때 김충신이 당 현종에게 올린 글에 의하면 발해를 '말갈'·'凶殘'·'蠢動하는 저 오랑캐' 등으로 맹비난했다.

발해와 신라는 모두 당의 문화를 흡수하기 위해 노력하였다. 양국은 모두 당으로부터 문화적 선진국으로서의 국제적 지위를 승인 받기를 원하게 되었다. 그 결과 사신 윗자리 다툼 사건과, 과거 합격자 서열 다툼사건이 일어났다. 897년에 발해 사신이 신라 사신보다 윗자리에 앉게 해 달라고 요청하였다. 이때 발해는 강국으로 자처하고 신라를 弱國이라하여 그러한 요구를 한 것이다. 그러나 당은 발해 사신의 요구를 거절하고 종전처럼 신라 사신을 상석에 앉혔다. 또 하나는 당의 과거합격자 서열에서 신라의 崔彦撝 바로 뒤에 발해 출신 학생이 합격하였다. 이 발해 출신 학생의 아버지가 당에 사신으로 갔을 때 항의했으나 거절되었다. 즉 첫째 시험에서 발해의 烏炤度가 신라의 李同보다 높은 점수이자 賓貢科의 수석이 되었고, 두 번째 시험에서는 신라의 최언위가 발해의 烏光贊보다 높은 점수로 합격하였다. 최치원은 첫 번째 사건을 부끄럽게 여겨 '일국의 수치로 영원히 남을 사건'으로 인식하였다. 두 번째 시험에서는 오광찬의 성적에 대해서는 그의 아버지인 오소도가 항의를 하였던 것이다.

바로 이러한 사건들은 발해와 신라의 대립 양상이 당을 매개로 한 문화적 우열의 경쟁으로 기울고 있었음을 나타내 준다. 그러나 발해가 거란의 침입을 받아 멸망할 때 신라에 구원을 요청하였다. 이는 표면적으로는 대립해 왔지만 내재된 최소한의 동족의식 내지는 운명공동체 의식의 발로가 아니었을까? 양국 사이에는 비록 동질의식은 지니고 있었지만, 정치적으로는 상호 반감을 가졌다는 의미로 해석하기도 한다.

이는 발해와 신라가 시종 대립만 하지는 않았기 때문에 가능했던 것이다. 신라는 790년과 820년의 2차례에 걸쳐 발해에 사신을 파견하였었다. 그리고 발해의 5개의 중요한 상설 교통로 가운데 新

羅道가 설치되어 있었다. 이는 양국 간의 지속적인 교류를 확인시켜주는 것이다. 790년과 812년에 일길찬 伯魚와 급찬 崇正이 각각 이용한 길이 분명하다. 『삼국사기』에 인용된 賈耽의 「古今郡國志」에 의하면 신라 泉井郡(함경남도 德源)에서부터 柵城府(지린성 훈춘시 八連城)까지 39개의 驛이 있다고 하였다. 이 경로가 신라도에 해당된다. 唐制에 의하면 30里마다 1개의 驛을 두었다고 한다. 그러므로 천정군에서 책성부까지는 1,170리로서 현재의 단위로 하면 약 531km가 된다. 신라는 721년~757년 사이에 덕원에 탄항관문을 축조하였다. 이것이 바로 신라도가 통과하는 양국 국경지대의 관문인 것이다. 발해에서 출발하여 탄항관문을 지남으로써 마침내 신라 경내로 들어오게 된다. 여기서 다시 동해안을 따라 경주로 향하게 되는 루트가 되겠다.

9세기 중반 당의 登州城 남쪽 길의 동쪽에 新羅館과 渤海館이 마주하고 있었다. 이는 양국관계가 우호적이었음을 생각하게하는 징표로 운위된다. 그 밖에 발해 지배층에 신라 계통의 성씨인 박씨와 최씨가 보인다. 이 것 또한 양국 간의 교류의 일단을 시사해 주고 있다.

양국 관계에 있어서 가장 중요한 문제가 있다. 상대를 통합의 대상으로 간주했냐는 것이다. 통합의 대상으로 간주했다면 2개의 정권은 한시성을 지녔음을 뜻한다. 통합에 대한 의지는 어느 한쪽만이 아니라 서로 공유하는 接點이었을 때 의미를 넘어 역사성을 지닌 게 된다. 신라인들의 경우는 삼한을 합하여 1家를 이루었다는 인식을 지녔다. 신라인들이 공유한 이러한 인식에서는 고구려의 잔얼로 여겼던 발해는 통합의 대상이 될 수 없었다. 신라는 668년에 고구려 왕을 생포했고, 항복을 받았다. 그럼으로써 고구려의 법통을 신라가 확보했다는 인식을 지녔다. 신라가 세워준 보덕국이 차라리 고구려의 후신이요 계승자일 수는 있었다.

발해는 고구려를 계승한 국가였으므로 한국사에 속한다는 단순 논리에서는 벗어나야할 듯싶다. 발해를 한국사의 주변부에서 중심부로 진입시킬 수 있는 자료의 제시와 논리의 보완이 긴요하다. 이는 발해와 신라 사이의 접점에서 찾아질 수 있다.

8. 발해의 멸망

발해 말기인 911년경에 발해는 신라와 비밀리에 結援했다. 그러나 이러한 관계는 오래 지속되지 못하였다. 신라는 915년과 925년에 거란에 사신을 각각 보내었다. 궁예의 태봉도 거란에 사신을 보낸 바 있다. 이러한 상황은 고려 태조가 즉위한 이후에도 지속되었다. 후백제도 발해 대신 거란과 교류하였다. 거란이 발해를 공격할 때 신라는 소수의 병력을 파견하여 지원했던 것으로 밝혀졌다. 발해를 멸망시킨 후에 거란 태조는 신라에 상을 내리게 되었다.[86] 발해는 후삼국의 그 어느 나라로부터도 지원을 받지 못했다. 후삼국의 나라들은 오히려 거란과 긴밀한 관계를 유지하였다. 이 점은 부인할 수 없는 냉엄한 사실이었다.

후당 명종이 왕건에게 보낸 조서에서 "정예한 군사로 진훤의 무리를 꺾었고, 입고 먹는 것을 절약하여 *忽汗*의 사람들을 구제하였다"[87]고 했다. 여기서 '홀한의 사람들'은 발해인을 가리킨다. 고려로 귀부한 발해인들을 왕건이 수용한 사실을 언급한 것이다. 그리고 왕건은 발해를 '혼인'한 관계임을[88] 들먹이며 거란을 적대시했다. 그러나 이는 어디까지나 발해 멸망 후의 일이다. 「훈요십조」에서 거란에 대한 적개감을 격하게 표출한 고려 태조였지만, 정작 발해가 건재했을 때는 우군 역할을 하지 못했다. 고려 태조가 발해를 지켜준 일은 없었다. 거란과 접경하여 갈등 관계가 되자 발해를 거론하며 '혼인' 관계니, '친척의 나라'를 운위했다. 이 점에 대해 성호 이익은 "왕씨는 그 사신을 귀양보내고 그 낙타를 죽였다. 이는 진실로 발해를 위해서 한 까닭은 아니었다. 그 뜻이 장차 의리에 따라 강토를 조금 더 넓히려고 했던 것이니, 마치 군사는 곧은 것이 壯하다는 것과 같다. … 그렇지 않으면 대씨의 흥망이 우리와 무슨 관계가 있어서 이렇게까지 심하게 끊어 버렸겠는가"[89]라고 설파했다.

발해 멸망 원인은 정확히 기록되어 있지 않다. 성호 이익은 "거란 임금 阿保機가 강성하여 동북의 여러 오랑캐가 投屬했지만, 그럼에도 발해는 항복하지 않았다. 거란이 당을 침략할 모의를 하였으

86_ 宋基豪,『渤海政治史硏究』, 一潮閣, 1995, 199~212쪽.
87_ 『高麗史』 권2, 태조 16년 3월 조.
88_ 『資治通鑑』 권285, 開運 2년 10월 조.
89_ 『星湖先生僿說』 권21, 經史門, 渤海. "王之流其使殺其駝 非真為渤海之故 其志將欲攄義争地 實辭直為壯也 … 不然 大氏之興亾何與抡我 而絶之之甚至此乎"

나, 뒤에서 버티는 발해를 두려워해 먼저 공격하였다"[90]고 간주했다. 발해가 중국 대륙으로 본격 진출에 앞서 후방을 안정시키기 위해 발해를 공격했다는 것이다. 이러한 외침 사유와 발해 내적 요인으로 내분설이 제기되었다.

발해에서는 내분이 발생했을 때 일본으로의 망명 사태가 발생했다고 한다. 920년에도 발해인들의 일본 망명이 발생했다는 것이다. 심지어는 발해가 멸망한 926년 1월 이전에 고려로 망명한 사건이 925년 9월~12월 사이에 3회나 있었다.[91] 거란이 발해를 공격하여 승리한 사실을 기재한 耶律羽之의 상표에 따르면 "先帝(태조: 필자)께서 그(발해: 필자) 離心으로 인하여, 틈을 타서 움직였기에 싸우지도 않고 이길 수 있었다"[92]고 했다. 여기서 '離心'은 문자 그대로 민심이 떠 나간 것을 말한다. 발해가 사회모순으로 붕괴되는 모습을 상정하게 해준다. 이와 관련해 거란 태조가 20여년을 힘써 싸웠던 동경 요양부를 점령했고, 발해 정예군이 배치되었던 扶餘府도 포위된 지 3일만에 함락된 사실을 제시한다. 926년 1월에 거란군은 부여부를 함락시킨 지 6일만에 상경성을 포위하고, 발해왕 大諲譔의 항복을 받았다.

발해의 내분은 이 보다 100여년 전인 4대 왕 大元義가 즉위한 793년부터 9대 왕 簡王 大明忠이 사망한 818년까지 이어진 적도 있었다.[93] 그러나 10대 왕인 大仁秀(818~830)가 즉위함으로써 중흥되어 영토를 확장시켰다. 따라서 내분만으로 발해 멸망의 요인을 온전히 설명하기는 어려울 것 같다. 내분과 외침이 상승 결합하여 사회가 일거에 붕괴된 것은 분명하다. 여기서 유의해야할 사안이 있다. '離心'은 『書經』(泰誓篇)에서 비롯된 套語라는 것이다. 가령 백제가 마한 정벌을 단행하는 이유로서 시조왕이 "마한이 점점 약해지고, 상하가 離心이니, 그 국세를 오래 유지할 수 없다"고 했다. 648년에 김유신이 백제가 점령하고 있는 대량주 정벌을 왕에게 건의하면서 "그러므로 紂 임금에게는 아주 많은 사람들이 있었지만 '離心'하고, 덕이 떠났으므로, 周의 10명의 어진 신하들이 마음을 합치고 덕을 합친 것만 같지 못했습니다. 지금 저희들은 뜻이 같아서 더불어 죽고 사는 것을 함께 할 수 있으니 저 백제라는 것은 족히 두려워할 것이 없습니다"고 하여 보인다. 『삼국사기』에 적혀 있는 '離心'은 마한 멸망과 백제 정벌 내지는 멸망의 원인으로 운위되었다. 따라서 발해 멸망의 원인으로 '離

90_ 『星湖先生僿說』 권21, 經史門, 渤海. "契丹主阿保機強盛東北諸夷皆役屬 猶渤海未服 契丹謀寇唐恐渤海掎其後 先攻滅之"
91_ 宋基豪, 『渤海政治史研究』, 一潮閣, 1995, 229~231쪽.
92_ 『遼史』 권75, 耶律羽之傳.
93_ 宋基豪, 『渤海政治史研究』, 一潮閣, 1995, 139쪽.

心'은 적확한 사정을 대변한다고 볼 수 없다. 따라서 중앙 뿐 아니라 지방까지 뻗친 내전적 성격을 지닌 내분 요인에 대해서는 차후 심도 있는 연구가 필요하다.

발해 영역에는 거란이 세운 東丹國이 자리잡았다. 이에 대응하여 발해 주민들은 여러 방면에서 국가회복운동을 전개했지만 모두 실패했다. 발해 주민들 가운데 고려로 망명한 집단이 그 존재를 지금도 환기시켜주고 있다. 문제는 발해 멸망으로 고려는 거란·여진과 직접 맞닥뜨리게 되었다는 것이다. 고려는 강대한 2개 국가의 위협에 직면하였다. 고려는 발해가 사라짐으로써 이후 역사의 격랑에 휩쓸리게 되었다. 발해가 그간 점하였던 위상을 새삼 깨닫게 하는 순간이었다.

세월이 흘러 『용비어천가』에서는 여진족의 갈래와 그 추장들 이름을 거명하면서 托溫豆漫 지역의 추장인 高卜兒閼을 언급하고 있다. 즉 "高는 姓이고 … 복아알은 이름이다(53장)"고 서술하였다. 여진족의 추장 가운데 고구려 왕족의 성씨인 고씨가 보이고 있다. 발해 멸망 이후에도 말갈과 여진으로 이어지는 만주 지역사회에서 정체성을 보전하고 있던 고구려 왕족 후예의 편린을 접하게 된다.

제10장

후삼국시대

제1절 城主와 將軍의 시대

1. 농민 봉기와 국가 해체

진성여왕대의 수취에 대한 저항에서 비롯된 전국적인 내전 상황이 촉발되었다. 각 지역을 휩쓸고 다니는 농민 출신의 도적떼들로부터 촌락의 안전과 재산 그리고 개인의 생명을 보전하기 위한 방책을 마련하였다. 즉, 몇 개 촌락을 장악하고 있던 호족들은 자신 예하의 주민들의 생명과 재산을 지켜주기 위해 방어시설인 성을 쌓거나 기존의 성들을 개축하면서 농민군의 공격에 대비하였다. 한 개의 성을 중심으로 여러 개의 촌락이 단위체를 형성하고 있었다. 평시에는 촌락에서 생업에 종사하지만 유사시에는 城에 入堡하여 장기간에 걸친 농성에 대비했다. 성 안에는 그것에 대비하여 양곡과 무기 그리고 관청을 비롯한 宿舍가 마련되어 있었다. 바로 이러한 용도의 성을 장악하거나 성의 우두머리였기 때문에 '城主'라고 불려지는 새로운 지배층이 등장하였다. 그들은 또 私兵을 거느리고 있었기에 '장군'이라고도 불려졌다. 성주와 장군이라는 이름을 붙인 새로운 지배층이 한 시대를 풍미하게 되었다. 이름하여 '성주와 장군의 시대'가 열린 것이다.

기존의 갖은 이권을 누리고 있던 성주와 장군으로 일컬었던 세력층을 중심으로 촌락이 보전되고 있었다. 이에 반해 농민군의 경우는 유동성을 띠면서 격하게 파도를 타는 상황이었고, 부침이 현저하였다. 그 가운데 竹州(경기도 안성)의 기훤, 北原(강원도 원주)의 양길을 비롯한 기라성같은 세력가들이 각지에 할거했다. 역사의 전면에 그 이름을 드러냈다. 혼돈의 시대가 아니었더라면 감연히 이름자를 내지도 못했을 위인들이었다. 『성경』에서 "나라에 반란이 일어나면 우두머리가 많아지지만(잠언. 28-2)"이라는 글귀가 연상된다. 그 가운데 하나, 바로 기훤의 막하에 찾아 왔다가 뒤에 양길의 막료가 된 애꾸눈의 장군 궁예가 있었다. 궁예는 신라 47대 헌안왕 혹은 48대 경문왕의 아들이라고 전한다. 2 가지 전승 가운데 연령 관계로 볼 때 경문왕의 아들일 가능성이 높다. 궁예는 진성여왕과 배다른 남매 관계로 보인다.

그러면 천년왕국 신라가 멸망으로 치닫고 과거의 삼국시대가 재현된 배경은 무엇일까? 신라의 백제와 고구려 고지의 주민에 대한 지배가 실패했다는 반증이었다. 단적인 사례가 신라 왕자 출신인 궁예가 고구려 고지에서 고구려를 재건할 수 있었다는 것이다. 신라 시조인 혁거세의 후손인 朴遲胤이 고구려의 大毛達이라는 군관직을 칭하면서 지역 정서에 편승하였다. 즉 패서 지역 호족 가운데 황해도 평산의 박지윤의 아버지 朴直胤은 신라 시조 혁거세의 후손이었다. 그럼에도 그는 고구려의 장군 이름인 대모달을 칭하였다. 이는 패서 지역에서 고구려적인 정서가 광범위하고도 짙게 깔려 있었음을 웅변해 준다. 아울러 통일신라의 실체는 덜 통합된 상태였음을 말해주고 있다. 박지윤 일가는 그 같은 지역 정서에 역행할 수는 없었다. 그랬기에 신라 왕족 출신이었음에도 불구하고 고구려로의 회귀를 열망하는 분위기를 선도할 수 있었다고 보겠다.[1] 이러한 지역 정서는 훗날 태봉의 국도가 되는 철원 도피안사 비로자나불 조상기에서도 엿보인다. 757년에 鐵城郡으로 개정했음에도 불구하고 865년에 만든 명문에는 '鐵員郡'으로 적혀 있다. '鐵員郡'은 고구려 때 지명 鐵圓郡과 동일한 것이다. 철원 지역은 신라가 아닌 고구려 지명을 고수하였다. 말세관이 적힌 명문 내용과 더불어, 강렬한 고구려 회귀 정서는 궁예가 국도로 삼게 한 요인일 수 있다.

정복의 법칙에 따르면 "남의 영토를 차지하는 것을 합리화하려면 약탈 행위에 보다 근사하고 그럴듯한 옷을 입혀서 이런 행위가 법적으로나 도덕적으로 정당하게 보이도록 만들어야 했다"[2]고 한다. 이와 엮어져서 점령한 지역의 과거 흔적을 지워야 한다. 우선적으로 기존 지명을 자국의 새로운 지명으로 바꾸어야 하는 것이다. 점령한 지역의 지명이 지닌 정체성을 파괴함으로써 완결되는 것이다. 이는 作名으로써 마무리 된다. 곧 새로운 영토에 대한 정체성을 부여해서 소유권 주장을 명시하는 것이다.[3]

이와 관련해 중국 北京의 사례를 원용해 본다. 북경은 金代에는 中都, 元代에는 大都, 明代의 北京, 中華民國에서는 北平, 1937년 만주사변으로 日帝가 점령한 후 北京, 1945년 일제 패전 후 중화민국에서 北平, 1949년 中華人民共和國 성립 후 北京으로 계속 고쳤다. 그러나 臺灣에서는 지금도

1_ 李道學, 『후백제 진훤대왕』, 주류성, 2015, 173쪽.
2_ 데이비드 데이 著·이경식 譯, 『정복의 법칙–남의 땅을 빼앗은 자들의 역사 만들기』, human& Books, 2006, 138쪽.
3_ 데이비드 데이 著·이경식 譯, 『정복의 법칙–남의 땅을 빼앗은 자들의 역사 만들기』, human& Books, 2006, 100쪽.

북경을 北平으로 일컫는데, 정부 공문서는 北平을 여전히 견지하였다.[4] 이처럼 국도 이름을 고친 이유를 다음과 같이 해석하고 있다.

> 중국은 왕조가 바뀔 때마다 그 도읍지는 이름을 바꾸고, 새로운 나라를 세우면, 과거의 國都들은 그냥 버려져 새로운 이름을 붙이게 된다. 중국인에게는 왕조가 바뀌었을 때, 이전의 왕조와 적대적인 입장에 놓이게 된다. 그래서 당연히 다른 지명으로 부르게 되지만, 그러나 이렇게 되면 지명의 문제가 복잡해진다. 이 때문에 중국의 역사는 이어지지 못하고 있다. … 중국인들은 역사를 존중해야 한다는 의식이 없고, 과거를 전혀 중요시 하지 않는다. 중국인들의 생각은 오로지 과거를 모두 버리고·불태우고·파괴한 후에, 다시금 자신이 시작하는 것이다.[5]

위의 글은 일본인 시각에서 작성되었다. 그런 관계로 중국에 대한 폄훼가 보인다. 그렇지만 지명 개정의 목적에 대한 본질은 수긍이 간다. 그러면 신라는 점령한 영역에 대한 지명을 어떻게 처리했을까? 이는 다음과 같은 점령한 국가의 몇몇 행정지명에 대한 처리 방식을 통해 확인할 수 있다.

* 嘉林郡은 본래 백제 加林郡인데, 경덕왕이 加를 고쳐 嘉로 하였기에 지금 그대로 한다.
* 晞陽縣은 본래 백제 馬老縣인데, 경덕왕이 이름을 고쳤다. 지금 光陽縣이다.
* 管城郡은 본래 古尸山郡인데, 경덕왕이 이름을 고쳤다. 지금도 그대로 한다.
* 奈隄郡은 본래 고구려 奈吐郡인데, 경덕왕이 이름을 고쳤다. 지금 堤州이다.
* 赤山縣은 본래 고구려의 縣이었는데, 경덕왕이 이것을 따랐다. 지금 丹山縣이다.
* 安康縣은 본래 比火縣인데, 경덕왕이 이름을 고쳤다. 지금도 그대로 한다.

위의 기사는 『삼국사기』 지리지에 적혀 있는 내용이다. 가림군은 현재 부여군 임천면 지역인데, 경덕왕이 백제 때 지명을 고쳤지만 音은 동일하다. 나제군은 고구려 때 나토군을 고쳤지만 漢譯에 불과했다. 양자는 기본적으로 동일한 지명이다. 적산현은은 고구려 때 지명을 그대로 사용하고 있

4_ 宮脇淳子, 『這才是眞實的中國史(1840~1949)』, 八旗文化出版, 2016, 258~259쪽.
5_ 宮脇淳子, 『這才是眞實的中國史(1840~1949)』, 八旗文化出版, 2016, 259~260쪽.

다. 현재 경주시 안강읍에 속한 비화현을 안강현으로 고쳤다. 이 경우는 전혀 연관성이 없을 정도로 판이하다. 757(경덕왕 16)년에 신라는 한화정책에 따라 행정지명을 전면적으로 漢譯하여 고쳤다. 따라서 행정지명의 본질적인 변화는 없다. 안강현과 같은 신라의 수도인 경주 외곽의 행정지명은 판이하게 고쳤다. 그러나 신라가 정작 점령한 지역인 백제와 고구려 지명은 漢譯에 불과하였다. 본질적으로는 고친 게 아니었다.

문제는 행정지명을 757년에 전면적으로 고쳤다고 했지만, 기존 백제와 고구려 지명을 여전히 사용하는 경우가 나타난다.[6] 가령 804년(애장왕 5)에 주조된 襄陽 禪林院址 鐘銘을 보면 '管城郡' 대신 '古尸山郡'이라는 백제 지명을 여전히 사용하고 있다. 광양에 소재한 마로산성에서는 신라 행정지명인 '晞陽縣' 명문 기와는 단 한 점도 출토된 바 없다. 반면 '馬老官' 명문 기와만 출토되었다. 백제 때 행정지명인 '馬老'가 신라의 공용관청격인 마로산성에서 공공연히 사용된 것이다.

신라는 지명 개정을 해당 지역을 점령한 직후에 단행하지도 않았다. 그것도 삼국통일 후 1세기나 지난 무렵에 단행했다. 게다가 지명 개정이 실제 반영되지도 않았음을 알려준다. 결국 신라는 백제와 고구려의 정체성을 파괴하는데 등한시하거나 몰각한 것이었다. 그랬기에 지역 정체성이 고스란히 보존될 수 있었다. 신라 왕족 출신이 고구려 관직인 대모달을 冠稱한 것도 이러한 분위기를 읽을 수 있다. 자신들의 정체성을 보존하고 있던 신라 영역 내의 백제와 고구려 유민들은 先導者가 등장하자 메아리 치듯이 일제히 호응할 수 있었다.

이러한 신라와는 달리 고구려는 신복속 지역에 자국 행정지명을 즉각 부여하였다. 즉 점령한 지역의 행정지명을 폐기한 대신 자국 색채의 作名을 했다. 고구려에서 城을 가리키는 '忽'이라는 행정단위 앞에 고구려 색채가 담긴 지명을 부여한 것이다. 가령 경기도 안성 지역에 대해 "白城郡은 본래 고구려 柰兮忽이었는데, 경덕왕이 이름을 고쳤다. 지금의 安城郡이다. 領縣이 둘이었다. 赤城縣은

6_ 혹자는 신라가 776년(혜공왕 12)에 759년(경덕왕 18)에 시행한 百官의 호칭을 전부 고쳤다는 기록에 근거하여 지명의 복구 가능성을 열어두었다. 즉 "여하튼 옛 백제 지명의 개명과 복구는 해당 지역 주민들로 하여금 백제에 대한 기억을 다시 새롭게 하고, 그것을 간직하도록 하였을 것이다"고 했다. 그러나 『삼국사기』에서 지명 개정은 경덕왕 16년 조에 적혀 있는 반면, 백관 개정은 그 2년 후인 경덕왕 18년 조에 적혀 있다. 양자는 서로 성격이 동일하지 않았다. 실제 886년에 세워진 강원도 양양 선림원지 홍각선사탑비에 따르면 고구려 때 지명인 上(車)忽이 아닌 756년에 개정한 車城 지명으로 적혀 있다. 890년에 세워진 제천 월광사지 원랑선사탑비에도 백제 때 發羅郡이 아닌 756년에 개정된 錦城郡의 太守로 표기되었다. 이러한 사례는 872년에 세워진 곡성 대안사 적인선사탑비를 비롯하여 858년에 작성된 장흥 보림사 비로자나불좌상 명문, 855년에 만들어진 「경주 창림사 무구정탑지」 등에 이르기까지 허다하게 확인된다. 따라서 혹자가 제기한 지명 복구설은 허구로 드러났다.

본래 고구려 沙伏忽이었는데, 경덕왕이 이름을 고쳤다. 지금의 陽城縣이다"[7]는 기록을 예시할 수 있다. 고구려의 행정지명이 지닌 생명력의 일단을 시사받을 수 있다. 즉 고구려의 작명 작업이 성공했음을 반증해 준다. 요컨대 일찍부터 영토 확장에 사활을 걸었던 고구려가 신정복지에 대한 장악과 관리 방식에서 단연히 앞섰음을 뜻한다.

고구려 장군 온달이 내 세운 한수유역 회복의 명분이 "(이 곳 사람들이) 일찍이 부모의 나라를 잊은 적이 없습니다"였다. 물론 이 기록은 어디까지나 고구려 중심의 탈환 명분이기는 하다. 그렇지만 고구려가 점령지 시책에 일정하게 성공했음을 뜻한다. 그랬기에 553년에 신라의 한강유역 완점은 백제 고지가 아니라 고구려 영역 점령으로 인식하게 하는 데 성공한 것이다. 실제 『삼국사기』 지리지만 보더라도 신라가 새로 점령한 한강유역을 비롯한 한반도 중부 지역은 고구려 고지로 적혀 있다. 고구려가 지배하기 이전 이곳의 백제 행정지명은 보이지 않는다.[8] 요컨대 형식 논리상 한강유역은 500년 가까이 지배했다는 백제보다는 76년만 지배한 고구려의 영역이라는 이미지가 훨씬 강렬했던 것이다. 이 역시 고구려의 정복지 시책이 효과를 얻었음을 반증한다.

이와는 달리 신라 말 삼국시대는 재현되었다. 어떤 형태로든 멸망시킨 국가에 대한 정체성 파괴를 하지 않은 신라의 정치적 무능에 기인한 바였다.

7_ 『三國史記』 권35, 地理 2.
8_ 李道學, 「百濟 熊津期 漢江流域 支配問題와 그에 대한 認識」 『鄉土서울』 73, 2009, 86쪽.

2. 사서 속의 인물 평가와 인식

1) 臺本 같은 등장 인물

우리나라에서 史書가 보전되지 못한 이유를 전란 탓으로 돌리기도 한다. 그러나 꼭 그렇게만 단정하기 어려운 점도 보였다. 이와 관련해 너무나 유명해진 "과거를 지배하는 자는 미래를 지배한다. 현재를 지배하는 자는 과거를 지배한다(He who controls the past controls the future. He who controls the present controls the past)"[9]는 명언이 상기된다. 현대우화『동물농장』으로 널리 알려진 영국의 조지 오웰(George Orwell, 1903~1950)의 저서『1984』에 적혀 있는 구절이다.

전통시대의 공식적인 역사 기록은 어디까지나 승자의 전유물이라고 할 때 가장 불행한 대상은 궁예와 진훤이었다. 이들의 역사는 자신의 부하이자 숙적인 왕건의 측근들에 의해 만들어졌기 때문이다. 최종 승자인 왕건 중심으로 역사가 쓰여지다 보니까 시대의 거대한 한 軸을 짊어졌던 이들은 그 조역으로 전락하게 되었다. 이는 불가피할 수밖에 없는 현상이겠지만,『삼국사기』에서 "신라 말에 일어난 群盜 가운데 가장 악독한 자는 궁예와 진훤 두 사람이었고, 실로 천하의 으뜸 가는 악인이며 인민들의 큰 원수였다"는 엄혹한 질타를 받고 있다. 인민들의 열광적인 환호에 힘입어 구세주처럼 추앙되었던 이들이지만 '인민들의 큰 원수'로 전락하고 말았다. 이러한 부정적인 평가는 조선시대에도 변화되지 않았다. 大惡人으로 인식되었기 때문이다.

그러나 근대역사학의 성장과 더불어 궁예는 힘찬 개혁의지로써 새로운 시대를 열었던 혁명가로 재평가되었다. 반면 왕건은 기득권을 유지하려는 호족세력과 타협한 보수적인 인물로 규정되기도 한다. 서양 학자의 논문에서도 궁예와 진훤은 부정적인 이미지로부터의 상당한 회복이 필요하다는 지적을 받았다. 역사서의 궁예와 진훤 그리고 왕건은 사전에 결정된 배역을 맡은 대본 속의 인물들에 불과하다는 것이었다. "시대가 영웅을 낳는다"는 말이 있지만, 영웅에 대한 평가 역시 시대와 분리될 수 없다. 영웅관은 시대를 지배했던 이데올로기의 변천과 사료 비판력에 따라 얼마든지 바뀌게 마련이다.[10] 때문에 역사의 '생명력'을 운위할 수 있는 게 아닐까? 이와 관련해 미국 캔사스대학

9_ 조지 오웰 著·정성희 譯,『1984』, 민음사, 2016, 53쪽.
10_ 李道學,「역사 속에서 영웅의 변천」『이대대학원신문』, 제22호, 이화여자대학교 총학생회, 2000. 12.12.

교수 허스트 3세(G. Cameroon Hurst III, 1941~2016)가 집필한 「善人 · 惡人, 그리고 醜人—고려 왕조 창건기의 인물들의 특성에 대하여」[11]라는 논문 제목은 시사적이다. 우리나라에서도 상영되었던 '황야의 무법자 속편'의 원 제목이다. 허스트 3세가 영화 제목을 논문 제목으로 삼은 이유는 고려 왕조 창건기의 역사는 배역이 정해진 드라마 대본 같다는 취지에서였다. 여기서 선인은 주인공 왕건, 악인은 진훤, 추인은 궁예였다. 허스트 3세는 대본같은 사서의 행간을 읽으면서 은폐 속의 진실을 찾고자 부심했다. 가령 王建과 그 아버지 龍建, 조부 作帝建의 이름은 너무 노골적이었다. 허스트 3세는 의심을 제기했다. 왕이 될 운명이라는 이러한 이름들을 정말 사용했을까? 의심 많다는 궁예가 용인했을까? 궁예는 승려 생활 중 까마귀가 바릿대에 떨어뜨려준 '王' 字 적힌 상아 막대를 품에 넣었다. 그는 내밀한 자부심을 가졌다.

궁예와는 달리 하늘의 점지가 보이지 않은 왕건은 자가발전할 수밖에 없었다. 그가 궁예를 축출한 직후 제정한 연호 '天授'와 앞에서 언급한 작위적인 이름들은 셀프(self) 암시에 불과했다.

영화 대본과 같은 잘 짜여진 각본에 불과하다는 평가까지 받았던 現傳하는 후삼국사였다. 후삼국사를 담고 있는 『삼국사기』나 『고려사』를 분석한 결과 왜곡과 은폐가 다수 확인되었다. 게다가 패자인 궁예나 진훤의 경우 그들의 내력이 온전하게 보존되지 못했다. 그러므로 현재 전해지고 있는 후삼국사는 어디까지나 반쪽 역사에 불과하다. 이 사실을 염두에 두면서 나머지 반쪽의 역사를 복원하는 데 여러 가능성을 열어 두어야 한다. 그리고 유연한 자세로 접근하는 게 긴요할 듯하다.

2) 기록에서 지워진 왕건과 비등했던 장군들

왕건이 쿠데타로 즉위한 직후 반란을 일으킨 마군장군 桓宣吉의 아내가 "당신의 재주와 능력은 남보다 훨씬 나으므로 사졸들이 복종하고 있지 않습니까. 또 大功이 있음에도 불구하고 정권은 다른 사람에게 있으니 부끄럽지 않습니까!"[12]라고 했다. 환선길도 마음 속으로 그렇게 여겼다고 한다. 여기서 '다른 사람'은 왕건을 가리킨다. 왕건과 비등하거나 그 이상의 능력을 지닌 궁예의 부하 장군이 환선길임을 알려준다. 그럼에도 환선길의 '大功'은 고사하고 그의 행적은 전혀 소개된 바 없다.

11_ G.Cameron Hurst III, "The Good, The Bad And The Ugly" :Personalities in the Founding of the Koryo Dynasty Korean Studies Forum, No7, 1981, pp.1~27.

12_ 『高麗史』 권127, 叛逆 桓宣吉傳. "其妻謂曰 子才力過人 士卒服從 又有大功 而政柄在人 可不懊乎 宣吉心然之"

다만 환선길의 반란 실패 기사가 『고려사』 환선길전에 보인다. 이에 따르면 환선길은 50여 명의 무장한 병력을 이끌고 內庭에 진입했다는 것이다. 이때 왕건은 비무장 상태로 학사들과 국정을 논의하던 중이라고 한다. 환선길은 왕건을 곧바로 찌르려다가 태연자약한 왕건의 호통에 놀라 달아났다는 것이다. 달아난 이유로서 복병이 있을지 두려웠기 때문이라고 했다. 그러나 이러한 상황은 상식적으로 이해되지 않는다. 설령 복병이 있다고 하더라도 왕건과 면전에서 맞딱뜨렸을 뿐 아니라 예하에 50여 명의 무장 병력이 있었다. 그리고 환선길이 무장 병력을 이끌고 내정까지 진입했다는 것은 궁정내에 내응 세력이 존재했음을 뜻한다. 게다가 환선길의 아우인 향식이 지원 병력을 이끌고 도착했을 정도로 치밀하게 사전 모의가 이루어졌다. 그럼에도 왕건의 호통 한번에 달아났다는 것은 너무나 희화적이다. 다만 환선길전을 통해 왕건의 즉위는 환선길 등의 지원에 힘입었음을 알 수 있다. 그렇지만 왕건이 "천명이 이미 정해졌다(天命已定)"고 했듯이 왕위는 이미 결정되었으니 넘보지 말라고 경고했다는 것이다. 이 기록의 진위를 떠나 왕건과 비등한 위치에 환선길이 존재했음은 분명하다. 추측을 한다면 궁예 축출 모의를 할 때 대안으로 왕건과 더불어 환선길도 물망에 올랐을 가능성마저 제기해 준다.

궁예 정권에서 왕건과 위상이 비등했던 장군은 환선길 외에도 더 존재했던 것 같다. 모반 혐의로 체포된 마군대장군 伊昕巖을 가리켜 왕건 스스로 "나와 함께 어깨를 나란히 하고 임금을 섬겨 그 전부터 정분이 있으니"[13]라고 했다. 그런데 왕건과 어깨를 나란히 했다면서도 이흔암의 전공 기록은 일체 사서에서 보이지 않는다. 이흔암이 마군대장군이라는 고위직에 올랐다는 자체가 혁혁한 전공을 전제하고 있다. 모두 "현재를 지배하는 자는 과거를 지배한다"는 명언을 연상시킨다. 스페인 내전의 승자인 프랑코 총통은 당초에는 국민 진영 최고 지도자가 될 후보자 4명 가운데 1명에 불과했다. 즉 프랑코는 동등한 여럿 가운데 한 사람에 불과했던 것이다.[14] 이와 관련해 상기시키고자 한다.

이 같은 단편적인 사실 확인을 통해 왕건 즉위 후, 기존의 역사 기록은 왕건 중심으로 재편되었음을 알 수 있다. 과거 구소련 스탈린 시대에는 숙청된 이들을 사진에서 포토샵처리하여 삭제한 경우가 많았다. 고려에서도 역사의 포토샵이 단행되었던 게 아닐까? 그랬기에 왕건과 어깨를 나란히 했던 환선길이나 이흔암 등은 지워졌을 것이다.[15]

13_ 『高麗史』 권127, 叛逆 伊昕巖傳. "然與我並肩事主 情分有素"
14_ 앤터니 비버 著·김원중 譯, 『스페인 내전』, 교양인, 2009, 227쪽. 262쪽.
15_ 이도학, 「궁예와 진훤 바로보기」 『대동문화』 99, 2017, 92쪽.

사서에서 갖은 기행과 악행의 소유자로 알려진 궁예의 축출 배경도 재검토가 가능하다. 궁예는 처음 제정했던 국호 '高麗'를 버렸다. 이는 고구려 계승주의에 대한 포기였다. 그랬기에 이에 반발한 고구려계 호족들에 의해 축출되었다. 궁예 축출 직후 부활된 '고려' 국호가 반증이 된다.[16] 진훤의 후백제는 시종 고려를 압도했다. 그는 능력 있는 아들에게 대권을 물려주려 했지만, 포스트 진훤을 노린 야심가들에 의해 좌절되고 말았다. 그렇지만 진훤은 자신의 모든 것을 버리고 왕건에게 귀의함으로써 대통합이 가능해졌다. 무엇이 진정한 용기인지를 생각하게 한다. 허스트 3세의 "운명의 뒤틀림이 없었다면 10세기의 한국은 진훤에 의해 통일되었을지도 모른다"[17]는 말이 여운을 남긴다.

그러나 사서에는 후백제의 패배에 맞춰서 멸망할 수밖에 없는 부정적인 방향으로 서술하는 경향이 보였다. 혹은 후백제와 진훤에 대해 미리 내려놓은 결론에 위배된 사실은 은폐조차 했다. 가령 932년에 후백제 수군이 예성강을 거슬러 올라가 개경 왕궁을 포위하여 왕건을 위태로운 지경에 빠뜨렸다. 그러나 이러한 사실은 보이지 않게 했다. 왕건으로서는 公山 패전에 이은 생애 두 번째 가장 큰 위기였다. 이렇듯 사안의 막중함에도 불구하고 本紀나 世家도 아니고 왕건 부하 장군의 충성심을 현양하는 열전 속에서 설핏 보였다. 이는 예기치 않게 실로 우연히 내민 진실이었다.

후백제의 갑작스런 몰락은 그들이 경주에서 수압한 사서의 승계를 어렵게 했다. 오늘 날 한국고대사 연구가 사료 빈곤의 늪에 빠지게 한 결정적인 요인이었다.

16_ 金東仁, 「甄萱」, 『金東仁全集 3』, 三中堂, 1976, 268쪽.

17_ G.Cameron Hurst III,"The Good, The Bad And The Ugly":Personalities in the Founding of the Koryo Dynasty Korean Studies Forum, No7. p.23.

제2절 궁예와 진훤의 출신과 세력 형성 과정

1. 출신과 출생

1) 궁예

궁예의 출신과 출생에 관해 『삼국사기』 궁예전에는 47대 헌안왕 혹은 48대 경문왕의 아들로 적혀 있다.[18] 헌안왕에게는 딸밖에 없었다. 그러므로 궁예가 그 아들일 가능성은 희박한 것으로 간주하기도 한다. 그러나 헌안왕에게는 寶位를 승계할 嫡室의 아들이 없었다는 것일 뿐 서자는 존재했을 수 있다. 그 때문에 궁예가 헌안왕의 아들일 가능성을 전적으로 배제할 수는 없다. 궁예의 혈통은 선뜻 결론을 내릴 수 있는 성질의 것은 아니다. 그러나 그가 왕자 출신인 것은 분명하지 않겠는가 하는 점이다. 물론 궁예의 출신을 액면대로 믿기 어려운 구석이 있다. 후백제 진훤의 경우 『이제가기』에 따르면 그의 遠祖를 신라 진흥왕에서 찾고 있는 등[19] 신라 왕실과의 연결 고리를 맺고 있기 때문이다. 물론 이것은 사실은 아니지만 왕건의 경우도 원조인 虎景을 聖骨將軍이라고 일컫고 있다.[20] 이렇듯 신라 왕실과의 연관성을 내세우고 있는 게 후삼국 왕실의 계보에서 확인되는 현상이다.[21] 물론 궁예는 진훤이나 왕건과는 달리 구체적인 신라 왕의 이름을 거명하면서 그 자손임을 명시하고 있다. 그렇다고 하더라도 미심쩍은 요소는 있다. 궁예가 부석사에 행차하여 신라 왕의 화상을 칼로 친 사건과 결부지어 볼 때 패륜임을 나타내려는 목적에서의 조작 가능성도 제기될 수 있기 때문이다.[22] 그리고 궁예의 출생 이후 생애에는 극적인 요소가 너무나 많다. 그렇기 때문에 왕자 태생설의

18_ 『三國史記』 권50, 弓裔傳.
19_ 『三國遺事』 권2, 後百濟 甄萱 條.
20_ 『高麗史』 高麗世系.
21_ 王建家의 경우는 심지어 唐 皇室과의 연관성까지 내세우고 있다(『高麗史』 高麗世系).
22_ 궁예 스스로에 의한 조작의 가능성은 洪淳昶, 「變革期의 政治와 宗教-三國時代를 中心으로-」 『人文研究』, 1982,

경우도 액면대로 곧이 믿기 어려운 구석이 있음은 부인하기 어렵다. 물론 궁예가 왕자였기에 왕위에 오를 수 있는 권리를 지녔음을 암시해주고 있다. 까마귀가 떨어뜨려 준 점대에 쓰여진 '王' 자 역시 그것을 뒷받침해 준다. 그러나 이러한 전승은 객관적인 증거 능력을 지니지는 않았다. 그가 억울하게 버려져서 비천하고 한 많게 자라게 된 데 대한 복수의 근거로서 잘 조합되고 있을 뿐이다.

또 하나는 신라 왕자 출신인 궁예가 옛 고구려 지역에서 그곳의 정서에 호소하여 고구려를 재건할 수 있었겠냐는 의문이다. 그러나 신라 시조인 박혁거세의 후손인 박지윤이 고구려의 大毛達이라는 군관직을 칭하면서 지역 정서에 편승하는 것을 볼 때 얼마든지 가능하다는 생각이 든다. 즉 패서 지역 호족 가운데 황해도 평산의 朴遲胤의 아버지 朴直胤은 신라 시조 박혁거세의 후손이었다. 그럼에도 그는 고구려의 장군 이름인 대모달을 칭하였다. 이는 패서 지역에서 고구려적인 정서가 광범위하고도 짙게 깔려 있었음을 웅변해 준다.[23] 아울러 통일신라의 실체는 덜 통합된 상태였음을 말해주고 있다. 박지윤 일가는 그 같은 지역 정서에 역행할 수는 없었다. 그랬기에 신라 왕족 출신이었음에도 불구하고 고구려로의 회귀를 열망하는 분위기를 선도하고 있었다고 보겠다. 고구려를 부활시킬 수 있는 자격이 문제가 아니라 누가 그것을 점화시키는가의 여부가 당시로서는 더욱 긴요한 문제였다. 궁예의 출생과 성장 스토리는 전개 과정 자체가 너무나 극적이라서 석연찮은 구석이 적지 않다. 그렇지만 궁예의 계통을 신라 왕실과 연결시킨 기록을 배제하는 것 역시 쉽지 않다. 그리고 궁예의 출생담은 자신을 축출했던 왕건의 출생담과는 정확히 대척되고 있다.

2) 진훤

(1) '견훤'이 아닌 '진훤'

후백제를 세운 甄萱의 이름을 현재 '견훤'으로 표기하고 있다. 옥편을 찾아 보면 '질그릇 甄'에는 '견' 혹은 '진'의 2가지 발음이 제시되었다. 『전운옥편』에도 질그릇[陶]의 음으로 '진'과 '견', 2개 음가를 적시했다. 그렇지만 姓으로 읽을 때는 '진'임을 명기했다. 조선 후기의 대표적 역사학자인 홍여하(1621~1678)와 순암 안정복(1712~1791)은 자신들이 저술한 『동사제강』과 『동사강목』에서 각각 '甄'에

嶺南大學校, 227~228쪽에서 제기된 바 있다.

23_ 趙仁成, 「弓裔의 勢力 形成과 建國」 『震檀學報』 75, 1993, 25~28쪽.

대한 음을 모두 '眞'이라고 했다. 조선왕조에서 편찬한 일종의 백과사전인 『증보문헌비고』에서도 동일한 기록을 남겼다. 『完山甄氏世譜』에도 "우리 성(姓) 글자인 '甄'의 음은 본래 '진'에서 시작했었다"라고 하였다. 현채가 지은 구한 말(광무 11년: 1907년)의 국사 교과서인 『幼年必讀』에도 '진훤(헌)'으로 표기했다. 그 밖에 역사학자인 李丙燾와 金庠基 그리고 文暻鉉의 저작을 비롯하여 민족문화추진회 국역본에 이르기까지 모두 '진훤'으로 표기했었다. 그럼에도 언제부터인지 교과서를 위시하여 모두 '견훤'으로 표기하고 있지만 터무니없는 잘못이다.

(2) 진훤의 출신지와 출향

진훤의 출신지를 『삼국사기』와 『삼국유사』에서는 모두 '尙州加恩縣'이라고 했다. 통일신라 9주 가운데 하나인 상주라는 州 안에 소속된 '가은현'이 되겠다. 지금의 문경시 관내의 가은읍을 가리킨다. 혹은 『삼국유사』에 수록된 지렁이 설화에서 진훤의 어머니가 '光州北村'의 부자집 딸로 기록되어 있으므로 그의 고향을 지금의 광주 광역시나 그 인근으로 단정하기도 했다. 그러나 이는 『삼국유사』 정덕본에서 흔히 발견되듯이 '光州'와 글자가 비슷한 '尙州'를 誤刻한데서 기인한 것 같다. 그렇다면 도시 이름으로서 '상주 북촌'이 된다. 이는 상주 북쪽에 현재 문경시 가은읍이 접해 있는 사실과 부합되고 있다. 물론 광주 광역시 주변에 '生龍洞'을 비롯하여 진훤 왕의 출생과 연관 지을 수 있는 지명들이 존재한다. 그러나 이러한 지명들은 직접적인 자료는 아니다. 생룡동의 '용'이 진훤 왕을 가리킨다는 기록도 없다. 따라서 이는 어디까지나 해석이 필요한 방증에 불과하다. 아마도 광주광역시 일원이 진훤의 초기 국도였던 데서 파생된 현상으로 보인다. 따라서 후백제를 세운 진훤의 출신지가 문경시 가은읍 일대임은 확정적이다. 이는 한국 고대사를 구성하는 『삼국사기』와 『삼국유사』라는 양대 사서의 기록이 일치하기 때문이다. 이는 문경시 가은읍 일대의 숱한 진훤 관련 전설과 유적에서도 뒷받침된다.

그림 50 | 진훤의 고향인 아차 마을 원경

진훤은 지금의 경상북도 문경시 가은읍 아차 마을(갈전 2리)에서 가난한 농민의 맏아들로 출생했다. 지금까지 '견훤'으로 알려져 왔지만 옛 문헌에 의하면 그의 이름은 '진훤'으로 부르는 게 옳다. 이는 그의 생애 전반이 사뭇 잘못 알려져 왔음을 웅변하는 단적인 예이다. 그러면 왕건과 진훤의 출생 및 유년시절 기록을 다음과 같이 소개해 본다..

> * 唐 乾符 4년 丁酉 正月 丙戌에 松嶽의 남쪽 저택에서 탄생하니 신기한 빛과 자색의 기운이 방안에 비치고 뜰에 가득하여 하루종일 서리어 있는 것이 마치 蛟龍과 같았다. 어려서부터 총명하고 지혜로웠으며 龍顔日角에 方廣으로 도량이 크고 깊으며 말소리가 우렁차고 장차 세상을 널리 잘 다스릴 역량이 있었다.[24]
> * 甄萱은 상주 가은현 사람으로서 本姓은 李인데, 후에 甄으로 성씨를 삼았다. 아버지는 阿慈介인데 농사로 自活하다가 후에 起家하여 將軍이 되었다. 처음에 진훤이 나서 아직 강보에 싸여 있을 때 아버지가 들에 나가 경작을 하고 어머니가 참을 갖다 주려고 어린애를 수풀 아래에 두자 호랑이가 와서 젖을 먹였으므로 마을에서 듣는 이들이 신이하게 생각하였다.[25]

위의 所傳을 통해 진훤의 父인 아자개가 농민임은 분명하다.[26] 물론 아자개가 光啓 연간(885~887)에 장군을 칭했다는 기록을 주목하여 호족 출신으로 간주하는 견해도 적지 않다. 물론 아자개가 장군을 칭한 것은 사실이다. 그러나 장군을 칭하기까지에는 그 사이에 사변이라는 변수가 작용했다. 이 사실을 홀시해서는 안 될 것 같다. 상주 지역에서 발생한 후삼국 성립의 기폭제였던 최초의 조직적 봉기인 '원종과 애노의 난'이 일어났기 때문이다.

아래의 인용만 놓고는 원종과 애노 난의 성격을 정확히 알기는 어렵다. 원종과 애노를 호족 출신으로 간주하는 견해도 있기 때문이다. 그렇지만 이중 수탈로 인해 당시 국가 권력에 대한 불만이 가

24_ 『高麗史』 권1, 太祖 卽位前.

25_ 『三國史記』 권50, 甄萱傳.

26_ 李基白은 "甄萱은 尙州 지방의 가난한 農民 출신이었다"고 했다(李基白, 『韓國史新論』, 一潮閣, 1979, 121쪽). 허심하게 사료를 접하면 이러한 인식이 맞을 것이다.
진훤의 출신을 농민으로 언급한 저술로는 다음이 대표적이다.
韓佑劤, 『韓國史通史』, 乙酉文化社, 1970, 124쪽.
朴龍雲, 『高麗時代史 (上)』, 一志社, 1985, 36쪽.
變太燮, 『韓國史通論』, 三英社, 1986, 148쪽.

장 켰던 세력은 호족이 아니라 농민층이었다. 게다가 "도적이 벌떼와 같이 일어났다"고 한 도적은 농민층을 주된 구성원으로 한 것으로 밝혀졌다. 따라서 원종과 애노의 난도 이러한 추세에 결코 무관하지 않았을 것이다.

> 국내 여러 州郡에서 貢賦를 바치지 아니하여 國庫가 虛竭하고 국가의 용도가 궁핍하여 왕이 사자를 보내어 이를 독촉하니 이로 인하여 곳곳에서 도적이 벌떼와 같이 일어났다. 이 때 元宗과 哀奴 등이 沙伐州에 웅거하여 叛旗를 들었다. 왕이 나마 令奇로 하여금 이를 사로잡게 했는데, 영기는 賊壘를 바라보고 두려워 진공하지 못하고 村主 祐連이 힘써 싸우다가 전사하였다. 왕은 勅을 내려 영기를 베고 10여 세 된 우련의 아들로 촌주를 잇게 했다.[27]

위와 같은 원종과 애노의 난은 아자개가 장군을 칭한 光啓 연간 이후인 889년에 발생했다. 그러므로 아자개가 장군을 칭한 사건과 이 봉기는 무관한 것으로 간주하기 쉽다. 그러나 원종과 애노의 난 직전에 아자개가 장군을 칭하는 세력가로 성장했다고 하자. 그러면 과연 이 亂 이후에도 아자개가 여전히 세력을 유지할 수 있었는지는 의문이 든다. 왜냐하면 장군을 칭하는 호족층과 불만 농민층이 상호 대립 관계에 있었을 뿐 아니라[28] 원종과 애노의 난은 진압되지도 않았기 때문이다. 이러한 정황에 비추어 볼 때 아자개가 장군을 칭하게 된 것은 원종과 애노의 난 이후의 일로 간주하는 게 사세에 부합한다.[29]

농민 봉기의 와중에서 아자개는 상주 지역을 석권하고 장군을 칭하는 세력가로 성장했다. 그렇게 추정할 수 있는 근거는 889년 농민 봉기의 주체를 '원종·애노 등'이라고 하여 두 사람으로 기록한 사실이 실마리가 된다. 唐에서도 안록산과 史思明의 난을 '安史의 난'으로 일컫고 있다. 안록산이 피살된 후 사사명이 반란을 주도했기 때문이다. 이와 마찬 가지로 원종과 애노가 병칭된 것은 원종이 사망하고 애노가 주도권을 쥐었기 때문으로 보인다. 농민 봉기군 지도부의 교체는 요동치는 격변적 사건이 발생했음을 뜻한다. 아자개는 이러한 소용돌이 속에서 최종 승자가 되었을 가능성이 있다.

27_ 『三國史記』 권11, 眞聖王 3년 條.
28_ 尹熙勉, 「新羅下代의 城主·將軍」 『韓國史研究』 39, 1982, 57~61쪽.
29_ 尹熙勉도 城主·將軍의 등장을 농민 반란의 결과로 파악하고 있다(尹熙勉, 「新羅下代의 城主·將軍」 『韓國史研究』 39, 1982, 57~61쪽).

아니면 아자개는 신라 정부군도 진압하지 못한 원종과 애노의 난을 진압하여 신망을 얻고 지역을 안정시켰기에 상주 지역에서 장군을 칭했을 수도 있다.[30)]

진훤은 889년에 발생한 상주 지역 농민항쟁인 '원종과 애노의 난'을 기화로 신라 권력 체계로부터의 이탈 · 독립을 하였다. 또 이 항쟁은 농민 출신인 그 아버지 阿慈个가 호족으로 성장하는 전기가 되었다. 이후 아자개는 이씨 성을 칭하였다. 아자개는 기존의 성씨 가운데 이름 앞 글자인 '阿'와 근사한 李氏를 성으로 모칭한 것으로 보인다. 따라서 아자개의 성씨가 이씨였다는 점을 근거로 하여 호족 출신설을 내세우기는 어렵다. 왕건 정권에서도 개국공신들의 경우도 득세한 후에야 성을 칭하였기 때문이다. 그러니 결과를 놓고서 소급하여 해석해서는 안 될 것 같다. 924년에 건립된 문경 봉암사 지증대사비 단월로 적혀 있는 소판 阿叱彌가 있다. 이곳 호족인 아질미 역시 아자개처럼 성이 없었다.

상주 지역을 석권한 아자개의 세력은 강대했던 것 같다. 아자개는 2명의 아내를 통해 모두 5명의 아들을 낳았다. 아자개가 장군을 칭하며 사불성 즉 지금의 병풍산성에 웅거했을 때였다. 아자개의 아들들 역시 "모두 세상에 이름이 알려져 있었는데, 진훤이 걸출하여 지략이 많았다"[31)]고 했다. 아자개의 5명 아들은 이름이 기록에 남아 있을 뿐 아니라 모두 장군을 칭하였다. 이로 볼 때 장군을 칭한 아들들은 각자의 성을 지배했던 것 같다. 그렇다고 하면 아자개는 상주 관내에서 최소 4개 이상의 성을 거느린 대호족으로 성장했을 수 있다. 그렇지 않다면 진훤을 제외한 아들 4명이 모두 장군을 칭하기는 어렵지 않았을까 싶다.

왕건이 즉위한 지 채 1개월 밖에 되지 않은 시점에 아자개는 고려에 귀부했다. 그 배경은 알려진 바 없지만, 70줄 고령이었을 아자개의 후계 문제와 결부된 사단에서 비롯된 것 같다.

30_ 李道學, 『후삼국시대 전쟁연구』, 주류성, 2015, 23~24쪽.
31_ 『三國遺事』 권2, 紀異, 後百濟 甄萱.

2. 세력 규합 방식

1) 궁예

궁예가 인심을 모으고 세력을 규합할 수 있었던 방식은 여러 형태였을 것이다. 일단 "사졸들과 더불어 고생과 즐거움을 함께 하였고, 주고 빼앗는 일에 이르기까지도 공정하여 사사로움이 없었다. 이로써 뭇 사람이 마음으로 두려워하고 사랑하여 장군으로 추대하였다"[32]라고 한데서 잘 드러난다.

궁예는 전쟁터에서 나날을 보내며 사졸들과 더불어 고생과 즐거움을 함께 나누었다. 그는 지금의 강원도 영월 등지를 무대로 하여 휩쓸고 다녔다. 선종은 주고 빼앗는 일에 이르기까지 공평하여 私事로이 취하지 않았다. 이러한 선종의 행위를 평등한 인간관계를 바탕으로 하는 이상세계를 구현하려는 포부가 반영된 것으로 이해하기도 한다. 혹은 가난한 농민들은 도와준 반면, 농민들의 원성을 사고 있던 지주들이나 사원으로부터는 재물을 빼앗은 행위로 풀이하는 견해도 있다. 궁예의 군대는 엄한 軍律에 따라 일사불란하게 움직이는 조직이었다. 이는 전적으로 미륵신앙의 영향으로 생각되어진다. 궁예는 계율의 준수를 통해 하생한 미륵불의 구원을 받을 수 있다고 주장했다는 것이다. 궁예 군대의 엄한 군율은 엄한 戒律에 바탕을 두고 있는 것으로 해석하고 있다. 궁예는 미륵신앙을 중심으로 하는 軍政的 結社를 영위했던 것이다.[33]

궁예는 한 가족처럼 사졸들과 혼연 일체가 되어 전투에 임했다. 그랬기에 응집력이 강한 군대를 만들 수 있었다. 궁예가 지휘하는 군대의 폭발적인 힘의 원천은 바로 이에 기인하였다. 더구나 궁예는 승려 출신이라 강원도 지역 사원세력의 기반을 한껏 이용했다. 그 지지를 이끌어 내는 데 성공했던 것이다.[34] 궁예가 사원 세력으로부터 도움을 받은 것은 구체적으로 밝혀진 바 없다. 唐의 경우 "천하 재산은 불교가 7·8할을 가지고 있다"는 말이 있었다. 부역을 지지 않은 口가 전체 口數의 6분의 5를 넘었다고 한다. 이러한 부역을 지지 않은 戶口의 태반은 사원으로 도망쳐 와 있었다고 한다. 게다가 중국에서는 군량이 부족할 때 으레 사원에서 양식을 貸借하고는 했다.[35] 궁예의 경우도 자신

32_ 『三國史記』 권50, 弓裔傳.
33_ 趙仁成, 「弓裔의 勢力 形成과 建國」 『震檀學報』 75, 震檀學會, 1993, 17~18쪽.
趙仁成, 「泰封」 『한국사』 11, 국사편찬위원회, 1996, 138~139쪽.
34_ 申虎澈, 「弓裔의 政治的 性格」 『韓國學報』 29, 一志社, 1982, 40쪽.
35_ 黃敏枝 著·임대희 譯, 『중국 역사상의 불교와 경제』, 서경문화사, 2002, 271~272쪽, 182쪽.

에게 익숙했던 강원도 지역의 사원 세력으로부터 인력과 경제력 그리고 군량을 차출하는 데 성공했고, 이것이 승전의 한 요인으로 간주된다.

궁예의 측근 세력으로는 승려 출신이었던 소판 宗侃과 종 출신이었던 內軍將軍 은부를 지목할 수 있다. 이들은 어렸을 적부터 각각 절간에 있었거나 남의 집 종 노릇을 했었다. 모두 미천한 신분 출신들이었다. 승려 출신이었던 종간이 궁예 정권의 핵심 인물이었다. 이는 그가 궁예의 세력형성 과정에서 큰 역할을 하였음을 뜻한다. 아마도 그는 궁예와 세달사에서부터 인연을 맺었던 사이가[36] 아니라면 강원도 일대의 사원세력을 궁예에게 흡수시키는데 지대한 공을 세웠던 인물로 간주되고 있다. 궁예는 그 밖에 金周元 후손을 비롯한 명주 지역 호족세력과 朴遲胤으로 대표되는 浿西 호족 그리고 불만 농민들을 포섭하여 세력을 확대시켰다.[37]

궁예가 국가를 창건할 수 있었던 직접적인 요인은 899년 非惱城 대승에서 연유했다. 비뇌성은 궁예가 북원을 근거로 국원(충주) 등 30여 성을 거느리고 있던 대호족 양길을 격파한 현장이었다. 비뇌성 대승에 힘입어 궁예는 한반도 중부권을 통합하는 일대 전기를 마련했다. 궁예의 상전이었던 양길은 역사에서 퇴출되었을 뿐 아니라, 그 이듬해에 청주(菁州)와 충주(國原) 그리고 괴산(槐壤) 지역의 호족들이 궁예에게 성을 들어 투항했기 때문이다. 이는 조조가 10갑절 많은 원소의 군대를 산산조각내었던 관도 전투에 필적할만한 승전이었다. 그러한 비뇌성 전투의 소재지는 경기도 안성의 죽주산성이었다. 죽주산성은 충주와 청주의 두 길이 합치는 곳에 맞닿은 호서 지방의 요충지였다.

非惱城의 '비뇌'는 광주→鼻腦驛→양성(안성시 양성면) 사이에 소재한 비뇌역의 '비뇌'와 음이 닮았다. 그리고 비뇌는 동일한 구간에 소재한 역참 分行驛의 '분행'과도 연결되고 있다. 기실 비뇌역과 분행역은 고려와 조선조의 동일한 역참에 대한 다른 표기일 뿐이었다. 분행은 비뇌→비냉에서 부냉으로 音轉된 것으로 보인다. 비뇌성과 비뇌역에서 보듯이 '비뇌'로 일컫다가 '分行'으로 지명이 바뀐 것 같다. 비뇌역은 사통팔달식 교통의 요지로서의 의미가 증대되었다. 그런 관계로 기존 音에 근사하면서도 교통로로서의 의미를 살린 '分行'으로 고쳤던 것 같다. 분행은 현재 안성시 매산휴게소 북쪽 일대의 마을을 가리킨다. 분행에서 가장 근거리에 위치한 산성은 직선거리로 1㎞ 정도밖에 되지 않는 삼국시대 축조한 죽주산성이다.[38]

36_ 趙仁成, 「泰封」『한국사』 11, 국사편찬위원회, 1996, 157쪽.
37_ 趙仁成, 「弓裔의 勢力 形成과 建國」『震檀學報』 75, 震檀學會, 1993, 33~34쪽.
38_ 李道學, 『진훤이라 불러다오』, 푸른역사, 1998, 110~111쪽.

2) 진훤

진훤은 순천만에서 해적을 소탕하는 방수군으로 복무하면서 구축되었던 것 같다. 내륙의 척박한 산골에서 태어나 성장한 진훤의 광대한 바다 체험은 그의 세계관 형성에 지대한 영향을 미쳤을 것으로 믿어진다. 훗날 그가 북중국의 後唐·거란, 남중국의 吳越 그리고 일본과 외교 관계를 맺는 큰 틀 속에서 한반도 내의 주도권을 차곡차곡 장악해 갔던 정치적 토대는 이무렵 형성되어 간 것으로 보인다. 사실 천년왕국이었던 신라는 기로에 서 있었다. 국가 권력을 지탱하기 어려울 정도로 노쇠한 상황에 빠져 급속히 와해되어 가고 있었다. 조정의 부패와 사치 그리고 계속되는 기근 등으로 인하여 농촌사회는 파국에 빠졌다. 그러니 세금이 걷힐 리 없었다. 농민들은 촌락을 뛰쳐나와 유민이 되거나, 도적떼가 되어 휩쓸고 다니는 형편이었다. 도처에는 굶주려 죽은 시체와 칼맞아 죽은 시신들이 즐비하게 깔려 있었다. 국가권력의 붕괴에 편승하여 습격과 약탈만을 자행하는 도적들이 무리지어 다녔다. 진훤은 이 무렵 사세를 예의 주시하면서, 자신의 존재를 냉철하게 성찰해 보았다. 신라 조정에 대한 대체 세력이 될 수 있는가? 결국 도적떼들이 휩쓸고 다니는 혼란을 수습하는 동시에, 소수 귀족들의 수탈에서 농민들을 해방시키는 길은 국가의 창건밖에는 없다고 판단했다.

진훤의 초기 세력 형성지는 기록에 명확히 보이지는 않는다. 그러나 그의 인맥 관계를 놓고 볼 때 어느 정도 유추가 가능해진다. 우선 진훤의 사위인 무진주 성주 池萱은 지금의 광주 출신 호족이 분명하다.[39] 그리고 지금의 순천 출신인 진훤의 사위 朴英規는 말할 것도 없고, 진훤의 御駕行次를 맡았던 引駕別監 金摠도 순천 출신이었다. 인가별감은 御駕行次와 관련한 임무를 맡았던 만큼 진훤의 최측근이라고 하겠다.[40] 이처럼 진훤의 최측근 인맥이 지금의 광주와 순천쪽이었음은 그의 초기 세력 기반과 擧兵 지역을 암시해 준다. 가령 진훤이 역사의 전면에 등장할 때 武州 동남쪽의 郡縣이 일제히 진훤에게 降屬했다고 한다. 武州(광주 광역시) 동남쪽은 순천과 여수를 포함한 지역권(예전의 2市 동부 6郡 지역)으로서 그 중심지는 순천이었다. 순천은 해안을 끼고 있는 곳으로서, 대중국 항로와 관련한 항구로서 기능하였다.[41]

39_ 『世宗實錄』 권151, 地理志, 茂珍郡 條.
『新增東國輿地勝覽』 권35, 光山縣 建置沿革 條.

40_ 申虎澈, 『後百濟 甄萱政權硏究』, 一潮閣, 1993, 103~104쪽.

41_ 李道學, 「甄萱의 出身地와 그 初期勢力 基盤」 『후백제 견훤정권과 전주』, 주류성, 2001, 66~73쪽.

진훤이 정국의 주도권을 장악할 수 있었던 요인은 다음과 같다. 첫째 해적 소탕을 통하여 실전 경험이 풍부한 전문적 군사력을 보유하고 있었다. 둘째 항구에 근무하면서 유학생이나 유학승들과 교류하면서 탄탄한 브레인층을 확보하는 동시에 상인들로부터는 경제적 기반을 축적하였다. 셋째 빼어난 정치적 안목을 지녔기에 옛 백제 땅에서 '백제의 재건'이라는 슬로건을 내걸어 주변 세력들을 휘하에 빠르게 포용하면서 정치 세력화시켰다. 진성여왕대에 당에 가는 사신선이 '백제해적'의 위협을 받기도 했다. 한반도 서남해안 일대에는 '백제'를 칭한 세력들이 많았던 것 같다. 그랬기에 순천만과 엮어진 광양만의 마로산성에서는 백제의 옛 지명이 공공연히 사용되었다. 진훤은 거병 지역의 백제로의 회귀 정서를 정확하게 읽었다. 넷째 인구와 물산이 풍부한 호남 지역을 기반으로 하였다는 점이다.

진훤의 초기 세력 형성지는 지금의 순천만 일대였다.[42] 신라군 청년 장교였던 진훤은 이곳을 근거지로 해서 독립한 후 무진주(광주)에서 국가 창건에 성공하였던 것이다. 진훤의 최측근 인맥이 순천 지역에 집중되고 있는데, 그러한 관계는 일조일석에 이루어진 게 아니었다. 순천은 그가 부임하여 해적을 소탕하면서 근무했던 곳이었다.

통일신라에서 정치적으로나 경제적으로 가장 큰 비중을 점하고 있던 국가는 당이었다. 신라의 대당 교섭은 사신 파견과 같은 공적인 교류는 말할 것도 없고 민간인들의 내왕과 같은 사적인 차원에서 한층 활기를 띠었다. 이때 신라에서 入唐하는 루트와 관련된 항구로서는 당은포(경기도 화성)와 會津(전라남도 나주)이 가장 비중이 컸었다. 그런데 841년 장보고가 피살된 지 반세기가 지난 9세기 말부터는 해적들이 횡행함으로써 당은포보다는 영산강 하구의 회진쪽으로 출항이 많아졌다. 그러는 가운데 내륙에서는 도적떼들이 곳곳에서 창궐하는 실정이었다. 이로 인해 경주에서 내륙으로 회진항까지 가는 루트마저도 안전하지 못하였다. 신라 조정은 王京에서 가깝고 또 그로 인해 비교적 해적들의 약탈이 상대적으로 적은 관계로 안전한 승평 즉 지금의 순천만 일대를 국제적 항구로 開港시켰다. 이와 짝하여 해룡산성이 승평항을 방수해주는 要鎭으로서 기능하였다. 진훤은 이곳에서 해적들을 소탕하는데 발군의 전공을 세운 관계로 裨將으로까지 속속 승진할 수 있었다. 비장은 조선시대 소설인『裵裨將傳』의 '비장'과는 결이 다르다. 진훤은 국가를 창건한 후 영서와 한반도 중부 지역의 대호족 梁吉에게 비장 직을 하사했다. 따라서 비장은 사령관 보좌 역이 아니라 사령관을 가

42_ 李道學,『진훤이라 불러다오』, 푸른역사, 1998, 86~87쪽.

리키는 고위직이었다. 한미한 농민 출신인 진훤이 裨將까지 승진할 수 있었다는 자체가 가위 파격적이었다. 이는 그 만큼 신라 조정이 그에게 걸었던 기대가 지대하였음을 뜻한다. 동시에 이를 통해 항로상의 사면초가를 뚫고자 하는 신라 조정의 절박한 입장을 읽을 수 있게 된다.

순천만과 이웃하면서 하나의 지형구 속에 자리잡은 광양만에는 마로산성이 소재하였다. 마로산성은 당초 마로현의 治所 城이기도 했다. 진훤은 중국제 물품이 출토된 마로산성을 비롯한 그 일대를 세력권에 넣고 있었다. 신라가 일본에 수출하던 銅鏡의 존재까지 이곳에서 출토되었다. 따라서 진훤의 경제적 기반은 대당·대일본 교역이나 그러한 海商들의 교역을 엄호해 주면서 구축된 것으로 볼 수 있게 되었다.

진훤은 서남해안의 군소 해상세력들을 제압·통제하는 한편, 해적들을 소탕하여 해상 무역의 막대한 이익을 독점할 수 있었다. 요컨대 장보고 이후 50년만에 진훤은 서남해안의 해상권을 장악한 가장 강력한 세력가로 등장했던 것이다. 진훤이 전주로 定都한 900년에 신라의 대중국 기항지인 杭州에 도읍한 중원의 약소국인 吳越國에 신속하게 사신을 파견한[43] 것도 순전히 해상제해권 장악에 대한 열망이 크게 작용했다. 그러나 진훤의 등장으로 해상권이 크게 위협 받게 된 나주 세력이 왕건과 제휴하였다. 그럼으로써 서남해안 제해권은 결국 진훤과 왕건이 양분하는 추세가 되고 말았다.[44]

43_ 『三國史記』 권50, 甄萱傳.
44_ 李道學, 「신라말 진훤의 세력 기반과 교역」 『신라문화』 28, 2006. 231쪽.

3. 국가의 부활과 창건

1) 삼국시대의 복원

진훤은 지금의 경상북도 땅에서 태어났다. 그렇지만 가은 지역 전설에 따르면 본시 그 조상은 백제인이었다. 자신의 정체성을 확인한 진훤은 백제의 재건이라는 장대한 포부를 구현하기로 했던 것 같다. 그런데 889년에 발생한 원종과 애노의 봉기와 신라의 防戍軍인 진훤의 독립 시점이 동일하다는 점이다. 물론『삼국사기』에는 892년에 진훤이 반란을 일으킨 것으로 적혀 있다. 그러나 이 기사는 진훤이 무진주를 점령하여 '稱王'한 시점에 맞춰 일괄적으로 소급 기재한 것으로 보인다. 왜냐하면『삼국유사』에서 진훤이 '칭왕'한 시점을 龍化(龍紀의 잘못) 원년 己酉(889)라고 했고, 안동 고창 전투를 '42년 庚寅(930)'의 일로 적었기 때문이다. 여기서 '42년'은 '진훤왕 42년'으로 해석되므로, 역산하면 그 기점은 889년이 된다.[45] 아자개가 그 봉기에 있어서 중심적인 역할을 맡았다고 가정해 보자. 그렇다면 아자개와 진훤은 상호 기맥을 통한 후에 일제히 봉기하였을 가능성마저 제기해 준다. 결과적으로 國都 서북방과 동남방에서 동시 다발적으로 터진 농민 봉기와 군사 반란으로 인해 신라는 이중고에 직면했다. 더욱이 신라 정부군은 원종과 애노의 난을 진압하지 못하였다. 정부군의 무기력한 모습이 만천하에 폭로되고 말았다. 이는 관망하고 있던 군소 세력들이 일제히 봉기하게 한 기폭제 역을 하였다. 결국 신라 국도 서북과 동남방에서 일어난 아자개와 진훤 부자의 봉기는 신라를 급속한 해체의 길로 몰고 갔다.

진훤은 예하의 병력을 이끌고 지금의 순천과 여수 일대를 시발로 주변 고을들을 하나 하나 점령해 갔다. 한달 사이에 5천 명의 무리를 모았다. 그럴 정도로 진훤은 열렬한 지지를 받았다. 이로 인해 그의 존재는 일약 역사의 전면에 화려하게 등장하게 되었다. 왕을 칭하면서 등장한 진훤의 그 때 나이 26세였다. 그렇지만 실제 거병한 시기는 이보다 3년 빨랐던 23세 때 일로 짐작된다. 이렇게 하여 20대 청년왕과 창업주가 탄생한 것이다. 그의 첫 도읍지는 지금의 광주광역시였다.

그러면 신라는 최소 2백년 이상 지배했던 고구려와 백제 고토에서 왜 쫓겨났을까? 영광과 고통을 함께 하려는 고구려와 백제 유민들의 전근대적 민족의식을 신라가 해체하거나 수용하지 못한 결과

45_ 申虎澈,『後百濟 甄萱政權硏究』, 一潮閣, 1993, 42~46쪽.

였다. 그렇기 때문에 진훤과 궁예가 고통에 대한 기억을 반추하자 유민들이 일거에 결집되었던 것이다.

2) 국가의 창건과 연호 반포

국가를 탄생시킨 후삼국의 전개 과정은 4단계로 나누어 살펴 볼 수 있다. 첫째 국가체제 정비기(889년~900년)[46], 둘째 옛 삼국의 영역 회복기(900년~918년), 셋째 후삼국의 공존 · 정립기(918년~925년), 넷째 통일전쟁기(925년~936년)가 된다. 궁예와 진훤의 국가 창건에 관한 기사가 『삼국사기』에서 각각 다음과 같이 보인다.

* 궁예가 왕을 칭하였다.[47]
* 선종은 스스로 무리가 많고 세력이 커지자 나라를 세우고 임금을 일컬을만하다고 여겨 비로소 내 외관직을 설치하였다.[48]
* 天復 원년 신유(901)에 선종은 스스로 왕이라 칭하고 사람들에게 말하기를 "지난날 신라가 당에 군대를 청하여 고구려를 격퇴하였기에 平壤 舊都는 묵어서 잡초만 무성하니 내가 반드시 그 원수 를 갚겠다!"라고 하였다.[49]
* 6년에 完山賊 진훤이 州에 웅거하여 후백제라 자칭하니 武州 동남쪽의 郡縣이 모두 이에 降屬하였다.[50]
* 진훤이 서쪽으로 순행하여 완산주에 이르니 그 백성들이 환영하고 위로하였다. 진훤이 인심을 얻은 것을 기뻐하여 좌우에게 말하였다. "내가 삼국의 시작을 상고해 보니 마한이 먼저 일어난 후에, 대대로 발흥한 고로 진한과 변한이 이것을 따라 홍했다. 이때에 백제는 나라를 金馬山에서 개국하여 600여 년이 되었는데, 摠章 연간(668~669)에 당 고종이 신라의 요청에 따라 장군 소

46_ 후백제 태동의 단초는 신라군 비장 출신 진훤의 이탈과 독립에서 찾아야 되는데, 그 시점은 889년으로 간주하는 시각이 온당하다.
47_ 『三國史記』 권12, 孝恭王 5년 條.
48_ 『三國史記』 권50, 弓裔傳.
49_ 『三國史記』 권50, 弓裔傳.
50_ 『三國史記』 권11, 眞聖王 6년 條.

정방을 보내어 수군 13만을 거느리고 바다를 건너 왔고, 신라의 김유신이 卷土하여 황산을 지나 泗沘에 이르러 당군과 함께 백제를 공격하여 멸망시켰다. 지금 내가 감히 완산에 도읍하여 의자왕의 宿憤 을 씻지 않겠는가!" 드디어 후백제 왕을 자칭하고 관직을 마련하니 이 때는 당 光化 3년(900)이고 신라 효공왕 4년이었다.[51]

위의 기사를 통해 궁예와 진훤은 옛날의 고구려와 백제를 재건하였음을 알 수 있다. 그리고 자신들이 세운 국가의 연원을 예전의 고구려와 백제에서 각각 찾았다. 국호도 삼국 당시 그대로 고려와 백제였다. 후고구려니 후백제니 하는 것은 후대 사가들이 구분의 필요에서 나온 이름들일 뿐이다. 법호가 善宗이었던 궁예가 고구려를 부활시키면서 자신의 이름을 弓裔로 고친 것도 고구려 계승자로서의 의미가 있다고 한다.[52] 진훤은 신라보다 일렀던 자랑스러운 백제 역사를 재정립하겠다는 일종의 '역사 바로잡기'와 600여년에 이르렀던 영광의 역사를 반추했다. 더불어 의자왕의 숙분을 씻는 것을 당면 과제로 내세웠다. 진훤은 정치적 이데아로서 백제에 의한 국토통일을 내걸었다. 그리고 자신은 비참하게 몰락한 백제 왕조의 부활자로서 그 위상을 확립시켰다. 또 미륵의 대행자로서 도탄에 빠진 민생을 구원하고 한 세상을 건지겠다는 포부를 지니고 있었다.

두 사람의 건국자들은 복수를 다짐했다. 복수 선언은 그 지역 유민들을 결집시키는 역할을 하였다. 또 그것을 겨냥해서 복수를 선언한 것이다. 이것은 새로 부활된 국가의 정책 노선과도 연결되는 사안이었다. 여기서 진훤은 삼국 중에서 백제가 가장 먼저 건국했고, 600여년에 이르른 영광스러웠던 과거를 상기시켰다. 궁예와 진훤은 영광의 유산과 함께 패망의 고통스러웠던 유산을 반추하였다. 그런데 '함께하는 고통'은 기쁨보다 훨씬 더 사람들을 단결시킨다고 한다. 르낭은 "민족적인 추억이라는 점에서는 애도가 승리보다 낫습니다. 애도의 기억들은 의무를 부과하며, 공통의 노력을 요구하기 때문입니다. 그러므로 민족은 이미 치러진 희생과 여전히 치를 준비가 되어 있는 희생의 욕구에 의해 구성된 거대한 결속입니다"[53]고 설파했다. 공유된 고통의 과거를 강조함으로써 유대민족의 경우에서처럼 영광보다는 수난과 회한의 과거에서 민족의 바이탈리티(vitality)는 터져 나온다

51_ 『三國史記』 권50, 甄萱傳.
52_ 朴漢卨, 「弓裔姓名考」『韓國學論叢-霞城李瑄根博士古稀紀念論文集』, 李瑄根博士古稀紀念論叢刊行委員會, 1974, 75~87쪽.
53_ 에르네스트 르낭 著·신행선 譯, 『민족이란 무엇인가』, 책세상, 2002, 81쪽.

는 것이다. 궁예와 진훤은 '잡초만 무성한' 패망의 처참한 현실과 의자왕에 대한 애도 기억을 반추시켰다. 그럼으로써 '공통의 노력'인 복수심 발화에 성공했다.

궁예는 신라의 수도를 滅都라고 했으며, 신라로부터 항복해 오는 자를 가차없이 죽였다고 한다.[54] 그리고 관직명 등에 있어서 신라적인 요소랄까 잔재를 청산하였다. 적어도 궁예의 존재는 신라인들에게는 타협의 여지가 전혀 없는 전율할 만한 공포의 대상이었다. "일찍이 남쪽으로 순행할 때 興州 부석사에 이르러 벽에 신라 왕의 화상이 그려져 있는 것을 보고 칼을 뽑아 찔렀다. 그 칼 자욱이 지금도 남아 있다"[55]는 기록이 그러한 궁예의 정서를 약여하게 전해준다. 반면 진훤의 경우는 신라의 존재를 시종 인정하는 입장이었다. 그가 신라의 官制를 받아들인 것이라든지, 신라의 陪臣임을 자처하였고, 중국에서 받은 관작에도 신라의 일개 지방관으로 기록된 것도 그러한 사실을 잘 반영해 준다.[56] 진훤이 신라의 관제를 대체로 수용했다는 것은 민심의 혼란을 막기 위한 데서 나온 것으로 그가 현실주의적인 인물이었음을 암시해 주고 있다.

궁예는 다음의 표와 같은 연호를 사용하였다. 독자적인 연호의 사용은 자주국임을 선언하는 것이다.

표 9 | 궁예 정권의 국호와 연호 변천

국호	연호	기간	연대
高麗	?	3년	901~903년
摩震	武泰	1년	904~905년
摩震	聖册	6년	905~910년
泰封	水德萬歲	3년	911~914년
泰封	政開	5년	914~918년

진훤의 경우도 연호를 사용하였다. '正開'라는 연호가 후백제 영역이었던 남원 실상사 부근에 소재한 편운화상부도에 전하고 있다. 전주 천도 1년 후인 901년이 정개 원년이었다.[57] 그 이전에도 연호를 사용했는지는 알 수 없다. 그런데 궁예는 여기서 한 걸음 나아가 명실상부하게 독자적인 官制를 설치했다.

54_ 『三國史記』 권50, 弓裔傳.
55_ 『三國史記』 권50, 弓裔傳.
56_ 申虎澈, 『後百濟 甄萱政權硏究』, 一潮閣, 1993, 144쪽.
57_ 金包光, 「片雲塔과 後百濟의 年號」 『佛教』 제49호, 佛教社, 1928, 33~35쪽.

3) 수도의 선정

그림 52 | 실상사 조계암터에 소재한 편운화상부도. '正開十年'이라는 연호가 새겨져 있다.

궁예의 수도는 철원과 송악을 옮겨 다니다가 철원으로 고정되었다. 그러나 앞서의 인용에서 '平壤 舊都'라고 하였듯이 궁예는 평양을 수도로 인식하고 있었던 것 같다. 그러나 현실적으로 평양은 통일신라의 北界가 되어 한반도 전체의 통합을 추진하는데는 불리한 지리적 여건을 지니고 있었다. 이러한 현실 인식이 철원을 궁예가 몰락할 때까지 수도로 삼게된 요인이었던 것 같다. 궁예는 고구려 수도 평양을 지향적인 수도로 인식했다. 왕건의 경우도 서경을 넘어 평양을 수도로 간주하였다. 서희의 담판에도 평양은 고려의 수도로 등장한다.

진훤은 지금의 광주 광역시에서 세력 규모가 커지자 거점을 북상시켰다. 그는 889년에 거병한 후 892년에 광주를 장악한 후 "新羅 西面都統指揮兵馬 制置 持節 都督全武公等州軍事 行全州刺史 兼御史中丞 上柱國 漢南郡開國公 食邑二千戶"라고 스스로 칭했다. 여기서 '한남군'은 백제의 첫 도읍지로 인식된 한강 이남의 한성 일원을 가리킨다. 당초 진훤은 백제의 첫 도읍지로 인식된 지금의 서울 지역에 도읍하고자 했던 것이다. 그러나 그의 목표는 구현되지 못했다. 한반도 최남단인 전라남도 순천과 여수 일원에서 거병한 그가 지금의 서울 일원까지 힘을 미치기에는 역부족이었다. 그리고 이후에도 그러한 꿈은 이루어지지 못했다. 다만 그가 왕건에게 귀부했을 때 食邑으로 받았던 楊州는[58] 몰락한 후 그의 이루지 못한 꿈에 대한 심리적 보상 측면을 생각하게 한다.[59] 양주 지역은 백제의 첫 도읍지 권역인 하북위례성에 속하였다. 그리고 공주에는 공주장군 弘奇라는 호족이 석권하고 있었다. 부여의 경우도 그러할 수 있었다. 이러한 여러 요인이 작용하여 전주 천도가 단행되었던

58_ 『三國史記』 권50, 甄萱傳.

59_ 고려에 귀부한 신라 경순왕이 신라의 발상지인 경주의 사심관에 임명된 것도 이와 동일한 맥락에서 이해할 수 있을 것 같다.

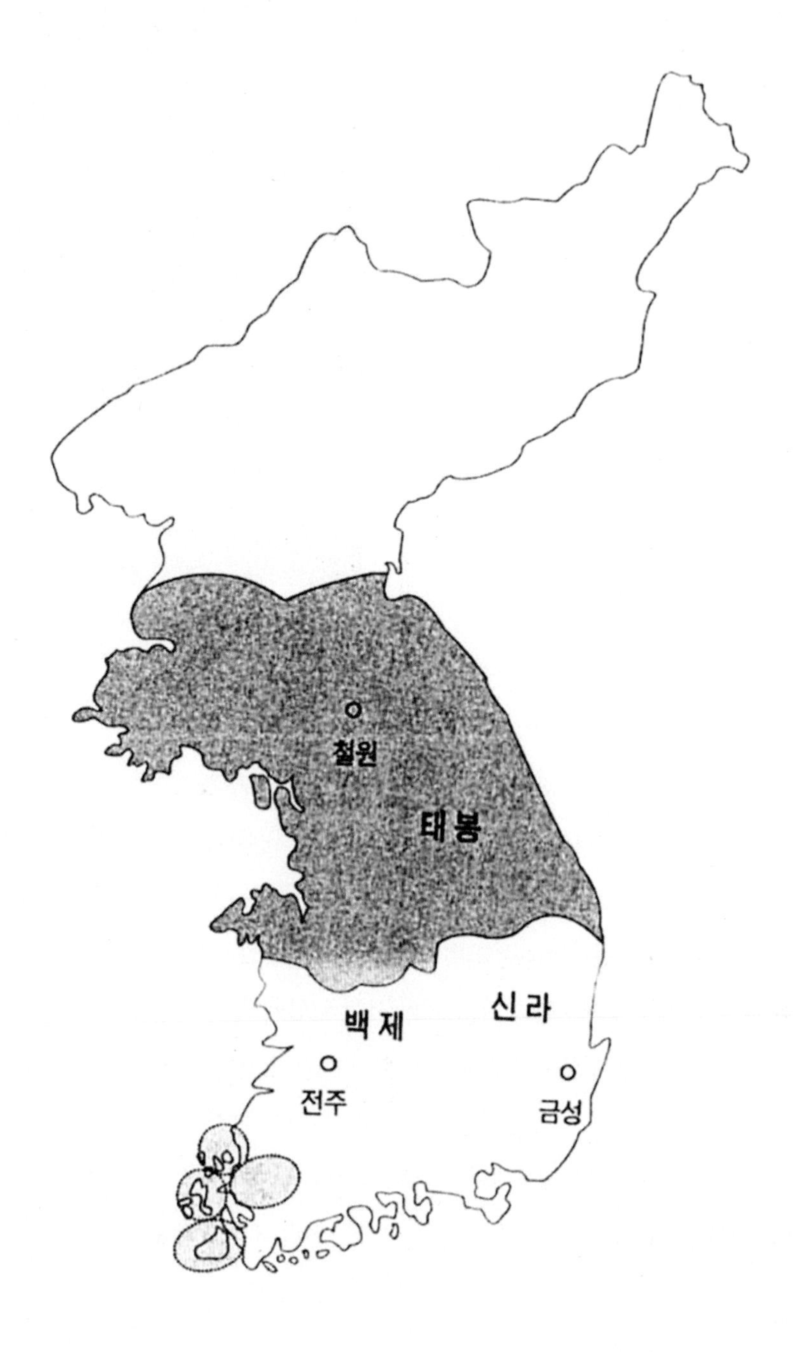

그림 53 | 궁예의 세력 판도

것 같다.

광주와 전주는 분명히 차이가 있었다. 진훤이 '西巡'한 어느 지역 보다도 열렬히 환영을 받은 곳이 완산주였다. 진훤은 인심을 얻었음을 알았다. 또 인심을 지속적으로 얻기 위해서는 자신을 적극적으로 지지하는 지역을 首府로 삼는 것도 한 방법이었다. 진훤이 무진주에서 완산주 즉 전주로 천도하게 된 데는 주민들의 지지에 대한 체감도의 차이를 느꼈기 때문이었다. 전주는 광주보다 백제 재건에 대한 응집력이 강한 지역이었음을 알 수 있다. 그러면 무슨 이유로 백제를 부활한 진훤 정권에 대한 지지도상 체감도의 차가 나타났을까?

진훤이 광주에서 전주로 천도한 배경과 관련해 나주 지역이 궁예 세력의 위협을 받는 등 몇 가지 견해가 제기된 바 있다. 그러나 본질적인 동기는 나주 지역은 영산강유역으로서 백제에 복속된 시기가 늦을 뿐 아니라 백제 회복운동에서도 그 응집력이 취약했을 정도로 백제적인 구심력이 상대적으로 약한 곳이었다. 반면 노령산맥 이북의 전주 지역은 原백제 지역이었다는 점을 고려했던 것 같다.[60]

진훤이 전주에 입성했을 때 "백제는 금마산에서 개국했다"고 하였다. 금마산 즉 익산이 백제 때 수도였던 점을 의식한 것이다. 전주 남고산성에서 익산의 주산인 미륵산이 시야에 가깝게 잡힌다. 따라서 진훤이 금마산 개국을 언급하면서 그와 남쪽으로 잇대어 있는 전주 국도의 당위성을 운위하는 것도 근거가 없지 않다. 그와 더불어 진훤은 나라 이름을 당당하게 '백제'로 선포했다. 지금 이 왕국을 후백제라고 일컫고 있다. 그것은 후대의 역사가들이 구분하기 위해 붙인 이름일 뿐이다.

후백제의 왕궁이 소재했던 곳은 중노송2동 동사무소 앞의 '물왕멀' 일대로 지목하고 있다. 물왕멀에는 일제 때까지만 해도 수많은 초석들이 깔려 있었다. 천주교 성지로 유명한 유항검의 묘소가 있는 중바위 윗편에는 왕궁을 옹위하던 동고산성이 남아 있다. 이 곳의 장방형 건물지를 발굴한 결과 전면이 22칸에 달하는 대형 건물의 존재가 확인되었다. 이 곳에서 鳥足文 기와가 출토되었다. 조족문은 백제와 관련된 지역에서만 나타난다. 나라가 망한 지 2세기가 훨씬 지났건만 백제를 부활시킨 장소에 그 문양 또한 부활하였다. 백제인들의 강인한 정체성을 확인시켜주는 사례라고 하겠다. 후백제의 왕궁을 이와는 달리 인봉동과 문화촌 일대로 지목하는 견해가 있다. 이 견해는 조사 성과를 토대로 하였기에 각별히 주목된다.

전도 천도 후 진훤은 大王을 칭하면서 '正開' 연호를 반포하였다. 여기에는 '바르게 열고', '바르게

60_ 李道學, 「弓裔와 甄萱의 比較檢討」『弓裔와 泰封의 역사적 재조명』, 제3회 태봉학술제, 철원군, 2003, 20쪽.

시작하고', '바르게 깨우친다'는 의미가 담겨 있었다. 질곡과 파행의 칙칙한 과거사를 청산하고 올곧게 시작하는 새로운 역사의 시작을 알리는 연호였다.

4) 정복전의 전개

궁예는 국가 창건 이전에는 신체적 제약에도 불구하고 무서울 정도로 정력적인 정복전쟁을 몸소 추진했다. 그러나 궁예는 국가 창건 이후에는 전쟁을 부하 장수에게 위임하였다. 그럼으로써 왕건이 세력을 군부에 형성할 수 있는 계기를 만들어 주었으며, 군부에 대한 장악 능력이 떨어지게 되었다. 그럼에도 궁예는 "처음에 羅州 관내의 여러 고을이 우리편과 서로 막혀 있고 적병이 차단하였으므로 서로 도울 수가 없어 자못 두려움과 의심을 품었는데 이에 이르러 진훤의 정예군을 꺾으니 여러 사람의 마음이 다 안정되었다. 이에 삼한의 땅을 궁예가 태반이나 차지하게 되었다"[61]는 開平 3년(909)의 영역에서 더욱 팽창시켰다. 고려 말의 충선왕이 "삼한 땅의 3분의 2를 궁예가 지배했다"[62] 고 평가했을 정도였다. 실제 궁예의 영역은 현재의 강원도 · 충청북도 · 황해도 · 경기도를 죄다 병합시켰다. 나아가 충청남도 공주 · 홍성 · 예산 · 아산 방면까지 영토를 확대시켰다. 게다가 나주와 그 주변의 도서 지역을 거점으로 백제의 배후를 위협하고 서해의 제해권을 장악하는데 성공했다.

반면 진훤은 몸소 시종 전장을 누볐다. 진훤은 起兵한 이후 생을 마치는 순간까지 전장을 누볐다. 그럼에 따라 군부에 대한 그의 장악 능력은 가위 절대적이었다. 일리천 전투에서 신검의 후백제 군대가 고려군 진영에 있는 진훤을 보는 순간 붕괴되었다.[63] 후백제군은 자중지란으로 무너져내렸던 것은 그가 지닌 절대적인 권위를 상징한다. 진훤은 비록 왕위계승 분쟁에서 기습을 받아 권좌에서 축출되었다. 그렇지만 그는 여전히 군부에 대한 영향력을 지녔음을 뜻한다. 그 요인은 병사들과 고락을 같이하며 평생을 야전에서 생활했던 때문으로 생각된다. 그러한 진훤의 후백제 영역은 금강 이남의 나주 방면을 제외한 옛 백제 지역과 지금의 경상남도 진주와 부산 앞바다의 절영도에 이르는 옛 임나 지역과 경상도 북부 지역을 장악했다.[64]

61_ 『高麗史』 권1, 太祖1, 卽位前.
62_ 『益齋亂藁』 권9, 下, 史贊.
『東國通鑑』 新羅 景明王 戊寅年 條.
63_ 『高麗史』 권2, 太祖 19년 條.
64_ 李道學, 「後百濟의 加耶故地 進出에 관한 檢討」 『白山學報』 58, 2001, 62~67쪽.

4. 궁예 몰락의 배경

궁예의 몰락은 오만불손한 행태에서 예견되도록 하였다. 이러한 행태는 자부심의 결과라기 보다는 오히려 자부심의 결핍, 즉 강박적인 열등감과 이를 보상해 주고 있던 가족 로맨스의 허황된 공상심리에서 찾기도 한다. 궁예가 독자적인 佛經을 저술하게 된 것도 知的 열등감을 보상하고 끊임없이 자기를 위협하던 피해의식을 방어하기 위해서 미륵불이라는 至尊者와 동일시하는 방어기전을 보였던 것으로 간주하고 있다.[65] 이러한 심리 분석이 과연 정곡을 찔렀는지는 단언할 수 없다. 그러나 육체적 결함에 의한 열등감과 이로 인해 멸시받고 소외당한데 대한 분풀이 감정을 비롯해서, 번듯하게 생긴 휘하의 부하들에 대한 질투심으로 성정이 더욱 거칠어 질 수는 있었다고 본다.

그러면 예견되도록 서술되었던 궁예와 진훤의 몰락 과정을 살펴 본다. 먼저 궁예가 부하들에게 축출되게 된 배경은 축출 모의를 하기 위해 왕건 집에 모인 이들의 다음과 같은 말을 통해 드러난다.

> 여름 6월 장군 弘述·白玉三·能山·卜沙貴는 洪儒·裴玄慶·申崇謙·卜知謙의 어릴 때 이름이다. 네 사람이 몰래 모의하고 밤중에 태조의 집에 찾아가 말하였다. "지금 임금께서 음란한 형벌을 마음대로 써서 자신의 처자를 살륙하고 신료를 목베이며, 백성을 도탄에 빠뜨려 살아갈 길이 막연합니다. 옛부터 어리석은 임금을 폐위시키고 지혜가 밝은 임금을 세우는 것은 천하의 큰 의리입니다. 청컨대 공께서는 탕왕과 무왕의 일을 행하십시오!" 이에 태조는 얼굴 빛을 붉히며 거절하면서 말하였다. "나는 충성스럽고 순박하다고 스스로 믿어 왔는데 지금 비록 포악하고 난폭하다고 하여 감히 두 마음을 가질 수 없다. 대저 신하로서 임금을 교체하는 것은 소위 혁명이라고 하는데 나는 실로 덕이 없어 감히 은나라 주나라 건국자의 일을 본뜰 수가 없다." 여러 장수들이 말하였다. "때는 두 번 오지 않습니다. 이런 때를 만나기는 어렵고 기회를 잃기는 쉽습니다. 하늘이 주는데도 취하지 않으면 도리어 그 재앙을 받는 법입니다. 지금 정치가 어지럽고 나라가 위태로우며, 백성들이 모두 왕을 미워하기를 원수같이 하니, 지금 덕망이 공보다 더할 사람이 없습니다. 하물며 왕창근이 얻은 거울의 글이 저와 같은데 어찌 가히 가만히 엎드려 있다가 獨夫의 손에

65_ 이규동, 『위대한 콤플렉스』, 대학문화사, 1985, 254쪽.

죽임을 당하리오?"[66]

궁예가 축출된 배경은 대략 "궁예의 성품이 잔인하여 海軍統帥 왕건이 그를 살해하고 자립하였다"[67]는 서술이 기조를 이루고 있다. 앞서 인용한 문헌에 보이는 바처럼 잔인하고 난폭했던 게 궁예 축출의 배경이 되는 것일까. 이러한 경우로는 백제 동성왕을 "무도하고 백성에게 포학하여 국인이 드디어 제거했다"[68]라고 한 기록이다. 그러나 동성왕이 잔학했기에 살해된 것은 아니었다. 강력한 왕권을 구축하는 과정에서 귀족들과 이해가 충돌되어 피살되었다.

궁예가 당초 혁명의 기치를 내 걸었을 때는 고구려 재건을 대내외에 선포하였던 것이다. 해서 국호도 고려라고 하였다. 그러나 궁예는 자신의 세력 범위가 한반도 중부 이남 지역으로 급속히 확대되어 가자, 고구려 재건만 가지고서는 백제와 신라계 주민들을 포용할 수 없다는 현실 인식을 하게 되었다. 이제는 고구려를 뛰어넘는 더 큰 차원에서의 웅강한 국가를 창건하여 미래를 열어야 겠다는 웅걸찬 야심을 가지게 되었던 것이다. 이러한 맥락에서 '摩震'과 '泰封' 국호가 나왔다. 그러나 이는 궁예의 당초 세력 기반이었던 옛 고구려 지역 출신의 호족들과 장군들을 불안하게 만들었다. 궁예가 한반도 전체의 패자가 된다면 자신들은 밀려날 게 명약관화하다고 판단하기 시작했다.

궁예는 금강(공주강) 이남 쪽에도 세력을 미쳐 공주장군 홍기 등을 영향권에 넣었을 정도로 옛 백제의 핵심 지역까지도 장악해갔다. 궁예는 더구나 정략적인 차원에서 이들을 융숭하게 접대하였다. 그랬기에 궁예가 축출되고 난 직후 이들은 후백제에 붙는 등 왕건에게서 이탈했던 것이다.[69] 바로 궁예는 새로운 지지 기반으로 옛 백제 지역의 호족들을 하나하나 포섭해 나갔었다. 더구나 한반도를 관통하는 대동맥인 한강을 끼고 있는 중부 지역은 당초 백제의 옛 땅이요 성립지였다. 게다가 궁예는 청주 세력을 자신의 기반으로 끌어 당겼었다. 그랬기에 왕건이 즉위한 후 청주 세력의 모반이 빈발했던 것이다. 그러한 청주 세력 역시 백제계 주민이었다.

그러면 왕건이 정변에 성공하게 된 요인은 무엇일까? 일단 궁예와 옛 고구려 지역 호족들 간에 정치적인 방향성에 있어서의 심각한 차이가 표출되고 있었다. 이러한 선상에서 궁예는 관심법을 이용

66_ 『三國史記』 권50, 弓裔傳.
67_ 『資治通鑑』 권271, 龍德 2년 12월 條.
68_ 『日本書紀』 권16, 武烈 4년 條.
69_ 『高麗史』 권1, 太祖 원년 6월 條.

한 대대적인 숙청을 단행하였다. 왕건은 이 때 궁예와 이해관계가 대립되는 세력들을 友軍으로 삼을 수 있었다. 이와 관련해 1938년에『朝光』誌에「帝星臺」라는 제목으로 연재했다가 출간된 김동인의 장편소설「甄萱」의 다음과 같은 구절은 거의 사실에 접근하는 구성으로 보인다. 현재 학계의 시각과 별반 차이가 없기 때문이다.[70)]

> 그러면서 이 임금으로 하여금 왕건의 지혜에 탄복케 한 것은, 하고 많은 좋은 국호 가운데 '고려'라는 칭호를 끌어낸 왕건의 기지였다. 궁예가 옛날 칭왕을 할 때, 고구려 유민의 민심을 사고자, "고구려를 재건하여 신라의 원수를 갚겠노라"고 선언하였다. 그러나 신라의 왕자인 궁예가 세운 나라요, 게다가 나라 이름까지도 고구려와는 아무 연락이 안되는 '마진' 혹은 '태봉'이라 하였으니, 고구려의 유민이 이 궁예의 나라를 고구려 재건으로 볼 까닭이 없었다. 왕건은 나라를 세우며 즉시 국호를 '고려'라 했다. 누가 보아도 고구려의 후신이었다. 게다가 왕건의 집안이 고구려의 유민이었다. 고구려의 유민이 군사를 일으켜 새 나라를 세우고 국호를 고려라 하였으니, 이것은 틀림이 없는 고구려의 후신이었다. 압록강 이남의 주인이 없어서 쩔쩔매던 고구려 유민들은 모두 다 이 왕건의 날개 아래로 모여들 것이었다.[71)]

즉 위기 의식을 느낀 황해도와 경기도 북부의 옛 고구려 지역 출신의 호족들과 장군들이 왕건을 중심으로 결집되었다. 왕건은 쿠데타 당일 날 마치 떠 밀리다시피하여 자의반 타의반 거사한 것처럼 되어 있지만, 성공한 쿠데타치고 그렇게 엉성하게 기획한 경우는 없다. 이는 조선 태조가 개국할 만반의 채비를 다했음에도 불구하고 세 번이나 굳게 사양했다는 이른바 三讓雖堅한 후 즉위한 예를 통해서도 알 수 있다. 요컨대 왕건을 축으로 한 쿠데타 모의가 치밀하게 준비되었고, 그랬기에 결국 성공하게 되었다고 본다.

진훤의 몰락 배경은 왕위계승을 둘러싼 妻族들 간의 갈등과 神劍 형제들과의 노선상의 갈등 표출 등을 꼽을 수 있다. 왕조 역사에서 1대에서 2대로의 왕위 계승이 순탄하게 넘어간 경우는 그리 많지

70_ 이와 같은 시각으로는 다음의 논고가 대표적이다.
朴漢卨,「高麗 王室의 起源」『史叢』21, 1977, 106~108쪽.
文暻鉉,『新羅史研究』, 慶北大學校 出版部, 1983, 325쪽.
71_ 金東仁,「甄萱」『金東仁全集 3』, 三中堂, 1976, 268쪽.

않다. 진훤은 미완의 국토 통일 과업을 완수하기 위해 "키가 크고 지략이 많았다"[72]고 한 金剛 왕자에게 대권을 넘겨 주려고 했던 게 禍根이라면 화근이었다. 서열 보다는 능력 있는 아들에게 왕위를 계승시켜 분열의 시대를 자국 중심으로 시급히 청산하려고 했던 진훤의 취지는 얼마든지 선의로 해석할 수도 있다. 그러나 선의로만 해석할 수 없는 게 냉혹한 현실이었던 것 같다. 신검 형제들과 그 주변의 야심가들에 의한 기습 공격으로 진훤은 제대로 손 한 번 쓰지 못한채 권좌에서 축출되고 말았다.

왕건의 경우는 그 사후 어지럽고도 격렬한 유혈의 왕위계승 분쟁으로 치닫았다. 왕건의 그 많은 배우자들 사이에서 출생한 왕자들은 왕위를 넘볼 수 있는 잠재적인 위협세력으로 도사리고 있었다. 제8대 임금(현종)에 이르기까지도 왕건의 손자가 즉위한 것은 간단하지 않은 사태를 잘 암시해주고 있다. 진훤은 생전에 분쟁이 있었고, 왕건은 통일 대업을 이룩한 후에 분쟁이 발생했을 뿐이다.

72_ 『三國史記』 권50, 甄萱傳.

제3절 삼국의 정립

1. 후삼국의 共存 · 鼎立期(918년~925년)/ 통일전쟁기(925년~936년)

진훤은 918년에 궁예를 축출하고 등장한 고려 건국과 왕건 정권을 인정해 주었다. 그런 한편, 왕건이 제시한 과거의 삼국을 복원하는 分割鼎立案을 수용하였다. 이때 結好를 통해 설정한 후백제의 北境은 금강선이었다. 그런 관계로 과거 궁예 정권에 예속되었던 熊州와 運州 등 10여 州縣에 대한 영유권을 인정받게 되었다. 이러한 결호에 따라 후백제와 고려 간에는 화평 · 공존이 7 · 8년간 지속되었다. 그러나 진훤은 결호의 대상이기도 한 신라 영역을 좌시하지만은 않았다.

신라 영역 가운데 가야고지는 신라에 대한 예속 강도가 약하였다. 진훤은 이곳에 대한 옛 백제의 영향력 복원이라는 명분과 더불어 전략적으로도 중요한 進禮城을 비롯한 김해 일원을 장악할 목적을 지녔다. 결국 진훤은 합천[大良城]을 공함시킨 여세를 몰아 전격적으로 진격해 들어갔다. 그러나 진훤은 신라 조정이 민첩하게 고려와 연합하는 동시에 고려의 신속한 개입으로 퇴각하고 말았다. 그러나 진훤의 가야고지에 대한 압박은 康州 호족 윤웅의 고려 귀부를 초래한 계기가 되었다. 후백제 군대는 진례성으로 진격했지만 고려 군대의 개입에 따라 철군하였다. 그런 관계로, 고려의 존재와 그 영향력을 가야고지 호족들이 절감하게 되었기 때문이다. 그럼에도 후백제군의 집요한 가야고지에 대한 진출은 김해는 물론이고 부산 앞바다의 목마장인 절영도에 대한 지배를 가져왔다. 그 결과 일본열도와의 교섭 루트를 확보하는 등 군사 · 경제적으로 다대한 성과를 올리게 되었다. 후백제는 중국대륙의 오월국을 통해서는 한반도 내에서의 입지를 강화시켰다. 그런 한편, 후백제는 일본과의 교섭을 통해서는 경제적인 실리를 챙기면서 장보고 시절의 중국대륙과 한반도 그리고 일본열도를 잇는 3角 교역체계를 복원하고자 했다. 이러한 선상에서 후백제의 강주와 진례성, 그리고 현재의 부산 앞바다로 이어지는 해상로의 장악이 이루어졌다.

가야고지에 대한 교두보를 확보함으로써 924년과 925년에 후백제는 원신라 지역인 曹物城에 진출할 수 있었다. 그럼에 따라 양국은 최초로 정면에서 격돌하였다. 후백제와 고려는 결호에 대한 정면 파기 명분이 없었다. 그랬기에 양국은 국경을 접하지도 않았고, 상대 국가의 영역도 아닌 제3의 지대인 신라 지역으로 나간 것이다. 이로 인해 원신라 지역과 가야고지가 戰場이 되었다. 그런데 양국 간의 결호 기간을 이용하여 지금의 경상남도 의령 지역을 기반으로 급속히 세력을 신장시킨 王逢規라는 호족이 강주를 장악하였다. 後唐으로부터 泉州節都使→權知康州事・懷化大將軍의 관작을 받았던 왕봉규는 927년 4월 이후 역사 기록에서 사라지게 된다. 그 이유는 종전에 인식했던 후백제가 아니라 고려에 의해서였다. 고려에 귀부한 강주장군 윤웅을 제압하고 강주 지역을 장악한 왕봉규에 대한 보복은 고려의 현안이었다. 왕봉규를 타멸시키고 고려 세력이 침투한 강주 지역을 놓고 후백제와의 각축전은 치열한 양상을 띠었다. 결국 후백제는 927년 5월에 강주를 장악하게 되었다. 진주 촉석루 앞의 義巖 부근에서 926~931년 사이에 사용된 오월국의 '寶正' 연호가 적힌 기와가 출토되었다. 이곳이 후백제의 영역권이었음을 웅변해 준다. 936년에 후백제가 멸망할 때까지 강주는 후백제의 영역이었다.

후백제는 正開라는 고유 연호를 적어도 901년~910년까지 사용하였다. 이에 이어 후백제는 오월국의 연호를 채용한 사실이 확인되었다. 그런데 문헌에는 후백제와 오월국과의 관계가 928년 이후부터는 단절되어 있다. 그 공백을 '寶正' 銘 기와를 통해 양국 간의 관계가 그 이후에도 지속되었음을 확인할 수 있었다. 그러나 신검 정변 이후에는 후백제가 후당의 清泰 연호를 사용한 사실이 밝혀졌다. 오월국과 후당의 연호 채용은 후삼국 각축전에서 중원대륙이 점하는 비중이 상징적 의미 이상으로 작용했음을 웅변한다. 고려의 경우도 933년부터는 天授 연호를 폐기하고 후당의 '長興' 연호를 사용했기 때문이다.[73] 후백제=오월국, 고려=후당으로 이어지는 외교에서 양국은 933년 이후부터는 후당의 비중이 일층 증대되는 그 일변도의 외교를 숨가쁘게 전개했다.[74]

73_ 『高麗史』 권2, 太祖 16년 조.
74_ 李道學, 「後百濟의 加耶故地 進出에 관한 檢討」 『白山學報』 58, 2001, 65쪽.

2. 정치 · 경제 · 외교적 조치

1) 정치 · 경제

국가 정체성을 확립한 진훤은 호족들과의 혼인관계를 통해 그들을 포섭하면서 세력을 신장시켜 나갔다. 그런 한편 호족들의 견제와 통제에도 고삐를 늦추지 않아 호족의 영내에 관리와 군대를 파견하였다. 동시에 호족의 자제들을 상경시켜 볼모로 붙잡아 두었다. 국방상의 요충지에는 중앙군을 파견하였다. 현지 호족들의 지원 없이도 屯田을 통해 주둔이 가능하게 끔 했다.

2) 백성에 대한 수취

궁예와 진훤의 收取에 대한 면모를 살펴 본다. 다음은 정변에 성공한 직후 내린 왕건의 詔이기는 하지만, 궁예 시절의 수취 관계를 헤아릴 수 있다.

> 전 임금은 四郡이 흙 무너지듯이 붕괴할 때 寇賊을 제거하고 점차로 封疆을 넓혀나갔더니 國內를 통합하기도 전에 갑자기 혹독한 폭정으로 백성을 다스리며 姦回로써 최고의 善으로 삼고 위협과 모욕으로 긴요한 방법으로 삼아 요역이 번거롭고 賦稅가 과중하여 백성들은 줄어들고 국토는 황폐하여 졌는데 오히려 궁궐만은 크게 지어 제도를 지키지 않고 힘든 일은 끊일 사이가 없으니 원망과 비난이 드디어 일어나게 된 것이다."[75]

왕건은 즉위 후 田制를 바로 잡았다. 그리고 그는 백성들로부터 거두어 들임에 법도가 있게 하는 이른바 '取民有度'를 공표했다. 왕건은 예전 임금이었던 궁예의 수탈을 혹독하게 비판하였다. 궁예는 1頃에 6石을 수취했지만[76] 왕건은 十一稅法에 의거하여 1경 당 2석을 거두어 들였다. 왕건은 궁예 정권 시절보다 1/3로 줄여서 징세하였다. 그럼에 따라 왕건은 자영 농민층의 지지를 얻었고, 권

75_ 『高麗史』권1, 太祖 元年 6월 條.
76_ 『高麗史節要』권1, 太祖 元年 7월 條.

력 기반을 탄탄하게 구축할 수 있었다.[77] 궁예가 처음 무리를 이끌고 다닐 때 "사졸들과 더불어 고생과 즐거움을 함께 하였고, 주고 빼앗는 일에 이르기까지도 공정하여 사사로움이 없었다. 이로써 뭇 사람이 마음으로 두려워하고 사랑하여 장군으로 추대하였다"고한 상황과는 전혀 다른 것이다.

收稅라는 측면에서는 궁예와 진훤 양자에 대한 비교가 뚜렷하지 않다. 다만 神劒의 教書를 통해 볼 때 진훤의 경우도 농민층의 지지를 얻기 위해 收稅의 輕減에 배전의 노력을 기울였던 것으로 짐작된다. 그런데 후삼국이라는 동란의 상황에서 전쟁에 소요되는 軍糧 조달은 무엇보다 중요한 사안이었다. 이와 관련해 진훤의 둔전 시행을 꼽지 않을 수 없다. 둔전은 싸우면서 농사 짓는[且戰且耕] 군량 조달 방법이다.[78] 군대 스스로가 식량을 생산함으로써 국가 경비 지출을 줄이는 동시에 보급·병참 문제를 해결하는 방책이었다.

진훤의 경제적 안목은 둔전제 실시에만 국한되지 않는다. 농민 출신이었던 그는 촌락의 열악한 상황을 누구보다 잘 알고 있었다. 비록 新劒의 교서에 적혀 있는 글귀이기는 하지만 "도탄에서 구해주셨으니 백성들이 편안하게 살게 되고"라고 하는 문구에 응결되어 있다. 즉 그는 농민들을 과중한 수탈과 질곡에서 해방시켰다. 또 그것을 가능하게 할 수 있는 제도적 장치가 마련되었음을 알려준다. 이것을 뒷받침해 주는 사안이 둔전제의 시행과 灌漑 시설의 확충이었다. 「통진대사비문」에 따르면 진훤 왕은 萬民堰이라는 제방에서 군대를 이끌고 있었다고 했다. 이는 진훤 스스로가 둔전과 관개에 힘 쓴 사실을 확인시켜 준다. 아울러 '모든 백성들의 방죽'이라는 뜻의 만민언이라는 제방을 통해서도 그가 취한 일련의 시책의 무게 중심이 농민과 관련한 농업경제의 증진에 두었음을 읽을 수 있다. 합덕방죽과 나주에서의 둔전에 관한 전승은 우리나라에 둔전제를 본격 도입한 진훤의 농업시책을 알려준다. 이는 전쟁 수행과정에서 현지의 호족들로부터 군량이나 車乘을 차출받았던 왕건의 행태와는 크게 차이가 난다. 결국 이러한 경제적 안목이 웅강한 국가를 만들 수 있었던 배경이었다.[79]

왕건은 둔전제를 실시했다는 증거가 없다. 다만 그는 전장에서 군대가 통과하는 지역의 호족들로부터 갖은 형태의 현지 조달을 받았다. 일례로 왕건이 군대를 이끌고 지금의 황해도 신천군 문화면 일대를 통과할 때였다. 이곳의 호족인 柳車達이 車馬를 많이 내 주는 바람에 군량 길을 통하게 할 수 있었다. 아울러 그는 大丞의 벼슬을 얻게 되었고, 삼한공신에 봉해지게 되었다. 또 그러한 인연으

77_ 李文鉉, 「高麗 太祖의 農民政策」『高麗 太祖의 國家經營』, 서울대학교 출판부, 1996, 261~266쪽.
78_ 『朝鮮經國典(下)』, 政典 屯田.
79_ 李道學, 「後百濟 甄萱의 農民 施策에 관한 再檢討」『白山學報』 62, 2002, 129~137쪽.

로 '車達'이라는 이름을 얻게 된 듯싶다. 양천 허씨의 시조인 許宣文은 왕건이 남정할 때 도강의 편의와 더불어 군량을 조달해 주었다. 그 공으로 인해 허선문은 孔巖村主가 되었다고 전해진다. 『眉叟記言』에도 "신라 말에 허선문이 나이 90여 세에 고려 태조를 섬겨서 진훤을 정벌할 때 餽餉한 공이 많았으므로 공암촌주를 삼았다. 자손들이 이로 인하여 孔巖之族이 되었다"라고 하였다. 이러한 일련의 행위들은 둔전을 통해 군량을 조달받고자 했던 진훤의 방식과는 큰 차이가 난다. 왕건은 전쟁 수행과정에서 현지 주민이나 호족들로부터 우마차와 군량을 비롯한 각종의 물자와 인력을 차출 받았다. 이러한 행위를 갖은 미사여구를 동원해서 서술했다고 하더라도 강압적인 것으로서 민폐를 끼쳤음은 명백한 것이다. 그만큼 왕건의 군량 확보책은 임시 방편적인 성격을 띤 것으로서 체계화되지 못했고 조직적이지도 못했음을 뜻한다.

왕건에게 귀순한 龔直의 말이기는 하지만 "지금 이 나라를 보니 사치하고 무도하다. 내가 비록 가까이 있지마는 다시 오기를 원하지 않는다"고 한 구절이나, 그 아들 직달의 "제가 볼모로 들어온 후로 그 풍속을 보니 오직 부강한 것만 믿고 교만하고 자랑하기만 힘쓰니 어찌 나라가 될 수 있겠습니까"[80]라고 한 말을 통해 볼 때 진훤도 궁예처럼 왕도의 위엄을 과시했던 것 같다. 토목공사는 주민에 대한 수탈이나 사치 이전에 왕권의 강화라는 긴요한 정치적 현안이기도 했었다.

국가 창건기에 궁예와 진훤은 전쟁을 추진하는 한편, 새로운 수도 건설과 官制 설치에 소요되는 엄청난 재원이 필요했다. 그에 대한 부담은 전적으로 주민들에게 돌아갔던 것 같다. 왕건은 궁예가 주민들로부터 원성을 사면서까지 닦아 놓았던 토대들을 고스란히 물려 받았던 것이다. 권좌에서 축출될 정도로 궁예가 치른 값비싼 희생의 열매는 왕건의 몫이 되었다.

그런데 진훤과 농민의 관계에 대한 기존의 시각은 부정 일변도였다. 禾穀과 人戶를 약탈하거나 양곡 운송을 습격한다든지 城을 불태운 사례들을 열거하고는 했다. 진훤의 존재는 약탈자로서 집중 거론되었다. 그런데 진훤이 농작물을 베어 간 것은 벽진군(성주군 벽진면)과 그 주변 지역에서만 나타난 현상이었다. 그러니 단순 약탈로 간주할 수 없는 측면이 많다. 그 배경은 후백제의 신라계 호족 포섭을 방해하고 있던 이곳의 친고려계 호족 이총언 때문이었다. 그의 존립 원천인 資糧의 소멸이라는 차원에서 기인했다. 즉 이총언의 지원으로 지금의 경상도 방면에서 활동하는 고려군의 兵站源을 파괴한다는 전략에서였다. 그러므로 이것은 일반 농민에 대한 약탈과는 그 성격이 전혀 다른

80_ 『高麗史』권92, 龔直傳.

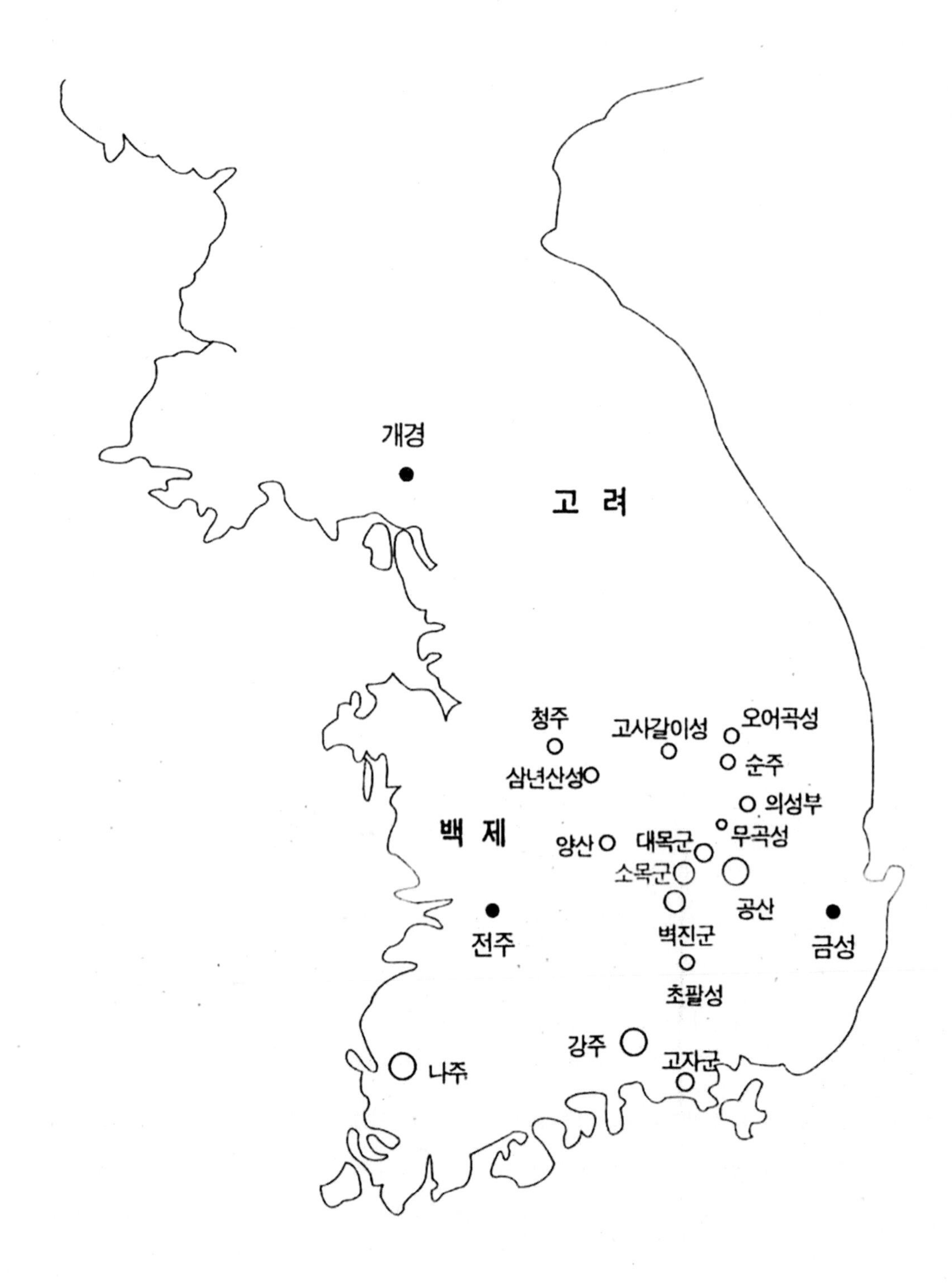

그림 54 | 927년 9월~929년 12월 사이에 형성된 전장. 후백제가 대부분 승전을 기록한 전장이다.

것이었다. 양곡 수송의 습격도 "양곡을 운송하는 것을 습격한" 데 목적을 두지 않았다. 그 틈을 놓치지 않고 허를 찔러 康州를 습격한 것이었다. 그리고 人戶의 약탈이나 성을 불태운 것은 고금의 일상적인 전쟁 양상이었다. 그러므로 진훤과 결부지어 그 성격을 운위하기는 어렵다.

이처럼 '약탈'을 일삼는 진훤 정권의 성격을 독자적인 체계 보다는 신라 제도를 답습했다고 보았다. 진훤이 전제적인 권력을 추구한 근거로서 예시하기도 한다. 그러나 이는 신라적인 요소를 청산했던 궁예가 전제권력을 구축했던 사실과는 정확히 대척된다. 따라서 이 견해는 설득력을 잃고 있다.

3) 오월국과의 외교와 교역

궁예는 강력한 제해권을 기반으로 거란을 비롯해서 남중국의 吳와도 외교적 교섭을 가졌다. 궁예는 史臺를 설치하여[81] 외국어를 배우게 하였다. 중국어·거란어·일본어 등을 익히게 하여 동아시아 諸國들과의 교섭에 만전을 기한 듯하다. 아울러 궁예는 왕건을 파견해서 서남해변을 공략하여 후백제가 오월국에 보내는 선박을 나포하였다.[82] 이렇듯 궁예는 서남해안 島嶼를 장악하여 그로 인한 경제적 기반을 확고하게 구축했다. 진훤은 남중국의 오월국을 비롯해서 북중국의 後唐 뿐 아니라 거란과도 외교 관계를 맺었다. 그리고 진훤은 일본과의 외교적 교섭을 시도해서 對馬島와 몇 차례 접촉한 바 있다. 진훤은 자신의 위상을 높이는 동시에 한반도 전체에 대한 주도권 장악 차원에서 대외교섭을 힘차게 추진하였다.[83]

진훤은 외교의 중요성을 일찍부터 간파하고 있었다. 진훤은 지금의 중국 절강성 일대를 중심으로 세력을 형성하고 있던 오월국에 사신을 파견하여 자신의 존재를 남중국에 알림으로써 그 위상을 높이고자 했다. 그러는 한편, 한반도 전체를 대표하려는 의지를 과시하였다. 또 이는 신라를 고립시키려는 전략의 일환이기도 했다.

사실 후삼국시대 한반도 정치세력의 오월국과의 교류에 대한 지금까지의 연구는 후백제 일변도로 진행되어 왔다. 그러면 후백제가 고려를 제끼고 오월국과의 교류에서 기선을 잡을 수 있었던 요인은 무엇이었을까? 지금까지의 연구에서는 한반도 서남부 지역을 근거지로 한 후백제와 중국 동부

81_ 『三國史記』 권50, 弓裔傳.
82_ 『高麗史』 권1, 太祖 卽位前.
83_ 이에 관해서는 李道學, 『진훤이라 불러다오』, 푸른역사, 1998, 102~108쪽에 자세하다.

연안을 끼고 있는 오월국과의 지리적 관계에서 찾았다. 그러나 이는 다소 막연하고 추상적인 추측에 불과하였다. 이 문제에 대해 좀더 구체적으로 접근해 볼 필요가 있었다. 그 결과 진훤이 신라군 비장으로 승평항인 순천만과 광양만에 屯營했던데서 실마리를 찾을 수 있었다. 광양의 마로산성에 출토된 해수문포도방경이나 월주요에서 제작된 陶瓷의 존재가 그러한 물증이 된다. 진훤은 월주 지역과의 교역을 통해 훗날 오월국을 건국하게 된 전류와 교섭했을 가능성이 높다. 그렇지 않다면 900년에 진훤이 존재하지도 않았던 오월국에 사신을 보낼 수는 없기 때문이다. 요컨대 오월국 건국 이전 진훤과 錢鏐와의 교류를 일괄 소급시켜 국가적 교류로 기록한 것이었다. 이 점을 새롭게 밝힐 수 있었다. 경상북도 문경의 土姓인 錢氏는 후백제와 관련한 오월국 왕족들의 입국과 결부지어 해석할 수밖에 없다.

지금까지의 연구를 통해 후삼국시대에 오월국과 교류했던 항로는 사단항로로 밝혀졌다. 이때 이용되었던 항구는 禪師들의 비문을 통해 속속 드러났다. 이 가운데 강주 덕안포의 경우는 전통적인 항구인 섬진강 하구의 하동 多沙津으로 추정되는 성과가 따랐다. 그리고 진주 촉석루 근처에서 출토된 오월국의 '보정' 연호가 양각된 기와를 통해 양국 관계의 유착이 다시금 포착되었다. 실제 오월국 전류 사망 이듬해인 933년에 후백제가 조문 사절을 파견한 사실도 새롭게 조명될 수 있다.

935년 왕위계승과 관련한 신검 정변으로 인해 반신검계 내지 친금강계 호족들이 오월국으로 피신한 사실을 새롭게 밝힐 수 있었다. 이때 친진훤 정책을 줄곧 견지해 온 오월국은 후백제 내정을 파악하고는 신검 정권을 승인하지 않았다. 그로 인해 신검 정권은 부득불 후당으로부터 승인받는 길을 택하였다. 고려는 후백제를 멸망시킨 936년에야 오월국과의 공식적인 교류를 시작했다.

후백제는 오월국을 통해 선진 문물을 습득했다. 가령 후백제는 오월국을 통해 청자 제작 기술을 받아들였다고 한다. 이는 우리나라 청자 역사의 효시라는 점에서 의미가 지대하다고 본다. 가령 전라북도 진안고원의 진안 도통리와 외궁리에서 초기 청자 窯址를 비롯하여 도요지만 100여개 소에 이르고 있다. 지금까지 우리나라 초기 청자 연구의 기원과 관련해 후백제와 관련된 논의는 거의 없었다. 그러나 최근 도통리 청자 요지의 경우 구획성과 정형성을 보여주고 있다는 사실이 포착되었다. 호족을 넘어선 국가 차원에서의 조성 개연성을 높여 주었다. 결국 후백제와 오월국 간의 45년간에 걸친 외교적 유대의 결실로 선진 문물인 越州窯의 청자 제작 기술이 새만금 해역을 통해 후백

제에 전래 되었을 가능성이 짙어졌다.[84)]

4) 오월국 불교

불교 사상과 관련해서는 후백제와 고려 모두 오월국의 天台敎法을 전수받았다. 오월국을 매개로 한 선진 문물의 대한 갈망은 고려에도 있었으니 다음 기사를 주목해 본다.

> (淸泰) 2년에 四明의 沙門 子麟이 고려·백제·日本 諸國에 가서 天台敎法을 전수했다. 高麗에서 사신으로 李仁日을 보내 子麟을 송환했다. 오월왕 전류가 郡城에 命을 내려 院을 만들고 그 무리를 안치하였다.[85)]

위에서 '(淸泰) 2년'은 935년을 가리킨다. 그런데 전류는 908년~932년간 재위했다. 그러므로 위의 기사는 연대가 잘못되었거나 오월국왕 전류 이름이 잘못 들어간 경우일 것이다. 그런데 위의 인용에 등장하는 李仁日을 李仁旭의 오류로 간주하기도 한다. 왜냐하면 동일한 내용이 수록된『寶慶四明志』(권11 寺院 東壽昌院)에는 李仁旭으로 적혀 있기 때문이다. 어쨌든 분명한 것은 오월국 승려 子麟이 천태학 교수와 관련해 후백제와 고려 그리고 일본에도 내왕했다는 사실이다. 이와 더불어『오월국비사』를 통해 오월국 시조 전류왕에 대한 후백제의 조문 사절이 당도한 사실도 확인되었다. 후백제와 오월국 간의 긴밀한 교류 관계가 다시금 입증되는 것이다.

오월국은 후백제 일변도로 교섭을 가졌다. 고려가 독자적으로 오월국과의 정치적 교류를 틀 수 있는 소지는 없었다. 그러나 936년에 고려가 후삼국을 통일한 직후부터는 오월국과의 교류가 본격적으로 열렸다. 다음의 기사가 바로 그것이다.

> 고려에서 사신 張訓을 보내 來聘하였다.[86)]

84_ 郭長根,「진안고원 초기청자의 등장배경 연구」『전북사학』42, 2014, 107~132쪽.
85_ 『佛祖統紀』권42, 法運通塞志 17-9 末帝.
86_ 『十國春秋』권79, 吳越 3, 文穆王 天福 2년 조.

고려에서 오월국에 사신을 보낸 것은 후백제를 멸망시키고 후삼국을 통일한 사실을 알리는 동시에 교류를 본격화하려는 시도였다. 937년 12월에 오월국에 당도한 장훈은 다음에 보듯이 938년 6월에 귀국하였다.

> 大略 이르기를 "금년 6월에 본국의 中原府에서 오월국에 使行을 갔던 돌아왔습니다.…"[87]

이후 고려와 오월국은 전숙이 오대의 전란으로 사라진 『敎乘論疏』를 구하기 위해 사신을 파견하면서 이어지고 있다. 이때 고려 광종은 오월국에 諦觀을 보내 천태 관련 서적을 보내주었다. 다만 광종은 『智論疏』등을 전하지 못하게 하였다.[88] 그리고 光宗이 杭州 출신 승려 永明寺 延壽(904~975)에게 제자의 예를 행하면서 36인의 승려를 보내기도 했다. 954년에 智宗은 광종에게 오월국에 가는 것을 허락받고 출발하였다. 광종이 파견하여 오월국에서 修學한 후 귀국한 英俊의 존재도 확인된다. 이 같은 승려들 외에 고려 商人들이 오월국과 교역한 사실도 밝혀지고 있다.[89] 게다가 중국 禪宗 5家의 마지막 法眼宗의 창시자인 文益(885~958)이 배출한 고려의 惠炬(居)는 한중 불교문화 교류의 일익을 담당했다. 즉 문익과 제2祖 德韶와 제3조 延壽 선사에 이르러 선종의 통일을 이루어 고려에까지 커다란 영향을 미친 사실이 확인되었다.[90] 이러한 논고는 체관에 이르기까지 고려와 오월국 간의 불교 사상사에 대한 획기적인 정리 작업으로 평가된다.

고려와 오월국 간 문화 교류의 물증이 전한다. 오월국 왕 전홍숙이 955년에 阿育王 故事에 따라 8만4천 기의 小塔을 鑄成하여 寶篋印心咒經을 넣어서 다른 나라에 나누어 준 실물 銅造 塔이 확인되었다.[91] 그리고 천안시 동남구 대평리 寺址에는 보협인석탑이 소재하였다.[92] 보협인석탑에 대한 탐색 결과 오월국에 피신하였거나 거주한 바 있던 張儒나 최행귀 등의 귀국과 관련 지을 수 있다. 혹은 보협인석탑이 소재한 천안은 고려 왕실과 비상한 인연이 있는 곳이라는 점도 주목된다. 천안은 고려 태조 왕건이 후삼국을 통일할 때 최종 통일전쟁의 본영이기도 했다. 그리고 보협인석탑의 속성

87_ 『陸氏南唐書』 권18, 高麗列傳.
88_ 許仁旭, 「고려 초 남중국 국가와의 교류」『국학연구』 24, 2014, 249~250쪽.
89_ 許仁旭, 「고려 초 남중국 국가와의 교류」『국학연구』 24, 2014, 251~254쪽.
90_ 曺永祿, 「法眼宗과 海洋佛國吳越-고려 불교 교류와 관련하여」『佛敎硏究』 41, 2014, 385~414쪽.
91_ 梅原末治, 「吳越王 錢弘俶 八萬四千塔」『考古美術』 8-4, 1967, 288쪽.
92_ 국립공주박물관, 『天下大安』 2014, 88~89쪽.

이 아육왕 고사에서 연유했다는 것이다. 이러한 맥락에서 고려가 후백제 정벌의 시발점인 천안에서의 사찰 건립 가능성을 제기해 본다. 아울러 이곳에 아육왕탑인 보협인석탑을 건립했거나 중국에서 반입하여 건립했을 가능성이 함께 고려되어진다.

후백제와 고려의 오월국과의 교류는 정치 뿐 아니라 불교 사상을 비롯한 문화 전반과 경제 분야까지도 활발하게 이어졌다. 앞으로의 과제는 오월국이 후백제와 긴밀한 관계를 유지한 본질적인 이유를 구명하는 작업이 남아 있다. 오월국이 후백제로부터 얻고자 했던 경제적인 이득도 고려해 볼 만한 사안이라고 본다. 가령 후백제에서 오월국에 수출된 물산에 대한 파악이 필요해졌다. 차후 심도 있는 연구가 기다려진다.[93]

진훤은 북중국의 後唐 뿐 아니라 지금의 요하 상류 부근인 시라무렌강 유역에서 흥성한 거란, 그리고 일본과도 외교적 접촉을 가졌다. 당시 후백제는 지금의 김해와 부산 앞 바다까지 장악하고 있었다. 이를 매개로 후백제는 쓰시마와 통교하고 있었다. 그랬기에 일본측 문헌에 "全州王 진훤이 數十州를 격파하여 대왕이라 칭하였다"는 기록을 남기게 하였다.

진훤은 인재 기용에도 비상한 수완을 발휘하였다. 그렇기에 그 주변에는 잘 짜여진 우수한 참모들이 포진할 수 있었다. 이러한 참모의 군계일학은 당에 유학 가서 3년만에 賓貢科에 급제하면서 명성을 떨쳤던 崔承祐라는 수재였다. 진훤이 국세를 크게 떨칠 수 있었던 요인 가운데 하나는 훌륭한 참모의 기용이었다. 6두품 출신으로서 출세가 막혀 있었지만, 출신보다는 사회개혁 성향이 강한 최승우같은 빼어난 인재를 발탁·기용할 줄 알았다. 진훤은 빼어난 혜안을 지녔던 것이다.

93_ 李道學, 「後百濟와 高麗의 吳越國 交流 研究와 爭點」『고대사탐구』 22, 2016, 273~289쪽.

3. 후백제와 고려의 불교 시책

백제 왕권의 상징이요, 미륵신앙의 本處가 익산 미륵사였다. 진훤이 익산을 중시한 데는 미륵사가 지닌 지대한 비중 때문이었다. 이와 관련해 다음과 같은 「惠居國師碑文」을 주목하게 된다.

> 3년이 지나 金山寺 義靜律師의 戒壇에 나아가 具足戒를 받았다.…龍德 2년(922) 여름 특별히 彌勒寺 開塔의 은혜를 입어 이에 禪雲山의 選佛場에 나아가 壇에 올라 說法하였다.

여기서 진훤은 미륵사에 開塔했다고 하였다. 개탑의 의미는 명확하지 않지만 "탑을 복구하고" 혹은 "전에 무너졌던 미륵사탑의 복구" 등으로 해석하고 있다. '개탑'은 어렵게 생각할 것 없이 탑을 열었던 사실을 말한다. 주지하듯이 탑은 기본적 성격이 무덤인 것이다. 무덤을 연다는 것, 그것도 미륵신앙의 요람에 소재한 탑(무덤)을 열었음은 迎佛骨儀式이었다. 곧 불사리 신앙의 산물인 것이다. '미륵사 개탑'을 수리라는 엉뚱한 해석이 자행되어 왔었다. 그러나 이는 미륵사 중탑 즉 목탑을 통한 迎佛骨 의식이었다.[94)]

진훤이 미륵사탑을 열었음은 불사리를 통한 미륵불의 출현이랄까 부활을 선언하는 것으로 해석된다. 즉 미륵사탑 안에서 때를 기다리던 미륵불이 세상에 출현함을 뜻하는 의식으로 보인다. 이 때가 922년으로 미륵불을 자처했던 궁예가 몰락한지 4년 후였다. 그렇다면 이는 진훤 스스로가 전륜성왕 사상에 입각해서 미륵사탑 안의 미륵불을 迎禮하려고 했던 의식이 아닐까 싶다. 이러한 '개탑' 의례는 익산 금마산에서의 백제 '開國'과 짝을 이루는 일대 사건이었다. 요컨대 이는 후백제의 연호인 '正開'의 이념을 구현하는 행위이기도 했다.

당시 진훤은 전륜성왕을 자처할만한 배경을 충분히 구축했다. 920년에 진훤은 대야성(합천)을 함락시켰고, 구사성(창원)과 진례성(김해)까지 진격했다. 그러했을 정도로 후백제 위세는 낙동강 유역에 크게 떨치고 있었다. 921년에 진훤은 道詵의 제자인 慶甫를 맞아 국사로 삼았다. 그러하였을 정도로 불교 종단에 대한 영향력 또한 절정을 구가했다. 그러므로 진훤이 전륜성왕을 자처할 만한 주

94_ 李道學, 「後百濟의 全州 遷都와 彌勒寺 開塔」『한국사연구』 165, 2014, 19~24쪽.

변 환경이 조성되었던 것이다.[95)]

진훤과 왕건은 서로 유력한 사원의 후원을 입기 위해 각축전을 전개하였다. 화엄종은 당시 남악과 북악으로 분열되어 있었다. 『均如傳』에는 화엄 교단 내부의 분열과 대립·갈등 양상이 다음과 같이 적혀 있다.

> 師는 北岳의 法孫이다. 옛날 신라말 가야산 해인사에 2명의 華嚴司宗이 있었다. 한 분은 觀惠公으로 백제 渠魁인 진훤의 福田이었다. 또 한 분은 希朗公으로 우리 태조대왕의 복전이었다. 두 분은 信心을 받아서 香火의 願 맺기를 청하였지만 願이 이미 달랐으니 마음이 어찌 하나이랴. 내려와 그 門徒에 이르러서는 점점 물과 불처럼 되었으니 하물며 法味에서야. 각각 시고 짠 맛을 받았으니 이러한 폐단을 제거하기가 어려웠다. 유래가 이미 오래 되어서 그 때 세상의 사람들이 관혜공의 法門을 남악이라 했고, 희랑 공의 법문을 북악이라고 했다. 師께서는 매번 남북의 宗旨가 모순되어 분간하지 못한 것을 탄식하시고 많은 갈래를 막아 한 길로 돌아오게 하셨다.

위의 기록을 통하여 관혜는 진훤을 지지한데 반하여, 희랑은 왕건을 지지하였음을 알 수 있다. 관혜와 희랑 두 고승이 같은 해인사에 주석하면서 정치적인 지지자의 차이에 따라 갈등과 반목을 하였다. 해인사 안에서 후백제와 고려를 후원하는 두 세력이 생겨나 대립했다는 이야기가 되겠다. 후삼국시대의 화엄종은 진훤을 지지했던 남악과 왕건을 지지했던 북악으로 갈려서 대립했던 것이다. 순전히 정치적인 이유 때문이었다. 이러한 대립과 관련해 943년에 편찬되었다는 「伽倻山海印寺古籍」에는 다음 기록이 남아 있다.

> 신라말에 僧統인 希朗이 이 절에 住持하여 華嚴神衆三昧를 얻었다. 그 때 우리 태조가 백제 왕자 月光과 싸웠는데, 월광은 美崇山을 지켰는데 식량이 넉넉하고 군대가 강하였다. 그 敵은 神과 같아서 태조가 힘으로 제압할 수가 없어서 해인사에 들어가 希朗公에게 사사하였다. 師께서 勇敢大軍을 보내어 왕건을 도왔다. 월광은 金甲을 입은 군대가 공중에 그득 찬 것을 보고는, 그것이 神兵임을 알고는 두려워서 이내 항복하였다. 태조는 이런 이유로 (희랑을) 敬重奉事하여 田地 500

95_ 李道學,「後百濟 甄萱 政權의 沒落過程에서 본 그 思想的 動向」『한국사상사학』18, 2002, 284~285쪽.

結을 施事하고 옛 寺宇를 거듭 새롭게 하였다.

위의 기록에 보이는 백제 왕자 월광은 대가야국의 월광 태자를 부회한 것으로 간주하는 시각이 있다. 해인사 입구에 현재 터만 남아 있는 월광사와도 어떤 관련이 있어 보인다. 그리고 전장인 미숭산(고령군 쌍림면과 합천군 야로면의 경계에 소재)은 고령 읍내의 지산동 대가야 왕릉군을 굽어 보는 옆 산자락이다. 이곳 해발 733.5m의 정상에 둘레 1,367m의 석축산성이 축조되어 있다.

미숭산성은 특이한 가야계 산성의 하나로서 주목을 받았다. 산세가 험준하고 주위에서 가장 높은 곳에 위치하고 있어 시야가 넓게 잡히는 천연의 요새였다. 그러니 합천과 고령 지역을 에워싼 전투에서 후백제군과 고려군이 격돌할 수밖에 없었다. 이때 희랑이 神兵을 보내어 왕건이 승리했다는 이야기가 되겠다. 후백제와 고려가 합천 일원에서 빈번하게 군사작전을 펼친 것을 생각해 보면 허구적인 이야기로만 돌리기는 어렵다.

여하간 이 기록은 진훤과 불교 교단과의 관계, 또 그것이 후삼국의 쟁패에 어떠한 영향을 미쳤는가를 시사해 준다. 불교 사상계의 장악이 소백산맥 안의 신라계 호족들의 향배에 지대한 영향을 미칠 수 있었음은 의심할 나위 없다. 여하간 앞서 제시한 자료들은 진훤이 선종과 화엄종 모두에 깊이 관여하였음을 알려준다. 兩宗을 모두 포용하려고 했던 것이다.

그리고 9산선문 가운데 무려 4개 파가 후백제 영역에 소재하였다. 즉 實相山派(전라북도 남원 實相寺)와 桐裏山派(전라남도 곡성 泰安寺), 그리고 聖住山派(충청남도 보령 聖住寺)와 迦智山派(전라남도 장흥 寶林寺)가 되겠다. 이는 고려 영역에 확실하게 소재한 선문도량이 須彌山派(황해도 해주 廣照寺) 1개밖에 없었던 사실과 크게 비교되는 현상이다.

이러한 선문도량 가운데 경보와 연결된 동리산파를 통해 진훤은, 唯識과 풍수지리사상을 포용하였다. 그는 또 4개 선문의 檀越로서 그 사회·경제적 후원자 역할을 했을 것으로 보겠다. 특히 전주와 지리적으로 가장 가까웠던 실상산파의 경우 그 비중이 지대하였으리라고 믿어진다. '정개'라는 후백제의 연호를 사용했던 편운화상을 비롯한 그 제자들과의 관계가 그것을 암시하고도 남는다. 그리고 구례 華嚴寺를 비롯한 지리산 일대의 사찰들도 진훤과 깊은 관련을 맺었음이 분명하다.

진훤은 기근과 수탈로 인해 지칠대로 지쳤고 절망에 빠졌던 농민들을 위무하고, 정국을 빠르게 안정시키는 수단으로써 불교 이데올로기를 이용했다. 특히 진훤의 신국가 건설의 궁극적 지향점으로서 미륵신앙이 한 몫을 하였을 것이다. 이무렵 후백제 지역에서 조성된 불교 조각의 공통점은 통일신라 9세기 조각의 다소 침울한 느낌을 주는 것과는 달리 생기가 도는 밝은 미소의 온화하고 인간적인 佛顔이 표현되고 있다고 한다. 이러한 지적은 확실히 주목할만한 시각이 아닐 수 없다. 신흥국가 후백제의 약동하는 힘과 여유를 포착한 것으로 보여지기 때문이다.

4. 왕건 중심 기록에 대한 성찰

궁예는 신체적인 제약에도 불구하고 바닥에서 입신하여 고구려를 부활시켰다. 경이적인 그의 성공은 왕건의 후손인 충선왕도 부정할 수 없었다. 그랬기에 그는 "궁예가 삼한 땅의 3분의 2를 차지했다"[96]고 단언했다. 삼한 땅은 통일신라 영역을 가리킨다. 왜곡된 기록이 넘치는 궁예이지만 무패의 신화를 기록에 남겼다. 그가 패한 기록 자체가 없기 때문이다.

그런데 궁예 치세 후반기에는 왕건의 눈부신 外征만 보인다. 궁예는 왕건이라는 걸출한 부하 덕에 서남해 도서를 개척한 것처럼 비쳐진다. 기록상 태생부터 일생 따라붙었던 피해망상증과 미륵불의 현신으로 여기는 과대망상증과 가학성 변태성욕으로 몸부림치던 궁예가 자멸로 치닿고 있을 무렵이었다. 이때 왕건은 외정을 통해 자신의 군사력 외에 정치·경제적 기반을 꾸준히 확대시켜 나간 것처럼 비친다. 그러나 이는 당치 않다. 다음의 강진 무위사 「선각대사비문」에 따르면 912년에 궁예가 직접 내려옴으로써 태봉의 나주 경략이 마무리되었기 때문이다.

> (천우) 9년 8월에 이르러 前主께서 북쪽 지역을 오랫동안 평정하시다가 드디어 남쪽을 정벌하시려고 선박[舳艫]을 일으켜 몸소 행차하셨다. 이때 나주는 귀의하였으므로 강가나 섬 곁에 군대를 주둔시켰다. 武府는 거슬렀으므로 서울[郊畿]에서 무리를 동원하셨다. 이때 대왕께서는 대사가…들으시고…그 후 군대를 돌이킬 때에 특별히 (대사에게) 함께 돌아갈 것을 요청하셨고… 스님에게 올리는 공양물은 內庫에서 나왔다.…(천우) 14년…일에 대왕께서 조서를 내려…[97]

위 기사의 천우 9년은 912년이고, 천우 14년은 917년이다. 비문의 이러한 시간적 범위는 왕건 즉위 전임을 알려준다. 따라서 '前主' 즉 '전 임금'과 '大王'은 궁예를 가리킨다.[98] 궁예가 몸소 나주를 제

96_ 『高麗史』 권2, 태조세가, 第2, "李齊賢贊曰 忠宣王嘗言 我太祖 規模德量 生於中國 當不減 宋太祖 宋太祖事 周世宗 世宗賢主也 待 宋太祖甚厚 宋太祖 亦爲之盡力 及 恭帝幼冲 政出太后 迫于群情 而受周禪 盖出於不得已也 我 太祖事 弓裔 猜暴之君 三韓之地 裔有其二 太祖之功也 以不世之功 處必疑之地 可謂危矣"

97_ "九年八月中 前主永平北 □須□南征 所以□發舳艫 親駈車駕 此時羅州歸命 屯軍於浦嶼之傍 武府逆鱗 動衆於郊畿之場此時倏 大王聞…其後班師之際特請同歸…供給之資出於內庫…以十四…日大王驟飛鳳筆…"

98_ '前主'를 궁예로 지목한 경우는 김인호, 「무위사 선각대사 편광탑비」『譯註 羅末麗初金石文(下)』, 혜안, 1996, 237쪽에 보인다.

압한 사실이 확인된다.[99] 궁예의 서남해 親征은 다음「법경대사비문」에서도 확인되었다.

> 天祐 5년 7월 武州의 會津에 도착했다. 이 때 전란은 땅에 그득하고, 賊寇는 하늘에 닿을 만큼 넘쳐 흘렀고, 三鍾이 머무는 곳에는 사방에 진지가 많았다. … 先王이 곧바로 북쪽을 출발하여 오로지 南征만 하였다.[100]

위 기사에 등장하는 '先王'은 궁예를 가리킨다. 法鏡大師 慶猷가 귀국하여 만난 임금은 궁예였다. 이때는 912년 8월에 궁예가 서남해를 공략하던 무렵이었다.[101] 이렇듯「선각대사비문」과「법경대사비문」을 통해 궁예의 서남해 친정이 확인되었다. 더욱이「법경대사비문」에서는 '專事南征'라고 하였다. 여기서 '專事'는 "오로지 어떤 일만 함"이라고 해석한다. 이 사실은 궁예가 南征에 심혈을 기울였기에 친정을 했음을 알려준다. 그러면 궁예의 서남해 친정은 史書에서 확인할 수 없는 것인가? 궁예의 서남해 친정은『삼국사기』진훤전의 다음 영암 덕진포 교전에서 확인된다.

> 건화 2년(912)에 진훤이 덕진포에서 궁예와 싸웠다.[102]

위의 짧은 기록을 연구자들은 으레 궁예가 보낸 왕건과 진훤과의 교전으로 단정했다. 그러나 이 기록은「선각대사비문」에서 궁예가 912년에 직접 군대를 이끌고 나주로 내려 온 사실과 연결된다. 그런데 중요한 사실은 진훤과 싸웠다는 궁예에 대해 승패를 서술하지 않았다. 사서에서는 왕건의 전공만 늘어놓았을 뿐 궁예 친정에 대해서는 일체 언급이 없다.[103] 그런 관계로 서남해안 제패는 오로지 왕건의 전공으로만 간주되었다.

99_ 최연식,「康津 無爲寺 先覺大師碑를 통해 본 弓裔 행적의 재검토」『木簡과 文字 연구』6, 주류성, 2011, 205~208쪽.
100_ 朝鮮總督府,『朝鮮金石總覽(上)』1919, 164쪽. "天祐五年七月 達于武州之會津 此時兵戎 滿地 賊寇滔天 三佛所居 四郊多壘…先王直從北發 專事南征"
101_ 한국역사연구회,『譯註 羅末麗初金石文(下)』, 혜안, 1996, 190쪽.
최연식,康津 無爲寺 先覺大師碑를 통해 본 弓裔 행적의 재검토」『木簡과 文字 연구』6, 주류성, 2011, 215쪽.
102_『三國史記』권50, 진훤전.
103_ 이도학,「궁예와 진훤 바로보기」『대동문화』99, 2017, 92쪽.

5. 통일국가를 만들기 위한 쟁패

진훤은 고려를 제압하고 통일국가를 세우기 위해 진력하였다. 그의 생애는 대부분 戰陣에서 보냈다. 그리고 후백제의 군사력은 고려를 갑절이나 앞질렀었다. 유계는『麗史提綱』에서 "財力의 부유함과 甲兵의 강성함은 (후백제가) 고려나 신라보다 나았다"라고 평가한 바 있다. 가위 절대적으로 우세한 군사력을 토대로 고려 군대를 연파하면서 진훤은 정국을 주도해 갔다.

진훤은 70 평생, 일반 사병들과 고락을 같이 하였다. 또 갖은 위험을 무릅쓰면서도 전장의 선두를 지키며 포효하는 한 마리 타이거처럼 전진을 누볐었다. 이러한 대왕 진훤의 희생적 수범과 씩씩한 웅자는, 부하 사병들에게 진한 감동을 주고도 남았다. 그는 병사들과 호흡을 같이 하였기에 강한 군사력을 자랑할 수 있었을 것이다.

진훤의 생애에 있어서 감격적인 순간의 하나가 927년의 경주 입성이었다. 진훤은 경주 포석정에서 유희를 즐기던 신라 경애왕을 생포·처단하였다. 왕건과 유착되어 끊임없이 진훤을 자극하던 경애왕에 대한 응징이었다. 더구나 구원나온 고려 군대를 대구 공산에서 포위·궤멸시켰다. 왕건은 신숭겸이나 김락과 같은 막료들을 죄다 잃고 구사일생으로 탈출했을 정도로 혼줄이 났던 것이다. 대구 광역시와 그 주변에는 '반야월'·'안심'·'파군치'·'살내'·'해안' 등과 같은 공산 전투와 관련한 지명들이 전한다.

공산 전투 직후 진훤이 왕건에게 보낸 편지에 보면 "나의 기약하는 바는 평양 문루에 활을 걸어두고 패강(대동강)에 말의 목을 축이는 데 있다!"라고 하였다. 통일군주에 대한 진훤 왕의 자신감이 어려 있는 것이다.

6. 후백제군의 기습 공격

웅장한 포부를 지녔던 진훤 왕이었다. 그렇건만 928년 12월부터 시작하여 930년 1월에 걸친 안동 병산 전투에서 왕건에게 1패함으로써 내리막길을 걷는 것처럼 비쳤다. 이 싸움에서 후백제는 물론 심대한 타격을 받았다. 전사자만 8천 명을 내었을 정도로 막대한 인적 손실을 입었다. 진훤의 참모였던 侍郞 金渥마저 고려군에 생포되었다. 안동시 북쪽의 안기동과 안막동 경계에 소재한 나즈막한 병산과 석산에서의 전투에서였다. 그러나 현장을 밟아 보면 두 산 사이의 거리가 그리 멀지는 않는다. 물론 후삼국의 진운을 결정지은 전투가 안동에서 있었음은 부인할 수 없다. 안동 시내의 三太師廟를 비롯하여 숱한 관련 지명과 더불어, 중요문화재로 지정된 차전놀이의 기원도 이 전투에서 비롯되었다.

병산 패전에도 불구하고 후백제 왕국은 웅강함을 잃지 않았다. 이와 관련해 朴守卿이 역전한 관계로 왕건이 간신히 빠져나왔던 勃城 전투를 주목해 본다. 발성의 위치는 문헌에서 확인되지 않는다. 개경의 왕궁을 이루는 勃禦塹城의 '어참'은 문자 그대로 '방어하기 위한 참호' 즉 垓字가 있는 성의 구조를 반영한다. 발어참성의 고유명사는 '발성'이었다. 발성 전투가 발어참성이 소재한 고려 수도 개경에서 발생했다면 932년 9월에 후백제군의 선단이 일제히 개성에 상륙작전을 펼쳤음을 뜻한다. 고려 왕궁까지 후백제군의 상륙 부대가 진격해 왔던 것이다. 왕건이 발성 전투에서 포위되었다는 것은 이러한 정황을 반영한다. 또 다시 찾아온 일생 일대 위기였기에 '왕건이 근심했다'거나 부하 장수의 역전에 힘입어 간신히 빠져나올 수 있었던 것이다. 왕건의 권위를 실추시킬 수 있는 패전은 공식 편년 기록에서는 보이지 않는다. 부하들의 충성과 관련한 다른 자료를 통해 우연찮게 드러나고 있을 뿐이다. 이러니 편향된 기록을 통해 후삼국사의 진실된 복원이 얼마나 어려운 지를 실감하게 한다. 어쨌든 박수경의 딸이 왕건의 제28妃가 된 것은 발성 위기에 대한 보은이 분명하였다.[104]

933년 5월에 후백제군은 慧山城과 阿弗鎭(경주시 서면 아화리)을 공략하였다. 고려의 허를 찌르면서 신검 왕자가 인솔한 후백제군의 작전이 펼쳐졌다. 왕건이 급히 투입시킨 유검필은 장사 80명을 선발해서 이끌고 갔다. 유검필은 槎灘에 이르렀다. 이 여울을 건너면 다시는 물러설 수도 없는 背水

104_ 李道學,『후백제 진훤대왕』, 주류성, 2015, 509~510쪽.

의 陣이 되는 것이다. 유검필은 병사들에게 비장한 어조로 말했다. "만약 여기서 적을 만나면 나는 필연코 살아서 돌아가지 못할 것인데, 다만 그대들이 함께 희생당할 것이 염려되니 그대들은 각자가 살 궁리를 강구하라!" 유검필은 비장감을 조성시켜 軍心을 통일했다. 신검 왕자의 후백제군을 격파한 직후 유검필은 '신라' 즉 경주에 도착했다. 이때 늙은이와 어린애들까지 모두 성밖에 나와서 유검필을 영접하며 절하면서 눈물을 흘리면서 말했다. "뜻밖에 오늘 大匡을 뵈옵게 되었습니다. 대광이 아니었다면 우리들은 백제군들에게 살륙당했을 겁니다." 비록 실패하기는 했지만 후백제의 제2차 경주 진공 작전은 왕건과 신라를 사뭇 긴장시켰다.

7. 신검 정변의 발생

강성한 후백제에서 예기치 않은 정변이 발생했다. 왕위계승 분쟁이라는 운명의 뒤틀림이 터졌다. 진훤은 역량 있는 넷째 아들 금강에게 대권을 맡기려고 하였다. 금강 왕자는 "키가 크고 지략이 많았다"고 한다. 공산 전투를 비롯한 숱한 전투에서 승리를 이끌었던 이가 금강 왕자였던 것 같다. 그러한 금강 왕자에게 진훤 왕은 미완의 대업을 맡기려고 했다. 그러나 그는 큰 아들 신검 일파의 급습을 받아 김제 금산사에 유폐되고 말았다. 935년 봄이었다. 백제의 혼을 부활시킨 진표율사의 체취가 남아 있는 금산사에서였다.

신검 정변은 후백제와 오월국의 관계에도 일대 분기점이 되었다. 「柳邦憲墓誌」에 따르면 柳邦憲의 조부인 法攀이 백제 즉 후백제에 벼슬하여 우장군에 이르렀다고 한다. 유방헌의 외조부인 廉岳은 "백제가 장차 어지러워지려 하자" 은둔했다는 것이다. 염악이 은둔하게 된 요인은 935년의 왕위계승 내분을 반영하는 게 분명하다.[105] 이처럼 염악과 같이 은둔한 부류는 반신검파 곧 친금강계였음을 반증한다. 그러면 친금강계는 권력 싸움에서 패하자 은둔만 하였을까? 이와 관련해 1015년(현종 6) 11월 23일에 사망한 호부상서 張延祐와 관련한 『고려사』 기사에 의하면 장연우의 아버지인 張儒가 신라 말이라는 시점에 '피란' 차 오월국에 들어갔다는 것이다. 여기서는 장유가 오월국에 피란간 배경은 적혀 있지 않다. 그렇지만 이 사안을 구명할 수 있는 몇 가지 단서가 있다. 첫째 '신라 말'이라는 시점이다. 둘째 장연우의 출신지를 尙質縣이라고 했다. 그러니 그 아버지인 장유도 동일한 지역 출신으로 지목할 수 있다. 상질현은 지금의 전라북도 정읍시 고부면에 해당한다.

이러한 2가지 단서를 조합해 보면 장유는 전라북도 정읍시 주변 출신으로 밝혀진다. 그리고 그가 오월국으로 피신한 시점을 '신라 말'이라고 했다. 그렇다면 후백제인 장유가 피란 차 오월국에 들어간 배경은 무엇일까? 물론 후백제 멸망 후 고려로의 복속을 피해 오월국으로 도피했을 수 있다. 그러나 이러한 추정에는 장유가 환국한 사유가 불분명할 뿐 아니라 고려 정권에 기용된 배경을 납득이 가게 설명하기 어렵다. 이 보다는 후백제인 장유가 935년의 신검 정변을 피해 자신의 아버지를 따라 오월국으로 피신했을 가능성을 높여준다. 그랬기에 후백제의 내부 사정을 비교적 잘 알고 있

105_ 申虎澈, 『後百濟甄萱政權硏究』, 一潮閣, 1993, 198쪽.

던 오월국에서는 이들을 잘 품어 주었던 것으로 보인다. 즉 후백제인 장유와 그 아버지로서는 오월국이 가장 안전한 피난처였기에 그곳을 택했다고 하겠다.[106)]

친금강 내지는 반신검 계열 세력의 오월국 피신과 오월국의 이들에 대한 비호가 있었다. 게다가 오월국은 자신의 아버지를 축출하고 정권을 차지한 신검의 권좌를 승인하지 않았다. 이로 인해 신검은 갑작스럽게 후당과의 교류를 추진했다. 후당 清泰 연호의 사용은 그 산물인 것이다. 이 점에 대해서는 부연 설명이 필요할 것 같다. 신검 정권은 정변 직후 친진훤 성향의 오월국으로부터 정권의 정당성을 승인받지 못했다. 이때 신검 정권은 고려와 친한데다가 쇠락하는 국가가 후당임을 잘 알고 있었다. 그럼에도 불구하고 신검이 후당과의 교류를 추진한 데는 이러한 연유가 깔렸던 것이다.[107)]

933년에 고려는 후당과의 관계를 긴밀히 하였다. 후당에서 사신을 보내와 왕건을 册立하였다. 고려는 후당의 曆書를 반포하고 후당의 연호를 사용하기 시작했다. 그러할 정도로 후당과 고려는 교류가 활발하였다. 심지어 이때 후당 명종이 왕건에게 보낸 조서에서 "정예한 군사로 진훤의 무리를 꺾었고, 입고 먹는 것을 절약하여 忽汗 사람들을 구제하였다"[108)]고 했을 정도이다.

물론 후백제는 고려에 대한 견제책으로 925년에 후당과 교류를 한 바 있었다. 후백제는 이때 藩國을 칭했다. 이와 더불어 진훤은 후당으로부터 '檢校太尉兼侍中判百濟軍事'를 제수받았다. 그러나 2년 후 후백제는 거란 사신들을 대동하고 항진하다가 후당의 登州에 표착하였다. 그 바람에 거란 사신들은 모두 살해되고 말았다. 이렇듯 후백제로서는 달갑지 않은 존재가 후당이었다. 그럼에도 후백제는 후당과 교류를 맺었다. 이 자체가 신검 정권의 불가피한 苦肉策이었던 것이다.

106_ 李道學, 「後百濟와 吳越國 交流에서의 新知見」『百濟文化』 53, 2015, 110~112쪽.
107_ 李道學, 「後百濟의 加耶故地 進出에 관한 檢討」『白山學報』 58, 2001, 65쪽.
108_ 『高麗史』 권2, 태조 16년 3월 조.

8. 통합 과정

진훤은 종국에 겨레의 대통합을 위한 용단을 내렸다. 그는 금산사를 탈출하여 고려 왕건에게 무릎을 꿇었다. 小我에 집착하지 않은 진정한 용기는 이러한 경우를 두고 하는 말이 아닐까? 후백제의 정변과 분열은 왕건에게는 물실호기의 기회였다. 그는 변방 여진족의 군대까지 동원하여 한판에 승부를 결정하고자 했다. 전 병력을 총동원한 고려는 천안에 집결하였다. 교통의 요지라는 측면도 있었지만, 풍수지리설과 엮어져서 의도적으로 천안에 병력을 모은 것이다. 고려 말 李穀의 「寧州懷古亭記」에 의하면 術者가 "만약 王字가 있는 城에 다섯 용이 구슬을 다투는 땅에 軍壘를 쌓고 열병을 하면 삼한을 통일하여 왕이 되는 것은 서서 기다릴 수 있다"는 요지의 말을 했다고 한다. 이곳은 천안부가 있던 곳이었다. 지금도 관련 지명과 전설이 남아 있다.

천안 지역 절터에 건립되었던 보협인석탑에 대해서는 그간 논의가 활발하지 못했다. 그러나 이에 대한 탐색 결과 오월국에 피신하였거나 거주한 바 있던 張儒나 최행귀 등의 귀국과 관련 짓을 수 있다.[109] 이러한 점과 더불어 보협인석탑이 소재한 천안은 고려 왕실과 비상한 인연이 맺어진 곳이라는 점을 주목해야 한다. 천안은 고려 태조 왕건이 후삼국을 통일할 때 전 병력을 집결시킨 곳이었다. 즉 천안은 최종 통일전쟁의 본영이기도 했다. 이와 관련해 보협인석탑의 속성이 阿育王 고사에서 연유했다는 것이다. 주지하듯이 아육왕은 印度의 정복군주로서 불법을 홍륭시킨 바 있다. 그렇다면 후백제 정벌의 시발점인 천안에 사찰을 건립하여 아육왕탑인 보협인석탑을 건립했거나 중국에서 반입해서 건립했을 가능성이다. 이는 「崔弘宰墓誌銘」에서 "삼한공신 崔良儒는 직산현 사람인데, 처음 고려 태조가 통합할 때 양유가 한 마음으로 도와 공을 이루었다. 태조가 순행하여 이 縣의 北岳에 이르러 양유가 사직을 지켰다고 하여(社稷之衛) 이름을 稷山이라고 하였다(因名稷山)"[110]라는 기록이 시사를 주기 때문이다.

후삼국시대 마지막 전장은 지금의 경상북도 구미의 일리천이었다. 구미 지역을 통과하는 낙동강이 一利川이었다. 일리천의 '利'는 이곳을 가리키는 一善郡의 '善'과 '유익하다' 곧 '좋다'는 뜻과 연결

109_ 李道學, 「後百濟와 吳越國 交流에서의 新知見」『百濟文化』 53, 2015, 112~113쪽.
110_ 김용선, 「崔弘宰 金尹覺 墓誌銘」『한국중세사연구』 41, 2015, 240쪽.

된다. 따라서 일선군을 통과하는 낙동강 구간을 일리천으로 일컬었던 것 같다. 그 전장에서 진훤은 왕건과 나란히 후백제군을 응시하였다. 그 순간 후백제 장군들은 동요하기 시작했다. 開戰과 동시에 후백제군의 좌장군 孝奉과 德述·哀述·明吉 등이 일제히 고려군 진영으로 달려와 항복하였다. 『고려사』에는 이들이 "진훤의 말 앞에 항복하여 왔다"고 했다. 이어서 기록은 "賊兵이 창을 거꾸로 돌려 저희들끼리 서로 쳤다"고 하였다. 후백제군 내부가 자중지란으로 분열되었음을 뜻한다.

신검의 후백제군은 끝모를 패주를 하고 있었다. 고려군은 일리천에서부터 후백제군을 추격하여 추풍령을 넘었다. 이후 등장하는 馬城의 위치와 관련해 논의가 구구하였다. 그러한 1차적 문제점은 『고려사』의 "我師追至黃山郡 踰炭嶺 駐營馬城"라는 기사를 자의적으로 해석한데서 기인했다. 이 구절은 "우리 군대가 추격하여 황산군에 이르러 탄령을 넘어 마성에 駐營하였다"고 해석해야 맞다. 이때 왕건이 소재한 고려군 본영은 황산에 설치되었다. 반면 고려의 勁兵은 소수의 후백제 패잔병을 추격하여 마성까지 진격했다. 기존 연구에서는 이 점에 대한 분리 해석을 하지 못하였다. 게다가 「개태사화엄법회소」에 적힌 개태사 부지를, 신검이 항복하러 온 고려군 주영지인 마성과 동일시한 게 착오였다. 고려군은 마성에서 항복하러 온 신검 일당을 대동하고 고려군 본영이 있는 황산으로 올라 왔다. 황산의 魚鱗寺 부지에 주둔하고 있던 왕건은 개태사 부지로 이동하여 후백제 신검 왕으로부터 항복을 받았다. 통일 직후 어린사가 창건되는 부지에서 왕건은 물고기 비늘이 벌어진 듯이 치는 魚鱗陳을 치고 있었다. 중앙부가 적에 가까이 나아가는 진형이다. 항복하러 온 신검이 찾아온 곳이 마성이었다. 마성과 항복 의식이 치러진 개태사 부지는 동일하지 않았다.[111]

『고려사』와 「개태사화엄법회소」의 해당 기록 가운데, 후자를 중심에 둔 데서 오류가 빚어진 측면이 컸다. 그러나 양자는 서로 성격이 다름을 인지했어야 한다. 전자는 역사 기록을 담은 사서였다. 그런데 반해 후자는 개태사 창건과 관련해 후삼국 통일을 이뤄준 불덕을 찬미하기 위한 목적을 지녔다. 후자는 자연 과장과 압축이 많을 수밖에 없었다. 따라서 「개태사화엄법회소」에게 『고려사』와 등가치나 그 이상으로 의미를 부여하여 사료를 해석하는 것은 온당하지 않다.

고려가 항복받는 장소로 개태사 부지를 정한 이유는 풍수지리적인 요인이 지대했다. 결과론적인 해석이기도 하겠지만 이곳의 天護山이라는 山名이 웅변하고 있다. 그리고 마성 위치 구명의 관건이 되는 탄령은 황산군 즉 지금의 논산시 연산면 일대와 접한 지역에서 찾는 게 온당하다. 그 결과 여러

111_ 李道學, 「後百濟의 降服 動線과 馬城」 『동아시아문화연구』 65, 한양대학교 동아시아문화연구소, 2016, 15~34쪽.

측면에서 전라북도 완주군 운주면 쑥고개가 타당했다. 마성은 완주~전주 사이 구간에 소재하였다. 고려군은 완주와 접한 탄령을 넘어 후백제 국도인 전주로 추격하는 동선상에서 마성에 주영한 것이다. 마성은 金馬城 혹은 金馬渚로 일컬어졌던 익산 지역을 가리킨다. 마성은 후백제 멸망과 관련한 왕건의 建塔說話가 남아 있는 왕궁평성으로 비정된다.[112)]

후백제가 멸망 직후 진훤은 70세를 일기로 지금의 논산 관내 사찰에서 영욕이 교차하는 파란만장한 생애를 접었다. 그의 능은 논산시 연무읍 금곡리의 야트막한 산에 소재하였다. "현재를 지배하는 자가 과거를 지배할 수도 있다"는 말이 상징하고 있다. 역사의 패자인 진훤은 너무나 왜곡되어 있기에, 재평가는 물론이고 잊혀져가는 후백제 유적에 대한 재조명 작업이 시급하다. 이제 승부에 승부를 거듭하는 전쟁으로 숨도 돌릴 수 없는 난세를 헤쳐가면서, 한 시대의 종지부를 찍어 역사의 일대 전환점을 마련한 혁명가 진훤 왕은 재평가되고 있다.

사실 아자개와 진훤 父子가 동시다발적으로 봉기함으로써, 신라 조정은 수습하지 못하는 무기력한 모습을 만천하에 폭로하였다. 그로 인해 전국적인 군웅의 할거와 함께 신라는 붕괴되었다. 이들 부자에 의해 한 시대는 종언을 고하였다. 그리고 참여의 폭과 기회가 일층 확대된 사회로 넘어갔다.

112_ 李道學,「後百濟의 降服 動線과 馬城」『동아시아문화연구』65, 한양대학교 동아시아문화연구소, 2016, 27~34쪽.

제11장

中世로의 전환

제1절 태조의 후삼국 통일과 융합 정책

새로운 통일왕조로서의 고려왕조의 성립은 커다란 역사적 의의를 지닌다. 후삼국시대라는 약 반세기에 걸치는 분립시대를 극복하였을 뿐만 아니라 특히 고려의 후삼국 통일에 9년 앞서 멸망한 발해의 유민들이 고려에 합류한 것은, 한국사의 통일성 확립이라는 의미를 더욱 짙게 해 주었다. 즉 거란에게 멸망한 발해의 고구려계 지배층이 많이 고려로 망명하여 왔는데, 태조는 이들을 따뜻하게 맞아들여 田宅을 주어 우대하였다. 고려는 발해의 세자 大光顯에게 王繼라는 성명을 내려주었다. 그리고 宗籍에 넣어 동족의식을 분명히 하였고 발해 선조들에 대한 제사를 받들게 했다. 이리하여 고려는 후삼국뿐만 아니라 발해의 고구려계 유민까지를 포함한 통일을 이루었다.

태조가 후삼국을 통일한 뒤에는 호족세력을 어떻게 통합하여 중앙집권적 지배체제를 수립하느냐가 고려왕실의 가장 중요한 과제였다. 아직도 지방에는 전과 다름없이 독자적 무력과 경제적 기반을 가진 호족들이 분립하여 만만치 않은 세력을 지니고 있었다. 또한 중앙에도 호족 출신들이 개국공신이 되어 권력을 장악하고 있었기 때문이다. 태조는 이러한 호족세력들을 회유하고 타협하여 연합하는 관계 속에서 정권을 유지하였다. 그리하여 태조는 貞州 柳氏를 비롯한 전국의 20여 호족과 혼인을 맺었다. 때로는 호족들에게 王氏의 성을 주어 擬制家族的인 관계를 맺음으로써 연합을 굳게 하였다.

또 태조는 자신이 직접 『政誡』 1권과 「誡百僚書」 8편 등을 지어 관리된 자의 의무를 밝히고, 지방 호족의 무도한 수취를 금하는 조서를 자주 내리는 등 호족세력을 재편하려고 하였다. 그리고 事審官제도와 其人제도를 통하여 지방을 감독하고 통솔하였다. 그러나 태조는 이러한 조치에도 불구하고 왕권의 안정을 이루어 놓지 못한 채 후대의 임금들이 지켜야할 일들을 적어 놓은 「訓要十條」만 남기고 세상을 떴다.[1)]

1_ 한영우, 『다시 찾는 우리역사』, 경세원, 2018, 190~192쪽.

「훈요십조」 가운데 제8조가 후백제 지역 출신에 대한 차별대우에 관한 내용이 논란이 되고 있다. 즉 "차령 이남과 공주 금강 이외의 지역은 산형과 지세가 모두 배역하는 형세이며 인심 또한 그러하다. 그 아래 고을의 인물들이 조정에 참여하여 왕후척족들과 혼인하여 국정을 쥐게 되면 국가를 변란 속에 빠지게 하거나, 고려에 통합된 원한을 품고 난을 일으킬 가능성이 크다.… 비록 양민이라 할지라도 마땅히 벼슬자리에 두어 일을 보게 하지 말라"라는 내용이다. 그런데 이러한 조항은 태조 왕건이 자신의 통치기간 동안에 전라도 출신 인물들을 대거 기용한 사실과 어긋나는 것이다. 잘 알려져 있듯이 왕건은 나주 출신의 오씨부인과 결혼하여 고려의 두번째 임금인 혜종을 낳았을 뿐 아니라, 왕건의 참모였던 최지몽은 영암 출신이었다. 그 밖에 왕건 주변의 많은 인맥이 호남 출신인 것이다. 그러니까 「훈요십조」의 호남사람 차별은 왕건의 실제 인재등용과는 차이가 나고 있다. 게다가 「훈요십조」의 발견 경위가 석연찮았다. 고려 현종 대에 그것도 政爭의 와중에서 최항이라는 개인의 집에서 우연히 발견되었다고 한다. 따라서 조작된 괴문서일 가능성이 제기되었다.[2)]

2_ 今西龍, 『高麗史研究』, 近澤書店, 1944, 45~61쪽.

제2절 광종의 정치개혁

태조는 호족세력의 통합과 후삼국의 통일, 발해 유민 등의 포섭과 같은 과업을 달성하였다. 그러나 통합한 호족세력을 조직적으로 편제하여 중앙집권적인 지배체제를 정비하지는 못하였다. 따라서 이 문제는 그의 후계자들의 과제로 넘겨지게 되었다.

왕위계승을 위한 암투 가운데 혜종과 정종이 젊은 나이에 사망했다. 이어 즉위한 광종은 일대 개혁정치를 단행하여 왕권을 강화시키고자 하였다. 즉 奴婢按檢法을 실시하여 호족세력들을 탄압했다. 또 족벌세력에서 관리를 임명하는 것이 아니라 학문성적을 기준으로 관리를 선임하는 科擧制를 시행하였다. 신분제에 대한 새로운 기준을 내세운 것이다. 과거제 시행은 신라 말의 조세 저항에서 비롯한 농민봉기 이래로 유동성이 극심해진 신분제를 再編하기 위한 목적을 지녔다. 924년의 시점에서 성씨도 없는 지방 호족이, 그것도 진골귀족들의 독점인 蘇判을 冠稱하기도 했다. 비일비재했던 이러한 현상은 기존 골품제적 신분질서의 전면 붕괴를 뜻하였다. 사회통제 수단이자 질서 유지의 기본 틀이었던 기존 신분제가 효력을 다했음을 반증한다. 따라서 그 대안으로서의 새로운 신분질서의 제시가 긴요했다. 결국 법적 근거와 효력을 지닌 科擧라는 규제로써 신분제를 일원적으로 새롭게 구축하고자 하였다.

광종은 새로 설정된 관료체계의 안정을 위하여 百官의 公服제도를 제정했다. 그리고 왕실의 권위를 높이기 위하여 스스로 皇帝를 칭하고, 수도인 개경을 皇都, 서경을 西都라 칭하고, 光德·峻豊 등의 독자적인 연호를 제정하였다. 광종의 정치개혁은 신·구세력의 세대교체를 이루게 하여 호족세력을 도태시키고 왕권을 안정시켰다. 이어 즉위한 경종의 田柴科 제정은 광종의 개혁시책에 의하여 개편된 중앙관료들의 경제적 뒷받침을 위한 조치였다.[3)]

3_ 한영우, 『다시 찾는 우리역사』, 경세원, 2018, 192~193쪽.

제3절 中世로의 이행, 科擧制의 실시

9세기 후반인 889년(진성여왕 3)에는 租稅 독촉을 계기로 농민 봉기가 전국적으로 확산되었다.[4] 그것을 신라 지배세력이 수습하지 못하는 과정에서 후삼국시대가 열렸다. 889년부터 전국적으로 광범위하게 발생한 농민 봉기는 기존 체제에 대한 광범위한 저항의 성격을 띠고 있다. 결국 신라 사회를 지탱해 왔던 강고한 신분 질서인 골품제도가 붕괴되었다. 골품제도의 붕괴는 한 시대의 종언을 뜻하는 것이었다. 한 사회를 지탱해 왔던 신분 질서의 붕괴에다가 終止符를 찍은 완벽한 제도적 조치가 고려 광종대에 전면적으로 실시된 과거제였다. 즉 "여름 5월에 비로소 科擧를 두고 翰林學士 雙冀에게 명하여 進士를 선발하게 했다"[5]라는 기사가 그것이다.

958년의 과거제 시행은 족벌에 기반을 둔 전통적인 호족적 기반의 붕괴를 초래하였다. 고려의 개국공신 가문이 고려 사회에서 문벌귀족으로 성장하지 못한 것이 그 단적인 예가 될 것이다. 과거제는 비록 모든 신분이 응시할 수 있는 출세 수단은 아니라는 한계는 있었다. 과거제 초기에는 연평균 과거합격자 숫자가 2명에 불과할 정도로 개혁을 단행하기에는 매우 제한된 숫자에 불과했다.[6] 그러나 능력주의에 바탕을 두고 良人 신분은 죄다 응시할 수 있다는 제도적 기반의 마련이 중요하다고 본다. 즉 과거제 시행으로 인해 그 간의 폐쇄적인 신분제와는 달리 통치 계급으로의 유입이 유동성을 지니게 되었다. 실제 고려 문종 때 鐵匠의 후예인 慶鼎相이 直翰林院에 임명된 일이 있었고, 씨족이 불명한 李申錫이 과거에 급제한 사실도 있다.[7] 이렇듯 "과거제도는 내부의 성원이 끊임없이 물갈이되도록 하여 사회의 상・하층이 평화롭고 합법적이며 지속적으로 상호 유동하게 함으로써, 상대적으로 사회의 계급 모순을 완화하고 국가 기구의 활력과 효율을 유지시킬 수 있었다"[8]라고 보겠다.

4_ 『三國史記』 권11, 眞聖王 3년 조.
5_ 『高麗史』 권2, 光宗 9년 조.
6_ 유호석, 「고려 과거제도의 성립」『한국사 시민강좌』 46, 一潮閣, 2010, 37쪽.
7_ 한영우, 『다시 찾는 우리 역사』, 경세원, 2010, 209쪽, 註 21.
8_ 金諍 著・金曉民 譯, 『중국 과거문화사』, 동아시아, 2003, 22쪽.

실제 광종은 과거제도를 실시함으로써 골품제를 청산하고 새로운 유교 관료를 수용할 수 있는 틀을 만들었다.[9] 나아가 왕권의 안정과 중앙집권적 통치체제 강화에 영향을 미쳤다. 그리고 文治主義와 유교문화에 큰 영향을 미친 것도 사실이다.[10] 결국 과거제 시행으로써 形骸만 남은 군사형국가는 대단원의 막을 내리고 말았다. 과거제로써 지배층 신분 세습의 단절을 가져왔다. 비록 정변의 산물이기는 하지만 고려조에서는 평민이나 노비 출신 다수가 고관에 등용되었다.[11] 신분 이동의 사회적 유동성이 확인되는 것이다. 이전 시대에서는 상상에서나 가능한 현상이었다.

요컨대 지배 구조와 지배 세력의 완전한 교체가 10세기 중반에 이루어졌다. 이것을 기점으로 고대에서 중세로의 이행을 말할 수 있을 것 같다. 시대구분의 기준을 지배세력의 교체에 두는 견해의 경우[12] 더 말할 나위 없지 않을까 싶다.

참고로 중국의 과거제의 폐해에 대한 다음과 같은 지적이 시사적이므로 인용해 본다.[13] 즉 "과거제도가 발전하고 성숙해지기 시작한 당송시대에는 아직 그 긍정적 측면이 주도적 지위를 차지했으나, 전제정치의 비인도적 성격이 확대되어 감에 따라 과거제도의 부정적 측면도 갈수록 커졌다. 송대 이후, 사대부 지식인의 문화적 창조력은 날이 갈수록 저하됐고, 인재들도 시간이 흐를수록 이전만 못해졌다. 당대 이전에는 신하의 왕위 찬탈이 왕조 교체의 주요 형식이어서 王莽·曹操·司馬氏·王敦·桓溫·劉裕·楊堅 같은 자들이 끝없이 출현하였다. 그러나 송대 이후에는 이런 인물들이 더 이상 출현하지 못했고, 왕조 교체설의 임무는 이민족의 침입과 농민 起義에 내주게 되었다. 이러한 사실은 사대부 지식인들의 정신과 활력이 송대 이후 크게 위축되었음을 충분히 설명해 준다"[14]고 했다. 과거제 실시 이후 중국은 이민족에게 全土를 빼앗기는 일이 두 차례나 있었다. 한국사의 경우도 본질적인 측면에서는 결코 이와 무관하지 않았다.

과거제의 폐해를 무시할 수 없다. 과거와 관직이 최고의 가치가 되면서 과거=관직 이외의 모든 기술·직업을 경시하게 되었으며 자기 직업을 자손에게 물려주려고 하지 않았다. 부모는 어쩔 수 없

9_ 유호석,「고려 과거제도의 성립」『한국사 시민강좌』46, 一潮閣, 2010, 38쪽.
10_ 민현구,「과거제는 한국사에 어떤 유산을 남겼나」『한국사 시민강좌』46, 一潮閣, 2010, 186~187쪽.
11_ 孫晉泰,『朝鮮民族史槪論(上)』, 乙酉文化社, 1948, 41쪽.
12_ 李基白,『新修版 韓國史新論』, 一潮閣, 1990, 8~9쪽.
13_ 중국의 과거제 전반에 대해서는 何柄棣 著·曺永祿 外譯,『中國科擧制度의 社會史的 硏究』, 동국대학교 출판부, 1987, 1~383쪽을 참고하기 바란다.
14_ 金諍 著·金曉民 譯,『중국 과거문화사』, 동아시아, 2003, 30~31쪽.

이 관직 이외의 직업에 종사한다 하더라도 자신의 자식에게는 과거를 보게 하고 관직을 갖게 하는 것이 이 나라 부모 최고의 소망이었던 것이다. 따라서 이러한 가치관이 충만한 사회에서는 각종 산업이 발전할 수 없었다. 또한 '직업 의식'이 생겨날 수 없다. 직업 의식에는 '긍지'와 '연구심'과 '책임'이 수반된다. 산업 기술이 아니라 漢詩 능력에 의하여 관리를 뽑는 사회에서는 각종 산업이 발달할 수 없는 것은 자명한 이치였다. 결국 한국의 모든 산업은 제자리에 머물러 있거나 오히려 후퇴하게 되었다.[15)]

15_ 최재석, 「科擧의 전통과 산업의 발전」 『역경의 행운』, 다므기, 2011, 194~ 198쪽.

제12장

東北工程論

제1절 동북공정과 그 대응 방안 모색

1. 머리말

국가를 구성하는 3대 요소 가운데 하나가 영토 즉 강역이다. 영토는 국가의 衰旺에 따라 얼마든지 바뀌고 있듯이 고정불변일 수 없다. 설령 과거의 영토라 하더라도 그러한 역사적 자산을 계승한 현재 국가 영역의 근거가 되는 경우가 많다. 아울러 이는 그 영역 안에서 대대로 살아 왔던 주민들의 정체성 내지는 귀속 문제와도 무관하지 않다. 이러한 영토에는 국경을 접하고 있는 이해 당사국이 응당 존재하기 마련이다. 그런 관계로 영토 분쟁이 발생하는 경우도 적지 않다. 이 때는 우리의 논리 이전에 상대국의 논리적 근거와 그 타당성을 냉철하게 따져 보아야 한다.

이러한 맥락에서 중국과의 '역사 전쟁'을 벌였던 한국 북방사의 귀속 문제를 다루어 보고자 한다. 즉 한국사의 큰 軸인 고조선과 고구려·발해의 국적 문제가 된다. 이와 관련해 중국의 한국 북방 영토와 한국사에 대한 인식을 먼저 소개하고자 한다. 그런 연후에 우리나라 고대 왕조들의 영역을 환기함으로써 한·중 역사 분쟁에 대한 대응 방안을 모색하는 계기로 삼고자 한다.

2. 중국의 역사 인식

1) 동북공정의 궁극적 목표

漢族과 55개의 소수 민족으로 구성된 중국은, 현재 중화인민공화국 영토 안에 존재했거나 존재하는 민족들이 중국이라는 통일적 다민족국가를 형성하는 데 일정한 공헌을 했다고 평가한다. 그러므로 이들은 모두가 중국 민족이고 그들의 역사적 활동은 모두 중국 역사의 범주에 속하는 것으로 본다. 나아가 그들이 세운 왕조의 관할 범위의 총합이 중국의 강역에 해당한다는 '통일적 다민족국가론'을 견지하고 있다. 이러한 이론을 중국의 동북 변강에 적용한다면 현재의 중화인민공화국 영토 안에 존재했던 고구려 민족이나 발해 민족은 모두 중국 민족에 속하게 된다. 또 그들의 역사적 활동도 중국 역사에 속하게 되는 것이다. 이같은 중국인들의 역사 인식이 자국 동북 변강에 투영된 산물이 '동북공정'이다. 중국이 동북공정을 추진하는 목적 가운데 하나가 곧 '통일적 다민족국가론'을 예외없이 중국의 모든 영토와 변강에 적용시키려는 데 있다. 그러므로 동북공정은 '통일적 다민족국가론'의 완성을 위한 첫걸음인 것이다.[1]

중국인들은 중화민족에 대한 개념을, 장기간의 역사 발전 과정에서 점차 형성된 민족 집합체로 인식했다. 또 많은 민족은 각자 나름대로 발전의 역사와 문화를 갖는데, 이것이 바로 중화민족의 다원성이라고 표현한다. 중화민족은 분할될 수 없는 통일적 연계를 발전시켜 왔는데, 이것은 중화민족의 일체성을 상징하는 것으로 간주했다. 따라서 중화민족의 다원성과 일체성의 변증통일은 이미 2천여 년의 오랜 발전 과정을 갖는 것으로 평가하였다.[2]

이러한 맥락에서 볼 때 동북공정의 궁극적 목표는 조선족 문제 및 간도(영토) 문제의 공론화를 미리 차단하겠다는 데 있다. '동북공정'은 현대 중국의 역사관·민족관·국가관·영토관이 집약되어 표출된 역사 인식의 산물인 것이다. 동시에 향후 한반도 정세 변화에 대비한 중국의 '만주 전략'이자 동북아시아 전략이기도 하다. 기존의 관련 성과를 토대로 본고를 작성했다.

1_ 윤휘탁, 「중국의 '변강' 연구 동향과 '변강' 인식」『중국의 동북변강연구』 3, 2004.
2_ 장세윤, 「중국의 조선족 문제 연구 동향」『중국의 동북변강연구』 3, 2004.

2) 중국의 소위 邊疆 역사에 대한 인식

현재의 중국인들은 고구려 영역이었던 만주 지역을 자국의 역사 강역으로 인식하고 있다. 그러나 이곳은 과거에 淸 조상들의 발상지라고 하여 오랫 동안 封禁地域으로 묶임에 따라 放棄된 지역이었다. 그러다가 淸朝가 1880년대에 동북 3성을 설치함으로써 만주를 중국의 정식 행정 단위로 편제시켰다. 물론 중국인들은 그 이전부터 만주에서 흥기한 고구려의 역사를 역대 중국 사서의 東夷傳에 편재하여 외국 역사로 인식했었다. 그런데 1937년에 일제는 만주를 침략하여 괴뢰 만주국을 세운 후에 전면적인 중국 본토 침략을 감행하였다. 이로 인해 중국인들은 영토 상실에 대한 위기감이 고조되었고, 역사학 또한 항일 의지를 높이는 방향으로 몰고 가게 되었다. 그러한 상황에서 중국인들은 자국 동북 지역인 만주가 역사적으로 중국의 강역이었음을 강조함으로써, 영토 수복의 당위성을 설명하고자 하였다. 즉 일제 식민사관에 맞서 중국 동북 지역을 중국사의 범주 속에서 정리하고자 한 것이다. 이를 위해 선사시대 이래 漢族의 이주와 개발, 즉 漢化 과정 및 역대 중앙 정권과 동북 지역과의 관계를 강조하는 내용으로 고대사를 서술하는 움직임이 제기되었다.

그러한 맥락에서 주 무왕이 봉했다는 殷人 箕子가 세웠다는 기자조선과 전국시대 연 진개의 동방 원정, 燕人 위만이 건국한 대왕조선, 대왕조선을 멸망시키고 설치한 한사군과, 중국 군현의 영향력이 직접 미친 옥저와 동예에 대한 縣의 설치를 전제로 하고, 그 연장선상에서 고구려의 흥기와 발전 과정을 漢의 지배 정책과 결부지어 인식하였다.

고구려 민족의 기원에 대해서는 예맥 · 부여 · 구리 등 여러 설이 제기되었다. 그러나 그들의 뿌리는 모두 중국에 있다. 이들 민족은 모두 중국 땅에서 태어나고, 중국 땅에서 성장한 고대 민족이라는 것이다. 고구려 민족이 이들 중 어느 하나의 민족에서 기원했든 간에 고구려 민족은 중국 고대 소수 민족 가운데 하나라는 정리된 견해가 제기되었다.

1990년대 후반기에 접어들어 중국에서는 통일적 다민족국가론을 토대로 고구려사를 중국사로 편입시키려는 동북공정을 본격적으로 추진하였다. 중국이 그들 자신의 국가를 통일적 다민족국가라고 규정한 배경에는 한족과 55개의 소수민족으로 구성된 현재의 중화인민공화국 체제를 유지하려는 데 목적이 있었다. 즉 현재의 중국 영토 안에서 일어난 과거의 모든 역사는 중국사에 귀속된다는 논리를 성립시켰다. 그러나 그러한 논리로서는 현재의 중국 영토와 한반도에 걸쳐 있었던 고구려의 역사를 중국의 역사에 모두 담기는 어려웠다. 이에 하나의 역사를 한국과 중국의 양국에서 모두 자국사로 이용하는 '一史兩用'을 주장하기까지 했다. 즉 고구려사를 한국과 중국 모두 자국의 역사로 각각 쓸 수 있다는 논리였다. 그러더니 조공 책봉의 논리를 내세우며 고구려사를 중국사에 편입시키려고 시도하였다. 이와 결부지어 중국은 秦 이래로 통일적 다민족국가였다는 것이다. 중국은 현재가 아닌 과거 한사군 설치 직후의 영토를 기준으로 하여, 고구려는 그 안에서 건립되어 멸망할 때까지 그 영역을 벗어나지 못했다. 고구려는 대대로 중국에 조공까지했으므로, 고구려사는 중국사에 속한다는 주장을 하였다. 물론 고구려는 중국의 변경에 소재한 관계로 자치적인 요소가 많았을 뿐이었다고 해석했다. 고구려의 28대 왕들은 새로 즉위할 때마다 모두 중원의 정권에 책봉을 요청하였고, 자주 조공을 바치며 신하의 예를 다했다. 그리고 隋와 唐의 고구려 원정도 침략 전쟁이 아니라 통일적 다민족 국가의 통일전쟁이었다. 고구려를 중국대륙의 중원 왕조에 臣屬한 지방 정권이라고 주장했다. 고구려 멸망 이후에는 대다수의 고구려인들이 중국에 귀속하였으므로 역시 고구려사는 중국사라는 것이다. 끝으로 중화인민공화국 성립 후에 중국과 북한 양국 정부가 회담을 거쳐 압록강과 두만강을 중국과 한국 양국의 국경으로 삼았다. 이때 회의는 장백산이 周와 秦 이래로 중국의 영토임을 인정하였다. 장백산은 중국 동북의 명산으로 전국시대 이전에는 불함산, 漢과 魏 시기에는 개마대산, 隋·唐時期에는 태백산, 遼와 金 시기에는 장백산이라 하였다. 장백산이라는 이름은 1천년에 가까운 역사를 가지고 있다는 것이다.

발해사의 경우도 발해가 중국 소수민족의 지방 정권 또는 중국 중원왕조에 예속된 지방 정권으로 규정하였다. 그러한 근거로서 책봉·조공관계와 더불어 발해의 고토가 중국 왕조의 관할 구역이었다는 점을 들고 있다. 발해가 唐 王朝의 책봉을 받은 것은 발해가 당 왕조의 하나의 羈縻州이며 하나의 지방행정기구로 된 것을 의미하는 동시에 지방의 민족정권으로서 당 왕조와는 중앙과 지방의 관계가 이루어진 것이다. 이는 또한 藩屬 관계를 의미하는 것이라고 해석했다. 요컨대 현대 중국 지역 모두는 지금이나 과거에도 모두가 중국사였다는 기본 입장을 견지하고 있다. 현재의 영역을 고대로까지 소급해서 적용하려는 역사적 태도는 바람직한 학문적 방향이 될 수는 없다. 요컨대 이러한 역사 인식을 지니고 있다 보니까 한국의 영토는 압록강과 두만강을 넘은 적이 단 한번도 없다는 주장이 제기되는 것이다.

제2절 한반도 바깥의 영토

1. 고조선

古朝鮮의 최종 종착지는 한반도의 평양을 중심한 일대로 밝혀졌다. 그러나 당초에 고조선은 요하의 서쪽인 다링하와 환하 부근을 중심지로하여 소재했던 것으로 보고 있다. 「魏略」에 의하면 전국7웅 가운데 하나인 燕이 王을 칭하면서 그 동쪽 땅을 공략하려 하였다. 그러자 고조선의 侯도 왕을 칭하면서 군사를 일으켜 燕을 칠 계획을 하였다고 한다. 비록 이 계획은 고조선의 大夫인 禮가 만류하여 중지되고 말았다. 이러한 사실은, 고조선의 국가적 성장 없이는 불가능한 일이다. 당시 연은 고조선을 교만하고 잔인하다고 하였다[驕虐]. 그러므로 고조선이 燕에 필적할 만한 강대한 독자적 세력을 자랑하였음을 시사한다. 고조선은, 다링하와 요하를 경계로 연과 대립할 만큼 국가의 영역이 방대하였다.

그런데 고조선은 기원전 4세기 말~기원전3세기 초에 걸쳐서 요동으로 침입하는 燕 세력에 밀리기 시작하였다. 연의 동방 침략은 昭王代(기원전 312~279)에 秦開에 의해 크게 진전되었다. 진개는 東胡에 인질로 가 있다가 돌아온 후 동호를 정벌하여 1천여 리를 개척하였다(『사기』 흉노전). 이 때 진개의 개척은 동호에만 그치지 않고 고조선에까지 미치어 그 서부의 땅을 많이 빼앗았다. 「위략」에 적혀 있는 "그 서방을 공격해서 2천여 리의 땅을 취했다(攻其西方取地二千餘里)"는 기록은, 진개가 동호로 진격하여 개척한 1천여 리에다가 고조선의 서쪽 영내로 계속 쳐들어와 빼앗은 里數를 합한 것으로 보아야 한다. 그렇다고 할 때 고조선이 이때 상실한 실질적인 영역은 서방 1천여 리로 간주되어 진다. 그러니까 다링하유역에서 동쪽으로 압록강 남쪽에 이르는 지역을 상실한 것으로 보여진다. 고조선과 연이 이때 대치한 '滿潘汗'이라는 지역은 랴오닝성 蓋平을 통과하는 緣으로 파악하고 있다.

2. 고구려

중국의 동북공정에서는 고구려가 중국의 한사군 가운데 하나인 현도군 땅에서 일어 났다. 그런 만큼 고구려는 당초부터 중국 역사일 수밖에 없다는 논리를 구사하고 있다. 그런데『삼국사기』유리왕 33년 조에 보면 "漢의 高句麗縣을 襲取했다"라는 기사가 보인다. 현도군 관내의 縣인 고구려현을 고구려가 습격해서 빼앗았음을 말한다. 이 사실은 고구려와 중국의 郡인 현도군 소관의 고구려현과는 아무런 관련이 없음을 뜻하는 것이다. 따라서 동북공정 논리의 핵심적 근거 하나가 성립되지 않는다.

고구려는 중국의 현도군을 공격해서 계속 몰아붙인 관계로 현도군은 제1현도군(압록강 중류와 함경남도 일부에 소재)에서 제2현도군(랴오닝성 신빈현 일대)으로 그리고 제3현도군(랴오닝성 撫順 일대)으로, 즉 고구려의 서북 방향으로 쫓겨 가고 있었다. 고구려는 49년(모본왕 2)에 지금의 중국 北京 근방인 右北平·漁陽·上谷·太原 등지를 침공하기까지 했다. 이는 고구려 군대가 자국 국경에서 출발했다고 하더라도 왕복 7천~8천 리에 이르는 대원정이 되는 것이다. 고구려는 요동군이나 현도군과 같은 중국 변경 지역의 郡을 껑충 뛰어넘어 중국내륙 깊숙히 진출해서 유린하고 있다. 이러한 선상에서 55년(태조왕 3)에는 "遼西에 10城을 축조하여 漢兵을 방비하고 있다(『삼국사기』태조왕 3년조)"는 기록을 남겼다. 고구려는 遼河의 서쪽 지역까지 진출해서, 그것도 定住와 항구적 방비를 위한 시설인 성을 10개나 축조했을 정도로 가히 위협적인 존재로서 중국 역사에 등장하고 있는 것이다. 그랬기에 중국의 正史인『삼국지』에는 "그 나라(고구려) 사람들의 성질은 흉악하고 급하며, 노략질하기를 좋아한다. 길을 걸을 적에는 모두 달음박질하듯 빨리 간다"라고 하였듯이 기력있게 묘사하였다. 말을 잘 타고 활을 잘 쏘았던 고구려 태조왕은 태어날 때부터 눈을 떴다고 했다. 전율할만한 공포의 대상으로 중국인들은 태조왕을 기록하였다. 고구려가 3세기 단계에서 전투적인 훈련에만 전심하는 전사계층을 확보하였고, 桴京이라는 창고를 집집마다 구비하였고, 칼을 뽑기에 용이하게끔 한쪽 다리를 구부린채 뒷다리를 길게 빼는 인사법인 跪拜 또한 그러한 긴박한 정복활동에서 비롯된 산물이라고 하겠다.

이상에서 살폈듯이 고구려는 초기부터 한사군의 하나인 현도군의 바깥에서 운동력이 활발하게 포착되었다. 따라서 고구려는 현도군 관내에서 생겨났으므로 태생적으로 중국 역사라는 논리는 성립되지 않는다.

3. 백제

백제와 중국대륙과의 관계는 문헌에서 뚜렷히 포착된다. 488년에 간행된『宋書』백제 조에 의하면 "백제는 遼西를 경략하였는데, 백제가 다스리는 곳을 晋平郡 晋平縣이라고 하였다"라는 기사가 있다. 또『양서』백제 조에는 "백제 또한 遼西와 晋平 2 郡의 땅을 차지하였는데, 스스로 百濟郡을 두었다"라고 씌어 있다. 백제가 중국의 요서 지역을 경영한 기록을, 중국인 스스로가 남긴 것이다.

게다가『南齊書』에 따르면 백제는 488~490년 사이에 '그(백제) 境界'로 쳐들어온 北魏 騎兵 '수십만'을 궤멸시켰을 뿐 아니라 해상전에서도 대승을 거두었다. 바다를 모르는 유목민족인 선비족이 세운 북위의 군대가 백제 경내로 쳐들어왔다면 한반도가 아니라 백제가 거점을 확보하고 있던 요서 지역으로 보아야 한다는 견해가 많았다. 그 뿐 아니라 백제의 太守 관할 지명으로서 중국대륙 일대가 많이 보인다. 즉 西河太守(山西省 汾陽縣)·廣陽太守(河北省 隆化縣)·朝鮮太守(河北省 盧龍縣)·廣陵太守(江蘇省 揚州市 西北 蜀岡上)·淸河太守(山東省 淸河縣)·帶方太守(遼寧省 義縣 北)·樂浪太守(遼寧省 義縣 北)·城陽太守(河南省 泌陽縣 南) 등이 되겠다.

한편 중국의 復旦大學 歷史地理硏究所에서 간행한『中國歷史地名辭典』에 의하면, 진평군은 泰始 4년(468)에 지금의 福建省 福州市에 설치되었으나 471년에 晋安郡으로 이름을 고친 것으로 나타나고 있다. 이와는 달리 劉鈞仁의『中國歷史地名大辭典』에 의하면 "晋平은 縣 이름인데, 晋이 설치하여 廣州 鬱林郡에 소속시켰고, 南宋(劉宋을 가리킴. 필자)과 南齊도 그대로 하였다. 지금은 없어졌는데 의당 廣西 경계에 있었다"라고 하였다. 그러므로 廣西壯族自治區 내의 蒼梧縣 일대가 된다. 그리고 百濟郡은 "百濟는 지명인데, 廣東 欽縣 서북쪽 180 리에 소재하였고 터가 있는데 澳門과 桂林 2省의 경계가 교차하는 곳이다"(앞책 3권)라고 하였다. 이곳도 마찬가지로 광시 좡족자치구 내가 된다.

이곳은 확실히 우리 문화와의 연관성이 느껴지는 곳이다. 이곳에서는 전라남도 지역에서 보이는 독특한 맷돌과 외다리 방아·서낭당 문화의 흔적 발견되었다. 광시 좡족자치구에서는 정월 보름과 단오절을 명절로 경축하고 있다. 좡족의 민속춤인 '삼현춤'을 출 때는 춤꾼들이 둥근 원을 그리고 춤을 이끄는 남자가 삼현금으로 반주하면 그 밖의 사람들은 음악의 박자에 따라 노래하고 춤추면서 원을 줄이기도 하고 확대하기도 하며 긴 소매자락을 내 젓는다. 이 춤은『삼국지』동이전 마한 관계 기사에 등장할 정도로 유구한 연원을 지닌 강강술래를 연상시킨다. 좡족들은 오랜 역사를 가지고

그림 55 | 광시 좡족자치구 난닝시 곳곳에서 발견되는 '백제' 지명과 간판들.

있는 활쏘기를 잘하였다. 그들은 소리가 나는 신호용 화살인 鳴鏑을 사용할 정도로 활 쏘기에 능숙했는데, 지금도 음력설에는 민속의상을 입고 활쏘기 대회를 한다.

여하간 진평군에 관한 어떠한 기록이 맞든 간에 이들 지역은 백제군과 더불어 해변이거나 해변과 가까운 지역에 소재하였다. 그 밖에 신라 말 최치원의 글에 의하면 "고구려와 백제의 전성 시절에는 强兵이 백만이나 되어 남쪽으로는 吳越을 침공하였고, 북으로는 幽・燕과 齊・魯를 괴롭혀 중국의 커다란 좀[蠹]이 되었다"라고하여 해상을 통한 중국 진출을 언급하고 있다. 『신당서』에서 백제의 서쪽 경계를 越州 즉, 지금의 浙江省 紹興市 부근이라 한 것은 까닭 있음을 알겠다.

백제는 지금의 중국 광시 좡족자치구에도 백제군과 진평군을 설치했다. 백제는 중국 연안 지역에 일종의 거점도시를 경영하여 거대한 네트워크를 설치하였다. 그러한 선상에서 북위와의 交戰이 이루어진 것이다. 6세기 중반 이후 백제는 기존의 제주도와 북규슈 그리고 혼슈의 기나이에 이르는 항로를 오키나와와 타이완 해협 그리고 필리핀과 인도차이나 반도와 인도에 이르는 동남아시아 항로를 개척하였다. 그러한 백제는 항로의 거점 지역에 왕족을 파견하여, 항해의 기항지로서 그리고 교역의 중심지로 삼았던 것이다. 담로제도의 연장선상에서 이루어진 것이다. 부여씨 왕족이었던 黑齒常之의 조상들이 黑齒 지역에 분봉된 사실이 그것을 말한다. 흑치는 지금의 필리핀이므로 백제의 해외경영의 한 단면을 읽을 수 있다.

제3절 역동북공정론 ― 여진사의 귀속 문제

한국의 역사는 중국사와 마찬 가지로 시·공간적으로 확대되어 왔다. 단군을 축으로 하는 시조 인식도 종전에 운위되었던 13세기 경이 아니라 10세기 전후로 앞당겨 볼 수 있게 되었다. 문제는 肅愼에서부터 挹婁와 靺鞨과 그리고 女眞으로 이어지는 족속의 귀속 문제였다. 현재의 21세기에도 淸朝나 만주국이 존재한다면 모르겠지만, 그렇지 않은 상황이다. 그렇다고 할 때 말갈은 고구려 때 부용 세력이었다는 점을 유의해야 한다. 게다가 고려 初期人들은 靺鞨의 先祖인 肅愼의 판도를 한국

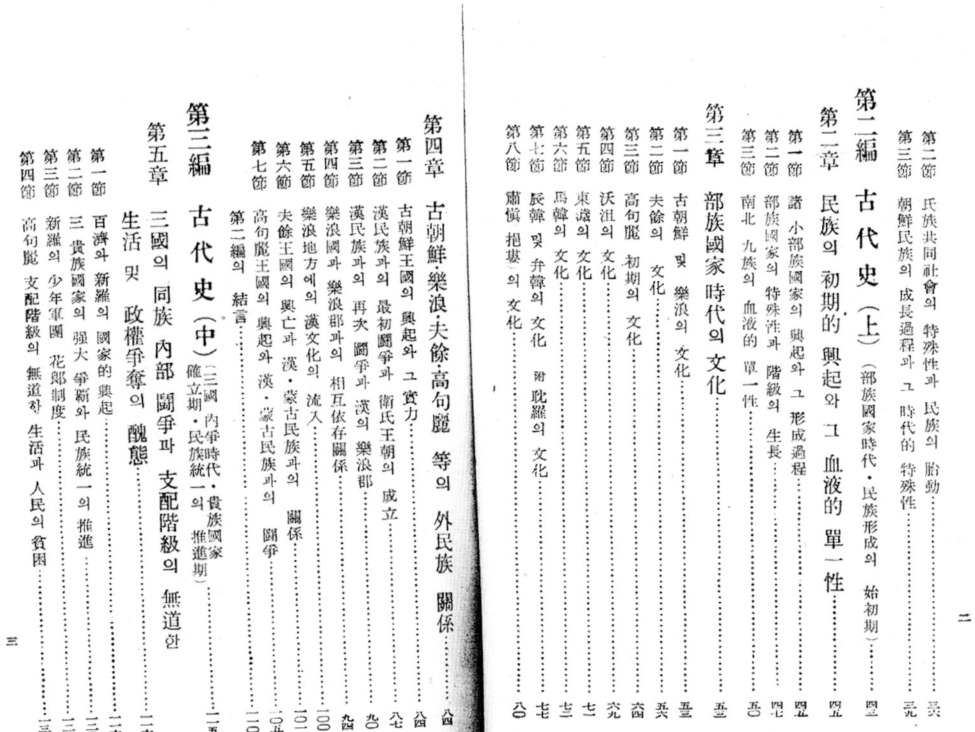

그림 56 | 『조선민족사개론(상)』의 목차에 보이는 '肅愼'

사의 무대로 인식하였다. 이후 여진이 세운 金의 출원지가 고려였고, 또 父母의 나라라는 인식을 지녔던 것이다. 그리고 여진은 耽羅와 마찬 가지로 고려의 蕃에 속하였다. 이렇듯 한국사의 진행과 발전에 조역이자 유사성을 지닌 족속이 곧 女眞이었다.

清朝의 勅撰 史書인『흠정 만주원류고』에 의하면 清朝人들은 자국사에 부여나 삼한 그리고 백제와 신라를 포함시켰다. 이것 보다 더욱 분명하고도 직접적인 사실이 어디에 있을까? 金 始祖가 신라나 고려와 관련 있다는 문제가 아니다. 일관되게 한국에서 출원했음을 내세웠던 金을 계승한 清朝 자신이 결과적으로 한국사 속에 합류하고 있기 때문이다. 이러한 여진의 존재는 민족주의 사학자인 백암 박은식에 의해서 우리 역사로 인식되어졌다. 1937년에 사회경제주의 사학자인 이청원이 도쿄 白揚社에서 간행한『조선역사독본』에서도 읍루를 한국사에 포함시켰다. 그는 '제4장 삼국 쟁패시대'에서 읍루를 고구려·부여·옥저·삼한·예 등과 함께 수록하였다.[3]

해방 후 출간된 손진태의 저작물에서는 숙신 이래 여진의 金史까지 한국사에 편제되었다. 이도학 역시 入關 이전 後金의 역사까지도 한국사 체계에 편제하는 작업도 유효하다고 본다. 정치 이데올로기화한 동북공정에 맞서는 대안 부재에 편승하여 방어논리 개발에만 급급하였다. 그 보다는 차라리 만주 지역에 대한 역사적 승계권을 놓고 중국과 역사 전쟁을 벌이는 게 건설적일 것 같다. 간도 문제와 엮어져 있는 이 사안과 관련해 후금의 역사를 한국사에 편제하는 것은 전략적으로도 유효하다고 본다.[4]

3_ 李清源,『朝鮮歷史讀本』, 白揚社, 1937, 6쪽. 30쪽.
4_ 李道學,「韓國史의 擴大過程과 女眞史의 歸屬 問題」『한민족연구』12, 2012, 179~200쪽.

제4절 바른 역사 인식을 위한 제언

중국에서 고구려를 중국사로 편입하려는 이른바 '동북공정'을 추진하였다. 중국이 고구려사를 자국사에 귀속시키려는 것은 학문적인 성과와는 심히 다른 차원에서 연유했다. 주지하듯이 중국은 우리 나라와는 달리 55개의 소수민족으로 구성된 다민족 국가이다. 그런 이유로 중국은 소수민족들의 이탈과 독립을 막기 위한 차원에서 국가 전략을 수립하였다. 중국은 다민족으로 구성된 소비에트 연방이 해체된 역사적 사례를 반면교사로 삼고 있다. 지금도 위구르에서는 독립전쟁이 일어나고 있고, 그것을 진압하기 위해 중국군이 투입된 상황이다. 그리고 내몽골인들과 조선족은 모국이 존재하고 있고, 더구나 모국과 자치주가 국경을 접하고 있는 상황이다. 이러한 심각한 현실 인식 속에서 중국은 자국 영역에 소재한 조선족자치주에 대한 영유권의 정당성을 확립하려는 차원에서라도 현재 중국 영토 안에서 일어난 모든 역사는 중국사에 귀속된다는 논리를 개발했던 것이다.

이러한 선상에서 중국은 얼마 전까지만 해도 견지했던, 고구려사는 427년에 한반도에 소재한 평양성으로 천도한 이후부터는 한국사였다는 소극적인 논리에서 벗어났다. 이제는 고구려사의 중심축의 이동과는 무관하게 깡그리 중국사에 편입시키고 있다. 그러한 움직임은 어제 오늘의 일이 아니다. 한국사 전체를 치밀하게 검토한 후 중국 중심의 논리 체계를 완성시켰다. 그런 다음 중국에 소재한 고구려 유적에 대한 세계유산 등재를 신청한 것이다.

이제 고구려사 왜곡이 미칠 영향과 문제점은 심각하다. 고구려가 정치·문화적으로 주변의 백제나 신라·가야에 미친 영향력은 가위 절대적이었다. 그러한 고구려사가 중국사가 된다면 우리 역사 체계의 계통이랄까 뿌리가 송두리째 흔들리 게 된다. 고구려를 축으로 해서 형성된 민족 문화는 이제 중국 문화의 아류 내지는 그 영향으로 탈바꿈되어진다. 더 이상 우리 나라 기층 문화의 창조성과 고유성을 운위할 수 없게 된다. 정치적으로는 통일 이후 해결해야 할 간도 문제에 대한 근거를 상당 부분 훼손하게 되었다.

사안의 이 같은 심각성에도 불구하고 우리의 대응은 치밀하지도 못하고 시끄럽기만 할 따름이다.

즉 금번 문제의 핵심은 학문적인 성격을 벗어나 중국의 국가전략에서 기인한 것이었다. 그런데 반해 우리는 이와 관련된 국가전략이 없다는 것이다. 그러다 보니까 허를 찔린 격이 되어 허둥댄듯한 느낌마저 준 바 있다. 우리 정부는 이 문제에 있어서는 '역사주권'을 사실상 포기했다고 비난받아도 할 말이 없는 상황이 된 적도 있었다.

이 상황에서는 대중들의 역사 인식과 역사 교육에 지대한 영향력을 미치는 학자들의 역할이 클 수밖에 없다. 그런데 일부 역사학자들의 인식에서 문제점이 발견된다. 가령 백제회복운동이 종식된 후에 의자왕의 아들인 부여융과 옛 백제 귀족들이 통치하는 웅진도독부가 설치되었다. 영향력 있는 어느 백제사 전문가는 웅진도독부의 역사를 백제사 즉 한국사에서 지운 바 있다. 부여융을 唐人이라고까지 했다. 중국에서 출간된 책자에도 웅진도독부가 설치되었던 백제 땅이 당 영토로 표시되어 있다. 이 무렵 한반도의 서남부 지역을 중국 영토로 간주한 것이다. 비록 학문적 소신이라 하더라도 결과적으로 중국인들에게 동조하는 잘못된 역사 인식을 취한다는 자체가 한국사 왜곡의 빌미를 제공해 주었다.

어떤 고구려사 연구자는 주요 일간지 인터뷰에서, "왜 고구려가 중원으로 진출하지 않았는지 아쉬워한다"는 견해에 대해 "만약 평양으로 옮기지 않았다면 고구려가 한국사가 될 수 있었겠는가"라고 반문했다고 한다. 이러한 답변은 중국인들의 논리와 동일할 뿐더러 고구려의 정체성마저도 파악하지 못한 것이다. 만약 이러한 논리대로라면 한반도에 영역을 미치지 못했던 부여 왕국의 역사는 중국사로 넘겨 주어야 한다. 그리고 중국인들은 지안의 태왕릉은 광개토왕릉, 장군총은 장수왕릉이라고 주장하면서, 평양성 천도를 단행했고 거의 한 세기를 살다가 5세기 말에 사망한 장수왕의 능묘까지도 만주 땅에 묶어두고자 했다. 그러니까 상징성이 큰 고구려 왕릉의 소재지까지 만주 지역으로 설정해서 중국내 고구려 유적에 무게를 싣고자 하였다. 그럼으로써 현재 중국 영토를 중심으로 한 고구려사의 시간적 범위를 확대시키는 동시에, 중국사로서의 이미지를 은연 중 강화시키려 한 것이다. 문제는 이러한 중국측 의도를 눈치채지 못하고 부화뇌동하는 학자들이 있다는 자체가 서글픈 현실이 아닐 수 없다. 그러한 논거가 타당하지도 않을 뿐 더러 지금 중국인들의 논리를 보강해 주는 논조에 힘을 낭비할 때인가?

고구려사가 도둑 맞게 된 데는 우리 역사의 한 軸을 이루는 부여사 교육을 홀시한 데서도 연유한다. 472년에 개로왕이 북위에 보낸 국서에 보면 "저희는 근원이 고구려와 함께 부여에서 나왔습니다"라고 천명한 바 있듯이, 고구려와 백제의 뿌리는 부여였다. 부여는 비록 한반도 북쪽 만주에 소재하였지만, 한국사에 포함되는 것은 부여로 말미암아 고구려와 백제가 탄생한 데서 연유한다. 또 이들 국가는 중국이나 그 주변의 여타 국가들과는 종족과 문화상으로 확연히 구분되는 언어와 풍속이 동일한 문화 공동체였다. 이와 관련해 세계사에서 흔히 보듯이 국가는 이동해서 소재지가 바뀌는 경우가 얼마든지 있다. 그렇다고 그 국가의 귀속성마저 달라지는 것은 아니다. 현재의 중국 영토를 근거로 모든 역사를 중국사에 귀속시킨다면 광대한 북중국을 점유했던 돌궐의 역사는 왜 중국사에 포함시키지 않았는지 반문하고 싶다. 돌궐의 역사는 유럽쪽에 붙은 터키의 역사에 엄연히 귀속되어 있다. 이런 점에 비추어 보더라도 고구려사에 대한 중국의 논리는 확실히 중대한 모순이 아닐 수 없다.

향후 우리가 중국의 고구려사 왜곡에 대처해야 할 방안으로서는 고구려사에 대한 활발한 연구 지원과 외교적 노력을 배가해야 할 것이다. 가령 대한민국 국호의 영문 표기인 Korea 즉 '高麗'는 고구려 당시에 이미 그렇게 불렸다는 사실을 환기시킨다. 5세기 이후 중국과 일본 역사서나 우리나라 금석문 자료에 보면 고구려의 국호를 '고려'로 표기하고 있다. 더구나 16세기말인 1595년(선조 28)에 건주여진의 누루하치에게 사신으로 간 조선의 申忠一 일행을 '高麗國官員'이라고 했다. 건주위 여진은 중국에서 온 '明國官員'과 구분해서 조선 사신의 국적을 '高麗'라고 한 것이다.[5] 중국에서 1874년에 간행한 한국 천주교회사를 『高麗主證』이라 했고, 비슷한 시기에 출간된 동일한 성격의 서적을 『高麗致命史略』이라고 하였다. 모두 조선 대신 '高麗'로 표기했다. 그리고 임진왜란 때 일본에 끌려간 조선 백성들이 거주했던 규슈 곳곳에는 '高麗町'이라는 마을 이름이 남아 있다. 이렇듯 '高麗'는 한국에 대한 범칭으로 일컬어졌다. 게다가 1909년 10월 26일 안중근 의사의 의거를 기리면서 중국의 「民吁日報」는 "高麗의 원수는 우리의 원수이다. 韓人이 자기 원수를 갚는다고 하지만 역시 우리의 원수를 갚은 게 아닌가"[6]라고 한 구절에서도 한국을 고려로 표기하였다. 1860년~1870년대 연해주로 건너간 조선인들은 러시아인들에게 스스로를 '가우리(kauli)'라고 했다. 가우리는 고려를 뜻한다. 연해주 한인들이 조선독립을 위해 1919년에 조직한 '고려인동맹' 등에서도 고려인이라는 표현을 사용했다.[7] 남만춘이 1926년에 海參崴(블라디보스토크)에서 간행한 저서 『압박받는 고려』에서도 '고려'로 적혀 있다. 이 책에서는 한반도를 고려반도로 표기하였다. 한국인들은 1937년에 강제 이주된

5_ 李仁榮, 『建州紀程圖記解說』, 朝鮮印刷株式會社, 1940, 5쪽.
6_ 지해범, 「중국인이 보는 안중근」『朝鮮日報』 2014.1.21.
7_ 이한수, 「눈 덮인 벌판 '우슈토베' … 맨손으로 땅 일군 고려인의 넋이 잠들다」『朝鮮日報』 2019.2.27.

카자흐스탄에서도 '고려인'이라고 하며 정체성을 지켰다. 이러한 사실을 환기시킴으로써 세계인들이 고려 즉 고구려와 대한민국을 일치시켜 인식할 수 있게 끔 홍보하는 게 현실적으로 효과가 크다. 홍보는 단순 명료해야 한다는 차원에서 볼 때 더욱 그러하다.

과거에 우리 역사에서 지배해 왔다는 연고권을 내세워 '우리 땅'이라는 지극히 감상적이고 소박한 논리는 더 이상 공감대를 형성하기 어렵다. 물론 민족 개념이 소멸되어가는 현실이지만, 그렇더라도 국사 교육에서 민족의 형성 과정과 자국사에 대한 체계적인 교육은 필요하다. 낭만적인 영토 관념 보다는 냉철한 현실 인식 속에서 장기적인 국가전략을 세우고 또 그러한 차원에서 국사 교육이 시행되어야 한다. 그래야만 명과 실이 부합하는 국적 있는 교육이 되는 게 아닐까? 중국의 고구려사 왜곡을 통해 단순 암기 과목으로만 알려졌던 국사가 우리에게 왜 필요한지? 왜 살아 있는 교육이 되어야 하는 지를 깨우쳐 주는 일대 전기로 삼아야 할 것이다.

참고문헌

1. 기본 사료 / 자료

『三國史記』, 『三國遺事』, 『帝王韻記』, 『益齋亂藁』, 『高麗史』, 『高麗史節要』, 『太祖實錄』, 『太宗實錄』, 『世宗實錄』, 『世祖實錄』, 『成宗實錄』, 『正祖實錄』, 『高宗實錄』, 『龍飛御天歌』, 『三峰集』, 『三灘集』, 『東文選』, 『朝鮮經國典』, 『經國大典』, 『新增東國輿地勝覽』, 『東國通鑑』, 『三國史節要』, 『承政院日記』, 『錦南集』, 『鶴峯集』, 『東史綱目』, 『擇里志』, 『旅菴全書』, 『四山禁標圖』, 『都城圖』, 『東國地理誌』, 『我邦疆域考』, 『大東地志』, 『四佳集』, 『經筵日記』, 『東京雜記』, 『淸虛堂集』, 『東國通鑑提綱』, 『亂中雜錄』, 『旅菴全書』, 『續東文選』, 『惺所覆瓿藁』, 『芝峰類說』, 『紫巖集』, 『北幕日記』, 『史佳集』, 『東事』, 『星湖先生全集』, 『眉叟記言』, 『熱河日記』, 『白江集』, 『練藜室記述 別集』, 『海東繹史』, 『海東繹史續集』, 『冠巖存稿』, 『耳溪集』, 『簡易集』, 『研經齋全集 外集』, 『存齋集』, 『與猶堂全書』, 『林下筆記』, 『輿地圖書』, 『駕洛三王事蹟考』, 『雅亭遺稿』, 『旬五志』, 『東國輿地備考』, 『冠巖全書』, 『金馬志』, 『疎齋集卷』, 『鑑誡錄』, 『韶濩堂集續』, 『全韻玉篇』, 『湖山錄』, 『休休子自註行路編日記』, 『五洲衍文長箋散藁』, 『阮堂先生全集』, 『文獻備考』, 『靑莊館全書』, 『大東地志』, 『官上下記册』, 『醴泉邑誌』, 『增補文獻備考』, 『雲陽集』

『春秋左傳』, 『尙書大傳』, 『論語』, 『孟子』, 『鹽鐵論』, 『方言』, 『史記』, 『論衡』, 『列仙傳』, 『三國志』, 『搜神記』, 『漢書』, 『後漢書』, 『魏書』, 『宋書』, 『南齊書』, 『梁職貢圖』, 『梁書』, 『洛陽伽藍記』, 『周書』, 『南史』, 『北史』, 『晋書』, 『翰苑』, 『觀世音應驗記』, 『文館詞林』, 『通典』, 『隋書』, 『舊唐書』, 『册府元龜』, 『佛國記』, 『唐朝名畵錄』, 『太平廣記』, 『資治通鑑』, 『高僧傳』, 『續高僧傳』, 『高麗圖經』, 『禮樸』, 『新五代史』, 『遼史』, 『小學』, 『史記會注考證』, 『閒情錄』, 『法苑珠林』, 『佛祖統紀』, 『十國春秋』, 『陸氏南唐書』, 『佛祖歷代通載』, 『重修政和經史證類本草』, 『投筆膚談』, 『欽定滿洲源流考』, 『貴州通志』, 『匡謬正俗』

『日本書紀』, 『續日本紀』, 『扶桑略記』, 『新撰姓氏錄』, 『類聚國史』, 『書紀集解』, 『駐韓日本公使館記錄(3권)』

『구약성경』, 『신약성경』

2. 저서

국립공주박물관, 『天下大安』 2014.

국립경주문화재연구소, 『신라 왕궁 월성』 2018.

국립경주박물관, 『신라토우』 1997.

국립경주박물관, 『文字로 본 新羅』 2002.

국립김해박물관, 『특별전 한국 고대의 갑옷과 투구』 2002.

국립대구박물관, 『압독 사람들의 삶과 죽음』 2000(재판).

국립문화재연구소, 『풍납토성 XⅢ』 2012.

국립문화재연구소, 『풍납토성 XⅣ』 2012.

국립문화재연구소, 『고대국가 부여』 2018.

국립민속박물관, 『하늘과 땅을 잇는 사람들, 샤먼』 2011.

國立扶餘文化財硏究所, 『扶餘 官北里 遺蹟發掘報告Ⅴ-2001~2007년 調査區域 統一新羅時代以後遺蹟篇-』 2011.

국립 부여박물관, 『백제』 1999.

국립 부여박물관, 『백제의 文字』 2002.

국립부여박물관·국립가야문화재연구소, 『나무 속 암호 목간』, 예맥, 2009.

국립부여박물관, 『백제 중흥을 꿈꾸다-능산리사지』2010.

국립중앙박물관, 『문자, 그 이후』, 통천문화사, 2011.

국립중앙박물관, 『쇠 · 철 · 강—철의 문화사』 2017.

국립중앙박물관, 『황금문명 엘도라도 신비의 보물을 찾아서』 2018.

국립중앙박물관, 『황금 인간의 땅, 카자흐스탄』 2018.

국립진주박물관, 『晋州大坪里玉房1地區遺蹟Ⅰ』 2001.

국립청주박물관, 『충청북도 박물관 미술관 찾아가기』 2009.

국사편찬위원회, 『역주 中國正史朝鮮傳 2』 1988.

국사편찬위원회, 『中國正史朝鮮傳 譯註一』, 신서원, 2004.

高裕燮, 『又玄 高裕燮全集 9』, 悅話堂. 2013.

경남문화재연구원, 『晋州玉房7地區先史遺蹟-本文』, 경상남도, 2001.

권승안, 『조선단대사(부여사)』, 과학백과사전출판사, 2011.

權五重, 『樂浪郡研究』, 一潮閣, 1992.

권태원, 『백제의 의복과 장신구』, 주류성, 2004.

孔錫龜, 『高句麗領域擴張史研究』, 서경문화사, 1998.

곽승훈, 『통일신라시대의 정치 변동과 불교』, 국학자료원, 2002.

곽승훈, 『신라 금석문연구』, 한국사학, 2006.

교육인적자원부, 『고등학교 국사』 2002.

金東仁, 『金東仁全集 3』, 三中堂, 1976.

김문환, 『금관의 역사』, 홀리데이북스, 2019.

金秉模, 『한국인의 발자취』,정음사, 1985.

김병모, 『금관의 비밀』, 고려문화재연구원, 2012.

김방한, 『한국어의 계통』, 민음사, 1986.

金庠基, 『(改訂版) 東方史論叢』, 서울대학교 출판부, 1984.

金壽泰, 『新羅中代政治史研究』, 一潮閣, 1996.

김성일 · 이송란,「스키타이의 선주민 킴메르」『스키타이 황금문명』, 예술의 전당, 2011.

金世基, 『고분 자료로 본 대가야 연구』, 학연문화사, 2003.

김원룡, 『한국의 고분』, 세종대왕기념사업회, 1974.

金元龍, 『한국고고학개설(제3판)』, 一志社, 1986.

金瑢俊, 『고구려 고분벽화 연구』, 과학원출판사, 1958 ; 『高句麗古墳壁畫研究』, 열화당, 2001.

김유식, 『신라기와연구』, 민속원, 2014.

김영하, 『신라중대사회연구』, 일지사, 2007.

김영하, 『한국고대사의 인식과 논리』, 성균관대학교 출판부, 2012.

金雲泰,『政治學原論』, 博英社, 1997.

金載元,『檀君神話의 新研究』, 正音社, 1947.

金載元,『檀君神話의 新研究』, 탐구당, 1976.

金貞培,『韓國民族文化의 起源』, 고려대학교출판부, 1973.

金貞培,『韓國古代의 國家起源과 形成』, 고려대학교출판부, 1986.

김정배,『고조선에 대한 새로운 해석』, 고려대학교 민족문화연구원, 2010.

金鍾萬,『사비시대 백제토기 연구』, 서경문화사, 2004.

金泰植,『加耶聯盟史』,一潮閣, 1993.

金哲埈,『韓國古代社會研究』, 知識產業社, 1975.

金哲埈,『韓國古代國家發達史』, 한국일보사, 1975.

김한규,『遼東史』, 문학과지성사, 2004.

盧鏞弼,『新羅眞興王巡狩碑研究』, 一潮閣, 1996.

盧泰敦,『고구려사연구』, 사계절, 1999.

나주문화재연구소,『나주 복암리 3호분』2006.

노중국,『백제부흥운동사』, 一潮閣, 2003.

노중국,『백제 사회사상사』, 지식산업사, 2010.

노중국,『백제의 대외교섭과 교류』, 지식산업사, 2012.

노태돈,『한국고대사』, 경세원, 2014.

단국대학교 부설 동양학연구소,『漢韓大辭典』1, 1999.

潭陽郡誌編纂委員會,『潭陽郡誌』1980.

丹齋申采浩先生紀念事業會,「朝鮮上古史」『改訂版 丹齋申采浩(上)』, 螢雪出版社, 1987.

류렬,『세 나라 시기의 리두에 대한 연구』, 과학백과사전 출판사, 1983.

리지린,『고조선연구』, 과학원출판사, 1963.

리태영,『조선광업사 1』, 공업종합출판사, 1991.

문경시,『문경 선비 홍낙건의 유자적 삶』2016.

文暻鉉,『新羅史研究』, 慶北大學校 出版部, 1983.

文暻鉉,『增補 新羅史研究』도서출판 참, 2000.

문점식, 『(증보판) 역사 속 세금 이야기』, 세경사, 2012.

문점식, 『(3판) 역사 속 세금 이야기』, 세경사, 2018.

박대재,『고대한국 초기국가의 왕과 전쟁』, 경인문화사, 2006.

박득준, 『고조선력사개관』, 사회과학출판사, 1999.

朴方龍, 『新羅都城』, 학연문화사, 2013.

박선희, 『한국 고대 복식—그 원형과 정체』, 지식산업사, 2002.

朴淳發, 『한성백제의 誕生』, 서경문화사, 2001.

朴龍雲, 『高麗時代史 (上)』, 一志社, 1985.

박종인, 『대한민국 징비록』, 와이즈맵, 2019.

박준형, 『고조선사의 전개』, 서경문화사, 2014.

박태식, 『넘치는 매력의 사나이 예수』, 들녘, 2013.

朴海鉉, 『新羅中代政治史硏究』, 국학자료원, 2003.

釜山大學校 博物館, 『蔚山 下垈遺蹟--古墳』 1997.

부산 복천박물관, 『古代 戰士』 1999.

白南雲, 『朝鮮社會經濟史』, 改造社, 1933.

白承玉, 『加耶各國史硏究』, 혜안, 2003.

백제문화개발연구원, 『百濟瓦塼圖錄』, 1983.

變太燮, 『韓國史通論』, 三英社, 1986.

사회과학원 력사연구소, 『조선전사 2』, 과학백과사전종합출판사, 1979.

사회과학원 력사연구소, 『조선전사 2』, 과학백과사전종합출판사, 1991.

사회과학원 력사연구소, 『조선전사 3, 중세편』, 과학백과사전종합출판사, 1991.

孫明助, 『韓國古代鐵器文化硏究』, 진인진, 2012.

손영종, 『고구려사 1』, 과학백과사전종합출판사,1990.

손영종, 『조선단대사(고구려사 4)』, 과학백과사전출판사, 2008.

손영종 외, 『조선통사(상) 개정판』, 사회과학출판사, 2009.

孫晉泰, 『朝鮮民族史槪論(上)』, 乙酉文化社, 1948.

孫晉泰, 『國史大要』, 乙酉文化社, 1949.

孫晉泰, 『孫晋泰先生全集 6』, 太學社, 1981.

宋基豪, 『渤海政治史硏究』, 一潮閣, 1995.

송호정, 『한국고대사 속의 고조선사』, 푸른역사, 2003.

송호정, 『처음 읽는 부여사』, 사계절, 2015.

송파문화원, 『향토 사례집, 송파의 뿌리』 1999.

서길수, 『한말 유럽 학자의 고구려 연구』, 여유당, 2007.

서영남, 『청동기시대의 대평 마을 속으로, 진주 청동기 박물관』, 김영사, 2008.

서울大學校 博物館, 『石村洞 積石塚發掘調査報告』 1975.

서울大學校 博物館, 『石村洞3號墳 東쪽古墳群 整理調査報告』1986.

서울大學校 博物館, 『石村洞 古墳群 發掘調査報告』 1987.

서울大學校 博物館, 『石村洞 1·2號墳』 1989.

서정석, 『백제의 성곽』, 학연문화사, 2002.

申采浩, 『朝鮮史硏究艸』, 乙酉文化社, 1974.

申虎澈, 『後百濟 甄萱政權硏究』, 一潮閣, 1993.

심경호, 『茶山과 春川』, 강원대학교출판부, 1996.

양산시립박물관, 『100년 전 양산으로의 여행』 2018.

여호규, 『고구려 초기 정치사 연구』, 신서원, 2014.

오영찬, 『낙랑군연구』, 사계절, 2006.

오지영 著·이장희 校註, 『동학사』, 博英社, 1990(중판).

禹實河, 『요하 문명과 한반도』, 살림, 2019.

울산박물관, 『개관기념도록(개정판) 울산박물관』2014.

윤명철, 『해양활동과 국제항로의 이해』, 학연문화사, 2012.

윤용혁, 『가루베지온의 백제 연구』, 서경문화사, 2010.

이규동, 『위대한 콤플렉스』, 대학문화사, 1985.

이기문, 『新訂版 국어사개설』, 태학사, 2005.

李基白, 『韓國史新論』, 一潮閣, 1979.

李基白·李基東, 『韓國史講座 古代篇』, 一潮閣, 1982.

李基白,『新羅思想史研究』, 一潮閣, 1986.
李基白,『新修版 韓國史新論』, 一潮閣, 1990.
李南奭,『百濟石室墳研究』, 학연문화사, 1995.
李道學,『백제 고대국가 연구』, 一志社, 1995.
李道學,『꿈이 담긴 한국 고대사 노트 (상)』, 一志社, 1996.
李道學,『새로 쓰는 백제사』, 푸른역사, 1997.
李道學,『진훤이라 불러다오』, 푸른역사, 1998.
李道學,『고대문화산책』, 서문문화사, 1999.
李道學,『한국고대사, 그 의문과 진실』, 김영사, 2001.
이도학,『살아 있는 백제사』, 휴머니스트, 2003.
李道學,『서울의 백제고분, 석촌동고분』, 송파문화원, 2004.
李道學,『고구려 광개토왕릉비문 연구』, 서경문화사, 2006.
李道學,『역사가 기억해 주는 이름』, 서경문화사, 2007.
李道學,『누구를 위한 역사인가』, 서경문화사, 2010.
李道學,『백제한성 · 웅진성시대연구』, 一志社, 2010.
李道學,『백제 사비성시대 연구』, 一志社, 2010.
李道學 · 송영대 · 이주연,『육조고도 남경』, 주류성, 2014.
李道學,『후백제 진훤대왕』, 주류성, 2015.
李道學,『후삼국시대 전쟁연구』, 주류성, 2015.
李道學,『新羅 · 加羅史研究』, 서경문화사, 2017.
이도학,『삼국통일 어떻게 이루어졌나』, 학연문화사, 2018.
李道學,『가야는 철의 왕국인가』, 학연문화사, 2019.
이동훈,『고구려 중·후기 지배체제 연구』, 서경문화사, 2019.
이문기.『신라 하대 정치와 사회 연구』, 학연문화사, 2015.
李文鉉,『高麗 太祖의 國家經營』, 서울대학교 출판부, 1996.
李丙燾,『韓國史 古代篇』,乙酉文化社, 1959.
李丙燾,『韓國古代史研究』, 博英社, 1976.

李丙燾 譯,『國譯 三國史記』, 乙酉文化社, 1977.

李範奭,『우둥불』, 思想社, 1971.

李鎔賢,『가야제국과 동아시아』, 통천문화사. 2007.

이영석,『南北朝佛教史』, 혜안, 2010.

이영호,『신라 중대의 정치와 권력구조』, 지식산업사, 2014.

李仁榮,『建州紀程圖記解說』, 朝鮮印刷株式會社, 1940.

李仁榮,『國史要論』, 金龍圖書株式會社, 1950.

李鍾旭,『古朝鮮史研究』, 一潮閣, 1993.

李鍾旭,『신라의 역사 2』, 김영사, 2002.

이재성,『고구려와 유목민족의 관계사연구』, 소나무, 2018.

이재호 譯,『三國史記』, 솔, 1997.

이정빈,『고구려-수 전쟁』, 주류성, 2018.

李鍾學,『新羅花郎·軍事史研究』, 서라벌군사연구소, 1995.

李淸源,『朝鮮歷史讀本』, 白揚社, 1937.

李春植 主編,『중국학자료해제』, 신서원, 2003.

李弘稙,『韓國古代史의 研究』, 신구문화사, 1971.

李弘稙,『한 史家의 遺薰』, 통문관, 1972.

李熙德,『韓國古代自然觀과 王道政治』, 혜안, 1999.

인천광역시,『문학산성 지표조사 보고서』 1997.

인하대학교 박물관,『인천 문학산 주변 지역 일대 지표조사』 2002.

林光澈,『朝鮮歷史讀本』, 白楊社, 1949.

장국종,『조선정치제도사』, 과학백과사전종합출판사, 1989.

장창은,『고구려 남방진출사』, 경인문화사, 2014.

조영제 外,『합천 옥전고분군5-M4·M6·M7호분』, 경상대학교박물관, 1993.

정재남,『중국 소수민족 연구』, 한국학술정보, 2007.

정형진,『대륙에서 열도까지 문화로 읽어낸 우리 고대』, 휘즈북스, 2017.

종교학사전 편찬위원회 編,『종교학대사전』, 한국사전연구사, 1998.

全榮來,『南原月山里古墳群發掘調查報告』, 圓光大學校 馬韓百濟文化研究所, 1983.

全浩天,『樂浪文化と古代日本』, 雄山閣出版, 1998.

全海宗,『동이전의 문헌적 연구』, 一潮閣, 1980.

정구복,『한국인의 역사 인식—고대편』, 한국정신문화연구원, 1989.

鄭仲煥,『加羅史硏究』,혜안, 2000.

중원문화재연구원,『예천 어림성』2009.

조법종,『고조선 고구려사연구』, 신서원, 2006.

崔南善,『朝鮮及朝鮮民族』, 朝鮮通信社, 1928;『六堂崔南善全集』2, 현암사, 1973.

崔南善,『新訂 三國遺事』, 民衆書館, 1941.

최병식 外,『강남의 역사』, 강남문화원, 2014.

최병욱,『(개정판) 동남아시아사-전통시대』, 산인, 2018.

최종석,『한국 중세의 읍치와 성』, 신구문화사, 2014.

최종택,『아차산 보루와 고구려 남진경영』, 서경문화사, 2014.

최진열,『발해 국호 연구 - 당조가 인정한 발해의 고구려 계승 묵인과 부인-』, 서강대학교 출판부, 2015.

최진열 ,『효문제의 한화정책과 낙양 호인사회』, 한울, 2016.

최진열,『중국 북조 지방통치 연구』, 아카넷, 2019.

최한우,『중앙아시아』, 펴내기, 1992.

千寬宇,『古朝鮮史·三韓史硏究』, 一潮閣, 1989.

千寬宇,『加耶史硏究』, 一潮閣, 1991.

충청남도역사문화연구원,『유적 유물로 본 백제(Ⅰ)』2008.

충청남도역사문화연구원,『百濟史資料譯註集(日本篇)』2008

忠北大學校博物館,『淸州 新鳳洞古墳群』1995.

忠北大學校博物館,『淸州鳳鳴洞遺蹟(Ⅱ) 본문편』2005.

한강문화재연구원,『김포 운양동 유적Ⅰ(2권)』(42册) 2013.

한강문화재연구원,『김포 운양동 유적Ⅱ(2권)』(36册), 2013.

한국고고학회,『한국고고학강의(개정판 3쇄)』, 사회평론, 2012.

한국고대사회연구소,『譯註 韓國古代金石文 Ⅰ·Ⅱ』1992.

한국고대사연구회, 『한국사의 시대구분』, 신서원, 1995.

한국고문서학회, 『조선시대 생활사』, 역사비평사, 1996.

한국역사연구회, 『譯註 羅末麗初金石文(下)』, 혜안, 1996.

韓國精神文化研究院, 『譯註 經國大典 註釋篇』 1986.

한글학회, 『한국지명총람 1(서울편)』 1966.

한신대학교 박물관, 『風納土城Ⅳ(本文·圖面)』 2004.

한영우, 『다시 찾은 우리 역사』, 경세원. 2018.

韓佑劤, 『韓國史通史』, 乙酉文化社, 1970.

허종호 외, 『고조선력사개관』, 사회과학출판사, 1999.

姜維公, 『百濟歷史編年』, 科學出版社, 2016.

耿鐵華, 『中國高句麗史』, 吉林人民出版社, 2002.

宮脇淳子, 『這才是眞實的中國史(1840~1949)』, 八旗文化出版, 2016.

吉林省文物志編委會, 『集安縣文物志』 1984.

吉林省文物考古研究所, 『楡樹老河深』, 文物出版社, 1987.

吉林省文物考古研究所·集安市博物館, 『集安高句麗王陵』, 文物出版社, 2004.

金諍 著 · 金曉民 譯, 『중국 과거문화사』, 동아시아, 2003.

盧弼, 『三國志集解』柒, 上海古籍出版社, 2012.

潭其驤 主編, 『中國歷史地圖集』, 地圖出版社, 1988.

馬家鼎 外, 『大明寺』, 南京出版社, 2005.

遼寧省文物考古研究所, 『三燕文物精髓』, 遼寧人民出版社, 2002.

辽海文物学刊编辑部, 『遼海文物學刊』 1991-1.

王星光·張强·尙群昌, 『生態環境變遷與社會嬗變互動』人民出版社, 2016.

劉節 著·辛太甲 譯, 『中國史學史講義』, 신서원, 2000.

李聯盟, 『中國地域文化通覽 (內蒙古卷)』, 中華書局, 2013.

任繼愈, 『中國佛敎史』, 中國社會科學出版社, 1981.

林聲 · 彭定安, 『中國地域文化通覽 (遼寧卷)』, 中華書局, 2013.

張分田 著·이제훈 譯, 『진시황평전』, 글항아리, 2011.

周達觀 著 · 전자불전 · 문화재콘텐츠연구소 篇,『진랍풍토기』, 백산자료원, 2007.

中文大辭典編纂委員會,『中文大辭典』1 · 3 · 5 · 8, 1973.

평유란 著·박정규 譯,『중국철학사(上)』, 까치, 1999.

何柄棣 著 · 曺永祿 外譯,『中國科擧制度의 社會史的 硏究』, 동국대학교 출판부, 1987.

邢澍·楊紹廉 著·佐野光一 編,『金石異體字典』雄山閣出版社, 1980.

黃敏枝 著·임대희 譯,『중국 역사상의 불교와 경제』, 서경문화사, 2002.

가와카쓰 요시오 著 · 안대희 譯,『중국의 역사—위진남북조』, 서경문화사, 2004.

岡田英弘,『倭國』, 中央公論社, 1977.

關野貞,『(新版) 朝鮮の建築と藝術』, 岩波書店, 2005.

鎌田茂雄 著·章輝玉 譯,『중국 불교사 1 · 3』, 장승, 1992.

輕部慈恩,『百濟美術』, 寶雲舍, 1946.

京城電氣株式會社,『京電ハイキングコース 第三輯 風納里土城』1937.

今西龍,『新羅史硏究』, 近澤書店, 1933.

今西龍,『百濟史硏究』, 近澤書店, 1934.

今西龍,『朝鮮古史の硏究』, 近澤書店, 1937.

今西龍,『高麗史硏究』, 近澤書店, 1944.

旗田巍 編著,『古代朝鮮の基本問題』, 學生社, 1974.

大林太良,『邪馬臺國』, 中央公論社, 1977.

稻葉岩吉 外,『世界歷史大系 11 朝鮮滿洲史』, 平凡社, 1935.

都出比呂志,『古代國家はいつ成立したか』, 岩波書店, 2011.

東潮 · 田中俊明,『高句麗の歷史と遺跡』, 中央公論社, 1995.

武光誠 · 山岸良二,『改訂版 邪馬台國事典』, 同成社, 1998.

末松保和,『新羅史の諸問題』, 東洋文庫, 1954.

末松保和,『任那興亡史』, 吉川弘文館, 1956.

梅原末治·藤田亮策,『朝鮮古文化綜鑑 Ⅰ』, 養德社, 1947.

武光誠 · 山岸良二,『改訂版 邪馬台國事典』, 同成社, 1998.

木村清孝 著·朴太源 옮김,『中國佛教思想史』, 경서원, 1988.

本鄉和人,『日本史のツボ』, 文藝春秋, 2018.

白石太一郎,『考古學からみた倭國』, 青木書店, 2009.

白鳥庫吉,『白鳥庫吉全集 3』, 岩波書店, 1970.

사카이야 다이치 著 · 최현숙 譯,『문명의 변화를 말한다! 동경대 강의록』, 동양문고, 2004.

山本西郎·上田正昭·井上滿郎,『解明新日本史』, 文英堂, 1983.

山本孝文,『古代朝鮮の國家體制と考古學』, 吉川弘文館, 2017.

三上次男,『古代東北アジア史研究』, 吉川弘文館, 1966.

三品彰英,『日本書紀朝鮮關係記事考證(上 · 下)』, 吉川弘文館, 1962.

三品彰英,『新羅花郎の研究』, 平凡社, 1974.

三品彰英,『三國遺事考證(中)』, 塙書房, 1979.

上田正昭,『文字』, 社会思想社, 1975.

西嶋定生,『古代東アジア世界と日本』, 岩波書店, 2000.

小口偉一·堀一郎 監修,『宗教學辭典』, 東京大學出版會, 1973.

小野忠熙,『高地性集落論』, 學生社, 1984.

小倉紀藏,『朝鮮思想全史』, 筑摩書房, 2017.

시바료타로,『역사의 교차로에서』, 책과 함께, 2004.

神田信夫 · 山根幸夫 編,『中國史籍解題辭典』, 燎原書店, 1989.

岩佐精一郎,『岩佐精一郎遺稿』, 三秀社, 1936.

五味文彦·鳥海靖 編,『もういちど讀む山川日本史』, 山川出版社, 2010.

이나바 이와키치 著·서병국 譯,『만주사통론』, 한국학술정보, 2014.

伊藤仁齋 著 · 최경열 譯,『孟子古義』,그린비, 2016.

李成市,『東アヅアの王權と交易』, 青木書店, 1997.

齋藤忠,『古代朝鮮文化と日本』, 東京大學出版會, 1981.

齋藤忠,『東アジア葬 · 墓制の研究』, 第一書房, 1987.

佐伯有淸,『新撰姓氏錄の研究(考證篇 第1)』, 吉川弘文館, 1981.

田村晃一,「高句麗と積石塚」,『樂浪ど高句麗の考古學』, 同成社, 2001.

井上光貞,『日本の歴史 (3)飛鳥の朝廷』, 小學館, 1974.

井上秀雄,『古代朝鮮』, 日本放送出版協會, 1972.

篠田知和基,『世界神話入門』, 勉誠出版, 2017.

朝·中合同考古學發掘隊 著·東北アジア考古學研究會 譯,『崗上·樓上』, 六興出版, 1986.

朝鮮總督府,『朝鮮古蹟圖譜』 제3권, 1916.

朝鮮總督府,『大正五年度朝鮮古蹟調査報告』1917.

朝鮮總督府,『朝鮮金石總覽(上)』 1919.

朝鮮總督府,『大正六年度朝鮮古蹟調査報告』1920.

朝鮮總督府,『昭和二年度古蹟調査報告(第2册)』 1929.

朝鮮總督府,『朝鮮寶物古蹟調査資料』 1942.

津田左右吉,『古事記及び日本書紀の新研究』, 洛陽堂, 1919.

津田左右吉,『日本上代史研究』, 岩波書店, 1930.

津田左右吉,『津田左右吉全集 18』, 岩波書店, 1965.

倉本一宏,『戰争の日本古代史』, 講談社, 2017.

坂本太郎 等 校注,『岩波文庫--日本書紀(三 · 四 · 五)』岩波書店, 1995.

八幡和郎,『韓國と日本がわかる最强の韓國史』, 育鵬社, 2018.

平野邦雄,『大和前代政治過程の研究』, 吉川弘文館, 1985.

下山忍 · 會田康範 編,『もういちど讀む 山川 日本史 史料』, 山川出版社, 2017.

護雅夫,『遊牧騎馬民族國家』, 講談社, 1967.

강톨가 外 著 · 김장구 · 이평래 譯,『몽골의 역사(재판)』, 동북아역사재단, 2015.

Ibn Khaldun, Mugudima 著 · 金容善 譯,『이슬람思想』, 삼성출판사, 1976.

Arthur F. Wright 著 · 양필승 譯,『중국사와 불교』, 신서원, 1994.

니콜라 디코스모 著·이재정 譯,『오랑캐의 탄생』, 황금가지, 2005.

데이비드 데이 著·이경식 譯,『정복의 법칙--남의 땅을 빼앗은 자들의 역사 만들기』, human& Books, 2006.

루이스 헨리 모건 著 · 최달곤 정동호 譯,『고대사회』, 문화문고, 2000.

Marila Albanese, THE TREASURES OF ANGKOR, White Star, 2011.

마이크 보몽 著 · 김효준 譯, 『바이블 가이드』, 생활성서사, 2013.

마크 C. 엘리엇 著 · 이훈 · 김선민 譯, 『만주족의 청제국』, 푸른역사, 2009.

발레리 한센 著 · 신성곤 譯, 『열린제국: 중국 고대-1600』, 까치, 2005.

에르네스트 르낭 著 · 신행선 譯, 『민족이란 무엇인가』, 책세상, 2002.

Benedict Anderson, Imagined Communities Reflections on the Origin and Spread of Nationalism, Verso, 2016.

베네딕트 앤더슨 著 · 윤형숙 譯, 『상상의 공동체—민족주의의 기원과 전파에 대한 성찰』, 나눔출판, 2002.

Talattekin 著·이용성 譯, 『돌궐비문연구』, 제이앤씨, 2008.

앤터니 비버 著·김원중 譯, 『스페인 내전』, 교양인, 2009.

유엠 부찐 著·이항재·이병두 譯, 『고조선』, 소나무, 1990.

Ibn Khaldun, Mugudima 著·金容善 譯, 『이슬람思想』 삼성출판사, 1976.

쟈 밥티스트 레지, 『18세기 프랑스 지식인이 쓴 고조선, 고구려의 역사』, 아이네아스, 2018.

G.Codes 著 · 山本智教 譯, 『東南アシ"ア文化史』, 大藏出版, 1989.

조나단 하스 著 · 崔夢龍 譯, 『원시국가의 진화』, 민음사, 1989.

Jonathan W. Best, A History df Early Korean Kingdom of Paekche, 2006.

조너선 펜비 著 · 노만수 譯, 『장제스 평전』, 민음사, 2014.

조지 오웰 著·정성희 譯, 『1984』, 민음사, 2016.

판슈즈 著 · 김대환 等譯, 『100가지 주제로 본 중국의 역사』, 고려대학교 출판부, 2007.

색인

ㄴ

ㄷ

ㄹ

ㅁ

ㅂ

ㅅ

ㅇ

ㅈ

ㅊ

ㅋ

ㅌ

ㅍ

ㅎ